1年
2年
3年
4年
5年
6年
さくいん

本文《ほんもん》で使《つか》われているおもな記号《きごう》

おん 音　見出《みだ》しの漢字《かんじ》の音読《おんよ》み。（　）のついたものは中学校《ちゅうがっこう》で、《　》のついたものは高等学校《こうとうがっこう》で学習《がくしゅう》するもの。

くん 訓　見出《みだ》しの漢字《かんじ》の訓読《くんよ》み。細《ほそ》い字《じ》は送《おく》りがな。（　）のついたものは中学校《ちゅうがっこう》で、《　》のついたものは高等学校《こうとうがっこう》で学習《がくしゅう》するもの。

なりたち 成り立ち　見出《みだ》しの漢字《かんじ》がどのようにしてできたかや、もとの意味《いみ》の説明《せつめい》。

れい文 例文　見出《みだ》しの漢字《かんじ》がどのように使《つか》われるかをしめした文《ぶん》。

いみ 意味　見出《みだ》しの漢字《かんじ》の意味《いみ》。

ついご 対語　見出《みだ》しの漢字《かんじ》と対《つい》になる漢字《かんじ》。

くもんの学習

漢字字典

第三版

小学校学習指導要領準拠版

監修：和泉　新
（図書館情報大学名誉教授・聖徳大学教授）

くもん出版

改訂第三版《かいていだいさんぱん》の刊行《かんこう》にあたって

図書館情報大学名誉教授《としょかんじょうほうだいがくめいよきょうじゅ》
聖徳大学教授《せいとくだいがくきょうじゅ》
和泉《いずみ》 新《しん》

『くもんの学習漢字字典《がくしゅうかんじじてん》』は、一九八九年《ねん》に刊行《かんこう》されて以来今日《いらいこんにち》まで、多《おお》くの小学生《しょうがくせい》に使《つか》っていただいています。小学生《しょうがくせい》の学習漢字《がくしゅうかんじ》を学年別《がくねんべつ》にまとめ、一字一字《いちじいちじ》の成《な》り立《た》ち・読《よ》み方《かた》・書《か》き方《かた》と意味《いみ》がわかるように、例文《れいぶん》をたくさんしめしてある点《てん》がみなさんに喜《よろこ》ばれたのだと思《おも》います。今回三回目《こんかいさんかいめ》の改訂《かいてい》をむかえるにあたり、これらの特長《とくちょう》を生《い》かしつつ、よりみなさんの役《やく》に立《た》つようなくふうを加《くわ》えてみました。

新《あたら》しい小学校《しょうがっこう》教科書《きょうかしょ》や児童《じどう》読《よ》み物《もの》の調査《ちょうさ》をもとに、熟語《じゅくご》をよりたくさんしめし、すこしむずかしいと思《おも》われる熟語《じゅくご》には、できるかぎり意味《いみ》をつけ、理解《りかい》の助《たす》けとなるようにしました。漢字《かんじ》の成《な》り立《た》ちも、よりわかりやすいものになるように見直《みなお》しをしました。また、小学生《しょうがくせい》が知《し》っているとよいと思《おも》われる四字熟語《よじじゅくご》をのせ、巻末《かんまつ》に例文《れいぶん》と意味《いみ》をまとめています。このほかにも、巻末《かんまつ》には「反対《はんたい》・対《つい》の漢字《かんじ》と熟語《じゅくご》」「同音異義語《どういいぎご》」など、漢字学習《かんじがくしゅう》の助《たす》けとなることがらをまとめてしめしました。漢字《かんじ》を引《ひ》くだけでなく、字典《じてん》を読《よ》んで、漢字《かんじ》についての理解《りかい》を深《ふか》めてください。

パソコンや電子辞書《でんしじしょ》の発達《はったつ》によって、みなさんの日常生活《にちじょうせいかつ》のなかで、漢字《かんじ》を知《し》ったり、使《つか》ったりする機会《きかい》が多《おお》くなってきていると思《おも》います。しかし、一字一字《いちじいちじ》の漢字《かんじ》の読《よ》み方《かた》、書《か》き方《かた》、意味《いみ》をしっかり身《み》につけるためには、『漢字字典《かんじじてん》』をたびたび引《ひ》いてみることがたいせつです。わからない漢字《かんじ》があったら、気軽《きがる》に字典《じてん》を引《ひ》いてみるとよいでしょう。自分《じぶん》で調《しら》べて知《し》る楽《たの》しさを味《あじ》わいながら、漢字《かんじ》に親《した》しんでいってください。

二〇〇三年《ねん》二月《にがつ》

初版序文《しょはんじょぶん》より

はじめに

青山学院大学教授
前文部省教科調査官
本堂《ほんどう》 寛《ひろし》

漢字《かんじ》は今《いま》から一五〇〇年《ねん》ほど前《まえ》、中国《ちゅうごく》から日本《にっぽん》につたえられました。その漢字《かんじ》を使《つか》って、わたしたちは日本語《にほんご》の文章《ぶんしょう》を書《か》きあらわすことができるようになりました。ですから、漢字《かんじ》を正《ただ》しく使《つか》うことは、国語《こくご》の学習《がくしゅう》で、もっともたいせつなことの一《ひと》つです。

漢字《かんじ》は、「あいうえお」などの平仮名《ひらがな》や、「カキクケコ」などの片仮名《かたかな》とちがって、一字一字《いちじいちじ》意味《いみ》をもっています。また、一《ひと》つの漢字《かんじ》でも二《ふた》つ以上《いじょう》の読《よ》み方《かた》があるものがたくさんあります。そして、形《かたち》も簡単《かんたん》なものから複雑《ふくざつ》なものまでさまざまです。漢字《かんじ》の学習《がくしゅう》では、この、意味《いみ》・読《よ》み方《かた》・形《かたち》の三《みっ》つをまとめて学習《がくしゅう》することがとてもたいせつです。

この字典《じてん》には、小学校《しょうがっこう》で学習《がくしゅう》する漢字《かんじ》一〇〇六字《じ》が学年別《がくねんべつ》におさめられています。そして、一字一字《いちじいちじ》の漢字《かんじ》の意味《いみ》、成《な》り立《た》ち、読《よ》み方《かた》、書《か》き方《かた》がまとめてわかるように、たくさんの例文《れいぶん》を使《つか》って説明《せつめい》してあります。とくに、いろいろな考《かんが》え方《かた》のある、漢字《かんじ》の成《な》り立《た》ちについては、黒須重彦先生《くろすしげひこせんせい》にお願《ねが》いして、現在《げんざい》もっとも信頼《しんらい》されている考《かんが》え方《かた》をわかりやすく説明《せつめい》していただきました。また、説明文《せつめいぶん》の全部《ぜんぶ》の漢字《かんじ》にふり仮名《がな》がついていますから、一年生《いちねんせい》でも、二年生《にねんせい》・三年生《さんねんせい》のページを読《よ》むことができます。

そのほか、漢字《かんじ》の理解《りかい》に役立《やくだ》つ絵《え》や、漢字《かんじ》に関係《かんけい》した読《よ》み物《もの》もついています。引《ひ》いて意味《いみ》や読《よ》み方《かた》がわかるだけでなく、読《よ》んでも楽《たの》しい字典《じてん》になるようにくふうしました。

この字典《じてん》をくり返《かえ》し使《つか》うことによって、漢字《かんじ》の力《ちから》をのばしながら、むかしの人《ひと》が考《かんが》えだした漢字《かんじ》のすばらしさを感《かん》じてほしいと思《おも》います。

一九八九年十二月《ねんじゅうにがつ》

この字典《じてん》のきまり・使《つか》い方《かた》

1 漢字《かんじ》のならべ方《かた》について

①この字典《じてん》は、小学校《しょうがっこう》で学習《がくしゅう》する漢字《かんじ》を一年生《いちねんせい》から六年生《ろくねんせい》までの学年《がくねん》ごとにまとめてあります。

②学習《がくしゅう》する漢字《かんじ》は、【 】の中《なか》に、各学年《かくがくねん》ごとに五十音順《じゅうおんじゅん》（ア・イ・ウ・エ・オ……の音順《おんじゅん》）にならべてあります。

イ／7画
【作】
おん　サク・サ
くん　つくる

⺮／14画
【算】
おん　サン
くん　―

止／4画
【止】
おん　シ
くん　とまる・とめる

③同《おな》じ音《おん》のときは、画数《かくすう》のすくないほうを先《さき》にならべてあります。

矢／5画
【矢】
おん　（シ）
くん　や

女／8画
【姉】
おん　（シ）
くん　あね

心／9画
【思】
おん　シ
くん　おもう

2 漢字《かんじ》の読《よ》みについて

①見出《みだ》し漢字《かんじ》の読《よ》みは、【 】の下《した》のおん（三年生《さんねんせい》以上《いじょう》は音）、くん（三年生《さんねんせい》以上《いじょう》は訓）のところにしめしてあります。

②音《おん》は、おん（音）の下《した》にカタカナでしめしてあります。

③訓《くん》は、くん（訓）の下《した》にひらがなでしめしてあります。

④訓《くん》のうち、送《おく》りがなは、細《ほそ》い字《じ》でしめしてあります。

⑤（ ）印《じるし》がついている読《よ》みは、中学校《ちゅうがっこう》で学習《がくしゅう》する

音《おん》・訓《くん》、《　》印《じるし》がついている読《よ》みは、高等学校《こうとうがっこう》で学習《がくしゅう》する音《おん》・訓《くん》です。

［→12ページ「漢字《かんじ》の読《よ》み方《かた》」参照《さんしょう》］

3 漢字《かんじ》の画数《かくすう》について

見出《みだ》し漢字《かんじ》の画数《かくすう》は、【　】の右上《みぎうえ》にしめしてあります。

［→13ページ「漢字《かんじ》の画数《かくすう》」参照《さんしょう》］

□
土／11画
【基】
音 キ
訓 （もと）・《もとい》

4 漢字《かんじ》の部首《ぶしゅ》について

見出《みだ》し漢字《かんじ》の部首《ぶしゅ》は、【　】の左上《ひだりうえ》にしめしてあります。

［→10ページ「漢字《かんじ》の仕組《しく》みと部首《ぶしゅ》」参照《さんしょう》］

□
寸／6画
【寺】
おん ジ
くん てら

5 □欄《らん》について

【　】の上《うえ》にしめしてある□は、漢字《かんじ》を調《しら》べたとき、印《しるし》をつける所《ところ》です。ここに印《しるし》があれば、「前《まえ》に調《しら》べたことがあった」と、すぐにわかります。自分《じぶん》で記号《きごう》をくふうして書《か》きこめば、いっそう楽《たの》しい学習《がくしゅう》ができるでしょう。

□
ネ／7画
【社】
おん シャ
くん やしろ

□
日／10画
【時】
おん ジ
くん とき

6 漢字《かんじ》の成《な》り立《た》ちについて

見出《みだ》し漢字《かんじ》がどのようにしてつくられたのか、また、もともとの意味《いみ》は何《なに》をあらわしているのかを、一《いち》・二年生《にねんせい》は**なりたち**、三《さん》〜六年生《ろくねんせい》は**成り立ち**のところで説明《せつめい》してあります。

［→9ページ「漢字《かんじ》のおこりと成《な》り立《た》ち」参照《さんしょう》］

なりたち

「艹」（草《くさ》）と、「化」（すがたをかえること）をあわせた字《じ》。つぼみからはなへ、すがたをかえる《はな》をあらわす字《じ》。

7 筆順《ひつじゅん》と書《か》き方《かた》について

①筆順《ひつじゅん》　漢字《かんじ》には、漢字《かんじ》を正《ただ》しく、ととのった形《かたち》に書《か》くための書《か》き順《じゅん》があります。これを筆順《ひつじゅん》といい、一《いち》・二年生《にねんせい》は**ひつじゅん・書き方**、三《さん》～六《ろく》年生《ねんせい》は**筆順・書き方**のところにしめしてあります。

［→14ページ「漢字《かんじ》の筆順《ひつじゅん》」参照《さんしょう》］

②書《か》き方《かた》　漢字《かんじ》を正《ただ》しく、ととのった形《かたち》に書《か》くために、注意《ちゅうい》するとよい点《てん》を説明《せつめい》してあります。一《いち》・二年生《にねんせい》で学習《がくしゅう》する漢字《かんじ》には《形《かたち》のにている字《じ》》もしめしてあります。

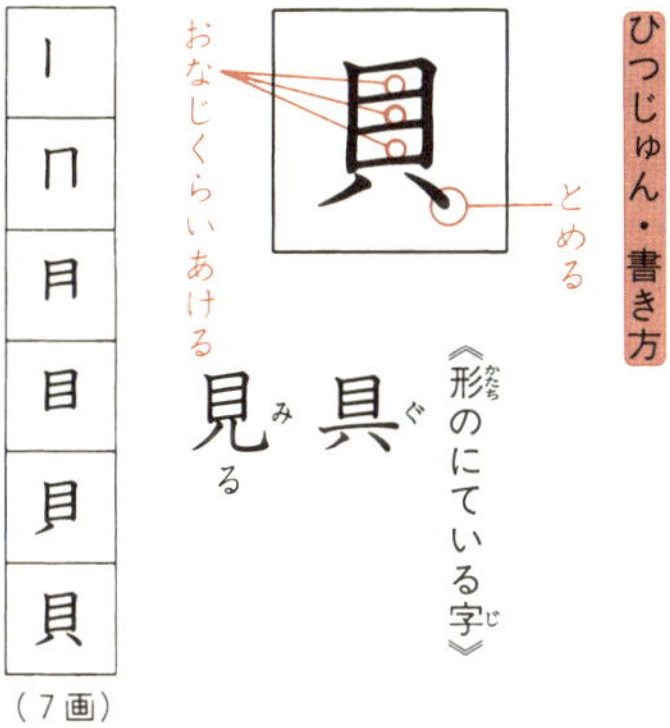

8 例文《れいぶん》と意味《いみ》について

①見出《みだ》し漢字《かんじ》が実際《じっさい》にどのように使《つか》われるのかを、いくつもの例文《れいぶん》をあげてしめしてあります。

②使《つか》い方《かた》によってちがった意味《いみ》をもつ漢字《かんじ》、あるいは多《おお》くの意味《いみ》をもつ漢字《かんじ》には、❶・❷・……と番号《ばんごう》をつけて使《つか》い方別《かたべつ》にそれぞれ例文《れいぶん》をしめしてあります。

③例文《れいぶん》の中《なか》では、目立《めだ》つように見出《みだ》し漢字《かんじ》を太《ふと》い字《じ》でしめしてあります。

9 対語《ついご》について

見出《みだ》し漢字《かんじ》と反対《はんたい》の意味《いみ》をもつ漢字《かんじ》、また対《つい》になっている漢字《かんじ》を、一《いち》・二年生《にねんせい》は［ついご］、三《さん》～六《ろく》年生《ねんせい》は［対語］のところにしめしてあります。

れい文・いみ

❶［れい文］台風《たいふう》が来《く》る。／未来《みらい》の社会《しゃかい》。［いみ］近《ちか》づく。おとずれる。くる。［ついご］去《さ》る。

10 熟語《じゅくご》について

①見出《みだ》し漢字《かんじ》をふくむ、おもな熟語《じゅくご》を、一《いち》・二年《にねん》生《せい》は じゅくご、三《さん》～六年《ろくねん》生《せい》は 熟語 のところにれい文・いみ（例文・意味）の❶・❷……にあわせてしめしてあります。

②ここでは、小学校《しょうがっこう》で学習《がくしゅう》する教育《きょういく》漢字《かんじ》を使《つか》った表記《ひょうき》にしていますが、それ以外《いがい》の漢字《かんじ》も、一部《いちぶ》取《と》り入《い》れています。

じゅくご
❶車輪《しゃりん》。水車《すいしゃ》。風車《ふうしゃ》。
❷車座《くるまざ》。
❸車窓《しゃそう》。車体《しゃたい》。車道《しゃどう》。貨車《かしゃ》。汽車《きしゃ》。客車《きゃくしゃ》。下車《げしゃ》。戦車《せんしゃ》。停車《ていしゃ》。馬車《ばしゃ》。列車《れっしゃ》。救急車《きゅうきゅうしゃ》。自動車《じどうしゃ》。乳母車《うばぐるま》。

③意味《いみ》がむずかしい熟語《じゅくご》には、その熟語《じゅくご》の意味《いみ》を（　）の中《なか》にしめしてあります。

熟語
❶幸福《こうふく》。
❷山《やま》の幸《さち》（鳥《とり》や、けもの・きのこなど、山《やま》からとれる食《た》べ物《もの》）。

④四字熟語《よじじゅくご》は、巻末《かんまつ》に、五十音順《ごじゅうおんじゅん》にならべて、まとめてあります。⇩のあとにしめしてあるページを見《み》て、四字熟語《よじじゅくご》の使《つか》い方《かた》や意味《いみ》を知《し》るようにしましょう。

［↓634ページ「おもな四字熟語《よじじゅくご》」参照《さんしょう》］

じゅくご
❶三角形《さんかくけい》。三原色《さんげんしょく》（絵《え》の具《ぐ》の、赤《あか》・青《あお》・黄色《きいろ》）。三輪車《さんりんしゃ》。七五三《しちごさん》。三日月《みかづき》。三《み》つまた。三日坊主《みっかぼうず》⇩（642ページ上）
❷再三《さいさん》。三拝九拝《さんぱいきゅうはい》⇩（637ページ中）

11 特別《とくべつ》な読《よ》みについて

見出《みだ》し漢字《かんじ》の音《おん》・訓《くん》以外《いがい》の読《よ》み方《かた》をする熟語《じゅくご》を、一《いち》・二《に》年《ねん》生《せい》は とくべつなよみ、三《さん》～六《ろく》年《ねん》生《せい》は 特別な読み のところにしめしてあります。

とくべつなよみ
乳母《うば》。叔母《おば》。伯母《おば》。母屋《おもや》。母家《おもや》。お母《かあ》さん。

12

漢字《かんじ》の字体《じたい》について

①漢字《かんじ》の字体《じたい》には、教科書体《きょうかしょたい》・明朝体《みんちょうたい》・ゴシック体《たい》(またはゴチック体《たい》)などがあります。

字体《じたい》の種類《しゅるい》	漢字《かんじ》の例《れい》	おもに使《つか》われるところ
教科書体《きょうかしょたい》	糸 遠	小学校《しょうがっこう》の教科書《きょうかしょ》
明朝体《みんちょうたい》	糸 遠	一般《いっぱん》の本《ほん》や、新聞《しんぶん》・雑誌《ざっし》など
ゴシック体《たい》	糸 遠	文章《ぶんしょう》の中《なか》で目立《めだ》たせたいところ

②みなさんは学校《がっこう》では、漢字《かんじ》を教科書体《きょうかしょたい》で学習《がくしゅう》しています。この字典《じてん》の漢字《かんじ》は、教科書体《きょうかしょたい》を使《つか》っています。生活《せいかつ》のなかでは、本《ほん》や広告《こうこく》などで、明朝体《みんちょうたい》やゴシック体《たい》の漢字《かんじ》を見《み》ることも多《おお》いでしょう。明朝体《みんちょうたい》・ゴシック体《たい》も、漢字《かんじ》としてまちがいではありません。

13

「絵《え》からできた漢字《かんじ》(かん字《じ》)」について

絵《え》から変化《へんか》してできた漢字《かんじ》を、(1)から(11)までまとめてあります。上《うえ》から順番《じゅんばん》に変化《へんか》したことをあらわしています。

＊文字《もじ》については、『甲骨文編《こうこつぶんぺん》』、『説文解字注《せつぶんかいじちゅう》』、『金文篇《きんぶんぺん》』などを参考《さんこう》にしました。

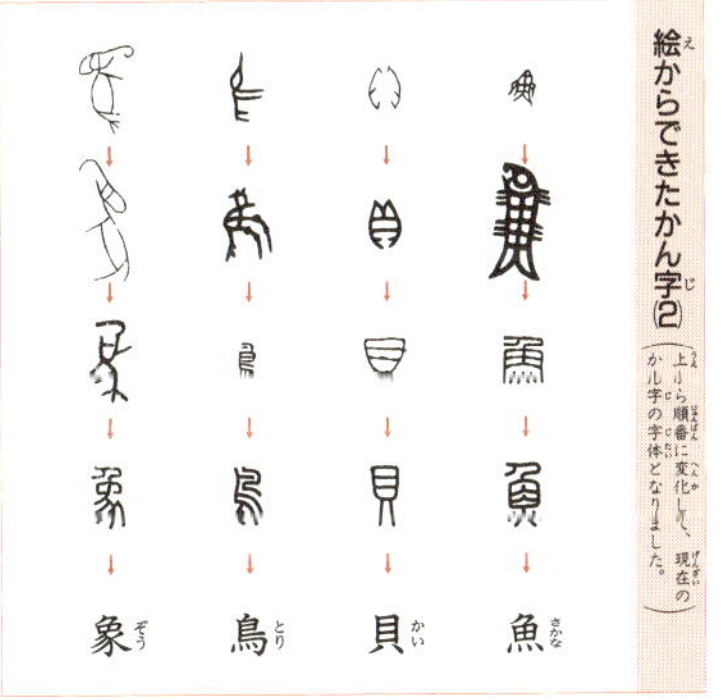

14

「付録《ふろく》」について

「おもな四字熟語《よじじゅくご》」「読《よ》み書《か》きをまちがえやすい漢字《かんじ》」「同音異義語《どうおんいぎご》」「同訓異字語《どうくんいじご》」「反対《はんたい》・対《つい》の漢字《かんじ》と熟語《じゅくご》」「熟語《じゅくご》の形《かたち》」「ものを数《かぞ》える漢字《かんじ》」「グループの漢字《かんじ》」「まちがえやすい画数《かくすう》の漢字《かんじ》」など、漢字《かんじ》について知《し》っておくとよいことがらを、「付録《ふろく》」として巻末《かんまつ》にまとめています。漢字《かんじ》の知《ち》識《しき》を広《ひろ》げるために利用《りよう》してください。

［→623ページ「付録《ふろく》」参照《さんしょう》］

15 さくいんについて

調《しら》べたい漢字《かんじ》を見《み》つけるためには、さくいんを使《つか》います。この字典《じてん》には次《つぎ》の四《よっ》つのさくいんがついています。

①音訓《おんくん》さくいん

漢字《かんじ》の読《よ》みを知《し》っていれば、「音訓《おんくん》さくいん」でその漢字《かんじ》がのっているページをさがすことができます。この字典《じてん》では、すべての教育漢字《きょういくかんじ》の音《おん》と訓《くん》を五十音順《ごじゅうおんじゅん》にならべてあります。

［→15ページ「音訓《おんくん》さくいん」参照《さんしょう》］

②画数《かくすう》さくいん

漢字《かんじ》の画数《かくすう》がわかれば、「画数《かくすう》さくいん」でその漢字《かんじ》がのっているページをさがすことができます。画数《かくすう》さくいんは、画数《かくすう》のすくない漢字《かんじ》からならべてあります。また、画数《かくすう》が同《おな》じ漢字《かんじ》は、学年順《がくねんじゅん》にならべてあります。

［→678ページ「画数《かくすう》さくいん」参照《さんしょう》］

③部首《ぶしゅ》さくいん

漢字《かんじ》の部首《ぶしゅ》がわかっていれば、「部首《ぶしゅ》さくいん」でその漢字《かんじ》がのっているページをさがすことができます。巻末《かんまつ》の表紙《ひょうし》のうらにのっている「部首一覧《ぶしゅいちらん》」を見《み》て、部首《ぶしゅ》がのっているさくいんのページを開《ひら》きます。漢字《かんじ》は、本書《ほんしょ》でのけいさい順《じゅん》（学年別《がくねんべつ》・五十音順《ごじゅうおんじゅん》）にならべてあります。

［→655ページ「部首《ぶしゅ》さくいん」参照《さんしょう》］

④学年別画数《がくねんべつかくすう》さくいん

漢字《かんじ》の画数《かくすう》と、その漢字《かんじ》をどの学年《がくねん》で習《なら》うかがわかっていれば、各学年《かくがくねん》のページの前《まえ》にある「学年別画数《がくねんべつかくすう》さくいん」で見《み》つけることができます。画数《かくすう》が同《おな》じ漢字《かんじ》は、音訓《おんくん》の五十音順《ごじゅうおんじゅん》にならべてあります。

漢字《かんじ》の手《て》びき

1 漢字《かんじ》のおこりと成《な》り立《た》ち

現在《げんざい》、わたしたちが使《つか》っている漢字《かんじ》のほとんどは、今《いま》から三五〇〇年《ねん》以上《いじょう》もむかしに中国《ちゅうごく》でつくられ、その後日本《ごにっぽん》につたえられたものです。漢字《かんじ》には、かんたんなものからふくざつなものまで、いろいろありますが、その仕組《しく》みを文字《もじ》の成《な》り立《た》ちから分《わ》けると、次《つぎ》の四《よっ》つになります。

①象形文字《しょうけいもじ》

ものの形《かたち》や特《とく》ちょうをまねてつくられた文字《もじ》です。たとえば「雨《あめ》」の字《じ》は、雲《くも》から水《みず》のつぶがふってくるようすをえがいた文字《もじ》です。

②指事文字《しじもじ》

数《かず》・位置《いち》など、形《かたち》にあらわせないことがらを、線《せん》や点《てん》などの記号《きごう》でしめしてつくられた文字《もじ》です。たとえば、「本《ほん》」は一本《いっぽん》の線《せん》で木《き》の根《ね》もとをあらわした文字《もじ》です。

③会意文字《かいいもじ》

二《ふた》つ以上《いじょう》の漢字《かんじ》を組《く》み合《あ》わせて、新《あたら》しい意味《いみ》をもたせた漢字《かんじ》です。たとえば「安《あん》」は、屋根《やね》の形《かたち》をあらわす「宀」と、その下《した》の家《いえ》の中《なか》に「女《おんな》」の人《ひと》がいるようすから「やすらか」という意味《いみ》をあらわします。

④形声文字《けいせいもじ》

意味《いみ》をあらわす漢字《かんじ》と、音《おん》をあらわす漢字《かんじ》を組《く》み合《あ》わせて新《あたら》しく意味《いみ》をもたせた漢字《かんじ》です。たとえば「清《せい》」は、「氵」が「水《みず》」の意味《いみ》をあらわし、「セイ」という音《おん》をあらわす「青」を組《く》み合《あ》わせて「きれいにすんだ水《みず》」の意味《いみ》をあらわします。

2 漢字《かんじ》の仕組《しく》みと部首《ぶしゅ》

一《ひと》つの漢字《かんじ》は、形《かたち》の上《うえ》から二《ふた》つの部分《ぶぶん》に大《おお》きく分《わ》けることができます。それらは次《つぎ》の七種類《ななしゅるい》です。

① へん（漢字《かんじ》の左《ひだり》の部分《ぶぶん》）
② つくり（漢字《かんじ》の右《みぎ》の部分《ぶぶん》）
③ かんむり（漢字《かんじ》の上《うえ》の部分《ぶぶん》）
④ あし（漢字《かんじ》の下《した》の部分《ぶぶん》）
⑤ たれ（漢字《かんじ》の上《うえ》から左下《ひだりした》へつづく部分《ぶぶん》）
⑥ にょう（漢字《かんじ》の左《ひだり》から下《した》へつづく部分《ぶぶん》）
⑦ かまえ（上《うえ》から左右《さゆう》の下《した》、漢字《かんじ》の四方《しほう》、上《うえ》から左《ひだり》、そして下《した》へつづく部分《ぶぶん》）

この七《なな》つの部分《ぶぶん》には、それぞれ共通《きょうつう》している形《かたち》があります。その形《かたち》は「部首《ぶしゅ》」とも言《い》われます。

部首《ぶしゅ》には次《つぎ》のようなものがあります。

① 「へん」にふくまれる部首《ぶしゅ》と、そのおもな漢字《かんじ》

扌（てへん）……打・技・拝・投・持・拾・採
木（きへん）……机・村・板・材・枚・柱・桜
亻（にんべん）…仕・他・仏・代・仮・休
言（ごんべん）…計・訓・読・記・討・許・訪
米（こめへん）…糖・精・粉
糸（いとへん）…紀・紙・細・級・紅・約・純
氵（さんずい）…池・泳・海・汽・決・沿・河
女（おんなへん）…姉・妹・婦・好・始
忄（りっしんべん）…情・快・性

② 「つくり」にふくまれる部首《ぶしゅ》と、そのおもな漢字《かんじ》

阝（おおざと）……都・部・郡・郵

隹（ふるとり）……雑・難

刂（りっとう）……利・別・列・判・刻・刷

彡（さんづくり）…形

殳（るまた・ほこづくり）………段・殺

斤（おのづくり）…断・新

攵（ぼくづくり・ぼくにょう）…改・教・放・故

③ 

「かんむり」にふくまれる部首《ぶしゅ》と、そのおもな漢字《かんじ》

亠（なべぶた）……亡・京・交

冖（わかんむり）…写

宀（うかんむり）…安・宝・家・宇・守・完

癶（はつがしら）…発・登

耂（おいがしら）…老・者・考

艹（くさかんむり）…草・花・芸・英・芽・苦

⻗（あめかんむり）…雪・雲・電

穴（あなかんむり）…空・究

④ 

「あし」にふくまれる部首《ぶしゅ》と、そのおもな漢字《かんじ》

儿（ひとあし）……兄・光・元・先・児

心（こころ）………志・思・悪・忘・忠・念

灬（れっか・れんが）…点・然・照・無

⑤ 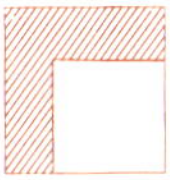

「たれ」にふくまれる部首《ぶしゅ》と、そのおもな漢字《かんじ》

广（まだれ）……広・店・庭・庁・序・底

厂（がんだれ）…原・厚

疒（やまいだれ）…病・痛

尸（しかばね）…局・屋・届・居・展・属

⑥ 

「にょう」にふくまれる部首《ぶしゅ》と、そのおもな漢字《かんじ》

辶（しんにゅう・しんにょう）…近・返・進

廴（えんにょう）…建・延

走（そうにょう）…起

⑦ 

「かまえ」にふくまれる部首《ぶしゅ》と、そのおもな漢字《かんじ》

冂（どうがまえ）……内・円・冊・再

門（もんがまえ）……開・間・閣・関・閉

囗（くにがまえ）……回・国・因・団・囲

勹（つつみがまえ）…包

行（ぎょうがまえ・ゆきがまえ）…術・街

匚（かくしがまえ「匸」・はこがまえ）…区・医

それぞれの部首《ぶしゅ》は、多《おお》くの場合《ばあい》、共通《きょうつう》の意味《いみ》をふくんでいます。

たとえば、亻（にんべん）の漢字《かんじ》は「人《ひと》」に関係《かんけい》のあることを、心（こころ）の漢字《かんじ》は「心《こころ》」のはたらきに関係《かんけい》のあることを、疒（やまいだれ）の漢字《かんじ》は病気《びょうき》に関係《かんけい》のあることを、また、艹（くさかんむり）の漢字《かんじ》は花《はな》や草《くさ》に関係《かんけい》があることをあらわしています。

3 漢字《かんじ》の読《よ》み方《かた》 ― 音《おん》と訓《くん》 ―

漢字《かんじ》には音《おん》と訓《くん》の二《ふた》とおりの読《よ》み方《かた》があります。

音《おん》はむかし、中国《ちゅうごく》から伝《つた》わってきたときの読《よ》み方《かた》をもとにしたものです。

また、一《ひと》つの漢字《かんじ》に音《おん》がいくつもあるのは、中国《ちゅうごく》の長《なが》い歴史《れきし》の中《なか》で、いくつもの国《くに》がいきおいをもったり、おとろえたりしたために、その時代《じだい》によって漢字《かんじ》の読《よ》みがかわったからです。

その結果《けっか》、中国《ちゅうごく》から漢字《かんじ》を取《と》り入《い》れていた日本《にっぽん》には、一《ひと》つの漢字《かんじ》に二《ふた》つ、または三《みっ》つの音《おん》の読《よ》み方《かた》ができたのです。

教育漢字《きょういくかんじ》のうち、三《みっ》つ以上《いじょう》の音《おん》をもつ漢字《かんじ》には次《つぎ》のようなものがあります。

行……ギョウ・コウ・アン

従……ショウ・ジュ・ジュウ

反……ホン・ハン・タン

＊＊＊

訓《くん》は漢字《かんじ》に同《おな》じ意味《いみ》の日本語《にほんご》をあてはめたもので、日本《にっぽん》だけの読《よ》み方《かた》です。

訓《くん》の読《よ》み方《かた》も、音《おん》と同《おな》じように一《ひと》つの漢字《かんじ》にいくつもあるものがあります。これは、漢字《かんじ》が日本《にっぽん》で広《ひろ》く使《つか》われるようになって、日本語《にほんご》としていろいろな意味《いみ》に使《つか》い分《わ》けられたために、訓《くん》の数《かず》がふえたのです。

教育漢字《きょういくかんじ》のうち、訓《くん》の数《かず》が多《おお》い漢字《かんじ》には次《つぎ》のようなものがあります。

苦……**くる**しい・**くる**しむ・**くる**しめる・**にが**い・**にが**る

初……**はじ**め・**はじ**めて・**はつ**・**うい**・**そ**める

交……**まじ**わる・**まじ**える・**まじ**る・**まざ**る・**まぜ**る・**か**う・**か**わす

生……いきる・いかす・いける・うまれる・うむ・
　　おう・はえる・はやす・き・なま

＊＊＊

音訓《おんくん》以外《いがい》の読《よ》み方《かた》で、むかしからある日本《にっぽん》のことばに二字《にじ》以上《いじょう》の漢字《かんじ》を当《あ》てたものがあります。

このようなことばは、漢字《かんじ》を一字《いちじ》ごとに読《よ》まずに、ひとまとめにして特別《とくべつ》な読《よ》み方《かた》をするもので、熟字訓《じゅくじくん》と言《い》います。教育漢字《きょういくかんじ》を使《つか》った漢字二字以《かんじにじい》上《じょう》の熟字訓《じゅくじくん》には次《つぎ》のようなものがあります。

〔→632ページ「『常用漢字表《じょうようかんじひょう》』付表《ふひょう》のことば」参照《さんしょう》〕

明日《あす》　海女《あま》　意気地《いくじ》　海原《うなばら》　笑顔《えがお》　大人《おとな》　母屋《おもや》
神楽《かぐら》　仮名《かな》　河原《かわら》　川原《かわら》　昨日《きのう》　今日《きょう》　果物《くだもの》
今朝《けさ》　景色《けしき》　心地《ここち》　今年《ことし》　五月雨《さみだれ》　時雨《しぐれ》　竹刀《しない》
上手《じょうず》　七夕《たなばた》　梅雨《つゆ》　読経《どきょう》　名残《なごり》　下手《へた》　部屋《へや》
土産《みやげ》　行方《ゆくえ》　若人《わこうど》

4 漢字《かんじ》の画数《かくすう》

漢字《かんじ》の画数《かくすう》は、ひと筆《ふで》で書《か》く部分《ぶぶん》を一画《いっかく》として数《かぞ》えます。「｜・一・ノ・、」などはもちろん一《いっ》画《かく》ですが、次《つぎ》のような部分《ぶぶん》もひと筆《ふで》で書《か》けるので一画《いっかく》と数《かぞ》えます。

「㇇」…色・魚・負　「㇇」…欠・波・予
「㇖」…写・売・帯　「フ」…友・久・今
「㇆」…力・切・方　「㇉」…弓・極・弱
「㇈」…九・机・飛　「㇜」…公・台・広
「㇛」…女・母・毎　「㇟」…花・死・比

次《つぎ》の画数《かくすう》はまちがえて数《かぞ》えやすいので注意《ちゅうい》しましょう。

「㇋」（一画《いっかく》）…吸・級
「ㇾ」（二画《にかく》）…武・政
「く」（二画《にかく》）…水・永
「辶」（三画《さんかく》）…辺・通
「阝」（三画《さんかく》）…部・院
「廴」（三画《さんかく》）…建・庭
「子」（三画《さんかく》）…学・存
「糸」（六画《ろっかく》）…編・組

漢字《かんじ》の画数《かくすう》を正《ただ》しく数《かぞ》えるためには、正《ただ》しい筆《ひつ》順《じゅん》で書《か》くことがたいせつです。そのために、筆順《ひつじゅん》のきまりをしっかり身《み》につけてください。

〔→679ページ「まちがえやすい画数《かくすう》の漢字《かんじ》」参照《さんしょう》〕

5 漢字《かんじ》の筆順《ひつじゅん》

筆順《ひつじゅん》は、文部省《もんぶしょう》の「筆順指導《ひつじゅんしどう》の手《て》びき」によっています。「筆順指導《ひつじゅんしどう》の手《て》びき」には、次《つぎ》の原則《げんそく》がきめられています。ただし例外《れいがい》もありますので、注《ちゅう》意《い》してください。

①上《うえ》から下《した》へ書《か》く

「一→二→三」　「一→二→元」

②左《ひだり》から右《みぎ》へ書《か》く

「丿→リ→川」　「彳→徘→術」

[例外《れいがい》] 右《みぎ》から左《ひだり》へ書《か》く

「首→道」　「正→延」

③横《よこ》の線《せん》とたての線《せん》がまじわるときは、横《よこ》から先《さき》に書《か》く

「一→十」　「一→十→土」

[例外《れいがい》] 横《よこ》の線《せん》とたての線《せん》がまじわるときでも、次《つぎ》の場合《ばあい》はたてを先《さき》に書《か》く

「冂→冃→田→田」　「一→丅→王」

④中《なか》と左右《さゆう》がある場合《ばあい》は、中《なか》を先《さき》に書《か》く

「亅→小→小」　「土→赤→赤」

[例外《れいがい》] 中《なか》と左右《さゆう》があるときでも、次《つぎ》の場合《ばあい》は左《ひだり》・右《みぎ》・中《なか》の順《じゅん》に書《か》く

「丶→丷→火」　「丶→忄→性」

⑤外《そと》がわのかこみから書《か》く

「冂→円→円」　「冂→内→内」

[例外《れいがい》] 次《つぎ》の場合《ばあい》は最後《さいご》にかこみをとじる

「一→又→区」　「一→医→医」

⑥左《ひだり》ばらいを先《さき》に書《か》く

「八→父→父」　「亠→文→文」

⑦つきぬけるたての線《せん》は最後《さいご》に書《か》く

「口→中→中」　「丷→平→平」

⑧つきぬける横《よこ》の線《せん》は最後《さいご》に書《か》く

「く→女→女」　「母→母→母」

[例外《れいがい》] 次《つぎ》の場合《ばあい》は、横《よこ》の線《せん》を先《さき》に書《か》く

「一→廿→世」

⑨かんむり・たれは先《さき》に書《か》く

「冖→冝→軍」　「疒→疗→痛」

⑩あしはあとから書《か》く

「夕→然→然」　「人→今→念」

音《おん》訓《くん》さくいん

音《おん》訓《くん》さくいんの使《つか》い方《かた》

●教育漢字《きょういくかんじ》一〇〇六字《じ》の音読《おんよ》みと訓読《くんよ》みを五十音順《ごじゅうおんじゅん》にならべています。

●音読《おんよ》みはカタカナで、訓読《くんよ》みはひらがなでしめしています。

●訓読《くんよ》みの中《なか》の細字《ほそじ》は送《おく》りがなをしめしています。

●右上《みぎうえ》の小《ちい》さい数字《すうじ》は、学習《がくしゅう》する学年《がくねん》をしめしています。

あ

読み	漢字	学年	ページ
アイ	愛	4	330
あい	相	3	276
あいだ	間	2	116
あう	会	2	112
	合	2	140
あお	青	1	72
あおい	青	1	72
あか	赤	1	74
あかい	赤	1	74
あかす	明	2	208
あからむ	赤	1	74
	明	2	208
あからめる	赤	1	74
あかり	明	2	208
あがる	上	1	67

あ

読み	漢字	学年	ページ
アイ	愛	4	330
あい	相	3	276
あいだ	間	2	116
あう	会	2	112
	合	2	140
あお	青	1	72
あおい	青	1	72
あか	赤	1	74
あかい	赤	1	74
あかす	明	2	208
あからむ	赤	1	74
	明	2	208
あからめる	赤	1	74
あかり	明	2	208
あがる	上	1	67
	挙	4	351
あかるい	明	2	208
あかるむ	明	2	208
あき	秋	2	155
あきなう	商	3	269
あきらか	明	2	208
アク	悪	3	222
あく	空	1	48
	明	2	208
	開	3	232
あくる	明	2	208
あける	空	1	48
	明	2	208
	開	3	232
あげる	上	1	67
	挙	4	351
あさ	朝	2	180
あざ	字	1	59
あさい	浅	4	388
あし	足	1	78
あじ	味	3	312
あじわう	味	3	312
あずかる	預	5	526
あずける	預	5	526
あそぶ	遊	3	318
あたい	価	5	444
	値	6	592
あたたか	温	3	230
	暖	6	591
あたたかい	温	3	230
	暖	6	591
あたたまる	温	3	230
	暖	6	591
あたためる	温	3	230
	暖	6	591
あたま	頭	2	190
あたらしい	新	2	161
あたり	辺	4	415
あたる	当	2	188
アツ	圧	5	436
あつい	暑	3	267
	熱	4	406
	厚	5	464
あつまる	集	3	264
あつめる	集	3	264
あてる	当	2	188
あと	後	2	132
あな	穴	6	549
あに	兄	2	126
あね	姉	2	148
あばく	暴	5	523
あばれる	暴	5	523
あびせる	浴	4	424
あびる	浴	4	424
あぶない	危	6	541
あぶら	油	3	317
あま	天	1	85
	雨	1	38
あます	余	5	526
あまる	余	5	526
あむ	編	5	518
あめ	天	1	85
	雨	1	38
あやうい	危	6	541
あやつる	操	6	586
あやぶむ	危	6	541
あやまち	過	5	445
あやまつ	過	5	445
あやまる	謝	5	479
	誤	6	553
あゆむ	歩	2	202
あらう	洗	6	582
あらそう	争	4	390
あらた	新	2	161
あらたまる	改	4	338
あらためる	改	4	338
あらわす	表	3	306
	現	5	461
	著	6	593
あらわれる	表	3	306
	現	5	461
ある	有	3	317
	在	5	471
あるく	歩	2	202
あわす	合	2	140
あわせる	合	2	140
アン	行	2	138
	安	3	222
	暗	3	223
	案	4	330

い

読み	漢字	学年	ページ
イ	医	3	223
	委	3	224
	意	3	224
	以	4	331
	衣	4	331
	位	4	332
	囲	4	332
	胃	4	333
	易	5	439
	移	5	436
	異	6	532
	遺	6	532
いう	言	2	128
いえ	家	2	109
いかす	生	1	71
イキ	域	6	533
いき	息	3	278
いきおい	勢	5	489
いきる	生	1	71
イク	育	3	225
いく	行	2	138
いくさ	戦	4	389
いけ	池	2	175
いける	生	1	71
いさぎよい	潔	5	458
いさむ	勇	4	422
いし	石	1	73
いずみ	泉	6	582
いそぐ	急	3	237
いた	板	3	302
いたい	痛	6	596
いただき	頂	6	594
いただく	頂	6	594
いたむ	痛	6	596
	傷	6	575
いためる	痛	6	596
	傷	6	575
いたる	至	6	562

か

割 6 538
かつ　勝 3 270
ガッ　合 2 140
ガッ　月 1 49
かつぐ　担 6 589
かど　角 2 114
門 2 210
かな　金 1 48
かなしい　悲 3 303
かなしむ　悲 3 303
かなでる　奏 6 584
かならず　必 4 410
かね　金 1 48
かぶ　株 6 538
かまう　構 5 466
かまえる　構 5 466
かみ　上 1 67
紙 2 150
神 3 272
かよう　通 2 182
から　空 1 48
からだ　体 2 173
かり　仮 5 443
かりる　借 4 375
かるい　軽 3 245
かろやか　軽 3 245
かわ　川 1 75
皮 3 303
側 4 392
河 5 444
革 6 537
かわす　交 2 136
かわる　代 3 281
変 4 416
カン　間 2 116
寒 3 233
感 3 233
漢 3 234
館 3 234
完 4 342
官 4 342
管 4 343
関 4 343
観 4 344
刊 5 448
幹 5 449
慣 5 449
干 6 539
巻 6 539
看 6 540
簡 6 540
かん　神 3 272
ガン　丸 2 117
元 2 128
岩 2 118
顔 2 118
岸 3 235
願 4 344
眼 5 450
かんがえる　考 2 137

き

キ　気 1 45
汽 2 119
記 2 120
帰 2 120
起 3 235
期 3 236
希 4 345
季 4 345
紀 4 346
喜 4 346
旗 4 347
器 4 347
機 4 348
基 5 450
寄 5 451
規 5 451
己 6 552
危 6 541
机 6 541
揮 6 542
貴 6 542
き　木 1 93
生 1 71
黄 2 140
ギ　議 4 348
技 5 452
義 5 452
疑 6 543
きえる　消 3 268
きく　聞 2 201
利 4 424
効 5 464
きこえる　聞 2 201
きざし　兆 4 398
きざす　兆 4 398
きざむ　刻 6 556
きし　岸 3 235
きず　傷 6 575
きずく　築 5 502
きせる　着 3 285
きそう　競 4 354
きた　北 2 205
きたす　来 2 214
きたる　来 2 214
きぬ　絹 6 549
きびしい　厳 6 551
きまる　決 3 246
きみ　君 3 244
きめる　決 3 246
キャク　客 3 236
ギャク　逆 5 453
キュウ　九 1 46
休 1 46
弓 2 121
究 3 237
急 3 237
級 3 238
宮 3 238
球 3 239
求 4 349
泣 4 349
救 4 350
給 4 350
久 5 453
旧 5 454
吸 6 543
ギュウ　牛 2 122
キョ　去 3 239
挙 4 351
居 5 454
許 5 455
ギョ　魚 2 122
漁 4 352
きよい　清 4 384
キョウ　兄 2 126
京 2 123
強 2 124
教 2 124
橋 3 240
共 4 352
協 4 353
鏡 4 353
競 4 354
経 5 458
境 5 455

こ

さ

読み	漢字	学年	ページ
	酒	3	260
	逆	5	453
さかい	境	5	455
さかえる	栄	4	334
さがす	探	6	590
さかな	魚	2	122
さからう	逆	5	453
さかる	盛	6	579
さがる	下	1	41
さかん	盛	6	579
さき	先	1	76
サク	作	2	145
	昨	4	366
	冊	6	561
	策	6	560
さく	割	6	538
さくら	桜	5	442
さぐる	探	6	590
さけ	酒	3	260
さげる	下	1	41
	提	5	503
ささえる	支	5	474
さす	指	3	254
	差	4	364
さずかる	授	5	480
さずける	授	5	480
さだか	定	3	289
さだまる	定	3	289
さだめる	定	3	289
さち	幸	3	249
サッ	早	1	76
サツ	札	4	367
	刷	4	367
	殺	4	368
	察	4	368
	冊	6	561
ザツ	雑	5	472
さと	里	2	215
さばく	裁	6	560
さま	様	3	321
さます	冷	4	428
	覚	4	341
さむい	寒	3	233
さめる	冷	4	428
	覚	4	341
さら	皿	3	251
さる	去	3	239
さわる	障	6	575
サン	三	1	54
	山	1	56
	算	2	146
	参	4	369
	産	4	369
	散	4	370
	酸	5	473
	賛	5	473
	蚕	6	561
ザン	残	4	370
し			
シ	子	1	57
	四	1	58
	糸	1	58
	止	2	146
	市	2	147
	矢	2	148
	自	2	151
	姉	2	148
	思	2	149
	紙	2	150
	仕	3	252
	死	3	252
	次	3	255
	使	3	253
	始	3	253
	指	3	254
	歯	3	254
	詩	3	255
	士	4	371
	氏	4	371
	史	4	372
	司	4	372
	試	4	373
	支	5	474
	示	5	477
	志	5	474
	枝	5	475
	師	5	475
	資	5	476
	飼	5	476
	至	6	562
	私	6	562
	姿	6	563
	視	6	563
	詞	6	564
	誌	6	564
ジ	字	1	59
	耳	1	60
	寺	2	150
	自	2	151
	地	2	174
	時	2	152
	仕	3	252
	次	3	255
	事	3	256
	持	3	256
	児	4	373
	治	4	374
	辞	4	374
	示	5	477
	似	5	477
	除	6	574
	磁	6	565
じ	路	3	326
しあわせ	幸	3	249
しいる	強	2	124
しお	塩	4	335
	潮	6	595
シキ	色	2	159
	式	3	257
	織	5	486
	識	5	478
ジキ	直	2	181
	食	2	160
しず	静	4	384
しずか	静	4	384
しずまる	静	4	384
しずめる	静	4	384
した	下	1	41
	舌	5	493
したがう	従	6	570
したがえる	従	6	570
したしい	親	2	162
したしむ	親	2	162
シチ	七	1	60
	質	5	478
シツ	室	2	152
	失	4	375
	質	5	478
ジッ	十	1	63
ジツ	日	1	88
	実	3	257
しな	品	3	307
しぬ	死	3	252
しま	島	3	294
しまる	閉	6	608
しみ	染	6	583

しみる 染[6] 583
しめす 示[5] 477
しめる 閉[6] 608
しも 下[1] 41
シャ 車[1] 61　社[2] 153　写[3] 258　者[3] 258　舎[5] 479　謝[5] 479　砂[6] 558　射[6] 565　捨[6] 566
シャク 石[1] 73　赤[1] 74　昔[3] 275　借[4] 375　尺[6] 566
ジャク 弱[2] 154　着[3] 285　若[6] 567
シュ 手[1] 62　首[2] 154　主[3] 259　守[3] 259　取[3] 260　酒[3] 260　種[4] 376　修[5] 480　衆[6] 569
ジュ 受[3] 261　授[5] 480　従[6] 570　就[6] 569　樹[6] 567
シュウ 秋[2] 155　週[2] 156　州[3] 261　拾[3] 262　終[3] 262　習[3] 263　集[3] 264　周[4] 376　祝[4] 377　修[5] 480　収[6] 568　宗[6] 568　就[6] 569　衆[6] 569
ジュウ 十[1] 63　住[3] 264　拾[3] 262　重[3] 265　従[6] 570　縦[6] 570
シュク 宿[3] 266　祝[4] 377　縮[6] 571
ジュク 熟[6] 571
シュツ 出[1] 64
ジュツ 述[5] 481　術[5] 481
シュン 春[2] 156
ジュン 順[4] 377　準[5] 482　純[6] 572
ショ 書[2] 157　所[3] 266　暑[3] 267　初[4] 378　処[6] 572　署[6] 573　諸[6] 573
ジョ 女[1] 64　助[3] 267　序[5] 482　除[6] 574
ショウ 小[1] 66　上[1] 67　正[1] 70　生[1] 71　青[1] 72　少[2] 158　声[2] 164　星[2] 165　昭[3] 268　相[3] 276　消[3] 268　商[3] 269　章[3] 269　勝[3] 270　松[4] 378　省[4] 383　笑[4] 379　唱[4] 379　清[4] 384　焼[4] 380　象[4] 380　照[4] 381　賞[4] 381　招[5] 483　承[5] 483　性[5] 488　政[5] 488　証[5] 484　精[5] 489　従[6] 570　将[6] 574　装[6] 585　傷[6] 575　障[6] 575
ジョウ 上[1] 67　場[2] 158　定[3] 289　乗[3] 270　成[4] 383　静[4] 384　条[5] 484　状[5] 485　常[5] 485　情[5] 486　城[6] 576　盛[6] 579　蒸[6] 576
ショク 色[2] 159　食[2] 160　植[3] 271　織[5] 486　職[5] 487
しら 白[1] 90
しらべる 調[3] 288
しりぞく 退[5] 500
しりぞける 退[5] 500
しる 知[2] 176
しるし 印[4] 333
しるす 記[2] 120
しろ 白[1] 90　代[3] 281　城[6] 576
しろい 白[1] 90
シン 森[1] 68　心[2] 160　新[2] 161　親[2] 162　申[3] 271　身[3] 272　神[3] 272

装[6] 585　層[6] 586　操[6] 586
そう　沿[6] 535
ゾウ　象[4] 380　造[5] 496　雑[5] 472　像[5] 496　増[5] 497　蔵[6] 587　臓[6] 587
そうろう　候[4] 362
ソク　足[1] 78　息[3] 278　速[3] 278　束[4] 392　側[4] 392　則[5] 497　測[5] 498
ゾク　族[3] 279　続[4] 393　属[5] 498
そこ　底[4] 399
そこなう　損[5] 499
そこねる　損[5] 499
そそぐ　注[3] 286
そだつ　育[3] 225
そだてる　育[3] 225
ソツ　卒[4] 393　率[5] 499
そと　外[2] 114
そなえる　備[5] 513　供[6] 544
そなわる　備[5] 513
その　園[2] 106
そまる　染[6] 583
そむく　背[6] 602
そむける　背[6] 602
そめる　初[4] 378　染[6] 583
そら　空[1] 48
そらす　反[3] 301
そる　反[3] 301
ソン　村[1] 79　孫[4] 394　損[5] 499　存[6] 588　尊[6] 588
ゾン　存[6] 588

た

タ　太[2] 172　多[2] 172　他[3] 279
た　手[1] 62　田[1] 86
ダ　打[3] 280
タイ　大[1] 80　太[2] 172　台[2] 174　体[2] 173　代[3] 281　対[3] 280　待[3] 281　帯[4] 394　隊[4] 395　退[5] 500　貸[5] 500　態[5] 501
ダイ　大[1] 80　内[2] 192　台[2] 174　弟[2] 183　代[3] 281　第[3] 282　題[3] 282
たいら　平[3] 310
たえる　絶[5] 493
たか　高[2] 139
たかい　高[2] 139
たかまる　高[2] 139
たかめる　高[2] 139
たがやす　耕[5] 465
たから　宝[6] 610
タク　度[3] 292　宅[6] 589
たけ　竹[1] 82
たしか　確[5] 447
たしかめる　確[5] 447
たす　足[1] 78
だす　出[1] 64
たすかる　助[3] 267
たすける　助[3] 267
たずねる　訪[6] 611
たたかう　戦[4] 389
ただしい　正[1] 70
ただす　正[1] 70
ただちに　直[2] 181
タツ　達[4] 395
たつ　立[1] 97　建[4] 359　断[5] 502　絶[5] 493　裁[6] 560
たっとい　貴[6] 542　尊[6] 588
たっとぶ　貴[6] 542　尊[6] 588
たて　縦[6] 570
たてる　立[1] 97　建[4] 359
たとえる　例[4] 429
たに　谷[2] 141
たね　種[4] 376
たのしい　楽[2] 115
たのしむ　楽[2] 115
たば　束[4] 392
たび　度[3] 292　旅[3] 323
たべる　食[2] 160
たま　玉[1] 47　球[3] 239
たまご　卵[6] 619
たみ　民[4] 421
ためす　試[4] 373
たもつ　保[5] 520
たやす　絶[5] 493
たより　便[4] 416
たらす　垂[6] 578
たりる　足[1] 78
たる　足[1] 78
たれる　垂[6] 578
たわら　俵[5] 513
タン　反[3] 301　炭[3] 283　短[3] 284　単[4] 396　担[6] 589　探[6] 590　誕[6] 590
ダン　男[1] 81　談[3] 284　団[5] 501　断[5] 502　段[6] 591　暖[6] 591

音訓《おんくん》さくいん

な

に

ひ

ふ

へ

む

め

も

や

ゆ

一《いち》年《ねん》生《せい》でならうかん字《じ》

80字《じ》

一年生《いちねんせい》でならうかん字《じ》 画数《かくすう》さくいん 80字《じ》

ひらがなのもとになったかん字《じ》

あ	い	う	え	お	か	き	く	け	こ	さ	し	す	せ	そ
安	以	宇	衣	於	加	幾	久	計	己	左	之	寸	世	曽
あ	い	う	え	お	か	き	く	け	こ	さ	し	す	せ	そ

た	ち	つ	て	と	な	に	ぬ	ね	の	は	ひ	ふ	へ	ほ
太	知	川	天	止	奈	仁	奴	祢	乃	波	比	不	部	保
た	ち	つ	て	と	な	に	ぬ	ね	の	は	ひ	ふ	へ	ほ

ま	み	む	め	も	や	ゆ	よ	ら	り	る	れ	ろ	わ	を	ん
末	美	武	女	毛	也	由	与	良	利	留	礼	呂	和	遠	无
ま	み	む	め	も	や	ゆ	よ	ら	り	る	れ	ろ	わ	を	

かたかなのもとになったかん字《じ》

★は、つづけ字《じ》などがかたかなのもとになりました。

ア	イ	ウ	エ	オ	カ	キ	ク	ケ	コ	サ	シ	ス	セ	ソ
阿	伊	宇	江	於	加	幾	久	介	己	散	之	須	世	曽
阿	伊	宇	江	於	加	★	久	★	己	散	★	★	★	曽

タ	チ	ツ	テ	ト	ナ	ニ	ヌ	ネ	ノ	ハ	ヒ	フ	ヘ	ホ
多	千	川	天	止	奈	仁	奴	祢	乃	八	比	不	部	保
多	千	★	★	止	奈	仁	奴	祢	乃	八	比	不	★	保

マ	ミ	ム	メ	モ	ヤ	ユ	ヨ	ラ	リ	ル	レ	ロ	ワ	ヲ	ン
末	三	牟	女	毛	也	由	与	良	利	流	礼	呂	和	乎	无
★	三	牟	★	★	★	★	★	★	利	★	礼	呂	★	★	★

〔イチ〕一

一／1画

【一】

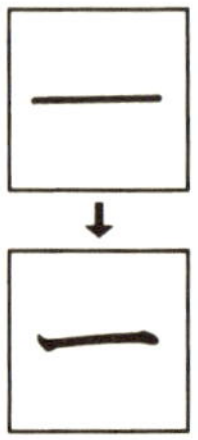

おん イチ・イツ
くん ひと・ひとつ

なりたち

いっ本《ぽん》のよこ線《せん》で、数《かず》の「一」をしめした字《じ》。数《かず》の《ひとつ》や、ものごとの、はじめなどの、いみをあらわす。

ひつじゅん・書き方

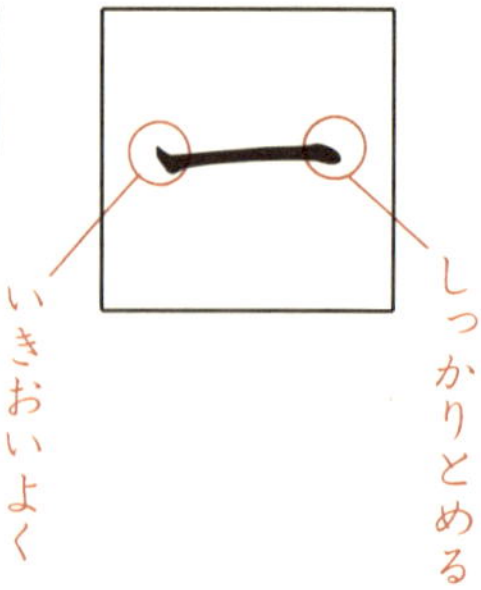

（1画）

れい文・いみ

❶ れい文 妹《いもうと》は、ぼくより一《ひと》つ年下《としした》だ。／えんぴつを一本《いっぽん》買《か》った。 いみ 数《かず》の一。いち。ひとつ。

❷ れい文 水《すい》えいで一着《いっちゃく》になった。／一《ひと》つ目《め》の角《かど》。 いみ じゅん番《ばん》で、はじめ。

❸ れい文 ぼくのにいさんは、クラス一《いち》の力《ちから》もちだそうです。 いみ ほかにくらべるものがない。もっともすぐれている。

❹ れい文 多《おお》くの川《かわ》がいっしょになって一《ひと》つになる。 いみ まとまること。すべて。

❺ れい文 一《ひと》つのことをくりかえして言《い》う。／へやのおんどを一定《いってい》(きまって、かわらないこと)にたもつ。 いみ ひとしいこと。同《おな》じ。

❻ れい文 風《かぜ》のはげしさは、ます一方《いっぽう》だ。 いみ ひたすら。ただそれだけ。

❼ れい文 ぼくの弟《おとうと》は、一見《いっけん》(ちょっと見《み》たところ)、強《つよ》そうだけれども、ほんとうは、とても弱《よわ》い。 いみ ちょっと。

❽ れい文 それは一《いち》れい(ひとつのたとえ)にすぎません。 いみ あるひとつの。

じゅくご

❶ 一台《いちだい》。一度《いちど》。一年《いちねん》。一枚《いちまい》。一羽《いちわ》。一回《いっかい》。一個《いっこ》。一冊《いっさつ》。一生《いっしょう》。一分《いっぷん》。一口《ひとくち》。一言《ひとこと》。一月《ひとつき》。万一《まんいち》(もしも)。

❷ 一月《いちがつ》。一次《いちじ》。一番《いちばん》。第一《だいいち》。一等《いっとう》。一年生《いちねんせい》。

❸ 一流《いちりゅう》(その分野《ぶんや》でもっともすぐれていること)。世界一《せかいいち》。

❹ 一座《いちざ》。一族《いちぞく》。一同《いちどう》。一面《いちめん》。全国一《ぜんこくいち》。日本一《にっぽんいち》。一家《いっか》。一式《いっしき》(ひとそろい)。一帯《いったい》(そのあたり全体《ぜんたい》)。統一《とういつ》。

❺ 一様《いちよう》(みな同《おな》じであるようす)。同一《どういつ》。

❻ 一気《いっき》。一心《いっしん》。

❼ 一応《いちおう》(ひととおり)。一休《ひとやす》み。

❽ 一例《いちれい》。一説《いっせつ》。

とくべつなよみ

一日《ついたち》。一人《ひとり》。

口／5画

【右】

おん ウ・ユウ
くん みぎ

なりたち

みぎ手《て》をあらわす「ナ」と、「口」（くち）をあわせた字《じ》。口《くち》に、はしでごはんをはこんだり、口《くち》で言《い》うことを手《て》まねでたすけたりする《みぎ手《て》》をあらわす。

ひつじゅん・書き方

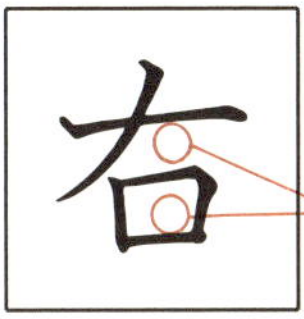

（5画）

《形《かたち》のにている字《じ》》
左《ひだり》

れい文・いみ

❶ れい文 車《くるま》にちゅういして、道《みち》の右《みぎ》を歩《ある》く。／こんどのまがり角《かど》を右《みぎ》にまがったところに、ゆうびんきょくがあります。／右《みぎ》投《な》げのピッチャー。／左右《さゆう》をよく見《み》て、歩道《ほどう》をわたる。 いみ 北《きた》のほうをむいて、東《ひがし》の方《ほう》こう。みぎ。 ついご 左《ひだり》。

❷ れい文 うでずもうでは、山川《やまかわ》くんの右《みぎ》に出《で》るものはいない。 いみ くらべてみて、すぐれているほう。

❸ れい文 おじいさんは、右《みぎ》よりの考《かんが》えをしているといわれています。 いみ これまでどおりのしかたや考《かんが》え。また、これまでどおりのしかたや考《かんが》えをまもる人《ひと》。 ついご 左《ひだり》。

じゅくご

❶ **右岸**《うがん》。**右折**《うせつ》（みぎの方向《ほうこう》に曲《ま》がって進《すす》むこと）。**右足**《みぎあし》。**右側**《みぎがわ》。**右手**《みぎて》。**右左**《みぎひだり》。**右目**《みぎめ》。**右横**《みぎよこ》。**右翼手**《うよくしゅ》（野球《やきゅう》で、本塁《ほんるい》から見《み》てみぎ側《がわ》の外野《がいや》を守《まも》る人《ひと》）。**右利**《みぎき》**き**（みぎ手《て》のほうが左手《ひだりて》より、よく働《はたら》くこと）。**回**《まわ》**れ右**《みぎ》。

❸ **右往左往**《うおうさおう》 ⇩（635ページ下）

❸ **右派**《うは》（これまでのしきたりを守《まも》ろうとする人々《ひとびと》の集《あつ》まり）。**右寄**《みぎよ》**り**。

《右翼手《うよくしゅ》》

□ 雨／8画

雨

おん ウ
くん あめ・あま

なりたち

空《そら》から《あめ》がふってくるようすをえがいた字《じ》。四《よっ》つの点《てん》は、《あめ》のつぶをあらわしている。

れい文・いみ

れい文 雨《あめ》がふり出《だ》した。／雨足《あまあし》がきゅうに強《つよ》くなった。／雨宿《あまやど》りをする。／雨《う》りょうをはかる。／はげしい風雨《ふうう》。

いみ 水《すい》じょう気《き》が空気中《くうきちゅう》でひえて、水《みず》のつぶとなって空《そら》からふってくるもの。また、それがふること。あめ。

《雨宿《あまやど》りをする》

じゅくご

雨季《うき》。雨天《うてん》。雨量《うりょう》。降雨《こうう》。晴雨《せいう》。梅雨《ばいう》。大雨《おおあめ》。長雨《ながあめ》。雨具《あまぐ》。雨雲《あまぐも》。雨戸《あまど》。雨水《あまみず》。暴風雨《ぼうふうう》。梅雨前線《ばいうぜんせん》。にわか雨《あめ》。

とくべつなよみ

霧雨《きりさめ》。小雨《こさめ》。五月雨《さみだれ》。時雨《しぐれ》。梅雨《つゆ》。春雨《はるさめ》。

□ 冂／4画

円

おん エン
くん まるい

なりたち

もとの字《じ》は「圓」。「囗」は、かこい、「員」は、まるいうつわ。《まるい》かこいをあらわした字《じ》。「円」は「圓」をかんたんにした字《じ》。

れい文・いみ

❶ れい文 円《えん》をかく。 いみ わ・の形《かたち》をしている。また、その形《かたち》。まる。まるい。

❷ れい文 関東一円《かんとういちえん》(そのあたりぜん体《たい》)。 いみ まとまったはんいの、広《ひろ》い地《ち》いき。

❸ れい文 人《ひと》がらが円《まる》い。／円《えん》まんな(なごやかなようす)家《か》てい。 いみ かどばらない。おだやかである。

❹ れい文 一足千円《いっそくせんえん》のくつ。 いみ 日本《にっぽん》のお金《かね》のたんい。

じゅくご

❶ 円形《えんけい》。円周《えんしゅう》(えんのまわり)。円柱《えんちゅう》。円盤《えんばん》。円窓《まるまど》。

❷ 九州一円《きゅうしゅういちえん》。

❸ 円熟《えんじゅく》(人《ひと》がらが豊《ゆた》かである。また、芸《げい》やわざが身《み》について、じょうずである)。円満《えんまん》。

❹ 千円札《せんえんさつ》。一万円《いちまんえん》。

王／4画

【王】

おん オウ
くん ―

なりたち

天《てん》と地《ち》のあいだに、手足《てあし》をひろげて、元《げん》気《き》よく立《た》っている人《ひと》のすがたをえがいた字《じ》。《おうさま》をあらわす。べつに、大《おお》きなおのの形《かたち》からできたともいわれる。

れい文・いみ

❶ れい文 王子《おうじ》が王《おう》のくらいをつぐ。 いみ 国《くに》をおさめるくんしゅ。

❷ れい文 エジソンは、発明王《はつめいおう》とよばれている。／ライオンは百《ひゃく》じゅう（あらゆるけもの）の王《おう》である。／かれは、ことしもホームラン王《おう》になった。 いみ それぞれの分野《ぶんや》で、もっともじつ力《りょく》をもっている人《ひと》。

❸ れい文 王《おう》が金《きん》でつまされた。 いみ しょうぎのこまの一《ひと》つ。おうしょう。

じゅくご

❶ 王宮《おうきゅう》。王国《おうこく》。王座《おうざ》（おうさまの地位《ちい》。また、いちばん上《うえ》の位《くらい》）。王様《おうさま》。王室《おうしつ》。王女《おうじょ》。王朝《おうちょう》。国王《こくおう》。女王《じょおう》。

❷ 得点王《とくてんおう》。

❸ 王手《おうて》。

とくべつなよみ

親王《しんのう》。

ひつじゅん・書き方

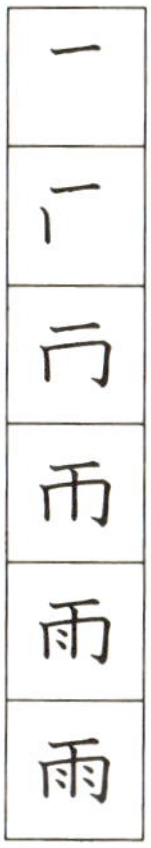

（8画）

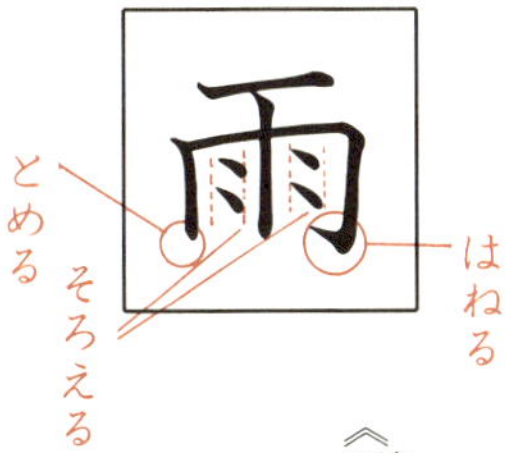

《形《かたち》のにている字《じ》》
雪《ゆき》 雲《くも》

ひつじゅん・書き方

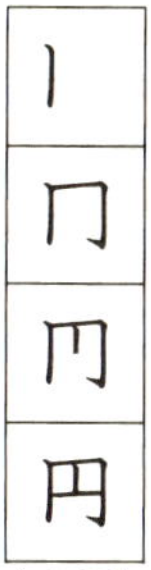

（4画）

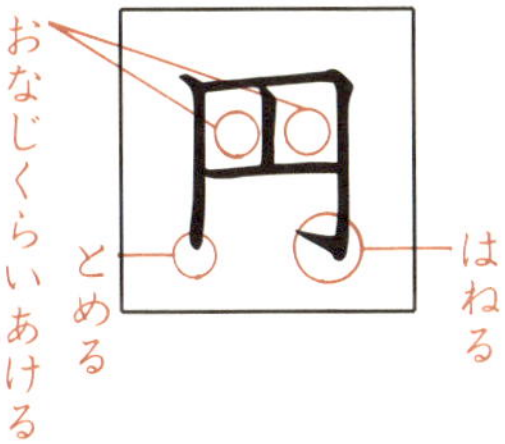

ひつじゅん・書き方

（4画）

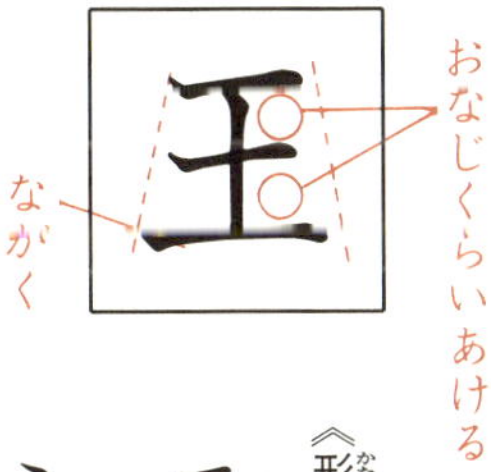

《形《かたち》のにている字《じ》》
玉《たま》 主《ぬし》

音／9画

【音】

おん オン・(イン)
くん おと・ね

なりたち

もとは「言」の「口」の中《なか》に「一」が入《はい》った字《じ》。この「一」は、ことばをつかうとき口《くち》の中《なか》から出《で》てくる《おと》をしめしている。

ひつじゅん・書き方

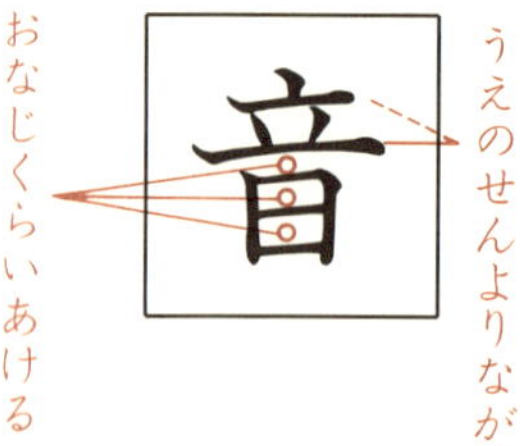

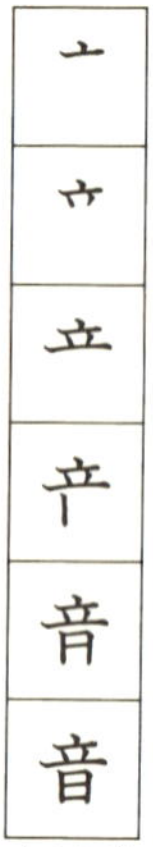
(9画)

れい文・いみ

❶ れい文 びょういんのろう下《か》を、音《おと》をたてないように歩《ある》く。／ふえの音《ね》が聞《き》こえてくる。／ラジオの音《おん》りょうをあげる。
いみ 空気中《くうきちゅう》をつたわって耳《みみ》に聞《き》こえる、いろいろなもののひびき。おと。

《音《おん》りょうをあげる》

❷ れい文 たのしい音楽《おんがく》。いみ 歌《うた》や楽《がっ》きょくのちょう子《し》。ふしまわしやリズム。

❸ れい文 一語一語《いちごいちご》をはっきりと発音《はつおん》する。いみ 話《はな》したり歌《うた》ったりするときの声《こえ》。

❹ れい文 「生」というかん字《じ》には「せい」と「しょう」の二《ふた》つの音《おん》がある。いみ かん字《じ》を、中国《ちゅうごく》でのはつ音《おん》をもとにして読《よ》む読《よ》み方《かた》。おん。ついご 訓《くん》。

❺ れい文 その後《ご》、かれからなんの音《おと》さた(たより)もない。いみ たより。通《つう》しん。

じゅくご

❶ 音速《おんそく》。音波《おんぱ》。音量《おんりょう》。雑音《ざつおん》。録音《ろくおん》。足音《あしおと》。羽音《はおと》。物音《ものおと》。

❷ 音階《おんかい》。音感《おんかん》(おとの高低《こうてい》や調子《ちょうし》などを聞《き》き分《わ》ける力《ちから》)。音程《おんてい》(二《ふた》つのおとの高《たか》さの差《さ》)。高音《こうおん》。低音《ていおん》。音色《ねいろ》(その楽器《がっき》や声《こえ》がもっている独特《どくとく》の性質《せいしつ》)。音楽家《おんがくか》。音楽室《おんがくしつ》。

❸ 音声《おんせい》。音読《おんどく》(声《こえ》を出《だ》して読《よ》むこと)。子音《しいん》(日本語《にほんご》のア・イ・ウ・エ・オ以外《いがい》のおん)。母音《ぼいん》(日本語《にほんご》のア・イ・ウ・エ・オの五《いつ》つのおん)。五十音《ごじゅうおん》。

❹ 音訓《おんくん》。音読《おんよ》み。

❺ 音信《おんしん》(たより)。音信不通《おんしんふつう》⇩(635ページ下)

とくべつなよみ

観音《かんのん》さま。

一／3画

【下】

おん　カ・ゲ

くん　した・しも・（もと）・さげる・さがる・くだる・くだす・くださる・おろす・おりる

なりたち

一本《いっぽん》の線《せん》の《した》に「・」のしるしをつけて、《した》をあらわした字《じ》。この字《じ》をさかさにすると「上《うえ》」の字《じ》になる。

ひつじゅん・書き方

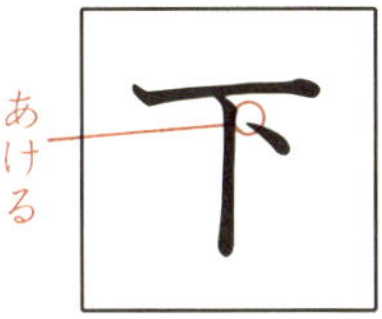

一　丅　下
（3画）

れい文・いみ

❶ れい文 つくえの下《した》をさがす。／年下《としした》の弟《おとうと》。 いみ いち・年《ねん》れい・地《ち》い・ていどなどがひくい。また、おとっている。した。 ついご 上《じょう》。

❷ れい文 上《じょう》かんと下《げ》かん二《に》さつの本《ほん》。 いみ 時間《じかん》・じゅん番《ばん》があとのほう。 ついご 上《じょう》。

❸ れい文 ねだんを下《さ》げる。／気《き》おんが下《さ》がる。／川《かわ》を下《くだ》る。／台《だい》から下《お》りる。 いみ 高《たか》いいちからひくいいちへうつす。さがる。さげる。おりる。 ついご 上《じょう》。

❹ れい文 りょう親《しん》の下《もと》でそだつ。 いみ そのあたり。もと。

❺ れい文 先生《せんせい》が下《くだ》さった本《ほん》。 いみ 「くれる」「くれ」をていねいにいうことば。くださる。

❻ れい文 下着《したぎ》をぬぐ。／林《はやし》の中《なか》の下草《したくさ》。 いみ おもてには見《み》えないところ。 ついご 上《じょう》。

❼ れい文 下調《したしら》べをする。 いみ 前《まえ》もってすること。あらかじめ。

❽ れい文 下《くだ》りの電車《でんしゃ》。 いみ 中《ちゅう》おうから地方《ちほう》へむかう。 ついご 上《のぼ》る。

じゅくご

❶ 下位《かい》。下級《かきゅう》。地下《ちか》。部下《ぶか》。下水《げすい》。下品《げひん》。上下《じょうげ》。下手《したて》。下町《したまち》。下役《したやく》。真下《ました》。目下《めした》（自分《じぶん》より年齢《ねんれい》・地位《ちい》などが下の人《ひと》）。下級生《かきゅうせい》。

❷ 下流《かりゅう》。以下《いか》。下巻《げかん》。下手《しもて》。風下《かざしも》。川下《かわしも》。

❸ 下降《かこう》。低下《ていか》。落下《らっか》。下校《げこう》。下山《げざん》（のぼった山《やま》からおりること）。下車《げしゃ》。値下《ねさ》げ。下《くだ》り坂《ざか》。ぶら下《さ》がる。

❹ 天下《てんか》。足下《あしもと》。城下町《じょうかまち》。

❻ 下心《したごころ》（心《こころ》の中《なか》でひそかに考《かんが》えていること）。

❼ 下絵《したえ》。下見《したみ》。下書《したが》き。

❽ 下《くだ》り列車《れっしゃ》。

とくべつなよみ

下手《へた》。

□ 火／4画

火

おん カ
くん ひ・《ほ》

なりたち

ほのおがいきおいよく出《で》て、《ひ》がもえているようすをえがいた字《じ》。

れい文・いみ

❶ れい文 たき火《び》にあたる。 いみ ものがもえるときに出《で》るねつや光《ひかり》。ひ。ほのお。

❷ れい文 山小《やまご》やのとう火《か》が見《み》える。 いみ ともしび。あかり。

❸ れい文 午後《ごご》からぼう火《か》くんれんがある。 いみ かじ。

❹ れい文 来週《らいしゅう》は日《にち》・月《げつ》・火《か》と、れん休《きゅう》だ。 いみ 「火曜日《かようび》」のりゃく。

じゅくご

❶ 火気《かき》(ひの気《け》)。火山《かざん》。火力《かりょく》。引火《いんか》(ほかからひが燃《も》え移《うつ》ること)。聖火《せいか》。点火《てんか》(ひをつけること)。発火《はっか》。火柱《ひばしら》。炭火《すみび》。強火《つよび》。花火《はなび》。

❷ 灯火《とうか》。

❸ 火災《かさい》。火事《かじ》。出火《しゅっか》。消火《しょうか》。大火《たいか》。防火《ぼうか》。火元《ひもと》。

□ 艹／7画

花

おん カ
くん はな

なりたち

「艹」(草《くさ》)と、「化」(すがたをかえること)をあわせた字《じ》。つぼみからはなへ、すがたをかえる《はな》をあらわした字《じ》。

れい文・いみ

❶ れい文 日本人《にっぽんじん》は、さくらの花《はな》がすきです。／切《き》り花《ばな》を花《か》びんにさす。 いみ しょくぶつが、えだや、くきの先《さき》にさかせるもの。はな。

❷ れい文 川《かわ》びらきに花火《はなび》をうちあげる。／このせいひんが、わが社《しゃ》の花形《はながた》(もっとも人《にん》気《き》のある)しょうひんです。／あい手《て》に花《はな》をもたせる(ひきたてる)。 いみ はなやかで、うつくしくりっぱなもの。

じゅくご

❶ 花壇《かだん》。花粉《かふん》。開花《かいか》。生花《せいか》(自然《しぜん》のままのはな)。造花《ぞうか》。花園《はなぞの》。花束《はなたば》。花畑《はなばたけ》。花見《はなみ》。花輪《はなわ》。草花《くさばな》。花《はな》かご。花言葉《はなことば》。花《はな》びら。花吹雪《はなふぶき》(はなびらが風《かぜ》にふかれて散《ち》りまうこと)。生《い》け花《ばな》。

貝／7画

〔貝〕

おん かい
くん ―

なりたち

はまぐりや、あさりなどの《二《に》まいがい》の形《かたち》をえがいた字《じ》。大《おお》むかし《かい》は、今《いま》のお金《かね》と同《おな》じようにつかわれたので、お金《かね》や、たからものもあらわす。

れい文・いみ

れい文 むかし、女《おんな》の人《ひと》は貝合《かいあ》わせというあそびをしました。／小川《おがわ》にすむたにしは、巻《ま》き貝《がい》の一《いっ》しゅだ。／おみやげに貝細工《かいざいく》を買《か》う。

いみ かたいからをもち、水《みず》の中《なか》にすむどうぶつ。はまぐり・あさり・さざえなど。また、そのかたいから。かい。かいがら。

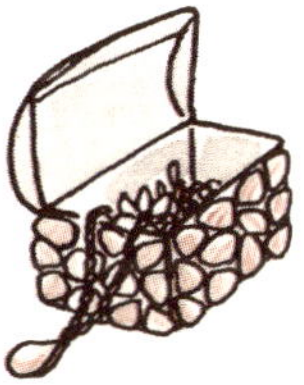

《貝細工《かいざいく》》

じゅくご

貝殻《かいがら》。貝柱《かいばしら》。二枚貝《にまいがい》。ほら貝《がい》。

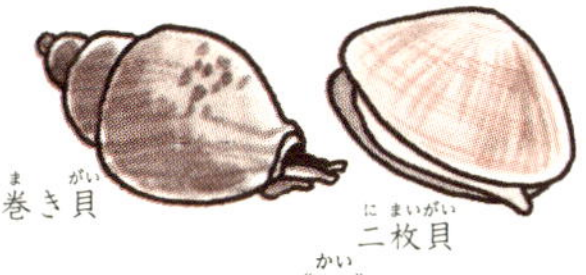

《貝《かい》》

ひつじゅん・書き方

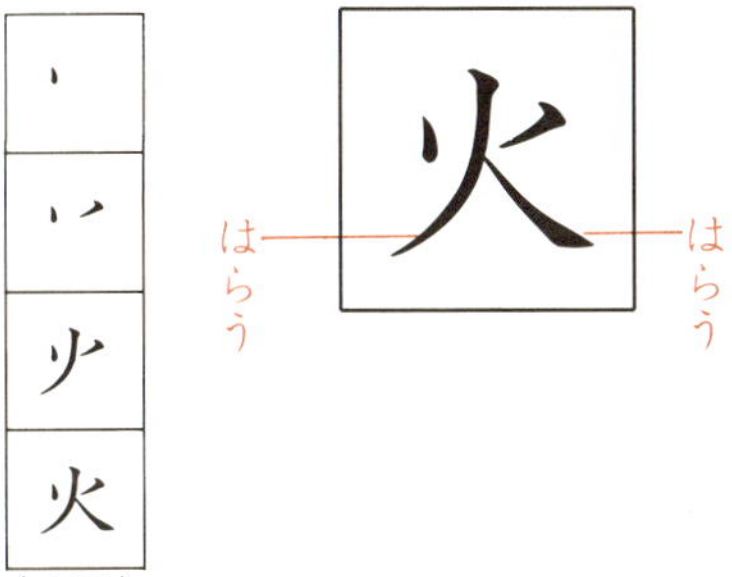

（4画）

ひつじゅん・書き方

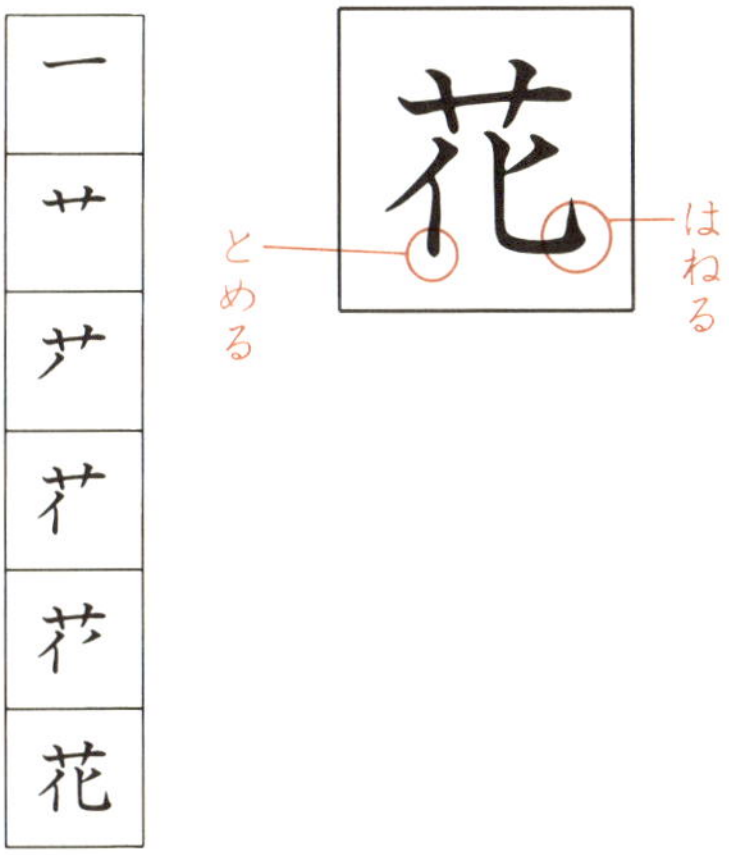

（7画）

ひつじゅん・書き方

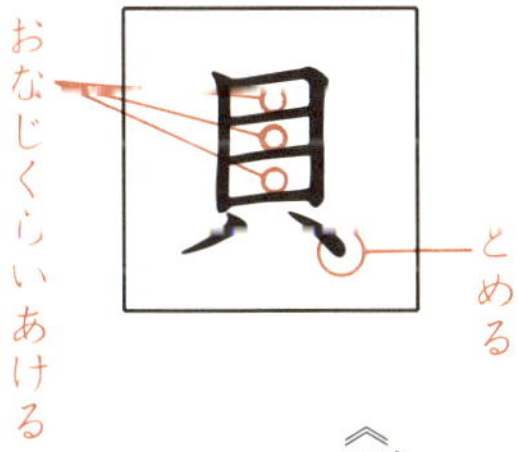

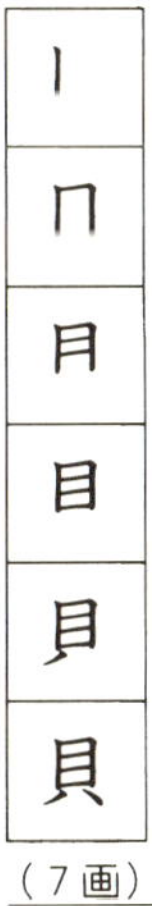

（7画）

《形《かたち》のにている字《じ》》

具《ぐ》 見《み》る

子／8画

【学】

↓

学

おん ガク
くん まなぶ

なりたち

もとの字《じ》は「學」。「𦥑」は、りょう手《て》、「冖」は、やねのある校《こう》しゃ、「子」は、こども、「爻」は、まじわることをしめす。やねの下《した》で先生《せんせい》と生《せい》とがまじわって《まなぶ》といういみをあらわした字《じ》。

ひつじゅん・書き方

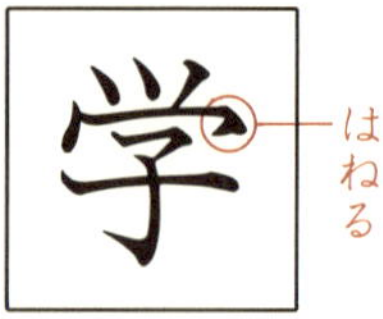

字《じ》 《形《かた》のにている字《じ》》

（8画）

れい文・いみ

❶ れい文 姉《あね》はいま、中国語《ちゅうごくご》を学《まな》んでいます。／夏休《なつやす》みに、こん虫《ちゅう》のことを学習《がくしゅう》する。／大山《おおやま》くんのおじいさんは、大学《だいがく》で、魚《さかな》のけんきゅうをしています。／兄《あに》は一年《いちねん》前《まえ》から、フランスにりゅう学《がく》しています。 いみ 教《おし》えをうける。べん強《きょう》する。まなぶ。

❷ れい文 おばあちゃんは、わたしは学《がく》がないから、むずかしい話《はなし》はわからないと言《い》っています。／ノーベル文学《ぶんがく》しょうをうけた小《しょう》せつ家《か》のお話《はなし》。 いみ まなんでみにつけた知《ち》しき。

❸ れい文 となりのおにいさんは、こんど高校《こうこう》をそつぎょうして、大学《だいがく》へすすみました。／ぼくたちの小学校《しょうがっこう》には、プールがあります。 いみ 知《ち》しきなどをまなぶところ。がっこう。

じゅくご

❶ **学士《がくし》**（大《だい》がくを卒業《そつぎょう》した人《ひと》にあたえられる呼《よ》び名《な》）。**学者《がくしゃ》**。**学生《がくせい》**。**学友《がくゆう》**。**見学《けんがく》**。**独学《どくがく》**（がっ校《こう》に行《い》ったり、先生《せんせい》に習《なら》ったりしないで、ひとりで勉強《べんきょう》すること）。**勉学《べんがく》**。**留学《りゅうがく》**。**学用品《がくようひん》**。**向学心《こうがくしん》**（がく問《もん》に、はげもうとする心《こころ》）。

❷ **学問《がくもん》**。**学力《がくりょく》**。**医学《いがく》**。**科学《かがく》**。**博学《はくがく》**（いろいろながく問《もん》や知識《ちしき》があること。物知《ものし》り）。**文学《ぶんがく》**。

❸ **学園《がくえん》**。**学年《がくねん》**。**学期《がっき》**。**学級《がっきゅう》**。**文学賞《ぶんがくしょう》**。**学校《がっこう》**。**進学《しんがく》**。**退学《たいがく》**。**入学《にゅうがく》**。**中学校《ちゅうがっこう》**。**高等学校《こうとうがっこう》**。**女子大学《じょしだいがく》**。**短期大学《たんきだいがく》**。

気／6画

【気】

おん キ・ケ
くん ――

なりたち

↓ 気

もとの字《じ》は「氣」。ゆげが出《で》るようすをあらわす「气」と、「米」(こめ)をあわせた字《じ》。米《こめ》をたくとき出《で》る《ゆげ》をあらわした字《じ》。

ひつじゅん・書き方

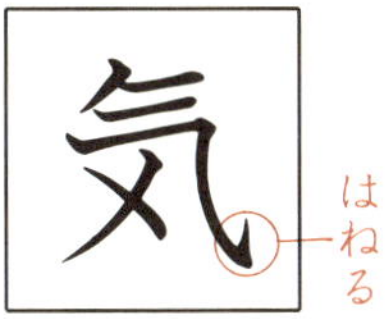

(6画)

《形《かたち》のにている字《じ》》

汽《き》

れい文・いみ

❶ れい文 ロケットで地《ち》きゅうの大気《たいき》の外《そと》にとび出《だ》す。／高《たか》い山《やま》では空気《くうき》がうすくなる。 いみ 地《ち》きゅうをとりまいている、色《いろ》や、においのないもの。

❷ れい文 やかんの口《くち》から湯気《ゆげ》が出《で》ている。 いみ ガス。

❸ れい文 火《ひ》の気《け》のないへや。／天気《てんき》がわるい。 いみ 自《し》ぜんのはたらきに原《げん》いんするもの。

❹ れい文 気《き》かん(のどから、はいにつづく、くだ)の病《びょう》気《き》。／おどろいて気《き》ぜつする。 いみ すったりはいたりする、いき。

❺ れい文 きみのやり方《かた》が気《き》にくわない。／本気《ほんき》になってべん強《きょう》する。／もっと元気《げんき》を出《だ》せ。

いみ 心《こころ》のはたらき。心《こころ》もち。せいしつ。

❻ れい文 気《き》品《ひん》がある。／けい気《き》(しょう売《ばい》のようす)のいい話《はなし》。／はき気《け》がする。／しお気《け》が多《おお》くてしょっぱい。 いみ そのようにかんじられるようす。また、あじ。

じゅくご

❶ 気《き》圧《あつ》。気《き》温《おん》。気《き》流《りゅう》。
❷ 気《き》球《きゅう》。気《き》体《たい》。
❸ 気《き》候《こう》。気《き》象《しょう》。寒《かん》気《き》。陽《よう》気《き》。
❹ 気《き》管《かん》。気《き》絶《ぜつ》。吸《きゅう》気《き》。呼《こ》気《き》。
❺ 気《き》軽《がる》。気《き》心《ごころ》。気《き》質《しつ》。気《き》性《しょう》。気《き》長《なが》(性《せい》質《しつ》がゆったりしているようす)。気《き》風《ふう》。気《き》分《ぶん》。気《き》短《みじか》。気《き》力《りょく》。短《たん》気《き》。強《つよ》気《き》。勇《ゆう》気《き》。陽《よう》気《き》。弱《よわ》気《き》。悪《わる》気《ぎ》。気《き》構《がま》え(何《なに》かにとりくもうとするときの心《こころ》のもち方《かた》)。気《き》苦《ぐ》労《ろう》。気《き》立《だ》て。気《き》まま。気《き》持《も》ち。一本気《いっぽんぎ》(性《せい》質《しつ》がまっすぐなようす)。気《き》まぐれ(そのときの思《おも》いつきで、ものごとをするようす)。
❻ 気《き》味《み》。景《けい》気《き》。殺《さっ》気《き》。塩《しお》気《け》。

とくべつなよみ

意《い》気《く》地《じ》。

乙／2画

九

おん キュウ・ク

くん ここの・ここのつ

なりたち

うでをまげた形《かたち》をえがいた字《じ》。「究《きゅう》」（さいごになる）の音《おん》とおなじなので、一《ひと》けたの数《かず》のうち、さいごである数《かず》の「9」のいみになった。

れい文・いみ

❶ れい文 姉《あね》は、わたしより九《ここの》つ年上《としうえ》です。／九月九日は、ぼくのたん生日です。／新《あたら》しい家《いえ》にこしてから、もう九《きゅう》か月目《げつめ》になる。 いみ 数《かず》の9。一《ひと》けたの数《かず》のうちでさい大《だい》の数《かず》。く。きゅう。ここのつ。

❷ れい文 三《さん》ぱい九《きゅう》はい（なんども頭《あたま》を下《さ》げてたのむこと）する。 いみ なんども。また、数《かず》が多《おお》いこと。たくさん。

じゅくご

❶ 九箇所《きゅうかしょ》。九分通《くぶどお》り（ほぼ確《かく》実《じっ》であるようす）。

十中八九《じっちゅうはっく》 ⇩（637ページ下）

❷ 三拝九拝《さんぱいきゅうはい》 ⇩（637ページ中）

亻／6画

休

おん キュウ

くん やすむ・やすまる・やすめる

なりたち

人《ひと》をあらわす「亻」と、「木」（き）をあわせた字《じ》。人《ひと》が木《き》のかげで《やすむ》ようすをあらわした字《じ》。

れい文・いみ

れい文 いそがしくて手《て》を休《やす》めるひまもない。／休《やす》み時間《じかん》は図《と》書室《しょしつ》へ行《い》く。／きかいを休《やす》ませる。／楽《たの》しい夏休《なつやす》み。 いみ からだや心《こころ》を、ゆっくりさせる。また、学《がっ》校《こう》や、つとめに行《い》かない。しごとや、しよう売《ばい》を一時《いちじ》やめる。

《一休《ひとやす》み》

じゅくご

休刊《きゅうかん》。休館《きゅうかん》。休業《きゅうぎょう》。休校《きゅうこう》。休止《きゅうし》。休日《きゅうじつ》。休息《きゅうそく》。休養《きゅうよう》。運休《うんきゅう》（決《き》まって運転《うんてん》されている電《でん》車《しゃ》やバスが、運転《うんてん》をしないこと）。連休《れんきゅう》。定休日《ていきゅうび》。中休《なかやす》み。春休《はるやす》み。一休《ひとやす》み。昼休《ひるやす》み。冬休《ふゆやす》み。気休《きやす》め。骨休《ほねやす》め（働《はたら》いた後《あと》、からだを楽《らく》にすること）。

□
玉／5画

【玉】

おん ギョク
くん たま

なりたち

たいせつなほう石《せき》や《たま》をひもで三《みっ》つつらねたようすをえがいた字《じ》。

れい文・いみ

❶ れい文 玉《たま》をちりばめたような星空《ほしぞら》。 いみ ほう石《せき》。

❷ れい文 玉《たま》のはだ。 いみ うつくしいもの、たいせつなものをたとえていうことば。

❸ れい文 シャボン玉《だま》をとばす。／目《め》の玉《たま》。 いみ ボールのようなまるい形《かたち》のもの。

❹ れい文 なり歩《ふ》で玉《ぎょく》をつく。／玉《ぎょく》をにがす。 いみ しょうぎのこまの一《ひと》つ。ぎょくしょう。

じゅくご

❶ 宝玉《ほうぎょく》。 玉石混交《ぎょくせきこんこう》 ⇩(636ページ中)

❷ 玉手箱《たまてばこ》。

❸ 水玉《みずたま》。玉入《たまい》れ。玉砂利《たまじゃり》(つぶの大《おお》きなまるい砂利《じゃり》)。あめ玉《だま》。一円玉《いちえんだま》。ビー玉《だま》。目玉焼《めだまや》き。

❹ 入玉《にゅうぎょく》(将棋《しょうぎ》で、王《おう》が、敵《てき》の陣《じん》地《ち》に入《はい》ること)。

ひつじゅん・書き方

ノ
九
(2画)

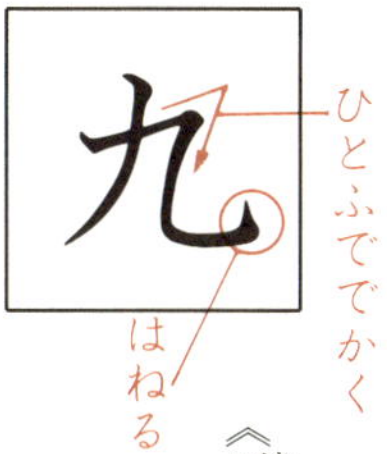

《形《かたち》のにている字《じ》》 丸《まる》

ひつじゅん・書き方

ノ
亻
仁
什
休
休
(6画)

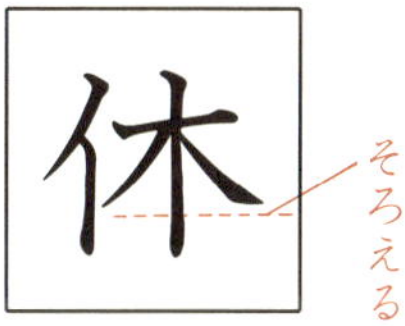

《形《かたち》のにている字《じ》》 体《からだ》

ひつじゅん・書き方

一
丅
干
王
玉
(5画)

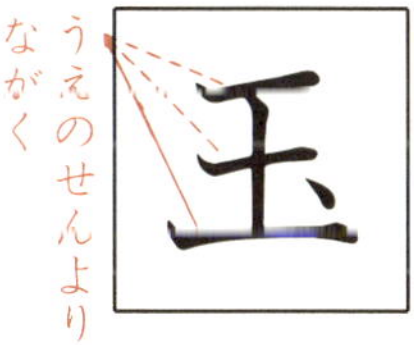

《形《かたち》のにている字《じ》》 王《おう》 主《ぬし》

金／8画

金

おん キン・コン
くん かね・かな

なりたち

土《つち》の中《なか》に、《きん》のつぶがちらばって光《ひか》っているようすをあらわした字《じ》。

れい文・いみ

❶れい文 じゅん金《きん》のゆびわ。／黄金《おうごん》のかがやき。 いみ きんぞくの一《ひと》つ。きん。
❷れい文 金具《かなぐ》がさびる。／てつの金《かな》づち。
いみ どう・てつなどのきんぞく。
❸れい文 せかい一《いち》の金《かね》持《も》ち。／ぼ金《きん》する。
いみ おかね。
❹いみ こがね色《いろ》でうつくしい。とうとい。
❺いみ 「金曜日《きんようび》」のりゃく。
❻いみ しょうぎのこまの一《ひと》つ。きんしょう。

じゅくご

❶金貨《きんか》。金銀《きんぎん》。金鉱《きんこう》。金山《きんざん》。純金《じゅんきん》。
❷金属《きんぞく》。合金《ごうきん》。針金《はりがね》。金棒《かなぼう》。金物《かなもの》。
❸金額《きんがく》。金庫《きんこ》。金銭《きんせん》。現金《げんきん》。集金《しゅうきん》。代金《だいきん》。預金《よきん》。料金《りょうきん》。
❹金色《きんいろ》。金魚《きんぎょ》。金言《きんげん》(ためになる教《おし》えをふくんだことば)。金星《きんせい》。金色《こんじき》。金堂《こんどう》。

穴／8画

空

おん クウ
くん そら・あく・あける・から

なりたち

「穴」(あな)と「エ」(いたにあなをつきぬいた形《かたち》)をあわせた字《じ》。あながつきぬけて中《なか》に何《なに》もないことから、《からっぽ》のこと。のち、《そら》のいみにもなった。

れい文・いみ

❶れい文 東《ひがし》の空《そら》が明《あか》るくなった。／空中《くうちゅう》をロケットがとぶ。／すみきった秋《あき》の青空《あおぞら》。
いみ 大地《だいち》のずっと上《うえ》のほうに広《ひろ》がっているところ。そら。
❷れい文 はこの中《なか》は空《から》っぽだ。／がら空《あ》きの電車《でんしゃ》。／空言《そらごと》(ほんとうでないこと)を言《い》う。
いみ なかみがない。から。
❸れい文 ホームランをねらって空《から》ぶりの三《さん》しんをした。 いみ やくにたたない。むだ。

じゅくご

❶空気《くうき》。空軍《くうぐん》。空港《くうこう》。航空《こうくう》。上空《じょうくう》。低空《ていくう》。空色《そらいろ》。大空《おおぞら》。寒空《さむぞら》。星空《ほしぞら》。夜空《よぞら》。
❷空席《くうせき》。空想《くうそう》。空白《くうはく》。空腹《くうふく》。真空《しんくう》。空耳《そらみみ》。空箱《からばこ》。空《あ》き缶《かん》。空《あ》き地《ち》。空《あ》き家《や》。
❸空転《くうてん》(あるものごとが、なんにも役《やく》にたたないでむだになること)。

□ 月／4画

【月】

おん ゲツ・ガツ
くん つき

なりたち

《三日《みか》づき》の形《かたち》をえがいた字《じ》。

れい文・いみ

❶ れい文 夕空《ゆうぞら》に三日月《みかづき》が出《で》ている。／今夜《こんや》はまん月《げつ》です。 いみ 地《ち》きゅうのえい星《せい》。つき。

❷ れい文 六月《ろくがつ》は小《しょう》の月《つき》だ。／一年《いちねん》と六《ろっ》か月《げつ》。 いみ 一年《いちねん》を十二《じゅうに》に分《わ》けた一《ひと》つ。つき。

❸ れい文 月《げっ》・水《すい》・金《きん》と、一日《いちにち》おきに野《や》きゅうのれんしゅうがある。 いみ 「月曜日《げつようび》」のりゃく。

じゅくご

❶ 月光《げっこう》。月食《げっしょく》。月面《げつめん》。新月《しんげつ》。半月《はんげつ》。満月《まんげつ》。名月《めいげつ》。明月《めいげつ》。月影《つきかげ》。月見《つきみ》。月夜《つきよ》。

❷ 月間《げっかん》。月末《げつまつ》。今月《こんげつ》。先月《せんげつ》。年月《ねんげつ》。来月《らいげつ》。正月《しょうがつ》。月日《つきひ》。年月《としつき》。毎月《まいつき》。日進月歩《にっしんげっぽ》 ⇩(640ページ下)

とくべつなよみ

五月《さつき》晴《ば》れ。五月雨《さみだれ》。

ひつじゅん・書き方

《形《かたち》のにている字《じ》》 全《ぜん》

（8画）

ひつじゅん・書き方

《形《かたち》のにている字《じ》》 究《きゅう》

（8画）

ひつじゅん・書き方

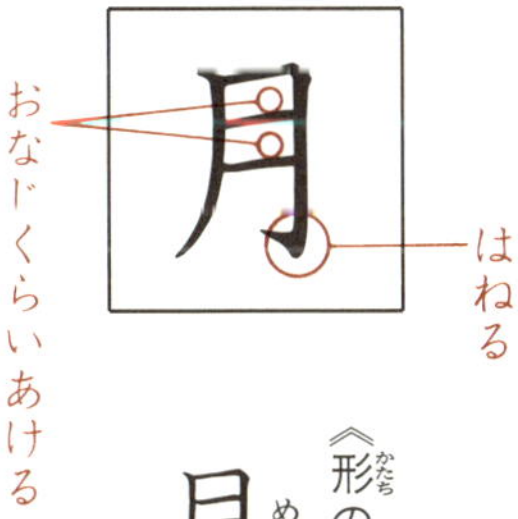

《形《かたち》のにている字《じ》》 目《め》

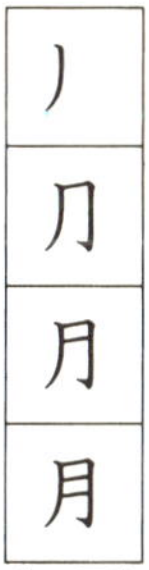

（4画）

□

犬／4画

【犬】

おん ケン

くん いぬ

なりたち

《いぬ》の形《かたち》をえがいた字《じ》。「、」は耳《みみ》をあらわしたものといわれている。

れい文・いみ

❶ れい文 わたしの家《いえ》では犬《いぬ》をかっています。／野《や》犬《けん》がつかまる。 いみ 大《おお》むかしから家《か》ちくとしてかわれているどうぶつ。いぬ。

❷ れい文 こんなことでしねば犬《いぬ》死《じ》に(むだじに)になる。 いみ ねうちがないこと、つまらないことなどのたとえ。

じゅくご

❶ 愛犬《あいけん》。番犬《ばんけん》(家《いえ》に泥棒《どろぼう》などが入《はい》らないように、用心《ようじん》のために飼《か》ういぬ)。名犬《めいけん》。警察犬《けいさつけん》。盲導犬《もうどうけん》。犬小屋《いぬごや》。犬《いぬ》ぞり。野良犬《のらいぬ》(飼《か》い主《ぬし》のいないいぬ)。

《番犬《ばんけん》》

□

見／7画

【見】

おん ケン

くん みる・みえる・みせる

なりたち

ものを《みる》のは、目《め》。その目《め》を大《おお》きく書《か》いて、それに人《ひと》をあらわす「儿」をあわせた字《じ》。人《ひと》が目《め》で《みる》ことをあらわした字《じ》。

れい文・いみ

❶ れい文 虫《むし》めがねで見《み》る。／遠《とお》くに山《やま》が見《み》える。／工場《こうじょう》を見学《けんがく》する。 いみ 目《め》でものの形《かたち》や内《ない》ようを知《し》る。みる。

❷ れい文 父《ちち》の意見《いけん》を聞《き》く。 いみ 考《かんが》え。

❸ れい文 わるいことが、ろ見《けん》(人《ひと》に知《し》られてしまうこと)する。 いみ あらわれる。みえる。みせる。

❹ れい文 顔見知《かおみし》りです。／記者会見《きしゃかいけん》する。 いみ 人《ひと》と会《あ》う。

じゅくご

❶ 見当《けんとう》。見物《けんぶつ》。見聞《けんぶん》。外見《がいけん》。発見《はっけん》。見本《みほん》。味見《あじみ》。下見《したみ》。花見《はなみ》。よそ見《み》。見晴《みは》らし。

❷ 見解《けんかい》(人《ひと》それぞれの考《かんが》え方《かた》)。見識《けんしき》(すぐれた考《かんが》え)。先見《せんけん》(これから起《お》こることを前《まえ》もってみぬくこと)。

❹ 見合《みあ》い。

二／4画

五

おん ゴ
くん いつ・いつつ

なりたち

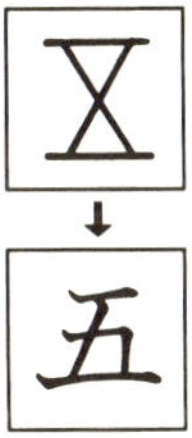

二《に》本《ほん》の線《せん》がまじわることをしめした字《じ》。ゆびで数《かず》を数《かぞ》えるとき、5でおりかえして、まじわることから、数《かず》の「5」をいみする。

れい文・いみ

れい文 五《ご》を二《に》ばいすると十《じゅう》になる。／五《ご》月五日《がついつか》は、男《おと》の子《こ》のせっくです。／オリンピックのマークの五《ご》りんは、せかいの五《ご》大《たい》りくを五《ご》色《しょく》のわであらわしたものです。

いみ 数《かず》の5。ご。いつつ。

《五《ご》りんマーク》

じゅくご

五官《ごかん》（目《め》・耳《みみ》・鼻《はな》・舌《した》・皮膚《ひふ》のこと）。**五感**《ごかん》（見《み》る・聞《き》く・かぐ・味《あじ》わう・ふれること）。**五穀**《ごこく》（米《こめ》・麦《むぎ》・あわ・きび・豆《まめ》のこと）。**五輪**《ごりん》。**五七調**《ごしちちょう》。**五十音**《ごじゅうおん》。**五線紙**《ごせんし》。**五大陸**《ごたいりく》。**四捨五入**《ししゃごにゅう》⇩（637ページ下）

とくべつなよみ

五月晴《さつきば》**れ**。**五月雨**《さみだれ》。

ひつじゅん・書き方

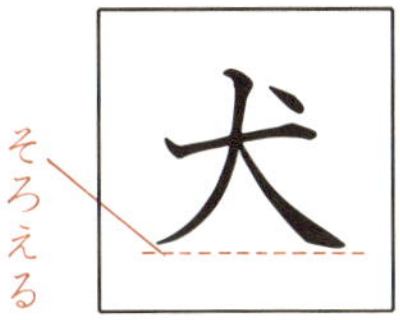

（4画）

《形《かたち》のにている字《じ》》
大《だい》　太《ふと》い

ひつじゅん・書き方

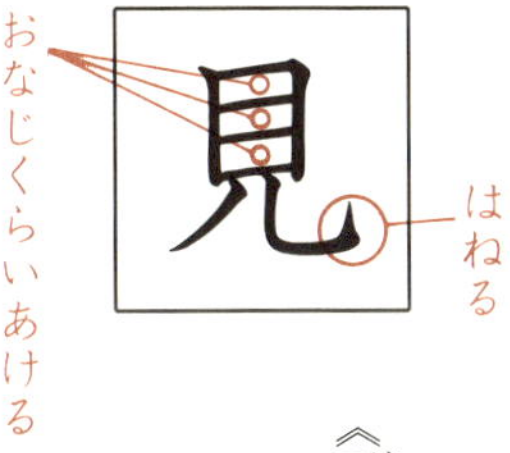

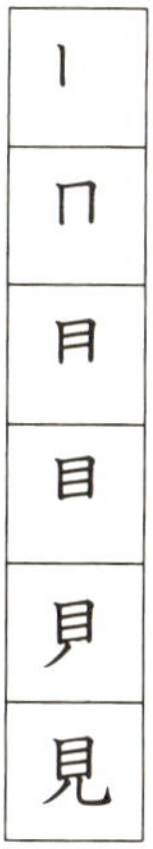
（7画）

《形《かたち》のにている字《じ》》
貝《かい》　具《ぐ》

ひつじゅん・書き方

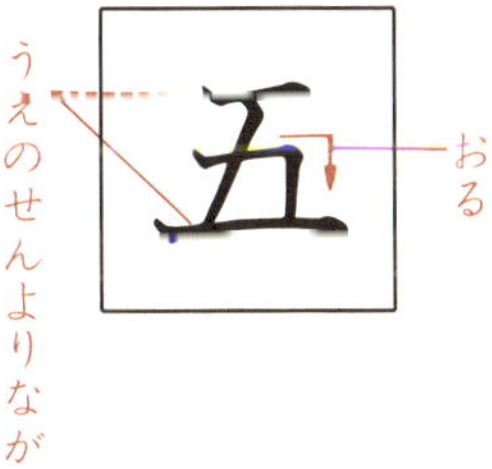

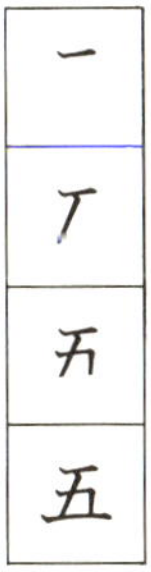
（4画）

〔コウ〕 口

口／3画

【口】

おん コウ・ク

くん くち

なりたち

人《ひと》の《くち》の形《かたち》をえがいた字《じ》。

ひつじゅん・書き方

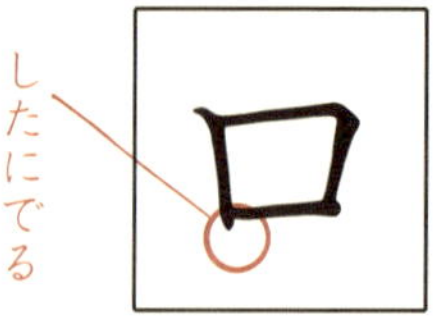

（３画）

れい文・いみ

❶ れい文 口《くち》を大《おお》きくあけて歌《うた》う。／弟《おとうと》は、口先《くちさき》をとがらせておこった。 いみ 人《ひと》や、どうぶつの、くち。

❷ れい文 書《しょ》るいをまど口《ぐち》にさし出《だ》す。／かロ《こう》にみなとをつくる。／水道《すいどう》のじゃ口《ぐち》。 いみ ものの出《だ》し入《い》れや、人《ひと》やものが出入《でい》りするところ。

❸ れい文 よいの口《くち》から雪《ゆき》になる。 いみ ものごとのはじまり。また、ものの先《さき》のぶ分《ぶん》。

❹ れい文 せ間《けん》の口《くち》を気《き》にする。／よこ合《あ》いから口《くち》をさし入《い》れる。／おねえさんは口《くち》数《かず》が多《おお》い。 いみ ものを言《い》う。ことば。

❺ れい文 と市《し》に人口《じんこう》がしゅう中《ちゅう》する。 いみ 人《ひと》の数《かず》。

❻ れい文 べつ口《くち》でそう金《きん》する。／から口《くち》のカレー。／小口《こぐち》（お金《かね》のがくが小《ちい》さいこと）のちゅう文《もん》。 いみ しゅるい。

❼ れい文 一口《ひとくち》五千円《ごせんえん》のきふ。 いみ ひとまとまりのお金《かね》などを数《かぞ》えることば。

じゅくご

❶ 口笛《くちぶえ》。口紅《くちべに》。口元《くちもと》。

❷ 火口《かこう》。河口《かこう》。裏口《うらぐち》。表口《おもてぐち》。出口《でぐち》。戸口《とぐち》。窓口《まどぐち》。入《い》り口《ぐち》。改札口《かいさつぐち》。通用口《つうようぐち》。非常口《ひじょうぐち》。

❸ 口絵《くちえ》（本《ほん》や雑誌《ざっし》の中《なか》で、いちばん初《はじ》めのページにのせられている絵《え》や写真《しゃしん》）。口火《くちび》（最初《さいしょ》に、ものごとをするきっかけ）。糸口《いとぐち》（手《て》がかり）。序《じょ》の口《くち》（ものごとが始《はじ》まったばかりのところ）。

❹ 口外《こうがい》（人《ひと》にしゃべること）。口語《こうご》。口論《こうろん》。早口《はやくち》。無口《むくち》。悪口《わるくち》。口答《くちごた》え。口出《くちだ》し。口止《くちど》め（話《はな》したことを、ほかの人《ひと》に話《はな》さないようにとめること）。口下手《くちべた》。口約束《くちやくそく》。告《つ》げ口《ぐち》。口頭試問《こうとうしもん》。憎《にく》まれ口《ぐち》。

❺ 人口密度《じんこうみつど》。

❻ 大口《おおぐち》。辛口《からくち》。手口《てぐち》。別口《べっくち》。やり口《くち》。

木／10画

【校】

おん コウ
くん ―

なりたち

「交」(足《あし》を×の形《かたち》にまじわらせているようす)と、「木」(き)をあわせた字《じ》。先生《せんせい》と生《せい》とがまじわってべん強《きょう》する《学《がっ》こう》をあらわした字《じ》。

ひつじゅん・書き方

校（とめる）

木 栌 栌 栌 栌 校
(10画)

れい文・いみ

❶ れい文 わたしたちの学校《がっこう》は、ことしでそう立百年目《りつひゃくねんめ》をむかえます。／来年《らいねん》、校《こう》しゃをたてかえることになりました。／わたしは、村《むら》の分校《ぶんこう》に通《かよ》っています。／姉《あね》は、ことしから高校《こうこう》に通《かよ》っています。 いみ 学生《がくせい》や生《せい》とが、教《きょう》いくをうける場《ば》しょ。

❷ れい文 学《がっ》きゅう新聞《しんぶん》の文字《もじ》のあやまりを校正《こうせい》(書《か》いたものと、いんさつされたものを見《み》くらべて、まちがいがないかしらべること)する。 いみ しらべあわせる。

《校門《こうもん》》

じゅくご

❶ **校歌**《こうか》。**校旗**《こうき》。**校舎**《こうしゃ》。**校則**《こうそく》(その学《がっ》こうの規則《きそく》)。**校長**《こうちょう》。**校庭**《こうてい》。**校内**《こうない》。**校風**《こうふう》(その学《がっ》こうの特有《とくゆう》な考《かんが》え方《かた》や習慣《しゅうかん》)。**校門**《こうもん》。**休校**《きゅうこう》。**下校**《げこう》(児童《じどう》や生徒《せいと》が、授業《じゅぎょう》が終《お》わって、学《がっ》こうを出《で》て家《いえ》に帰《かえ》ること)。**全校**《ぜんこう》。**転校**《てんこう》。**登校**《とうこう》(児童《じどう》や生徒《せいと》が、授業《じゅぎょう》を受《う》けるために学《がっ》こうへ行《い》くこと)。**母校**《ぼこう》(自分《じぶん》が卒業《そつぎょう》した学《がっ》こう。また、自分《じぶん》が勉強《べんきょう》している学《がっ》こう)。**本校**《ほんこう》。**小学校**《しょうがっこう》。**中学校**《ちゅうがっこう》。

❷ **校了**《こうりょう》(書《か》いたものと、印刷《いんさつ》されたものを見比《みくら》べて、まちがいがないかを調《しら》べる作業《さぎょう》が全部《ぜんぶ》終《お》わること)。

工／5画

左

おん サ
くん ひだり

なりたち
ひだり手《て》をあらわす「ナ」と、工作《こうさく》をあらわす「工」をあわせた字《じ》。工作《こうさく》をするとき、ものをささえる《ひだり手《て》》の形《かたち》をあらわした字《じ》。

れい文・いみ
❶ れい文 **左**《ひだり》がわ通行《つうこう》。／**左**右《さゆう》をよく見《み》て道《みち》をわたる。 いみ 南《みなみ》のほうをむいて、東《ひがし》の方《ほう》こう。ひだり。 ついご 右《みぎ》。
❷ れい文 店《みせ》が**左**前《ひだりまえ》（じゅんちょうにいかないこと）になる。 いみ じゅんちょうにいかなくなること。また、地《ち》いが下《さ》がること。
❸ れい文 **左**《さ》は・（これまでのやり方《かた》をあらためようとする人《ひと》びと）。 いみ すすんだしかたや考《かんが》え。 ついご 右《みぎ》。

じゅくご
❶ **左折**《させつ》。**左足**《ひだりあし》。**左側**《ひだりがわ》。**左手**《ひだりて》。**左目**《ひだりめ》。**左翼手**《さよくしゅ》。**左利**《ひだりき》**き**（ひだり手《て》のほうが、右手《みぎて》より、よく働《はたら》くこと）。**左回**《ひだりまわ》**り**。**左向**《ひだりむ》**き**。**右往左往**《うおうさおう》 ⇩（635ページ下）
❸ **左派**《さは》。**左寄**《ひだりよ》**り**。

一／3画

三

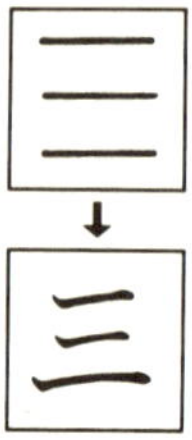

おん サン
くん み・みつ・みっつ

なりたち
さん本《ぼん》のよこ線《せん》で、数《かず》の「3」をしめした字《じ》。「一」は、一本《いっぽん》、「二」は、二本《にほん》、「三」は、さん本《ぼん》のよこ線《せん》で数《かず》の「3」をあらわした。

れい文・いみ
❶ れい文 **三**月**三**日《さんがつみっか》はひなまつりです。／**三**《み》たびおとずれる。／たまごを**三**《みっ》つゆでた。／わたしの家《いえ》は**三**階《さんがい》だてです。 いみ 数《かず》の3。さん。みっつ。
❷ れい文 さい**三**《さん》（なんども。たびたび）、ちゅういする。／人《ひと》びとは**三**々五々《さんさんごご》（人《ひと》びとが、さん人《にん》、五人《ごにん》とつれだって歩《ある》いていくようす）、家《いえ》に帰《かえ》った。 いみ なんども。また、数《かず》が多《おお》いこと。

じゅくご
❶ **三角形**《さんかくけい》。**三原色**《さんげんしょく》（絵《え》の具《ぐ》の、赤《あか》・青《あお》・黄色《きいろ》）。**三輪車**《さんりんしゃ》。**七五三**《しちごさん》。**三日月**《みかづき》。**三**《み》**つまた**。**三日坊主**《みっかぼうず》 ⇩（642ページ上）
❷ **再三**《さいさん》。**三拝九拝**《さんぱいきゅうはい》 ⇩（637ページ中）

とくべつなよみ
三味線《しゃみせん》。

ひつじゅん・書き方

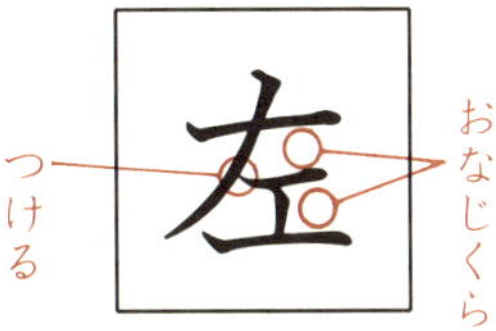
おなじくらいあける

《形《かたち》のにている字《じ》》
右《みぎ》

一　ナ　𠂇　𠂇　左
（5画）

ひつじゅん・書き方

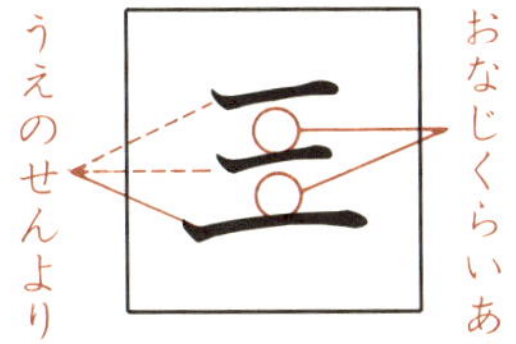
おなじくらいあける
うえのせんよりながく

一　二　三
（3画）

絵《え》からできたかん字《じ》(1)

（上《うえ》から順番《じゅんばん》に変化《へんか》して、現在《げんざい》のかん字の字体《じたい》となりました。）

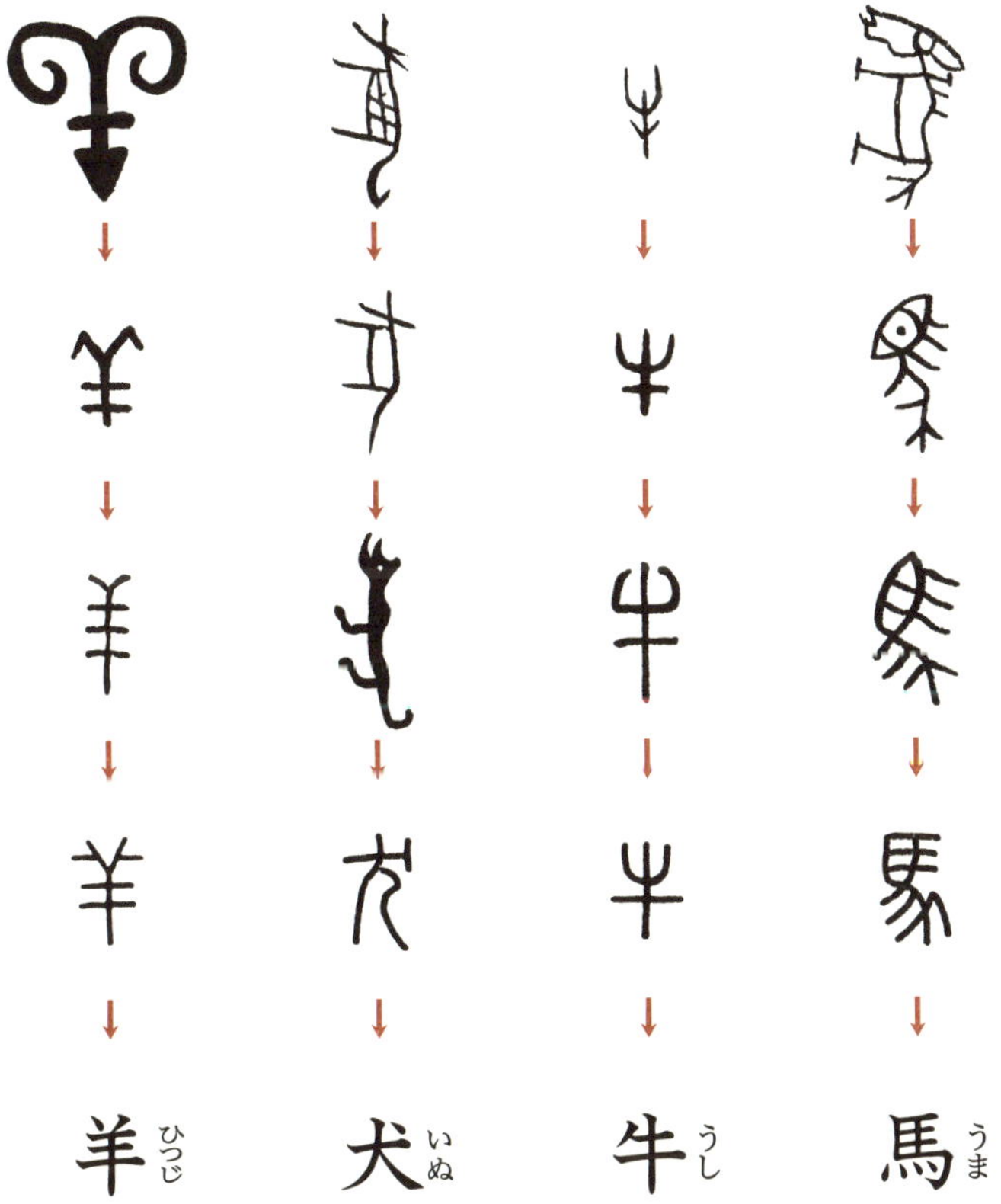

山／3画

山

おん サン
くん やま

なりたち

三《みっ》つのみねがある《やま》の形《かたち》をあらわした字《じ》。

ひつじゅん・書き方

山

ひとふででかく

丨 → 山 → 山
(3画)

れい文・いみ

❶れい文 夏休《なつやす》みに、父《ちち》と山登《やまのぼ》りをする。／火山《かざん》が、とつぜんふん火《か》した。／山《さん》ぷく(やまの中《なか》ほど)にトンネルをほる。いみ まわりの土地《とち》より、ひじょうに高《たか》くもりあがっているところ。やま。

❷れい文 りんごを一山《ひとやま》五百円《ごひゃくえん》で買《か》った。いみ 高《たか》くもりあげた形《かたち》のもの。また、それを数《かぞ》えることば。やま。

❸れい文 くるしいのも今夜《こんや》が山《やま》だ。／し合《あい》の山場《やまば》(ものごとの、いちばんだいじなようす)。いみ ものごとの、かんじんなところ。やま。

❹れい文 あしたの算数《さんすう》のテストに山《やま》をかける。いみ 万一《まんいち》のこううんをねらったところ。やま。

❺れい文 山門《さんもん》をくぐる。いみ 寺《てら》。

《山門《さんもん》》

じゅくご

❶山河《さんが》。山間《さんかん》。山村《さんそん》。山地《さんち》。山中《さんちゅう》。山頂《さんちょう》。山腹《さんぷく》。山脈《さんみゃく》。山野《さんや》。山林《さんりん》。下山《げざん》。高山《こうざん》。鉱山《こうざん》。登山《とざん》。連山《れんざん》。山際《やまぎわ》(やまのすぐ近《ちか》く。また、やまと空《そら》が接《せっ》する所《ところ》)。山国《やまぐに》。山里《やまざと》。山路《やまじ》。山道《やまみち》。岩山《いわやま》。雪山《ゆきやま》。山小屋《やまごや》。山すそ。山並《やまな》み(やまが並《なら》んでいるようす)。山鳴《やまな》り(噴火《ふんか》などで、やまが鳴《な》りひびくこと。また、その音《おと》)。山開《やまびら》き(その年《とし》初《はじ》めて、やまにのぼれるようになること。また、その日《ひ》)。

❷氷山《ひょうざん》。砂山《すなやま》。山盛《やまも》り。

とくべつなよみ

山車《だし》。築山《つきやま》。

□ 子／3画

子

おん シ・ス
くん こ

なりたち

頭《あたま》の大《おお》きい《こども》が、りょう手《て》をひろげているすがたをえがいた字《じ》。こどものすがたのとくちょうをあらわしている。

ひつじゅん・書き方

（3画）

れい文・いみ

❶ れい文 子《こ》ねこが生《う》まれた。／かわいい子《こ》ども。／わかい王子《おうじ》さま。いみ 親《おや》から生《う》まれたもの。こども。こ。ついご 親《おや》。

❷ れい文 外国《がいこく》に子会社《こがいしゃ》をつくる。／先生《せんせい》と弟子《でし》の間《あいだ》がら。いみ もとから分《わ》かれたもの。また、親《おや》とこどもに、にたかんけいにあるもの。ついご 親《おや》。

❸ れい文 水《みず》の分子《ぶんし》。／しょくぶつのしゅ子《し》。いみ ものを形《かたち》づくるもととなる、小《ちい》さなもの。

❹ れい文 あの人《ひと》は才子《さいし》（才《さい》のうがある人《ひと》）と、いわれています。いみ ほかのことばにつけて人《ひと》をあらわすことば。

❺ れい文 あやしい様子《ようす》。／調子《ちょうし》がよい。いみ ほかのことばにつけて、そのことばをととのえるはたらきをすることば。

❻ れい文 花子《はなこ》さんは犬《いぬ》ずきです。いみ おもに女《おんな》の人《ひと》の名前《なまえ》につけることば。

❼ いみ 十二《じゅうに》しの一番目《いちばんめ》。ねずみ。方角《ほうがく》では、北《きた》をあらわす。

じゅくご

❶ 子息《しそく》（改《あらた》まってよその人《ひと》のむすこのことをいうことば）。子孫《しそん》。皇子《おうじ》。妻子《さいし》。実子《じっし》。女子《じょし》。男子《だんし》。父子《ふし》。母子《ぼし》。養子《ようし》。子供《こども》。子役《こやく》。幼子《おさなご》。親子《おやこ》。里子《さとご》。年子《としご》。皇太子《こうたいし》。末《すえ》っ子《こ》。

❷ 子葉《しよう》（種《たね》から出《で》た芽《め》が、最初《さいしょ》につける葉《は》）。子分《こぶん》。

❸ 原子《げんし》。種子《しゅし》。電子《でんし》。

❹ 君子《くんし》（おこないの正《ただ》しい男《おとこ》の人《ひと》）。

❺ 障子《しょうじ》。

❻ 和子《かずこ》。洋子《ようこ》。

❼ 子午線《しごせん》（地球《ちきゅう》の表面《ひょうめん》を南北《なんぼく》に縦《たて》に通《とお》っている線《せん》）。

とくべつなよみ

迷子《まいご》。息子《むすこ》。

【四】

口／5画

おん シ

くん よ・よっ・よっつ・よん

なりたち

「口」は、しかくいかこみ、「八」は、分《わ》けるしるしをあらわす。ものがよっつに分《わ》かれることから、数《かず》の「4」のいみになった。

れい文・いみ

❶ れい文 りんごを四《よん》こ買《か》った。／ぼくには四《よっ》つちがいの弟《おとうと》がいます。／日本《にっぽん》の四《し》きは、うつくしい。／三度《さんど》四度《よんど》と、ちゅういされた。 いみ 数《かず》の4。し。よっつ。よつ。よん。

❷ れい文 四回《よんかい》せん目《め》でやっとかった。 いみ よたび。また、たびたび。

❸ れい文 四方《しほう》に気《き》をくばる。 いみ 東《とう》・西《ざい》・南《なん》・北《ぼく》の方《ほう》こう。すべての方《ほう》こう。

じゅくご

❶ 四角《しかく》。四季《しき》。四個《よんこ》。四角形《しかくけい》。四辺形《しへんけい》。四《よ》つ角《かど》。四捨五入《ししゃごにゅう》⇩(637ページ下) 平行四辺形《へいこうしへんけい》。

❷ 四苦八苦《しくはっく》⇩(637ページ中) 再三再四《さいさんさいし》⇩(637ページ上)

❸ 四方八方《しほうはっぽう》⇩(638ページ上)

【糸】

糸／6画

おん シ

くん いと

なりたち

もとの字《じ》は「絲」。細《ほそ》い《いと》がたくさんよりあわされているようすをあらわした字《じ》。

れい文・いみ

❶ れい文 ここは、むかし、せい糸工場《しこうじょう》があったところです。／魚《さかな》をつるには、つり糸《いと》をつかう。／毛糸《けいと》のくつ下《した》をはく。 いみ せんいを細《ほそ》く長《なが》くよりあわせてつくったもの。いと。

❷ れい文 くもが木《き》のえだから糸《いと》でぶらさがっている。／なっとうが糸《いと》を引《ひ》く。／記《き》おくの糸《いと》をたどる。 いみ 細長《ほそなが》い、糸《いと》❶のようなもの。

じゅくご

❶ 絹糸《けんし》。製糸《せいし》。綿糸《めんし》。糸口《いとぐち》(手《て》がかり)。生糸《きいと》(蚕《かいこ》の繭《まゆ》からとったままのいと)。絹糸《きぬいと》。縦糸《たていと》。横糸《よこいと》。糸電話《いとでんわ》。糸巻《いとま》き。糸切《いとき》り歯《ば》(前歯《まえば》の両横《りょうよこ》にあって、とがっている、人《ひと》の歯《は》)。

❷ 糸《いと》みみず。

子／6画

【字】

おん ジ
くん （あざ）

なりたち

「宀」は、いえ。「子」は、こども。家《いえ》の中《なか》で子《こ》どもが生《う》まれて、家《か》ぞくがふえることをあらわした。のち、子《こ》どもがふえるようにふえていく《もじ》のいみになった。

れい文・いみ

❶ れい文 大《おお》きな字《じ》で、はっきりと名前《なまえ》を書《か》く。／大《だい》の字《じ》になってねる。／漢字《かんじ》は中《ちゅう》国《ごく》からつたわってきた。／名前《なまえ》をローマ字《じ》で書《か》く。 いみ ことばや数《かず》を書《か》きあらわすための記《き》ごう。じ。もじ。

❷ れい文 父《ちち》の出生地《しゅっしょうち》は、新潟県《にいがたけん》佐《さ》渡《ど》郡《ぐん》赤泊《あかどまり》村《むら》大字《おおあざ》柳沢《やなぎさわ》というところです。 いみ 市《し》や町《まち》や村《むら》の中《なか》の小《ちい》さな分《ぶん》。

じゅくご

❶ 字体《じたい》。字典《じてん》。字幕《じまく》。赤字《あかじ》（入《はい》ったお金《かね》よりも出《で》たお金《かね》のほうが多《おお》いこと。その反対《はんたい》が、黒字《くろじ》）。黒字《くろじ》。誤字《ごじ》。習字《しゅうじ》。数字《すうじ》。点字《てんじ》。名字《みょうじ》。文字《もじ》。象形文字《しょうけいもじ》（物《もの》の形《かたち》をかたどってつくられたもじ）。

ひつじゅん・書き方

（5画）

ひつじゅん・書き方

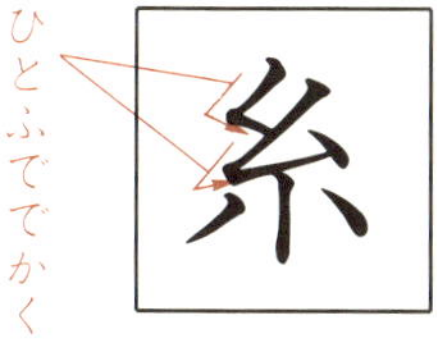

（6画）

《形《かたち》のにている字《じ》》

系《けい》

ひつじゅん・書き方

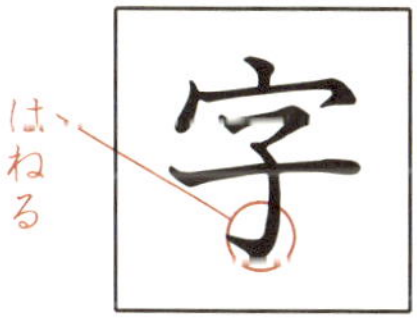

（6画）

《形《かたち》のにている字《じ》》

学《まな》ぶ　宇《う》

耳／6画

【耳】

おん （ジ）
くん みみ

なりたち

人《ひと》の《みみ》の形《かたち》をえがいた字《じ》。

れい文・いみ

❶ れい文 うさぎが大《おお》きな**耳**《みみ》をぴんと立《た》てた。／中**耳**《ちゅうじ》えんにかかって高《たか》いねつが出《で》た。 いみ 音《おと》を聞《き》く、はたらきをするきかん。みみ。

❷ れい文 **耳**《みみ》ざわりな音《おと》。／そ父《ふ》は**耳**《みみ》が遠《とお》い。 いみ 音《おと》を聞《き》くこと。音《おと》を聞《き》きとる力《ちから》。

❸ れい文 コーヒーカップの**耳**《みみ》。／パンの**耳**《みみ》を切《き》りおとす。 いみ うつわなどのとっ手《て》。また、おりものやパンなどのはし。

じゅくご

❶ **耳元**《みみもと》。**耳鼻科**《じびか》。**耳打**《みみう》**ち**（みみもとに口《くち》をよせて、そっと言《い》うこと）。**耳たぶ**。

❷ **空耳**《そらみみ》。**初耳**《はつみみ》。**早耳**《はやみみ》（ほかの人《ひと》よりもはやく、人《ひと》のうわさなどを聞《き》きつけること。また、そのような人《ひと》）。**耳障**《みみざわ》**り**。**耳新**《みみあたら》**しい**。**耳慣**《みみな》**れる**。

一／2画

【七】

おん シチ
くん なな・ななつ・なの

なりたち

木《き》のえだを、とちゅうで切《き》った形《かたち》をえがいた字《じ》。とちゅうで切《き》ったあとの、のこりのいみから、わりきれないで、のこりが出《で》る数《かず》の「7」をあらわす。

れい文・いみ

❶ れい文 **七**月**七**日《しちがつなのか》の星《ほし》まつり。／せりは春《はる》の**七**草《ななくさ》の一《ひと》つです。／北斗**七**星《ほくとしちせい》はひしゃくの形《かたち》に見《み》える。 いみ 数《かず》の7。しち。なな。ななつ。

❷ れい文 **七**曲《ななま》がりの道《みち》が山《さん》ちょうまでつづく。／**七**色《なないろ》の声《こえ》。 いみ 数《かず》が多《おお》いこと。多《おお》くの。

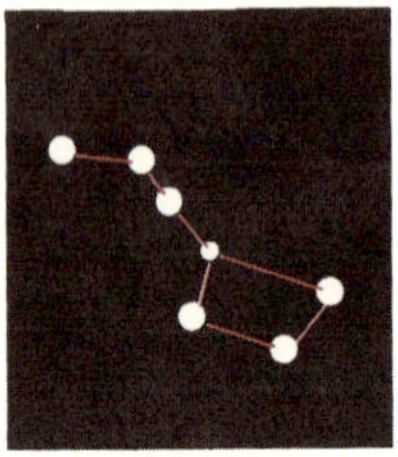

《北斗七星《ほくとしちせい》》

じゅくご

❶ **七五三**《しちごさん》。**七五調**《しちごちょう》。**七福神**《しちふくじん》。**七面鳥**《しちめんちょう》。

❷ **七転**《ななころ》**び八起**《やお》**き**（なんど失敗《しっぱい》しても、負《ま》けないでがんばること）。

とくべつなよみ

七夕《たなばた》。

□
車／7画

【車】

おん シャ
くん くるま

なりたち

一《いち》りんしゃや、二《に》りんしゃをえがいた字《じ》。くるくる回《まわ》る《くるま》や、《くるま》のついたのりものをあらわす。

れい文・いみ

❶ れい文 おり紙《がみ》で風車《かざぐるま》をつくる。／歯車《はぐるま》がかみあう。
いみ じくを中心《ちゅうしん》に回《まわ》るようになっているわの形《かたち》をしたもの。

❷ れい文 先生《せんせい》を中心《ちゅうしん》に車《くるま》ざ(多《おお》くの人《ひと》が、わの形《かたち》にむかいあってすわること)になる。
いみ わの形《かたち》。

❸ れい文 車庫《しゃこ》から車《くるま》を出《だ》す。／電車《でんしゃ》でおじいちゃんのいなかへ行《い》く。／広《ひろ》いちゅう車場《しゃじょう》。／うば車《ぐるま》を引《ひ》く。
いみ くるまのついたのりもの。

じゅくご

❶ 車輪《しゃりん》。水車《すいしゃ》。風車《ふうしゃ》。
❷ 車座《くるまざ》。
❸ 車窓《しゃそう》。車体《しゃたい》。車道《しゃどう》。貨車《かしゃ》。汽車《きしゃ》。客車《きゃくしゃ》。下車《げしゃ》。戦車《せんしゃ》。停車《ていしゃ》。馬車《ばしゃ》。列車《れっしゃ》。救急車《きゅうきゅうしゃ》。自動車《じどうしゃ》。乳母車《うばぐるま》。

とくべつなよみ

山車《だし》。

ひつじゅん・書き方

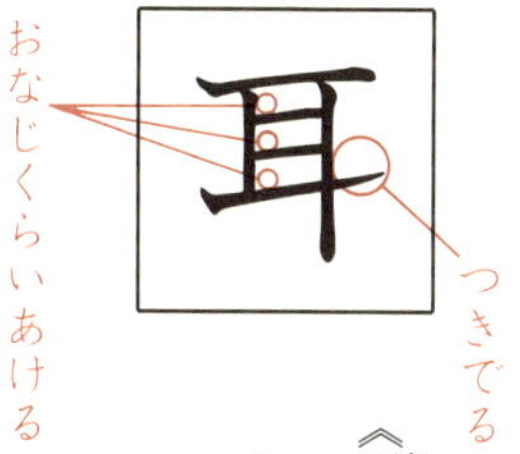

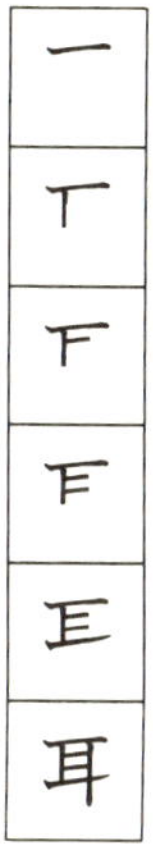

(6画)

《形《かたち》のにている字《じ》》
見《み》る

ひつじゅん・書き方

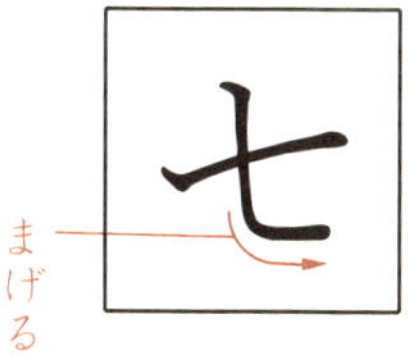

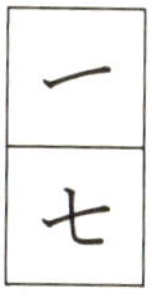

(2画)

ひつじゅん・書き方

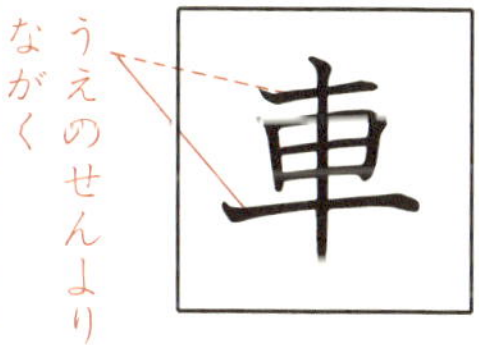

(7画)

《形《かたち》のにている字《じ》》
東《ひがし》

手／4画

【手】

おん シュ

くん て・(た)

なりたち

五本《ごほん》のゆびをひろげた《て》の形《かたち》をえがいた字《じ》。「指《ゆび》・持《も》つ」などの字《じ》の「扌」(てへん)は、この字《じ》をかんたんにした字《じ》。

ひつじゅん・書き方

一 二 三 手
(4画)

《形《かたち》のにている字《じ》》

毛《け》

れい文・いみ

❶ れい文 手足《てあし》をのばす。／両手《りょうて》をふりあげる。／手話《しゅわ》をかわす。 いみ りょうかたからゆび先《さき》までのぜんぶ。また、てくびから先《さき》のぶ分《ぶん》。てのひら。て。

❷ れい文 母《はは》の手《て》りょう理《り》を食《た》べる。／名《めい》ぶつの手打《てう》ちそば。 いみ 自分《じぶん》でつくった。

❸ れい文 あれやこれやと手《て》をつくす。／べつの手立《てだ》てを考《かんが》える。／ひじょう手《しゅ》だんにうったえる。 いみ やり方《かた》。方《ほう》ほう。て。

❹ れい文 しあわせを手《て》に入《い》れる。／手帳《てちょう》に、わすれないようにメモをする。 いみ 自分《じぶん》のもの。また、みのまわりのもの。

❺ れい文 行《ゆ》く手《て》をさえぎる。／東京《とうきょう》の山《やま》の手《て》にすむ。 いみ 方《ほう》こう。

❻ れい文 手《て》がかかってしかたがない。／いそがしくて人手《ひとで》がたりない。 いみ 人《ひと》のはたらき。また、はたらく人《ひと》。

❼ れい文 新人歌手《しんじんかしゅ》がとう場《じょう》する。／兄《あに》は大学《だいがく》で助手《じょしゅ》をしている。 いみ あるしごとをする人《ひと》。

じゅくご

❶ 握手《あくしゅ》。挙手《きょしゅ》(合図《あいず》のために、片《かた》てをあげること)。手首《てくび》。手相《てそう》。片手《かたて》。素手《すで》(てに何《なに》も持《も》っていないこと)。平手《ひらて》(開《ひら》いたままのて)。手《て》すり。

❷ 手記《しゅき》。手紙《てがみ》。手製《てせい》。手《て》すき。手作《てづく》り。手料理《てりょうり》。

❸ 手段《しゅだん》。手口《てぐち》(悪《わる》いことをする方《ほう》法《ほう》)。手順《てじゅん》。手本《てほん》。

❹ 入手《にゅうしゅ》。手下《てした》。手元《てもと》。手持《ても》ち。

❺ 上手《かみて》。下手《しもて》。左手《ひだりて》。右手《みぎて》。

❻ 手間《てま》。男手《おとこで》。女手《おんなで》。

❼ 選手《せんしゅ》。投手《とうしゅ》。名手《めいしゅ》(とくにすぐれた腕前《うでまえ》をもっている人《ひと》)。運転手《うんてんしゅ》。語《かた》り手《て》。聞《き》き手《て》。やり手《て》(ものごとをじょうずに、やりとげる腕前《うでまえ》のある人《ひと》)。

とくべつなよみ

上手《じょうず》。手伝《てつだ》う。下手《へた》。

□
十／2画

【十】

おん ジュウ・ジッ
くん とお・と

なりたち

一本《いっぽん》のたて線《せん》で、一《ひと》つにまとめるいみをしめした字《じ》。のちに、まん中《なか》がふくれて「十」の形《かたち》になった。数《かず》の「10」をあらわす。べつに、はりの形《かたち》からできたともいわれる。

ひつじゅん・書き方

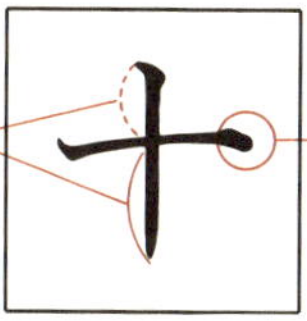

一
十
（2画）

れい文・いみ

❶ れい文 えき前《まえ》のスーパーでは、毎月《まいつき》十日《とおか》に大《おお》やす売《う》りをする。／こんどの少年《しょうねん》サッカーに出《で》るチームはぜんぶで十《じっ》チームです。／ぼくの水《すい》えいのせいせきは白組《しろぐみ》の中《なか》では十番目《じゅうばんめ》だ。／えんぴつ十二本《じゅうにほん》を一《いち》ダースという。 いみ 数《かず》の10。じゅう。とお。また、数《かず》が多《おお》いこと。たくさん。

❷ れい文 犬小《いぬご》やをつくるのには、それだけいたがあれば十分《じゅうぶん》だ。 いみ かんぜんである。すべて。

あ	か	さ	た	な	は	ま	や	ら	わ
い	き	し	ち	に	ひ	み	（い）	り	（い）
う	く	す	つ	ぬ	ふ	む	ゆ	る	（う）
え	け	せ	て	ね	へ	め	（え）	れ	（え）
お	こ	そ	と	の	ほ	も	よ	ろ	を

《五十音《ごじゅうおん》》

じゅくご

❶ 十五夜《じゅうごや》。十二支《じゅうにし》。五十音《ごじゅうおん》（かなで書《か》きあらわした「あ行《ぎょう》」から「わ行《ぎょう》」までの日本語《にほんご》の音《おん》）。十進法《じっしんほう》（〇《れい》から数《かぞ》えて、九《きゅう》までの数《かず》を使《つか》って、十倍《じゅうばい》または、十分《じゅうぶん》の一《いち》ごとに位取《くらいど》りがかわる数《かず》のあらわし方《かた》）。十人十色《じゅうにんといろ》 ⇩ （638ページ中） 十年一日《じゅうねんいちじつ》 ⇩ （638ページ中）

とくべつなよみ

二十《はたち》。二十歳《はたち》。二十日《はつか》。

《十五夜《じゅうごや》》

出

凵／5画

おん シュツ・（スイ）
くん でる・だす

なりたち

一本《いっぽん》の線《せん》から、足《あし》がでている形《かたち》をえがいた字《じ》。中《なか》から外《そと》へ《でる》ことをあらわしている。

れい文・いみ

❶ れい文 外《そと》に出《で》る。／手紙《てがみ》を出《だ》す。／そろそろ出発《しゅっぱつ》だ。／父《ちち》は出《しゅっ》ちょう中《ちゅう》です。／ゆ出《しゅつ》をふやす。 いみ いちが外《そと》へうつる。また、うつす。でる。だす。 ついご 入《にゅう》。

❷ れい文 日《ひ》の出《で》が近《ちか》い。／たねのめが出《で》る。／岩《いわ》がろ出《しゅつ》する。 いみ あらわれる。あらわす。でる。だす。

❸ れい文 会合《かいごう》に出《で》る。／げきに出《しゅつ》えんする。 いみ ある場《ば》しょに行《い》ってくわわる。でる。

じゅくご

❶ 出荷《しゅっか》。出血《しゅっけつ》。出港《しゅっこう》。出水《しゅっすい》。出張《しゅっちょう》。出動《しゅつどう》。出費《しゅっぴ》。外出《がいしゅつ》。救出《きゅうしゅつ》。支出《ししゅつ》。進出《しんしゅつ》。派出《はしゅつ》。輸出《ゆしゅつ》。流出《りゅうしゅつ》。出口《でぐち》。家出《いえで》。遠出《とおで》。

❷ 出火《しゅっか》。出現《しゅつげん》。出生《しゅっしょう》。出世《しゅっせ》。出生《しゅっせい》。出版《しゅっぱん》。選出《せんしゅつ》。

❸ 出演《しゅつえん》。出勤《しゅっきん》。出欠《しゅっけつ》。出場《しゅつじょう》。出席《しゅっせき》。出頭《しゅっとう》。

女

女／3画

おん ジョ・（ニョ）・《ニョウ》
くん おんな・（め）

なりたち

《おんな》の人《ひと》がりょう手《て》をひざの上《うえ》においてすわっている。そのやさしく、しなやかなすがたをえがいた字《じ》。

れい文・いみ

❶ れい文 女《おんな》の先生《せんせい》。／へいわの女神《めがみ》。／女《じょ》子《し》のチーム。 いみ おんな。 ついご 男《おとこ》。

❷ れい文 わたしは長女《ちょうじょ》です。／一男一女《いちなんいちじょ》。 いみ 父親《ちちおや》と母親《ははおや》とのあいだに生《う》まれたおんなの子《こ》。むすめ。 ついご 男《おとこ》。

❸ れい文 だらだらと女坂《おんなざか》を下《くだ》った。／女女《めめ》しい（弱《よわ》よわしくて、いくじのないようす）たいど。 いみ ていどが弱《よわ》よわしい。

じゅくご

❶ 女医《じょい》。女王《じょおう》。女性《じょせい》。女優《じょゆう》。女流《じょりゅう》。男女《だんじょ》。美女《びじょ》。

❷ 王女《おうじょ》。皇女《おうじょ》。皇女《こうじょ》。次女《じじょ》。

とくべつなよみ

海女《あま》。乙女《おとめ》。

ひつじゅん・書き方

出

したにつきでない

（5画）

ひつじゅん・書き方

女

ひとふででかく

（3画）

絵《え》からできたかん字《じ》⑵

（上《うえ》から順番《じゅんばん》に変化《へんか》して、現在《げんざい》のかん字の字《じ》体《たい》となりました。）

魚《さかな》　貝《かい》　鳥《とり》　象《ぞう》

〔ショウ〕 小

小／3画

【小】

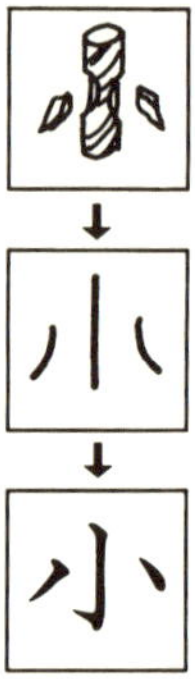

おん ショウ

くん ちいさい・こ・お

なりたち

ものをけずったとき、《ちいさい》かけらができたようすをえがいた字《じ》。《ちいさい》《わずか》のいみをあらわす。

ひつじゅん・書き方

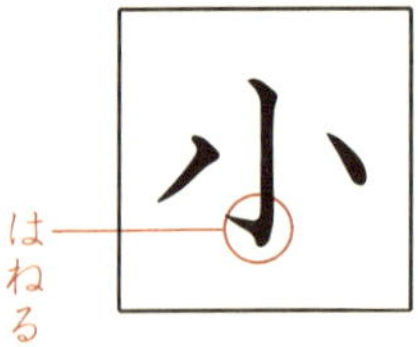

《形《かたち》のにている字《じ》》

少《すく》ない

（3画）

れい文・いみ

❶ れい文 声《こえ》が小《ちい》さい。／やねうらの小《こ》部屋《べや》。／小《こ》雨《さめ》がふる。／小《しょうがっこう》学校をそつぎょうする。／小《しょうきゅうし》休止する。 いみ 形《かたち》や、きぼがちいさい。せまい。すくない。わずか。ていどがひくい。 ついご 大《だい》。

❷ れい文 とるにたらない小《しょうじんぶつ》人物。 いみ おとっている。また、あい手《て》を見下《みくだ》していうことば。 ついご 大《だい》。

❸ れい文 あすは小《しょうしゃ》社（自分《じぶん》の会社《かいしゃ》のこと）のそう立記《りっき》ねん日《び》です。 いみ 自分《じぶん》や自分《じぶん》のがわのことをへりくだっていうことば。

❹ れい文 小《こ》一《いち》時間《じかん》近《ちか》くもまたされた。 いみ およそ。かれこれ。

❺ れい文 人《ひと》を小《こ》ばかにする。／みなりを小《こ》ぎれいにする。 いみ 「ちょっと…だ」のいみをあらわすことば。

❻ れい文 二月《にがつ》は小《しょう》の月《つき》だ。 いみ 一《いっ》か月《げつ》が三《さん》十日《じゅうにち》い下《か》の月《つき》。 ついご 大《だい》。

じゅくご

❶ 小数《しょうすう》。弱小《じゃくしょう》（勢《いきお》いなどが、弱《よわ》くて大《おお》きくないこと。また、年《とし》が若《わか》いこと）。大小《だいしょう》。小石《こいし》。小型《こがた》。小刀《こがたな》。小銭《こぜに》（額《がく》の少《すく》ないお金《かね》）。小鳥《ことり》。小屋《こや》。小雪《こゆき》（ほんの少《すこ》し降《ふ》る雪《ゆき》）。小川《おがわ》。小学生《しょうがくせい》。小数点《しょうすうてん》。小児科《しょうにか》（子《こ》どもの病気《びょうき》を専門《せんもん》にあつかう医学《いがく》）。小荷物《こにもつ》。中小企業《ちゅうしょうきぎょう》。

❹ 小半日《こはんにち》（だいたい半日《はんにち》ぐらい）。

❺ 小高《こだか》い。小走《こばし》り。小《こ》ざっぱり。小《こ》ぢんまり。

とくべつなよみ

小豆《あずき》。

一／3画

上

おん ジョウ・《ショウ》

くん うえ・うわ・かみ・あげる・あがる・のぼる・（のぼせる）・（のぼす）

なりたち

一本《いっぽん》の線《せん》の《うえ》に「・」のしるしをつけて、《うえ》をあらわした字《じ》。

ひつじゅん・書き方

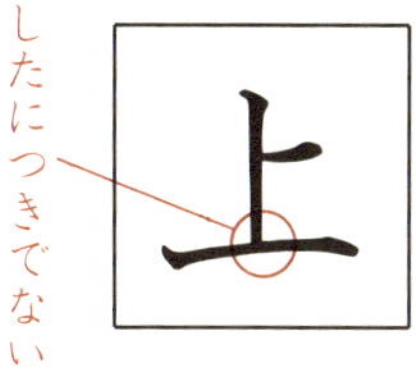

丨	ト	上

（3画）

土《つち》 《形《かたち》のにている字《じ》》

れい文・いみ

❶ れい文 山《やま》の上《うえ》。／ビルの屋上《おくじょう》。／年上《としうえ》の人《ひと》。／会社《かいしゃ》の上役《うわやく》。／上《じょう》しつの紙《かみ》。 いみ いち・年《ねん》れい・地《ち》い・ていどなどが高《たか》い。また、すぐれている。うえ。 ついご 下《げ》。下《か》。

❷ れい文 川上《かわかみ》からいかだをながす。 いみ 時《じ》間《かん》・じゅん番《ばん》が先《さき》のほう。 ついご 下《げ》。

❸ れい文 うでをふり上《あ》げる。／かいだんを上《あ》がる。／学力《がくりょく》が向上《こうじょう》する。 いみ ひくいいちから高《たか》いいちへうつる。うつす。あがる。あげる。 ついご 下《か》。

❹ れい文 身《み》の上話《うえばなし》。／れきし上《じょう》の人《じん》ぶつ。 いみ そのものや場《ば》しょにかかわりがある。

❺ れい文 しばいを上《じょう》えんする。 いみ 広《ひろ》く、知《し》らせたり、見《み》せたりする。のせる。

❻ れい文 上着《うわぎ》をきる。／上皮《うわかわ》をはがす。／なみしずかな海上《かいじょう》。 いみ ひょうめん。外《そと》がわ。 ついご 下《か》。

❼ れい文 上《のぼ》りの電車《でんしゃ》。／上京《じょうきょう》する。 いみ 地《ち》方《ほう》から中《ちゅう》おうへむかう。 ついご 下《くだ》る。

じゅくご

❶ 上位《じょうい》。上官《じょうかん》。上級《じょうきゅう》。上空《じょうくう》。上下《じょうげ》。上質《じょうしつ》。上体《じょうたい》。上等《じょうとう》。上品《じょうひん》。上部《じょうぶ》。最上《さいじょう》。真上《まうえ》。目上《めうえ》。上手《うわて》。上級生《じょうきゅうせい》。

❷ 上巻《じょうかん》。上流《じょうりゅう》。風上《かざかみ》。上半期《かみはんき》（一年《いちねん》を二《ふた》つに分《わ》けたさきの、前《まえ》の六《ろっ》か月《げつ》）。

❸ 上達《じょうたつ》。上陸《じょうりく》。上向《うわむ》き。上《あ》げ潮《しお》。上《のぼ》り坂《ざか》。

❹ 史上《しじょう》（歴史《れきし》に残《のこ》ること）。身上《しんじょう》（その人《ひと》についてのことがら）。一身上《いっしんじょう》。歴史上《れきしじょう》。

❺ 上演《じょうえん》。

❻ 湖上《こじょう》。水上《すいじょう》。地上《ちじょう》。洋上《ようじょう》。陸上《りくじょう》。上《うわ》っ面《つら》。

❼ 上方《かみがた》。上《のぼ》り列車《れっしゃ》。

とくべつなよみ

上手《じょうず》。

〔シン・ジン〕 森・人

森

□ 木／12画

おん シン
くん もり

なりたち

「木」（き）を三《みっ》つあわせた字《じ》で、木《き》がたくさんおいしげる《もり》をあらわした字《じ》。

れい文・いみ

❶ れい文 木《き》がこんもりとした森《もり》。／ひのきの森林《しんりん》。／森《もり》の中《なか》のみずうみ。 いみ 木《き》がたくさん生《は》えているところ。もり。

❷ れい文 森《しん》かんと（ひっそりとしているようす）したお寺《てら》のけい内《だい》。 いみ ものの音《おと》が聞《き》こえないで、ひっそりとしずかなようす。

じゅくご

❶ 森林浴《しんりんよく》（木《き》がたくさんしげっている中《なか》を歩《ある》きながら、木《き》が出《だ》すかおりを浴《あ》びること。健康《けんこう》によいとされている）。

人

□ 人／2画

おん ジン・ニン
くん ひと

なりたち

立《た》っている《ひと》を、よこからえがいた字《じ》。

れい文・いみ

❶ れい文 多《おお》くの人《ひと》がグラウンドにあつまる。／人命《じんめい》をとうとぶ。／人相《にんそう》がわるい。 いみ ひと。にんげん。

❷ れい文 人《ひと》をけなす。 いみ 自分《じぶん》い外《がい》のひと。たにん。ひと。

❸ れい文 社会人《しゃかいじん》のじょうしき。 いみ ひとをとくべつによびわけることば。

❹ れい文 ぼくたちのクラスは三十八人《さんじゅうはちにん》です。 いみ ひとの数《かず》を数《かぞ》えることば。

じゅくご

❶ 人口《じんこう》。人工《じんこう》。人生《じんせい》。人体《じんたい》。人物《じんぶつ》。新人《しんじん》。名人《めいじん》。人形《にんぎょう》。人間《にんげん》。悪人《あくにん》。他人《たにん》。人人《ひとびと》。

❷ 人気《にんき》。人任《ひとまか》せ。

❸ 芸能人《げいのうじん》。日本人《にっぽんじん》。

❹ 何人《なんにん》。

とくべつなよみ

大人《おとな》。玄人《くろうと》。素人《しろうと》。仲人《なこうど》。一人《ひとり》。二人《ふたり》。若人《わこうど》。

水／4画

水

おん スイ
くん みず

なりたち

さらさらながれていく川《かわ》の《みず》のようすをえがいた字《じ》。「海《うみ》・池《いけ》」などの「氵」と同《おな》じ字《じ》。

れい文・いみ

❶ れい文 水《みず》をのむ。／水《みず》たまりができる。／水面《すいめん》になみが立《た》つ。 いみ のみみず。また、川《かわ》や海《うみ》などのみず。

❷ れい文 石《せっ》けん水《すい》。／ソーダ水《すい》をのむ。 いみ みずのようなもの。えき体《たい》。

❸ れい文 水《みず》が入《はい》る。／水入《みずい》りの大《おお》しょうぶ。 いみ すもうで、しょうぶが長《なが》びいたときに、力《りき》しをしばらく休《やす》ませること。

❹ いみ 「水曜日《すいようび》」のりゃく。

じゅくご

❶ 水圧《すいあつ》。水位《すいい》。水泳《すいえい》。水温《すいおん》。水害《すいがい》。水車《すいしゃ》。水上《すいじょう》。水深《すいしん》。水槽《すいそう》。水中《すいちゅう》。水田《すいでん》。水道《すいどう》。水平《すいへい》。海水《かいすい》。増水《ぞうすい》。断水《だんすい》。噴水《ふんすい》。放水《ほうすい》。水着《みずぎ》。雨水《あまみず》。大水《おおみず》。塩水《しおみず》。生水《なまみず》。

❷ 水銀《すいぎん》。水《みず》あめ。

とくべつなよみ

清水《しみず》。

ひつじゅん・書き方

森

一　十　オ　木　杢　森
（12画）

《形《かたち》のにている字《じ》》 林《はやし》

ひつじゅん・書き方

人
そろえる

ノ　人
（２画）

《形《かたち》のにている字《じ》》 入《はい》る

ひつじゅん・書き方

水
はねる

亅　水　水　水
（４画）

《形《かたち》のにている字《じ》》 木《き》

【正】

□ 止／5画

おん セイ・ショウ

くん ただしい・ただす・まさ

なりたち

足《あし》をあらわす「止」と「一」(めざすところ)をあわせた字《じ》。めざすところにむかって、まっすぐすすむようすをえがいた字《じ》。まっすぐで《ただしい》ことをあらわす。

ひつじゅん・書き方

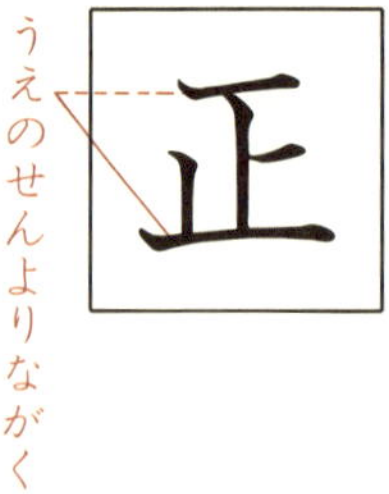

(5画)

れい文・いみ

❶ れい文 文字《もじ》を正《ただ》しく書《か》く。／長《なが》さを正《せい》かくにはかる。／あやまりを正《ただ》す。 いみ まちがいがない。また、ただしくする。ただしい。ただす。 ついご 誤《ご》。

❷ れい文 正《まさ》に(まちがいなく)きみの言《い》うとおりだ。／正反対《せいはんたい》の方角《ほうがく》。／正午《しょうご》の時《じ》ほう。 いみ まちがいなく。ぴったり。ちょうど。

❸ れい文 正門《せいもん》から入《はい》る。／正式《せいしき》に手《て》つづきする。 いみ まともな。本来《ほんらい》の。

❹ れい文 書《しょ》るいを、正《せい》ふく二通《につう》つくる。 いみ 代《だい》ひょうするもの。おもなもの。 ついご 副《ふく》。

❺ れい文 正《せい》の数《かず》と、ふの数《かず》。 いみ ゼロよりも大《おお》きな数《かず》。プラス。 ついご 負《ふ》。

❻ れい文 年《ねん》がじょうに「賀正《がしょう》」と書《か》く。 いみ 年《とし》のはじめ。一月《いちがつ》。

《正門《せいもん》》

じゅくご

❶ 正解《せいかい》。正確《せいかく》。正義《せいぎ》(人間《にんげん》としてしなければならない道理《どうり》にあった おこない)。改正《かいせい》。公正《こうせい》(一方《いっぽう》にかたよらないで、公平《こうへい》なこと)。校正《こうせい》。修正《しゅうせい》。不正《ふせい》。補正《ほせい》(たりないところを補《おぎな》ったり、まちがいをなおしたりして、きちんとととのえること)。

❷ 正直《しょうじき》。正正堂堂《せいせいどうどう》⇩(639ページ上)　正当防衛《せいとうぼうえい》⇩(639ページ中)　正真正銘《しょうしんしょうめい》⇩(638ページ下)　正面《しょうめん》。正方形《せいほうけい》。

❸ 正業《せいぎょう》。正体《しょうたい》(ほんとうの姿《すがた》)。正味《しょうみ》(入《い》れ物《もの》の重《おも》さをのぞいた、なかみだけの量《りょう》や目方《めかた》)。

❹ 正副《せいふく》。

❺ 正数《せいすう》。

❻ 正月《しょうがつ》。

生／5画

【生】

おん　**セイ・ショウ**

くん　**いきる**・**い**かす・**い**ける・**う**まれる・**う**む・（**お**う）・**は**える・**は**やす・（**き**）・**なま**

なりたち

土《つち》の中《なか》から、草《くさ》や木《き》のめがいきいきと出《で》てくるようすをえがいた字《じ》。《うまれる》《いきる》などのいみをあらわす。

ひつじゅん・書き方

うえのせんよりながく

（5画）

主《ぬし》　《形《かたち》のにている字《じ》》

れい文・いみ

❶ れい文　百才《ひゃくさい》まで生《い》きる。／草《くさ》が生《お》いしげる。／新《あたら》しい生命《せいめい》がやどる。　いみ　いきる。いきている。いかす。　ついご　死《し》。

❷ れい文　かびが生《は》える。／子犬《こいぬ》が生《う》まれる。／米《こめ》の生《せい》さん高日本一《だかにっぽんいち》のけん。　いみ　草《くさ》や木《き》などがはえる。どうぶつがうまれる。また、ものをつくる。

❸ れい文　しあわせな生《しょう》がい。　いみ　いのち。いきているあいだ。

❹ れい文　台風《たいふう》が発生《はっせい》した。／じこが生《しょう》じる。　いみ　ものごとがおこる。また、おこす。

❺ れい文　生《なま》の魚《さかな》。／生《なま》のえんそう。　いみ　手《て》をくわえていない。そのままの。なま。

❻ れい文　生《き》まじめな人《ひと》。／生一本《きいっぽん》の男《おとこ》。　いみ　まじり気《け》のない。き。

❼ れい文　新入生《しんにゅうせい》をむかえる。　いみ　ならいごとや、べん強《きょう》をしている人《ひと》。

❽ れい文　小生《しょうせい》の家《いえ》へ、お立《た》ちよりください。　いみ　男《おとこ》の人《ひと》が、自分《じぶん》のことをへりくだって言《い》うことば。

じゅくご

❶ **生死《せいし》**。**生息《せいそく》**（いき物《もの》がすんでいること）。**生存《せいぞん》**。**生態《せいたい》**（動物《どうぶつ》や植物《しょくぶつ》、また人間《にんげん》が暮《く》らしている状態《じょうたい》）。**生物《せいぶつ》**。**寄生《きせい》**。**再生《さいせい》**。**生《い》き物《もの》**。**生《い》け花《ばな》**。**長生《ながい》き**。

❷ **生存競争《せいぞんきょうそう》**⇩（639ページ中）

生家《せいか》。**生後《せいご》**。**生産《せいさん》**。**生誕《せいたん》**。**生長《せいちょう》**。**自生《じせい》**。**野生《やせい》**。**出生《しゅっしょう》**。**誕生《たんじょう》**。**生産高《せいさんだか》**。**芽生《めば》え**。**生年月日《せいねんがっぴ》**。

❸ **生活《せいかつ》**。**生計《せいけい》**。**終生《しゅうせい》**（死《し》ぬまでずっと）。**半生《はんせい》**（死《し》ぬまでの半分《はんぶん》）。**平生《へいぜい》**（ふだん）。**一生《いっしょう》**。

❺ **生木《なまき》**。**生卵《なまたまご》**。**生水《なまみず》**。

❻ **生糸《きいと》**。

❼ **生徒《せいと》**。**学生《がくせい》**。**書生《しょせい》**。**先生《せんせい》**。**小学生《しょうがくせい》**。**同級生《どうきゅうせい》**。

とくべつなよみ

芝生《しばふ》。

青

青／8画

おん セイ・（ショウ）
くん あお・あおい

なりたち

もとの字《じ》は「青」で、「龶」(草《くさ》や木《き》のきれいなめばえ)と「円」(いどの中《なか》のすんだ水《みず》)とをあわせた字《じ》。きれいにすんだ《あおい》水《みず》の色《いろ》をあらわす字《じ》。

れい文・いみ

❶ れい文 空《そら》が青《あお》くすみわたる。／ちの気《け》が引《ひ》いて顔色《かおいろ》が青《あお》くなる。／きれいな青色《あおいろ》のほう石《せき》。／どうのさびを緑青《ろくしょう》という。
いみ 色《いろ》の一《ひと》つ。すんだ水《みず》の色《いろ》。また、草《くさ》の色《いろ》。あお。あおい。

❷ れい文 青《あお》くさいことを言《い》うな。／青春《せいしゅん》を楽《たの》しむ。
いみ 年《ねん》れいがわかい。十分《じゅうぶん》になっていない。

じゅくご

❶ 青銅《せいどう》。青空《あおぞら》。青竹《あおだけ》。青菜《あおな》。青葉《あおば》。青物《あおもの》。青海原《あおうなばら》(あおあおとした広《ひろ》い海《うみ》のこと)。青写真《あおじゃしん》。青信号《あおしんごう》。青大将《あおだいしょう》。

❷ 青年《せいねん》。青少年《せいしょうねん》。青二才《あおにさい》(年《とし》が若《わか》くて、世《よ》の中《なか》のことを知《し》らない男《おとこ》の人《ひと》)。

とくべつなよみ

真《ま》っ青《さお》。

夕

夕／3画

おん （セキ）
くん ゆう

なりたち

日《ひ》がくれてくらくなると、月《つき》がかがやいて見《み》えるようになる。その三日月《みかづき》の形《かたち》をえがいた字《じ》。三日月《みかづき》が出《で》ている《ゆうがた》をあらわす。

れい文・いみ

れい文 夕《ゆう》やけで西《にし》の空《そら》がまっかにそまる。／一家《いっか》で夕食《ゆうしょく》のテーブルをかこむ。／かみなりがはげしくなって夕立《ゆうだち》になった。
いみ 日《ひ》がくれてから夜《よる》になるまでのあいだ。ゆうがた。

《夕《ゆう》やけ》

じゅくご

夕顔《ゆうがお》。夕方《ゆうがた》。夕刊《ゆうかん》。夕刻《ゆうこく》。夕空《ゆうぞら》。夕飯《ゆうはん》。夕日《ゆうひ》。夕べ《ゆう》。朝夕《あさゆう》。夕暮《ゆうぐ》れ。夕御飯《ゆうごはん》。夕月夜《ゆうづきよ》。夕《ゆう》なぎ。夕映《ゆうば》え。夕《ゆう》もや。夕焼《ゆうや》け。一朝一夕《いっちょういっせき》 ⇩(635ページ中)

とくべつなよみ

七夕《たなばた》。

□ 石／5画

【石】

おん セキ・シャク・（コク）
くん いし

なりたち
がけの下《した》に、ころがっている《いし》をえがいた字《じ》。

れい文・いみ

❶ れい文 岩石《がんせき》をさいしゅする。／軽石《かるいし》で足《あし》のうらをこする。／くまの形《かたち》をした石《いし》。
いみ 岩《いわ》がくだけたもの。いし。

❷ れい文 石頭《いしあたま》(ゆうずうがきかないこと)でゆうずうがきかない。
いみ いしのように、考《かんが》え方《かた》がかたいこと。

❸ れい文 百万石《ひゃくまんごく》のじょう下町《かまち》。
いみ むかし、米《こめ》、さけなどをはかったようせきのたんい。

じゅくご

❶ 石材《せきざい》。石像《せきぞう》。石炭《せきたん》。石油《せきゆ》。鉱石《こうせき》。宝石《ほうせき》。磁石《じしゃく》。石段《いしだん》。石橋《いしばし》。庭石《にわいし》。石灰岩《せっかいがん》。石《せっ》けん。大理石《だいりせき》。石器時代《せっきじだい》。一石二鳥《いっせきにちょう》⇩（635ページ中）

❸ 石高《こくだか》。一石《いっこく》(約百八十《やくひゃくはちじゅう》リットル)。

ひつじゅん・書き方

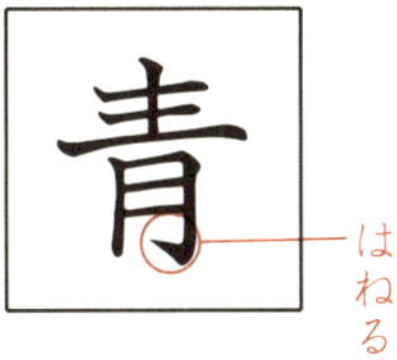

（8画）

ひつじゅん・書き方

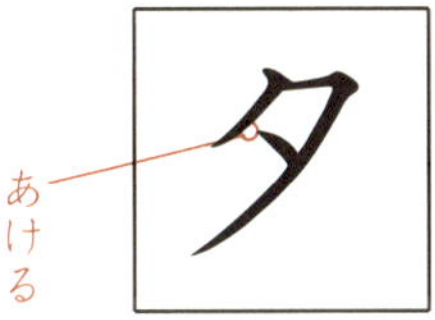

（3画）

ひつじゅん・書き方

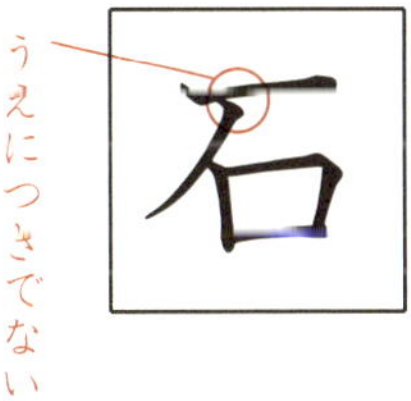

（5画）

《形《かたち》のにている字《じ》》
右《みぎ》 岩《いわ》

□
赤／7画

【赤】

おん セキ・《シャク》
くん あか・あかい・あからむ・あからめる

なりたち

「大」（人《ひと》が手《て》をひろげているようす。おおきい）と、「火」（ひ）をあわせた字《じ》。火《ひ》が大《おお》きなほのおをあげてもえている《あかい》色《いろ》から、《あかい》といういみになった。

れい文・いみ

❶ れい文 すみ火《び》が赤《あか》くもえる。／顔《かお》を赤《あか》らめる。／赤《あか》いセーター。／かわいい赤《あか》ちゃん。／赤十字《せきじゅうじ》のはた。 いみ 色《いろ》の一《ひと》つ。火《ひ》やちのような色《いろ》。あか。あかい。

❷ れい文 あの人《ひと》とは、まったく赤《あか》の他人《にん》です。 いみ まったくの。ありのままの。

❸ れい文 赤心《せきしん》（まごころ）をささげる。 いみ まこと。まじり気《け》のない。

じゅくご

❶ 赤飯《せきはん》。赤面《せきめん》（はずかしく思《おも》って、顔《かお》があかくなること）。赤字《あかじ》（入《はい》ったお金《かね》よりも出《で》たお金《かね》のほうが多《おお》いこと）。赤土《あかつち》。赤外線《せきがいせん》。赤血球《せっけっきゅう》。赤《あか》さび。赤《あか》ん坊《ぼう》。

❷ 赤貧《せきひん》（ひどい貧乏《びんぼう》）。

とくべつなよみ

真《ま》っ赤《か》。

□
十／3画

【千】

おん セン
くん ち

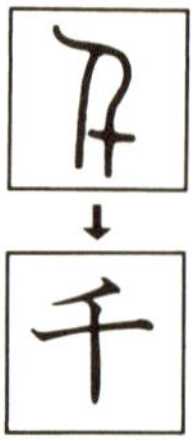

なりたち

「イ」（人《ひと》）と、たくさんの人《ひと》のひとまとまりをあらわす、よこ線《せん》の「一」をあわせた字《じ》。数《かず》の「一〇〇〇」をあらわした字《じ》。

れい文・いみ

❶ れい文 ぼくらの学校《がっこう》のぜんじどう数《すう》はおよそ千人《せんにん》です。 いみ 数《かず》で、百《ひゃく》の十《じゅう》ばい。せん。

❷ れい文 ぼくたちのチームにきみが来《く》れば、千万《せんまん》のみ方《かた》をえたようなものだ。／千《せん》まい通《どお》しで紙《かみ》にあなをあける。／野山《のやま》にさきみだれる秋《あき》の千草《ちぐさ》。 いみ 数《かず》がひじょうに多《おお》いこと。

《千《せん》まい通《どお》し》

じゅくご

❶ 千円札《せんえんさつ》。

❷ 千鳥《ちどり》。千里眼《せんりがん》（遠《とお》い所《ところ》のできごとや将来《しょうらい》のこと、人《ひと》の心《こころ》の中《なか》までも見《み》ぬくことのできる力《ちから》）。千差万別《せんさばんべつ》 ⇩（639ページ下）
千羽《せんば》づる。千枚通《せんまいどお》し。
千変万化《せんぺんばんか》 ⇩（639ページ下）
一日千秋《いちじつせんしゅう》 ⇩（634ページ中）
一望千里《いちぼうせんり》 ⇩（634ページ下）

□ 川／3画

川

おん （セン）

くん かわ

なりたち

土手《どて》のあいだを、さらさらながれる《かわ》をえがいた字《じ》。

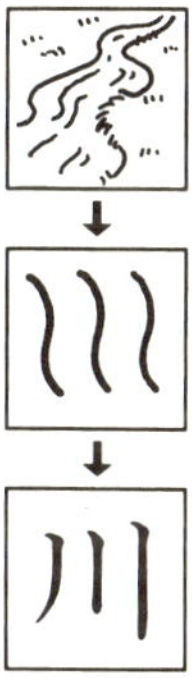

れい文・いみ

れい文 日本一長《にっぽんいちなが》い川《かわ》は信濃川《しなのがわ》です。／父《ちち》と小川《おがわ》へふなをつりにいく。／こう水《ずい》をふせぐために、大《おお》がかりな、か川工事《せんこうじ》をおこなう。

いみ 水《みず》のながれ。かわ。

《か川工事《せんこうじ》》

じゅくご

河川《かせん》。川風《かわかぜ》。川上《かわかみ》。川岸《かわぎし》。川口《かわぐち》。川下《かわしも》。川底《かわぞこ》。谷川《たにがわ》。川開《かわびら》き（その年《とし》の夏《なつ》の夕涼《ゆうすず》みを祝《いわ》って、花火《はなび》をあげたりして楽《たの》しむ行事《ぎょうじ》）。川《かわ》べり。天《あま》の川《がわ》。

とくべつなよみ

川原《かわら》。

ひつじゅん・書き方

赤

はらう　はねる

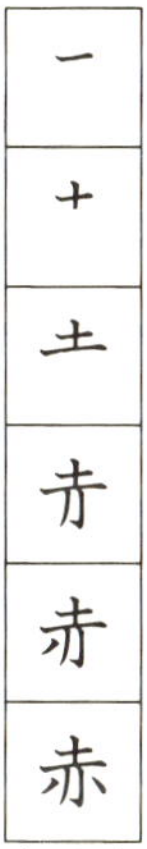

（7画）

ひつじゅん・書き方

千

みぎからひだりへはらう

（3画）

《形《かたち》のにている字《じ》》 十《じゅう》 干《かん》

ひつじゅん・書き方

川

いちばんながく

（3画）

□ 儿／6画

先

おん セン
くん さき

なりたち

「㞢」は足《あし》が線《せん》から出《で》るようす。「儿」は人《ひと》。足《あし》のつまさきは、人《ひと》のからだのいちばん《さき》にあるので、《さき》のいみになった。

れい文・いみ

❶ れい文 先方《せんぽう》に山《やま》が見《み》える。／先頭《せんとう》に立《た》つ。
いみ 顔《かお》がむいている方《ほう》こう。さき。また、じゅんじょで早《はや》いほう。 ついご 後《こう》。

❷ れい文 数年先《すうねんさき》のことはわからない。 いみ ある時《とき》よりのち。しょうらい。さき。
ついご 後《あと》。

❸ れい文 そのことは先《さき》にもうしました。／先《せん》れいにしたがう。／先月《せんげつ》のはじめ。 いみ 今《いま》より前《まえ》。むかし。さき。 ついご 後《ご》。

じゅくご

❶ 先攻《せんこう》。先導《せんどう》。率先《そっせん》（ほかの人《ひと》の前《まえ》に立《た》って、ものごとをおこなうこと）。優先《ゆうせん》。春先《はるさき》。店先《みせさき》。先着順《せんちゃくじゅん》。行《い》き先《さき》。つま先《さき》。真《ま》っ先《さき》。

❷ 老《お》い先《さき》。

❸ 先日《せんじつ》。先週《せんしゅう》。先生《せんせい》。先発《せんぱつ》。先例《せんれい》。祖先《そせん》。先程《さきほど》。先《さき》ごろ。

□ 日／6画

早

おん ソウ・（サッ）
くん はやい・はやまる・はやめる

なりたち

くぬぎなどのみをえがいた字《じ》。この、みのかわは黒《くろ》い。その色《いろ》のように朝《あさ》のまだくらい、《はやい》時間《じかん》をあらわす。

れい文・いみ

❶ れい文 こうつうじこは、早朝《そうちょう》のできごとだったので、びっくりしました。／スキーシーズンにはまだ早《はや》い。／早《はや》ざきのうめの花《はな》。／早春《そうしゅん》の、のどかな一日《いちにち》。 いみ ある時間《じかん》より前《まえ》。また、朝《あさ》のはやいとき。時《じ》きがはやい。 ついご 晩《ばん》。

❷ れい文 す早《ばや》いどう作《さ》。 いみ そくどをはやめる。

じゅくご

❶ 早期《そうき》。早熟《そうじゅく》。早退《そうたい》。早起《はやお》き。

❷ 早急《さっきゅう》（急《いそ》いでものごとをするようす）。早速《さっそく》（時間《じかん》をおかずにすぐにするようす）。早口《はやくち》。早耳《はやみみ》。早業《はやわざ》。足早《あしばや》。素早《すば》い。

とくべつなよみ

早苗《さなえ》。

□ 艹／9画

草

おん ソウ
くん くさ

なりたち

「艹」は、《くさ》がならんで生《は》えているようすをえがいた字《じ》。「早」（くぬぎのみ）と、「ソウ」という音《おん》が同《おな》じことから、「早」の字《じ》をつけて「草」（くさ）となった。

れい文・いみ

❶ れい文 かれ草《くさ》をもやす。／ざっ草《そう》をぬく。／広《ひろ》びろとした草原《そうげん》。 いみ くさ。
❷ れい文 草野球《くさやきゅう》。 いみ そまつなこと。
❸ れい文 日本《にっぽん》のスキーの草分《くさわ》け（あるものごとをさいしょにすること。また、さいしょにした人《ひと》）。 いみ ものごとのはじめ。はじまり。
❹ れい文 草《そう》あん（文《ぶん》しょうの下書《したが》き）をねる。 いみ しや文《ぶん》しょうの下書《したが》き。
❺ いみ 書体《しょたい》の一《ひと》つ。

じゅくご

❶ 草食《そうしょく》。海草《かいそう》。雑草《ざっそう》。除草《じょそう》。牧草《ぼくそう》。薬草《やくそう》。草花《くさばな》。草原《くさはら》。若草《わかくさ》。
❷ 草競馬《くさけいば》（農村《のうそん》などでおこなわれる、小《ちい》さな規模《きぼ》の競馬《けいば》）。
❹ 草案《そうあん》。
❺ 草書《そうしょ》。

とくべつなよみ

草履《ぞうり》。

ひつじゅん・書き方

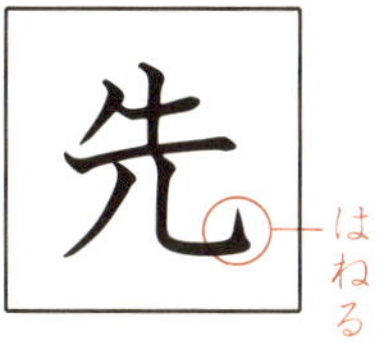

（6画）

ひつじゅん・書き方

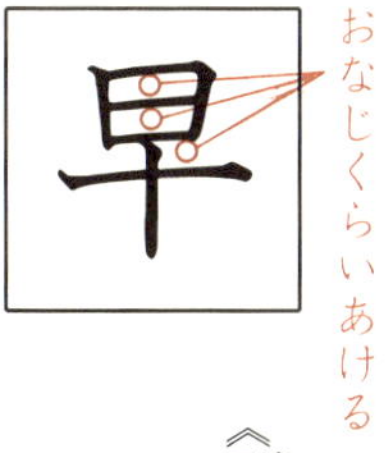

《形《かたち》のにている字《じ》》 草《くさ》

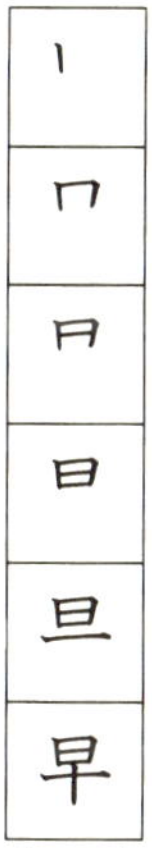

（6画）

ひつじゅん・書き方

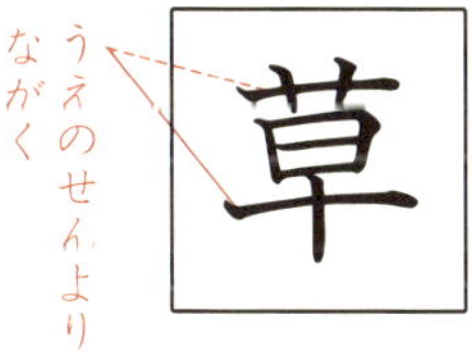

《形《かたち》のにている字《じ》》 早《はや》い

（9画）

足／7画

足

おん ソク
くん あし・たりる・たる・たす

なりたち

人《ひと》のひざからつま先《さき》までの形《かたち》をえがいた字《じ》で、人《ひと》の《あし》をあらわす。

ひつじゅん・書き方

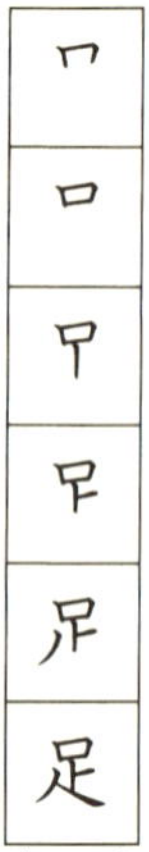

（7画）

れい文・いみ

❶ れい文 両足《りょうあし》に力《ちから》を入《い》れてふんばる。／室内《しつない》は土足《どそく》（はきものをはいたままのこと。また、どろのついたあし）げんきんです。 いみ もものつけねから先《さき》。また、とくにくるぶしから先《さき》のぶ分《ぶん》。あし。

❷ れい文 しのび足《あし》で歩《ある》く。／足《あし》なみをそろえる。／あすは遠足《えんそく》です。 いみ 歩《ある》くこと。

❸ れい文 雨足《あまあし》が強《つよ》い。 いみ ものがうごいたりへんかしたりするぐあい。

❹ れい文 えきまで足《あし》をのばす。／客足《きゃくあし》が遠《とお》のく。 いみ 出《で》かけること。また、やってくること。あし。

❺ れい文 心《こころ》がみち足《た》りる。／しきりに、ふ足《そく》をのべる。 いみ 十分《じゅうぶん》である。たりる。

❻ れい文 二《ふた》つの数《かず》を足《た》す。／ふろの水《みず》をつぎ足《た》す。 いみ くわえる。おぎなう。たす。

❼ れい文 くつ下《した》を三足《さんぞく》買《か》う。 いみ 一《ひと》そろいのはきものを数《かぞ》えることば。

じゅくご

❶ 足音《あしおと》。足首《あしくび》。足場《あしば》。足下《あしもと》。足元《あしもと》。後足《あとあし》。素足《すあし》。手足《てあし》。前足《まえあし》。

❷ 足代《あしだい》（乗《の》り物《もの》に乗《の》るときに必要《ひつよう》なお金《かね》）。足早《あしばや》。早足《はやあし》。足取《あしど》り。足並《あしな》み。

❸ 雲足《くもあし》（雲《くも》が流《なが》れていくようす）。日足《ひあし》（昼間《ひるま》の時間《じかん》）。

❹ 足止《あしど》め（その場所《ばしょ》から移《い》動《どう》できないようになること）。

❺ 不足《ふそく》。満足《まんぞく》。自給自足《じきゅうじそく》⇩（637ページ中） 舌足《したた》らず（意味《いみ》や、内容《ないよう》を十分《じゅうぶん》に、いいあらわしていないさま）。物足《ものた》りない。

❻ 補足《ほそく》。足《た》し算《ざん》。付《つ》け足《た》す。

❼ 一足《いっそく》。

とくべつなよみ

足袋《たび》。

木／7画

【村】

おん ソン
くん むら

なりたち

「寸」(手《て》のゆびをものにおしあてることから、一《ひと》つのところに止《と》まっているようす)と「木」(き)をあわせた字《じ》。木《き》がいっぱいあるところに、人《ひと》があつまってすんでいる《むら》をあらわす。

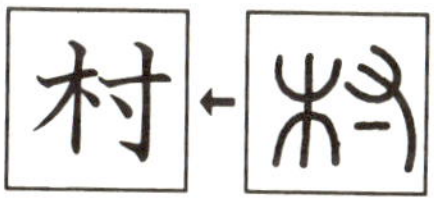

ひつじゅん・書き方

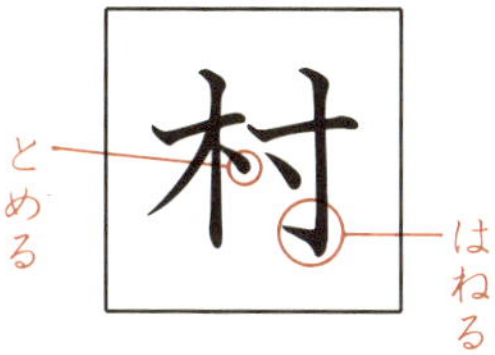

林《はやし》
《形《かたち》のにている字《じ》》

十
オ
木
木一
村
村

(7画)

れい文・いみ

❶ れい文 秋《あき》まつりで村中《むらじゅう》がにぎわう。／山《やま》あいの小《ちい》さな村《むら》。／みなとの近《ちか》くで、村《むら》の人《ひと》たちが、海《かい》そうをほしています。／となりの家《いえ》のおじさんは、四国《しこく》の山村《さんそん》の出《しゅっ》しんだそうです。 いみ いなかで、人家《じんか》があつまっているところ。むら。むらざと。

❷ れい文 この村《むら》の人口《じんこう》は、およそ五千人《ごせんにん》です。／せんきょで新《あたら》しい村長《そんちょう》をえらぶ。／東京都《とうきょうと》の三宅村《みやけむら》。／おじさんは、村会《そんかい》ぎ員《いん》をしています。 いみ 地方自治体《ちほうじちたい》の一《ひと》つで、町《まち》より小《ちい》さいもの。

《村《むら》まつり》

じゅくご

❶ 村落《そんらく》(農業《のうぎょう》や漁業《ぎょぎょう》などで暮《く》らす人々《ひとびと》のむらの家《いえ》が集《あつ》まっているところ)。寒村《かんそん》(さびしいむら)。漁村《ぎょそん》(おもに、魚《さかな》をとって生活《せいかつ》している海辺《うみべ》のむら)。農村《のうそん》。村里《むらざと》。村人《むらびと》。村外《むらはず》れ。村祭《むらまつ》り。

❷ 村民《そんみん》。村立《そんりつ》(むらがつくり、維《い》持《じ》すること。また、維持《いじ》する物《もの》)。近村《きんそん》。市町村《しちょうそん》。村会議員《そんかいぎいん》。

大

□ 大／3画

おん ダイ・タイ

くん おお・おおきい・おおいに

なりたち

りょう手《て》をひろげて立《た》っている人《ひと》のすがたをえがいた字《じ》。《おおきい》ことをいみする。

ひつじゅん・書き方

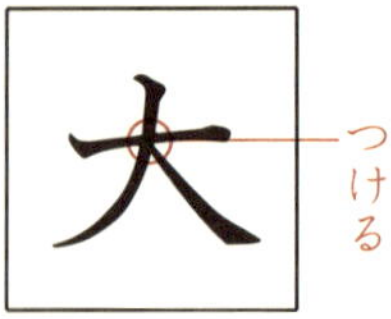

《形《かたち》のにている字《じ》》

犬《いぬ》　太《ふと》い

一　ナ　大

（3画）

れい文・いみ

❶ れい文 利根川《とねがわ》は大《おお》きな川《かわ》です。／大《おお》がたの台風《たいふう》。／声《こえ》を大《だい》にして言《い》う。／大木《たいぼく》を切《き》りたおす。 いみ 形《かたち》や、きぼがおおきい。声《こえ》や音《おと》などがおおきい。広《ひろ》い。 ついご 小《しょう》。

❷ れい文 ゆだん大《たい》てき。／れきし上《じょう》の大人《だいじん》物《ぶつ》。 いみ たいせつな。りっぱな。すぐれた。力《ちから》が強《つよ》い。はげしい。 ついご 小《しょう》。

❸ れい文 さばの大《たい》りょうがつづく。／大金《おおがね》持《も》ちになる。／大《だい》多数《たすう》の人《ひと》がさんせいした。 いみ 数《かず》や、りょうが多《おお》い。

❹ れい文 文《ぶん》の大《たい》意《い》をつかむ。／大《たい》ていのことは知《し》っている。 いみ あらまし。おおざっぱ。

❺ れい文 実物大《じつぶつだい》の図《ず》をかく。／米《こめ》つぶ大《だい》の石《いし》。 いみ …と同《おな》じくらいのおおきさ。

❻ れい文 公立大《こうりつだい》の入学《にゅうがく》しけんをうける。 いみ 「大学《だいがく》」のりゃく。

❼ れい文 一月《いちがつ》は大《だい》の月《つき》だ。 いみ 一《いっ》か月《げつ》が三《さん》十一日《じゅういちにち》の月《つき》。 ついご 小《しょう》。

じゅくご

❶ 大小《だいしょう》。大地《だいち》。大脳《だいのう》。拡大《かくだい》。広大《こうだい》。最大《さいだい》。壮大《そうだい》（おおきくて、りっぱなようす）。特大《とくだい》。大河《たいが》。大会《たいかい》。大海《たいかい》。大気《たいき》。大国《たいこく》。大洋《たいよう》。大陸《たいりく》。大形《おおがた》。大型《おおがた》。大空《おおぞら》。大波《おおなみ》。大判《おおばん》。大規模《だいきぼ》。大通《おおどお》り。

❷ 大事《だいじ》。大臣《だいじん》。強大《きょうだい》。重大《じゅうだい》。大作《たいさく》。大切《たいせつ》。大役《たいやく》。大物《おおもの》。大器晩成《たいきばんせい》 ⇩（639ページ下）

油断大敵《ゆだんたいてき》 ⇩（642ページ中）

❸ 大金《たいきん》。大軍《たいぐん》。大群《たいぐん》。大衆《たいしゅう》。大量《たいりょう》。大漁《たいりょう》。大雨《おおあめ》。大勢《おおぜい》。

❹ 大体《だいたい》。大勢《たいせい》。大半《たいはん》。大別《たいべつ》。大略《たいりゃく》（おおよそ）。大方《おおかた》。大筋《おおすじ》。大部分《だいぶぶん》。

❺ 等身大《とうしんだい》（身長《しんちょう》と同《おな》じ高《たか》さ）。

❻ 短大《たんだい》。女子大《じょしだい》。

とくべつなよみ

大人《おとな》。大和《やまと》。大和絵《やまとえ》。

田／7画

【男】

おん ダン・ナン
くん おとこ

なりたち

「田」（た）と「力」（ちから）をあわせた字《じ》。田《た》や、はたけで力《ちから》しごとをする《おとこ》の人《ひと》をあらわした字《じ》。

ひつじゅん・書き方

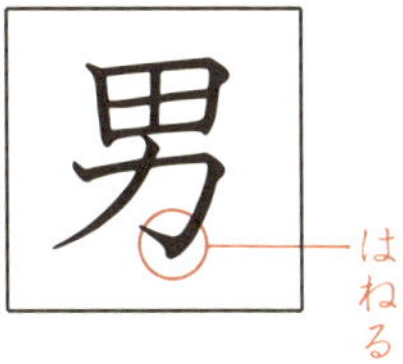

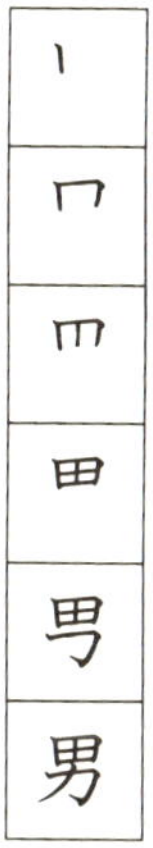
（7画）

れい文・いみ

❶ れい文 男《おとこ》のくせにいくじがない。／ラグビーは男《だん》せいてきなスポーツです。／わたしたちのクラスは、男子《だんし》のほうが、ひとり少《すく》ないです。 いみ おとこ。 ついご 女《おんな》。

❷ れい文 むかしは長男《ちょうなん》がその家《いえ》をつぐことにきまっていました。／おじには一男《いちなん》と二女《にじょ》がいます。／ぼくには兄《あに》がひとりいますから、次男《じなん》です。 いみ 父親《ちちおや》と母親《ははおや》とのあいだに生《う》まれたおとこの子《こ》。むすこ。 ついご 女《おんな》。

《長男《ちょうなん》と次男《じなん》》

じゅくご

❶ 男女《だんじょ》。男優《だんゆう》（おとこの俳優《はいゆう》）。男手《おとこで》（働《はたら》けるおとこの人《ひと》）。大男《おおおとこ》。山男《やまおとこ》（山登《やまのぼ》りが好《す》きで、山登《やまのぼ》りの技術《ぎじゅつ》がじょうずなおとこの人《ひと》）。男性的《だんせいてき》。男勝《おとこまさ》り（女《おんな》の人《ひと》が、おとこもかなわないくらいしっかりしていること。また、そういう女《おんな》の人《ひと》）。

《山男《やまおとこ》》

竹／6画

【竹】

おん チク
くん たけ

なりたち

二本《にほん》の《たけ》が生《は》えているようすをえがいた字《じ》。

ひつじゅん・書き方

（6画）

れい文・いみ

れい文 うら手《て》に大《おお》きな竹林《たけばやし》があります。／おじさんに竹《たけ》の子《こ》ほりを教《おし》えてもらいました。／お正月《しょうがつ》に竹馬《たけうま》にのってあそぶ。／竹《たけ》をわったような(せいしつが、さっぱりしていることのたとえ)せいかく。／竹《たけ》とんぼ。

いみ いねのなかまのしょくぶつ。くきはまっすぐ上《うえ》にのび、中《なか》はからで、ふしがある。たけ。

《竹《たけ》やぶ》

《竹馬《たけうま》にのる》

じゅくご

竹輪《ちくわ》(魚《さかな》の身《み》をすりつぶして練《ね》り、たけや金属《きんぞく》の棒《ぼう》にあつくぬりつけて、焼《や》いたり蒸《む》したりした食《た》べ物《もの》)。**松竹梅**《しょうちくばい》。**竹細工**《たけざいく》(たけを使《つか》って道具《どうぐ》や器《うつわ》などをつくること。また、その道具《どうぐ》や器《うつわ》)。**竹**《たけ》**ざお**。**竹**《たけ》**やぶ**。**破竹**《はちく》**の勢**《いきお》**い**(たけは、初《はじ》めの一節《ひとふし》を割《わ》ると、いちどに割《わ》れてしまうことから、止《と》めることができないほど激《はげ》しい勢《いきお》いのたとえ)。

とくべつなよみ

竹刀《しない》。

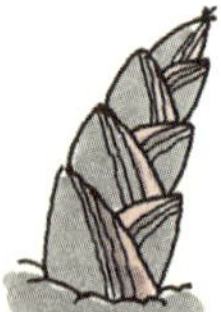
《竹《たけ》の子《こ》》

□ 1／4画

【中】

おん チュウ
くん なか

なりたち

はたざおを、まるいわくのまんなかにつきとおした形《かたち》をえがいた字《じ》。ものの《まんなか》、ものの内《うち》がわをあらわした字《じ》。

ひつじゅん・書き方

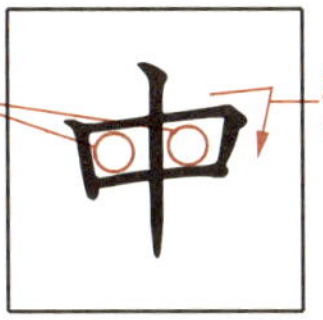

（4画）

虫《むし》 《形《かたち》のにている字《じ》》

れい文・いみ

❶ れい文 円《えん》の中心《ちゅうしん》。／町《まち》の中央《ちゅうおう》にえきがある。 いみ まんなか。なか。
❷ れい文 川《かわ》の中流《ちゅうりゅう》で、魚《さかな》つりをする。 いみ ものと、もののあいだ。なか。
❸ れい文 森《もり》の中《なか》にまよいこむ。／山《やま》の中《なか》の村《むら》。／日中《にっちゅう》ははげしい雨《あめ》だった。 いみ あるはんいのうち。
❹ れい文 心《こころ》の中《なか》を見《み》すかされる。／文《ぶん》しょうの中《なか》でのべる。／かんづめの中身《なかみ》。 いみ ものの内《うち》がわ。なかみ。
❺ れい文 中立《ちゅうりつ》の立場《たちば》。 いみ どちらにもかたよらないいち。
❻ れい文 と中《ちゅう》で雨《あめ》になる。 いみ ものごとがおわらないうち。
❼ れい文 気《き》のあったれん中《ちゅう》(なかま)。 いみ 間《あいだ》がら。なかま。
❽ れい文 矢《や》が命中《めいちゅう》した。／ガスによる中《ちゅう》どく。 いみ あたる。
❾ れい文 町中《まちじゅう》に知《し》れわたる。 いみ あるはんいのぜんぶ。ぜん体《たい》。
❿ れい文 日中友《にっちゅうゆう》こう(なかのよいつきあい)をすめる。 いみ 「中国《ちゅうごく》」のりゃく。
⓫ れい文 ふぞく中《ちゅう》の生《せい》と。 いみ 「中学校《ちゅうがっこう》」のりゃく。

じゅくご

❷ 中間《ちゅうかん》。中期《ちゅうき》。中級《ちゅうきゅう》。中世《ちゅうせい》(歴史《れきし》の時代区分《じだいくぶん》の一《ひと》つ。日本《にっぽん》では鎌倉時代《かまくらじだい》から室町時代《むろまちじだい》)。
❸ 中指《なかゆび》。中休《なかやす》み。真《ま》ん中《なか》。
❸ 寒中《かんちゅう》。眼中《がんちゅう》。空中《くうちゅう》。最中《さいちゅう》。車中《しゃちゅう》。暑中《しょちゅう》。中庭《なかにわ》。
❹ 胸中《きょうちゅう》。心中《しんちゅう》。
❺ 中性《ちゅうせい》(酸性《さんせい》でもアルカリ性《せい》でもない、中間《ちゅうかん》の性質《せいしつ》)。中和《ちゅうわ》(酸《さん》性《せい》のものとアルカリ性《せい》のものがいっしょになって、それぞれの性質《せいしつ》を失《うしな》うこと)。
❻ 中止《ちゅうし》。中断《ちゅうだん》。中途半端《ちゅうとはんぱ》 ⇩ (640ページ上)
❼ 連中《れんちゅう》。
❽ 中毒《ちゅうどく》。的中《てきちゅう》。百発百中《ひゃっぱつひゃくちゅう》 ⇩ (641ページ中)
❾ 家中《いえじゅう》。一日中《いちにちじゅう》。世界中《せかいじゅう》。
❿ 日中関係《にっちゅうかんけい》。日中友好《にっちゅうゆうこう》。
⓫ 付属中《ふぞくちゅう》。

虫／6画

【虫】

おん チュウ
くん むし

なりたち

もとの字《じ》は「蟲」。頭《あたま》の大《おお》きいへびや、いもむしなどがたくさんいるようすをえがいた字《じ》。のちに、《むし》のなかまをいみするようになった。

れい文・いみ

❶ れい文 虫《むし》の声《こえ》が聞《き》こえる。／こん虫《ちゅう》。 いみ とんぼ・せみ・くわがたなどの小《しょう》どうぶつ。むし。

❷ れい文 虫《むし》の知《し》らせ。 いみ 人《ひと》の気《き》もちをうごかすもとになると考《かんが》えられているもの。

❸ れい文 なき虫《むし》。 いみ あい手《て》を見下《みくだ》していうことば。

❹ れい文 本《ほん》の虫《むし》。／学《がく》もんの虫《むし》。 いみ 一《ひと》つのことにねっ中《ちゅう》する人《ひと》。

じゅくご

❶ 虫害《ちゅうがい》。益虫《えきちゅう》。回虫《かいちゅう》。害虫《がいちゅう》。成虫《せいちゅう》。幼虫《ようちゅう》。虫歯《むしば》。青虫《あおむし》。油虫《あぶらむし》。毛虫《けむし》。毒虫《どくむし》。寄生虫《きせいちゅう》。虫《むし》かご。虫干《むしぼ》し。虫眼鏡《むしめがね》。かぶと虫《むし》。

❷ 腹《はら》の虫《むし》(しゃくにさわってどうしようもない気持《きも》ち)。

❸ 弱虫《よわむし》。泣《な》き虫《むし》。

❹ 点取《てんと》り虫《むし》。

田／7画

【町】

おん チョウ
くん まち

なりたち

「田」(た)と、「丁」(くぎの形《かたち》にまじわったあぜ道《みち》)をあわせた字《じ》。もとは、あぜ道《みち》のことだったが、のち、ととのった道《みち》のある《まち》をあらわすようになった。

れい文・いみ

❶ れい文 にぎやかな町《まち》。／町角《まちかど》に立《た》つ。 いみ 家《いえ》が多《おお》くあつまっているところ。まち。

❷ れい文 家《いえ》は東京都《とうきょうと》千代田区《ちよだく》三崎町《みさきちょう》にある。 いみ 市《し》がい地《ち》の小《ちい》さなくぎり。

❸ れい文 新《あたら》しい町役場《まちやくば》ができあがった。 いみ 地方自《ちほうじ》ち体《たい》の一《ひと》つ。市《し》よりも小《ちい》さくて、村《むら》より大《おお》きい。

❹ いみ むかし、土地《とち》の広《ひろ》さや、きょりをはかったたんい。

じゅくご

❶ 町人《ちょうにん》。横町《よこちょう》。裏町《うらまち》。下町《したまち》。港町《みなとまち》。町並《まちな》み。町外《まちはず》れ。宿場町《しゅくばまち》。城下町《じょうかまち》。門前町《もんぜんまち》。

❷ 町会《ちょうかい》。町内《ちょうない》。

❸ 町長《ちょうちょう》。町民《ちょうみん》。市町村《しちょうそん》。

❹ 一町歩《いっちょうぶ》(約九九《やくきゅうじゅうきゅう》・一七《いちなな》アール)。

大／4画

天

おん テン
くん 《あめ》・あま

なりたち

「一」（いち）と、「大」（おおきい）とをくみあわせた字《じ》。りょう手《て》をひろげて立《た》った人《ひと》の上《うえ》に線《せん》を一本《いっぽん》つけて、人《ひと》の頭《あたま》の上《うえ》にひろがる《てん》をあらわした字《じ》。

れい文・いみ

❶ れい文 よい天気《てんき》がつづく。 いみ 大空《おおぞら》。また、空《そら》もよう。てん。 ついご 地《ち》。
❷ れい文 天《てん》じょうのすすをはらう。 いみ ものの上《うえ》のぶ分《ぶん》。 ついご 地《ち》。
❸ れい文 地《じ》しんは、天《てん》さいの一《ひと》つだ。 いみ 大自《だいし》ぜん。
❹ れい文 弟《おとうと》はしょうぎの天才《てんさい》だ。 いみ 生《う》まれつき。
❺ いみ かみさまや、ほとけさま。

じゅくご

❶ 天下《てんか》。天候《てんこう》。天体《てんたい》。天地《てんち》。天文《てんもん》。雨天《うてん》。晴天《せいてん》。天文台《てんもんだい》。天《あま》の川《がわ》。
❷ 脳天《のうてん》（頭《あたま》のてっぺん）。
❸ 天災《てんさい》。天然《てんねん》。天変地異《てんぺんちい》⇩（640ページ中）
❹ 天性《てんせい》。天分《てんぶん》（生《う》まれつき備《そな》わっている性質《せいしつ》や、すぐれた才能《さいのう》）。
❺ 天国《てんごく》。天使《てんし》。

ひつじゅん・書き方

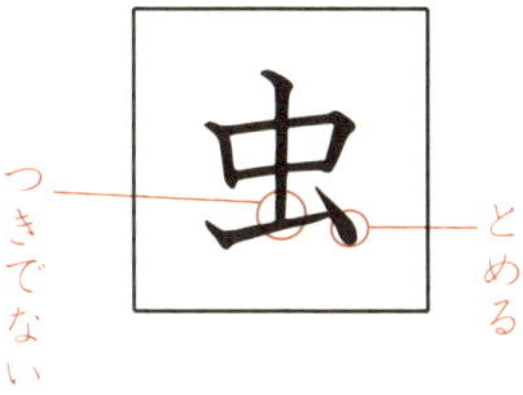

《形《かたち》のにている字《じ》》 中《なか》 足《あし》

丶 冂 口 中 虫 虫
（6画）

ひつじゅん・書き方

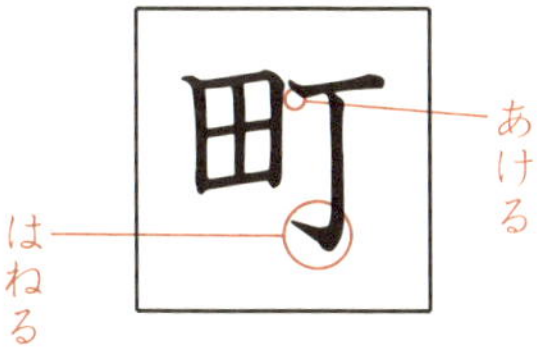

冂 冂 用 田 田 町
（7画）

ひつじゅん・書き方

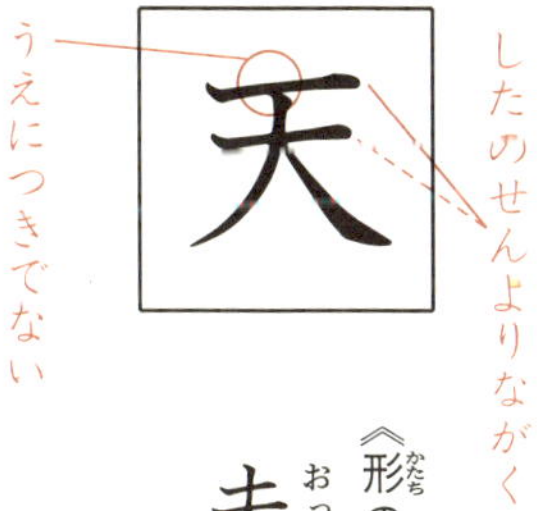

《形《かたち》のにている字《じ》》 夫《おっと》

一 二 チ 天
（4画）

□ 田／5画

田

おん デン

くん た

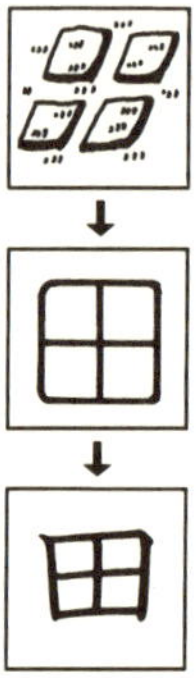

なりたち

きちんとくぎられた、《た》や、はたけを上《うえ》から見《み》たようすをえがいた字《じ》。

れい文・いみ

❶ れい文 田《た》にいねのなえをうえる。／田園《でんえん》風景《ふうけい》。 いみ いねをつくる土地《とち》。とくに水《みず》をたたえたところ。たんぼ。

❷ れい文 海《かい》てい油田《ゆでん》のかいはつ。 いみ 土《つち》の中《なか》からさんぶつがとれる地《ち》いき。

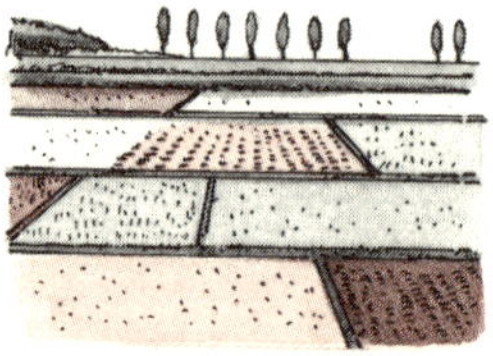

《田園風景《でんえんふうけい》》

じゅくご

❶ 新田《しんでん》（新《あたら》しく切《き》り開《ひら》かれたたんぼ）。水田《すいでん》。田畑《たはた》。青田《あおた》。田植《たう》え。田《た》んぼ。田園都市《でんえんとし》。

❷ 塩田《えんでん》。炭田《たんでん》（土《つち》の中《なか》から石炭《せきたん》がたくさんとれる地域《ちいき》）。

とくべつなよみ

田舎《いなか》。

□ 土／3画

土

おん ド・ト

くん つち

なりたち

草《くさ》や木《き》をそだててくれる《つち》が、高《たか》くもりあがっているようすをえがいた字《じ》。

れい文・いみ

❶ れい文 スコップではたけの土《つち》をほる。／ねん土《ど》をこねて、茶《ちゃ》わんをつくる。／川《かわ》の水《みず》が土《ど》しゃをおしながす。 いみ 岩石《がんせき》が細《こま》かくくだけてへんかしたもの。地《じ》めんをおおっているどろ。つち。

❷ れい文 きょう土《ど》の土《つち》をふむ。 いみ 人《ひと》がすんでいるところ。その地方《ちほう》。

❸ れい文 土《ど》・日《にち》をり用《よう》していなかに帰《かえ》る。 いみ 「土曜日《どようび》」のりゃく。

じゅくご

❶ 土管《どかん》。土器《どき》。土質《どしつ》。土砂《どしゃ》。土蔵《どぞう》。土足《どそく》。土台《どだい》。土手《どて》。土俵《どひょう》。土木《どぼく》。出土《しゅつど》。土地《とち》。赤土《あかつち》。

❷ 土着《どちゃく》。郷土《きょうど》。国土《こくど》。全土《ぜんど》。風土《ふうど》。本土《ほんど》。領土《りょうど》。

とくべつなよみ

土産《みやげ》。

□ 二／2画

【二】

おん ニ
くん ふた・ふたつ

なりたち

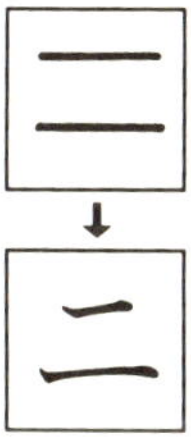

「一」は一本《いっぽん》、「二」は、に本《ほん》。に本《ほん》のよこ線《せん》で数《かず》の「2」をしめした字《じ》。

れい文・いみ

❶ れい文 二《ふた》つ目《め》のえきでおりる。／二重《ふたえ》まぶた。／二月二日《にがつふつか》。 いみ 数《かず》の2。に。ふたつ。

❷ れい文 あきれて二《に》のくがつげない（つぎのことばが出《で》てこない）。 いみ じゅん番《ばん》で、つぎ。に番目《ばんめ》。

❸ れい文 かわいそうで二目《ふため》とは見《み》られない。／この地方《ちほう》では二毛作《にもうさく》をしている。 いみ くりかえしておこなうこと。ふたたび。

じゅくご

❶ 二重《にじゅう》。二親《ふたおや》（父《ちち》と母《はは》。両親《りょうしん》）。二葉《ふたば》（草《くさ》や木《き》が芽《め》を出《だ》したとき、初《はじ》めに出《で》る、に枚《まい》の葉《は》）。二人三脚《ににんさんきゃく》⇩（640ページ下）

❷ 二世《にせい》。二《に》の句《く》。

❸ 二度《にど》。

とくべつなよみ

二十《はたち》。二十歳《はたち》。二十日《はつか》。二人《ふたり》。二日《ふつか》。

ひつじゅん・書き方

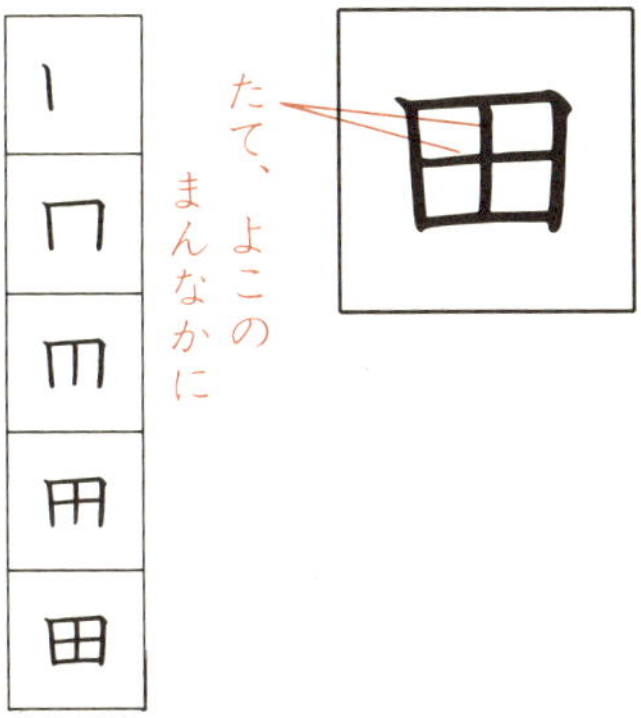

（5画）

ひつじゅん・書き方

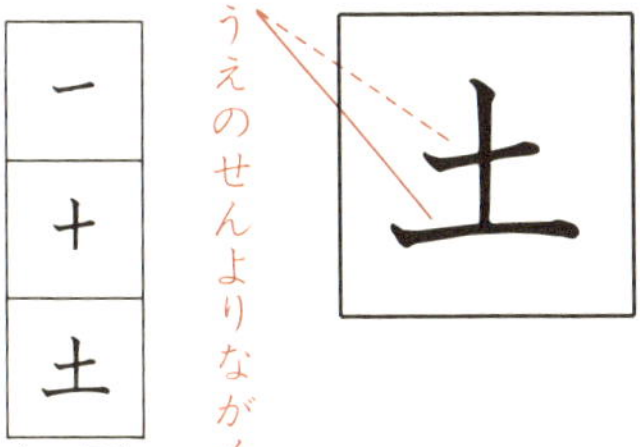

（3画）

ひつじゅん・書き方

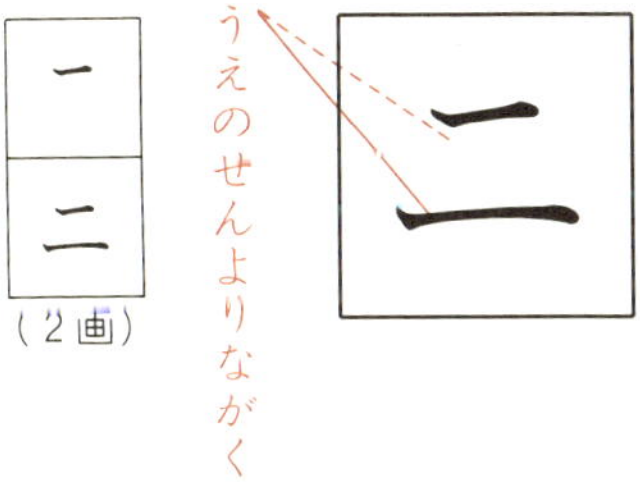

（2画）

□ 日／4画

【日】

おん ニチ・ジツ
くん ひ・か

なりたち

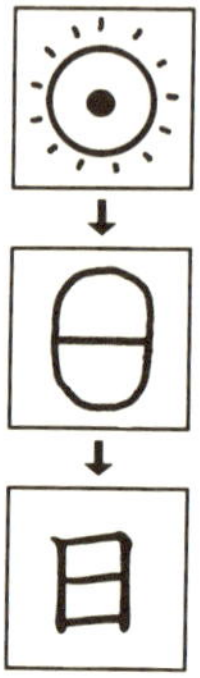

太《たい》ようの形《かたち》をえがいた字《じ》。太《たい》ようの出《で》ている《ひるま》や、一《いち》にち一《いち》にちの《ひ》もあらわす。

れい文・いみ

❶ れい文 お日《ひ》さま。／初日《はつひ》の出《で》。／日光《にっこう》がまぶしい。 いみ 太《たい》よう。ひ。

❷ れい文 三日《みっか》間《かん》りょ行《こう》に出《で》かける。 いみ いちにち。二十四《にじゅうよ》時間《じかん》。また、昼間《ひるま》。

❸ れい文 日《ひ》ごとにさむくなる。／日《にっ》かん新《しん》聞《ぶん》。 いみ まいにちまいにち。ひごとに。

❹ れい文 日米野球大会《にちべいやきゅうたいかい》。 いみ 「日本《にっぽん》」のりゃく。

❺ いみ 「日曜日《にちようび》」のりゃく。

じゅくご

❶ 日食《にっしょく》。朝日《あさひ》。夕日《ゆうひ》。日射病《にっしゃびょう》。日暮《ひぐ》れ。日焼《ひや》け。

❷ 日時《にちじ》。日中《にっちゅう》。初日《しょにち》。明日《みょうにち》。休日《きゅうじつ》。祭日《さいじつ》。本日《ほんじつ》。日付《ひづけ》。

❸ 日刊《にっかん》。日記《にっき》。日日《ひび》。日用品《にちようひん》。

❹ 来日《らいにち》。

とくべつなよみ

明日《あす》。昨日《きのう》。今日《きょう》。一日《ついたち》。二十日《はつか》。日和《ひより》。二日《ふつか》。

□ 入／2画

【入】

おん ニュウ
くん いる・いれる・はいる

なりたち

家《いえ》のいり口《ぐち》や、外《そと》から家《いえ》の中《なか》へ《はいる》ようすをえがいた字《じ》。

れい文・いみ

❶ れい文 ふろに入《はい》る。／せん手《しゅ》だんが入場《にゅうじょう》する。／組合《くみあい》に、か入《にゅう》する。 いみ あるはんいの中《なか》におさまる。はいる。 ついご 出《しゅつ》。

❷ れい文 しりょうを手《て》に入《い》れる。／新《あたら》しいきかいをどう入《にゅう》(外《そと》からとりこむこと)する。／よ分《ぶん》のしゅう入《にゅう》をえる。 いみ あるはんいの中《なか》におさめる。いれる。 ついご 出《しゅつ》。

❸ れい文 りょ行《こう》に入用《にゅうよう》な、しなをそろえる。 いみ ひつようである。

じゅくご

❶ 入院《にゅういん》。入会《にゅうかい》。入学《にゅうがく》。入国《にゅうこく》。入社《にゅうしゃ》。入賞《にゅうしょう》。入選《にゅうせん》。入部《にゅうぶ》。入門《にゅうもん》。入浴《にゅうよく》。加入《かにゅう》。入《い》り口《ぐち》。出《で》入《い》り。出入《ではい》り。

❷ 入金《にゅうきん》。入手《にゅうしゅ》。記入《きにゅう》(書《か》きこむこと)。収入《しゅうにゅう》。導入《どうにゅう》。編入《へんにゅう》。輸入《ゆにゅう》。

四捨五入《ししゃごにゅう》 ⇩(637ページ下)

干／6画

【年】

おん ネン
くん とし

なりたち

みのついたいねと、人《ひと》をくみあわせた字《じ》。いねは、まい《とし》一《いち》どとりいれをして、つぎの《とし》になるので、その《一《いち》ねん間《かん》》をあらわした字《じ》。

れい文・いみ

❶ れい文 新《あたら》しい年《とし》をむかえる。／一年《いちねん》は、やく三百六十五日《さんびゃくろくじゅうごにち》です。／あの店《みせ》は年中《ねんじゅう》む休《きゅう》（休《やす》みがない）です。 いみ 地《ち》きゅうが太《たい》ようを一回《ひとまわ》りするき間《かん》。十二《じゅうに》か月《げつ》。

❷ れい文 年号《ねんごう》があらたまる。／れきし上《じょう》のじけんを年表《ねんぴょう》でしらべる。 いみ ある長《なが》さのき間《かん》。時《じ》だい。

❸ れい文 父《ちち》の少年時代《しょうねんじだい》の話《はなし》を聞《き》く。 いみ 生《う》まれてからのとし。

じゅくご

❶ 年賀《ねんが》。年始《ねんし》。年度《ねんど》。年内《ねんない》。年年《ねんねん》。年末《ねんまつ》。去年《きょねん》。昨年《さくねん》。新年《しんねん》。毎年《まいとし》。毎年《まいねん》。来年《らいねん》。一昨年《いっさくねん》。生年月日《せいねんがっぴ》。
❷ 年代《ねんだい》。近年《きんねん》。
❸ 年少《ねんしょう》。年長《ねんちょう》。年輪《ねんりん》。幼年《ようねん》。老年《ろうねん》。年上《としうえ》。年下《としした》。

とくべつなよみ

今年《ことし》。

ひつじゅん・書き方

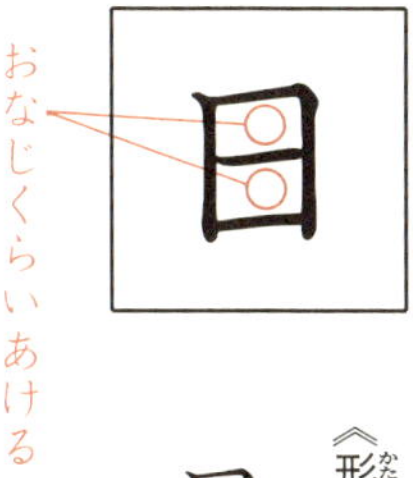

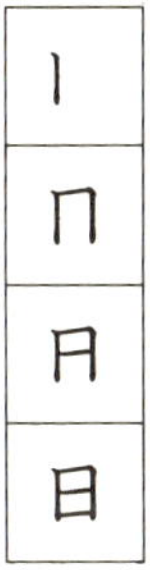
（4画）

《形《かたち》のにている字《じ》》 目《め》

ひつじゅん・書き方

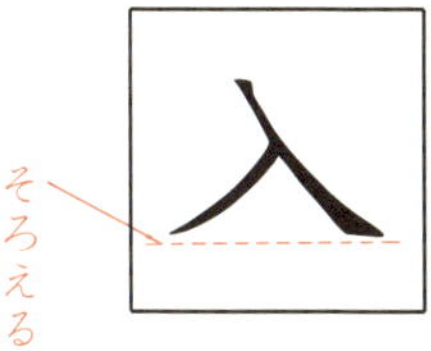

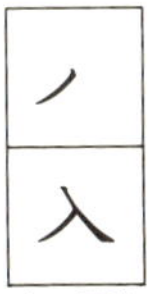
（2画）

《形《かたち》のにている字《じ》》 人《ひと》

ひつじゅん・書き方

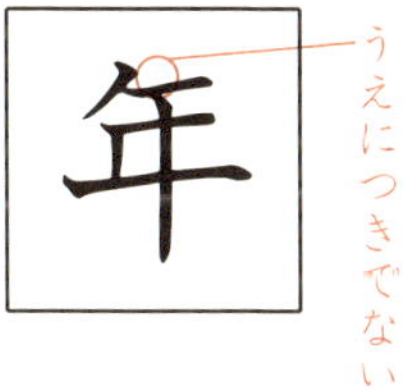

（6画）

白／5画

白

おん ハク・《ビャク》

くん しろ・しら・しろい

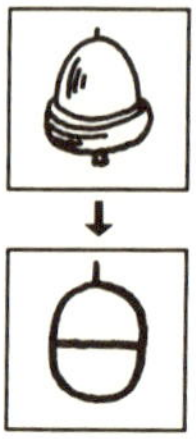

白

なりたち

どんぐりのみ̇をえがいた字《じ》。どんぐりのみ̇は、中《なか》みが《しろい》ので、《しろい》というい みをあらわした。べつに、親《おや》ゆびのつめの先《さき》の《しろい》色《いろ》をあらわした字《じ》ともいわれる。

ひつじゅん・書き方

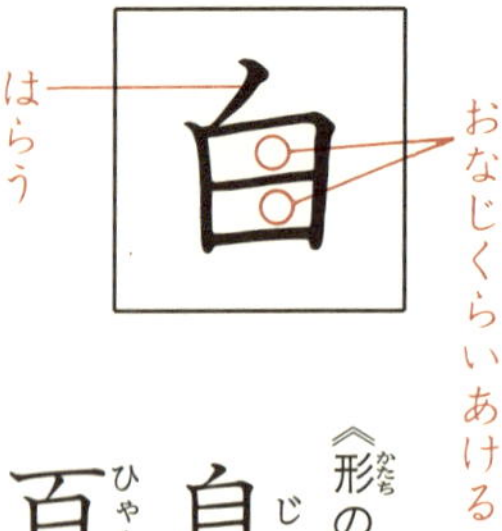

《形《かたち》のにている字《じ》》

自《じ》　百《ひゃく》

ノ
丨
白
白
白

（５画）

れい文・いみ

❶ れい文 かべに白《しろ》いペンキをぬる。／じゅん白《ぱく》のドレス。 いみ 雪《ゆき》のような色《いろ》。しろ。しろい。 ついご 黒《くろ》。

❷ れい文 東《ひがし》の空《そら》が白《しら》みかける。／南《なん》きょくで白夜《びゃくや》をかんそくする。 いみ 光《ひかり》がみちている。明《あか》るい。

❸ れい文 白白《しらじら》しいうそをつく。／それは明《めい》白《はく》なじじつです。 いみ ものごとが明《あき》らかなようす。

❹ れい文 白《しろ》か黒《くろ》かをはっきりさせる。 いみ けがれがない。しろ。 ついご 黒《くろ》。

❺ れい文 本《ほん》のよ白《はく》にメモする。／記《き》おくには空白《くうはく》の時間《じかん》たいがある。 いみ 何《なに》も書《か》いてない。何《なに》もない。

❻ れい文 つみを白《はく》じょうする。 いみ すべてを、ありのままに言《い》う。

❼ れい文 かれのはつ言《げん》で、白《しら》けきったふんいきになった。 いみ 色《いろ》あせたようす。また、気《き》まずいようす。

じゅくご

❶ 白衣《はくい》。白菜《はくさい》。白人《はくじん》。白馬《はくば》。白米《はくまい》。白骨《はっこつ》（動物《どうぶつ》の皮《かわ》や肉《にく》がとれ、風《かぜ》や雨《あめ》にさらされてしろくむき出《だ》しになった骨《ほね》）。紅白《こうはく》。純白《じゅんぱく》。白黒《しろくろ》。白地《しろじ》。白星《しろぼし》。白身《しろみ》（卵《たまご》の身《み》のしろい部分《ぶぶん》。また、魚《さかな》の身《み》の透明《とうめい》なもの）。色白《いろじろ》。白木《しらき》。白血球《はっけっきゅう》。白《しら》さぎ。白色人種《はくしょくじんしゅ》。

❷ 白昼《はくちゅう》（明《あか》るい真昼《まひる》）。

❹ 潔白《けっぱく》（悪《わる》いことをしていない）。

❺ 白紙《はくし》。余白《よはく》。白地図《はくちず》（国《くに》・島《しま》・陸地《りくち》などの形《かたち》だけしか書《か》かれていない地図《ちず》）。

❻ 白状《はくじょう》。告白《こくはく》。自白《じはく》（自分《じぶん》の犯《おか》した悪事《あくじ》や、かくしごとをありのままに言《い》うこと）。

とくべつなよみ

白髪《しらが》。

□ 八／2画

【八】

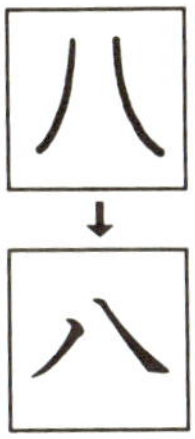

おん ハチ
くん や・やっ・やっつ・よう

なりたち

左右《さゆう》に分《わ》かれるようすをえがいた字《じ》。8という数《かず》は、二《ふた》つに分《わ》かれるので、数《かず》の「8」をあらわすようになった。そのほかの考《かんが》えもある。

ひつじゅん・書き方

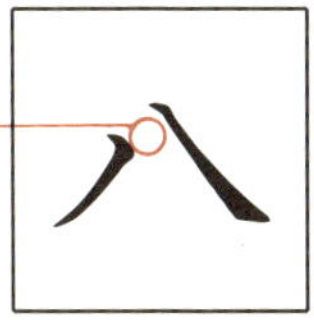

ノ
八

（2画）

れい文・いみ

❶ れい文 十一月《じゅういちがつ》の八日《ようか》は、わたしのまん七《なな》才《さい》のたん生日《じょうび》です。／姉《あね》とぼくとは八《やっ》つちがいです。／しゃく八《はち》は日本《にっぽん》のだいひょうてきな楽《がっ》きの一《ひと》つです。 いみ 数《かず》の8。はち。やっつ。

❷ れい文 弟《おとうと》は、はらを立《た》てて八《や》つ当《あ》たりをしている。／紙《かみ》を八《や》つざきにする。／四《し》方八方《ほうはっぽう》を見回《みまわ》す。／江戸《えど》の町《まち》は、八百八《はっぴゃくや》町《ちょう》といわれた。 いみ 数《かず》が多《おお》いこと。

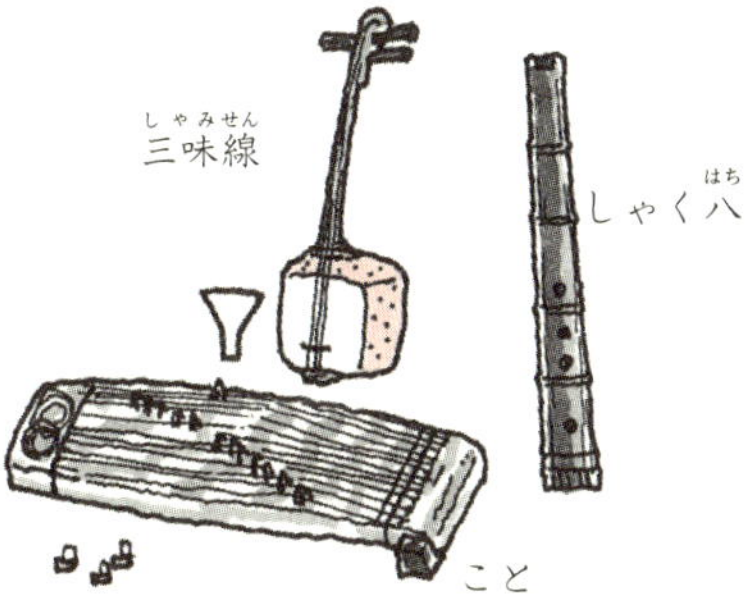

《日本《にっぽん》の楽《がっ》き》

じゅくご

❶ 尺八《しゃくはち》。腹八分《はらはちぶ》（食《た》べすぎない程度《ていど》に食《た》べること）。八十八夜《はちじゅうはちや》（立春《りっしゅん》から数《かぞ》えて八十八日目《はちじゅうはちにちめ》。五月二日《ごがつふつか》か、三日《みっか》ごろ）。八分通《はちぶどお》り。十中八九《じっちゅうはっく》⇩（637ページ下）

❷ 八重桜《やえざくら》。八方美人《はっぽうびじん》⇩（641ページ上）四苦八苦《しくはっく》⇩（637ページ中）八《や》つ裂《ざ》き。七転《ななころ》び八起《やお》き（なんど失敗《しっぱい》しても、負《ま》けないでがんばること）。

とくべつなよみ

八百長《やおちょう》。八百屋《やおや》。

□ 白／6画

【百】

おん ヒャク
くん ——

なりたち

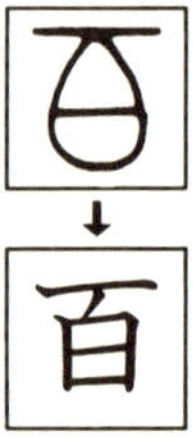

「一」(いち)と「白」をあわせた字《じ》。「白」にはもともと《ひゃく》のいみがあったが、「一」をつけて、一《ひと》つの《ひゃく》、数《かず》の「一〇〇」のことをあらわすようになった。

れい文・いみ

❶ れい文 算数《さんすう》のテストで**百**点《ひゃくてん》をとった。／ちょ金《きん》ばこに**百**円玉《ひゃくえんだま》を入《い》れる。／生《せい》との男女《だんじょ》のわり合《あ》いを**百**分《ひゃくぶん》りつであらわす。 いみ 数《かず》で、十《じゅう》の十《じゅう》ばい。ひゃく。

❷ れい文 ライオンは**百**《ひゃく》じゅう(あらゆるけもの)の王《おう》とよばれている。／ぎろん**百**出《ひゃくしゅつ》してまとまりがつかない。／**百**科事《ひゃっかじ》てんでしらべる。 いみ 数《かず》が多《おお》いこと。たくさんの。

じゅくご

❶ **百分率**《ひゃくぶんりつ》。**百万人**《ひゃくまんにん》。
❷ **百貨店**《ひゃっかてん》。**百科事典**《ひゃっかじてん》。
百日《ひゃくにち》ぜき。
百発百中《ひゃっぱつひゃくちゅう》 ⇩(641ページ中)

とくべつなよみ

八百長《やおちょう》。**八百屋**《やおや》。

□ 文／4画

【文】

おん ブン・モン
くん (ふみ)

なりたち

大《おお》むかし、土《ど》きにえがいたもようをあらわした字《じ》。もようのことから、《もじ》のいみや、《もじ》をくみあわせてつくられた《ぶんしょう》のいみになった。

れい文・いみ

❶ れい文 うつくしい**文**様《もんよう》。 いみ 図《ず》がら。もよう。
❷ れい文 **文**字《もじ》を書《か》く。 いみ 字《じ》。
❸ れい文 **文**集《ぶんしゅう》を読《よ》む。／友人《ゆうじん》と**文**通《ぶんつう》する。 いみ 字《じ》で書《か》いたもの。ぶん。
❹ れい文 **文**明《ぶんめい》がさかんになる。 いみ 学《がく》もんや、げいじゅつなど。
❺ いみ むかしのお金《かね》のたんい。もん。

じゅくご

❸ **文意**《ぶんい》。**文学**《ぶんがく》。**文庫**《ぶんこ》。**文才**《ぶんさい》(ぶんしょうをじょうずに書《か》く才《さい》能《のう》)。**文章**《ぶんしょう》。**作文**《さくぶん》。**短文**《たんぶん》。**本文**《ほんぶん》。**名文**《めいぶん》。**論文**《ろんぶん》。**文句**《もんく》。**証文**《しょうもん》。**本文**《ほんもん》。
❹ **文化**《ぶんか》。
❺ **一文銭**《いちもんせん》。

とくべつなよみ

文字《もじ》。

木／4画

【木】

おん ボク・モク

くん き・こ

なりたち

みきと、えだとねっこで、生《は》えている《き》をあらわした字《じ》。

れい文・いみ

❶ れい文 木《き》のえだをはらう。／木《こ》がらしがふいて、なみ木《き》のはがおちる。／じゅ木《もく》が生《お》いしげる。／大木《たいぼく》によじのぼる。 いみ かたいみきをもち、えだを広《ひろ》げて高《たか》くせい長《ちょう》するしょくぶつ。き。

❷ れい文 木《き》のいたをけずる。 いみ ざいもく。

❸ れい文 当番《とうばん》は火《か》・木《もく》の二日《ふつか》です。 いみ 「木《もく》曜日《ようび》」のりゃく。

じゅくご

❶ 高木《こうぼく》。低木《ていぼく》。樹木《じゅもく》。植木《うえき》。並木《なみき》。庭木《にわき》。木立《こだち》。雑木林《ぞうきばやし》。木《こ》の葉《は》。

❷ 木刀《ぼくとう》。土木《どぼく》。木魚《もくぎょ》。木材《もくざい》。木製《もくせい》。木馬《もくば》。木版《もくはん》。木工《もっこう》。材木《ざいもく》。木戸《きど》。丸木橋《まるきばし》。

とくべつなよみ

木綿《もめん》。

ひつじゅん・書き方

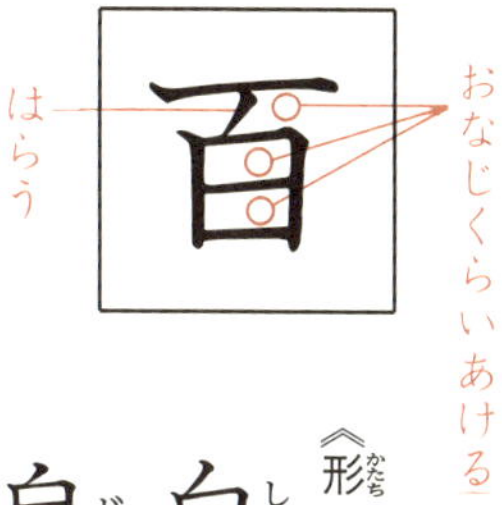

《形《かたち》のにている字《じ》》

白《しろ》 自《じ》

（6画）

ひつじゅん・書き方

《形《かたち》のにている字《じ》》

交《まじ》わる

（4画）

ひつじゅん・書き方

《形《かたち》のにている字《じ》》

水《みず》

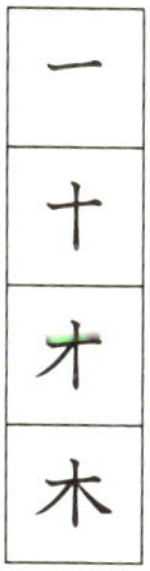

（4画）

木／5画

【本】

おん ホン
くん もと

なりたち

「木」(き)のねもとに、「一」(いち)のしるしをつけた字《じ》。ものごとのいちばんたいせつなところ、おお《もと》のいみをあらわした字《じ》。

木《き》 《形《かたち》のにている字《じ》》

ひつじゅん・書き方

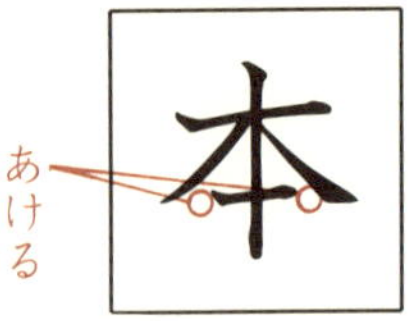

一 十 才 木 本
(5画)

れい文・いみ

❶れい文 本《ほん》だなの絵本《えほん》。いみ 図書《としょ》。ほん。
❷れい文 き本《ほん》から学《まな》ぶ。いみ もののはじめ。おおもと。もと。
❸れい文 本社《ほんしゃ》から外国《がいこく》へはけんされる。いみ 中心《ちゅうしん》となるもの。ついご 末《まつ》。
❹れい文 本当《ほんとう》にもうしわけない。／本気《ほんき》でおこり出《だ》す。いみ しんじつの。
❺れい文 これはたしかに本物《ほんもの》だ。／いよいよ本番《ほんばん》です。いみ 正《ただ》しい。正《せい》しきの。
❻れい文 本人《ほんにん》がそう言《い》うのだからたしかだ。／本校生《ほんこうせい》。いみ もんだいにしている。あの。この。また、ほかにたいして自分《じぶん》の。
❼れい文 本日《ほんじつ》は晴天《せいてん》なり。／本年度《ほんねんど》のけいかく。いみ いま。げんざいの。
❽れい文 えんぴつ一本《いっぽん》。／一本足《いっぽんあし》のかかし。いみ 細長《ほそなが》いものなどを数《かぞ》えることば。
❾いみ じゅう道《どう》や、けん道《どう》のしょうぶを数《かぞ》えることば。
❿れい文 三本《さんぼん》つづいたヒット。いみ 野《や》きゅうのあんだ数《すう》などを数《かぞ》えることば。

じゅくご

❶本箱《ほんばこ》。製本《せいほん》。台本《だいほん》。読本《とくほん》。本立《ほんた》て。貸《か》し本《ほん》。単行本《たんこうぼん》。副読本《ふくどくほん》。文庫本《ぶんこぼん》。
❷本家《ほんけ》。本国《ほんごく》。基本《きほん》。根本《こんぽん》。手本《てほん》。標本《ひょうほん》。見本《みほん》。本歌《もとうた》。根本《ねもと》。
❸本業《ほんぎょう》。本州《ほんしゅう》。本職《ほんしょく》。本筋《ほんすじ》。本体《ほんたい》。本店《ほんてん》。本堂《ほんどう》。本部《ほんぶ》。本文《ほんぶん》。本文《ほんもん》。本流《ほんりゅう》。本論《ほんろん》。張本人《ちょうほんにん》(悪《わる》いことをした、中心《ちゅうしん》になった人《ひと》)。本末転倒《ほんまつてんとう》 ⇩ (641ページ下)
❹本意《ほんい》(ほんとうの気持《きも》ち)。本心《ほんしん》。本音《ほんね》。本名《ほんみょう》。不本意《ふほんい》(自分《じぶん》のもともとの気持《きも》ちや考《かんが》えとはちがうようす)。
❺本式《ほんしき》。本格的《ほんかくてき》。
❻本件《ほんけん》。
❽数本《すうほん》。
❾三本勝負《さんぼんしょうぶ》。

名

口／6画

おん　メイ・ミョウ
くん　な

なりたち

「夕」(三日月《みかづき》)と「口」(くち)をあわせた字《じ》で、月《つき》が出《で》てくるくらい夕方《ゆうがた》に、自分《じぶん》のことを口《くち》に出《だ》して知《し》らせたことから、人《ひと》や、ものの《なまえ》のいみになった。

ひつじゅん・書き方

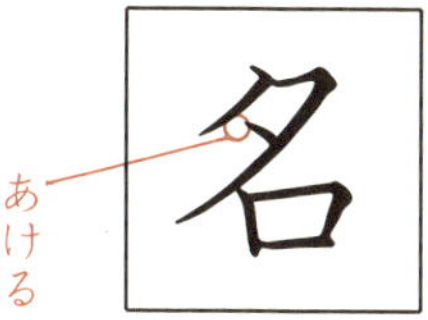

ノ　ク　タ　夕　名　名
(6画)

《形《かたち》のにている字《じ》》
夕《ゆう》

れい文・いみ

❶ れい文　花《はな》の名《な》を図《ず》かんでしらべる。／テストには、名前《なまえ》をはっきりと書《か》く。／文《ぶん》しゅうの題名《だいめい》をつける。 いみ　人《ひと》のなまえ。もののよびな。な。

❷ れい文　ぼくたちのサッカーチームは、ゆうしょうして名《な》をあげた。／外国《がいこく》でも名《な》高《だか》いピアニスト。／父《ちち》は、つりの名人《めいじん》といわれています。／たん生《じょう》パーティーの名《めい》あんがうかぶ。 いみ　すぐれたひょうばん。すぐれている。

❸ れい文　夏休《なつやす》みのハイキングにあつまった人《ひと》は数十名《すうじゅうめい》でした。 いみ　人数《にんずう》を数《かぞ》えることば。

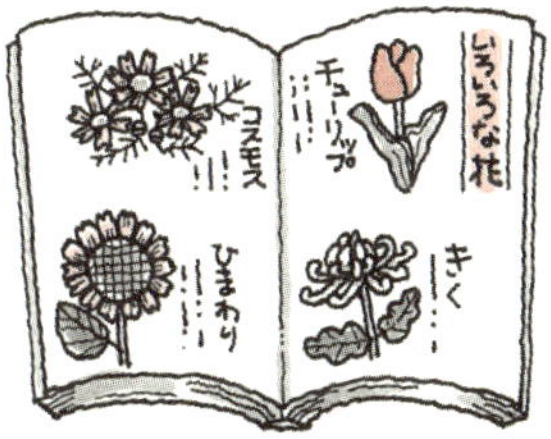

《花《はな》の名《な》》

じゅくご

❶ 氏名《しめい》。人名《じんめい》。地名《ちめい》。品名《ひんめい》。名字《みょうじ》。本名《ほんみょう》。名札《なふだ》。

❷ 名案《めいあん》。名画《めいが》。名作《めいさく》。名産《めいさん》(その土《と》地《ち》で、とくにとれたり、つくられたりする評判《ひょうばん》の品物《しなもの》)。名手《めいしゅ》(とくにすぐれた腕前《うでまえ》をもっている人《ひと》)。名所《めいしょ》(景色《けしき》がよかったり、歴史上《れきしじょう》のできごとで評判《ひょうばん》だったりする所《ところ》)。名店《めいてん》。名答《めいとう》。名文《めいぶん》。著名《ちょめい》(世間《せけん》によく知《し》られていること)。有名《ゆうめい》。名所旧跡《めいしょきゅうせき》 ⇩(642ページ上)

❸ 何名《なんめい》。

とくべつなよみ

仮名《かな》。名残《なごり》。

目／5画

目

おん モク・（ボク）

くん め・《ま》

なりたち

人《ひと》の《め》の形《かたち》をえがいた字《じ》。のちに、たて長《なが》に書《か》くようになった。

ひつじゅん・書き方

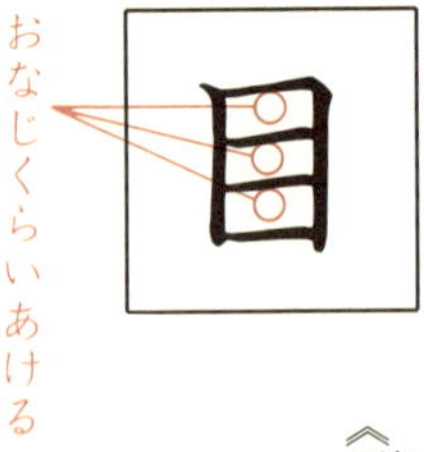

《形《かたち》のにている字《じ》》

日《ひ》　月《つき》

（5画）

れい文・いみ

❶ れい文 毎朝六時《まいあさろくじ》に目《め》がさめる。／目頭《めがしら》をおさえる。 いみ どうぶつの、ものを見《み》るはたらきをするきかん。め。

❷ れい文 たがいに目《め》くばせをかわす。 いみ 見《み》る。見《み》ること。めでする。

❸ れい文 目《もく》てきをはっきりさせる。 いみ ねらい。見《み》こみ。

❹ れい文 頭目《とうもく》（しゅうだんのかしら）は、あの男《おとこ》だ。 いみ たいせつな分《ぶん》。かなめ。

❺ れい文 しゅ目《もく》ごとに出場《しゅつじょう》する。 いみ ことがらを小《ちい》さく分《わ》けたもの。

❻ れい文 ざっしの目次《もくじ》。 いみ 書《か》きならべたもの。見出《みだ》し。

❼ れい文 目《め》の細《こま》かい方《ほう》がん紙《し》。／あみの目《め》。 いみ たてよこの線《せん》でくぎった一《ひと》つ一《ひと》つ。

❽ れい文 はかりの目《め》もり。／さいころの目《め》。 いみ 数《かず》をあらわすしるし。

❾ れい文 じゅん番《ばん》は二番目《にばんめ》です。 いみ じゅん番《ばん》をあらわすことば。め。

じゅくご

❶ 目前《もくぜん》。目薬《めぐすり》。目先《めさき》。目玉《めだま》。目元《めもと》。目玉焼《めだまや》き。

❷ 目算《もくさん》（見《み》ただけで、だいたいの見当《けんとう》をつけること）。目測《もくそく》（見《み》て、およその長《なが》さや大《おお》きさをはかること）。目礼《もくれい》。着目《ちゃくもく》（その人《ひと》や、ものごとが重要《じゅうよう》であるとして、気《き》をつけて見守《みまも》ること）。注目《ちゅうもく》。

❸ 目的《もくてき》。目標《もくひょう》。目印《めじるし》。目星《めぼし》（だいたいの見当《けんとう》）。目安《めやす》。一目《ひとめ》。人目《ひとめ》。目分量《めぶんりょう》。目当《めあ》て。

❹ 眼目《がんもく》。要目《ようもく》（たいせつなところ）。

❺ 科目《かもく》。細目《さいもく》（細《こま》かい部分《ぶぶん》についての決《き》めたことがら）。種目《しゅもく》。

❻ 目録《もくろく》。演目《えんもく》。曲目《きょくもく》。題目《だいもく》。品目《ひんもく》。

❼ 布目《ぬのめ》。織《お》り目《め》。

❽ 目盛《めも》り。

立／5画

【立】

おん リツ・《リュウ》
くん たつ・たてる

なりたち

人《ひと》が手《て》をひろげて、大地《だいち》の上《うえ》にしっかり《たっている》ようすをえがいた字《じ》。しっかり《たつ》《たてる》のいみになった。

ひつじゅん・書き方

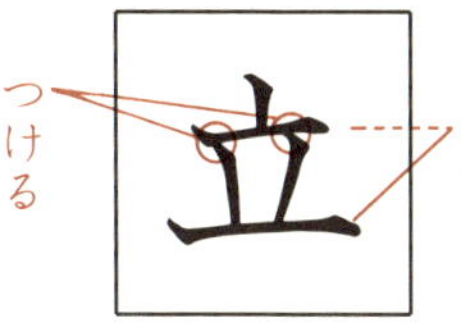

《形《かたち》のにている字《じ》》 市《し》 音《おと》

丶 亠 亣 立 立
（5画）

れい文・いみ

❶ れい文 にわに木《き》のはしらを立《た》てて、こいのぼりをつるす。／ぜんいんが、起立《きりつ》する。 いみ まっすぐになる。まっすぐにする。

❷ れい文 新《あたら》しい内《ない》かくがせい立《りつ》する。／姉《あね》は、市立中学校《いちりつちゅうがっこう》に通《かよ》っています。 いみ なりたつ。なりたたせる。

❸ れい文 ほうりつを立《りつ》あんする。 いみ つくる。さだめる。

❹ れい文 秋《あき》になって、すずしい風《かぜ》が立《た》つようになった。／あすは立春《りっしゅん》だ。 いみ おこる。はじまる。

《内《ない》かくのせい立《りつ》》

じゅくご

❶ 直立《ちょくりつ》。林立《りんりつ》（林《はやし》の中《なか》の木《き》のように、多《おお》くの物《もの》が、たち並《なら》ぶこと）。木立《こだち》。立《た》ち木《き》。立《た》ち話《ばなし》。逆立《さかだ》ち。立《た》て札《ふだ》。立《た》ち往生《おうじょう》。

❷ 立証《りっしょう》（証拠《しょうこ》を示《しめ》して、ものごとをはっきりさせること）。確立《かくりつ》（ものごとをしっかり決《き》めること）。自立《じりつ》。成立《せいりつ》。独立《どくりつ》。立身出世《りっしんしゅっせ》⇩（642ページ中）

❸ 立案《りつあん》。立法《りっぽう》。国立《こくりつ》。設立《せつりつ》。建立《こんりゅう》（寺《てら》や神社《じんじゃ》などを建《た》てること）。

❹ 立夏《りっか》。立秋《りっしゅう》。立冬《りっとう》。波立《なみだ》つ。

とくべつなよみ

立《た》ち退《の》く。

〈リョク・リン〉 力・林

□ 力／2画

力

おん リョク・リキ
くん ちから

なりたち
《ちから》をぎゅっと入《い》れた、うでの形《かたち》をえがいた字《じ》。

れい文・いみ

❶ れい文 力持《ちからも》ちのにいさん。／風《かぜ》の力《ちから》が強《つよ》くなった。／体力《たいりょく》をつける。 いみ 自《し》ぜん、または、どうぶつ・きかいなどが、ものをうごかしたりするはたらき。ちから。

❷ れい文 くすりの力《ちから》でびょう気《き》をなおす。／学力《がくりょく》をつける。 いみ はたらき。ききめ。いきおい。

❸ れい文 どうしても自分《じぶん》でやると力《りき》む。 いみ 一生《いっしょう》けんめいする。

じゅくご

❶ 圧力《あつりょく》。引力《いんりょく》。火力《かりょく》。強力《きょうりょく》。重力《じゅうりょく》。出力《しゅつりょく》。水力《すいりょく》。速力《そくりょく》。電力《でんりょく》。動力《どうりょく》。風力《ふうりょく》。暴力《ぼうりょく》。力点《りきてん》。馬力《ばりき》。力比《ちからくら》べ。

❷ 気力《きりょく》。権力《けんりょく》。効力《こうりょく》。視力《しりょく》。実力《じつりょく》。勢力《せいりょく》。能力《のうりょく》。力量《りきりょう》。

❸ 努力《どりょく》。力泳《りきえい》。力作《りきさく》(精神《せいしん》をうちこんで仕上《しあ》げた作品《さくひん》)。力説《りきせつ》。力走《りきそう》。

□ 木／8画

林

おん リン
くん はやし

なりたち
「木」(き)を二《ふた》つならべて、木《き》がたくさんならんでいる《はやし》をあらわした字《じ》。

れい文・いみ

❶ れい文 海《かい》がんぞいにまつ林《ばやし》がつづく。／林道《りんどう》を歩《ある》く。／森林《しんりん》よくを楽《たの》しむ。 いみ 木《き》がたくさん生《は》えているところ。はやし。

❷ れい文 高《こう》そうビルが林立《りんりつ》(多《おお》くのものが立《た》ちならぶこと)するえき前《まえ》。 いみ 木《き》がたくさん生《は》えているように、たてものなどがむらがっているようす。

じゅくご

❶ 林業《りんぎょう》。山林《さんりん》。植林《しょくりん》。森林《しんりん》。密林《みつりん》。杉林《すぎばやし》。松林《まつばやし》。森林浴《しんりんよく》。保安林《ほあんりん》(大水《おおみず》や山《やま》崩《くず》れの害《がい》を防《ふせ》いだり、水源《すいげん》がかれないように守《まも》ったり、自然《しぜん》の美《うつく》しい景色《けしき》を残《のこ》したりするために、法律《ほうりつ》で守《まも》っている森《しん》りん)。防風林《ぼうふうりん》。雑木林《ぞうきばやし》。林間学校《りんかんがっこう》。

□ 八／4画

【六】

おん ロク
くん む・むつ・むっつ・むい

なりたち

やねの形《かたち》をえがいた字《じ》。数《かず》の「6」をあらわすようになったことは、はっきりわからない。

れい文・いみ

れい文 ぼくのたん生日《じょうび》は、**六月六日**《ろくがつむいか》です。／ことしは、にわのかきの木《き》にかきのみが、**六**《むっ》つなりました。／この町《まち》にうつってきてから、**六月**《むつき》になります。

《かきが六《むっ》つなった》

いみ 数《かず》の6。ろく。むっつ。

じゅくご

六三制《ろくさんせい》（日本《にっぽん》でおこなわれている義務教育《ぎむきょういく》の制度《せいど》で、小学校《しょうがっこう》の六年間《ろくねんかん》と中学校《ちゅうがっこう》の三年間《さんねんかん》のこと）。**六年生**《ろくねんせい》。**第六感**《だいろっかん》（ものごとの本筋《ほんすじ》をぱっと感《かん》じとる心《こころ》のはたらき）。

ひつじゅん・書き方

力 （はらう・はねる）

フ 力 （2画）

《形《かたち》のにている字《じ》》 刀《かたな》

ひつじゅん・書き方

林 （とめる・はらう）

一 十 才 木 木十 林 （8画）

《形《かたち》のにている字《じ》》 村《むら》 森《もり》

ひつじゅん・書き方

六 （はらう）

丶 亠 亣 六 （4画）

《形《かたち》のにている字《じ》》 穴《あな》

絵《え》からできたかん字《じ》⑶

（上《うえ》から順番《じゅんばん》に変化《へんか》して、現在《げんざい》のかん字《じ》の字体《じたい》となりました。）

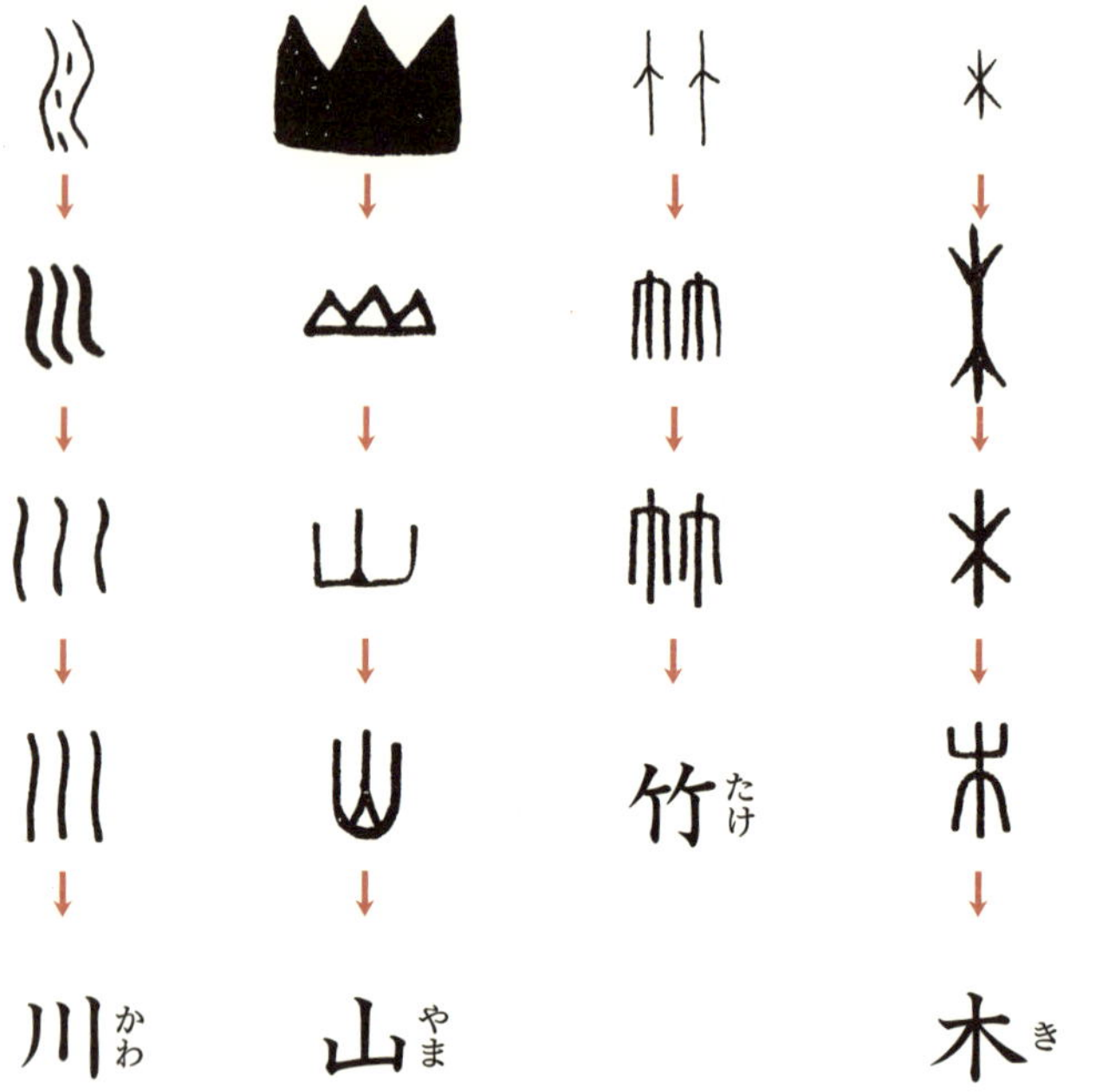

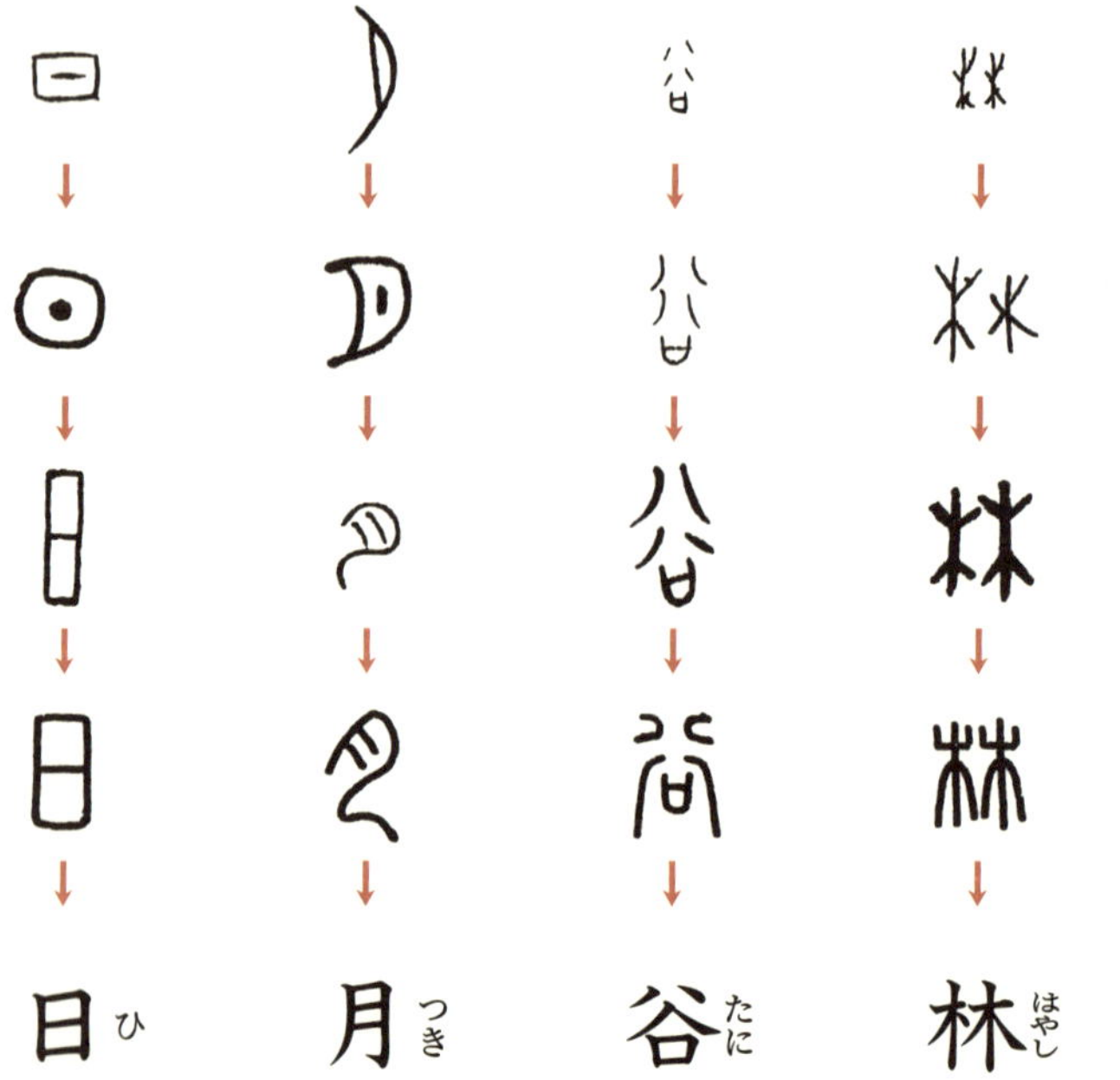

二《に》年《ねん》生《せい》でならうかん字《じ》

160字《じ》

二年生《にねんせい》でならうかん字《じ》
画数《かくすう》さくいん 160字《じ》

□ 弓／4画

【引】

おん イン
くん ひく・ひける

なりたち

「弓」(ゆみ)と、《ひく》しるしの「｜」を合《あ》わせた字《じ》。弓《ゆみ》をひきしぼって、矢《や》をいることから、ものを《ひっぱる》意《い》味《み》をあらわした。

れい文・いみ

❶ れい文 まくを引《ひ》く。／月《つき》の引《いん》力《りょく》。 いみ 動《うご》かしてよせる。ひっぱる。ひく。
❷ れい文 田《た》に水《みず》を引《ひ》く。／線《せん》を引《ひ》く。 いみ みちびく。また、のばす。ひく。
❸ れい文 ねつが引《ひ》く。／横《よこ》づなが引《いん》たいする。 いみ そこから去《さ》る。しりぞく。ひく。
❹ れい文 れいを引《ひ》く。／名《めい》言《げん》を引《いん》用《よう》する。 いみ 他《た》からもってくる。ひく。
❺ いみ 数《かず》などをへらす。ねだんを安《やす》くする。

じゅくご

❶ 引《ひ》き金《がね》。綱《つな》引《ひ》き。引《ひ》き連《つ》れる。引《ひ》き伸《の》ばす。引《ひ》き延《の》ばす。
❷ 引《いん》火《か》(ほかのものに火《ひ》が燃《も》えうつること)。引《いん》率《そつ》(多《おお》くの人《ひと》をひきつれて行《い》くこと)。
❸ 引《いん》退《たい》。引《ひ》き潮《しお》。
❺ 引《ひ》き算《ざん》。値《ね》引《び》き。

□ 羽／6画

【羽】

おん (ウ)
くん は・はね

なりたち

二《に》まいにならんだ鳥《とり》の《はね》をえがいた字《じ》。鳥《とり》や虫《むし》の《はね》をあらわした字《じ》。

れい文・いみ

❶ れい文 くじゃくが羽《はね》を開《ひら》く。／つるが羽《は》ばたきをする。 いみ 鳥《とり》や、こん虫《ちゅう》のつばさ。また、鳥《とり》や、こん虫《ちゅう》のつばさの形《かたち》をしたもの。はね。
❷ れい文 はとの羽《はね》をぼう子《し》にさす。／羽《はね》ぶとんでねる。／ひな鳥《どり》のやわらかい羽《う》毛《もう》。 いみ 鳥《とり》の全《ぜん》身《しん》に生《は》えているもの。はね。
❸ いみ 鳥《とり》や、うさぎを数《かぞ》えることば。「は」は前《まえ》にくる音《おん》によって「わ」「ば」「ぱ」になる。

じゅくご

❶ 羽《う》化《か》(昆《こん》虫《ちゅう》が、さなぎから成《せい》虫《ちゅう》になり、はねが生《は》えること)。羽《は》音《おと》(虫《むし》や鳥《とり》が飛《と》ぶとき、はねがたてる音《おと》)。羽《は》子《ご》板《いた》。羽《は》根《ね》突《つ》き。
❷ 羽《は》根《ね》。羽《はね》布《ぶ》団《とん》。羽《う》毛《もう》布《ふ》団《とん》。
❸ 数《すう》羽《わ》。

雲

雨／12画

おん　ウン
くん　くも

なりたち

もくもく空《そら》にわきあがるようすをあらわす「云」と、「雨」(あめ)を合《あ》わせた字《じ》。雨《あめ》をふらせる、もくもくした《くも》をあらわした字《じ》。

れい文・いみ

❶ れい文 雲《くも》の切《き》れ間《ま》から日《ひ》がさす。／雨雲《あまぐも》がたれる。／山《さん》ちょうから雲海《うんかい》(高《たか》い山《やま》の上《うえ》や、とんでいる飛行機《ひこうき》の中《なか》から見下《みお》ろしたとき、海《うみ》のように広《ひろ》がって見《み》えるくも)をながめる。 いみ 空《そら》にただよう細《こま》かな水《みず》のつぶの集《あつ》まり。くも。

❷ れい文 オリオンざの星雲《せいうん》。 いみ たくさん集《あつ》まって見《み》えるもの。

じゅくご

❶ 雲形《うんけい》。雲量《うんりょう》。雲間《くもま》。積乱雲《せきらんうん》。雲隠《くもがく》れ(人《ひと》がどこかににげてかくれること)。雲行《くもゆ》き。入道雲《にゅうどうぐも》。飛行機雲《ひこうきぐも》。ひつじ雲《ぐも》。夕焼《ゆうや》け雲《ぐも》。

ひつじゅん・書き方

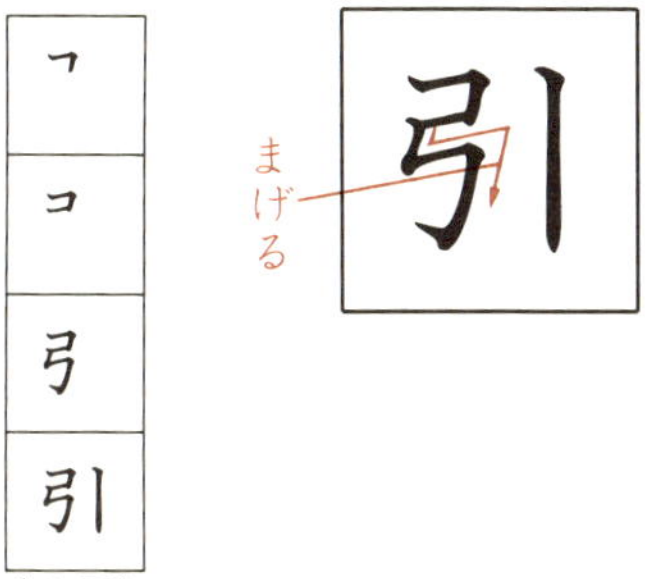

(4画)

ひつじゅん・書き方

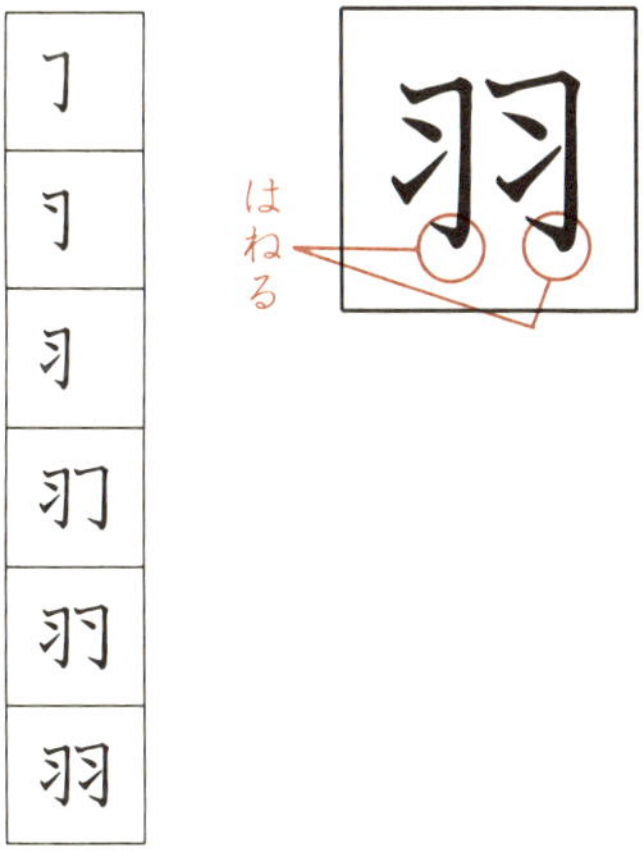

(6画)

ひつじゅん・書き方

(12画)

《形《かたち》のにている字《じ》》 雪《ゆき》

囗／13画

園

おん エン
くん （その）

なりたち

「袁」は、ゆったりと着物《きもの》を着《き》ている人《ひと》のすがた。「囗」は、まわりをかきねでかこんだ所《ところ》。ゆったりとかこんだ大《おお》きな庭《にわ》や《花《はな》ぞの》のこと。

れい文・いみ

❶ れい文 庭《にわ》に菜園《さいえん》をつくる。／ぶどう園《えん》でぶどうがりをする。 いみ 植物《しょくぶつ》をつくるための区切《くぎ》られた場所《ばしょ》。

❷ れい文 動物園《どうぶつえん》にパンダを見《み》に行《い》く。／水戸《みと》の偕楽園《かいらくえん》は、うめで有名《ゆうめい》な公園《こうえん》です。 いみ 人《ひと》が遊《あそ》んだり見物《けんぶつ》したりする場所《ばしょ》。

❸ れい文 母《はは》は毎朝《まいあさ》妹《いもうと》をようち園《えん》につれて行《い》く。 いみ 人《ひと》を集《あつ》めて教育《きょういく》や、ほごをする所《ところ》。

じゅくご

❶ 園芸《えんげい》（果物《くだもの》や野菜《やさい》・草花《くさばな》などを植《う》えて育《そだ》てること）。田園《でんえん》。花園《はなぞの》。果樹園《かじゅえん》。

❷ 造園《ぞうえん》。庭園《ていえん》。名園《めいえん》。園遊会《えんゆうかい》。遊園地《ゆうえんち》。

❸ 園児《えんじ》。園長《えんちょう》。学園《がくえん》。休園《きゅうえん》。卒園《そつえん》。通園《つうえん》。入園《にゅうえん》。保育園《ほいくえん》。

辶／13画

遠

おん エン・《オン》
くん とおい

なりたち

「辶」は歩《ある》いていくこと。「袁」は、ゆったりと着物《きもの》を着《き》ている人《ひと》のすがた。ゆったり着物《きもの》を着《き》るように、ゆったりと回《まわ》り道《みち》することから、《とおい》の意味《いみ》になった。

れい文・いみ

❶ れい文 春《はる》はまだ遠《とお》い。／遠《とお》くはなれた島《しま》。／えい遠《えん》のわかれ。 いみ きょり・時間《じかん》・かん係《けい》がはなれている。また、音《おと》がかすかである。とおい。 ついご 近《きん》。

❷ れい文 遠《えん》りょがちに話《はな》す。／遠大《えんだい》な計画《けいかく》。 いみ おくぶかい。

❸ れい文 今《いま》ではすっかり足《あし》が遠《とお》のいた。／強打者《きょうだしゃ》をけい遠《えん》する。 いみ うとんずる。とおざける。 ついご 近《きん》。

じゅくご

❶ 遠泳《えんえい》。遠海《えんかい》。遠近《えんきん》。遠景《えんけい》。遠視《えんし》。遠足《えんそく》。遠方《えんぽう》。永遠《えいえん》。遠目《とおめ》。望遠鏡《ぼうえんきょう》。遠ぼえ《とお》（犬《いぬ》や、おおかみなどが、とおくまで聞《き》こえるように、声《こえ》を長《なが》くひいてほえること）。遠回《とおまわ》り。

❸ 遠洋漁業《えんようぎょぎょう》。敬遠《けいえん》。

□ イ／7画

何

おん （カ）
くん なに・なん

なりたち

「えっ、なに」と言《い》うとき、息《いき》がのどから出《で》てくるようすをあらわした字《じ》。もとは、人《ひと》が荷物《にもつ》をかついでいるようすだったが、のち、《なに》の意味《いみ》になった。

れい文・いみ

❶ れい文 何《なに》かご用《よう》ですか。／いま何時《なんじ》ですか。／何事《なにごと》かが起《お》こったにちがいない。 いみ 形《かたち》・内《ない》よう・数《かず》などがわからないこと。また、わからないときにたずねることば。

❷ れい文 何一《なにひと》つふ平《へい》を言《い》わない。／何《なに》もおどろかない。 いみ まったく。少《すこ》しも。

❸ れい文 何《なに》、そんなことはどうでもいい。 いみ 相手《あいて》のことばを軽《かる》くうち消《け》すことば。

じゅくご

❶ 何者《なにもの》。何人《なんにん》。何年《なんねん》。

ひつじゅん・書き方

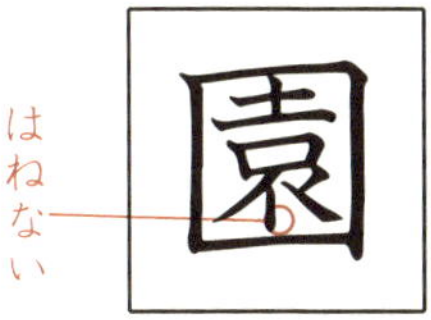

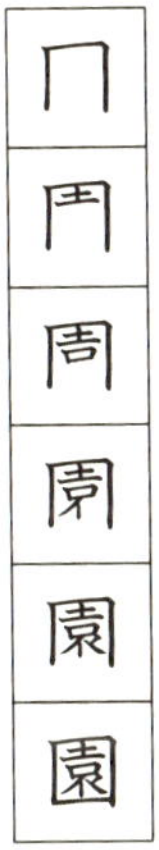

（13画）

ひつじゅん・書き方

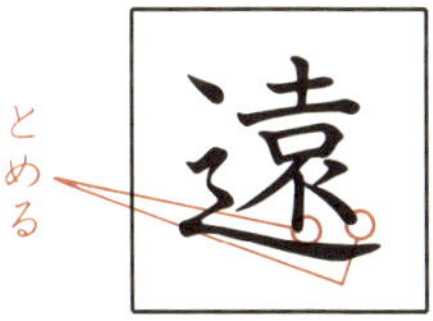

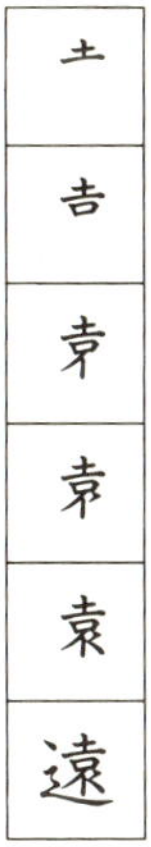

（13画）

ひつじゅん・書き方

（７画）

禾／9画

【科】

おん カ
くん ―

なりたち

「禾」は、いね。「斗」は、こく物《もつ》をはかります。物《もの》の分《ぶん》りょうをはかったり、《くわけ》したりすることをあらわす字《じ》。

れい文・いみ

❶ れい文 がん科《か》の医院《いいん》に通《かよ》う。／兄《あに》はどの学科《がっか》もせいせきがよい。／百科事典《ひゃっかじてん》を引《ひ》く。 いみ ものごとをすじ道《みち》を立《た》てて区分《くぶん》すること。また、その一《ひと》つ一《ひと》つの区分《くぶん》。

❷ れい文 うめは、ばら科《か》の木《き》です。 いみ 生《せい》物《ぶつ》の分《ぶん》るい上《じょう》の一区切《ひとくぎ》り。

❸ れい文 前科《ぜんか》(前《まえ》にしたほうりつのばつ)をもつ男《おとこ》。 いみ ほうりつによってばっすること。つみ。

じゅくご

❶ 科学《かがく》。科目《かもく》。眼科《がんか》。外科《げか》(傷《きず》や病気《びょうき》を、手術《しゅじゅつ》などによって治《なお》す医学《いがく》)。歯科《しか》。内科《ないか》(内《ない》臓《ぞう》の病気《びょうき》を診断《しんだん》して治《なお》す医《い》学《がく》)。文科《ぶんか》。理科《りか》。教科書《きょうかしょ》。耳鼻科《じびか》。社会科《しゃかいか》。小児科《しょうにか》。生活科《せいかつか》。

❷ いね科《か》。きく科《か》。ねこ科《か》。

夂／10画

【夏】

おん カ・(ゲ)
くん なつ

なりたち

もとは、かざりのある面《めん》をかぶっておどっているせの高《たか》い人《ひと》をえがいた字《じ》。のち、草木《くさき》がおどりあがるように高《たか》くのびしげっていく《なつ》をあらわす字《じ》になった。

れい文・いみ

れい文 つゆがあければいよいよ夏《なつ》だ。／夏鳥《なつどり》がわたってくる。／夏期《かき》こう習《しゅう》に出《しゅっ》せきする。／昼《ひる》の時間《じかん》が一年中《いちねんじゅう》でいちばん長《なが》い夏《げ》し。 いみ 四《し》きの一《ひと》つ。春《はる》と秋《あき》のあいだのきせつ。六月《ろくがつ》から八月《はちがつ》までの三《さん》か月《げつ》で、一年《いちねん》のうちでもっとも暑《あつ》いきせつ。なつ。

《夏鳥《なつどり》》

じゅくご

夏季《かき》。初夏《しょか》。盛夏《せいか》(なつのいちばん暑《あつ》い時期《じき》)。晩夏《ばんか》(なつの終《お》わりごろ)。立夏《りっか》(こよみのうえで、なつが始《はじ》まる日《ひ》。五月六日《ごがつむいか》ごろ)。夏至《げし》。夏場《なつば》。夏物《なつもの》。夏休《なつやす》み。夏《なつ》やせ。春夏秋冬《しゅんかしゅうとう》。

宀／10画

家

おん カ・ケ

くん いえ・や

なりたち

「宀」は、いえ、「豕」は、ぶた。もとは、ぶたのようなたいせつなかちくをかう、たて物《もの》をあらわした字《じ》。のち、広《ひろ》く、人《ひと》がすむ《いえ》をあらわすようになった。

れい文・いみ

❶ れい文 道《みち》にそって家《いえ》がたちならぶ。／かし家《や》をかりる。／家具《かぐ》を新調《しんちょう》する。

いみ 人《ひと》がすむたて物《もの》。いえ。

❷ れい文 わが家《や》は一家《いっか》五人《ごにん》です。／家族《かぞく》そろって夕食《ゆうしょく》をとる。

いみ いっしょにくらす人《ひと》たち。

❸ れい文 校歌《こうか》の作詞家《さくしか》。／人一倍《ひといちばい》の勉強家《べんきょうか》。

いみ そのことをせん門《もん》とする人《ひと》。また、人《ひと》のとくちょうをあらわすことば。

じゅくご

❶ 家屋《かおく》。人家《じんか》。民家《みんか》。家出《いえで》。家賃《やちん》。貸家《かしや》。借家《しゃくや》。家並《いえな》み。

❷ 家業《かぎょう》。家系《かけい》。家事《かじ》。家庭《かてい》。家風《かふう》。家宝《かほう》。家名《かめい》。旧家《きゅうか》。商家《しょうか》。生家《せいか》。分家《ぶんけ》。本家《ほんけ》。

❸ 作家《さっか》。農家《のうか》。音楽家《おんがくか》。芸術家《げいじゅつか》。政治家《せいじか》。専門家《せんもんか》。

とくべつなよみ

母家《おもや》。

ひつじゅん・書き方

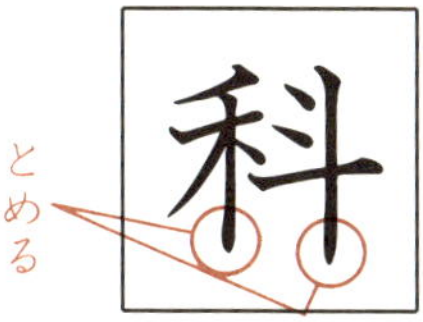

《形《かたち》のにている字《じ》》 料《りょう》

（9画）

ひつじゅん・書き方

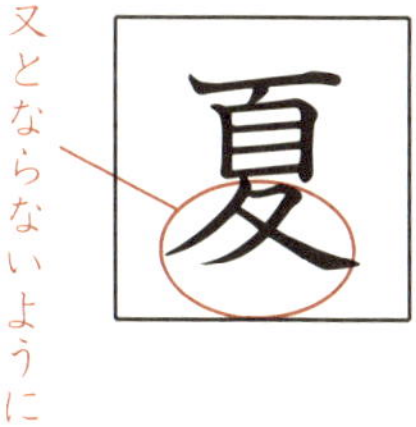

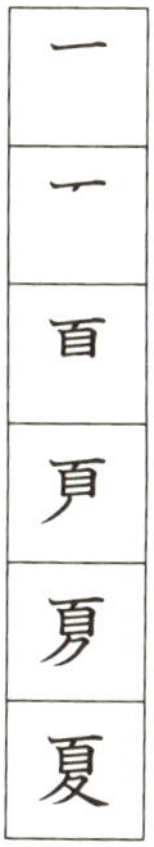

（10画）

ひつじゅん・書き方

（10画）

欠／14画

歌

おん カ
くん うた・うたう

なりたち

「哥」は、のどのところで息《いき》が曲《ま》がって出《で》てくること。「欠」はからだをかがめて息《いき》を出《だ》すようすをえがいた字《じ》。のどから強《つよ》く息《いき》を出《だ》して《うたう》ことを意味《いみ》する。

れい文・いみ

❶ れい文 歌《うた》を口《くち》ずさむ。／ピアノのばんそうに合《あ》わせて歌《うた》う。／校歌《こうか》を合《がっ》しょうする。
いみ ことばや詩《し》にふしをつけたもの。また、それを声《こえ》にしてあらわすこと。うた。うたう。

❷ れい文 歌《うた》をよむ。／『古今和歌集《こきんわかしゅう》』。
いみ 日本《にっぽん》に古《ふる》くからつたわっている五音《ごおん》と七《しち》音《おん》で組《く》み立《た》てられた詩《し》。和歌《わか》。短歌《たんか》。

じゅくご

❶ 歌曲《かきょく》。歌劇《かげき》。歌詞《かし》。歌手《かしゅ》。歌集《かしゅう》。国歌《こっか》。唱歌《しょうか》。歌声《うたごえ》。
❷ 歌人《かじん》。

田／8画

画

おん ガ・カク
くん ―

なりたち

もとの字《じ》は「畫」。「聿」は筆《ふで》を手《て》に持《も》つようす。「画」は田《た》のまわりを線《せん》で区切《くぎ》ること。筆《ふで》で区切《くぎ》るように《えをかく》こと、また、《えがいたえ》を意味《いみ》する。

れい文・いみ

❶ れい文 日本画《にほんが》のてんらん会《かい》。／父《ちち》は画家《がか》です。／テレビの画《が》ぞうがみだれる。
いみ 絵《え》。絵《え》をかく。また、えいぞう。

❷ れい文 きちんと区画《くかく》された町《まち》。
いみ 線《せん》を引《ひ》く。区切《くぎ》る。

❸ れい文 計画《けいかく》をねる。
いみ はかりごと。はかりごとをする。

❹ れい文 「糸《いと》」の画数《かくすう》は六画《ろっかく》です。
いみ 漢字《かんじ》を組《く》み立《た》てている線《せん》や点《てん》。

じゅくご

❶ 画集《がしゅう》。画商《がしょう》。画像《がぞう》。画板《がばん》。画面《がめん》。映画《えいが》。絵画《かいが》。原画《げんが》。図画《ずが》。洋画《ようが》。録画《ろくが》。画用紙《がようし》。印画紙《いんがし》。
❸ 画策《かくさく》（はかりごとをたくらむ）。
❹ 総画《そうかく》（一《ひと》つの漢字《かんじ》をつくっている線《せん》や点《てん》の全部《ぜんぶ》の数《かず》）。

口／6画

回

おん カイ・（エ）

くん まわる・まわす

なりたち

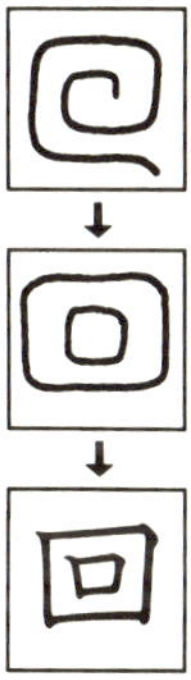

くるくるまわっているものを上《うえ》からえがいた字《じ》。また、たくさんの円《えん》が重《かさ》なって、《まわっている》ことをあらわす字《じ》。

れい文・いみ

❶ れい文 こまが回《まわ》る。／頭《あたま》の回転《かいてん》が早《はや》い。 いみ 円《えん》をかくように動《うご》く。まわる。まわす。

《こまが回《まわ》る》

❷ れい文 体力《たいりょく》が回《かい》ふくする。 いみ もとへもどる。もどす。

❸ れい文 回《まわ》り道《みち》をする。 いみ 遠《とお》まわりをする。よける。さける。

❹ れい文 次回《じかい》に委員《いいん》を決《き》めます。 いみ 度数《どすう》をあらわすことば。

じゅくご

❶ 回読《かいどく》。回覧《かいらん》。転回《てんかい》。見回《みまわ》す。回転木馬《かいてんもくば》。飛《と》び回《まわ》る。

❷ 回送《かいそう》。回想《かいそう》（過《す》ぎ去《さ》ったことを思《おも》い返《かえ》すこと）。回答《かいとう》。回復《かいふく》。回路《かいろ》。

❸ う回《かい》（遠《とお》まわりをすること）。

❹ 数回《すうかい》。

ひつじゅん・書き方

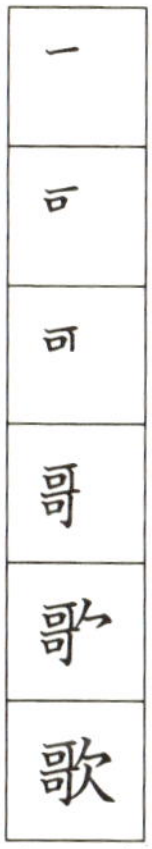

（14画）

ひつじゅん・書き方

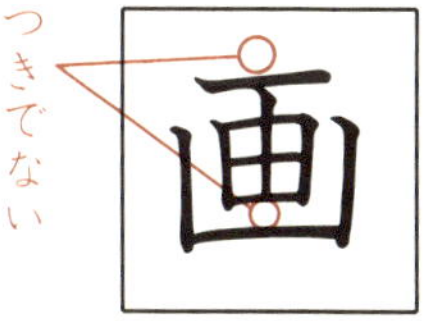

（８画）

ひつじゅん・書き方

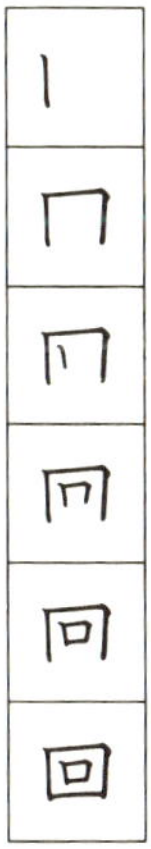

（６画）

□ 人／6画

〔会〕

おん カイ・《エ》
くん あう

なりたち

もとの字《じ》は「會」。「亼」は、物《もの》や人《ひと》が集《あつ》まること。「曽」は、ふかしがまを重《かさ》ねたようす。人《ひと》がより集《あつ》まって、顔《かお》を《あわせる》ことを意味《いみ》する。

れい文・いみ

❶ れい文 友《とも》だちに会《あ》う。／さい会《かい》をする。 いみ 向《む》きあうこと。出《で》あう。

❷ れい文 会《かい》を開《ひら》く。／司会《しかい》をする。 いみ より集《あつ》まること。集《あつ》まり。つどい。

❸ れい文 会心《かいしん》(思《おも》いどおりで、心《こころ》からまん足《ぞく》すること)の作《さく》。／ぎじゅつを会得《えとく》する。 いみ 思《おも》いどおりになる。また、理《り》かいする。

❹ れい文 よい機会《きかい》。 いみ そのとき。

じゅくご

❶ 会見《かいけん》。会談《かいだん》。会話《かいわ》。再会《さいかい》。面会《めんかい》。

❷ 会員《かいいん》。会議《かいぎ》。会合《かいごう》。会社《かいしゃ》。会場《かいじょう》。会長《かいちょう》。会費《かいひ》。会報《かいほう》。開会《かいかい》。学会《がっかい》。議会《ぎかい》。教会《きょうかい》。国会《こっかい》。社会《しゃかい》。集会《しゅうかい》。大会《たいかい》。入会《にゅうかい》。例会《れいかい》。法会《ほうえ》(仏教《ぶっきょう》で死《し》んだ人《ひと》の魂《たましい》を祭《まつ》ること)。運動会《うんどうかい》。

□ 氵／9画

〔海〕

おん カイ
くん うみ

なりたち

もとの字《じ》は「海」。「氵」は水《みず》。「毎」は、暗《くら》いことをあらわした。水《みず》がふかくて、くろぐろとして暗《くら》い《うみ》のこと。

れい文・いみ

❶ れい文 海辺《うみべ》で海水浴《かいすいよく》をする。 いみ えん分《ぶん》の多《おお》い水《みず》でみたされている、りく地《ち》い外《がい》の地球《ちきゅう》の表面《ひょうめん》。うみ。 ついご 陸《りく》。

❷ れい文 町中《まちじゅう》が火《ひ》の海《うみ》につつまれる。／見《み》わたすかぎり広《ひろ》がるじゅ海《かい》。 いみ 海《うみ》❶のように広《ひろ》いもの、一面《いちめん》に集《あつ》まっているもののたとえ。

じゅくご

❶ 海外《かいがい》。海岸《かいがん》。海上《かいじょう》。海水《かいすい》。海草《かいそう》。海底《かいてい》。海面《かいめん》。海洋《かいよう》。海流《かいりゅう》。遠海《えんかい》。近海《きんかい》。公海《こうかい》(どこの国《くに》でも自由《じゆう》に利用《りよう》することのできるうみ)。航海《こうかい》。海産物《かいさんぶつ》。

❷ 雲海《うんかい》。樹海《じゅかい》。

とくべつなよみ

海女《あま》。海原《うなばら》。

糸／12画

絵

おん カイ・エ
くん ―

なりたち

もとの字《じ》は、「繪」。「糸」は色《いろ》のついた糸《いと》。「會」は、いくつも重《かさ》なっているようす。えのぐのかわりに色《いろ》のついた糸《いと》を集《あつ》めてもようをししゅうすることから、《え》の意味《いみ》になった。

れい文・いみ

れい文 画用紙《がようし》にチューリップの絵《え》をかく。／神社《じんじゃ》に絵馬《えま》をほうのうして、入学《にゅうがく》しけんの合《ごう》かくをおねがいした。／有名《ゆうめい》な画家《がか》の作品《さくひん》ばかりを集《あつ》めた**絵画**《かいが》てん。

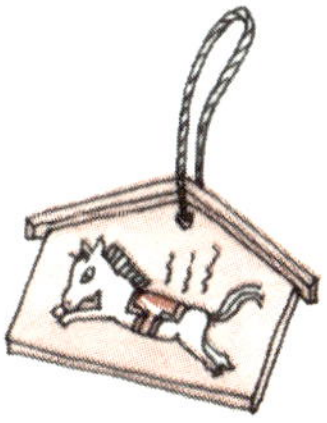

《絵馬《えま》》

いみ 物《もの》の形《かたち》を線《せん》や、とくに色《いろ》などを使《つか》ってかいたもの。え。

じゅくご

絵画《かいが》。**絵本**《えほん》。**油絵**《あぶらえ》。**口絵**《くちえ》（雑誌《ざっし》や本《ほん》の中《なか》で、いちばん初《はじ》めのページにのせられているえや、写真《しゃしん》）。**挿絵**《さしえ》。**絵画展**《かいがてん》。**絵**《え》**かき**。**絵日記**《えにっき》。**絵**《え》**の具**《ぐ》。**絵巻物**《えまきもの》。

ひつじゅん・書き方

会

うえのせんよりながく

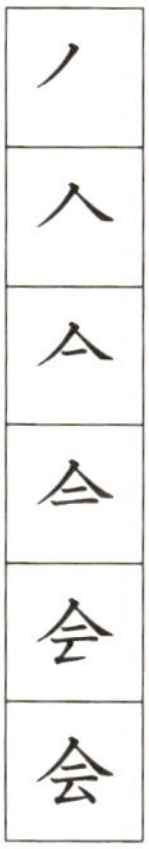

（6画）

《形《かたち》のにている字《じ》》 今《いま》 合《あ》う

ひつじゅん・書き方

海

つきでてはねる

（9画）

《形《かたち》のにている字《じ》》 毎《まい》

ひつじゅん・書き方

絵

ひとふでかく

とめる

（12画）

《形《かたち》のにている字《じ》》 紙《かみ》 給《きゅう》

□ 夕／5画

外

おん ガイ・（ゲ）
くん そと・ほか・はずす・はずれる

なりたち
「夕」は、まるい月《つき》がかけて、《そとがわ》だけがのこった三日月《みかづき》。「卜」は、うらないに使《つか》ったかめのこうらの《そとがわ》に出《で》たもよう。どちらも《そと》のこと。

れい文・いみ
❶ れい文 家《いえ》の外《そと》。／海外《かいがい》へ行《い》く。 いみ あるはんいをこえたところ。そと。 ついご 内《ない》。
❷ れい文 箱《はこ》の外《そと》を赤《あか》くぬる。／外聞《がいぶん》（人《ひと》から見《み》られること）が悪《わる》い。 いみ うわべ。見《み》かけ。
❸ れい文 せきを外《はず》す。／当《あ》てが外《はず》れる。 いみ はなれる。はずれる。のぞく。はずす。
❹ れい文 その外《ほか》にも原《げん》いんがある。 いみ べつのもの。また、本《ほん》すじでないこと。

じゅくご
❶ 外界《がいかい》。外気《がいき》。外交《がいこう》。外国《がいこく》。外出《がいしゅつ》。外食《がいしょく》。外野《がいや》。外遊《がいゆう》。外来《がいらい》。案外《あんがい》。意外《いがい》。内外《ないがい》。
❷ 外観《がいかん》。外形《がいけい》。外見《がいけん》。外面《がいめん》。外科《げか》（傷《きず》や病気《びょうき》を、手術《しゅじゅつ》などによって治《なお》す医学《いがく》）。
❸ 論外《ろんがい》。町外《まちはず》れ。仲間外《なかまはず》れ。
❹ 以外《いがい》。号外《ごうがい》。番外《ばんがい》。例外《れいがい》。

□ 角／7画

角

おん カク
くん かど・つの

なりたち
先《さき》のとがった、動物《どうぶつ》の《つの》をえがいた字《じ》。《つの》のほかに、物《もの》の《かど》もあらわしている。どちらもとがっていることにかん係《けい》がある。

れい文・いみ
❶ れい文 角《つの》をつき合《あ》わせる。／角笛《つのぶえ》をふく。 いみ 動物《どうぶつ》の頭《あたま》などにかたくつき出《で》たもの。つの。
❷ れい文 道《みち》の曲《ま》がり角《かど》。／角材《かくざい》を運《はこ》ぶ。 いみ とがっているところ。もののかど。
❸ れい文 角度《かくど》をはかる。／紙《かみ》を三角《さんかく》におる。 いみ 二《に》直線《ちょくせん》や平面《へいめん》のまじわりの度合《どあ》い。
❹ いみ しょうぎのこまの一《ひと》つ。かく。

じゅくご
❶ 角細工《つのざいく》。
❷ 角柱《かくちゅう》。町角《まちかど》。四《よ》つ角《かど》。
❸ 外角《がいかく》。直角《ちょっかく》。内角《ないかく》。方角《ほうがく》。三角形《さんかくけい》。四角形《しかくけい》。多角形《たかくけい》。対角線《たいかくせん》。長四角《ながしかく》。
❹ 角成《かくな》り。飛車角《ひしゃかく》。

木／13画

楽

おん ガク・ラク

くん たのしい・たのしむ

なりたち

もとの字《じ》は「樂」。くぬぎの木《き》にまゆがかかっているようすをえがいた字《じ》。くぬぎの実《み》を入《い》れてふると、《たのしい音《おと》》がすることから《たのしい》の意味《いみ》になった。

れい文・いみ

❶ れい文 楽《がく》の音《ね》をきく。／楽《がく》だんを指《し》きする。

いみ 調《しら》べをかなでる。音《おと》の調《しら》べ。

❷ れい文 おしゃべりをして楽《たの》しむ。／心《こころ》の楽園《らくえん》。

いみ うきうきする。心地《ここち》よい。たのしい。

❸ れい文 楽《らく》に泳《およ》ぎ切《き》る。／てきに楽勝《らくしょう》する。

いみ たやすいようす。らく。

ついご 苦《く》。

《楽《がく》ふ》

じゅくご

❶ 楽隊《がくたい》。楽団《がくだん》。楽譜《がくふ》。楽器《がっき》。音楽《おんがく》。器楽《きがく》。洋楽《ようがく》。

❷ 安楽《あんらく》。気楽《きらく》。苦楽《くらく》。極楽《ごくらく》。道楽《どうらく》（自分《じぶん》の仕事《しごと》のほかにたのしみとしてすること。趣味《しゅみ》）。

❸ 楽楽《らくらく》。

とくべつなよみ

神楽《かぐら》。

ひつじゅん・書き方

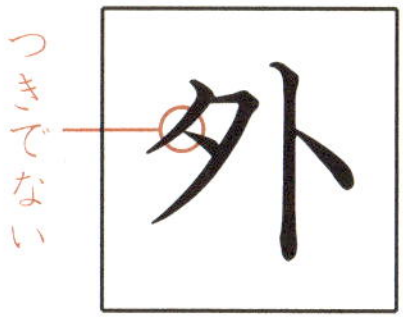

（5画）

ひつじゅん・書き方

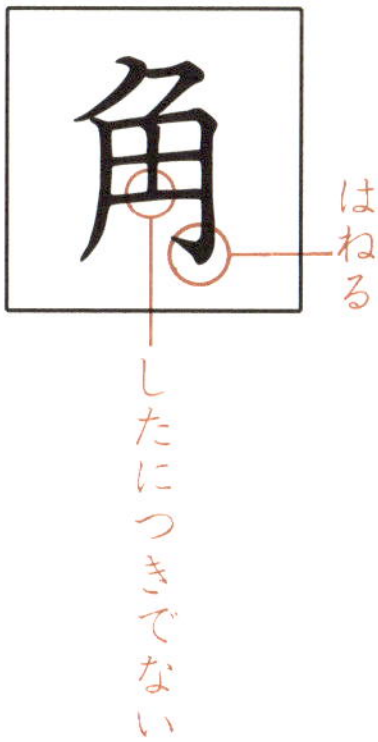

（7画）

ひつじゅん・書き方

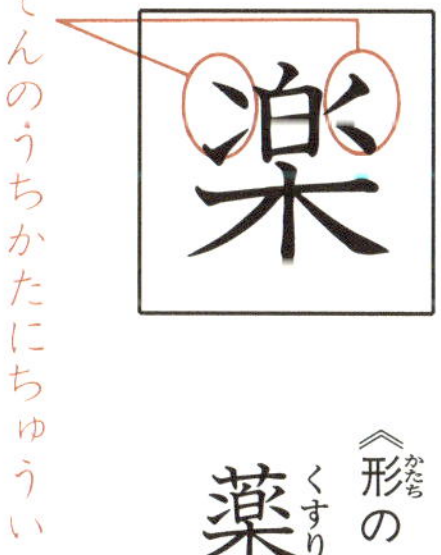

（13画）

《形《かたち》のにている字《じ》》

薬《くすり》

氵／9画

活

おん カツ
くん ―

なりたち

「氵」は水《みず》。「舌」は小刀《こがたな》でけずってあなをあけることをあらわす。「活」は水《みず》がクワックワッといきおいよくあなから流《なが》れるようす。また、《いきいきしている》こと。

れい文・いみ

❶ れい文 火山活動《かざんかつどう》がはげしさをます。 いみ いきいきしている。さかんになる。

❷ れい文 死中《しちゅう》に活《かつ》をもとめる。／人《じん》るいの死活《しかつ》にかかわる大問題《だいもんだい》。／生活《せいかつ》を楽《たの》しむ。 いみ いきる。いかす。

❸ れい文 古《ふる》いせい度《ど》を活用《かつよう》する。 いみ じょうずに使《つか》う。利用《りよう》する。

❹ れい文 気落《きお》ちした弟《おとうと》に活《かつ》を入《い》れる。 いみ いきいきとした気力《きりょく》。元気《げんき》。

じゅくご

❶ 活気《かっき》。活動《かつどう》。活発《かっぱつ》。快活《かいかつ》(明《あか》るく元気《げんき》で、はきはきしているようす)。活火山《かつかざん》。

❷ 活力《かつりょく》(元気《げんき》よくかつ動《どう》する力《ちから》)。自活《じかつ》。復活《ふっかつ》。生活科《せいかつか》。

《火山活動《かざんかつどう》》

門／12画

間

おん カン・ケン
くん あいだ・ま

なりたち

もとの字《じ》は「閒」。夜《よる》、門《もん》のとびらの《あいだ》から月《つき》の光《ひかり》がさしているようす。すきまがあるスペースのことを意味《いみ》している。

れい文・いみ

❶ れい文 ビルとビルとの間《あいだ》。／この間会《あいだあ》ったばかりだ。／あっと言《い》う間《ま》。／東京《とうきょう》・大阪間《おおさかかん》を飛行機《ひこうき》で行《い》く。 いみ 物《もの》と物《もの》、時《とき》と時《とき》とのへだたり。すきま。

❷ れい文 間者《かんじゃ》(てき方《がた》に入《はい》り、そのようすをさぐる者《もの》)が活《かつ》やくする。 いみ ひそかに、ようすをうかがう。

❸ れい文 洋間《ようま》一間《ひとま》のアパート。 いみ 家《いえ》のへや。また、へやを数《かぞ》えるたんい。

じゅくご

❶ 間食《かんしょく》。間接《かんせつ》。期間《きかん》。区間《くかん》。空間《くうかん》。月間《げっかん》。山間《さんかん》。時間《じかん》。週間《しゅうかん》。中間《ちゅうかん》。民間《みんかん》。夜間《やかん》。世間《せけん》。間近《まぢか》。谷間《たにま》。仲間《なかま》。昼間《ひるま》。間延《まの》び。

❸ 間数《まかず》。居間《いま》。間借《まが》り(お金《かね》をはらって、よその家《いえ》の部屋《へや》を借《か》りること)。間取《まど》り。茶《ちゃ》の間《ま》。

丶／3画

〔丸〕

おん ガン

くん まる・まるい・まるめる

なりたち

がけの下《した》で人《ひと》がからだをまるめてしゃがんでいるすがたをあらわした字《じ》。《まるい》《まるめる》ことを意味《いみ》する。

れい文・いみ

❶ れい文 丸《まる》い顔《かお》。／ねん土《ど》を丸《まる》める。／丸《がん》薬《やく》を飲《の》む。 いみ ボールのような形《かたち》。球形《きゅうけい》。また、球形《きゅうけい》にする。まる。まるめる。

❷ れい文 面目丸《めんぼくまる》つぶれ。／詩《し》を丸暗記《まるあんき》する。 いみ すべて。すっかり。

❸ れい文 牛若丸《うしわかまる》は源義経《みなもとのよしつね》の子どものときの名《な》です。 いみ 男《おとこ》の名前《なまえ》や船《ふね》の名前《なまえ》につけることば。

❹ いみ しろのかこいの内《うち》がわ。

じゅくご

❶ 一丸《いちがん》(多《おお》くの人《ひと》のひとまとまり)。丸顔《まるがお》。丸太《まるた》。丸木橋《まるきばし》。丸太小屋《まるたごや》。

❷ 丸損《まるぞん》(すっかり損《そん》をすること)。丸一年《まるいちねん》。丸《まる》ごと(そっくりそのまま)。丸見《まるみ》え。丸《まる》もうけ。

❸ 日吉丸《ひよしまる》。

❹ 本丸《ほんまる》。二《に》の丸《まる》。

ひつじゅん・書き方

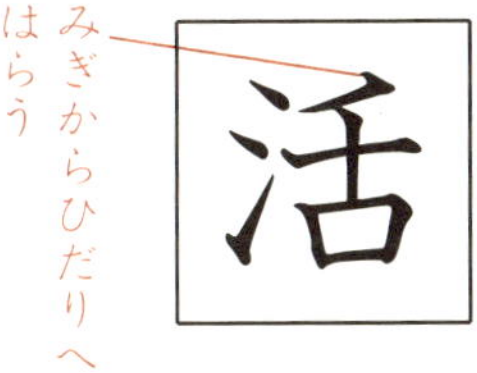

（9画）

《形《かたち》のにている字《じ》》 話《はなし》

ひつじゅん・書き方

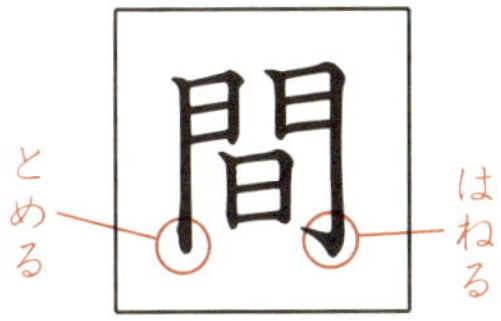

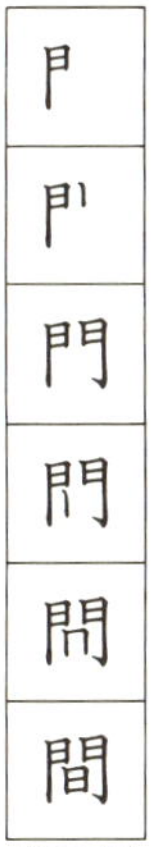

（12画）

《形《かたち》のにている字《じ》》 問《もん》 門《もん》

ひつじゅん・書き方

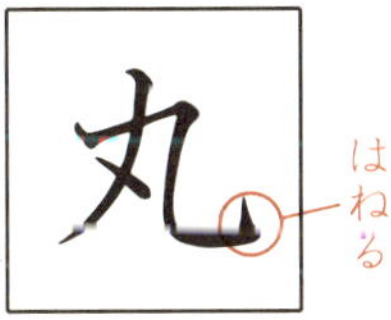

（3画）

《形《かたち》のにている字《じ》》 九《きゅう》

山／8画

岩

おん ガン
くん いわ

なりたち

山《やま》には、大《おお》きな石《いし》がある。その大《おお》きな石《いし》が《いわ》。のち、山《やま》だけでなく、海《うみ》や野《の》原《はら》にある大《おお》きな石《いし》も《いわ》というようになった。

れい文・いみ

れい文 山道《やまみち》に大《おお》きな岩《いわ》がある。／足場《あしば》に注意《ちゅうい》しながら一歩《いっぽ》一歩《いっぽ》岩場《いわば》をのぼる。／火山《かざん》からふき出《だ》したマグマがひえかたまって、よう岩《がん》をつくる。／地《ち》そうをつくっているさ岩《がん》の中《なか》から化石《かせき》が見《み》つかった。 いみ 石《いし》の大《おお》きなもの。いわ。

《岩場《いわば》をのぼる》

じゅくご

岩塩《がんえん》。岩石《がんせき》。砂岩《さがん》。岩山《いわやま》。火成岩《かせいがん》。水成岩《すいせいがん》。花《か》こう岩《がん》。たい積岩《せきがん》。

頁／18画

顔

おん ガン
くん かお

なりたち

「彦」は、ひたいがすっきりとした美《うつく》しい男《おとこ》の人《ひと》。「頁」は頭《あたま》をあらわす。もとは、きりっと美《うつく》しい《かお》のこと。のち、広《ひろ》く《かお》の意味《いみ》になった。

れい文・いみ

❶ れい文 顔《かお》つきがやさしい人《ひと》。／せん顔《がん》する。／顔《かお》がつぶれる。／大《おお》きな顔《かお》をする。／顔色《がんしょく》をうしなう。 いみ 人《ひと》や動物《どうぶつ》の頭《あたま》の前面《ぜんめん》。また、人《ひと》の表《ひょう》じょうや、ようす。かお。

❷ れい文 富士山《ふじさん》は日本《にっぽん》の顔《かお》である。／会社《かいしゃ》の顔《かお》。 いみ 代表《だいひょう》する人《ひと》や物《もの》。

じゅくご

❶ 顔面《がんめん》。温顔《おんがん》（おだやかで、やさしいかおつき）。厚顔《こうがん》（ずうずうしくて、あつかましいようす）。洗顔《せんがん》。童顔《どうがん》。顔色《かおいろ》。素顔《すがお》。横顔《よこがお》。顔立《かおだ》ち。赤《あか》ら顔《がお》。泣《な》き顔《がお》。笑《わら》い顔《がお》。顔合《かおあ》わせ。

とくべつなよみ

笑顔《えがお》。

氵／7画

汽

おん キ

くん ——

なりたち

「氵」は水《みず》。「气」は、息《いき》や湯気《ゆげ》が出《で》るようす。あついお湯《ゆ》からのぼる《湯気《ゆげ》、じょうき》のこと。

れい文・いみ

れい文 日本《にっぽん》ではじめて汽車《きしゃ》が走《はし》ったのは、新橋《しんばし》と横浜間《よこはまかん》です。／汽船《きせん》のえんとつから、けむりがもくもくあがる。／遠《とお》く汽笛《きてき》が聞《き》こえる。

いみ 水《みず》がじょう発《はつ》したもの。水《すい》じょう気《き》。湯気《ゆげ》。また、水《すい》じょう気《き》にかん係《けい》があるもの。

《汽船《きせん》》

じゅくご

汽缶《きかん》（機械《きかい》を動《うご》かしたり、部屋《へや》を暖《あたた》めたりするために使《つか》う、蒸気《じょうき》をつくるかま。ボイラー）。

ひつじゅん・書き方

岩

つきでない

山 → 屮 → 屵 → 岩 → 岩 → 岩

（8画）

《形《かたち》のにている字《じ》》

岸《きし》　炭《すみ》

ひつじゅん・書き方

顔

とめる

立 → 产 → 彦 → 彦 → 顔 → 顔

（18画）

《形《かたち》のにている字《じ》》

頭《あたま》　願《ねが》い

ひつじゅん・書き方

汽

てとしない

丶 → 冫 → 氵 → 汇 → 汽 → 汽

（7画）

《形《かたち》のにている字《じ》》

気《き》

言／10画

【記】

おん キ
くん しるす

なりたち

「己」は、むっくりと起《お》きあがるときの形《かたち》で目立《めだ》つしるし。「言」は、ことば。ことばをわすれないため、目立《めだ》つように書《か》きとめて《しるす》ことをあらわす。

れい文・いみ

❶ れい文 ノートに書《か》き記《しる》す。／し名《めい》を明記《めいき》する。 いみ 書《か》きとめる。書《か》く。しるす。

❷ れい文 手記《しゅき》を発表《はっぴょう》する。／すぐれた人《ひと》の伝記《でんき》を読《よ》む。／天気《てんき》を記号《きごう》であらわす。 いみ 書《か》きとめたもの。文書《ぶんしょ》。また、しるし。

❸ れい文 よろこびを心《こころ》に記《しる》す。／記《き》おくをよびもどす。／えい語《ご》のたん語《ご》を暗記《あんき》する。 いみ おぼえる。しるす。

じゅくご

❶ 記者《きしゃ》。記述《きじゅつ》。記帳《きちょう》(き録《ろく》として帳面《ちょうめん》に書《か》き入《い》れること)。記入《きにゅう》。記名《きめい》。書記《しょき》。速記《そっき》。筆記《ひっき》。

❷ 記事《きじ》。記録《きろく》。日記《にっき》。絵日記《えにっき》。

❸ 記念《きねん》。

巾／10画

【帰】

おん キ
くん かえる・かえす

なりたち

もとの字《じ》は「歸」。「帚」は、ほうきで、家《いえ》のそうじをすることから、家《いえ》に落《お》ち着《つ》くこと。「𠂤」は足《あし》で回《まわ》ること。全部《ぜんぶ》で《もとのところにかえる》という意《い》味《み》になった。

れい文・いみ

❶ れい文 こきょうに帰《かえ》る。／父《ちち》は来週《らいしゅう》帰国《きこく》します。 いみ もとの所《ところ》へ、もどる。かえる。

《父《ちち》が帰国《きこく》した》

❷ れい文 君《きみ》の考《かんが》えも、帰《き》するところは同《おな》じだ。 いみ あるべきところへ、行《い》きつく。

❸ れい文 ぶつ門《もん》に帰《き》え(ほとけ様《さま》をたよりにして、すがる)する。 いみ したがう。

じゅくご

❶ 帰郷《ききょう》。帰港《きこう》。帰省《きせい》(親《おや》などに会《あ》うためにふるさとにかえること)。帰宅《きたく》。帰路《きろ》。復帰《ふっき》。帰《かえ》り道《みち》。

❷ 帰着《きちゃく》(話《はな》し合《あ》いなどが、ある状《じょう》態《たい》に落《お》ち着《つ》くこと)。

弓／3画

【弓】

おん（キュウ）
くん ゆみ

なりたち

矢《や》をはなつ、《ゆみ》をえがいた字《じ》。

れい文・いみ

❶ れい文 **弓**《ゆみ》に矢《や》をつがえる。／鉄《てっ》ぽうが使《つか》われる前《まえ》は、**弓**《ゆみ》は刀《かたな》とならぶ重《じゅう》ようなぶきだった。／力士《りきし》（すもうとり）が**弓**取《ゆみと》り式《しき》をおこなう。 いみ 矢《や》をいるぶき。ゆみ。

❷ れい文 中天《ちゅうてん》に**弓**《ゆみ》はり月《づき》（ゆみの形《かたち》をした月《つき》）がかかっている。／**弓**《ゆみ》でバイオリンのげんをひく。 いみ 弓《ゆみ》❶のように、そりかえった形《かたち》をしたもの。とくに、げん楽《がっ》きなどをひく道具《どうぐ》。

じゅくご

❶ **弓道**《きゅうどう》（武道《ぶどう》の一《ひと》つで、ゆみで矢《や》を射《い》る術《じゅつ》）。**弓矢**《ゆみや》。
❷ **弓状**《きゅうじょう》。**弓張**《ゆみは》**り月**《づき》。

ひつじゅん・書き方

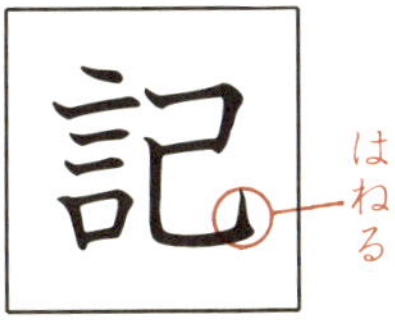

（10画）

《形《かたち》のにている字《じ》》 紀《き》

ひつじゅん・書き方

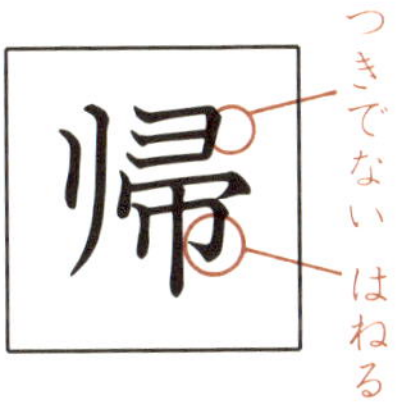

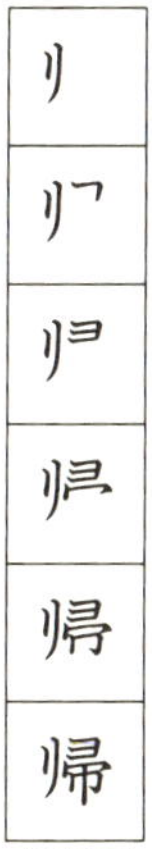
（10画）

ひつじゅん・書き方

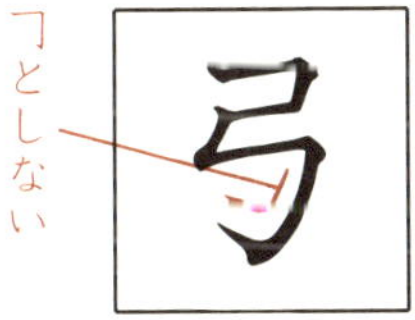

（3画）

《形《かたち》のにている字《じ》》 己《こ》

牛

牛／4画

おん ギュウ
くん うし

なりたち
角《つの》のある、《うし》の頭《あたま》の部分《ぶぶん》をえがいた字《じ》。

れい文・いみ
れい文 高原《こうげん》のまき場《ば》で牛《うし》がぼく草《そう》を食《た》べている。／むかしは、牛《うし》にすきを引《ひ》かせて田畑《たはた》をたがやした。／父《ちち》は、牛《ぎゅう》にゅうを毎朝《まいあさ》飲《の》んでいます。 いみ 二本《にほん》の角《つの》をもつからだの大《おお》きな動物《どうぶつ》。ちち・肉《にく》・皮《かわ》などをり用《よう》するほか、農《のう》こうなどにも使《つか》う。家《か》ちくの一《いっ》しゅ。うし。

じゅくご
牛肉《ぎゅうにく》。牛乳《ぎゅうにゅう》。役牛《えきぎゅう》（車《くるま》を引《ひ》かせたり、田畑《たはた》を耕《たがや》すのに使《つか》ったりするうし）。水牛《すいぎゅう》。肉牛《にくぎゅう》。乳牛《にゅうぎゅう》。子牛《こうし》。牛飲馬食《ぎゅういんばしょく》⇩（636ページ中）

魚

魚／11画

おん ギョ
くん うお・さかな

なりたち
からだにほねがある、《さかな》の形《かたち》をえがいた字《じ》。

れい文・いみ
❶ れい文 まぐろのさしみを魚屋《さかなや》さんで買《か》う。／魚市場《うおいちば》へ魚《さかな》の仕入《しい》れに出《で》かける。／水《すい》そうで金魚《きんぎょ》をかう。 いみ 水中《すいちゅう》にすみ、えらでこきゅうして泳《およ》ぎまわる動物《どうぶつ》の一《いっ》しゅ。うお。さかな。
❷ れい文 おぼうさんが木魚《もくぎょ》をたたく。 いみ 形《かたち》が魚《さかな》❶ににているもの。

《木魚《もくぎょ》》

じゅくご
❶ 魚類《ぎょるい》。幼魚《ようぎょ》。集魚灯《しゅうぎょとう》。深海魚《しんかいぎょ》。熱帯魚《ねったいぎょ》。魚河岸《うおがし》（うお市場《いちば》のある所《ところ》）。魚釣《うおつ》り。魚釣《さかなつ》り。
❷ 人魚《にんぎょ》。

とくべつなよみ
雑魚《ざこ》。

亠／8画

【京】

おん キョウ・（ケイ）

くん ―

なりたち

高《たか》いおかにたてた家《いえ》をえがいた字《じ》。むかしは大水《おおみず》をさけて高《たか》い所《ところ》に家《いえ》をたてた。その場所《ばしょ》が大《おお》きな町《まち》になって、国《くに》の《みやこ》になった。

れい文・いみ

❶ れい文 地方《ちほう》から上京《じょうきょう》する。 いみ 国《くに》のせいじ上《じょう》の中心都市《ちゅうしんとし》。げんざいは東京《とうきょう》。古《ふる》くは京都《きょうと》・奈良《なら》。みやこ。

❷ れい文 京葉高速道路《けいようこうそくどうろ》を車《くるま》で走《はし》る。 いみ 「東《とう》京《きょう》」のりゃく。

❸ れい文 関西旅行《かんさいりょこう》のおみやげに京人形《きょうにんぎょう》をいただいた。／かん光客《こうきゃく》の多《おお》い京《きょう》の町《まち》。 いみ 「京都《きょうと》」のりゃく。また、京都《きょうと》にかん係《けい》があるものごと。

じゅくご

❶ 平安京《へいあんきょう》。平城京《へいじょうきょう》。
❷ 京浜工業地帯《けいひんこうぎょうちたい》。
❸ 京阪神《けいはんしん》。

ひつじゅん・書き方

（4画）

《形《かたち》のにている字《じ》》 午《ご》

ひつじゅん・書き方

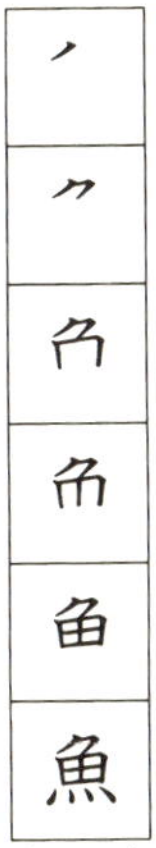
（11画）

《形《かたち》のにている字《じ》》 漁《りょう》 角《かど》

ひつじゅん・書き方

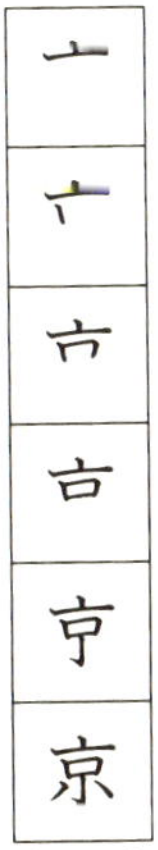
（8画）

弓／11画

強

おん キョウ・（ゴウ）

くん つよい・つよまる・つよめる・（しいる）

なりたち

「弓」は、しなやかでつよいゆみ。「虫」は、かたいからをもった虫《むし》をあらわす。つよそうなかぶと虫《むし》のことから、《つよい》の意味《いみ》になった。

れい文・いみ

❶ れい文 うでの力《ちから》が強《つよ》い。／強固《きょうこ》な意《い》し。
いみ 力《ちから》が大《おお》きい。てい度《ど》がはなはだしい。がっしりしている。つよい。ついご 弱《じゃく》。

❷ れい文 ぼくは理《り》科《か》に強《つよ》い。いみ とく意《い》とする。つよい。ついご 弱《じゃく》。

❸ れい文 発言《はつげん》を強《し》いる。／強《ごう》引《いん》におこなう。
いみ むりにする。力《ちから》ずくでする。しいる。

❹ いみ は数《すう》を切《き》りすてた数《かず》につけ、それより大《おお》きなことをいうことば。ついご 弱《じゃく》。

じゅくご

❶ 強《きょう》化《か》。強《きょう》国《こく》。強《きょう》弱《じゃく》。強《きょう》大《だい》。強《きょう》調《ちょう》。強《きょう》敵《てき》。強《きょう》度《ど》。強《きょう》風《ふう》。強《きょう》力《りょく》。増《ぞう》強《きょう》。補《ほ》強《きょう》。強《ごう》情《じょう》。強《ごう》力《りき》。強《つよ》気《き》。強《つよ》がり。

❸ 強《きょう》行《こう》。強《きょう》制《せい》。強《きょう》要《よう》（相《あい》手《て》にむりにさせようとすること）。勉《べん》強《きょう》。

❹ 一《いち》時《じ》間《かん》強《きょう》。二《に》百《ひゃく》メートル強《きょう》。

文／11画

教

おん キョウ

くん おしえる・おそわる

なりたち

もとの字《じ》は「教」。「孝」は子《こ》どもとおとながまじわっているようす。「攵」は、ぼうを持《も》っておしえているようす。先生《せんせい》が子《こ》どもに《おしえる》ことをあらわした字《じ》。

れい文・いみ

❶ れい文 弟《おとうと》にゲームを教《おし》える。／バイオリンのひき方《かた》を教《おそ》わる。／おじは大学《だいがく》の教《きょう》じゅです。／教《きょう》養《よう》を身《み》につける。
いみ 知《ち》しき・ぎじゅつなどをつたえる。つたえてもらう。おしえる。おそわる。

❷ れい文 キリスト教《きょう》をしんじる。／せん教《きょう》しがふ教《きょう》（おしえを広《ひろ》めること）につとめる。
いみ おしえみちびくこと。おしえ。とくに神《かみ》・ほとけなどのおしえ。

じゅくご

❶ 教《きょう》育《いく》。教《きょう》員《いん》。教《きょう》科《か》。教《きょう》訓《くん》。教《きょう》材《ざい》。教《きょう》師《し》。教《きょう》室《しつ》。教《きょう》授《じゅ》。教《きょう》科《か》書《しょ》。教《おし》え子《ご》。

❷ 教《きょう》会《かい》。回《かい》教《きょう》。宗《しゅう》教《きょう》。布《ふ》教《きょう》。仏《ぶっ》教《きょう》。宣《せん》教《きょう》師《し》。

《教会《きょうかい》》

⻌／7画

近

おん キン
くん ちかい

なりたち

「斤」は木《き》におのがちかづいたようすをあらわす。「⻌」は道《みち》を歩《ある》いていくこと。物《もの》のそばまでちかづいていくことから、《ちかい》という意味《いみ》になった。

れい文・いみ

❶ れい文 家《いえ》の近《ちか》くの神社《じんじゃ》。／近《ちか》いうちにおうかがいします。／近所《きんじょ》をさん歩《ぽ》する。／親近感《しんきんかん》（親《した》しみがもてる感《かん》じ）をいだく。 いみ きょり・時間《じかん》・かん係《けい》のへだたりが少《すく》ない。ちかい。 ついご 遠《えん》。

❷ れい文 台風《たいふう》がせっ近《きん》する。／近付《ちかづ》いて、話《はな》す。 いみ そばによる。 ついご 遠《えん》。

❸ れい文 地球《ちきゅう》の形《かたち》は球《きゅう》に近《ちか》い。 いみ 形《かたち》や、せいしつなどがにる。

じゅくご

❶ 近海《きんかい》。近景《きんけい》。近視《きんし》。近日《きんじつ》。近世《きんせい》（歴史上《れきしじょう》の時代区分《じだいくぶん》の一《ひと》つで、日本《にっぽん》では江戸時代《えどじだい》のこと）。近代《きんだい》。近年《きんねん》。遠近《えんきん》。最近《さいきん》。至近《しきん》（ある所《ところ》に非常《ひじょう》にちかいこと）。側近《そっきん》。付近《ふきん》。近近《ちかぢか》。近道《ちかみち》。手近《てぢか》。間近《まぢか》。

❷ 接近《せっきん》。

ひつじゅん・書き方

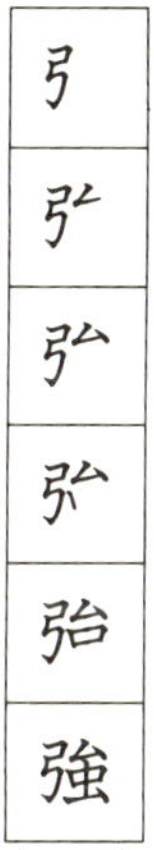

（11画）

ひつじゅん・書き方

《形《かたち》のにている字《じ》》 数《かず》

（11画）

ひつじゅん・書き方

（7画）

〔兄〕

□ 儿／5画

おん （ケイ）・キョウ
くん あに

なりたち

「口」は頭《あたま》、「儿」は人《ひと》。大《おお》きな頭《あたま》の人《ひと》ということで《あに》をあらわした。

れい文・いみ

❶ れい文 ぼくは兄《あに》と四《よっ》つちがいだ。／三人《さんにん》兄弟《きょうだい》の長男《ちょうなん》。 いみ 年上《としうえ》の男《おとこ》のきょうだい。あに。 ついご 弟《おとうと》。

❷ れい文 父《ちち》に来《き》た手紙《てがみ》のあて名《な》の下《した》に「大《たい》兄《けい》」と書《か》かれている。 いみ 手紙《てがみ》などで、男《おとこ》の人《ひと》が、目上《めうえ》の人《ひと》や親《した》しい友人《ゆうじん》の名前《なまえ》のあとにつけて、そんけいの気持《きも》ちをあらわすことば。

じゅくご

❶ 義兄《ぎけい》（義理《ぎり》のあに。妻《つま》または夫《おっと》のあにや、姉《あね》の夫《おっと》のこと）。長兄《ちょうけい》（いちばん年上《としうえ》のあに）。父兄《ふけい》。

とくべつなよみ

兄《にい》さん。

〔形〕

□ 彡／7画

おん ケイ・ギョウ
くん かた・かたち

なりたち

「幵」は、きちんとした四角《しかく》い《かたち》。それに「彡」じるしのかざりをつけて、きれいに《かたちづくる》ことや、物《もの》の《かたち》の意味《いみ》になった。

れい文・いみ

❶ れい文 まるい形《かたち》の石《いし》。／外形《がいけい》が美《うつく》しいスポーツカー。 いみ 物《もの》の見《み》かけのすがた。かたち。かた。

❷ れい文 動物《どうぶつ》のすがたをねん土《ど》でぞう形《けい》（ちょうこく・工《こう》げいなど、かたちのあるものをつくること）する。 いみ かたちづくる。あらわす。

❸ れい文 味方《みかた》にとってよくない形《けい》せい。 いみ ようす。ありさま。

じゅくご

❶ 円形《えんけい》。球形《きゅうけい》。原形《げんけい》。字形《じけい》。図形《ずけい》。人形《にんぎょう》。手形《てがた》。三角形《さんかくけい》。正方形《せいほうけい》。ひし形《がた》。

❷ 造形《ぞうけい》。

❸ 形勢《けいせい》。形態《けいたい》（ものごとのかたちや、ありさま）。地形《ちけい》。形相《ぎょうそう》（気味《きみ》が悪《わる》かったり、おそろしかったりする顔《かお》つき）。

□
言／9画

【計】

おん ケイ

くん はかる・はからう

なりたち

「言」は、ことば、「十」は一《ひと》つにまとめることをあらわす。たくさんの数《かず》を口《くち》に出《だ》して数《かぞ》えるようすから、《はかる》の意《い》味《み》になった。

れい文・いみ

❶ れい文 本《ほん》を三《さん》さつ買《か》って計《けい》二《に》千《せん》五《ご》百《ひゃく》円《えん》をしはらう。／合計《ごうけい》を出《だ》す。／数《すう》りょうを計《はか》る。 いみ 数《かぞ》える。調《しら》べる。はかる。また、はかったもの。

❷ れい文 温《おん》度《ど》計《けい》で気《き》温《おん》をはかる。 いみ 数《すう》りようなどをはかるきかい・道《どう》具《ぐ》。

❸ れい文 時《じ》期《き》を見《み》計《はか》らう。／計《けい》画《かく》を立《た》てる。 いみ 考《かんが》えて、くわだてる。はかる。また、くわだて。

じゅくご

❶ 計算《けいさん》。計量《けいりょう》。家計《かけい》。会計《かいけい》。集計《しゅうけい》。総計《そうけい》。統計《とうけい》。余計《よけい》。

❷ 気圧計《きあつけい》。体温計《たいおんけい》。

❸ 計略《けいりゃく》（はかりごと）。

とくべつなよみ

時計《とけい》。

ひつじゅん・書き方

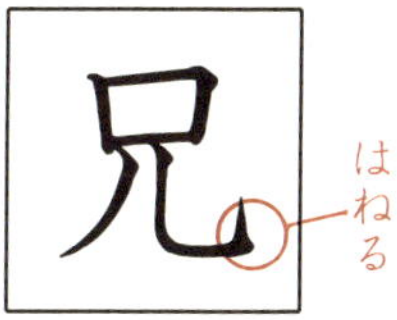

丨 冂 口 尸 兄
（5画）

ひつじゅん・書き方

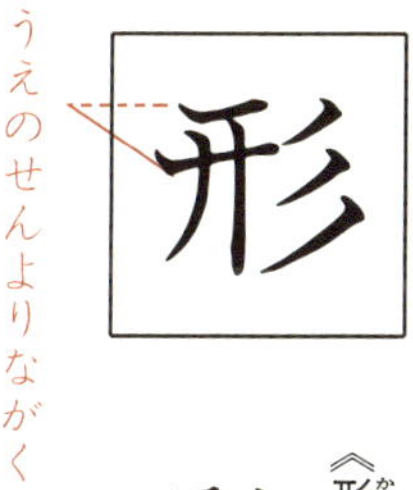

《形《かたち》のにている字《じ》》 刑《けい》

一 二 チ 开 开' 形
（7画）

ひつじゅん・書き方

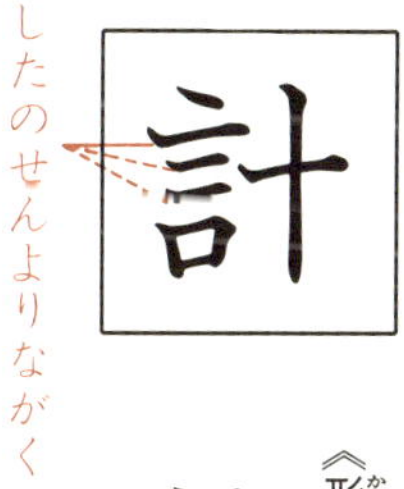

《形《かたち》のにている字《じ》》 討《う》つ

亠 言 言 言 言 計
（9画）

2年

〔ケイ〕 兄・形・計

□ 儿／4画

【元】

おん　ゲン・ガン
くん　もと

なりたち

人《ひと》のからだのいちばん上《うえ》にある頭《あたま》をあらわした字《じ》。人間《にんげん》の、もとになる大事《だいじ》なものという意味《いみ》で、《はじめ》《もと》の意味《いみ》をあらわす。

れい文・いみ

❶ れい文　ガスの元《もと》せんをしめる。／元金《がんきん》にり子《し》がつく。／このあたりは、元《もと》は畑《はたけ》でした。　いみ　ものごとのおおもと。

❷ れい文　一国《いっこく》の元首《げんしゅ》となる。　いみ　上《うえ》に立《た》っている人《ひと》。かしら。

❸ れい文　昭和六十四年《しょうわろくじゅうよねん》一月《いちがつ》に元号《げんごう》があらたまり、平成元年《へいせいがんねん》になった。　いみ　ものごとや年号《ねんごう》のさいしょ。

❹ いみ　中国《ちゅうごく》の王朝《おうちょう》の名《な》。

じゅくご

❶ 元気《げんき》。元素《げんそ》。根元《こんげん》。単元《たんげん》。復元《ふくげん》（もとの形《かたち》や、状態《じょうたい》にもどすこと）。元金《もときん》。元手《もとで》。家元《いえもと》。根元《ねもと》。

❸ 紀元《きげん》。元日《がんじつ》。元祖《がんそ》（あるものごとを最初《さいしょ》に始《はじ》めた人《ひと》）。元来《がんらい》（もともと）。元《がん》たん。

□ 言／7画

【言】

おん　ゲン・ゴン
くん　いう・こと

なりたち

木《き》を切《き》る「するどいはもの」と「口」（くち）を合《あ》わせた字《じ》。ことばを《いう》ときは、はっきりと発音《はつおん》して《いう》ことから、しっかり話《はな》す《ことば》の意味《いみ》になった。

れい文・いみ

❶ れい文　不平《ふへい》を言《い》う。／はげしく言《い》い争《あらそ》う。／はっきりと言明《げんめい》する。／このことは他《た》言《ごん》（話《はな》してはならないことをほかの人《ひと》に話《はな》すこと）は、む用《よう》です。　いみ　ことばにあらわしてのべる。いう。

❷ れい文　一言多《ひとことおお》い。／言行《げんこう》（言《い》うことと、することが一《いっ》ちしない。／一言半《いちごんはん》く聞《き》きのがすまいとど力《りょく》する。／弟《おとうと》は、よく独《ひと》り言《ごと》を言《い》う。　いみ　ことば。話《はな》すことの内《ない》よう。

じゅくご

❶ 証言《しょうげん》。進言《しんげん》。断言《だんげん》（きっぱりということ）。発言《はつげん》。明言《めいげん》。予言《よげん》。

❷ 言語《げんご》。言動《げんどう》。言論《げんろん》。格言《かくげん》。失言《しつげん》（いってはならないことや、よけいなことをうっかりいってしまうこと）。助言《じょげん》。方言《ほうげん》。名言《めいげん》。伝言《でんごん》。無言《むごん》。遺言《ゆいごん》。言葉《ことば》。一言半句《いちごんはんく》 ⇩ （634ページ中）

□ 厂／10画

〔原〕

おん ゲン
くん はら

なりたち

「厂」(がけ)と、「泉」(いずみ)を合《あ》わせた字《じ》。がけの下《した》のいずみから水《みず》がわき出《で》るようす。いずみがわき出《で》る《みなもと》、またいずみがわき出《で》る《のはら》の意味《いみ》。

れい文・いみ

❶ れい文 原《はら》っぱで遊《あそ》ぶ。／見《み》わたすかぎりの大海原《おおうなばら》。 いみ 平《たい》らで広《ひろ》い土地《とち》。はら。

❷ れい文 原始時代《げんしじだい》の人《ひと》びと。／石油《せきゆ》は原油《げんゆ》からつくる。／生命《せいめい》の起原《きげん》。 いみ ものごとのはじめ。みなもと。

❸ れい文 事《じ》この原《げん》いんを調《しら》べる。／新《あたら》しい原理《げんり》を発表《はっぴょう》する。 いみ おおもと。もとづく。

じゅくご

❶ 原野《げんや》。高原《こうげん》。草原《そうげん》。氷原《ひょうげん》。平原《へいげん》。野原《のはら》。

❷ 原案《げんあん》。原形《げんけい》。原告《げんこく》(裁判《さいばん》をしてもらおうと最初《さいしょ》にうったえ出《で》た人《ひと》)。原書《げんしょ》。原文《げんぶん》。原料《げんりょう》。病原体《びょうげんたい》。

❸ 原因《げんいん》。原子《げんし》。原色《げんしょく》。三原色《さんげんしょく》。

とくべつなよみ

海原《うなばら》。川原《かわら》。河原《かわら》。

ひつじゅん・書き方

元 うえのせんよりながく

《形《かたち》のにている字《じ》》 天《てん》 先《さき》

一 二 テ 元 (4画)

ひつじゅん・書き方

言 ながく

《形《かたち》のにている字《じ》》 信《しん》

丶 亠 亖 言 言 言 (7画)

ひつじゅん・書き方

原 はねる

《形《かたち》のにている字《じ》》 厚《あつ》い

一 厂 厂 厈 盾 原 (10画)

戸／4画

〔戸〕

おん コ
くん と

なりたち

両方《りょうほう》に開《ひら》く二《に》まいのとびらの、左《ひだり》がわの《とびら》をえがいた字《じ》。

れい文・いみ

❶ れい文 戸《と》をあけて外《そと》へ出《で》る。／戸口《とぐち》に立《た》つ。／雨《あめ》がはげしくなったので雨戸《あまど》をしめる。 いみ 家《いえ》や、へやの出入《でい》り口《ぐち》につけて、あけしめするもの。とびら。ドア。

❷ れい文 ゆうびんを戸別《こべつ》に配《くば》る。／戸外《こがい》に出《で》る。／三戸《さんこ》建《だ》てのアパート。 いみ 家《いえ》。また、家《いえ》を数《かぞ》えることば。

じゅくご

❶ 門戸《もんこ》。戸板《といた》。網戸《あみど》。木戸《きど》。戸締《とじ》まり。よろい戸《ど》（シャッター）。

❷ 戸数《こすう》（家《いえ》の数《かず》）。

口／5画

〔古〕

おん コ
くん ふるい・ふるす

なりたち

かんむりをつけたそ先《せん》の頭《ず》がいこつをえがいた字《じ》。ながい時《とき》がたって、ひからびてかたくなったようすから、《ふるい》ことを意味《いみ》する。

れい文・いみ

❶ れい文 使《つか》い古《ふる》しのえん筆《ぴつ》。／古《ふる》い町《まち》なみ。／古本《ふるほん》を読《よ》む。／古典《こてん》げいのうに親《した》しむ。 いみ ふるくなった。ふるい。 ついご 新《しん》。

❷ れい文 古代《こだい》の人《ひと》びとのくらし。／考古学《こうこがく》者《しゃ》（大《おお》むかしの人《ひと》が使《つか》っていた道具《どうぐ》や、すんでいたあとを調《しら》べて、その時代《じだい》の人《ひと》びとの生活《せいかつ》や文化《ぶんか》を研究《けんきゅう》する人《ひと》）が土地《とち》を調《しら》べる。 いみ 大《おお》むかし。大《おお》むかしの。

じゅくご

❶ 古式《こしき》。古風《こふう》。古本屋《ふるほんや》。

❷ 古都《こと》。古墳《こふん》（土《つち》を高《たか》く盛《も》り上《あ》げた、大《おお》むかしの身分《みぶん》の高《たか》い人《ひと》の墓《はか》）。古文《こぶん》。太古《たいこ》（大《おお》むかし）。

古今東西《ここんとうざい》 ⇩（637ページ上）

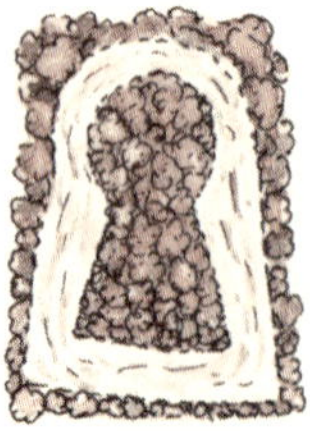

《古墳《こふん》》

十／4画

午

おん ゴ
くん ―

なりたち

上下《じょうげ》を行《い》ったり来《き》たりするきねの真《ま》ん中《なか》のところにしるしをつけた字《じ》。のち、太陽《たいよう》が空《そら》を行《い》ったり来《き》たりする真《ま》ん中《なか》の《十二時《じゅうにじ》》をあらわすようになった。

れい文・いみ

❶ れい文 午後《ごご》から雨《あめ》になった。／うで時計《どけい》をラジオの正午《しょうご》の時《じ》ほうに合《あ》わせる。 いみ 真昼《まひる》。

❷ れい文 地図《ちず》に子午線《しごせん》（地表《ちひょう》を通《とお》り、北極《ほっきょく》と南極《なんきょく》とをむすぶ線《せん》）をかきこむ。 いみ 十二《じゅうに》しの七《しち》番目《ばんめ》。うま。方角《ほうがく》では、南《みなみ》をあらわす。

じゅくご

❶ 午前《ごぜん》。

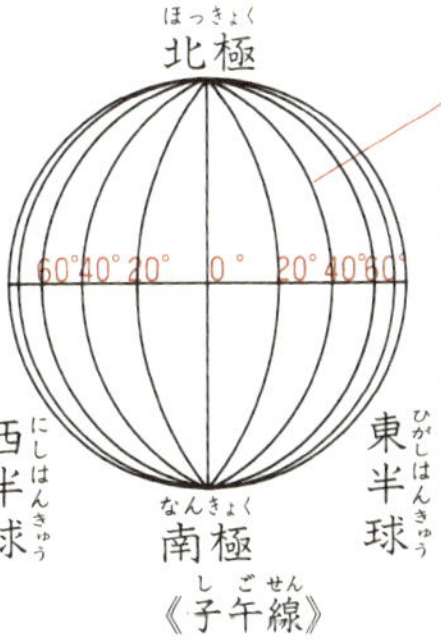

《子午線《しごせん》》

ひつじゅん・書き方

戸

はらう

（4画）

ひつじゅん・書き方

古

《形《かたち》のにている字《じ》》 右《みぎ》

（5画）

ひつじゅん・書き方

午

つきでない

《形《かたち》のにている字《じ》》 牛《うし》

（4画）

□
彳／9画

【後】

おん ゴ・コウ
くん のち・うしろ・あと・（おくれる）

なりたち
「彳」は、みち。「夂」は、あし。「幺」は、細《ほそ》い糸《いと》で、少《すく》ないという意味《いみ》。少《すこ》しずつ道《みち》を歩《ある》いていくと、おくれていくことから、《あと》《うしろ》の意味《いみ》になった。

れい文・いみ

❶ れい文 後《うし》ろを向《む》く。／後頭部《こうとうぶ》がいたい。
いみ 顔《かお》が向《む》いている方向《ほうこう》とは反対《はんたい》の方向《ほうこう》。また、じゅんじょでおそいほう。うしろ。あと。
ついご 前《ぜん》。先《せん》。
❷ れい文 ここまできたら後《あと》には、ひけない。
いみ ある時《とき》より前《まえ》。以前《いぜん》。
ついご 先《さき》。
❸ れい文 後《あと》で話《はな》す。
いみ ある時間《じかん》がたってからのち。あと。のち。
ついご 前《ぜん》。先《さき》。
❹ いみ おくれる。

じゅくご

❶ 後続《こうぞく》。後退《こうたい》。後半《こうはん》。後方《こうほう》。後《うし》ろ足《あし》。後《あと》ずさり。
❸ 以後《いご》。午後《ごご》。今後《こんご》。最後《さいご》。食後《しょくご》。前後《ぜんご》。直後《ちょくご》。読後《どくご》。老後《ろうご》（年《とし》をとってからのち）。後期《こうき》。後世《こうせい》（のちの世《よ》の中《なか》）。後味《あとあじ》。

□
言／14画

【語】

おん ゴ
くん かたる・かたらう

なりたち
「言」は、ことば。「吾」は口《くち》から出《で》たことばが、たがいに行《い》ったり来《き》たりしてまじわること。人《ひと》と人《ひと》がたがいに話《はな》し合《あ》って《かたる》ことを意味《いみ》する。

れい文・いみ

❶ れい文 みんなで語《かた》り合《あ》う。／しょう来《らい》のきぼうを語《かた》る。／家族《かぞく》で語《かた》らう。／語気《ごき》を強《つよ》めてまくしたてる。
いみ 相手《あいて》に向《む》かって話《はな》す。しゃべる。かたる。かたらう。
❷ れい文 英語《えいご》の勉強《べんきょう》をする。／語原《ごげん》（ことばのもとの意味《いみ》）を調《しら》べる。／一語一語《いちごいちご》きちんと書《か》く。／国語辞典《こくごじてん》でことばの意味《いみ》を調《しら》べる。
いみ ことば。

じゅくご

❶ 語勢《ごせい》。語調《ごちょう》。私語《しご》（ひそかに話《はな》すこと）。
❷ 語学《ごがく》。語句《ごく》。語源《ごげん》。漢語《かんご》。敬語《けいご》。言語《げんご》。口語《こうご》。主語《しゅご》。熟語《じゅくご》。述語《じゅつご》。反語《はんご》。標語《ひょうご》。文語《ぶんご》。訳語《やくご》。用語《ようご》。略語《りゃくご》。和語《わご》（漢《かん》ごを使《つか》う前《まえ》から日本《にっぽん》人《じん》が使《つか》っていた日本《にっぽん》のことば）。物語《ものがたり》。外来語《がいらいご》。日本語《にほんご》。

□ 工／3画

【工】

おん コウ・ク
くん ―

なりたち

上下《じょうげ》の面《めん》にあなを通《とお》すことをしめした字《じ》。道具《どうぐ》を使《つか》ってする《仕事《しごと》》や、《こう作《さく》》を意味《いみ》する。

れい文・いみ

❶ れい文 父《ちち》の工場《こうじょう》では人工《じんこう》のダイヤモンドをつくっている。／野《や》さいや肉《にく》を加工《かこう》して、れいとう食品《しょくひん》にする。／手《て》のこんだ細工《さいく》。 いみ きかいや道具《どうぐ》を使《つか》って物《もの》をつくること。また、くふうすること。仕事《しごと》。つくるぎじゅつ。

❷ れい文 おじは大工《だいく》です。／工夫《こうふ》としてはたらく人《ひと》びと。 いみ 物《もの》をつくる人《ひと》。作業《さぎょう》をする人《ひと》。

じゅくご

❶ 工具《こうぐ》。工作《こうさく》。工事《こうじ》。工賃《こうちん》。工程《こうてい》（物《もの》をつくったり、仕事《しごと》を進《すす》めたりする順序《じゅんじょ》）。工場《こうば》。図工《ずこう》。工夫《くふう》。工面《くめん》（必要《ひつよう》なお金《かね》や品物《しなもの》をくふうして用意《ようい》すること）。工芸品《こうげいひん》。

❷ 職工《しょっこう》。名工《めいこう》。

ひつじゅん・書き方

後

つきでない

（9画）

ひつじゅん・書き方

語

てんのうちかたにちゅうい

《形《かたち》のにている字《じ》》 記《き》 話《はなし》

（14画）

ひつじゅん・書き方

工

うえのせんよりながく

《形《かたち》のにている字《じ》》 土《つち》 江《こう》

（3画）

八／4画

【公】

おん コウ
くん （おおやけ）

なりたち

「ム」は、うでを曲《ま》げて、物《もの》をかかえこむこと。「八」は、物《もの》を分《わ》けるしるし。かかえこんだ物《もの》を開《ひら》いてみんなに分《わ》けることから、《みんなのもの》という意味《いみ》になった。

ひつじゅん・書き方

ノ　八　公　公
（4画）

れい文・いみ

❶ れい文 研究《けんきゅう》のせいかを公《おおやけ》にする。いみ つつみかくしがないこと。おおやけ。

❷ れい文 公《おおやけ》の立場《たちば》に立《た》って考《かんが》える。／公共《こうきょう》の福《ふく》りのためにつくす。／公園《こうえん》をけんせつする。いみ 社会《しゃかい》いっぱん。多《おお》くの人《ひと》びと。おおやけ。ついご 私《し》。

❸ れい文 国家公《こっかこう》む員《いん》のしかくをとる。／公《こう》立《りつ》の図書館《としょかん》。いみ せいふや役所《やくしょ》にかん係《けい》があること。ついご 私《し》。

❹ れい文 おやつを公平《こうへい》に分《わ》ける。いみ かたよりがない。平等《びょうどう》である。ついご 私《し》。

❺ れい文 三《さん》は、九《きゅう》と十二《じゅうに》の公約数《こうやくすう》です。いみ すべてに当《あ》てはまる。

❻ れい文 家康公《いえやすこう》の一行《いっこう》が江戸《えど》に着《つ》いた。／小《しょう》せつの主人公《しゅじんこう》。いみ 人《ひと》をうやまってつけることば。

❼ れい文 うちのポチ公《こう》は何《なに》が気《き》にくわないのか、けさからほえてばかりいる。いみ 人《ひと》や動物《どうぶつ》の名前《なまえ》のあとにつけて、親《した》しみや、けいべつの気持《きも》ちをあらわすことば。

じゅくご

❶ **公海《こうかい》**（どこの国《くに》のものでもなく、どこの国《くに》でも自由《じゆう》に利用《りよう》することのできる海《うみ》）。**公開《こうかい》**。**公示《こうじ》**。**公表《こうひょう》**。**公布《こうふ》**。**公約《こうやく》**（政府《せいふ》や政党《せいとう》などが、国民《こくみん》に対《たい》して約束《やくそく》すること）。

❷ **公益《こうえき》**（世《よ》の中《なか》の人《ひと》たちみんなの利益《りえき》になること）。**公害《こうがい》**。**公私《こうし》**。**公衆《こうしゅう》**。**公道《こうどう》**。**公徳心《こうとくしん》**（社会生活《しゃかいせいかつ》をするうえで、たがいに守《まも》らなければならないことを大事《だいじ》にする心《こころ》がまえ）。

❸ **公営《こうえい》**。**公社《こうしゃ》**。**公職《こうしょく》**。**公団《こうだん》**。**公費《こうひ》**。**公報《こうほう》**。**公文書《こうぶんしょ》**。**公務員《こうむいん》**。**官公庁《かんこうちょう》**。

❹ **公正《こうせい》**。**公平無私《こうへいむし》** ⇩（636ページ下） **公明正大《こうめいせいだい》** ⇩（636ページ下）

❺ **公式《こうしき》**。**公倍数《こうばいすう》**。

❻ **貴公《きこう》**。

广／5画

広

おん コウ
くん ひろい・ひろまる・ひろめる・ひろがる・ひろげる

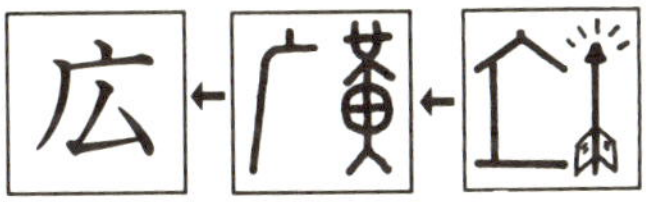

なりたち もとの字《じ》は「廣」。「广」は家《いえ》の屋根《やね》。「黄」は矢《や》の先《さき》の火《ひ》の黄色《きいろ》い光《ひかり》がひろがること。四《し》方《ほう》にひろがる大《おお》きな屋根《やね》のことから《ひろい》意味《いみ》になった。

ひつじゅん・書き方

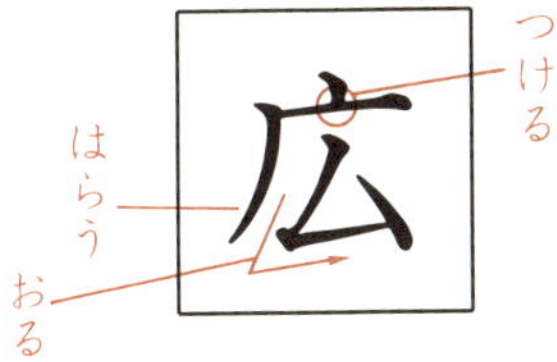

《形《かたち》のにている字《じ》》 鉱《こう》 拡《かく》

、 亠 广 広 広 （5画）

れい文・いみ

❶ れい文 旅館《りょかん》の前《まえ》に、一面《いちめん》に海《うみ》が広《ひろ》がる。／道《みち》を広《ひろ》げて、車《くるま》のじゅうたいをなくすようにする。／広《ひろ》い庭《にわ》のある家《いえ》。／ふん水《すい》のある広場《ひろば》。 いみ 空間《くうかん》や面《めん》せきに十分《じゅうぶん》なゆとりがあるようす。また、そのようにすること。ひろい。ひろげる。

❷ れい文 駅前《えきまえ》に、スーパーマーケットができるといううわさが町中《まちじゅう》に広《ひろ》まる。／キリスト教《きょう》を広《ひろ》める運動《うんどう》をする。／新《あたら》しく出《しゅっ》ぱんした本《ほん》の新聞広告《しんぶんこうこく》を出《だ》す。 いみ 行《い》きわたる。行《い》きわたらせる。ひろまる。ひろめる。

《ふん水《すい》のある広場《ひろば》》

じゅくご

❶ **広大**《こうだい》。**広野**《こうや》（ひろびろとした野原《のはら》）。**広間**《ひろま》。**広葉樹**《こうようじゅ》（平《ひら》たくて、幅《はば》のひろい葉《は》をもつ木《き》）。**広口瓶**《ひろくちびん》。

❷ **広報**《こうほう》（ひろく大勢《おおぜい》の人《ひと》に知《し》らせるために出《だ》す印刷物《いんさつぶつ》）。

《広葉樹《こうようじゅ》》

交

亠／6画

おん コウ
くん まじわる・まじえる・まじる・まざる・まぜる・(かう)・(かわす)

なりたち

人《ひと》が足《あし》を×の形《かたち》にしたようすから、《まじわる》ことを意味《いみ》するようになった字《じ》。

れい文・いみ

❶ れい文 友《とも》と**交**《まじ》わる。／国**交**《こっこう》が回《かい》ふくする。 いみ つきあう。まじわる。つきあい。
❷ れい文 立体**交**差《りったいこうさ》の道路《どうろ》。 いみ 入《い》りくむ。入《い》りまじる。まじわる。
❸ れい文 口《こう》ろんを**交**《か》わす。／虫《むし》が飛《と》び**交**《か》う。 いみ やりとりする。まじえる。かわす。
❹ れい文 **交**代《こうたい》に歌《うた》う。 いみ かわるがわる。入《い》れかえる。

じゅくご

❶ **交**際《こうさい》。**交**友《こうゆう》。**交**流《こうりゅう》。外**交**《がいこう》。社**交**《しゃこう》。絶**交**《ぜっこう》(今《いま》までつきあっていた相手《あいて》とつきあうのをやめること)。
❷ **交**差《こうさ》。**交**通《こうつう》。
❸ **交**戦《こうせん》(たがいに戦《たたか》うこと)。
❹ **交**番《こうばん》。

光

儿／6画

おん コウ
くん ひかる・ひかり

なりたち

人《ひと》が、かがり火《び》を頭《あたま》の上《うえ》にかかげているようすをえがいた字《じ》。暗《くら》い所《ところ》をてらす明《あか》るい《ひかり》のこと。

れい文・いみ

❶ れい文 太陽《たいよう》の**光**線《こうせん》。／夜空《よぞら》に星《ほし》が**光**《ひか》る。 いみ てりかがやく。ひかる。また、ひかるもの。ひかり。
❷ れい文 すばらしい**光**景《こうけい》。 いみ かがやきがあるもの。また、けしき。
❸ れい文 み来《らい》に**光**《ひかり》がみちる。 いみ 明《あか》るいのぞみ。
❹ れい文 栄**光**《えいこう》(かがやかしく大《おお》きな名《めい》よ)あるれきし。 いみ ほまれ。名《めい》よ。

じゅくご

❶ **光**学《こうがく》。**光**度《こうど》。**光**年《こうねん》。感**光**《かんこう》。月**光**《げっこう》。後**光**《ごこう》(仏《ほとけ》のからだからさすというひかり)。電**光**《でんこう》。
❷ 観**光**《かんこう》。風**光**《ふうこう》(自然《しぜん》のながめ)。日**光**《にっこう》。発**光**《はっこう》。**光**合成《こうごうせい》。
❸ **光**明《こうみょう》(明《あか》るくかがやくひかり。また、明《あか》るい望《のぞ》み)。

耂／6画

考

おん　コウ
くん　かんがえる

なりたち

「耂」は、こしの曲《ま》がった年《とし》より。「丂」は、曲《ま》がることと。こしの曲《ま》がった年《とし》とった人《ひと》があれこれとかんがえているようすから、《かんがえる》の意味《いみ》になった。

れい文・いみ

❶ れい文 なかなかいい考《かんが》えがうかばない。／百年後《ひゃくねんご》の世界《せかい》を考《かんが》える。／あれこれ思《し》考《こう》をめぐらす。 いみ くふう。くふうする。思《おも》いめぐらす。かんがえる。

❷ れい文 参考書《さんこうしょ》でじゅ業《ぎょう》の予習《よしゅう》をする。 いみ 調《しら》べて明《あき》らかにする。

《参考書《さんこうしょ》で予習《よしゅう》をする》

じゅくご

❶ 考案《こうあん》。再考《さいこう》。熟考《じゅっこう》（よくよくかんがえること）。選考《せんこう》。長考《ちょうこう》。

❷ 考査《こうさ》。考察《こうさつ》。考古学《こうこがく》（大《おお》むかしの人《ひと》が使《つか》っていた道具《どうぐ》や、すんでいたあとを調《しら》べて、その時代《じだい》の人々《ひとびと》の生活《せいかつ》や文化《ぶんか》を研究《けんきゅう》する学問《がくもん》）。

ひつじゅん・書き方

（6画）

《形《かたち》のにている字《じ》》　文《ぶん》　丈《じょう》

ひつじゅん・書き方

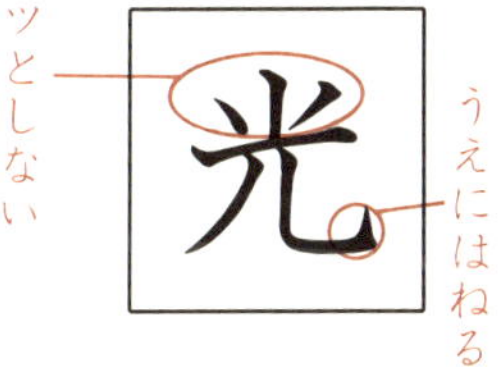

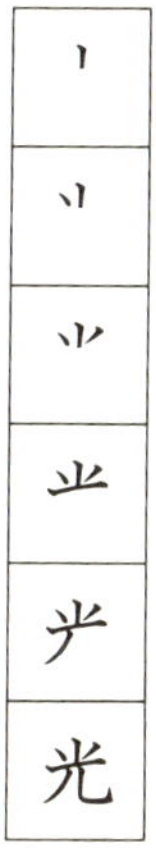

（6画）

ひつじゅん・書き方

（6画）

《形《かたち》のにている字《じ》》　孝《こう》

□ 行／6画

【行】

おん　コウ・ギョウ・（アン）
くん　いく・ゆく・おこなう

なりたち

「卝」(十字路《じゅうじろ》の形《かたち》)をえがいた字《じ》で、大通《おおどお》りのまっすぐな道《みち》をまっすぐ進《すす》んで《いく》こと。

ひつじゅん・書き方

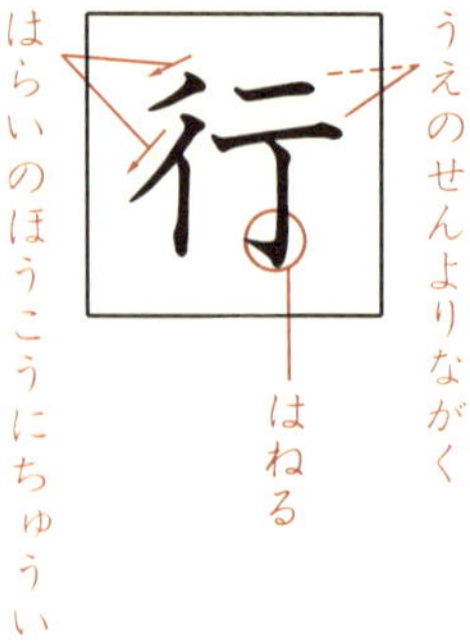

（6画）

れい文・いみ

❶ れい文 来週《らいしゅう》の月曜日《げつようび》に遠足《えんそく》に行《い》きます。／行《ゆ》く手《て》に山《やま》が見《み》える。／これから先《さき》は、通行止《つうこうど》めです。／運動会《うんどうかい》で、全員《ぜんいん》で行進《こうしん》する。 いみ 目《もく》てきや目《もく》てき地《ち》に向《む》かって進《すす》む。いく。ゆく。

❷ れい文 テストを行《おこな》う。／ふだんから行《おこな》いを正《ただ》す。／計画《けいかく》どおり実行《じっこう》する。／開校《かいこう》記《き》ねんの行事《ぎょうじ》にオーケストラのえんそうが計画《けいかく》されている。 いみ 何《なに》かをする。何《なに》かをすること。おこなう。

❸ れい文 話題《わだい》の切《き》れめのところで、行《ぎょう》をあらためる。／有名《ゆうめい》なラーメン店《てん》に、長《なが》い行列《ぎょうれつ》ができる。 いみ 列《れつ》。ならび。とくに文字《もじ》のならび。

《行列《ぎょうれつ》のできる店《みせ》》

じゅくご

❶ 行楽《こうらく》。移行《いこう》。運行《うんこう》。逆行《ぎゃっこう》。急行《きゅうこう》。進行《しんこう》。直行《ちょっこう》。通行《つうこう》。同行《どうこう》(いっしょにいくこと)。飛行《ひこう》。旅行《りょこう》。行方《ゆくえ》。行《い》き来《き》。行《い》き先《さき》。行《ゆ》く末《すえ》。行《い》き止《ど》まり。

❷ 行動《こうどう》。強行《きょうこう》(むりやりにおこなうこと)。続行《ぞっこう》。代行《だいこう》。犯行《はんこう》。行政《ぎょうせい》(国《くに》や都道府県《とどうふけん》、市町村《しちょうそん》などが法律《ほうりつ》に基《もと》づいて政《せい》治《じ》をおこなうこと)。

❸ 行間《ぎょうかん》。改行《かいぎょう》。

とくべつなよみ

行方《ゆくえ》。

□ 高／10画

〔高〕

おん **コウ**

くん **たかい・たか・たかまる・たかめる**

なりたち

二階《にかい》だての《たかい》たて物《もの》をえがいた字《じ》。むかしは、二階《にかい》だては《たかい》たて物《もの》だったことから、《たかい》の意味《いみ》をあらわすようになった。

ひつじゅん・書き方

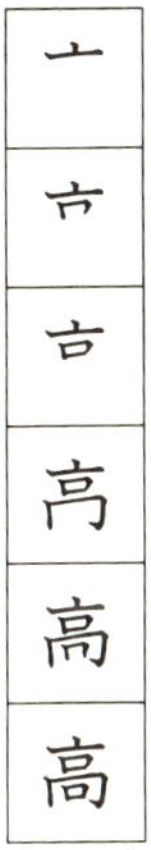

（10画）

れい文・いみ

❶ れい文 高《たか》いビルがたつ。／高原《こうげん》の春《はる》。 いみ 地面《じめん》から上《うえ》のほうへのきょりが大《おお》きいこと。たかい。たかさ。 ついご 低《てい》。

❷ れい文 バイオリンの高《たか》い音《おと》。／ほしい本《ほん》だけれど高《たか》すぎる。／高《たか》い地《ち》いにつく。／高《こう》れい者《しゃ》にせきをゆずる。／高《こう》けつなせい神《しん》。 いみ 音《おと》・温《おん》度《ど》・年《ねん》れい・てい度《ど》・身《み》分《ぶん》・ねだんなどが上《うえ》である。すぐれている。たかい。 ついご 低《てい》。

❸ れい文 高飛車《たかびしゃ》（相手《あいて》にものも言《い》わさないで、一方《いっぽう》てきに言《い》いまかすこと）に出《で》る。 いみ いばる。たかぶる。

❹ れい文 ゆう勝《しょう》への期待《きたい》が高《たか》まる。 いみ もりあがる。もりあげる。

❺ れい文 ご高説《こうせつ》をお聞《き》かせください。 いみ 相手《あいて》をうやまって、相手《あいて》の動作《どうさ》をあらわすことばなどの前《まえ》につけることば。

❻ れい文 米《こめ》の出来高《できだか》。 いみ 物《もの》の数《すう》りょう。

❼ れい文 私立高《しりつこう》をめざす。 いみ 「高等学校《こうとうがっこう》」のりゃく。

じゅくご

❶ **高山《こうざん》。高地《こうち》。高低《こうてい》。高度《こうど》。高木《こうぼく》。座高《ざこう》。標高《ひょうこう》。高台《たかだい》。等高線《とうこうせん》。**

❷ **高圧《こうあつ》。高音《こうおん》。高温《こうおん》。高価《こうか》。高額《こうがく》。高貴《こうき》**（身分《みぶん》がたかくて、貴《とうと》いこと。また、ねうちがあって貴重《きちょう》なこと）。**高級《こうきゅう》。高潔《こうけつ》。高度《こうど》。高等《こうとう》。高熱《こうねつ》。高気圧《こうきあつ》。気高《けだか》い。高速道路《こうそくどうろ》。**

❺ **高評《こうひょう》**（相手《あいて》の批評《ひひょう》を敬《うやま》っていうことば）。

❻ **売上高《うりあげだか》。生産高《せいさんだか》。輸出高《ゆしゅつだか》。輸入高《ゆにゅうだか》。**

❼ **高校《こうこう》。公立高《こうりつこう》。女子高《じょしこう》。都立高《とりつこう》。**

□ 黄／11画

【黄】

おん （コウ）・オウ
くん き・（こ）

なりたち

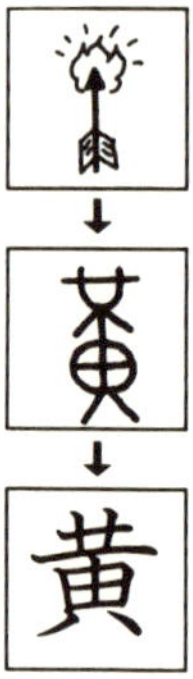

矢《や》の先《さき》にあぶらをつけて火《ひ》をもやした矢《や》の形《かたち》をえがいた字《じ》。その火《ひ》が《きいろ》く光《ひか》ることから、《きいろ》の意味《いみ》をあらわすようになった。

れい文・いみ

れい文 赤《あか》・青《あお》・黄色《きいろ》の絵《え》の具《ぐ》をまぜて、いろいろな色《いろ》をつくる。／たまごをわって黄身《きみ》だけをとり出《だ》す。／黄《き》ばんだ紙《かみ》。／黄金色《こがねいろ》のかがやき。／いちょうが美《うつく》しく黄葉《こうよう》した。／すながまいあがって空《そら》が黄土色《おうどいろ》になる。 いみ 色《いろ》の一《ひと》つ。き。きいろ。

じゅくご

黄金《おうごん》。卵黄《らんおう》（にわとりなどの、卵《たまご》の中《なか》にあるきいろの部分《ぶぶん》。きみのこと）。

とくべつなよみ

硫黄《いおう》。

□ 口／6画

【合】

おん ゴウ・ガッ・カッ
くん あう・あわす・あわせる

なりたち

おわんに上《うえ》からふたをかぶせて、おわんの身《み》とふたがぴったりあったところをあらわした字《じ》。ぴったり《あう》こと。

れい文・いみ

❶ れい文 意見《いけん》が合《あ》う。／組《そ》しきが合体《がったい》する。 いみ 一《ひと》つにまとまる。まとめる。
❷ れい文 くつが足《あし》に合《あ》う。 いみ 目《もく》てきにかなう。当《あ》てはめる。
❸ れい文 五合目《ごごうめ》の茶店《ちゃみせ》で休《やす》もう。 いみ 山道《やまみち》で、山《さん》ちょうまでを十《じゅう》に分《わ》けたたんい。
❹ れい文 一合《いちごう》の米《こめ》。 いみ むかしの、りょうをはかるたんい。一合《いちごう》は、やく〇《れい》・一八《いちはち》リットル。

じゅくご

❶ 合意《ごうい》。合金《ごうきん》。合計《ごうけい》。合成《ごうせい》。合同《ごうどう》。合流《ごうりゅう》。化合《かごう》。会合《かいごう》。結合《けつごう》。混合《こんごう》。集合《しゅうごう》。接合《せつごう》。調合《ちょうごう》。合作《がっさく》。合宿《がっしゅく》。合唱《がっしょう》。一切合財《いっさいがっさい》⇩（635ページ上）
❷ 合格《ごうかく》。合憲《ごうけん》（法律《ほうりつ》が憲法《けんぽう》のきまりにかなうこと）。合法《ごうほう》。適合《てきごう》。合図《あいず》。合理的《ごうりてき》。

谷／7画

【谷】

おん （コク）

くん たに

なりたち

右《みぎ》と左《ひだり》に分《わ》かれるしるしの「八」二《ふた》つと、くぼみをあらわす「口」を合《あ》わせた字《じ》。山《やま》と山《やま》のあいだのくぼみから水《みず》が分《わ》かれて流《なが》れ出《で》る《たに》をえがいた字《じ》。

れい文・いみ

れい文 ふかい谷《たに》を見下《みお》ろす。／気《き》あつの谷《たに》が通《つう》かして天気《てんき》が悪《わる》くなった。／ビルの谷間《たにま》を高速《こうそく》道路《どうろ》が走《はし》っている。／緑《みどり》におおわれたけい谷《こく》。

いみ 山《やま》と山《やま》のあいだで、ひくくなっているくぼみ。また、両《りょう》がわが高《たか》くなっている所《ところ》。たに。

《ビルの谷間》

じゅくご

谷川《たにがわ》。谷底《たにそこ》。

《谷川《たにがわ》》

ひつじゅん・書き方

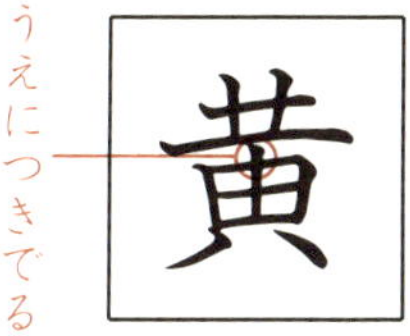

（11画）

《形《かたち》のにている字《じ》》 横《よこ》

ひつじゅん・書き方

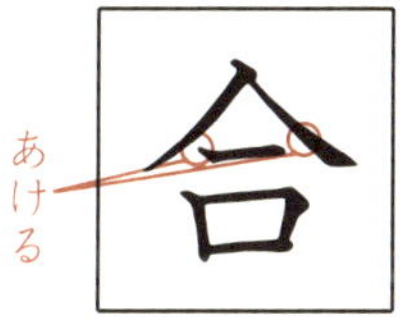

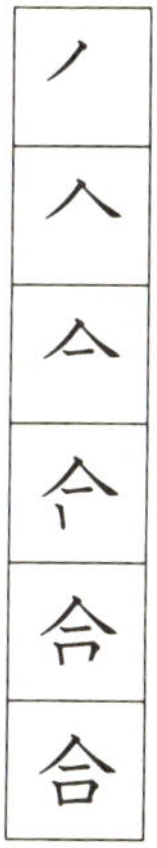

（6画）

《形《かたち》のにている字《じ》》 会《かい》 分《ふん》

ひつじゅん・書き方

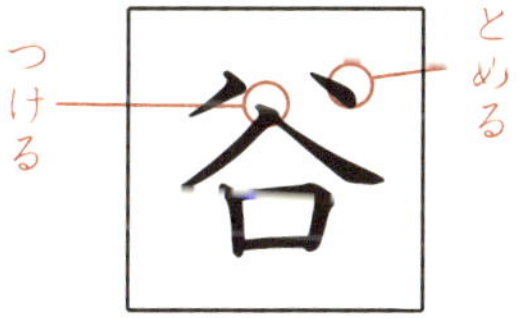

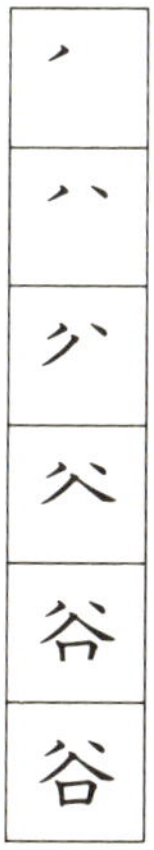

（7画）

□ 口／8画

国

おん コク
くん くに

なりたち

もとの字《じ》は「國」。「或」は上《うえ》と下《した》の線《せん》で区《く》切《ぎ》ったくにざかいをぶきで守《まも》るようす。「口」は、まわりをかこむしるし。まわりをかこんで、ぶきで守《まも》る《くに》のこと。

れい文・いみ

❶ れい文 世界《せかい》のいろいろな国《くに》には、さまざまなみん族《ぞく》がすんでいる。／国家間《こっかかん》の対《たい》立《りつ》。 いみ 一定《いってい》のりょう土《ど》とせいじの仕《し》組《く》みをもつ組《そ》しき。くに。

❷ れい文 国産《こくさん》の自動車《じどうしゃ》。／国文学《こくぶんがく》の研究《けんきゅう》。 いみ 日本《にっぽん》のくにのこと。

❸ れい文 お国自《くにじ》まんのみんようを歌《うた》う。／雪国《ゆきぐに》で生《う》まれ育《そだ》つ。 いみ ふるさと。

じゅくご

❶ 国王《こくおう》。国土《こくど》。国道《こくどう》。国内《こくない》。国民《こくみん》。国力《こくりょく》。国旗《こっき》。国境《こっきょう》。国交《こっこう》(くにとくにとのつきあい)。愛国《あいこく》。王国《おうこく》。外国《がいこく》。強国《きょうこく》。全国《ぜんこく》。大国《たいこく》。万国《ばんこく》。島国《しまぐに》。

❷ 国学《こくがく》。国語《こくご》。

❸ 国元《くにもと》。

□ 黒／11画

黒

おん コク
くん くろ・くろい

なりたち

もとの字《じ》は「黑」。かまどの火《ひ》がもえて、かまどに《くろい》すすがついたようすをえがいた字《じ》。すすはまっくろなので《くろい》ことをあらわす。

れい文・いみ

❶ れい文 白《しろ》と黒《くろ》のしまも様《よう》。／石油《せきゆ》のタンクがもえて黒《こく》えんを天高《てんたか》くふきあげた。／黒板《こくばん》に大《おお》きな字《じ》を書《か》く。 いみ 色《いろ》の一《ひと》つ。くろ。くろい。 ついご 白《しろ》。

❷ れい文 黒《くろ》いかげがしのびよる。／はっきりと黒白《こくびゃく》をつける。 いみ はんざいにかん係《けい》があること。また、勝負《しょうぶ》の負《ま》けなど、思《おも》わしくないこと。悪《わる》いこと。 ついご 白《しろ》。

じゅくご

❶ 黒煙《こくえん》。黒点《こくてん》。黒字《くろじ》。黒潮《くろしお》。黒土《くろつち》。黒船《くろふね》。どす黒《ぐろ》い。

❷ 黒星《くろぼし》(すもうなどで、その負《ま》けをあらわすくろいしるし。また、負《ま》けること)。黒幕《くろまく》(かげにいて、いろいろと指図《さしず》をする人《ひと》)。

□ 人／4画

〔今〕

おん コン・(キン)

くん いま

なりたち

何《なに》かの物《もの》の上《うえ》にふたをパッとかぶせるようす。パッとかぶせて、にげないようにしたときのことから、《いま》の意味《いみ》をあらわすようになった。

れい文・いみ

❶ れい文 父《ちち》は今《いま》、電話中《でんわちゅう》です。／今《いま》にも雨《あめ》がふり出《だ》しそうだ。／今後《こんご》ともよろしくおねがいします。 いみ げんざい。いま。 ついご 昔《むかし》。

❷ れい文 今度《こんど》はかならず勝《か》ってみせる。／今年《ことし》の冬《ふゆ》はとても寒《さむ》かった。／今年度《こんねんど》の会長《かいちょう》をえらぶ。 いみ いまの。この。

じゅくご

❶ 昨今《さっこん》(このごろ)。今時《いまどき》。

❷ 今回《こんかい》。今月《こんげつ》。今週《こんしゅう》。今日《こんにち》。今晩《こんばん》。今夜《こんや》。

とくべつなよみ

今日《きょう》。今朝《けさ》。今年《ことし》。

ひつじゅん・書き方

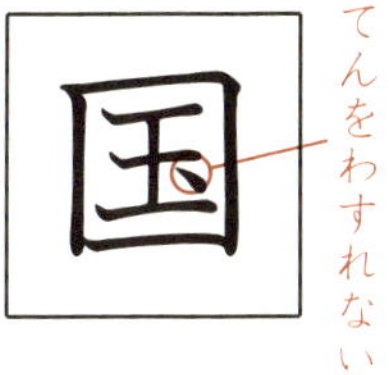

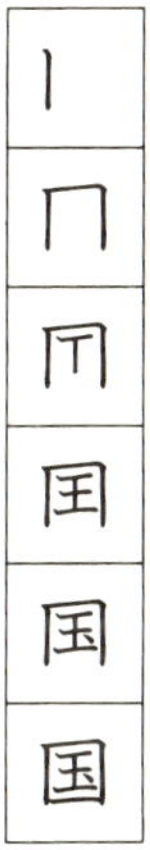

(8画)

ひつじゅん・書き方

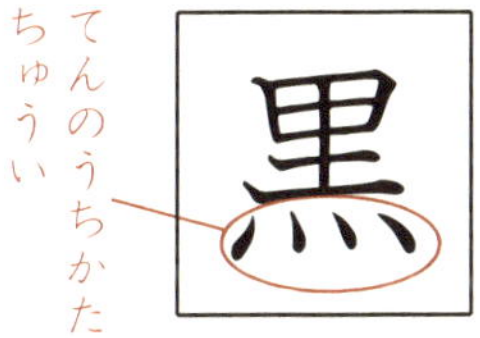

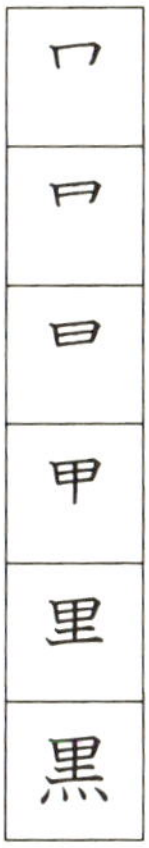

(11画)

《形《かたち》のにている字《じ》》 里《さと》

ひつじゅん・書き方

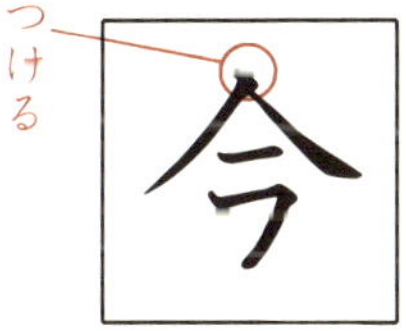

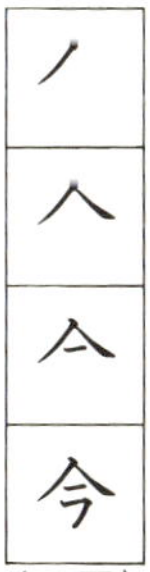

(4画)

《形《かたち》のにている字《じ》》 分《ふん》

扌／3画

【才】

おん サイ
くん ―

なりたち

川《かわ》の流《なが》れを止《と》めるせきをえがいた字《じ》。せき止《と》めた水《みず》は田《た》んぼやダムなどに役立《やくだ》てる。そのように《役《やく》にたつ力《ちから》》や、役《やく》にたつもとになるもののこと。

れい文・いみ

❶ れい文 あの人《ひと》は絵《え》の天才《てんさい》だ。／おさないころから英才《えいさい》（すぐれた力《ちから》）教育《きょういく》を受《う》ける。／ゆたかな才《さい》のうの持《も》ち主《ぬし》。
いみ 生《う》まれつきもっているそしつ。すぐれた力《ちから》。

《絵《え》の天才《てんさい》》

❷ れい文 兄《あに》は十二才《じゅうにさい》のたん生日《じょうび》をむかえる。
いみ 「歳《さい》」のかわりとして使《つか》われる字《じ》。

じゅくご

❶ 才気《さいき》（すぐれた頭《あたま》のはたらき）。才人《さいじん》（ものごとをじょうずにやりとげる能力《のうりょく》のすぐれた人《ひと》）。才能《さいのう》。文才《ぶんさい》（文章《ぶんしょう》をじょうずに書《か》く能力《のうりょく》）。

糸／11画

【細】

おん サイ
くん ほそい・ほそる・こまか・こまかい

なりたち

「田」は、たんぼではなく、頭《あたま》を上《うえ》から見《み》たもので、頭《あたま》のほねがほそい線《せん》でつながって見《み》えるようす。「糸」は《ほそい》いと。《ほそい》《こまかい》ことをあらわした。

れい文・いみ

❶ れい文 目《め》を細《ほそ》める。／細《ほそ》い川《かわ》。／細《ほそ》い声《こえ》。／はずかしさで身《み》が細《ほそ》る思《おも》い。
いみ はばや声《こえ》などが小《ちい》さい。ほそい。また、そのようになる。ほそる。 ついご 太《ふと》い。

❷ れい文 大根《だいこん》を細《こま》かく切《き》る。／どうでもよい細《こま》かなこと。／細事《さいじ》にまで口《くち》を出《だ》す。
いみ 形《かたち》や、りょうが、わずかである。

❸ れい文 細《こま》かく調《しら》べる。／明細《めいさい》な図面《ずめん》。
いみ くわしい。

じゅくご

❶ 細道《ほそみち》。細長《ほそなが》い。
❷ 細工《さいく》。細心《さいしん》（こまかなところまで注意《ちゅうい》ぶかく心《こころ》を配《くば》ること）。細大《さいだい》。細部《さいぶ》。細目《ほそめ》。
❸ 委細《いさい》（くわしいこと）。子細《しさい》（くわしいいきさつや事情《じじょう》）。

亻／7画

作

おん サク・サ
くん つくる

なりたち

「乍」は木《き》に、はものできれめを入《い》れること。「亻」は人《ひと》。人《ひと》が物《もの》を《つくっている》ところや、《つくる》ことを意味《いみ》する。

れい文・いみ

❶ れい文 小屋《こや》を作《つく》る。／田《た》にいねを作《つく》る。／えい画《が》をせい作《さく》する。 いみ こしらえる。つくる。そだてる。

❷ れい文 この花《か》びんはわたしの自《じ》まんの作《さく》です。／ことしもほう作《さく》だ。／名作《めいさく》を読《よ》む。 いみ こしらえたもの。育《そだ》てたもの。

❸ れい文 薬《くすり》の作用《さよう》でねむくなった。／作法《さほう》を身《み》につける。／同《おな》じ作業《さぎょう》をくりかえす。 いみ はたらき。おこない。おこなう。

じゅくご

❶ 作詞《さくし》。作詩《さくし》。作者《さくしゃ》。作成《さくせい》。作製《さくせい》。作文《さくぶん》。作物《さくもつ》。作家《さっか》。作曲《さっきょく》。改作《かいさく》。工作《こうさく》。耕作《こうさく》。試作《しさく》。制作《せいさく》。製作《せいさく》。創作《そうさく》。米作《べいさく》。二期作《にきさく》。二毛作《にもうさく》。

❷ 作品《さくひん》。遺作《いさく》。原作《げんさく》。自作《じさく》。大作《たいさく》。著作《ちょさく》。豊作《ほうさく》。力作《りきさく》（力《ちから》をこめて仕上《しあ》げたさく品《ひん》）。

❸ 操作《そうさ》。動作《どうさ》。発作《ほっさ》。

ひつじゅん・書き方

（3画）

ひつじゅん・書き方

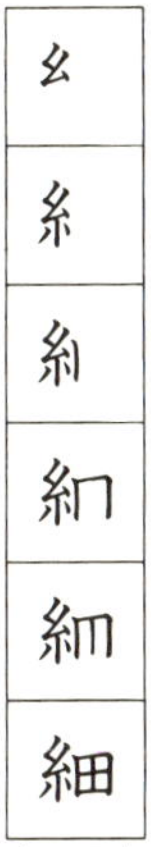
（11画）

《形《かたち》のにている字《じ》》
畑《はたけ》

ひつじゅん・書き方

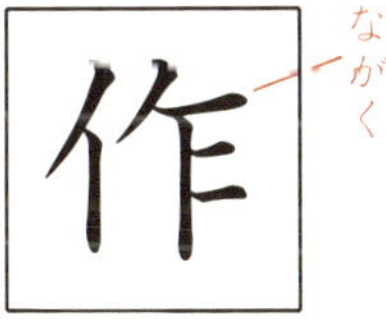

（7画）

算

⺮／14画

おん サン
くん ―

なりたち

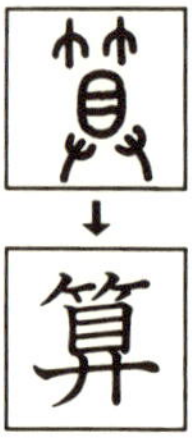

「⺮」(竹《たけ》)と「昇」(両手《りょうて》でそろえる)を合《あ》わせた字《じ》。竹《たけ》のぼうを何本《なんぼん》も集《あつ》めて、両手《りょうて》で《かぞえる》ことを意味《いみ》した字《じ》。

れい文・いみ

❶ れい文 ひ用《よう》を**算**出《さんしゅつ》する。／弟《おとうと》は暗**算**《あんざん》がとく意《い》だ。／橋《はし》の長《なが》さを目**算**《もくさん》(目《め》で見《み》て、だいたいの見当《けんとう》をつけること)でわり出《だ》す。／予**算**《よさん》を立《た》てる。 いみ 数《かず》を数《かぞ》える。

❷ れい文 勝**算**《しょうさん》(勝《か》てる見《み》こみ)がないたたかい。／計画《けいかく》を進《すす》めるための**算**《さん》だん(いろいろとくふうして、よい方《ほう》ほうを考《かんが》えること)をする。／台風《たいふう》がくる公**算**《こうさん》が大《だい》になった。 いみ はかりごと。もくろみ。見《み》つもり。

じゅくご

❶ **算数**《さんすう》。**算定**《さんてい》。**加算**《かさん》。**逆算**《ぎゃくさん》。**計算**《けいさん》。**検算**《けんざん》。**清算**《せいさん》(貸《か》し借《か》りを計《けい》さんして、きまりをつけること)。**精算**《せいさん》(金銭《きんせん》などを細《こま》かく計《けい》さんしなおすこと)。**筆算**《ひっさん》。**かけ算**《ざん》。**足**《た》**し算**《ざん》。**引**《ひ》**き算**《ざん》。**割**《わ》**り算**《ざん》。

❷ **算段**《さんだん》。**採算**《さいさん》。**成算**《せいさん》(成功《せいこう》する見込《みこ》み)。

止

止／4画

おん シ
くん とまる・とめる

なりたち

かたほうの足《あし》の形《かたち》をえがいた字《じ》。足《あし》が一《いっ》か所《しょ》にとまって、先《さき》に進《すす》まないことから、《とまる》《やめる》ことを意味《いみ》する。

れい文・いみ

❶ れい文 赤《あか》しん号《ごう》で車《くるま》が**止**《と》まっている。／出血《しゅっけつ》が**止**《と》まった。／電車《でんしゃ》が急停**止**《きゅうていし》した。 いみ じっとして動《うご》かなくなる。とまる。

❷ れい文 川《かわ》をせき**止**《と》める。／会《かい》の進行《しんこう》を**止**《と》める。／外出《がいしゅつ》をきん**止**《し》する。／はんざいをぼう**止**《し》する。 いみ 動《うご》かなくする。やめる。やめさせる。とめる。

じゅくご

❶ **休止**《きゅうし》。**終止**《しゅうし》。**静止**《せいし》(じっと動《うご》かないでいること)。**行**《い》**き止**《ど》**まり**。

❷ **止血**《しけつ》。**禁止**《きんし》。**制止**《せいし》。**中止**《ちゅうし》。**防止**《ぼうし》。**足止**《あしど》**め**。**通行止**《つうこうど》**め**。

とくべつなよみ

波止場《はとば》。

□ 巾／5画

【市】

おん シ
くん いち

↓
市

なりたち

たいらでつり合《あ》うことをあらわす「平」の字《じ》のかわった「兮」と、とまることを意味《いみ》する「止」を合《あ》わせた字《じ》。人《ひと》が足《あし》を止《と》め、公平《こうへい》なねだんで売《う》り買《か》いをする《いちば》。

れい文・いみ

❶ れい文 駅前《えきまえ》の市場《いちば》。いみ 人《ひと》が多《おお》く集《あつ》まり、品物《しなもの》の売買《ばいばい》をおこなう所《ところ》。いち。

❷ れい文 人口《じんこう》が都市《とし》に集中《しゅうちゅう》する。／市街地《しがいち》をパレードする。いみ 人《ひと》やたて物《もの》が多《おお》くにぎやかな所《ところ》。まち。

❸ れい文 市《し》せいをしく。いみ 地方自《ちほうじ》ち体《たい》の一《ひと》つ。県《けん》より小《ちい》さく、町《まち》より大《おお》きい。し。

じゅくご

❶ **朝市**《あさいち》(朝《あさ》、開《ひら》かれる、魚《さかな》・野《や》菜《さい》などを売《う》り買《か》いするいち)。**魚市場**《うおいちば》。

❷ **市価**《しか》(町《まち》の店《みせ》でふつうに売《う》られている商品《しょうひん》のねだん)。

❸ **市営**《しえい》。**市外**《しがい》。**市制**《しせい》。**市長**《しちょう》。**市電**《しでん》。**市内**《しない》。**市民**《しみん》。**市立**《しりつ》。**市町村**《しちょうそん》。**市役所**《しやくしょ》。

ひつじゅん・書き方

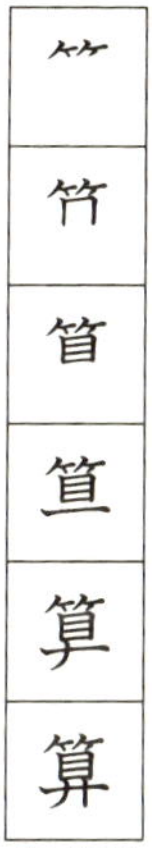
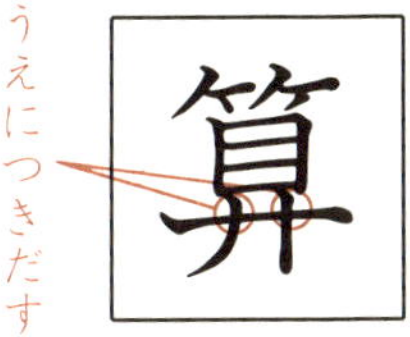

(14画)

ひつじゅん・書き方

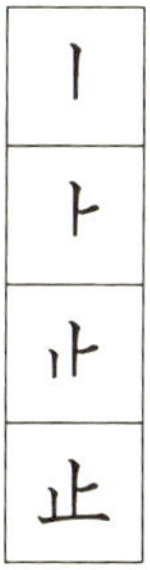
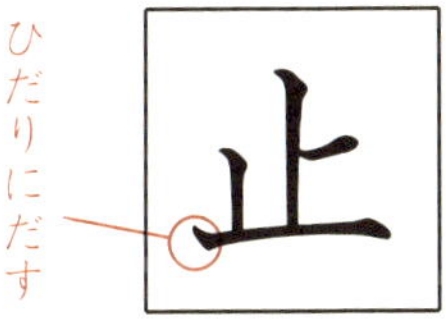

(4画)

《形《かたち》のにている字《じ》》
上《うえ》

ひつじゅん・書き方

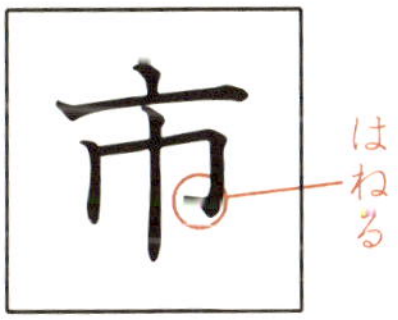

(5画)

矢

矢／5画

おん （シ）
くん や

なりたち

まっすぐな、《や》をえがいた字《じ》。

れい文・いみ

れい文 矢《や》でまとをいる。／古代《こだい》住《じゅう》きょのあとから、矢《や》じりが見《み》つかる。／年月《ねんげつ》が矢《や》のようにすぎさる。／かしたお金《かね》を返《かえ》せと矢《や》のようなさいそくをされる。 いみ 弓《ゆみ》のつるにつがえているぶき。や。また、はやいことのたとえ。

《矢《や》でまとをいる》

じゅくご

矢面《やおもて》（質問《しつもん》や非難《ひなん》を直接《ちょくせつ》受《う》ける立場《たちば》）。矢先《やさき》。矢印《やじるし》。弓矢《ゆみや》。

《矢《や》》

姉

女／8画

おん （シ）
くん あね

なりたち

もとは「姊」と書《か》いた。「女」は、おんなの人《ひと》。「𠂔」は、つる草《くさ》の上《うえ》のほうにしるしをつけた字《じ》。女《おんな》のきょうだいの中《なか》で年上《としうえ》のほうの人《ひと》のことで、《あね》のこと。

れい文・いみ

❶ れい文 わたしはおとうさんにで、姉《あね》はおかあさんにだ。／となりの家《いえ》の姉《し》妹《まい》はいつもなかよしです。 いみ 年上《としうえ》の女《おんな》のきょうだい。あね。 ついご 妹《いもうと》。

❷ いみ 女《おんな》の人《ひと》をうやまって言《い》うことば。

《姉妹《しまい》》

じゅくご

❶兄弟《きょうだい》姉妹《しまい》。

とくべつなよみ

姉《ねえ》さん。

思

心／9画

おん　シ
くん　おもう

なりたち

この字《じ》の「田」は、たんぼではなく、頭《あたま》を上《うえ》から見《み》たもの。「心」は、こころ。頭と心《こころ》のはたらきで、あれこれと《おもう》ことを意味《いみ》する。

れい文・いみ

❶ れい文　思《おも》いどおりに書《か》く。／ありがたいと思《おも》う。／あれこれと思案《しあん》をめぐらす。／美《うつく》しい絵《え》だと思《おも》う。　いみ　おもう。心《こころ》に感《かん》じる。また、考《かんが》え。考《かんが》える。

❷ れい文　生徒思《せいとおも》いの先生《せんせい》。　いみ　人《ひと》をおもいやる。おもいやり。

《思案《しあん》をめぐらす》

じゅくご

❶ 思考《しこう》。思想《しそう》。意思《いし》（何《なに》かをしようとする考《かんが》え）。不思議《ふしぎ》。

❷ 思《おも》い出《で》。思《おも》い付《つ》き。親思《おやおも》い。

ひつじゅん・書き方

矢
つきでない
そろえる

（5画）

《形《かたち》のにている字《じ》》
失《うしな》う　天《てん》

ひつじゅん・書き方

姉
ひとふででかく
はねる

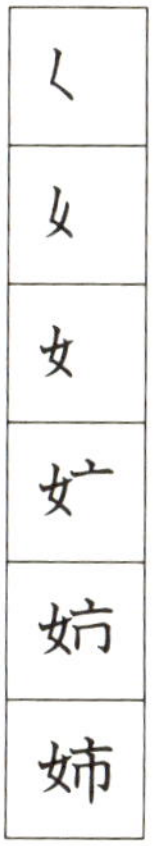

（8画）

《形《かたち》のにている字《じ》》
妹《いもうと》　始《はじ》める

ひつじゅん・書き方

思
はねる

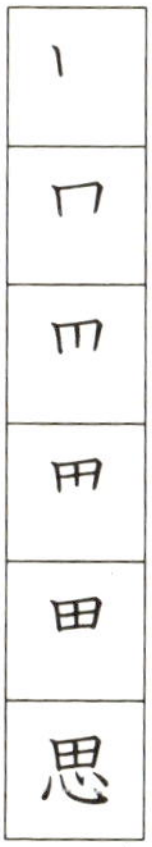

（9画）

《形《かたち》のにている字《じ》》
恩《おん》

紙

糸／10画

おん シ
くん かみ

なりたち

「糸」は細《ほそ》いいと。「氏」は、ものを平《たい》らにのばす道具《どうぐ》のへら。もと、ぬのの糸《いと》を、のちに木《き》のせんいを細《ほそ》いすじにしたものを、へらで平《たい》らにした《かみ》のこと。

れい文・いみ

❶ れい文 紙《かみ》くずをもやす。／千代紙《ちよがみ》をおる。／画用紙《がようし》に絵《え》をかく。／和紙《わし》にはん画《が》をする。／ほうそう紙《し》でくるむ。 いみ 植物《しょくぶつ》のせんいなどを原《げん》りょうにしてつくり、字《じ》や絵《え》をかいたりいんさつしたり、物《もの》をつつんだりするのに使《つか》うもの。かみ。

❷ れい文 小《しょう》せつを紙上《しじょう》にれんさいする。 いみ 「新聞紙《しんぶんし》」のりゃく。

じゅくご

❶ 色紙《しきし》。製紙《せいし》。白紙《はくし》。半紙《はんし》。表紙《ひょうし》。油紙《あぶらがみ》。色紙《いろがみ》。型紙《かたがみ》。手紙《てがみ》。方眼紙《ほうがんし》。包装紙《ほうそうし》。紙芝居《かみしばい》。折《お》り紙《がみ》。

❷ 紙面《しめん》（新聞《しんぶん》の記事《きじ》がのっている面《めん》）。

寺

寸／6画

おん ジ
くん てら

なりたち

足《あし》をあらわす「土」と、手《て》をしめす「寸」を合《あ》わせた字《じ》。手《て》や足《あし》を使《つか》って、よそから来《き》た人《ひと》をとめる役所《やくしょ》のこと。のち、おぼうさんのいる《てら》の意味《いみ》になった。

れい文・いみ

れい文 山《やま》おくに古《ふる》びた山寺《やまでら》がある。／春《はる》と秋《あき》のひ岸《がん》の日《ひ》には、寺参《てらまい》りの人《ひと》びとでにぎわう。／京都《きょうと》には古《ふる》い有名《ゆうめい》な寺院《じいん》がたくさんある。 いみ おぼうさんがいたり、ぶつぞうが祭《まつ》ってあるたて物《もの》。てら。

《山《やま》おくの山寺《やまでら》》

じゅくご

寺子屋《てらこや》（江戸《えど》時代《じだい》に、子《こ》どもに、文字《もじ》や、そろばんなどを教《おし》えた所《ところ》）。

《寺子屋《てらこや》》

自／6画

【自】

おん ジ・シ
くん みずから

なりたち

鼻《はな》の形《かたち》をえがいた字《じ》。「わたしが」と言《い》うときに、自分《じぶん》の鼻《はな》を指《ゆび》さすことから、《じぶん》の意味《いみ》で使《つか》われるようになった。

れい文・いみ

❶ れい文 自《じ》こ中心《ちゅうしん》の考《かんが》え。 いみ じぶんじしん。 ついご 他《た》。

❷ れい文 自《みずか》ら先頭《せんとう》に立《た》つ。 いみ じぶんで。じぶんから。みずから。

❸ れい文 自由《じゆう》に遊《あそ》ぶ。／植物《しょくぶつ》が自生《じせい》する。 いみ 思《おも》いのまま。ひとりでに。

❹ れい文 自午前八時《じごぜんはちじ》いたる十時《じゅうじ》。 いみ 場所《ばしょ》や時《とき》の始《はじ》まりをあらわすことば。…から。…より。

じゅくご

❶ 自我《じが》（じ分《ぶん》じ身《しん》に対《たい》する意《い》識《しき》）。自己《じこ》。自国《じこく》。自身《じしん》。

自信《じしん》。自説《じせつ》。自他《じた》。自宅《じたく》。

自費《じひ》。自分《じぶん》。各自《かくじ》。独自《どくじ》。

❷ 自覚《じかく》。自活《じかつ》。自作《じさく》。自殺《じさつ》。

自習《じしゅう》。自転《じてん》。自動《じどう》。自認《じにん》。

自白《じはく》。自立《じりつ》。自転車《じてんしゃ》。

自動車《じどうしゃ》。

❸ 自在《じざい》。自然《しぜん》。

ひつじゅん・書き方

紙

はねる

ひとふででかく

幺 糸 糸 紅 紅 紙

（10画）

ひつじゅん・書き方

寺

はねる

ながく

《形《かたち》のにている字《じ》》 時《とき》

一 十 土 圭 寺 寺

（6画）

ひつじゅん・書き方

自

ひだりしたへはねる

《形《かたち》のにている字《じ》》 白《しろ》

′ ｢ 冂 白 自 自

（6画）

□ 日／10画

【時】

おん ジ
くん とき

なりたち
「寺」は手《て》と足《あし》で、手足《てあし》を動《うご》かして仕事《しごと》をすること。「日」は太陽《たいよう》。手足《てあし》のように休《やす》むことなくすぎていく《とき》の意味《いみ》をあらわすようになった。

れい文・いみ

❶ れい文 楽《たの》しい時《とき》をすごす。／一日《いちにち》は二十《にじゅう》四《よ》時間《じかん》です。 いみ か去《こ》・げんざい・み来《らい》へとつづく時間《じかん》の流《なが》れの区切《くぎ》り。とき。また、その長《なが》さをあらわすことば。

❷ れい文 子《こ》どもの時《とき》の話《はなし》。／当時《とうじ》の写真《しゃしん》。 いみ そのころ。そのとき。

❸ れい文 時時《ときどき》、外《そと》を見《み》る。 いみ おりおり。ころあい。

じゅくご

❶ 時間《じかん》。時期《じき》。時候《じこう》。時刻《じこく》。時差《じさ》。時節《じせつ》。時速《じそく》。時代《じだい》。時報《じほう》。定時《ていじ》。同時《どうじ》。日時《にちじ》。

❷ 時価《じか》。時局《じきょく》。時勢《じせい》。今時《いまどき》。

❸ 潮時《しおどき》。

とくべつなよみ

時雨《しぐれ》。時計《とけい》。

□ 宀／9画

【室】

おん シツ
くん （むろ）

なりたち
「至」は矢《や》が地面《じめん》につきささって行《い》きどまるようす。「宀」は家《いえ》。家《いえ》の中《なか》のいちばんおくのへやをあらわした字《じ》。今《いま》は、どの《へや・しつ》のこともいう。

れい文・いみ

❶ れい文 室温《しつおん》を一定《いってい》にたもつ。／一日中《いちにちじゅう》室《しつ》内《ない》にこもる。／教室《きょうしつ》の大《おお》そうじをする。 いみ い間《ま》。へや。しつ。

❷ れい文 岩室《いわむろ》の中《なか》はひんやりとしてすずしい。／氷《こおり》をたくわえておく氷室《ひむろ》。 いみ 物《もの》をたくわえたりするあな。むろ。

❸ れい文 イギリス王室《おうしつ》のけい図《ず》を調《しら》べる。 いみ 同《おな》じ家族《かぞく》の一族《いちぞく》。

じゅくご

❶ 室外《しつがい》。暗室《あんしつ》（光《ひかり》が入《はい》らないようにした暗《くら》い部屋《へや》。写真《しゃしん》の現像《げんぞう》、科学《かがく》の実験《じっけん》などに使《つか》う）。温室《おんしつ》。船室《せんしつ》。病室《びょうしつ》。洋室《ようしつ》。浴室《よくしつ》。和室《わしつ》。図書室《としょしつ》。

❷ 石室《いしむろ》。

❸ 皇室《こうしつ》。

□ ネ／7画

社

おん シャ
くん やしろ

なりたち

↓ 社 ↓ 社

もとの字《じ》は「社」。「示」は神様《かみさま》にそなえ物《もの》をする台《だい》。「土」は大地《だいち》。大地《だいち》の神様《かみさま》を祭《まつ》る所《ところ》の意味《いみ》から、《人《ひと》が集《あつ》まって仕事《しごと》をする所《ところ》》の意味《いみ》になった。

れい文・いみ

❶ れい文 小高《こだか》いおかの上《うえ》に社《やしろ》の森《もり》が見《み》える。／社《しゃ》でんをしゅう理《り》する。 いみ 神《かみ》を祭《まつ》ってあるたて物《もの》。お宮《みや》。やしろ。

❷ れい文 人間《にんげん》は社会生活《しゃかいせいかつ》をいとなむ。 いみ 世《よ》の中《なか》。

❸ れい文 父《ちち》は会社員《かいしゃいん》です。 いみ 仕事《しごと》をするための人《ひと》びとの集《あつ》まり。

❹ れい文 本社《ほんしゃ》からし社《しゃ》へ転《てん》きんになる。 いみ 「会社《かいしゃ》」のりゃく。

じゅくご

❶ 社殿《しゃでん》。寺社《じしゃ》。神社《じんじゃ》。
❷ 社交《しゃこう》（世《よ》の中《なか》での人《ひと》と人《ひと》との交際《こうさい》）。社会科《しゃかいか》。
❸ 公社《こうしゃ》。商社《しょうしゃ》。
❹ 社員《しゃいん》。社宅《しゃたく》。社長《しゃちょう》。社用《しゃよう》。支社《ししゃ》。退社《たいしゃ》。入社《にゅうしゃ》。

ひつじゅん・書き方

寺《てら》 《形《かたち》のにている字《じ》》

（10画）

ひつじゅん・書き方

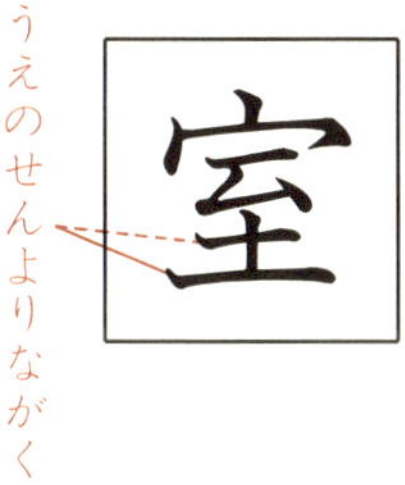

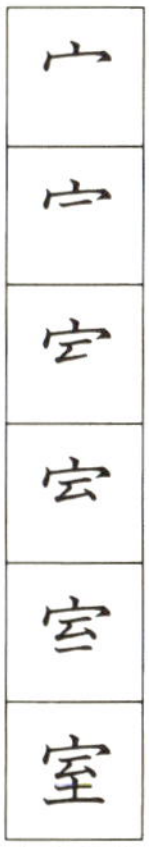

（９画）

ひつじゅん・書き方

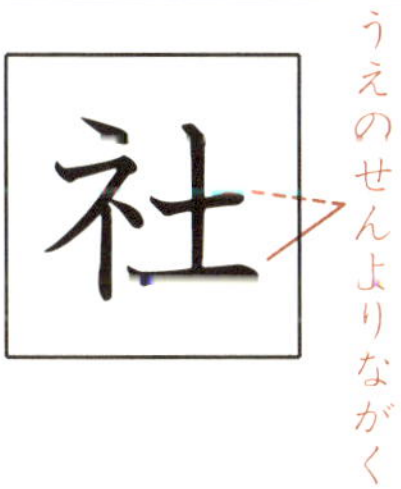

（７画）

弓／10画

弱

おん ジャク
くん よわい・よわる・よわまる・よわめる

なりたち
「弓」は、リボンのようなかざりがついた弓《ゆみ》で、たたかいには使《つか》えない《よわい》弓《ゆみ》のこと。これを二《ふた》つ合《あ》わせて、《よわい》意味《いみ》をあらわした。

れい文・いみ
❶ れい文 気《き》が弱《よわ》い。／日《ひ》ざしが弱《よわ》まる。／音《おと》を弱《よわ》める。／病弱《びょうじゃく》な体《たい》しつ。 いみ 力《ちから》が小《ちい》さい。おとる。よわい。 ついご 強《きょう》。
❷ れい文 あの歌手《かしゅ》は弱年《じゃくねん》の人《ひと》に人気《にんき》がある。 いみ 年《とし》がわかいこと。
❸ れい文 母《はは》はきかいに弱《よわ》い。 いみ とく意《い》ではない。 ついご 強《きょう》。
❹ いみ は数《すう》を切《き》りあげた数《かず》につけ、それより小《ちい》さいことをいうことば。 ついご 強《きょう》。

じゅくご
❶ 弱者《じゃくしゃ》。弱小《じゃくしょう》。弱点《じゃくてん》(よわいところ。また、不完全《ふかんぜん》なところ)。強弱《きょうじゃく》。貧弱《ひんじゃく》。弱気《よわき》。弱音《よわね》(気《き》のよわいこと)。弱虫《よわむし》。弱肉強食《じゃくにくきょうしょく》⇩(638ページ上)
❷ 弱小《じゃくしょう》。
❹ 百《ひゃく》メートル弱《じゃく》。

首／9画

首

おん シュ
くん くび

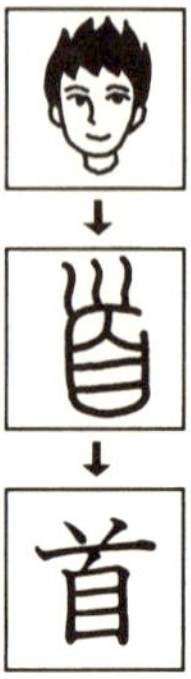

なりたち
かみの毛《け》が生《は》えている人《ひと》の《くび》から上《うえ》をえがいた字《じ》。人《ひと》のからだのいちばん上《うえ》にある頭部《とうぶ》をあらわしている。また、からだの上《うえ》のほうにあるので、はじめの意味《いみ》になった。

れい文・いみ
❶ れい文 きりんは首《くび》が長《なが》い。／足首《あしくび》をねんざした。／機首《きしゅ》を北《きた》に向《む》けてとぶ。 いみ 人《ひと》や動物《どうぶつ》の頭《あたま》とどう体《たい》をつなぐ部分《ぶぶん》。くび。また、頭《あたま》。また、物《もの》の本体《ほんたい》の先《さき》の部分《ぶぶん》。
❷ れい文 クラスの首席《しゅせき》。／首《しゅ》のう(いちばんおもな人《ひと》)会《かい》ぎを開《ひら》く。／日本《にっぽん》の首都《しゅと》。 いみ はじめ。また、いちばん上《うえ》。かしら。
❸ れい文 短歌《たんか》を一首《いっしゅ》よむ。 いみ 和歌《わか》の数《かず》を数《かぞ》えることば。

じゅくご
❶ 船首《せんしゅ》。首筋《くびすじ》。首輪《くびわ》。手首《てくび》。襟首《えりくび》。首飾《くびかざ》り。
❷ 首位《しゅい》。首相《しゅしょう》。首脳《しゅのう》。首府《しゅふ》。首領《しゅりょう》(仲間《なかま》の中心《ちゅうしん》になる人《ひと》)。元首《げんしゅ》。党首《とうしゅ》。首尾一貫《しゅびいっかん》⇩(638ページ下)
❸ 百人一首《ひゃくにんいっしゅ》。

禾／9画

秋

おん シュウ

くん あき

なりたち

「禾」(いねのほが実《みの》っているようす。作物《さくもつ》のこと)と「火」(ひ)を合《あ》わせた字《じ》。畑《はたけ》の作《さく》物《もつ》をとり入《い》れて、火《ひ》や日《ひ》の光《ひかり》でかわかすきせつの《あき》の意味《いみ》。

れい文・いみ

❶ れい文 秋《あき》の空《そら》がすみわたる。／秋口《あきぐち》に入《はい》ってからも暑《あつ》さがつづく。／九月《くがつ》二十三日《にじゅうさんにち》ごろが秋分《しゅうぶん》に当《あ》たる。／中秋《ちゅうしゅう》の名月《めいげつ》。

いみ 四《し》きの一《ひと》つ。夏《なつ》と冬《ふゆ》のあいだのきせつ。九月《くがつ》から十一月《じゅういちがつ》の三《さん》か月《げつ》。あき。

❷ れい文 友《とも》だちに会《あ》える日《ひ》を一日《いちじつ》千秋《せんしゅう》の思《おも》いで待《ま》つ。

いみ 年月《としつき》。

《中秋《ちゅうしゅう》の名月《めいげつ》》

じゅくご

❶ 秋季《しゅうき》。秋期《しゅうき》。初秋《しょしゅう》。晩秋《ばんしゅう》(あきの終《お》わりごろ)。立秋《りっしゅう》。秋風《あきかぜ》。秋雨《あきさめ》。秋晴《あきば》れ。秋祭《あきまつ》り。春夏秋冬《しゅんかしゅうとう》。

ひつじゅん・書き方

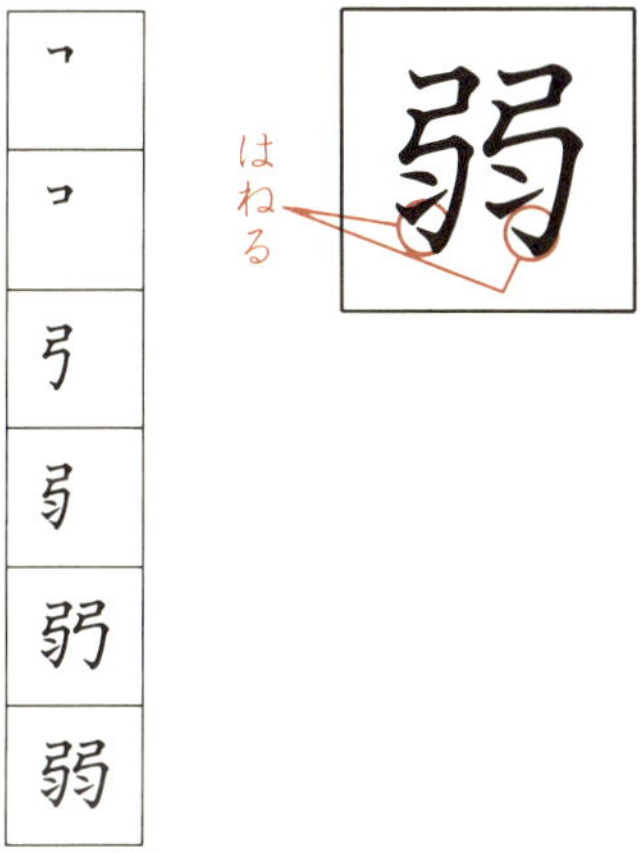

(10画)

ひつじゅん・書き方

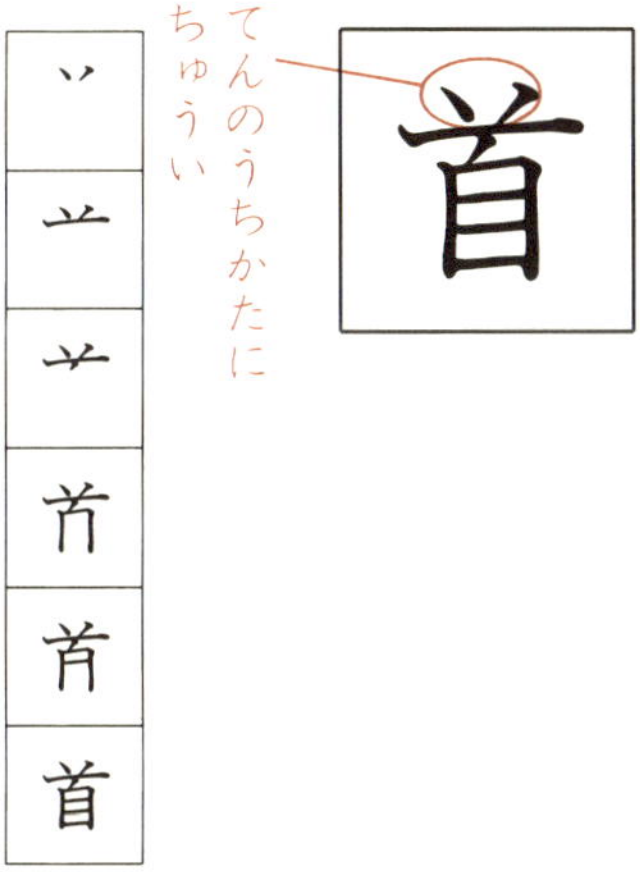

(9画)

ひつじゅん・書き方

(9画)

《形《かたち》のにている字《じ》》 科《か》

週

□ 辶／11画

おん シュウ
くん ―

なりたち

「辶」は進《すす》むこと。「周」は、なえの植《う》えてある田《た》んぼをぐるっとかこんだようす。ぐるっと《ひとめぐりする》という意味《いみ》をあらわした字《じ》。

れい文・いみ

れい文 前《まえ》の週《しゅう》は一度《いちど》も雨《あめ》がふらなかった。／来週《らいしゅう》の日曜日《にちようび》に、父《ちち》とつりに行《い》くやくそくをした。／この週《しゅう》かんしは毎週《まいしゅう》火曜《かよう》日《び》に発売《はつばい》になる。／かぜをひいて一週間《いっしゅうかん》学校《がっこう》を休《やす》んだ。いみ 日曜日《にちようび》から土曜日《どようび》までの七日《なのか》を一《ひと》めぐりとする日数《にっすう》。しゅう。

《週《しゅう》かんし》

じゅくご

週休《しゅうきゅう》。週番《しゅうばん》。週報《しゅうほう》（毎《まい》しゅう定期的《ていきてき》に発行《はっこう》される報道的《ほうどうてき》な内容《ないよう》の刊行物《かんこうぶつ》）。週末《しゅうまつ》。今週《こんしゅう》。先週《せんしゅう》。週刊誌《しゅうかんし》。愛鳥週間《あいちょうしゅうかん》。

春

□ 日／9画

おん シュン
くん はる

なりたち

草《くさ》と太陽《たいよう》と、めが出《で》るようすを合《あ》わせた字《じ》。日《ひ》の光《ひかり》をあびて、草《くさ》のめが土《つち》から出《で》ようとする《はる》のきせつをあらわした字《じ》。

れい文・いみ

❶ れい文 かすみがたなびく春《はる》の野《の》。／あたりのけしきが春《はる》めく。／立春《りっしゅん》がすぎる。いみ 四《し》きの一《ひと》つ。冬《ふゆ》と夏《なつ》のあいだのきせつ。三月《さんがつ》から五月《ごがつ》までの三《さん》か月《げつ》。はる。

❷ いみ 年《とし》のはじめ。はる。

❸ れい文 春《はる》の目《め》ざめ。／思春期《ししゅんき》をむかえる。いみ 男女《だんじょ》が思《おも》い合《あ》う心《こころ》。

❹ れい文 青春《せいしゅん》をおう歌《か》する。いみ わかく元気《げんき》な年《とし》ごろ。

じゅくご

❶ 春季《しゅんき》。春期《しゅんき》。春分《しゅんぶん》。初春《しょしゅん》。早春《そうしゅん》。晩春《ばんしゅん》（はるの終《お》わりごろ）。春風《はるかぜ》。春先《はるさき》。春雨《はるさめ》。春一番《はるいちばん》（立《りっ》しゅんを過《す》ぎてから、その年《とし》はじめてふく強《つよ》い南風《みなみかぜ》）。春夏秋冬《しゅんかしゅうとう》。

❷ 新春《しんしゅん》。初春《はつはる》。

日／10画

書

おん ショ

くん かく

なりたち

「聿」は筆《ふで》。「曰」は「者」の字《じ》をりゃくした形《かたち》で、たきぎをまとめてこんろでもやしているようす。筆《ふで》で竹《たけ》や木《き》にまとまったことを《かく》ことをあらわした字《じ》。

れい文・いみ

❶ れい文 手紙《てがみ》を書《か》く。／むずかしい書式《しょしき》。

いみ 筆《ふで》や、えん筆《ぴつ》などで、文字《もじ》や文章《ぶんしょう》を記《しる》しあらわす。かく。

❷ れい文 書《しょ》を習《なら》う。 いみ 文字《もじ》。また、文字《もじ》のかき方《かた》。

❸ れい文 メモ帳《ちょう》に走《はし》り書《が》きする。 いみ かいたもの。また、手紙《てがみ》。

❹ れい文 読書《どくしょ》をする。／図書館《としょかん》に行《い》く。 いみ 本《ほん》。

じゅくご

❶ 書記《しょき》。清書《せいしょ》。書《か》き初《ぞ》め。

❷ 書画《しょが》。書道《しょどう》。行書《ぎょうしょ》。草書《そうしょ》。かい書《しょ》。

❸ 書簡《しょかん》（手紙《てがみ》）。書類《しょるい》。遺書《いしょ》。願書《がんしょ》。親書《しんしょ》。投書《とうしょ》。文書《ぶんしょ》。

❹ 書店《しょてん》。書評《しょひょう》。書物《しょもつ》。原書《げんしょ》。字書《じしょ》。辞書《じしょ》。洋書《ようしょ》。図書室《としょしつ》。

ひつじゅん・書き方

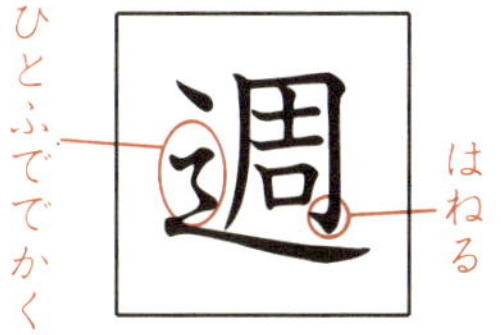

《形《かたち》のにている字《じ》》 調《しら》べる

（11画）

ひつじゅん・書き方

《形《かたち》のにている字《じ》》 香《こう》

（９画）

ひつじゅん・書き方

（10画）

少

小／4画

おん ショウ
くん すくない・すこし

なりたち

「小」（ちいさい）と「ノ」（けずる）を合《あ》わせた字《じ》。けずりとられて小《ちい》さくなることから、《すくない》の意味《いみ》になった。

れい文・いみ

❶ れい文 おやつが少《すく》ない。／頭《あたま》が少《すこ》しいたむ。／少少《しょうしょう》のことなら平気《へいき》だ。 いみ 数《すう》りょうがわずかである。ものごとのてい度《ど》がわずかである。すくない。すこし。 ついご 多《た》。

❷ れい文 少女《しょうじょ》のころの思《おも》い出《で》。／かれよりもたしかわたしのほうが年少《ねんしょう》のはずだ。 いみ 年《ねん》れいがわかい。年下《としした》。

じゅくご

❶ 少額《しょうがく》（すこしのお金《かね》）。少食《しょうしょく》。少数《しょうすう》。少量《しょうりょう》。減少《げんしょう》（数量《すうりょう》が減《へ》ってすくなくなること）。多少《たしょう》。

❷ 少年《しょうねん》。幼少《ようしょう》。青少年《せいしょうねん》。

場

土／12画

おん ジョウ
くん ば

なりたち

「昜」はお日《ひ》さまがかがやいてのぼっていくところ。それに土地《とち》をしめす「土」を合《あ》わせた字《じ》。のぼっていく日《ひ》の光《ひかり》が当《あ》たる《ひろば》をあらわした字《じ》。

れい文・いみ

❶ れい文 全校集会《ぜんこうしゅうかい》で上級生《じょうきゅうせい》との交流《こうりゅう》の場《ば》をもつ。／大《おお》ぜいの人《ひと》が場内《じょうない》をうめつくした。 いみ ものごとがおこなわれる所《ところ》。ば。

❷ れい文 雨《あめ》の場合《ばあい》は遠足《えんそく》を中止《ちゅうし》する。 いみ そのときの事《じ》じょうや、ようす。

❸ れい文 三《さん》まく八場《はちば》のげき。 いみ げきの一《ひと》まくより小《ちい》さな区切《くぎ》り。ば。

じゅくご

❶ 場外《じょうがい》。会場《かいじょう》。開場《かいじょう》。休場《きゅうじょう》。球場《きゅうじょう》。工場《こうじょう》。市場《しじょう》。式場《しきじょう》。出場《しゅつじょう》。退場《たいじょう》。道場《どうじょう》。入場《にゅうじょう》。農場《のうじょう》。牧場《ぼくじょう》。満場《まんじょう》。来場《らいじょう》。

❷ 場面《ばめん》。場所《ばしょ》。市場《いちば》。現場《げんば》。工場《こうば》。広場《ひろば》。牧場《まきば》。運動場《うんどうじょう》。

とくべつなよみ

波止場《はとば》。

色／6画

【色】

おん ショク・シキ
くん いろ

なりたち

男《おとこ》の人《ひと》と女《おんな》の人《ひと》が遊《あそ》んでいるようすをあらわした字《じ》。女《おんな》の人《ひと》の美《うつく》しい《顔《かお》いろ》や、ようすのことから、広《ひろ》く、物《もの》の《いろ》の意味《いみ》になった。

れい文・いみ

❶ れい文 あかね色《いろ》の雲《くも》。／空気《くうき》は無色《むしょく》とう明《めい》である。／顔色《かおいろ》が青《あお》い。 いみ 赤《あか》・青《あお》・黄《き》などの、目《め》に感《かん》じる光《ひかり》のしゅるい。いろ。

❷ れい文 あまりのおどろきに色《いろ》をうしなう。／才色《さいしょく》(じょうずにやりとげる力《ちから》と、顔《かお》かたち)かねそなえている人《ひと》。 いみ 顔《かお》つき。顔《かお》かたち。

❸ れい文 秋《あき》の色《いろ》がふかまる。 いみ ものごとのようす。おもむき。けはい。

じゅくご

❶ 寒色《かんしょく》(青《あお》・緑《みどり》・紫《むらさき》など、見《み》る人《ひと》に寒《さむ》い感《かん》じをあたえるいろ)。原色《げんしょく》。暖色《だんしょく》(赤《あか》や、だいだいいろ)。着色《ちゃくしょく》。変色《へんしょく》。色彩《しきさい》。色紙《しきし》。色素《しきそ》。金色《こんじき》。色紙《いろがみ》。茶色《ちゃいろ》。

❸ 特色《とくしょく》。声色《こわいろ》。音色《ねいろ》。

とくべつなよみ

景色《けしき》。

ひつじゅん・書き方

《形《かたち》のにている字《じ》》 小《しょう》

(4画)

ひつじゅん・書き方

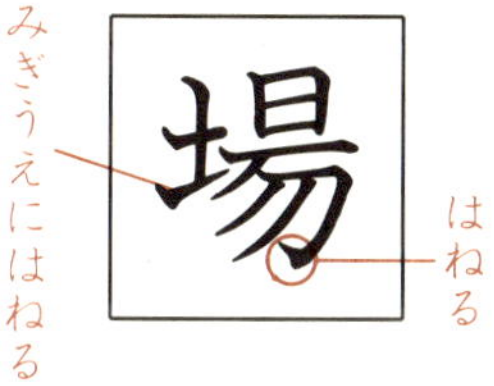

《形《かたち》のにている字《じ》》 揚《あ》げる

(12画)

ひつじゅん・書き方

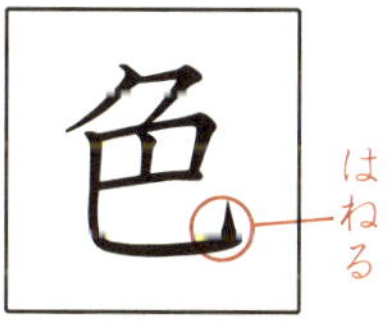

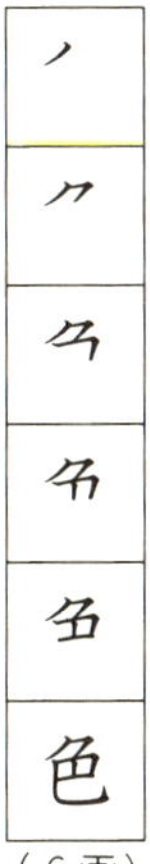

(6画)

食／9画

【食】

おん　ショク・《ジキ》
くん　くう・《くらう》・たべる

なりたち

「亼」(集《あつ》めてふたをする)と「良」(入《い》れ物《もの》にたべ物《もの》をもる)で、ごちそうを《たべる》ことや、《たべもの》のことをあらわした字《じ》。

れい文・いみ

❶ れい文 肉《にく》を食《た》べる。／大《おお》めしを食《く》らう。
いみ たべ物《もの》を口《くち》からとり入《い》れる。たべる。また、たべ物《もの》。

❷ れい文 犬《いぬ》が食《く》いつく。／かに食《く》われる。
いみ 歯《は》でかむ。虫《むし》などがからだをさす。

❸ れい文 日食《にっしょく》が始《はじ》まる。
いみ むしばむ。おかす。

じゅくご

❶ 食事《しょくじ》。食堂《しょくどう》。食費《しょくひ》。食品《しょくひん》。食用《しょくよう》。食欲《しょくよく》。食料《しょくりょう》。食器《しょっき》。会食《かいしょく》(人々《ひとびと》が集《あつ》まって、いっしょにたべ物《もの》をたべること)。外食《がいしょく》。間食《かんしょく》。給食《きゅうしょく》。試食《ししょく》。主食《しゅしょく》。絶食《ぜっしょく》。草食《そうしょく》。朝食《ちょうしょく》。肉食《にくしょく》。洋食《ようしょく》。和食《わしょく》。

❷ 虫食《むしく》い。

❸ 月食《げっしょく》。

心／4画

【心】

おん　シン
くん　こころ

なりたち

しんぞうの形《かたち》をえがいた字《じ》。うれしいときや、おどろいたとき、どきどきするしんぞうには、《こころ》があるようなので、《こころ》の意味《いみ》をあらわした。

れい文・いみ

❶ れい文 ちょうしんきで心音《しんおん》をきく。
いみ 内《ない》ぞうの一《ひと》つ。しんぞう。

❷ れい文 ご親切《しんせつ》を心《こころ》から感《かん》しゃします。／本心《ほんしん》を語《かた》る。
いみ 心《こころ》がうきうきする。せいしん。せい神《しん》。こころ。

❸ れい文 せいじの中心地《ちゅうしんち》。／重心《じゅうしん》をうしなってたおれた。
いみ 真《ま》ん中《なか》。たいせつなところ。

じゅくご

❶ 心臓《しんぞう》。

❷ 心境《しんきょう》(こころのようす)。心身《しんしん》。心配《しんぱい》。安心《あんしん》。改心《かいしん》。苦心《くしん》。決心《けっしん》。初心《しょしん》。人心《じんしん》。童心《どうしん》。内心《ないしん》。変心《へんしん》。野心《やしん》。用心《ようじん》。良心《りょうしん》。気心《きごころ》。心掛《こころが》け。

❸ 心棒《しんぼう》。求心力《きゅうしんりょく》。

とくべつなよみ

心地《ここち》。

斤／13画

新

おん シン
くん あたらしい・あらた・（にい）

なりたち

「亲」は、木《き》にはものをつけて切《き》ること。「斤」は木《き》を切《き》るおの。よく切《き》れるもので切《き》ると、切《き》り口《くち》がとても《あたらしい》感《かん》じなので《あたらしい》の意味《いみ》になった。

れい文・いみ

❶ れい文 新《あたら》しい服《ふく》を着《き》る。／新時代《しんじだい》に生《い》きる。／新《あら》たな問題《もんだい》がもちあがる。 いみ あたらしい。また、今《いま》までになく、はじめてである。 ついご 旧《きゅう》。古《こ》。

❷ れい文 決意《けつい》を新《あら》たにする。／国《くに》のせいじを刷新《さっしん》する。／面目《めんぼく》を一新《いっしん》する。 いみ 今《いま》までにないものにする。

❸ れい文 新《しん》の正月《しょうがつ》。 いみ 「新《しん》れき」のりゃく。 ついご 旧《きゅう》。

じゅくご

❶ 新案《しんあん》。新刊《しんかん》。新旧《しんきゅう》。新居《しんきょ》。新作《しんさく》。新式《しんしき》。新春《しんしゅん》。新進《しんしん》。新人《しんじん》。新設《しんせつ》。新調《しんちょう》。新年《しんねん》。新聞《しんぶん》。新緑《しんりょく》（初夏《しょか》のころの、若葉《わかば》の緑《みどり》）。最新《さいしん》。新幹線《しんかんせん》。新記録《しんきろく》。

❷ 改新《かいしん》。革新《かくしん》（今《いま》までのやり方《かた》や考《かんが》え方《かた》をあらためて、あたらしくすること）。

ひつじゅん・書き方

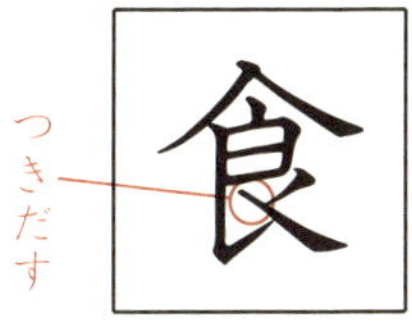

（9画）

ひつじゅん・書き方

（4画）

《形《かたち》のにている字《じ》》 必《ひつ》

ひつじゅん・書き方

（13画）

《形《かたち》のにている字《じ》》 親《おや》

見／16画

親

おん シン

くん おや・したしい・したしむ

なりたち

「亲」は、木《き》にはものをじかにつけて切《き》ること。「見」は身近《みぢか》にみること。身近《みぢか》にいて、心《こころ》がふれあうような《したしい》人《ひと》のことから、《おや》の意味《いみ》になった。

れい文・いみ

❶ れい文 親《おや》ゆずりのせいかく。 いみ 父《ちち》と母《はは》。また、父《ちち》あるいは母《はは》。おや。 ついご 子《こ》。

❷ れい文 親族《しんぞく》が集《あつ》まって相談《そうだん》する。 いみ 身《み》近《ぢか》な人《ひと》。みより。血《ち》つづき。

❸ れい文 親会社《おやがいしゃ》と子会社《こがいしゃ》。 いみ もとになる。おもだった。 ついご 子《こ》。

❹ れい文 親《した》しい友《とも》。／親《しん》ぜんにつくす。 いみ なかがよい。なかよくする。

じゅくご

❶ 両親《りょうしん》。親子《おやこ》。親心《おやごころ》。親父《おやじ》。親鳥《おやどり》。父親《ちちおや》。母親《ははおや》。親孝行《おやこうこう》。

❷ 親類《しんるい》。近親《きんしん》。肉親《にくしん》。

❸ 親方《おやかた》。親分《おやぶん》。親指《おやゆび》。

❹ 親愛《しんあい》。親交《しんこう》。親切《しんせつ》。親善《しんぜん》。親密《しんみつ》（非常《ひじょう》に仲《なか》のいいようす）。親友《しんゆう》。親近感《しんきんかん》（したしみがもてる感《かん》じ）。

口／7画

図

おん ズ・ト

くん （はかる）

なりたち

もとの字《じ》は「圖」。「啚」は米《こめ》ぐらのあるいなかの土地《とち》をえがいた字《じ》。「口」は、まわりをかこむこと。その土地《とち》の町《まち》や村《むら》を区《く》分《わ》けしてかいた《ちず》のこと。

れい文・いみ

❶ れい文 せっ計図《けいず》どおりにつくる。／図書《としょ》室《しつ》では、しずかにしましょう。 いみ 物《もの》の形《かたち》をかいたもの。また、本《ほん》。

❷ れい文 かれのだらしなさといったら、まったくもって見《み》られた図《ず》ではない。 いみ ようす。すがた。

❸ れい文 身《み》の安全《あんぜん》を図《はか》る。／作《さく》せんが図《ず》に当《あ》たった（考《かんが》えどおりになった）。 いみ 考《かんが》える。くわだてる。はかる。考《かんが》え。

じゅくご

❶ 図案《ずあん》。図画《ずが》。図解《ずかい》。図形《ずけい》。図工《ずこう》。図示《ずし》。図式《ずしき》。図表《ずひょう》。図面《ずめん》。絵図《えず》。海図《かいず》。系図《けいず》。構図《こうず》。製図《せいず》。地図《ちず》。略図《りゃくず》。設計図《せっけいず》。天気図《てんきず》。図書館《としょかん》。

❸ 意図《いと》（あることをしようと考《かんが》えること。また、その考《かんが》え）。

□ 攵／13画

【数】

おん スウ・(ス)
くん かず・かぞえる

なりたち

もとの字《じ》は「數」。「婁」は女《おんな》の人《ひと》が貝《かい》をひもで通《とお》したものをかぞえているところ。「攵」は手《て》で何《なに》かをすること。一《ひと》つ、二《ふた》つと《かぞえる》ことや《かず》のこと。

れい文・いみ

❶ れい文 数《かず》が多《おお》い。／計算《けいさん》にはアラビア数《すう》字《じ》を使《つか》う。／学年《がくねん》ごとの児童数《じどうすう》を調《しら》べる。
いみ ものの多《おお》い、少《すく》ない。かず。

❷ れい文 一《ひと》つ、二《ふた》つと声《こえ》を出《だ》して数《かぞ》える。
いみ かずを調《しら》べる。計算《けいさん》する。かぞえる。

❸ れい文 数数《かずかず》の仕事《しごと》をする。／同《おな》じ動作《どうさ》を数回《すうかい》くり返《かえ》す。／数人《すうにん》で遊《あそ》ぶ。
いみ いくつかの。

じゅくご

❶ 数学《すうがく》。数式《すうしき》。数値《すうち》。数名《すうめい》。数量《すうりょう》。回数《かいすう》。件数《けんすう》。戸数《こすう》。算数《さんすう》。小数《しょうすう》。整数《せいすう》。総数《そうすう》。多数《たすう》。点数《てんすう》。日数《にっすう》。人数《にんずう》。倍数《ばいすう》。分数《ぶんすう》。無数《むすう》。

❸ 数日《すうじつ》。数年《すうねん》。

とくべつなよみ

数珠《じゅず》。数寄屋《すきや》。数奇屋《すきや》。

ひつじゅん・書き方

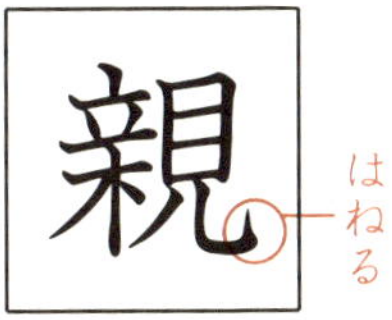

《形《かたち》のにている字《じ》》 新《しん》 顔《かお》

（16画）

ひつじゅん・書き方

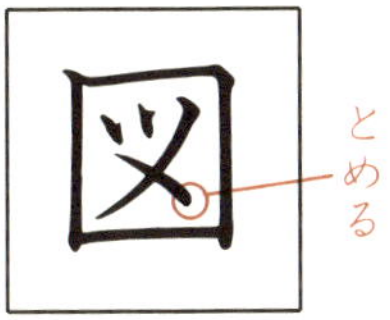

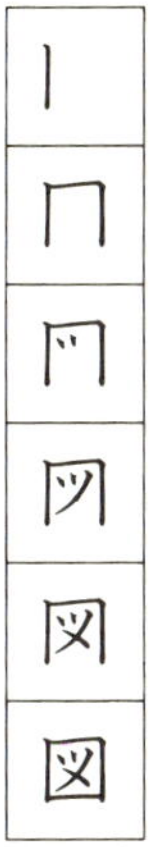

（7画）

ひつじゅん・書き方

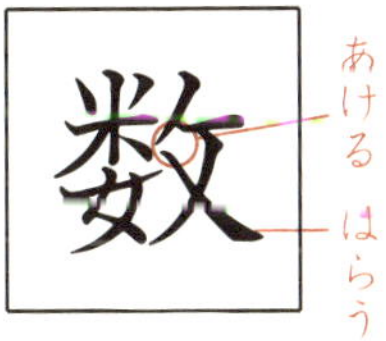

《形《かたち》のにている字《じ》》 教《きょう》

（13画）

□
西／6画

【西】

おん　セイ・サイ
くん　にし

なりたち

かごをえがいた字《じ》。かごに水《みず》を入《い》れても水《みず》が流《なが》れてしまうように、夕方《ゆうがた》になると日《ひ》の光《ひかり》が流《なが》れてなくなって暗《くら》くなるので、日《ひ》のしずむ《にし》をあらわした字《じ》。

れい文・いみ

❶ れい文 夕《ゆう》やけで西《にし》の空《そら》が赤《あか》くそまる。／西風《にしかぜ》がふく。／日本《にっぽん》ふ近《きん》では冬《ふゆ》には西高《せいこう》東低《とうてい》の気《き》あつ配《はい》ちがつづく。 いみ 太陽《たいよう》がしずむ方向《ほうこう》。にし。 ついご 東《ひがし》。

❷ れい文 西洋《せいよう》の文明《ぶんめい》。／西《せい》れきはキリストの生《う》まれた年《とし》を元年《がんねん》として数《かぞ》えた年号《ねんごう》です。 いみ ヨーロッパのこと。

❸ れい文 関西方面《かんさいほうめん》。 いみ 京都《きょうと》や大阪《おおさか》を中心《ちゅうしん》とする近畿地方《きんきちほう》。

じゅくご

❶ 西経《せいけい》。西部《せいぶ》。西日《にしび》。東西南北《とうざいなんぼく》。

□
士／7画

【声】

おん　セイ・《ショウ》
くん　こえ・（こわ）

なりたち

もとの字《じ》は「聲」。「声」は石《いし》の楽《がっ》き。「殳」は、これをぼうでたたくようす。「耳」はみみ。みみにひびく楽《がっ》きの音《おと》や、よくひびく人《ひと》や動物《どうぶつ》の《こえ》をあらわした字《じ》。

れい文・いみ

❶ れい文 声《こえ》をはりあげる。／テレビの音声《おんせい》を弱《よわ》める。／声高《こわだか》にののしり合《あ》う。／声《せい》楽《がく》を習《なら》う。／大音声《だいおんじょう》を発《はっ》する。 いみ 人《ひと》や動物《どうぶつ》が口《くち》から出《だ》す音《おと》。こえ。

❷ れい文 声明文《せいめいぶん》を読《よ》む。 いみ ことばや、こえを出《だ》す。

❸ れい文 もっと国《こく》みんの声《こえ》に耳《みみ》をかたむけてほしい。／世間《せけん》に名声《めいせい》が広《ひろ》まる。 いみ うわさ。ひょうばん。

じゅくご

❶ 声帯《せいたい》。声量《せいりょう》。悪声《あくせい》。肉声《にくせい》（マイクなどの機械《きかい》を通《とお》さない、人《ひと》の口《くち》から出《で》る、じかのこえ）。発声《はっせい》。美声《びせい》。歌声《うたごえ》。鼻声《はなごえ》。声色《こわいろ》。拡声器《かくせいき》。鳴《な》き声《ごえ》。

❷ 声優《せいゆう》（テレビやラジオや映画《えいが》などで、こえだけで出演《しゅつえん》する俳《はい》優《ゆう》）。

❸ 声価《せいか》（世間《せけん》の評判《ひょうばん》）。

日／９画

【星】

おん セイ・（ショウ）
くん ほし

なりたち

「日」は太陽《たいよう》ではなく、夜空《よぞら》にまたたくたくさんの《ほし》。「生」は、いきいきとした草《くさ》のめ。いきいきとかがやく《ほし》をあらわした字《じ》。

れい文・いみ

❶ れい文 秋空《あきぞら》に星《ほし》がかがやく。／人工《じんこう》えい星《せい》を打《う》ちあげる。／よいの明星《みょうじょう》。 いみ 夜《よ》空《ぞら》にきらきらとかがやいて見《み》える天体《てんたい》。ほし。

❷ いみ 小《ちい》さなまるや点《てん》。また、ねらい。

❸ れい文 星《ほし》らしいとにらむ。／星《ほし》に、にげられる。 いみ はん人《にん》。

❹ れい文 星《ほし》を分《わ》ける。／金星《きんぼし》をあげる。 いみ 勝《か》ち負《ま》けをあらわす白黒《しろくろ》のしるし。

じゅくご

❶ 星雲《せいうん》。星座《せいざ》。衛星《えいせい》。火星《かせい》。金星《きんせい》。土星《どせい》。木星《もくせい》。流星《りゅうせい》。星空《ほしぞら》。北極星《ほっきょくせい》。星月夜《ほしづきよ》。星祭《ほしまつ》り。一番星《いちばんぼし》。流《なが》れ星《ぼし》。

❷ 図星《ずぼし》（考《かんが》えていたとおりのこと）。目星《めぼし》（だいたいのねらい）。

❹ 黒星《くろぼし》。白星《しろぼし》。星取《ほしと》り表《ひょう》。

ひつじゅん・書き方

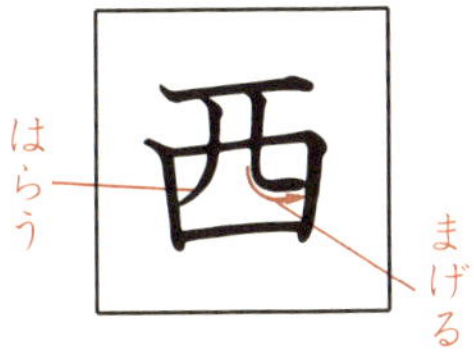

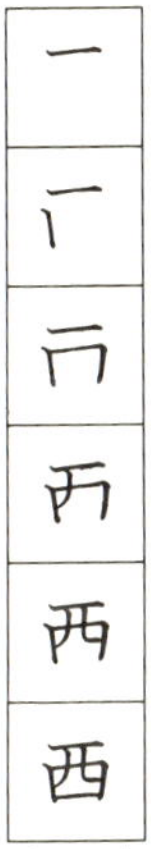

（６画）

丙《へい》

《形《かたち》のにている字《じ》》

ひつじゅん・書き方

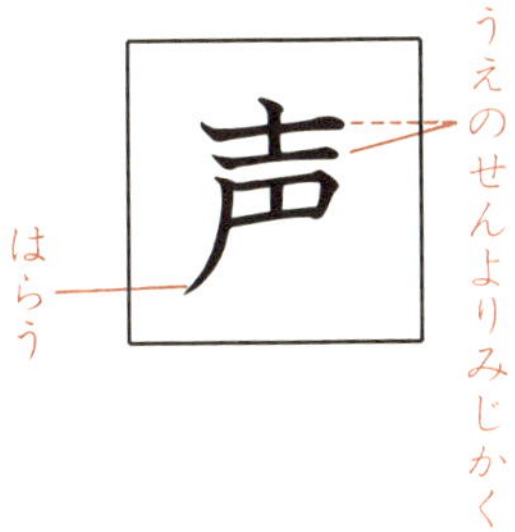

（７画）

ひつじゅん・書き方

（９画）

皇《こう》

《形《かたち》のにている字《じ》》

日／12画

【晴】

おん セイ
くん はれる・はらす

なりたち

「日」は太陽《たいよう》、「青」は草《くさ》のめと、いどのきれいな水《みず》が合《あ》わさったもので、すみきって、あおいこと。あおい空《そら》に太陽《たいよう》がかがやいて《はれる》こと。

ひつじゅん・書き方

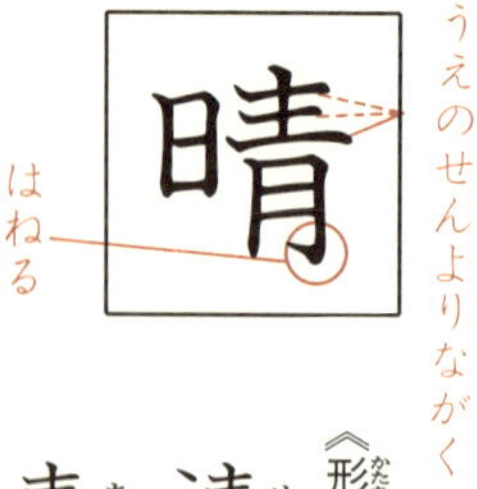

《形《かたち》のにている字《じ》》
清《せい》　青《あお》

（12画）

れい文・いみ

❶ れい文 もう十日間《とおかかん》も晴《は》れの日《ひ》がつづく。／午前中《ごぜんちゅう》は雨《あめ》ですが、午後《ごご》には晴《は》れるでしょう。／晴雨計《せいうけい》の目《め》もりを読《よ》む。 いみ 青空《あおぞら》が広《ひろ》がり、日《ひ》がてる。はれる。また、日《ひ》がてること。はれ。

❷ れい文 うたがいが晴《は》れる。 いみ 心《こころ》がさっぱりする。さっぱりさせる。はれる。はらす。

❸ れい文 姉《あね》は晴《は》れのぶ台《たい》で、ピアノをひいた。／お正月《しょうがつ》には晴《は》れ着《ぎ》を着《き》ます。 いみ おもてむきの。正式《せいしき》の。

《晴《は》れのぶ台《たい》》

じゅくご

❶ 晴雨《せいう》。晴天《せいてん》。快晴《かいせい》（空《そら》が気《き》持《も》ちよく、はれわたっていること）。晴《は》れ間《ま》。秋晴《あきば》れ。

❷ 晴耕雨読《せいこううどく》 ⇩（639ページ上）
日本晴《にほんば》れ。

❸ 晴《は》れ姿《すがた》（表立《おもてだ》った場所《ばしょ》に堂々《どうどう》と出《で》た姿《すがた》）。

とくべつなよみ

五月晴《さつきば》れ。

《お正月《しょうがつ》の晴《は》れ着《ぎ》》

刀／4画

切

おん セツ・(サイ)
くん きる・きれる

なりたち

「七」は立《た》てたぼうをななめにすぱっときること。「刀」は、かたな。かたなで《きる》こと。また、手《て》や足《あし》が《きれる》ように感《かん》じること。

ひつじゅん・書き方

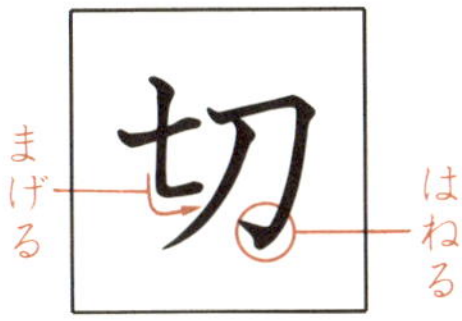

一	七	切	切

(4画)

れい文・いみ

❶ れい文 色紙《いろがみ》を切《き》る。／電話線《でんわせん》が切《せつ》だんされた。 いみ はものなどを使《つか》って分《わ》けはなす。きる。

❷ れい文 電話《でんわ》を切《き》る。／人通《ひとどお》りが切《き》れる。／話《はな》し合《あ》いを打《う》ち切《き》る。 いみ つづいていたものを、終《お》わりにする。つづかなくなる。終《お》わりになる。きる。きれる。

❸ れい文 期《き》げんを切《き》る。／売《う》り場《ば》を仕《し》切《き》る。 いみ かぎる。きまりをつける。きる。

❹ れい文 ストーブの油《あぶら》が切《き》れる。／品切《しなぎ》れになる。 いみ なくなる。つきる。きれる。

❺ れい文 父《ちち》のぶ事《じ》を切望《せつぼう》(強《つよ》くのぞむこと)する。／身《み》のふ安《あん》を切実《せつじつ》に(心《こころ》に強《つよ》く思《おも》うようす)感《かん》じる。／君《きみ》は親切《しんせつ》な人《ひと》だ。 いみ 心《こころ》にせまるようす。しきりに。

❻ れい文 一切《いっさい》(すべて)を、かくさずに話《はな》す。 いみ すべて。

❼ れい文 本《ほん》を読《よ》み切《き》る。／言《い》い切《き》る。 いみ さい後《ご》まで…する。

❽ いみ 分《わ》けはなしたものの一《ひと》つ一《ひと》つ。

じゅくご

❶ 切開《せっかい》。切断《せつだん》。切腹《せっぷく》。切《き》り絵《え》。切《き》り株《かぶ》。切《き》り口《くち》。切《き》れ味《あじ》。

❷ 打《う》ち切《き》り。

❸ 区切《くぎ》り。

❺ 大切《たいせつ》。痛切《つうせつ》(強《つよ》く、身《み》にしみて感《かん》じるようす)。適切《てきせつ》(ぴったり当《あ》てはまるようす)。切《せつ》ない(胸《むね》がしめつけられるような思《おも》いがしてつらかったり、悲《かな》しかったり、さびしかったりするようす)。

❽ 切《き》り身《み》(魚《さかな》の肉《にく》を料理《りょうり》しやすい大《おお》きさにきり分《わ》けたもの)。

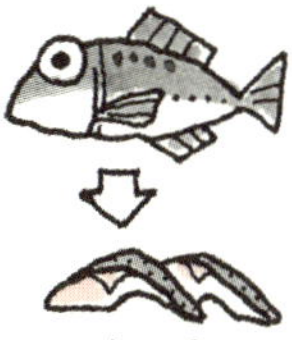
《切《き》り身《み》》

□ 雨／11画

雪

おん セツ
くん ゆき

なりたち

もとは「䨮」と書《か》いた。「彗」は、ほうき。「雨」は天《てん》からふる雨《あま》つぶ。地面《じめん》をほうきではいたようにきれいにする天《てん》からふるもののことから、《ゆき》の意《い》味《み》となった。

れい文・いみ

❶ れい文 雪《ゆき》だるまをつくって遊《あそ》ぶ。／雪国《ゆきぐに》に春《はる》がおとずれる。／じょ雪《せつ》作《さ》業《ぎょう》が始《はじ》まる。いみ 大気中《たいきちゅう》の水《すい》じょう気《き》がひえてかたまり、ふってくるもの。ゆき。

❷ れい文 第二《だいに》せんは五対二《ごたいに》で雪《せつ》じょく（い前《ぜん》に負《ま》かされた相手《あいて》に勝《か》って名《めい》よをとりもどすこと）する。いみ りっぱなことをして、はじをすすぐ。

じゅくご

❶ 雪原《せつげん》。降雪《こうせつ》。残雪《ざんせつ》。除雪《じょせつ》。新雪《しんせつ》。積雪《せきせつ》。風雪《ふうせつ》。粉雪《こなゆき》。根雪《ねゆき》（降《ふ》り積《つ》もったままとけないで、春《はる》まで残《のこ》っているゆき）。初雪《はつゆき》。雪《ゆき》かき。雪合戦《ゆきがっせん》。雪景色《ゆきげしき》。雪解《ゆきど》け。

とくべつなよみ

雪崩《なだれ》。吹雪《ふぶき》。

□ 舟／11画

船

おん セン
くん ふね・ふな

なりたち

くぼみにそって水《みず》が流《なが》れることをあらわす「㕣」と「舟」（ふね）を合《あ》わせた字《じ》。流《なが》れにそって進《すす》むことのできる大《おお》きな《ふね》を意《い》味《み》する字《じ》。

れい文・いみ

れい文 飛行機《ひこうき》をり用《よう》しないで、船《ふね》で外国《がいこく》へ行《い》く。／船足《ふなあし》がとてもはやい。／大《おお》ぜいの人《ひと》が船出《ふなで》を見《み》送《おく》る。／おじさんは、大《おお》がたタンカーの船長《せんちょう》をしています。いみ 人《ひと》や荷《に》物《もつ》などをのせて、水《みず》の上《うえ》を進《すす》む乗《の》り物《もの》。ふね。

《船出《ふなで》を見送《みおく》る》

じゅくご

船員《せんいん》。船客《せんきゃく》。船室《せんしつ》。船首《せんしゅ》。船体《せんたい》。船団《せんだん》。船頭《せんどう》。船腹《せんぷく》。汽船《きせん》。客船《きゃくせん》。漁船《ぎょせん》。乗船《じょうせん》。造船《ぞうせん》。風船《ふうせん》。母船《ぼせん》。和船《わせん》（日本《にっぽん》で、むかしからつくられてきた木《き》のふね）。宝船《たからぶね》。船旅《ふなたび》。船賃《ふなちん》。船乗《ふなの》り。

とくべつなよみ

伝馬船《てんません》。

糸／15画

線

おん　セン
くん　―

なりたち

「泉」(水《みず》がちょろちょろと細《ほそ》く流《なが》れ出《で》てくるいずみ)と、「糸」(細《ほそ》いいと)を合《あ》わせた字《じ》。長《なが》く細《ほそ》い《せん》をあらわした。

れい文・いみ

❶ れい文 電線《でんせん》をつなぐ。／し線《せん》をそらす。
いみ 糸《いと》のように細長《ほそなが》くのびたすじ。また、すじのように進《すす》むもの。せん。

❷ れい文 電車《でんしゃ》がだっ線《せん》する。
いみ 交通《こうつう》の道《みち》すじ。

❸ れい文 ひじょう線《せん》をはる。
いみ さかいとなるすじ。

❹ れい文 その線《せん》で話《はなし》を進《すす》める。
いみ ものごとの方《ほう》しん。

じゅくご

❶ 曲線《きょくせん》。光線《こうせん》。視線《しせん》。垂線《すいせん》。直線《ちょくせん》。点線《てんせん》。配線《はいせん》。等温線《とうおんせん》。等高線《とうこうせん》。

❷ 線路《せんろ》。沿線《えんせん》。支線《しせん》。脱線《だっせん》。新幹線《しんかんせん》。

❸ 戦線《せんせん》。海岸線《かいがんせん》。水平線《すいへいせん》。地平線《ちへいせん》。非常線《ひじょうせん》。

とくべつなよみ

三味線《しゃみせん》。

ひつじゅん・書き方

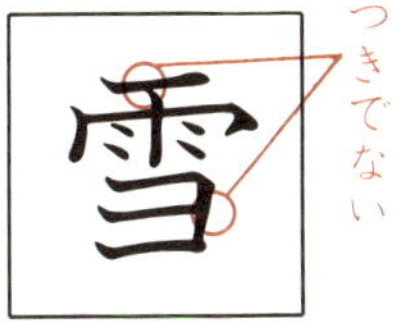

《形《かたち》のにている字《じ》》　雲《くも》

(11画)

ひつじゅん・書き方

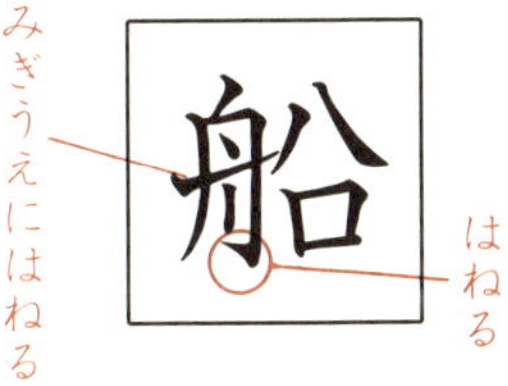

《形《かたち》のにている字《じ》》　般《はん》

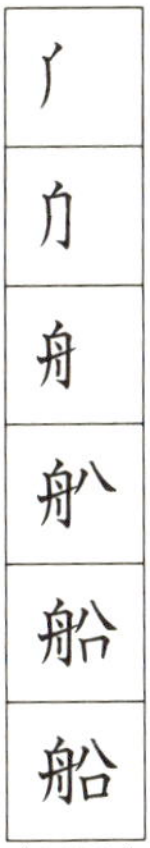

(11画)

ひつじゅん・書き方

《形《かたち》のにている字《じ》》　緑《みどり》

(15画)

□
刂／9画

【前】

おん ゼン
くん まえ

なりたち
「亠」は「止」がかんたんになったもので、足《あし》の形《かたち》。「月」は月《つき》ではなくて舟《ふね》の形《かたち》。「刂」は刀《かたな》。どれも《まえ》につき出《だ》すものをあらわすことから、《まえ》の意味《いみ》になった。

れい文・いみ

❶ れい文 駅前《えきまえ》の広場《ひろば》。／前方《ぜんぽう》に林《はやし》が見《み》える。
いみ 顔《かお》が向《む》いている方向《ほうこう》。まえ。ついご 後《ご》。

❷ れい文 それは前《まえ》に書《か》いてあるでしょう。
いみ 先《さき》に当《あ》たる部分《ぶぶん》。ついご 後《ご》。

❸ れい文 十年《じゅうねん》ほど前《まえ》。／近代以前《きんだいいぜん》。いみ ある時《とき》よりむかしの時《とき》。まえ。ついご 後《ご》。

❹ いみ ある時《とき》より、先《さき》。

❺ いみ 人数《にんずう》をあらわすことばにつけて、その人数《にんずう》に合《あ》うりょうをあらわすことば。

じゅくご

❶ 前後《ぜんご》。前進《ぜんしん》。前面《ぜんめん》。眼前《がんぜん》。門前町《もんぜんまち》。

❷ 前期《ぜんき》。前半《ぜんはん》。前文《ぜんぶん》。前略《ぜんりゃく》（手紙《てがみ》で、すぐに用件《ようけん》を書《か》くときの、はじめのことば）。

❸ 前日《ぜんじつ》。前世《ぜんせ》。前任《ぜんにん》。前例《ぜんれい》。午前《ごぜん》。食前《しょくぜん》。直前《ちょくぜん》。

❹ 前触《まえぶ》れ。

❺ 分《わ》け前《まえ》。

□
糸／11画

【組】

おん ソ
くん くむ・くみ

なりたち
重《かさ》ねることをあらわす「且」と「糸」（いと）を合《あ》わせた字《じ》。糸《いと》をより合《あ》わせてあんだ《くみひも》のこと。《くみ合《あ》わせる》《くみ合《あ》わせたもの》という意味《いみ》になった。

れい文・いみ

❶ れい文 うでを組《く》んで考《かんが》えこむ。／けんちくの足場《あしば》を組《く》む。／もけい飛行機《ひこうき》を組《く》み立《た》てる。／新内《しんない》かくを組《そ》しきする。いみ からみ合《あ》わせる。人《ひと》や物《もの》の、まとまった集《あつ》まりをかたちづくる。くむ。

❷ れい文 三人《さんにん》ずつが一組《ひとく》みになる。／二年《にねん》一組《いちくみ》のじ童《どう》。／組合《くみあい》の大会《たいかい》に出《で》る。いみ まとまりのある集《あつ》まり。なかま。くみ。

❸ いみ「組合《くみあい》」のりゃく。

じゅくご

❶ 組閣《そかく》（総理大臣《そうりだいじん》が、ほかの国務大臣《こくむだいじん》を決《き》めて、新《あたら》しく内閣《ないかく》をつくること）。組織《そしき》。

❷ 腕組《うでぐ》み。取《と》り組《く》み。組《く》み合《あ》わせ。

❸ 労組《ろうそ》（「労働組合《ろうどうくみあい》」の略《りゃく》）。

走／7画

走

おん ソウ

くん はしる

＋ 止 → 走

なりたち

「土」は、ここでは土《つち》ではなく、手《て》を大《おお》きくふって、大《おお》またではしっている人《ひと》のようす。それに「止」(あし)を合《あ》わせて《はしる》ことをあらわした字《じ》。

れい文・いみ

❶ れい文 百《ひゃく》メートルを一気《いっき》に走《はし》る。／兄《あに》は、走《はし》りはばとびのせん手《しゅ》です。／車《くるま》のメーターで走行《そうこう》きょりをはかる。 いみ 足《あし》をはやく動《うご》かして進《すす》む。かける。また、車《くるま》などが速度《そくど》をあげて動《うご》く。はしる。

❷ れい文 ご送中《そうちゅう》のはん人《にん》がすきをねらってだっ走《そう》(入《い》れられている所《ところ》から、ぬけ出《だ》してにげること)した。 いみ にげる。

じゅくご

❶ 走者《そうしゃ》。競走《きょうそう》。縦走《じゅうそう》(登山《とざん》のとき、いくつもの山《やま》を尾根《おね》づたいに歩《ある》くこと)。助走《じょそう》。独走《どくそう》。暴走《ぼうそう》。力走《りきそう》(力《ちから》いっぱいはしること)。走《はし》り高跳《たかと》び。

❷ 脱走《だっそう》。敗走《はいそう》。

とくべつなよみ

師走《しわす》。

ひつじゅん・書き方

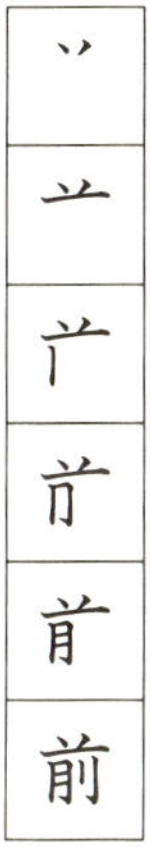

(9画)

ひつじゅん・書き方

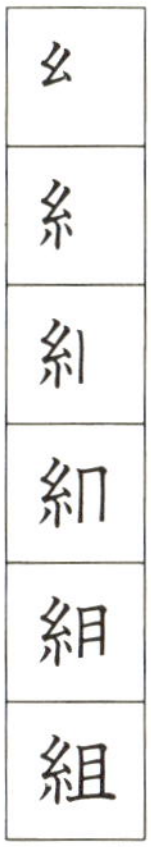

(11画)

祖《そ》 《形《かたち》のにている字《じ》》

ひつじゅん・書き方

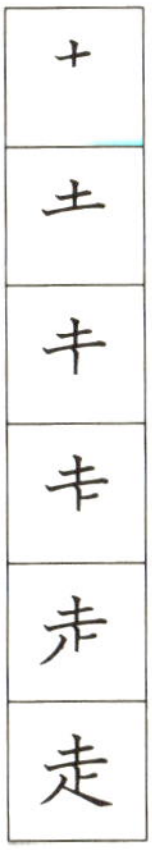

(7画)

徒《と》 《形《かたち》のにている字《じ》》

タ／6画

【多】

おん タ

くん おおい

なりたち

「夕」は夕方《ゆうがた》ではなく肉《にく》のかたまり。これを二《ふた》つ合《あ》わせて、肉《にく》が重《かさ》なっているようすをあらわしたことから、《おおい》の意《い》味《み》になった。

れい文・いみ

れい文 このところ雨《あめ》の日《ひ》が多《おお》い。／遊園《ゆうえん》地《ち》が多《おお》くの人《ひと》びとでにぎわう。／みんなの意見《いけん》が分《わ》かれたので、多《た》数《すう》決《けつ》で決《き》めた。／交通事《こうつうじ》こが多《た》発《はっ》する。

いみ 数《かず》や、りょうがたくさんである。

ついご 少《しょう》。

《多《た》数決《すうけつ》で決《き》める》

じゅくご

多額《たがく》。多才《たさい》（いろいろな方面《ほうめん》にすぐれた能力《のうりょく》があること）。多少《たしょう》。多数《たすう》。多大《ただい》。多難《たなん》（苦《くる》しみや困難《こんなん》がおおいようす）。多年《たねん》。多分《たぶん》。多量《たりょう》。最多《さいた》。雑多《ざった》。多角形《たかくけい》。

多種多様《たしゅたよう》⇩（640ページ上）

前途多難《ぜんとたなん》⇩（639ページ下）

薄利多売《はくりたばい》⇩（641ページ上）

大／4画

【太】

おん タイ・タ

くん ふとい・ふとる

なりたち

もとの字《じ》は「大」（おおきい）の字《じ》に、二《ふた》つ重《かさ》ねるというしるしの「二」をつけた字《じ》。大《おお》きいものが二《ふた》つ重《かさ》なることから、《ふとい》ことをあらわした。

れい文・いみ

❶ れい文 光《ひか》りかがやく太陽《たいよう》。 いみ 大《おお》きい。

❷ れい文 こう太子《たいし》がこう位《い》をつぐ。 いみ おおもと。もっともたっとい。

❸ れい文 太平《たいへい》（ひじょうに平和《へいわ》である）の世《よ》がつづく。 いみ ひじょうな。たいへん。

❹ れい文 太《ふと》い柱《はしら》。／太《ふと》い声《こえ》。 いみ 物《もの》のはばやまわりが大《おお》きい。また、声《こえ》や音《おと》が力強《ちからづよ》い。ふとい。 ついご 細《ほそ》い。

じゅくご

❷ 皇太子《こうたいし》。

❸ 太古《たいこ》（大《おお》むかし）。

❹ 丸太《まるた》。太《ふと》っ腹《ぱら》（小《ちい》さなことにこだわらない、心《こころ》の広《ひろ》く大《おお》きなこと。また、そのような人《ひと》）。

とくべつなよみ

太刀《たち》。

□ イ／7画

体

おん タイ・(テイ)
くん からだ

なりたち

もとの字《じ》は「體」。「骨」は、ほね。「豊」は、きちんとならぶ。ほねがきちんとならんでいる《からだ》のこと。今《いま》の「体」は「イ」と「本」を合《あ》わせた字《じ》で、人《ひと》のはたらきのもとになる《からだ》の意味《いみ》。

れい文・いみ

❶ れい文 体《たい》そうで体《からだ》をきたえる。／とっさに体《たい》をかわす。／体温《たいおん》が高《たか》い。／体重《たいじゅう》をはかる。
いみ 人《ひと》や物《もの》の頭《あたま》・手《て》・足《あし》・どうなどの全《ぜん》たい。からだ。

❷ れい文 立方体《りっぽうたい》の体積《たいせき》。／美《うつく》しい文体《ぶんたい》。／体《てい》さい(見《み》かけ)を重《おも》んじる。
いみ かたち。ようす。また、おおもと。

❸ れい文 林間学校《りんかんがっこう》で野外生活《やがいせいかつ》を体験《たいけん》する。
いみ からだで感《かん》じとる。身《み》につける。

じゅくご

❶ 体位《たいい》。体育《たいいく》。体格《たいかく》。体形《たいけい》。体質《たいしつ》。体操《たいそう》。体調《たいちょう》。体力《たいりょく》。人体《じんたい》。肉体《にくたい》。体《からだ》つき。

❷ 体系《たいけい》。体制《たいせい》。液体《えきたい》。気体《きたい》。固体《こたい》。実体《じったい》。全体《ぜんたい》。大体《だいたい》。団体《だんたい》。天体《てんたい》。物体《ぶったい》。本体《ほんたい》。立体《りったい》。体裁《ていさい》。直方体《ちょくほうたい》。

❸ 体得《たいとく》(自分《じぶん》でやってみて、わざを身《み》につけること)。

ひつじゅん・書き方

多

ややおおきく

ノ　ク　タ　多　多　多
(6画)

ひつじゅん・書き方

太

そろえる

《形《かたち》のにている字《じ》》
大《だい》　犬《いぬ》　木《き》

一　ナ　大　太
(4画)

ひつじゅん・書き方

体

とめる

《形《かたち》のにている字《じ》》
休《やす》む

イ　仁　什　休　休　体
(7画)

□ 口／5画

台

おん ダイ・タイ
くん ——

なりたち

もとの字《じ》は「臺」で、「土」「高」「至」を合《あ》わせた字《じ》。土《つち》を高《たか》くもりあげた《見《み》はらしだい》をあらわした。今《いま》はかんたんな「台」の字《じ》をかわりに使《つか》う。

れい文・いみ

❶ れい文 広《ひろ》い**台地**《だいち》。／天文**台**《てんもんだい》を見学《けんがく》する。 いみ 高《たか》くなっていてあたりを見回《みまわ》せる所《ところ》。

❷ れい文 ロケットの発《はっ》しゃ**台**《だい》。 いみ 人《ひと》や物《もの》をのせるもの。だい。

❸ れい文 しょう来《らい》のための土**台**《どだい》をきずく。 いみ もとになるもの。

❹ れい文 二《に》おく円《えん》の大**台**《おおだい》。 いみ おおよそのはんいをしめすことば。

❺ いみ 車両《しゃりょう》や、きかいなどを数《かぞ》えることば。

じゅくご

❶ **高台**《たかだい》。**灯台**《とうだい》。**気象台**《きしょうだい》。

❷ **台所**《だいどころ》。**鏡台**《きょうだい》。**滑**《すべ》**り台**《だい》。**発**《はっ》**射台**《しゃだい》。**踏**《ふ》**み台**《だい》。**台**《だい》**ばかり**。

❸ **台紙**《だいし》。**台帳**《だいちょう》（あることがらの元《もと》になる帳面《ちょうめん》）。**台本**《だいほん》（舞《ぶ》たいや場面《ばめん》のようす、俳優《はいゆう》の動《うご》き、せりふなどが書《か》いてある本《ほん》）。

❹ **五百円台**《ごひゃくえんだい》。**二十秒台**《にじゅうびょうだい》。

❺ **生産台数**《せいさんだいすう》。

□ 土／6画

地

おん チ・ジ
くん ——

なりたち

からだが横《よこ》にのびたへびをえがいた「也」と「土」（つち）を合《あ》わせた字《じ》。たて横《よこ》に広《ひろ》がりのある《とち》を意味《いみ》する。

れい文・いみ

❶ れい文 **地**《じ》しんが起《お》こる。／**地**中《ちちゅう》にうめる。 いみ つち。 ついご 天《てん》。

❷ いみ 物《もの》の下《した》の部分《ぶぶん》。 ついご 天《てん》。

❸ れい文 み開《かい》（ひらかれていない）の**地**《ち》を行《い》く。／**地**元《じもと》の人《ひと》びと。 いみ かぎられた所《ところ》。

❹ れい文 **地**位《ちい》があがる。 いみ 身分《みぶん》や立場《たちば》。

❺ れい文 きぬの生**地**《きじ》。／ドラマの世界《せかい》を**地**《じ》で行《い》く。 いみ もともとのせいしつ。ありのまま。

じゅくご

❶ **地下**《ちか》。**地球**《ちきゅう》。**地形**《ちけい》。**地上**《ちじょう》。**地図**《ちず》。**地底**《ちてい》。**山地**《さんち》。**大地**《だいち》。**土地**《とち》。**地面**《じめん》。**地平線**《ちへいせん》。

❷ **天地**《てんち》。

❸ **地区**《ちく》。**地方**《ちほう》。**産地**《さんち》。

❺ **地声**《じごえ》。**地道**《じみち》。**裏地**《うらじ》。

とくべつなよみ **心地**《ここち》。**意気地**《いくじ》。

氵／6画

池

おん　チ
くん　いけ

なりたち

「氵」は水《みず》。「也」は、からだが横《よこ》にのびたへびで、のびて広《ひろ》がること。水《みず》がたまって、平《たい》らに広《ひろ》がっている《いけ》をあらわす。

れい文・いみ

れい文　公園《こうえん》の池《いけ》でボートをこぐ。／学校《がっこう》の池《いけ》にこいをはなす。／古池《ふるいけ》の水《みず》がにごる。／日《ひ》でりつづきで貯水池《ちょすいち》がひあがる。

いみ　くぼんだ地形《ちけい》に水《みず》がたまってできたもの。ふつう、みずうみや、ぬまより小《ちい》さなものをいう。また、水《みず》や、水《みず》のようなものをためておく所《ところ》。いけ。

じゅくご

電池《でんち》。遊水池《ゆうすいち》。用水池《ようすいち》。ため池《いけ》。

《公園《こうえん》の池《いけ》》

ひつじゅん・書き方

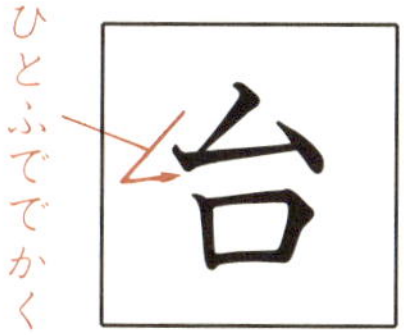

《形《かたち》のにている字《じ》》
治《おさ》める

（5画）

ひつじゅん・書き方

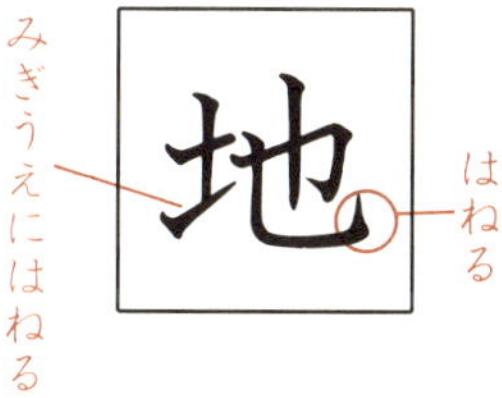

《形《かたち》のにている字《じ》》
他《た》　池《いけ》

（6画）

ひつじゅん・書き方

《形《かたち》のにている字《じ》》
地《ち》

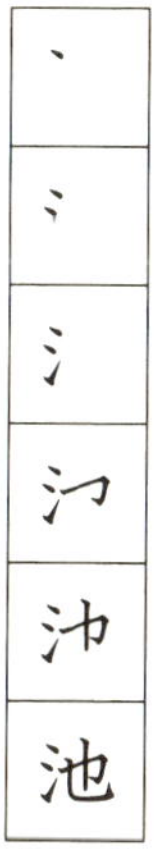

（6画）

□ 矢／8画

【知】

おん チ
くん しる

なりたち

「矢」は、まっすぐ進《すす》むや。やがまとに当《あ》たったように、わかった答《こた》えを「口」で言《い》うこと。《よくわかる》こと、《しる》ことを意味《いみ》する。

れい文・いみ

❶ れい文 新聞《しんぶん》で事《じ》けんを知《し》る。／身《み》のきけんを察知《さっち》する。 いみ 心《こころ》に感《かん》じとる。さとる。しる。

❷ れい文 かれを知《し》っている。／きゅう知《ち》の友《とも》。 いみ しりあいである。また、しりあい。

❸ れい文 来月《らいげつ》、県知事《けんちじ》のせんきょがある。 いみ せいじをおこなう。

❹ れい文 才知《さいち》にとむ。／知《ち》せいゆたかな人《ひと》。 いみ 頭《あたま》のすぐれたはたらき。

じゅくご

❶ 知覚《ちかく》。承知《しょうち》。通知《つうち》。未知《みち》（まだしらないこと。また、まだしられていないこと）。予知《よち》。

❷ 知人《ちじん》。旧知《きゅうち》。知《し》り合《あ》い。

❹ 知恵《ちえ》。知識《ちしき》。知性《ちせい》。知能《ちのう》。英知《えいち》。機知《きち》（その場《ば》でとっさにとらえてはたらかすち恵《え》）。無知《むち》（ち識《しき》がないこと）。理知《りち》。

□ 艹／9画

【茶】

おん チャ・（サ）
くん ——

なりたち

もとの字《じ》は「荼」。「余」はスコップのようなものでおしのばしてゆったりさせること。「艹」は草《くさ》。飲《の》めばからだがのびのびとゆったりする《おちゃ》のこと。

れい文・いみ

❶ れい文 茶《ちゃ》をつむ。／山《やま》のしゃ面《めん》の茶畑《ちゃばたけ》。 いみ つばきのなかまのせのひくい木《き》。その葉《は》を飲《の》み物《もの》の原《げん》りょうとする。また、その飲《の》み物《もの》。ちゃ。

❷ れい文 茶《ちゃ》を立《た》てる。 いみ ちゃの湯《ゆ》。また、茶《ちゃ》❶などを飲《の》むこと。

❸ いみ 色《いろ》の一《ひと》つ。茶《ちゃ》❶をこく、に出《だ》した色《いろ》。

❹ れい文 お茶《ちゃ》をにごす。 いみ いいかげんなこと。ふざけること。

じゅくご

❶ 紅茶《こうちゃ》。新茶《しんちゃ》。製茶《せいちゃ》。番茶《ばんちゃ》（新芽《しんめ》をつみとった後《あと》のかたい葉《は》でつくった、あまり上質《じょうしつ》でないおちゃ）。麦茶《むぎちゃ》。緑茶《りょくちゃ》。喫茶店《きっさてん》。お茶漬《ちゃづ》け。

❷ 茶室《ちゃしつ》。茶道《さどう》。茶《ちゃ》わん。

❸ 茶色《ちゃいろ》。

❹ 茶目《ちゃめ》。

日／9画

【昼】

おん チュウ
くん ひる

なりたち

もとの字《じ》は「晝」。「聿」は筆《ふで》を持《も》つようす。「旦」は日《ひ》のてる時間《じかん》をここからここまでと筆《ふで》で区切《くぎ》った形《かたち》で、太陽《たいよう》のかがやく《ひる》を意味《いみ》する。

れい文・いみ

❶ れい文 夏《なつ》は冬《ふゆ》よりも昼《ひる》の時間《じかん》が長《なが》い。／昼夜《ちゅうや》れんぞくではたらく。 いみ 日《ひ》の出《で》から日《ひ》の入《い》りまでの時間《じかん》。ひる。 ついご 夜《よる》。

❷ れい文 昼《ひる》ごろになって雨《あめ》がふり出《だ》した。／お昼《ひる》をすぎてから家《いえ》を出《で》る。／昼《ひる》の時《じ》ほうを聞《き》く。／昼食《ちゅうしょく》をとる。 いみ 正午《しょうご》。また、正午前後《しょうごぜんご》の時間《じかん》。

じゅくご

❶ 昼間《ちゅうかん》。白昼《はくちゅう》（ひるの最中《さいちゅう》）。昼寝《ひるね》。昼間《ひるま》。昼夜兼行《ちゅうやけんこう》⇩（640ページ中）

❷ 昼飯《ひるめし》。真昼《まひる》。昼御飯《ひるごはん》。昼休《ひるやす》み。昼下《ひるさ》がり。

ひつじゅん・書き方

和《わ》

《形《かたち》のにている字《じ》》

（8画）

ひつじゅん・書き方

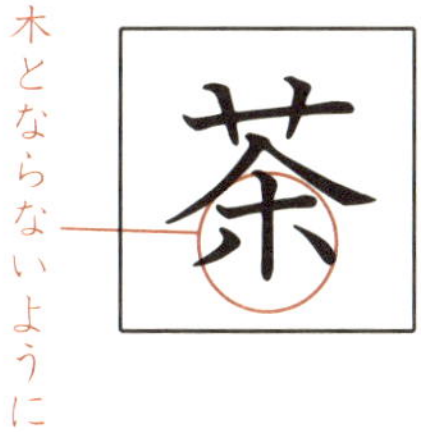

（9画）

ひつじゅん・書き方

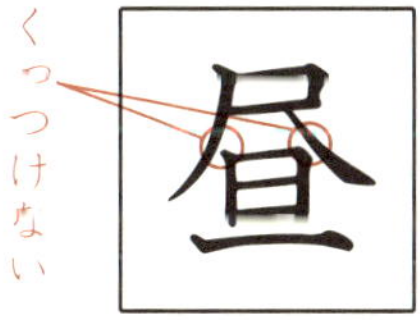

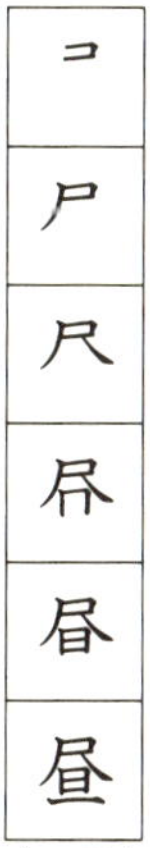

（9画）

長／8画

【長】

おん チョウ
くん なが い

なりたち

《ながい》かみの毛《け》をなびかせた年《とし》よりの人《ひと》をえがいた字《じ》。広《ひろ》く、《ながい》こと。また《年上《としうえ》の人《ひと》》のことをあらわす。

ひつじゅん・書き方

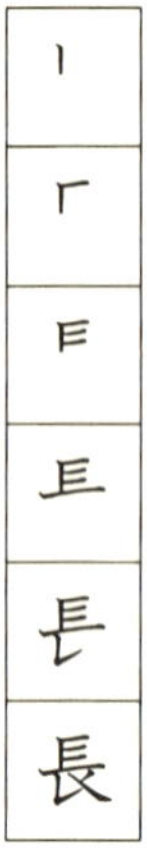

（8画）

れい文・いみ

❶ れい文 ビルの長《なが》いかげ。／身長《しんちょう》をはかる。 いみ きょりや、すんぽうなどが大《おお》きい。ながい。 ついご 短《たん》。

❷ れい文 秋《あき》は夜《よる》が長《なが》い。／音《おと》を長《なが》くのばす。／長期《ちょうき》にわたってたいざいする。 いみ ある時《とき》から他《た》のある時《とき》までの時間《じかん》のさが大《おお》きい。ながい。 ついご 短《たん》。

❸ れい文 えん長戦《ちょうせん》にもつれこむ。 いみ のびる。のばす。

❹ れい文 ことしはいねの生長《せいちょう》が早《はや》い。 いみ 大《おお》きく育《そだ》つ。大《おお》きく育《そだ》てる。

❺ れい文 年長《ねんちょう》の人《ひと》の意見《いけん》をきく。 いみ 年上《としうえ》。目上《めうえ》。目上《めうえ》の人《ひと》。

❻ れい文 わたしがこの家《いえ》の長女《ちょうじょ》です。 いみ きょうだいの中《なか》で、もっとも年上《としうえ》。

❼ れい文 この研究《けんきゅう》では、かれに一日《いちにち》の長《ちょう》がある。／だれにでも一長一短《いっちょういったん》がある。 いみ まさる。すぐれたもの。 ついご 短《たん》。

❽ れい文 せんきょで市長《しちょう》をえらぶ。 いみ かしら。代表者《だいひょうしゃ》。

じゅくご

❶ 長身《ちょうしん》。長短《ちょうたん》。全長《ぜんちょう》。体長《たいちょう》。長靴《ながぐつ》。長方形《ちょうほうけい》。

❷ 長命《ちょうめい》(ながく生《い》きること)。長居《ながい》(訪問先《ほうもんさき》など、一《ひと》つの場所《ばしょ》にながくいること)。長年《ながねん》。夜長《よなが》。長持《ながも》ち。

❸ 延長《えんちょう》。増長《ぞうちょう》(だんだんひどくなること)。

❹ 成長《せいちょう》。

❺ 長老《ちょうろう》。

❻ 長兄《ちょうけい》。長男《ちょうなん》。

❼ 長所《ちょうしょ》。一長一短《いっちょういったん》 ⇩(635ページ)

❽ 院長《いんちょう》。駅長《えきちょう》。学長《がくちょう》。議長《ぎちょう》。区長《くちょう》。校長《こうちょう》。社長《しゃちょう》。船長《せんちょう》。総長《そうちょう》。村長《そんちょう》。町長《ちょうちょう》。

とくべつなよみ

八百長《やおちょう》。

絵《え》からできた漢字《かんじ》(4)

（上《うえ》から順番《じゅんばん》に変化《へんか》して、現在《げんざい》の漢字《かんじ》の字体《じたい》となりました。）

鳥／11画

鳥

おん　チョウ
くん　とり

なりたち

長《なが》いおっぽをたれた、《とり》をえがいた字《じ》。

れい文・いみ

れい文　鳥《とり》のように空《そら》をとびたいと思《おも》う。／白鳥《はくちょう》やつるは、冬《ふゆ》になると日本《にっぽん》へやってくるわたり鳥《どり》で、冬鳥《ふゆどり》とよばれる。／きじは、日本《にっぽん》の国鳥《こくちょう》です。いみ　動物《どうぶつ》のなかま。全身《ぜんしん》が羽《はね》でおおわれていて、つばさがあり、くちばしをもっている。ほとんどのものが空《そら》をとぶ。大《おお》きさ・形《かたち》・色《いろ》はさまざまで、しゅるいが多《おお》い。とり。

じゅくご

鳥類《ちょうるい》。益鳥《えきちょう》（害虫《がいちゅう》を食《た》べるなどして、人間《にんげん》にとって役立《やくだ》つとり）。害鳥《がいちょう》。野鳥《やちょう》。小鳥《ことり》。千鳥《ちどり》。水鳥《みずとり》。七面鳥《しちめんちょう》。保護鳥《ほごちょう》。鳥小屋《とりごや》。一石二鳥《いっせきにちょう》 ⇩（635ページ中）

月／12画

朝

おん　チョウ
くん　あさ

なりたち

もとの字《じ》は「𠦝舟」で、「𠦝」は、はたがあがるように日《ひ》がのぼっていくようすをあらわし、《あさ》の意味《いみ》をあらわす。「舟」（のちに「月」）は音《おん》（チョウ）をあらわす。

れい文・いみ

❶れい文　ハイキングの日《ひ》は、朝早《あさはや》く家《いえ》を出《で》る。／朝食《ちょうしょく》をとる。いみ　夜明《よあ》けからしばらくのあいだ。また、夜明《よあ》けから正午《しょうご》までの時間《じかん》。あさ。

❷れい文　朝《ちょう》ていに仕《つか》える人《ひと》。いみ　天子《てんし》・天《てん》のう・王《おう》がせいじをおこなう所《ところ》。

❸れい文　奈良朝時代《ならちょうじだい》の文化《ぶんか》。いみ　天子《てんし》・天《てん》のう・王《おう》が国《くに》をおさめる期間《きかん》。

じゅくご

❶朝刊《ちょうかん》。朝礼《ちょうれい》。早朝《そうちょう》。明朝《みょうちょう》。翌朝《よくちょう》。朝顔《あさがお》。朝晩《あさばん》。朝日《あさひ》。朝夕《あさゆう》。翌朝《よくあさ》。朝焼《あさや》け（日《ひ》の出《で》の少《すこ》し前《まえ》、東《ひがし》の空《そら》が赤《あか》く染《そ》まって見《み》えること）。朝令暮改《ちょうれいぼかい》 ⇩（640ページ中）

❸王朝《おうちょう》。平安朝《へいあんちょう》。

とくべつなよみ

今朝《けさ》。

目／8画

【直】

おん チョク・ジキ

くん ただちに・なおす・なおる

なりたち

「目」は、め。「十」は、もと「|」で、まっすぐな線《せん》。「乚」は、ものをかくすついたて。「直」は、かくしたものを正《ただ》しく見《み》ることから、《まっすぐ》の意味《いみ》をあらわす。

れい文・いみ

❶ れい文 直立《ちょくりつ》のしせい。／車《くるま》が直進《ちょくしん》する。
いみ まっすぐである。ついご 曲《きょく》。

❷ れい文 えい語《ご》の発音《はつおん》を直《なお》す。／仲直《なかなお》りする。
いみ 正《ただ》しくする。なおす。なおる。

❸ れい文 そっ直《ちょく》に語《かた》る。／正直《しょうじき》な人《ひと》。
いみ 心《こころ》がねじけていない。すなお。ついご 曲《きょく》。

❹ れい文 直《ただ》ちに行《い》く。／現場《げんば》に直行《ちょっこう》する。
いみ あいだに何《なに》もない。すぐに。

❺ いみ 番《ばん》に当《あ》たる。

じゅくご

❶ 直線《ちょくせん》。直列《ちょくれつ》。直下《ちょっか》。直角《ちょっかく》。直径《ちょっけい》。

❸ 実直《じっちょく》(まじめで、しょうじきなようす)。率直《そっちょく》。

❹ 直営《ちょくえい》。直後《ちょくご》。直接《ちょくせつ》。直前《ちょくぜん》。直通《ちょくつう》。直感《ちょっかん》(はっきりした根《こん》拠《きょ》がないのに、ただちに感《かん》じとること)。直結《ちょっけつ》。

❺ 宿直《しゅくちょく》。当直《とうちょく》。日直《にっちょく》。

ひつじゅん・書き方

(11画)

《形《かたち》のにている字《じ》》
島《しま》

ひつじゅん・書き方

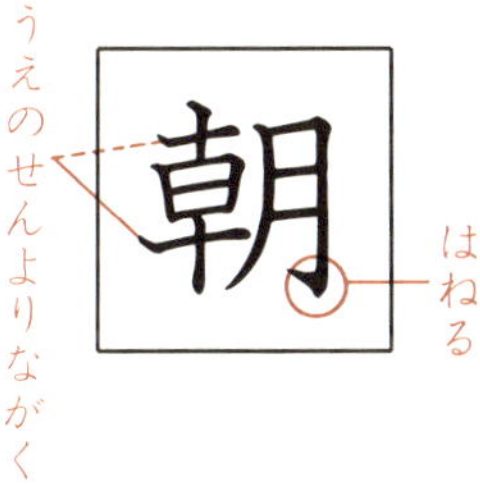

(12画)

ひつじゅん・書き方

(8画)

《形《かたち》のにている字《じ》》
植《しょく》

通

辶／10画

おん ツウ・《ツ》
くん とおる・とおす・かよう

なりたち

「甬」は人《ひと》が足《あし》で地面《じめん》をふんでつきとおそうとしているようす。「辶」は先《さき》へ進《すす》んで歩《ある》くようす。じゃまになるものを、《とおりぬける》ことをあらわす。

ひつじゅん・書き方

マ　了　月　甬　甬　通
（10画）

《形《かたち》のにている字《じ》》
道《みち》

れい文・いみ

❶ れい文 この道《みち》はとなりの町《まち》まで通《つう》じている。／鉄道《てつどう》が開通《かいつう》する。 いみ ある所《ところ》からある所《ところ》までをむすぶ。あるはんいをつきぬける。とおる。とおす。

❷ れい文 実《じっ》けんを通《とお》して新事実《しんじじつ》がわかった。／父《ちち》は通《つう》やくをしている。 いみ 中間《ちゅうかん》でとりつぐ。なかだちをする。

❸ れい文 小学校《しょうがっこう》に通《かよ》う。 いみ 行《い》き来《き》する。かよう。

❹ れい文 気持《きも》ちが相手《あいて》に通《つう》じない。／合《ごう》かくの通知《つうち》がくる。／たがいに心《こころ》を通《かよ》わせる。 いみ とどかせる。知《し》らせる。

❺ れい文 共通《きょうつう》の話題《わだい》。／ふ通《つう》の生活《せいかつ》。 いみ 広《ひろ》くいきわたる。広《ひろ》く知《し》られている。

❻ れい文 夜通《よどお》し仕事《しごと》にはげむ。／本《ほん》を通読《つうどく》する。 いみ 始《はじ》めから終《お》わりまで。

❼ れい文 地理《ちり》に通《つう》じている人《ひと》。／えい画通《がつう》。 いみ ものごとをよく知《し》っている。

❽ れい文 二通《につう》の手紙《てがみ》を一通《いっつう》は速《そく》たつで出《だ》す。 いみ 書《しょ》るいや手紙《てがみ》などを数《かぞ》えることば。

じゅくご

❶ 通過《つうか》。通行《つうこう》。通路《つうろ》。直通《ちょくつう》。不通《ふつう》（交《こう》つうや電話《でんわ》などが、つうじなくなること）。便通《べんつう》。通《とお》り道《みち》。

❷ 通訳《つうやく》。

❸ 通学《つうがく》。通勤《つうきん》。

❹ 通告《つうこく》（正式《せいしき》に決《き》まったことを文《ぶん》書《しょ》などで知《し》らせること）。通信《つうしん》。通達《つうたつ》（役所《やくしょ》から知《し》らせること）。通帳《つうちょう》。通報《つうほう》。通話《つうわ》。交通《こうつう》。流通《りゅうつう》。

❺ 通貨《つうか》。通常《つうじょう》。通用《つうよう》。普通《ふつう》。

❼ 精通《せいつう》（あるものごとについて、細《こま》かい点《てん》までくわしく知《し》っていること）。映画通《えいがつう》。音楽通《おんがくつう》。外国通《がいこくつう》。

弓／7画

【弟】

おん （テイ）・ダイ・（デ）

くん おとうと

なりたち

つる草《くさ》がぼうにからんでいる、そのひくいところに「ノ」のしるしをつけて、ひくいことをあらわした字《じ》。兄《あに》よりもせがひくい年下《としした》の《おとうと》のことを意味《いみ》する。

ひつじゅん・書き方

（7画）

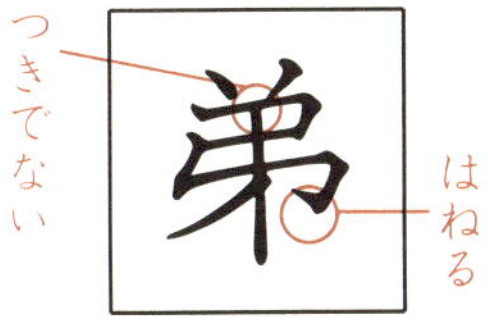

《形《かたち》のにている字《じ》》

第《だい》

れい文・いみ

❶ れい文 わたしには弟《おとうと》がふたりいます。／となりの家《いえ》の兄弟《きょうだい》は、とてもなかがよいことで有名《ゆうめい》です。 いみ きょうだいの中《なか》で、あとに生《う》まれた男《おとこ》の子《こ》。おとうと。 ついご 兄《あに》。

❷ れい文 あのおどりのおしょうさんには、たくさんのお弟子《でし》さんがいる。／兄《あに》は、しょうぎの先生《せんせい》と、し弟《てい》のかん係《けい》をむすんでいます。／お花《はな》の発表会《はっぴょうかい》には、大《おお》ぜいの門弟《もんてい》が集《あつ》まった。 いみ 先生《せんせい》について教《おし》えを受《う》ける人《ひと》。

《たくさんの弟子《でし》》

じゅくご

❶ **義弟**《ぎてい》（義理《ぎり》のおとうと。妻《つま》または、夫《おっと》のおとうとや妹《いもうと》の夫《おっと》のこと）。**子弟**《してい》（年《とし》の若《わか》い者《もの》）。**末弟**《まってい》（いちばん下《した》のおとうと。「ばってい」とも読《よ》む）。

❷ **高弟**《こうてい》（いちばんすぐれたでし）。**師弟**《してい》。

广／8画

店

おん テン
くん みせ

なりたち

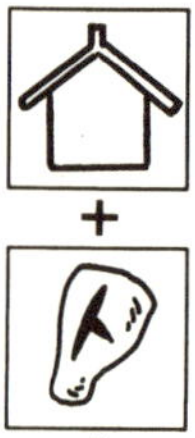

店

「占」は、《みせ》を開《ひら》くとき、うらないで場所《ばしょ》を決《き》めること。「广」は屋根《やね》のある家《いえ》。この場所《ばしょ》と決《き》めて商売《しょうばい》をする所《ところ》のことから、《みせ》のこと。

ひつじゅん・書き方

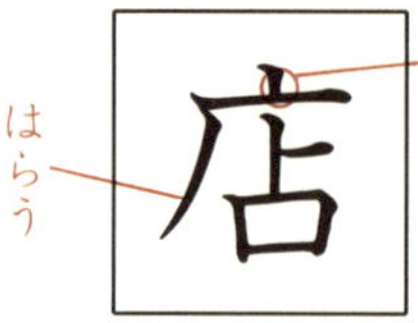

点《てん》
《形《かたち》のにている字《じ》》

亠 广 庁 庐 店 店
（8画）

れい文・いみ

れい文 駅前通《えきまえどお》りは、毎朝九時《まいあさくじ》に店《みせ》をあけます。／あのラーメン店《てん》は、いつも店先《みせさき》が客《きゃく》でにぎわっている。／大手《おおて》のスーパーマーケットが町《まち》の中心地《ちゅうしんち》に店開《みせびら》きをする。／駅《えき》の売《ばい》店《てん》で週《しゅう》かんしを買《か》う。／あの本屋《ほんや》さんには、感《かん》じのいい店員《てんいん》さんがいる。

いみ 品物《しなもの》をならべて売《う》る所《ところ》。みせ。

《店開《みせびら》き》

《駅《えき》の売店《ばいてん》》

じゅくご

店主《てんしゅ》（商売《しょうばい》をする家《いえ》の主人《しゅじん》）。**店長**《てんちょう》。**店頭**《てんとう》（みせの入《い》り口《ぐち》のあたり）。**開店**《かいてん》。**支店**《してん》。**書店**《しょてん》。**商店**《しょうてん》。**閉店**《へいてん》。**本店**《ほんてん》。**夜店**《よみせ》。**名店街**《めいてんがい》。**代理店**《だいりてん》。**屋台店**《やたいみせ》（移動《いどう》できるように車《くるま》をつけた台《だい》に、屋根《やね》をつけた小《ちい》さな家《いえ》の形《かたち》をしたみせ）。**店**《みせ》**じまい**（みせをしめて、その日《ひ》の商売《しょうばい》をやめること。また、商売《しょうばい》をやめてしまうこと）。

点

灬／9画

おん テン
くん ——

なりたち

もとの字《じ》は「點」。「黒」は黒《くろ》いすす、「占」は、うらないで決《き》めることをあらわす。決《き》めたところに、黒《くろ》いしるしをつけることから、《てん》の意味《いみ》をあらわす。

ひつじゅん・書き方

《形《かた》のにている字《じ》》
店《みせ》

（９画）

れい文・いみ

❶ れい文 点線《てんせん》のところを切《き》る。／点《てん》と点《てん》をむすぶ。 いみ 小《ちい》さなしるし。てん。

❷ れい文 東海道線《とうかいどうせん》の起点《きてん》は東京駅《とうきょうえき》です。／先方《せんぽう》に着《つ》いた時点《じてん》で家《いえ》に電話《でんわ》する。 いみ ある決《き》まった場所《ばしょ》や時《とき》。

❸ れい文 ぎ問点《もんてん》をメモする。／相手《あいて》の弱点《じゃくてん》をつく。／要点《ようてん》をかんたんにのべる。 いみ とくべつのことがら。

❹ れい文 テストで百点《ひゃくてん》をとった。 いみ せいせきなどを数字《すうじ》であらわしたもの。てん。

❺ れい文 出発前《しゅっぱつまえ》に整列《せいれつ》して点《てん》こ(ひとりひとりの名前《なまえ》をよび、返事《へんじ》を聞《き》いて人数《にんずう》をたしかめること)をとる。 いみ 一《ひと》つ一《ひと》つ調《しら》べること。

❻ れい文 ストーブを点火《てんか》する。 いみ 火《ひ》や明《あ》かりをつける。

❼ れい文 点《てん》てきで、えいようをおぎなう。 いみ しずくをたらす。注《そそ》ぐ。

❽ れい文 絵《え》を三点《さんてん》出品《しゅっぴん》する。 いみ 作品《さくひん》・品物《しなもの》のしゅるいを数《かぞ》えることば。

じゅくご

❶ 点字《てんじ》。黒点《こくてん》。句読点《くとうてん》。

❷ 基点《きてん》。終点《しゅうてん》。地点《ちてん》。頂点《ちょうてん》。氷点《ひょうてん》。

❸ 欠点《けってん》。重点《じゅうてん》。難点《なんてん》(よくないところ。また、あつかいにくいところ)。美点《びてん》(人《ひと》や物《もの》の性質《せいしつ》や、はたらきで、すぐれているところ)。利点《りてん》(便利《べんり》なところ。また、有利《ゆうり》なところ)。疑問点《ぎもんてん》。

❹ 点数《てんすう》。減点《げんてん》。採点《さいてん》(てん数《すう》をつけること)。次点《じてん》。同点《どうてん》。得点《とくてん》。満点《まんてん》。

❺ 点検《てんけん》(悪《わる》いところや、まちがいがないかどうか一《ひと》つ一《ひと》つ調《しら》べること)。点呼《てんこ》。

❻ 点灯《てんとう》(明《あ》かりをつけること)。

雨／13画

【電】

おん デン
くん ―

なりたち

「」は、ぴかっと光《ひか》るいなずまの形《かたち》。「電」は雨雲《あまぐも》からいなずまが落《お》ちるようす。いなびかりは、でん気《き》で起《お》こるので、《でんき》の意味《いみ》に使《つか》う。

れい文・いみ

❶れい文 やみ夜《よ》をぬって電光《でんこう》が走《はし》る。いみ いなびかり。いなずま。
❷れい文 発電所《はつでんしょ》から高《こう》あつ送電線《そうでんせん》で電気《でんき》が送《おく》られる。／電子《でんし》ぎじゅつが発《はっ》たつする。いみ でんきのこと。
❸れい文 列車事《れっしゃじ》このニュースが外電《がいでん》で入《はい》る。いみ「電信《でんしん》」または、「電話《でんわ》」のりゃく。
❹れい文 市電《しでん》に乗《の》ってハイキングに行《い》く。いみ「電車《でんしゃ》」のりゃく。

じゅくご

❶電光石火《でんこうせっか》⇩(640ページ中)
❷電圧《でんあつ》。電化《でんか》。電球《でんきゅう》。電源《でんげん》。電車《でんしゃ》。電線《でんせん》。電柱《でんちゅう》。電灯《でんとう》。電波《でんぱ》。電流《でんりゅう》。電力《でんりょく》。感電《かんでん》。節電《せつでん》(でん気《き》をむだに使《つか》わないように節約《せつやく》すること)。発電《はつでん》。
❸電文《でんぶん》。祝電《しゅくでん》。打電《だでん》。

刀／2画

【刀】

おん トウ
くん かたな

なりたち

そりかえった《かたな》の形《かたち》をえがいた字《じ》。かたがわにはがついて、そっている。上《うえ》のほうは、手《て》で持《も》つところ。

れい文・いみ

れい文 刀《かたな》をさやからぬきはなつ。／小刀《こがたな》で木《き》をけずる。／木刀《ぼくとう》をかた手《て》に身《み》がまえる。／むかし、ぶしは大刀《だいとう》と小刀《しょうとう》の二《に》本《ほん》の刀《かたな》をこしにさして歩《ある》いた。いみ うすく細長《ほそなが》い形《かたち》で、かたほうにだけはがついている、物《もの》を切《き》る道具《どうぐ》。かたな。

じゅくご

刀身《とうしん》(かたなの、さやの中《なか》につつまれた本体《ほんたい》の部分《ぶぶん》)。短刀《たんとう》。名刀《めいとう》。日本刀《にほんとう》。

とくべつなよみ

太刀《たち》。竹刀《しない》。

□ 夂／5画

【冬】

おん トウ
くん ふゆ

なりたち

「夂」は食《た》べ物《もの》を糸《いと》でぶらさげたようす。「⺀」は、つめたくはった氷《こおり》。どちらも《ふゆ》になるとよく目《め》につくものなので《ふゆ》をあらわす字《じ》となった。

れい文・いみ

れい文 スキーとスケートは冬《ふゆ》の代表《だいひょう》てきなスポーツだ。／冬空《ふゆぞら》に雪《ゆき》がまう。／かえるは土《つち》の中《なか》で冬《とう》みんする。／あしたが、こよみのうえで立冬《りっとう》(こよみのうえで、ふゆが始《はじ》まる日《ひ》。十一月八《じゅういちがつよう》日《か》ごろ)です。 いみ 四《し》きの一《ひと》つ。秋《あき》と春《はる》のあいだのきせつ。十二《じゅうに》月《がつ》から二月《にがつ》の三《さん》か月《げつ》。ふゆ。

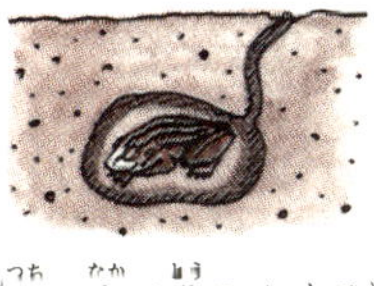

《土《つち》の中《なか》で冬《とう》みんする》

じゅくご

冬季《とうき》。冬期《とうき》。冬至《とうじ》。初冬《しょとう》。暖冬《だんとう》。冬鳥《ふゆどり》。冬物《ふゆもの》(ふゆのあいだに着《き》る衣類《いるい》)。冬山《ふゆやま》。冬休《ふゆやす》み。春夏秋冬《しゅんかしゅうとう》。

ひつじゅん・書き方

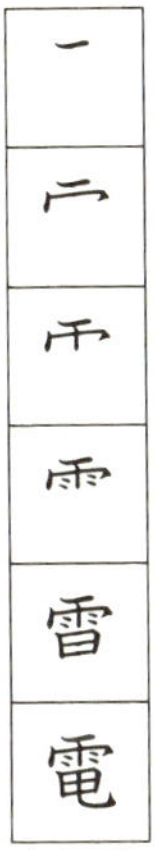

(13画)

《形《かたち》のにている字《じ》》 雷《かみなり》

ひつじゅん・書き方

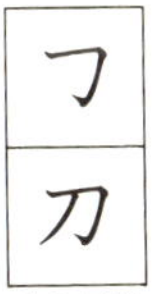

(2画)

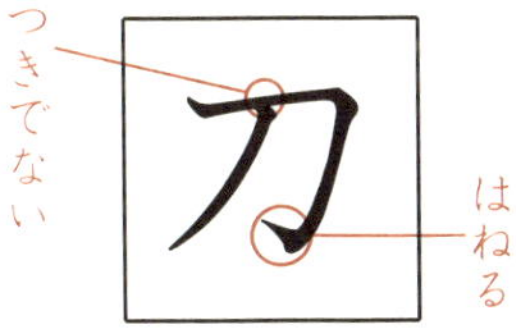

《形《かたち》のにている字《じ》》 力《ちから》 刃《は》 切《き》る

ひつじゅん・書き方

(5画)

小／6画

当

おん トウ
くん あたる・あてる

なりたち

もとの字《じ》は「當」。「尚」は家《いえ》のまどから空気《くうき》が入《い》れかわるようす。田《た》や畑《はたけ》を売《う》り買《か》いするとき、それとつりあうねうちのものと、ぴったり、取《と》りかえることから、ぴたりと《あてはまる》こと。

れい文・いみ

❶れい文 柱《はしら》に当《あ》たる。いみ ぶつかる。
❷れい文 会場《かいじょう》のあん内役《ないやく》に当《あ》たる。いみ 引《ひ》き受《う》ける。受《う》けもつ。
❸れい文 母《はは》の姉《あね》に当《あ》たる。いみ かん係《けい》がある。あてはまる。
❹れい文 それは当《あ》たり前《まえ》だ。／当然《とうぜん》の話《はなし》。いみ そうであるべき。
❺れい文 当面《とうめん》の問題《もんだい》。／当人《とうにん》の話《はなし》を聞《き》く。いみ さしあたっての。問題《もんだい》になっている。

じゅくご

❷当直《とうちょく》。当番《とうばん》。担当《たんとう》。
❸当選《とうせん》。見当《けんとう》。相当《そうとう》。適当《てきとう》。
❹順当《じゅんとう》。正当《せいとう》。不当《ふとう》（理屈《りくつ》に合《あ》わないようす）。本当《ほんとう》。
❺当局《とうきょく》。当時《とうじ》。当日《とうじつ》。当初《とうしょ》（ものごとの初《はじ》めのうち）。

木／8画

東

おん トウ
くん ひがし

なりたち

中《なか》にぼうを通《とお》して、両《りょう》はしをしばったふくろをえがいた字《じ》。つきぬけることをあらわす。太陽《たいよう》が地平線《ちへいせん》をつきぬけるようにして出《で》てくる方角《ほうがく》の《ひがし》のこと。

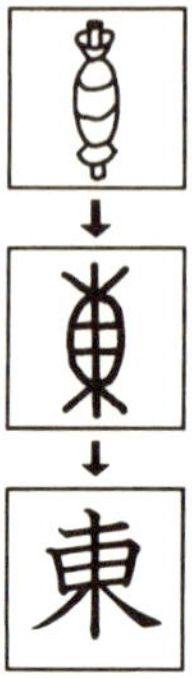

れい文・いみ

❶れい文 東《ひがし》の空《そら》が白《しら》む。／この道《みち》は東西《とうざい》へのびている。いみ 太陽《たいよう》が出《で》る方向《ほうこう》。ひがし。ついご 西《にし》。
❷れい文 極東《きょくとう》の国《くに》ぐに。いみ アジアのこと。
❸れい文 関東《かんとう》地方《ちほう》に台風《たいふう》が上《じょう》りくした。いみ 日本《にっぽん》のひがしの地方《ちほう》。とくに、箱根《はこね》よりもひがしの地方《ちほう》。
❹いみ 「東京《とうきょう》」のりゃく。

じゅくご

❶東経《とうけい》。東風《ひがしかぜ》。東西南北《とうざいなんぼく》。東奔西走《とうほんせいそう》⇩（640ページ中）
❷東洋《とうよう》。
❸東海道《とうかいどう》。
❹東名高速道路《とうめいこうそくどうろ》。

⺮／12画

【答】

おん トウ
くん こたえる・こたえ

なりたち

＋

↓
答

「⺮」は竹《たけ》。「合」は、ぴたりとあうこと。竹《たけ》でできた、ふたと身《み》がぴたりとあう箱《はこ》のことから、聞《き》かれたことに、ぴったりあった《こたえ》のことをあらわした字《じ》。

れい文・いみ

〔れい文〕しつ問《もん》に答《こた》える。／問題《もんだい》の答《こた》えを書《か》く。／そつ業生《ぎょうせい》を代表《だいひょう》して答辞《とうじ》をのべる。／アンケートに多《おお》くの回答《かいとう》（しつ問《もん》に対《たい》するこたえ）がよせられた。

〔いみ〕問《と》いかけや、はたらきかけにおうじる。返事《へんじ》。問題《もんだい》などをとくこと。こたえる。こたえ。

〔ついご〕問《もん》。

《答《こた》えを書《か》く》

じゅくご

答案《とうあん》。応答《おうとう》（呼《よ》ばれたことや質問《しつもん》にこたえること）。解答《かいとう》。確答《かくとう》（はっきりした返事《へんじ》や、こたえ）。返答《へんとう》。名答《めいとう》。問答《もんどう》。口答《くちごた》え。質疑応答《しつぎおうとう》。自問自答《じもんじとう》⇩（638ページ上）。受《う》け答《こた》え。

ひつじゅん・書き方

当

ツとしない

（6画）

ひつじゅん・書き方

東

とめる
はらう

《形《かたち》のにている字《じ》》
束《そく》

（8画）

ひつじゅん・書き方

答

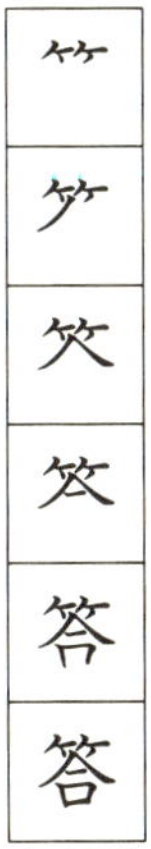
（12画）

頭

頁／16画

おん トウ・ズ・《ト》
くん あたま・（かしら）

なりたち

「頁」は、あたま。「豆」は、あしのついた台《だい》の形《かたち》で、まっすぐ立《た》っていることをあらわす。からだの上《うえ》にまっすぐに立《た》っている《あたま》のこと。

れい文・いみ

❶ れい文 頭《あたま》がいたむ。／頭《とう》部《ぶ》にけがをする。 いみ 人《ひと》や動物《どうぶつ》の首《くび》から上《うえ》の部分《ぶぶん》。あたま。

❷ れい文 先頭《せんとう》を走《はし》る。／年頭《ねんとう》のあいさつ。 いみ もののはじめ。先《さき》のほう。

❸ れい文 銀行《ぎんこう》の頭取《とうどり》。／旅館《りょかん》の番頭《ばんとう》。 いみ 集《しゅう》だんの中《なか》でいちばん上《うえ》の人《ひと》。かしら。

❹ れい文 街頭《がいとう》でえんぜつをする。 いみ あたり。近《ちか》く。

❺ いみ 大《おお》きな動物《どうぶつ》などを数《かぞ》えることば。

じゅくご

❶ 頭上《ずじょう》。頭痛《ずつう》。頭脳《ずのう》。
❷ 巻頭《かんとう》（本《ほん》や雑誌《ざっし》などの、いちばん初《はじ》めの部分《ぶぶん》）。
❸ 船頭《せんどう》。
❹ 店頭《てんとう》。
❺ 二頭《にとう》。

同

口／6画

おん ドウ
くん おなじ

なりたち

四角《しかく》い板《いた》にあなをあけた形《かたち》で、まっすぐあけたあなは、向《む》こうのあなもこちらのあなも《おなじ》形《かたち》であることをあらわした字《じ》。

れい文・いみ

❶ れい文 兄《あに》と同《おな》じ学校《がっこう》に通《かよ》う。／顔《かお》を見合《みあ》わせて同時《どうじ》にわらい出《だ》した。／こころざしを同《おな》じくする。／先生《せんせい》と同行《どうこう》する。 いみ ちがいがない。ひとしい。おなじ。また、そのようにする。おなじくする。

❷ れい文 合同《ごうどう》で練習《れんしゅう》する。 いみ 一《ひと》つにする。一《ひと》つになる。

❸ れい文 一同《いちどう》そろって体《たい》そうをする。 いみ なかま。

じゅくご

❶ 同一《どういつ》。同期《どうき》。同級《どうきゅう》。同業《どうぎょう》。同席《どうせき》。同窓《どうそう》（おなじ学校《がっこう》またはおなじ先生《せんせい》について学《まな》んだこと。また、その人《ひと》）。同点《どうてん》。同等《どうとう》。同様《どうよう》。共同《きょうどう》。
❷ 同化《どうか》。
❸ 同士《どうし》（おなじ仲間《なかま》）。同志《どうし》（おなじ考《かんが》えや目的《もくてき》などをもっていること。また、その人々《ひとびと》）。

辶／12画

道

おん ドウ・《トウ》
くん みち

なりたち

「首」は人《ひと》のくび。「辶」は進《すす》んで行《い》くことで、人《ひと》がくびをまっすぐ前《まえ》に向《む》けて歩《ある》いて行《い》く《みち》のこと。

れい文・いみ

❶ れい文 坂道《さかみち》を下《くだ》る。／歩道《ほどう》を歩《ある》く。 いみ 人《ひと》や車《くるま》などが通《とお》る所《ところ》。みち。

❷ れい文 人《ひと》の道《みち》にはずれる。／道理《どうり》を重《おも》んじる。 いみ 人《ひと》として守《まも》るべきこと。みち。

❸ れい文 歌手《かしゅ》への道《みち》を歩《あゆ》む。／茶道《さどう》を習《なら》う。 いみ ぎじゅつや、げい事《ごと》などのやり方《かた》。みち。

❹ いみ 地方《ちほう》自《じ》ち体《たい》としての「北海道《ほっかいどう》」のりゃく。

じゅくご

❶ 道路《どうろ》。沿道《えんどう》。街道《かいどう》。旧道《きゅうどう》。公道《こうどう》(国《くに》・県《けん》・市《し》などがつくった、だれが通《とお》ってもよいみち)。国道《こくどう》。参道《さんどう》。私道《しどう》。車道《しゃどう》。水道《すいどう》。鉄道《てつどう》。道端《みちばた》。近道《ちかみち》。

❷ 道徳《どうとく》。人道《じんどう》。

❸ 道具《どうぐ》。道場《どうじょう》。武道《ぶどう》。

❹ 道庁《どうちょう》。都道府県《とどうふけん》。

ひつじゅん・書き方

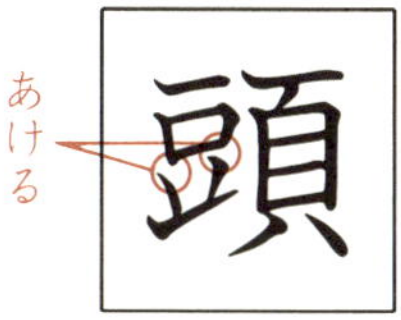

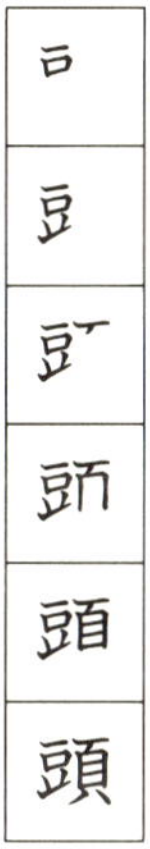

(16画)

《形《かたち》のにている字《じ》》 領《りょう》 顔《かお》

ひつじゅん・書き方

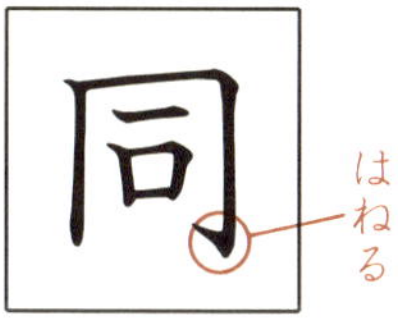

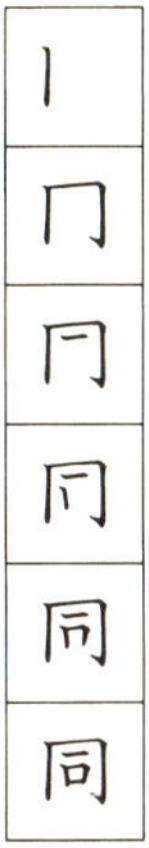

(6画)

《形《かたち》のにている字《じ》》 回《かい》

ひつじゅん・書き方

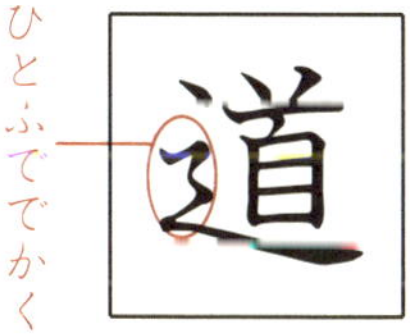

(12画)

《形《かたち》のにている字《じ》》 通《とお》る

□ 言／14画

【読】

おん ドク・トク・トウ
くん よむ

なりたち

もとの字《じ》は「讀」。「言」は、ことば、「賣」は、次《つぎ》つぎとものをひき出《だ》してくること。声《こえ》を次《つぎ》つぎに出《だ》して、《よむ》ことを意味《いみ》する字《じ》。

れい文・いみ

❶ れい文 物語《ものがたり》を読《よ》んで聞《き》かせる。／詩《し》をろう読《どく》する。 いみ 文字《もじ》・文章《ぶんしょう》を声《こえ》に出《だ》して言《い》う。よむ。

❷ れい文 ざっしを読《よ》む。／すぐれた読《どっ》かい力《りょく》。 いみ 語《ご》くや文章《ぶんしょう》の意味《いみ》や内《ない》ようを理《り》かいする。よむ。

❸ れい文 相手《あいて》の心《こころ》を読《よ》む。／次《つぎ》の手《て》を読《よ》む。 いみ おしはかる。よむ。

❹ いみ 文章《ぶんしょう》の区《く》切《ぎ》り。

じゅくご

❶ 音読《おんどく》。代読《だいどく》。朗読《ろうどく》。

❷ 読者《どくしゃ》。読書《どくしょ》。読解《どっかい》。愛読《あいどく》。解読《かいどく》。購読《こうどく》。熟読《じゅくどく》。精読《せいどく》（文章《ぶんしょう》をていねいにくわしくよむこと）。乱読《らんどく》。読《よ》み物《もの》。

❸ 読心術《どくしんじゅつ》。

❹ 読点《とうてん》。句読点《くとうてん》。

とくべつなよみ

読経《どきょう》。

□ 冂／4画

【内】

おん ナイ・（ダイ）
くん うち

なりたち

もとの字《じ》は「内」。「冂」のしるしにかこんだところに物《もの》が入《はい》っていくことをあらわした字《じ》。入《はい》ったところは《うちがわ》になることから、《うち》をあらわす。

れい文・いみ

❶ れい文 その日《ひ》の内《うち》にふく習《しゅう》する。／内《ない》らんが起《お》こる。／年内《ねんない》にたい院《いん》できそうだ。 いみ かぎられた時間《じかん》や、あるはんいの中《なか》。うち。 ついご 外《がい》。

❷ れい文 内祝《うちいわ》いをする。／内《ない》みつにしょ理《り》する。 いみ 表向《おもてむ》きでないこと。こっそり。

❸ れい文 内《だい》りびなをかざる。 いみ 宮中《きゅうちゅう》。朝《ちょう》てい。また、天《てん》のう。

じゅくご

❶ 内科《ないか》。内外《ないがい》。内閣《ないかく》。内情《ないじょう》。内政《ないせい》。内臓《ないぞう》。内部《ないぶ》。内容《ないよう》。内乱《ないらん》。案内《あんない》。以内《いない》。校内《こうない》。国内《こくない》。室内《しつない》。車内《しゃない》。社内《しゃない》。場内《じょうない》。町内《ちょうない》。境内《けいだい》。内側《うちがわ》。内気《うちき》。

❷ 内職《ないしょく》。内通《ないつう》。内密《ないみつ》。

❸ 内裏《だいり》。参内《さんだい》（宮中《きゅうちゅう》にうかがうこと）。

□ 十／9画

【南】

おん ナン・（ナ）
くん みなみ

なりたち

「屮」は草《くさ》のめ。「𢆉」は、まわりを屋根《やね》でかこってある所《ところ》に草《くさ》のめを入《い》れた、温室《おんしつ》をあらわした字《じ》。温室《おんしつ》のあるあたたかい所《ところ》の意味《いみ》から、《みなみ》のこと。

れい文・いみ

れい文 学校《がっこう》は、ぼくの家《いえ》の南《みなみ》の方角《ほうがく》です。／南向《みなみむ》きの家《いえ》。／南極《なんきょく》のペンギン。／川《かわ》の流《なが》れにそって南下《なんか》する。

いみ 正午《しょうご》ごろ太陽《たいよう》が見《み》える方向《ほうこう》。みなみ。

ついご 北《きた》。

《南極《なんきょく》のペンギン》

じゅくご

南国《なんごく》。南西《なんせい》。南方《なんぽう》。南洋《なんよう》（太平洋《たいへいよう》の赤道《せきどう》に近《ちか》いあたり）。南氷洋《なんぴょうよう》。東西南北《とうざいなんぼく》。南十字星《みなみじゅうじせい》。

ひつじゅん・書き方

読

うえのせんよりみじかく

《形《かたち》のにている字《じ》》 話《はなし》

言 → … → 読（14画）

ひつじゅん・書き方

内

つきでる　とめる　はねる

《形《かたち》のにている字《じ》》 肉《にく》

丨 → 冂 → 内 → 内（4画）

ひつじゅん・書き方

南

うえにつきでない　はねる

一 → 十 → … → 南（9画）

肉／6画

肉

おん ニク
くん ―

なりたち

すじのある《にく》の一切《ひとき》れをえがいた字《じ》。この字《じ》をかんたんにした「月」(つきではない)の字《じ》は《にく》のついたからだをあらわすしるしになった。

れい文・いみ

❶ れい文 牛肉《ぎゅうにく》を買《か》う。／ひな鳥《どり》の肉《にく》。 いみ 動物《どうぶつ》のほねのまわりのやわらかいところ。牛《うし》・鳥《とり》・魚《さかな》などの食用《しょくよう》の切《き》り身《み》。にく。

❷ れい文 メロンの果肉《かにく》。／肉太《にくぶと》の書体《しょたい》。 いみ 肉《にく》❶ににたもの。ふくらみのあるもの。

❸ れい文 肉《にく》がんでは小《ちい》さすぎてはっきり見《み》えない。／肉筆《にくひつ》の文字《もじ》。 いみ そのままの。直《ちょく》せつの。

❹ いみ 血《ち》のつながりのある人《ひと》。

じゅくご

❶ 肉食《にくしょく》。肉体《にくたい》。肉屋《にくや》。筋肉《きんにく》。弱肉強食《じゃくにくきょうしょく》 ⇩(638ページ上)

❸ 肉眼《にくがん》。肉声《にくせい》(マイクなどの機械《きかい》を通《とお》さない、人《ひと》の口《くち》から出《で》る、じかの声《こえ》)。

❹ 肉親《にくしん》(親子《おやこ》、兄弟《きょうだい》など、血《ち》のつながりが近《ちか》い人《ひと》)。

馬／10画

馬

おん バ
くん うま・《ま》

なりたち

《うま》のすがたをえがいた字《じ》。

れい文・いみ

❶ れい文 古代《こだい》から馬《うま》は人間《にんげん》と生活《せいかつ》をともにしてきた。／神社《じんじゃ》に絵馬《えま》をほうのうしてがんをかける。／馬《ば》じゅつはオリンピックの正式《せいしき》なきょうぎしゅ目《もく》です。 いみ 足《あし》や首《くび》の長《なが》いからだの大《おお》きな動物《どうぶつ》。走《はし》るのがはやく力《ちから》が強《つよ》い。うま。

❷ れい文 馬《うま》は自《じ》じん(自分《じぶん》のじん地《ち》)に引《ひ》け。 いみ しょうぎのこまで、「角《かく》」がなったもの。また、「けい馬《ま》」のりゃく。

じゅくご

❶ 馬具《ばぐ》。馬車《ばしゃ》。馬術《ばじゅつ》。馬力《ばりき》。競馬《けいば》。乗馬《じょうば》。名馬《めいば》。木馬《もくば》。落馬《らくば》。馬市《うまいち》。竹馬《たけうま》。馬小屋《うまごや》。馬耳東風《ばじとうふう》 ⇩(641ページ上)

とくべつなよみ

伝馬船《てんません》。

士／7画

【売】

おん バイ
くん うる・うれる

なりたち

もとの字《じ》は「賣」。「士」は「出」をかんたんにした字《じ》で、足《あし》を外《そと》に出《だ》すこと。「買」はお金《かね》を出《だ》して物《もの》を買《か》うこと。買《か》いにきた人《ひと》に物《もの》を出《だ》して《うる》の意味《いみ》になった。

れい文・いみ

❶ れい文 魚《さかな》を売《う》る。／新《しん》せい品《ひん》を発売《はつばい》する。 いみ お金《かね》を受《う》けとって品物《しなもの》などを人《ひと》にわたす。あきなう。うる。 ついご 買《ばい》。

❷ れい文 じょうほうをてきに売《う》る。 いみ 自《じ》分《ぶん》のために味方《みかた》をうらぎる。うる。

❸ れい文 名《な》が売《う》れる。／売《う》り出《だ》し中《ちゅう》の歌手《かしゅ》。 いみ 世間《せけん》に知《し》られるようになる。うる。

❹ れい文 けんかを売《う》る。 いみ 相手《あいて》にしかける。

じゅくご

❶ 売店《ばいてん》。売買《ばいばい》。競売《きょうばい》。競売《けいばい》。商売《しょうばい》。専売《せんばい》。直売《ちょくばい》。特売《とくばい》。密売《みつばい》（法律《ほうりつ》を破《やぶ》って、こっそりとうること）。安売《やすう》り。売《う》り切《き》れ。投《な》げ売《う》り。

❷ 売国奴《ばいこくど》（自国《じこく》の不利益《ふりえき》になるようなことをする人《ひと》をののしっていうことば）。

❸ 売名《ばいめい》。

ひつじゅん・書き方

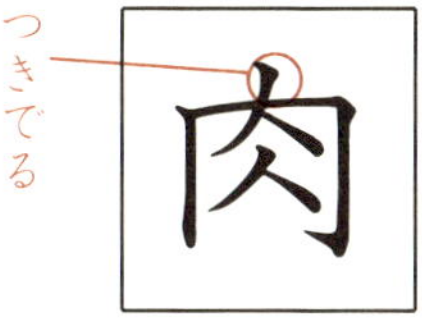

（6画）

《形《かたち》のにている字《じ》》 内《ない》

ひつじゅん・書き方

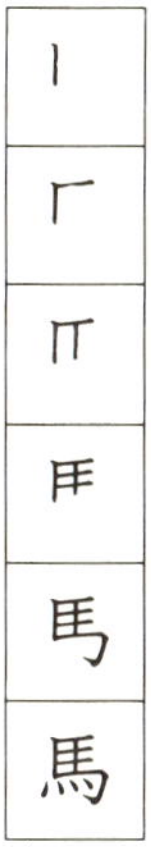

（10画）

《形《かたち》のにている字《じ》》 鳥《とり》

ひつじゅん・書き方

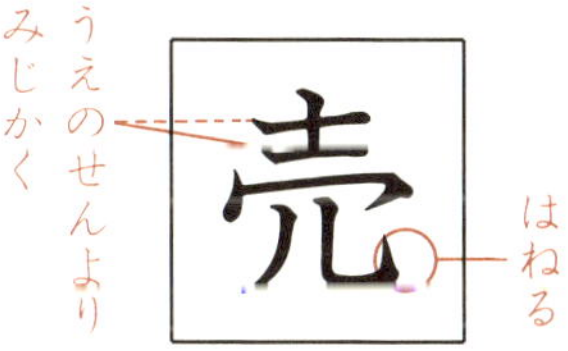

（7画）

貝／12画

買

おん バイ
くん かう

なりたち

「罒」は、あみで物《もの》をつつんだ形《かたち》。「貝」は、お金《かね》をあらわす。お金《かね》を出《だ》して、あみにつつんだ物《もの》ととりかえることから、《かう》の意味《いみ》になった。

れい文・いみ

❶ れい文 カメラを買《か》う。／土地《とち》を買《ばい》しゅうする。 いみ お金《かね》をしはらって品物《しなもの》などを自分《じぶん》のものにする。かう。 ついご 売《ばい》。
❷ れい文 実《じっ》せきを買《か》う。／す直《なお》さを買《か》う。 いみ ひょうかする。みとめる。かう。
❸ れい文 世間《せけん》のいかりを買《か》う。 いみ まねく。受《う》ける。かう。
❹ れい文 にくまれ役《やく》を買《か》ってでる。 いみ 引《ひ》き受《う》ける。かう。

じゅくご

❶ 買収《ばいしゅう》。売買《ばいばい》。買値《かいね》。買《か》い手《て》。買《か》い物《もの》。

麦／7画

麦

おん （バク）
くん むぎ

なりたち

もとの字《じ》は、「麥」。「來」は、むぎのほをえがいた字《じ》。「くる」意味《いみ》の「来」と同《おな》じ。「夂」は足《あし》。むかし、遠《とお》くの国《くに》から足《あし》を使《つか》って人《ひと》に運《はこ》ばれてきた《むぎ》のこと。

れい文・いみ

れい文 大麦《おおむぎ》はしょうゆやビールの原《げん》りょうとしても重《じゅう》ようである。／麦《むぎ》わらぼう子《し》。／六月《ろくがつ》ごろのことを麦秋《ばくしゅう》という。 いみ いねのなかまの植物《しょくぶつ》。むぎ。こむぎ・おおむぎ・はだかむぎなどのしゅるいがある。

《麦《むぎ》のしゅるい》

じゅくご

麦芽《ばくが》。麦茶《むぎちゃ》。麦畑《むぎばたけ》。麦笛《むぎぶえ》。麦飯《むぎめし》。小麦《こむぎ》。麦《むぎ》わら（むぎの、実《み》をとりさった茎《くき》）。小麦粉《こむぎこ》。

十／5画

【半】

おん ハン
くん なかば

なりたち

角《つの》がついている牛《うし》の頭《あたま》に、ひとつながりのものを二《ふた》つに分《わ》けるしるしの「八」をつけ、真《ま》ん中《なか》で分《わ》けた《はんぶん》の意味《いみ》をあらわした字《じ》。

れい文・いみ

❶ れい文 クラスの者《もの》の半《なか》ばが、さんせいした。／りんごを半分《はんぶん》に切《き》る。 いみ 二分《にぶん》の一《いち》。二等分《にとうぶん》した一方《いっぽう》。

❷ れい文 五月《ごがつ》の半《なか》ば。／二十代《にじゅうだい》の半《なか》ばをすぎる。／今《いま》ちょうど八時半《はちじはん》です。 いみ 真《ま》ん中《なか》。時《じ》こくで三十分《さんじっぷん》。

❸ れい文 会《かい》ぎの半《なか》ばでたいせきする。／たまごを半《はん》じゅくにゆでる。 いみ とちゅう。また、かん全《ぜん》でない。

じゅくご

❶ 半円《はんえん》。半音《はんおん》。半径《はんけい》。半月《はんげつ》。半減《はんげん》(はんぶんに減《へ》ること)。半生《はんせい》(人《ひと》の一生《いっしょう》のはんぶん)。半日《はんにち》。半面《はんめん》。後半《こうはん》。前半《ぜんはん》。下半身《かはんしん》。上半身《じょうはんしん》。半信半疑《はんしんはんぎ》 ⇩(641ページ中) 一言半句《いちごんはんく》 ⇩(634ページ中)

❸ 半熟《はんじゅく》。

ひつじゅん・書き方

《形《かたち》のにている字《じ》》 貝《かい》

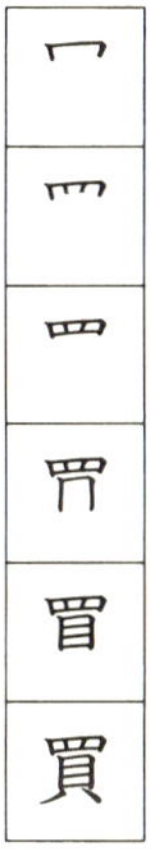

(12画)

ひつじゅん・書き方

《形《かたち》のにている字《じ》》 表《おもて》

(7画)

ひつじゅん・書き方

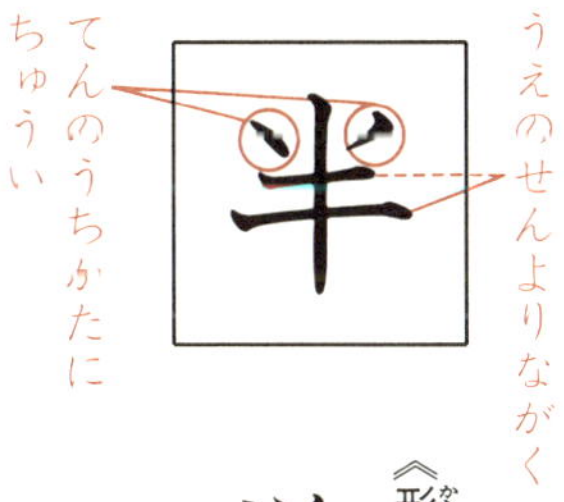

《形《かたち》のにている字《じ》》 洋《よう》

(5画)

田／12画

番

おん バン
くん ―

なりたち

「田」は、たや畑《はたけ》。「釆」は、たねを田畑《たはた》にぱっとまいたところ。たねをまくのに、一回《いっかい》、二回《にかい》と、じゅんばんにまいていくことから、《じゅんばん》の意味《いみ》になった。

れい文・いみ

❶ れい文 今度《こんど》は君《きみ》の番《ばん》だ。／順番《じゅんばん》を待《ま》つ。 いみ ものごとのじゅんじょ。ばん。また、じゅんじょを決《き》めてすること。

❷ れい文 火《ひ》の番《ばん》をする。／番犬《ばんけん》をかう。 いみ 見《み》はりをすること。ばん。

❸ れい文 番茶《ばんちゃ》を飲《の》む。 いみ ありふれたもの。そまつなもの。

❹ いみ すもう・しょうぎ・いごなど、ふたりでする勝負《しょうぶ》の数《かず》を数《かぞ》えることば。

じゅくご

❶ 番号《ばんごう》。番地《ばんち》。週番《しゅうばん》。当番《とうばん》。非番《ひばん》。本番《ほんばん》（テレビ・ラジオ・映画《えいが》などの放送《ほうそう》や撮影《さつえい》で、練習《れんしゅう》ではなく、実際《じっさい》に本式《ほんしき》におこなうこと）。

❷ 番頭《ばんとう》。交番《こうばん》。店番《みせばん》。門番《もんばん》。留守番《るすばん》。

❹ 十番勝負《じゅうばんしょうぶ》。

父／4画

父

おん フ
くん ちち

なりたち

石《いし》おのを手《て》に持《も》っていることをあらわした字《じ》。石《いし》おのを持《も》って、子《こ》のために、はたらいてくれる人《ひと》のことから、《ちち》をあらわすようになった字《じ》。

れい文・いみ

❶ れい文 父《ちち》の仕事《しごと》をてつだう。／お父《とう》さんはサラリーマンです。／そ父《ふ》の、はかまいりをする。 いみ 男親《おとこおや》。ちち。 ついご 母《はは》。

❷ れい文 夏休《なつやす》みには、伯父《おじ》の家《いえ》に遊《あそ》びに行《い》く。 いみ 両親《りょうしん》の男《おとこ》のきょうだい。

じゅくご

❶ 父兄《ふけい》。父子《ふし》。父母《ふぼ》。義父《ぎふ》。実父《じっぷ》。祖父《そふ》。養父《ようふ》。父親《ちちおや》。父母会《ふぼかい》。父《ちち》の日《ひ》。

とくべつなよみ

叔父《おじ》。伯父《おじ》。お父《とう》さん。

□

風／9画

風

おん フウ・（フ）

くん かぜ・かざ

なりたち

「凡」は船《ふね》のほ。「虫」はむし。ゆれるほのように、虫《むし》たちにきせつをつげる《かぜ》をあらわした字《じ》。

れい文・いみ

❶ れい文 そよ風《かぜ》がふく。／風雨《ふうう》が強《つよ》まる。 いみ 空気《くうき》の流《なが》れ。かぜ。

❷ れい文 むかしからつたわる風習《ふうしゅう》。／わが家《や》の家風《かふう》。 いみ ならわし。しきたり。

❸ れい文 一風《いっぷう》かわった男《おとこ》。／春《はる》の風物詩《ふうぶつし》（そのきせつのものごとをうたった詩《し》）。 いみ すがた。ようす。ながめ。

❹ いみ 世間《せけん》の人《ひと》びとのうわさ。

じゅくご

❶ 風圧《ふうあつ》。風雪《ふうせつ》。風船《ふうせん》。風速《ふうそく》。寒風《かんぷう》。強風《きょうふう》。台風《たいふう》。暴風《ぼうふう》。川風《かわかぜ》。風上《かざかみ》。風車《かざぐるま》。風下《かざしも》。

❷ 風紀《ふうき》。風潮《ふうちょう》。古風《こふう》。

❸ 風景《ふうけい》。風土《ふうど》。画風《がふう》。学風《がくふう》。校風《こうふう》。洋風《ようふう》。和風《わふう》。

❹ 風聞《ふうぶん》（世間《せけん》のうわさ）。

とくべつなよみ

風邪《かぜ》。

ひつじゅん・書き方

番 ツとしない

番（12画）

ひつじゅん・書き方

父 あける

丿　八　⺌　父（4画）

《形《かたち》のにている字《じ》》 交《まじ》わる

ひつじゅん・書き方

風 はねる

丿　几　凡　凨　凬　風（9画）

□ 刀／4画

【分】

おん ブン・フン・ブ

くん わける・わかれる・わかる・わかつ

なりたち

「八」は左右《さゆう》に《わける》こと。「刀」は、かたな。刀《かたな》で物《もの》を二《ふた》つに切《き》り《わける》ことから《わける》《わかれる》の意味《いみ》になった。

ひつじゅん・書き方

ノ	八	分	分

（4画）

《形《かたち》のにている字《じ》》 今《いま》 合《あ》う

れい文・いみ

❶ れい文 りんごを二《ふた》つに分《わ》ける。／植物《しょくぶつ》を分類《ぶんるい》する。／道《みち》が分《わ》かれる。わける。わかつ。 いみ 一《ひと》つの物《もの》をいくつかにする。

❷ れい文 分家《ぶんけ》の人《ひと》たちと話《はな》し合《あ》う。 いみ 一《ひと》つのものからわかれたもの。

❸ れい文 あまった分《ぶん》をちょ金《きん》する。／生物《せいぶつ》学《がく》の分野《ぶんや》。／物《ぶっ》しつの成分《せいぶん》。 いみ 全体《ぜんたい》の中《なか》の一《ひと》つ。わり当《あ》てられたもの。

❹ れい文 分《ぶん》におうじたはたらきをする。 いみ 身《み》のほど。もちまえ。

❺ れい文 それぞれのしょく分《ぶん》をまっとうする。 いみ せきにん。あたえられたぎむ。

❻ れい文 思《おも》うぞん分《ぶん》あばれる。 いみ ものごとの、じょうたいや、てい度《ど》。ようす。

❼ れい文 物分《ものわ》かりがいい。／分別《ふんべつ》ざかりの年《とし》ごろ。 いみ 事《じ》じょうをわきまえる。

❽ いみ 時間《じかん》や角度《かくど》のたんい。一分《いっぷん》は一時間《いちじかん》および一度《いちど》の六十分《ろくじゅうぶん》の一《いち》の大《おお》きさ。

❾ いみ 温度《おんど》のたんい。一分《いちぶ》は一度《いちど》の十分《じゅうぶん》の一《いち》。

❿ いみ ひりつで、一《いち》わりの十分《じゅうぶん》の一《いち》。

じゅくご

❶ **分割《ぶんかつ》。分散《ぶんさん》。分数《ぶんすう》。分布《ぶんぷ》。区分《くぶん》。等分《とうぶん》。配分《はいぶん》。半分《はんぶん》。**

❷ **分校《ぶんこう》。分室《ぶんしつ》。分身《ぶんしん》。**

❸ **塩分《えんぶん》。秋分《しゅうぶん》。十分《じゅうぶん》。春分《しゅんぶん》。水分《すいぶん》。部分《ぶぶん》。余分《よぶん》。養分《ようぶん》。領分《りょうぶん》。**

❹ **性分《しょうぶん》**（その人《ひと》の生《う》まれつきの性質《せいしつ》）。**天分《てんぶん》**（生《う》まれつき備《そな》わっている性質《せいしつ》や、すぐれた才能《さいのう》）。

❺ **職分《しょくぶん》。本分《ほんぶん》**（その人《ひと》がおこなわなければならないつとめ）。

❻ **存分《ぞんぶん》。当分《とうぶん》。**

❽ **分速《ふんそく》。午前《ごぜん》八時《はちじ》五十二《ごじゅうに》分《ふん》。**

❾ **三十六度《さんじゅうろくど》二《に》分《ぶ》。**

❿ **一割《いちわり》五《ご》分《ぶ》。**

耳／14画

【聞】

おん ブン・《モン》
くん きく・きこえる

なりたち

「門」（もん）と「耳」（みみ）を合《あ》わせた字《じ》。とじられた門《もん》の向《む》こうがわから、声《こえ》や音《おと》が耳《みみ》に入《はい》ることから、《きこえてくる》《きく》の意《い》味《み》になった。

ひつじゅん・書き方

門 → 門 → 門 → 門 → 聞 → 聞（14画）

間《あいだ》 《形《かたち》のにている字《じ》》

れい文・いみ

❶ れい文 人《ひと》の意見《いけん》を十分《じゅうぶん》に聞《き》かなくてはいけません。／小犬《こいぬ》が物音《ものおと》に聞《き》き耳《みみ》を立《た》てている。／うぐいすのさえずりが林《はやし》の中《なか》から聞《き》こえる。／大《おお》いに見聞《けんぶん》を広《ひろ》めるようにしなさいと、父《ちち》から言《い》われました。
いみ 声《こえ》や音《おと》を耳《みみ》で感《かん》じる。きく。きこえる。

《聞き耳を立てている》

❷ れい文 あまり人聞《ひとぎ》きの悪《わる》いことは言《い》わないでほしい。／あの食品工場《しょくひんこうじょう》について、みょうな風聞《ふうぶん》（世間《せけん》に広《ひろ》まっているうわさ）が流《なが》れている。
いみ うわさ。ひょうばん。きこえ。

じゅくご

❶ 聞《き》き手《て》。聞《き》き入《い》る。聞《き》き流《なが》す。聞《き》きかじる。聞《き》き届《とど》ける。聞《き》き分《わ》ける。
❷ 外聞《がいぶん》（世間《せけん》の評判《ひょうばん》）。新聞《しんぶん》。

米

□ 米／6画

おん ベイ・マイ
くん こめ

なりたち

「十」のしるしのまわりに、点《てん》てんと小《ちい》さな《こめ》つぶがちらばっているようすをあらわした字《じ》。

れい文・いみ

❶ れい文 米《こめ》をていねいにとぐ。／米作《べいさく》はおもに水田《すいでん》でおこなわれる。 いみ いねの実《み》のもみがらを取《と》り去《さ》ったもの。こめ。

❷ れい文 首相《しゅしょう》が、と米《べい》(アメリカ合衆国《がっしゅうこく》へ行《い》くこと)する。 いみ アメリカのこと。また、アメリカ合衆国《がっしゅうこく》のこと。

❸ れい文 二百平米《にひゃくへいべい》の土地《とち》を買《か》う。 いみ 「メートル」に音《おん》を当《あ》てたことば。

じゅくご

❶ 米価《べいか》。米穀《べいこく》。米食《べいしょく》。外米《がいまい》。古米《こまい》。新米《しんまい》。精米《せいまい》。白米《はくまい》。米蔵《こめぐら》。米俵《こめだわら》。米所《こめどころ》(よいこめがたくさんとれる地方《ちほう》)。米屋《こめや》。

❷ 米国《べいこく》。南米《なんべい》。日米《にちべい》。北米《ほくべい》。

❸ 平米《へいべい》(平方《へいほう》メートル)。

歩

□ 止／8画

おん ホ・(ブ)・(フ)
くん あるく・あゆむ

なりたち

右足《みぎあし》と左足《ひだりあし》がたがいちがいになって《あるく》ときのようすをあらわした字《じ》。

れい文・いみ

❶ れい文 ゆっくり歩《ある》く。／科学《かがく》が進歩《しんぽ》する。 いみ 足《あし》を動《うご》かして前《まえ》へ進《すす》む。また、そのようにものごとがよくなる。あるく。

❷ れい文 このままでは味方《みかた》に歩《ぶ》がない。 いみ 有《ゆう》りか、ふりかの度合《どあ》い。

❸ いみ お金《かね》をかしたときの手数《てすう》りょう。

❹ いみ ひりつで、一《いち》わりの十分《じゅうぶん》の一《いち》。

❺ いみ むかしの、土地《とち》の面《めん》せきのたんい。

❻ いみ しょうぎのこまの一《ひと》つ。ふ。

じゅくご

❶ 歩行《ほこう》。歩測《ほそく》。歩調《ほちょう》。歩道《ほどう》。一歩《いっぽ》。散歩《さんぽ》。初歩《しょほ》。徒歩《とほ》。歩道橋《ほどうきょう》。遊歩道《ゆうほどう》。日進月歩《にっしんげっぽ》⇩(640ページ下)

❸ 日歩《ひぶ》。

❹ 一割五歩《いちわりごぶ》。

❺ 一反歩《いったんぶ》。一町歩《いっちょうぶ》。

❻ 歩詰《ふづ》め。

母／5画

母

おん　ボ
くん　はは

なりたち

女《おんな》の人《ひと》がすわっている。二《ふた》つの点《てん》は、女《おんな》の人《ひと》のちぶさ。子《こ》どもにおちちをあげる《おかあさん》をえがいた字《じ》。

れい文・いみ

❶ れい文 母《はは》と買《か》い物《もの》に行《い》く。／父《ちち》をなくし母《ぼ》子《し》家《か》庭《てい》で育《そだ》つ。／せい母《ぼ》マリアのぞう。 いみ 女親《おんなおや》。はは。 ついご 父《ちち》。

❷ れい文 叔母《おば》の家《いえ》へ遊《あそ》びに行《い》く。 いみ 両親《りょうしん》の女《おんな》のきょうだい。

❸ れい文 母国語《ぼこくご》（その人《ひと》が生《う》まれ育《そだ》った土地《とち》で、しぜんにおぼえたことば）で話《はな》す。／活字《かつじ》の母型《ぼけい》をつくる。 いみ 親《おや》もと。また、ものをつくりだすおおもと。

じゅくご

❶ 義母《ぎぼ》（義理《ぎり》のはは。夫《おっと》または妻《つま》のはは）。実母《じつぼ》。聖母《せいぼ》。祖母《そぼ》。父母《ふぼ》。養母《ようぼ》。母親《ははおや》。父母会《ふぼかい》。母《はは》の日《ひ》。

❸ 母校《ぼこう》。母船《ぼせん》。母体《ぼたい》。分母《ぶんぼ》。

とくべつなよみ 乳母《うば》。叔母《おば》。伯母《おば》。母屋《おもや》。母家《おもや》。お母《かあ》さん。

ひつじゅん・書き方

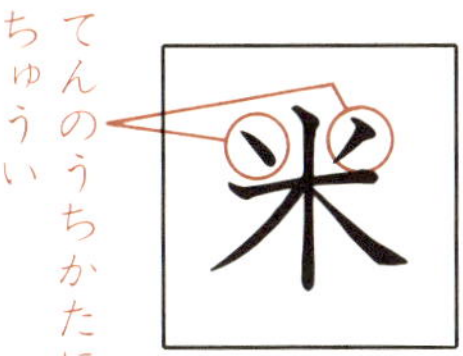

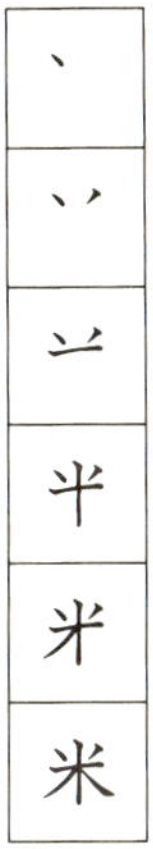

（6画）

《形《かたち》のにている字《じ》》
来《く》る　光《ひかり》

ひつじゅん・書き方

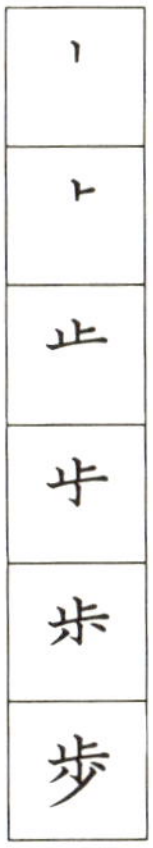

（8画）

《形《かたち》のにている字《じ》》
走《はし》る

ひつじゅん・書き方

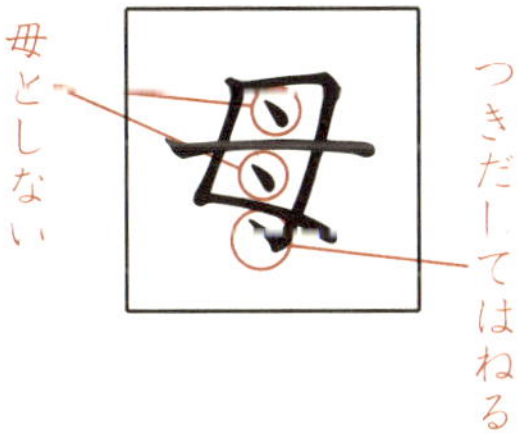

（5画）

方／4画

〔方〕

おん　ホウ
くん　かた

なりたち

左右《さゆう》にえがはり出《で》たすきをえがいた字《じ》。持《も》つところが両方《りょうほう》にはり出《だ》していることから、東《ひがし》と西《にし》、南《みなみ》と北《きた》などの《ほうがく》をあらわす。また《四角《しかく》い》ことも意味《いみ》する。

ひつじゅん・書き方

万《まん》

《形《かたち》のにている字《じ》》

（4画）

れい文・いみ

❶ れい文 道《みち》の右方《みぎかた》に神社《じんじゃ》の森《もり》が見《み》える。／南方《なんぽう》の洋上《ようじょう》。 いみ 向《む》き。ほう角《がく》。

❷ れい文 色《いろ》は赤《あか》い方《ほう》がいい。／ぼくの方《ほう》が正《ただ》しい。 いみ 多《おお》くの中《なか》から一《ひと》つのことがらをとりあげていうことば。

❸ れい文 その方《ほう》がいい。 いみ ものごとのてだて。手《しゅ》だん。しかた。

❹ れい文 方《ほう》がん紙《し》。／直方体《ちょくほうたい》。 いみ 四角《しかく》。

❺ れい文 いなかの方《ほう》ではもう冬《ふゆ》です。 いみ それぞれの場所《ばしょ》。地《ち》いき。

❻ れい文 あの方《かた》はりっぱだ。／多《おお》くの先生《せんせい》方《がた》がご出《しゅっ》せきになりました。 いみ 人《ひと》をうやまって言《い》うことば。

❼ れい文 すぎにし方《かた》。／朝方《あさがた》、雪《ゆき》がふった。 いみ おおよその時期《じき》。そのころ。

❽ れい文 味方《みかた》をうらぎる。／父方《ちちかた》の親《しん》せき。 いみ あることがらにかん係《けい》がある人《ひと》。

❾ れい文 「木村様方《きむらさまかた》 野口一郎様《のぐちいちろうさま》」 いみ 人《ひと》の名《な》につけて、その人《ひと》の家《いえ》にすんでいることをあらわすことば。

じゅくご

❶ 方位《ほうい》。方角《ほうがく》。方向《ほうこう》。方面《ほうめん》。遠方《えんぽう》。後方《こうほう》。四方《しほう》。前方《ぜんぽう》。八方《はっぽう》。

❷ 片方《かたほう》。他方《たほう》。両方《りょうほう》。

❸ 方式《ほうしき》。方針《ほうしん》。方便《ほうべん》（ある目《もく》的《てき》を果《は》たすために、そのときだけ使《つか》う、つごうのよいやりかた）。秘方《ひほう》（人《ひと》に知《し》られないやりかた）。

❹ 方形《ほうけい》。平方《へいほう》。立方《りっぽう》。方眼紙《ほうがんし》。正方形《せいほうけい》。

❺ 先方《せんぽう》。

❻ 親方《おやかた》。

❼ 夕方《ゆうがた》。暮《く》れ方《がた》。

❽ 母方《ははかた》。

とくべつなよみ

行方《ゆくえ》。

ヒ／5画

〔北〕

おん ホク
くん きた

なりたち

ふたりの人《ひと》が、せなかを向《む》け合《あ》って、にげているようすをえがいた字《じ》。あたたかい南《みなみ》のせなかで、寒《さむ》い方角《ほうがく》である《きた》のことをあらわした字《じ》。

ひつじゅん・書き方

（5画）

比《ひ》
《形《かたち》のにている字《じ》》

れい文・いみ

❶ れい文 まっすぐに北《きた》をめざして進《すす》む。／北極星《ほっきょくせい》はいつも空《そら》の真北《まきた》の方向《ほうこう》に見《み》える。／本州《ほんしゅう》の最北《さいほく》の県《けん》は、青森県《あおもりけん》です。／東《とう》北地方《ほくちほう》には、六県《ろっけん》があります。／雪《ゆき》の多《おお》い北国《きたぐに》にも、やっと春《はる》がやってきました。

いみ 太陽《たいよう》が正午《しょうご》ごろ見《み》える方向《ほうこう》とは真反《まはん》対《たい》の方向《ほうこう》。きた。 ついご 南《みなみ》。

❷ れい文 強《きょう》てきにあって、敗北《はいぼく》（負《ま》けること）した。 いみ にげる。いくさに負《ま》ける。

《東北地方《とうほくちほう》》

じゅくご

❶ 北上《ほくじょう》（きたに向《む》かって進《すす》むこと）。北端《ほくたん》（きたの端《はし》）。北東《ほくとう》。北洋《ほくよう》（きたのほうの海《うみ》）。北方《ほっぽう》。以北《いほく》。北風《きたかぜ》。北半球《きたはんきゅう》。東西南北《とうざいなんぼく》。

《北《きた》》

□ 母／6画

〔毎〕

おん マイ
くん ―

なりたち

もとの字《じ》は「毎」。頭《あたま》にかざりをつけたおかあさんのようす。おかあさんは次《つぎ》つぎに子《こ》どもをうむことから、《そのたびごとに》《つぎつぎ》の意味《いみ》になった。

れい文・いみ

れい文 姉《あね》は毎日《まいにちふく》服そうをかえて会社《かいしゃ》に出《で》かけます。／週《しゅう》かんしのれんさい小《しょう》せつを毎号《まいごう》読《よ》む。／おいそがしいところを毎《まい》度《ど》おじゃまします。／父《ちち》は毎朝八時《まいあさはちじ》に家《いえ》を出《で》る。／毎月十日《まいつきとおか》に、子《こ》ども会《かい》の会合《かいごう》をもつ。／家族《かぞく》そろって、毎日曜日《まいにちようび》に教《きょう》会《かい》に行《い》く。／新聞《しんぶん》の毎《まい》ページに広《こう》こくが出《で》ている。

いみ そのたびごと。また、いつも。

じゅくご

毎回《まいかい》。毎週《まいしゅう》。毎年《まいとし》。毎年《まいねん》。毎晩《まいばん》。

□ 女／8画

〔妹〕

おん （マイ）
くん いもうと

なりたち

「女」（おんな）と「未」（木《き》のまだのびきらない小《ちい》さいえだ）を合《あ》わせた字《じ》。女《おんな》のきょうだいのうち、自分《じぶん》より小《ちい》さい年下《としした》の人《ひと》。《いもうと》のこと。

れい文・いみ

れい文 妹《いもうと》といっしょに遊園地《ゆうえんち》へ行《い》く。／ぼくは妹《いもうと》ふたりとの三人《さんにん》きょうだいです。／わたしたちは近所《きんじょ》でもひょうばんのなかよしの姉妹《しまい》です。

いみ 年下《としした》の女《おんな》きょうだい。いもうと。

ついご 姉《あね》。

《妹《いもうと》と遊園地《ゆうえんち》へ行《い》く》

じゅくご

義妹《ぎまい》（義理《ぎり》のいもうと。夫《おっと》または妻《つま》のいもうとや弟《おとうと》の妻《つま》のこと）。実妹《じつまい》（同《おな》じ両親《りょうしん》から生《う》まれたいもうと）。

一／3画

【万】

おん マン・（バン）
くん ―

なりたち

もとの字《じ》は「萬」。どくをもったこわいさそりをえがいた字《じ》。その「マン」という音《おん》から、数《かず》の《まん》をあらわすのに使《つか》われるようになった。

れい文・いみ

❶ れい文 この町《まち》の人口《じんこう》は、やく一万人《いちまんにん》です。／人《じん》るいは今《いま》からおよそ四百万年前《よんひゃくまんねんまえ》に地《ち》球上《きゅうじょう》にあらわれた。 いみ 数《かず》のたんい。千《せん》の十倍《じゅうばい》。まん。

❷ れい文 万《まん》が一《いち》にもそんなことは起《お》こるまい。／そのことは今《いま》や万人《ばんにん》がみとめる事《じ》実《じつ》である。 いみ 数《かず》や、りょうがひじょうに多《おお》いこと。すべて。

じゅくご

❶ **十万人《じゅうまんにん》**。**二千万人《にせんまんにん》**。

❷ **万一《まんいち》**。**万国《ばんこく》**。**万全《ばんぜん》**（準備《じゅんび》や手続《てつづ》きが完全《かんぜん》であること）。**万能《ばんのう》**（すべてのことに役立《やくだ》つこと）。**万物《ばんぶつ》**。**万華鏡《まんげきょう》**。**万年筆《まんねんひつ》**。**千客万来《せんきゃくばんらい》** ⇩（639ページ中） **千変万化《せんぺんばんか》** ⇩（639ページ下）

ひつじゅん・書き方

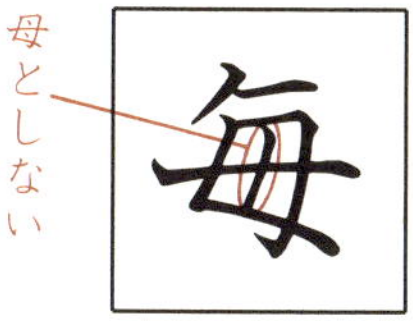

《形《かたち》のにている字《じ》》 海《うみ》

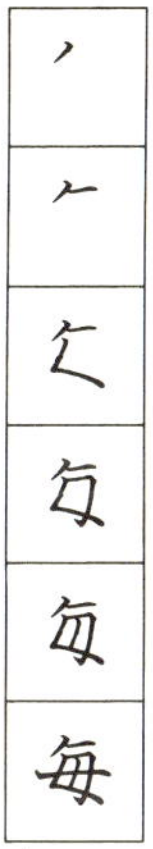

（6画）

ひつじゅん・書き方

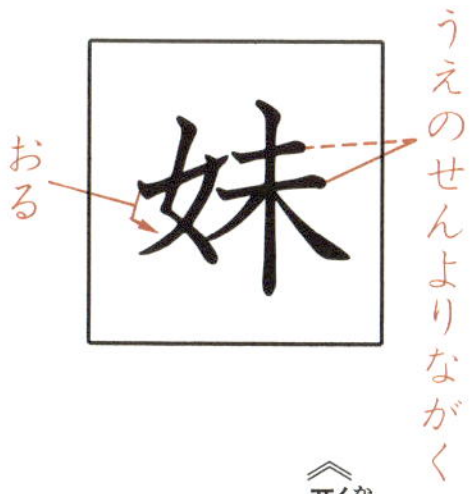

《形《かたち》のにている字《じ》》 姉《あね》

（8画）

ひつじゅん・書き方

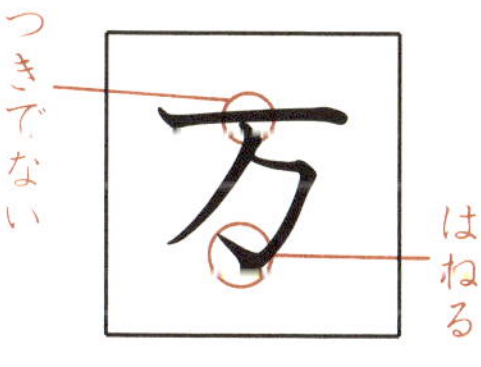

《形《かたち》のにている字《じ》》 方《ほう》

（3画）

2年

〔メイ〕明

日／8画

【明】

おん メイ・ミョウ

くん あかり・あかるい・あかるむ・あからむ・あきらか・あける・あく・あくる・あかす

なりたち

もとの字《じ》は「朙」。「囧」（まどの形《かたち》）と「月」（つき）を合《あ》わせた字《じ》。夜《よる》、まどから月《つき》の光《ひかり》がさしこんで《あかるく》見《み》えるようすをえがいた字《じ》。

ひつじゅん・書き方

明

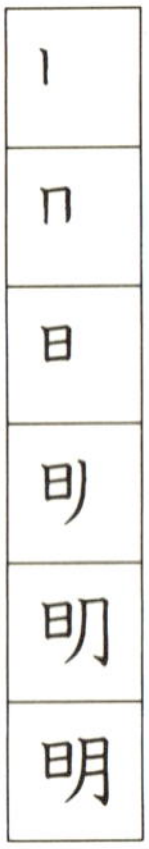

（8画）

れい文・いみ

❶ れい文 外《そと》から明《あ》かりがさしこむ。／ぶつだんの灯明《とうみょう》。 いみ 物《もの》をてらす光《ひかり》。あかり。

❷ れい文 明《あか》るい夜道《よみち》。 いみ 光《ひかり》が十分《じゅうぶん》で、物《もの》がよく見《み》える。あかるい。 ついご 暗《あん》。

❸ れい文 明白《めいはく》な事実《じじつ》。 いみ ものごとがはっきりしているようす。あきらか。

❹ れい文 事《じ》じょうを説明《せつめい》する。 いみ はっきりする。はっきりさせる。あかす。

❺ れい文 明《めい》ろうな男《おとこ》の子《こ》。 いみ 顔《かお》や、せいしつなどが晴《は》ればれしている。あかるい。

❻ れい文 先見《せんけん》の明《めい》がある。 いみ ものごとを見《み》ぬく力《ちから》。かしこい。

❼ れい文 れきしに明《あか》るい。 いみ …にくわしい。あかるい。 ついご 暗《あん》。

❽ れい文 夜《よ》を明《あ》かす。／明朝《みょうちょう》の八時《はちじ》ごろ。 いみ ある期間《きかん》をへて次《つぎ》の時《とき》になる。また、次《つぎ》の。あける。あかす。あくる。

❾ れい文 夜《よる》が明《あ》ける。 いみ 朝《あさ》の光《ひかり》がさす。あかるくなる。あける。

じゅくご

❶ 星明《ほしあ》かり。雪明《ゆきあ》かり。

❷ 明暗《めいあん》。明月《めいげつ》。明星《みょうじょう》。

❸ 明快《めいかい》。明確《めいかく》。明細《めいさい》。簡明《かんめい》。公明《こうめい》。克明《こくめい》（細《こま》かくて、ていねいなようす）。著明《ちょめい》（世間《せけん》に名《な》前《まえ》がよく知《し》られていること。また、名高《なだか》いようす）。

❹ 明記《めいき》。解明《かいめい》。言明《げんめい》。証明《しょうめい》。声明《せいめい》。発明《はつめい》。判明《はんめい》。弁明《べんめい》（くわしく話《はな》して、ものごとのわけをはっきりさせること）。

❺ 明朗《めいろう》。

❻ 明察《めいさつ》（ものごとの本質《ほんしつ》をはっきりと見《み》ぬくこと）。

❽ 明日《みょうにち》。明年《みょうねん》。明後日《みょうごにち》。年明《としあ》け。

❾ 明《あ》け方《がた》。夜明《よあ》け。

とくべつなよみ

明日《あす》。

□ 鳥／14画

鳴

おん メイ

くん なく・なる・ならす

なりたち

鳥《とり》がくちばしをあけて《ないている》ことをあらわす字《じ》。鳥《とり》だけでなく、虫《むし》やほかの動物《どうぶつ》が《なく》ときもこの字《じ》を使《つか》う。

ひつじゅん・書き方

（14画）

《形《かたち》のにている字《じ》》

鳥《とり》

れい文・いみ

❶ れい文 山《やま》でからすが鳴《な》いている。／犬《いぬ》がしきりに、鳴《な》いている。／草《くさ》むらで虫《むし》が鳴《な》く。 いみ 鳥《とり》・けもの・虫《むし》などが声《こえ》を出《だ》す。なく。

❷ れい文 サイレンが鳴《な》る。／ドラムを打《う》ち鳴《な》らす。／山《やま》が鳴動《めいどう》（大《おお》きな地《じ》なりがしてゆれ動《うご》くこと）する。 いみ ものがしん動《どう》して、音《おと》が出《で》る。なる。

❸ れい文 悪名《あくめい》をもって鳴《な》る。／ぼくの姉《あね》は、高校時代《こうこうじだい》ソフトボールで鳴《な》らした。 いみ 広《ひろ》く人《ひと》に知《し》られる。

じゅくご

❶ **悲鳴《ひめい》**（こわかったり、おどろいたりしたときに思《おも》わず出《だ》す叫《さけ》び声《ごえ》）。**鳴《な》き声《ごえ》**。

❷ **鳴子《なるこ》**（田畑《たはた》をあらす鳥《とり》や、けものを追《お》いはらうために、板《いた》に竹《たけ》筒《づつ》を並《なら》べてぶらさげ、ひもを引《ひ》くと音《おと》が出《で》るようにしてある仕《し》掛《か》け）。**海鳴《うみな》り**。**山鳴《やまな》り**。

《鳴子《なるこ》》

毛

毛／4画

おん　モウ
くん　け

なりたち

ぴんとはねた動物《どうぶつ》のしっぽの《け》をえがいた字《じ》。広《ひろ》く、動物《どうぶつ》のからだに生《は》えている《け》の意味《いみ》で使《つか》う。

れい文・いみ

❶ れい文 かみの毛《け》が白《しろ》くなる。／毛糸《けいと》をあむ。／毛布《もうふ》にくるまる。 いみ 動物《どうぶつ》の皮《ひ》ふなどに生《は》えている糸《いと》じょうのもの。け。

《毛糸《けいと》をあむ》

❷ れい文 不毛《ふもう》の地《ち》。 いみ 植物《しょくぶつ》が生《は》える。作《さく》物《もつ》ができる。

❸ いみ ひりつのたんいで、一毛《いちもう》は一《いち》わりの千分《せんぶん》の一《いち》の大《おお》きさ。

じゅくご

❶ 毛筆《もうひつ》。羽毛《うもう》。純毛《じゅんもう》。羊毛《ようもう》。毛皮《けがわ》。毛虫《けむし》。綿毛《わたげ》。まつ毛《げ》。まゆ毛《げ》。

❷ 一毛作《いちもうさく》(同《おな》じ田《た》や畑《はたけ》で一年《いちねん》に一回《いっかい》だけ作物《さくもつ》をつくること)。二毛作《にもうさく》。

❸ 一割《いちわり》五分《ごぶ》二厘《にりん》三毛《さんもう》。

門

門／8画

おん　モン
くん　(かど)

なりたち

右《みぎ》と左《ひだり》に、二《に》まいのとびらのついた《もん》がとじている形《かたち》をえがいた字《じ》。

れい文・いみ

❶ れい文 門《もん》をしめる。／門松《かどまつ》を立《た》てる。 いみ 家《いえ》・学校《がっこう》などの出入《でい》り口《ぐち》。また、出入《でい》り口《ぐち》にもうけるたて物《もの》。もん。

❷ れい文 ちょ水池《すいち》の水門《すいもん》をあける。 いみ 物《もの》が出入《でい》りするせまくなった所《ところ》。

❸ れい文 わらう門《かど》には福来《ふくきた》る。／平家一門《へいけいちもん》。／名門《めいもん》の家《いえ》。 いみ 家《いえ》。また、家《いえ》がら。

❹ いみ 学問《がくもん》・しゅう教《きょう》で同《おな》じなかま。

❺ いみ 物《もの》を分《ぶん》るいするときの大《おお》きな区分《くわ》け。

じゅくご

❶ 門衛《もんえい》(もんのそばにいて、もんの開《あ》けしめや、出入《でい》りする人《ひと》の監《かん》視《し》などをする人《ひと》)。門限《もんげん》。門札《もんさつ》。門番《もんばん》。裏門《うらもん》。表門《おもてもん》。校門《こうもん》。山門《さんもん》。正門《せいもん》。門口《かどぐち》。門出《かどで》。

❷ 関門《かんもん》。こう門《もん》。

❹ 門下《もんか》。門弟《もんてい》。入門《にゅうもん》。

❺ 専門《せんもん》。部門《ぶもん》。

□ 夕／8画

夜

おん ヤ
くん よ・よる

なりたち

人《ひと》の両《りょう》わきをあらわす「亦」と「月」(つき)を合《あ》わせた字《じ》。よる→昼《ひる》→よる、というように、人《ひと》がはたらく昼《ひる》の両《りょう》わきにある《よる》をあらわすようになった字《じ》。

れい文・いみ

❶ れい文 昼間《ひるま》は暑《あつ》いが夜《よる》はすずしい。／オリオンざは冬《ふゆ》の夜《よ》空《ぞら》を代表《だいひょう》する星《せい》ざです。／夜半《やはん》(まよなかごろ)から風《かぜ》が出《で》だした。
いみ 日《ひ》がくれてから次《つぎ》の日《ひ》の朝明《あさあか》るくなるまでの時間《じかん》。よる。 ついご 昼《ひる》。

❷ れい文 赤《あか》ちゃんのお七夜《しちや》のおいわいをする。／あすは十五夜《じゅうごや》だ。 いみ あるときから何日目《なんにちめ》かをあらわすことば。

じゅくご

❶ 夜学《やがく》。夜勤《やきん》。夜具《やぐ》。夜景《やけい》。夜警《やけい》。夜食《やしょく》。夜分《やぶん》。今夜《こんや》。昨夜《さくや》。終夜《しゅうや》(よどおし)。深夜《しんや》。前夜《ぜんや》。昼夜《ちゅうや》。通夜《つや》。日夜《にちや》。夜風《よかぜ》。夜中《よなか》。夜長《よなが》。夜店《よみせ》。夜光虫《やこうちゅう》。星月夜《ほしづきよ》。夜行列車《やこうれっしゃ》。

❷ 八十八夜《はちじゅうはちや》。

ひつじゅん・書き方

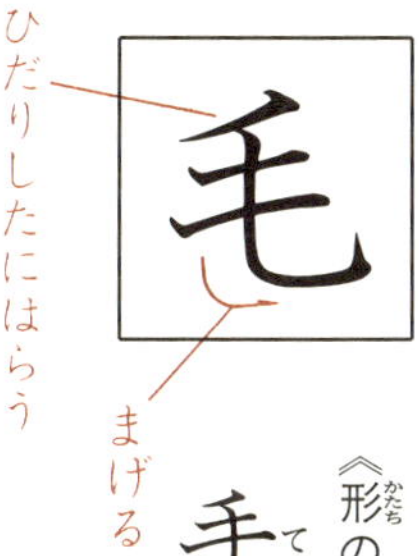

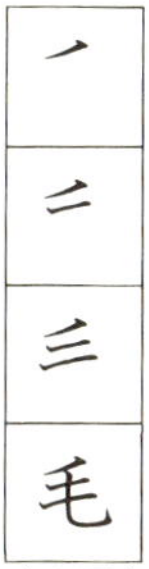

(4画)

《形《かたち》のにている字《じ》》 手《て》

ひつじゅん・書き方

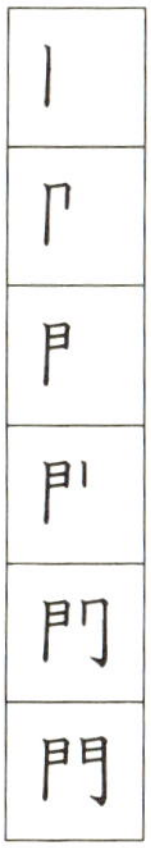

(8画)

《形《かたち》のにている字《じ》》 間《あいだ》 問《もん》 開《ひら》く

ひつじゅん・書き方

(8画)

□
里／11画

【野】

おん ヤ
くん の

なりたち

「里」は田《た》や畑《はたけ》のある村里《むらざと》。「予」は、くっついた物《もの》をゆったりと引《ひ》きのばすこと。いなかの、ゆったりと広《ひろ》びろとした《のはら》のこと。

れい文・いみ

❶ れい文 野山《のやま》の緑《みどり》。／野外《やがい》で遊《あそ》ぶ。 いみ 広《ひろ》びろとした平《たい》らな土地《とち》。のはら。の。

❷ れい文 内野《ないや》フライ。／し野《や》が広《ひろ》い人《ひと》。 いみ 広《ひろ》がりをもったはんい。

❸ れい文 野鳥《やちょう》をほごする。／野生《やせい》のさる。 いみ 自《し》ぜんのまま。人手《ひとで》が入《はい》っていない。

❹ れい文 野《や》ばんなおこない。 いみ 教《きょう》ようがない。また、いやしい。

❺ いみ せいふや、けん力《りょく》の外《そと》にある。みん間《かん》。

じゅくご

❶ 野菜《やさい》。原野《げんや》。広野《こうや》。山野《さんや》。平野《へいや》。野宿《のじゅく》。野原《のはら》。

❷ 野球《やきゅう》。外野《がいや》。視野《しや》。分野《ぶんや》。

❸ 野犬《やけん》。野草《やそう》。

❺ 野党《やとう》（政権《せいけん》を受《う》けもっていない政党《せいとう》）。

とくべつなよみ

野良《のら》。

□
又／4画

【友】

おん ユウ
くん とも

なりたち

ふたりがかばいあうように手《て》をさし出《だ》してあく手《しゅ》しようとしているようすをえがいた字《じ》。たがいに助《たす》け合《あ》う《ともだち》をあらわす。

れい文・いみ

❶ れい文 しょう来《らい》のきぼうを友《とも》と語《かた》り合《あ》う。／西田君《にしだくん》とぼくとは、つり友達《ともだち》です。／同《どう》そう会《かい》でひさしぶりに学友《がくゆう》たちと会《あ》う。 いみ 親《した》しくつきあっている人《ひと》。とも。

❷ れい文 世界《せかい》の国《くに》ぐにがすべて友好関係《ゆうこうかんけい》にあればせんそうなど起《お》こるはずがない。 いみ なかがよい。親《した》しい。

じゅくご

❶ 友人《ゆうじん》。悪友《あくゆう》。旧友《きゅうゆう》。級友《きゅうゆう》。校友《こうゆう》。親友《しんゆう》。

❷ 友愛《ゆうあい》（兄弟《きょうだい》やともだちと親《した》しみ合《あ》う気持《きも》ち。また、人《ひと》と人《ひと》との真心《まごころ》や思《おも》いやりの気持《きも》ち）。

とくべつなよみ

友達《ともだち》。

ひつじゅん・書き方

(11画)

ひつじゅん・書き方

(4画)

《形《かたち》のにている字《じ》》 反《はん》

□ 用／5画

【用】

おん ヨウ
くん もちいる

なりたち

四角《しかく》い板《いた》にあなをあけてぼうを通《とお》すようすをえがいた字《じ》。人《ひと》の力《ちから》や道具《どうぐ》をおし通《とお》して使《つか》うこと、つまり、《もちいる》意味《いみ》をあらわす字《じ》。

れい文・いみ

❶ れい文 電子計算《でんしけいさん》きを用《もち》いる。／風《かぜ》の力《ちから》を利用《りよう》して発電《はつでん》する。／子《こ》ども用《よう》の自転車《じてんしゃ》。 いみ 使《つか》う。役立《やくだ》てる。もちいる。

❷ れい文 社会《しゃかい》のために有用《ゆうよう》(役《やく》にたつこと)である。 いみ はたらき。役《やく》にたつ。

❸ れい文 急用《きゅうよう》ができる。／用《よう》けんをのべる。 いみ しなければならないこと。仕事《しごと》。

❹ れい文 旅行《りょこう》の費用《ひよう》を調《ちょう》たつする。 いみ あることにひつようなお金《かね》や品物《しなもの》。

じゅくご

❶ 用意《ようい》。用心《ようじん》。愛用《あいよう》。応用《おうよう》。活用《かつよう》。採用《さいよう》。使用《しよう》。常用《じょうよう》。代用《だいよう》。乱用《らんよう》(やたらに使《つか》うこと)。画用紙《がようし》。学用品《がくようひん》。日用品《にちようひん》。

❷ 効用《こうよう》。作用《さよう》。無用《むよう》。

❸ 用件《ようけん》。用事《ようじ》。用務《ようむ》。公用《こうよう》。私用《しよう》。社用《しゃよう》。

❹ 用具《ようぐ》。用紙《ようし》。用水《ようすい》。用地《ようち》。

ひつじゅん・書き方

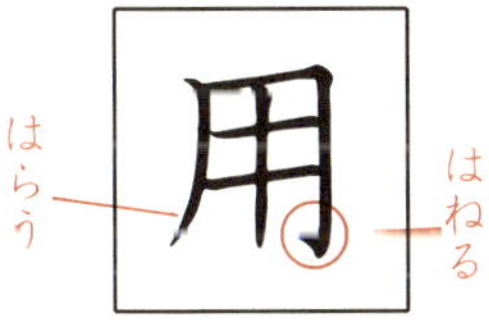

(5画)

《形《かたち》のにている字《じ》》 甲《こう》

日／18画

曜

おん ヨウ
くん ―

なりたち

「日」は太陽《たいよう》。「翟」は高《たか》く目立《めだ》つように鳥《とり》が羽《はね》を立《た》てたようす。空高《そらたか》くかがやく七《なな》つの天体《てんたい》のこと。それらの天体《てんたい》を一週間《いっしゅうかん》の《ようび》にあてはめて使《つか》った。

れい文・いみ

れい文 一週間《いっしゅうかん》は日曜《にちよう》から始《はじ》まって土曜《どよう》で終《お》わる。／世界《せかい》のどの国《くに》でもたいてい日《にち》曜日《ようび》には仕事《しごと》を休《やす》む習《なら》わしになっている。
いみ 一週間《いっしゅうかん》のそれぞれの日《ひ》につけたよび名《な》。

じゅくご

月曜日《げつようび》。火曜日《かようび》。水曜日《すいようび》。木曜日《もくようび》。金曜日《きんようび》。

木／7画

来

おん ライ
くん くる・(きたる)・(きたす)

なりたち

もとの字《じ》は「來」。麦《むぎ》のほがたれるようすをえがいた字《じ》。麦《むぎ》は、むかし遠《とお》い国《くに》からつたわってきたので、《くる》の意味《いみ》になった。

れい文・いみ

❶ れい文 台風《たいふう》が来《く》る。／未来《みらい》の社会《しゃかい》。 いみ 近《ちか》づく。おとずれる。くる。 ついご 去《さ》る。
❷ れい文 それ以来《いらい》。／夜来《やらい》の雨《あめ》。 いみ あるときからげんざいまで。これまで。
❸ れい文 体調《たいちょう》にへん化《か》を来《きた》す。 いみ あるけっかをもたらす。おこす。
❹ れい文 来《きた》る三月五日《さんがついつか》。／来年度《らいねんど》の予算《よさん》。 いみ これから先《さき》。すぐ次《つぎ》の。

じゅくご

❶ 来客《らいきゃく》。来航《らいこう》。来日《らいにち》。来訪《らいほう》。遠来《えんらい》。往来《おうらい》。伝来《でんらい》。
❷ 元来《がんらい》(もともと)。近来《きんらい》。古来《こらい》。在来《ざいらい》(これまでふつうにあったことや、おこなわれていたこと)。従来《じゅうらい》。生来《せいらい》(生《う》まれてからずっと今《いま》まで)。年来《ねんらい》。本来《ほんらい》。
❹ 来期《らいき》。来月《らいげつ》。来週《らいしゅう》。来年《らいねん》。

里／7画

【里】

おん リ
くん さと

なりたち

「田」（四角《しかく》く区切《くぎ》られた田《た》や畑《はたけ》）と「土」（つち）を合《あ》わせた字《じ》。土地《とち》をたがやしたり、きちんと区切《くぎ》ったりした、人《ひと》がすむ《村《むら》ざと》をあらわした字《じ》。

れい文・いみ

❶ れい文 人里《ひとざと》はなれた山《やま》おく。 いみ 町《まち》からはなれて、人家《じんか》が集《あつ》まっている所《ところ》。さと。

❷ れい文 空港《くうこう》は里帰《さとがえ》りの人《ひと》びとでこんざつしていた。／夏休《なつやす》みに母《はは》のきょう里《り》へ行《い》く。 いみ その人《ひと》が生《う》まれ育《そだ》った所《ところ》。いなか。

❸ いみ 子《こ》どもをあずけ、育《そだ》ててもらう家《いえ》。

❹ いみ むかしのきょりのたんい。一里《いちり》は、やく三《さん》・九《きゅう》キロメートル。

じゅくご

❶ 村里《むらざと》。山里《やまざと》。

❷ 郷里《きょうり》。里心《さとごころ》。

❸ 里親《さとおや》。里子《さとご》。

❹ 一里塚《いちりづか》。千里眼《せんりがん》（遠《とお》い所《ところ》のできごとや将来《しょうらい》のこと、また、人《ひと》の心《こころ》の中《なか》までも見《み》ぬくことのできる力《ちから》。また、その力《ちから》をもった人《ひと》）。

ひつじゅん・書き方

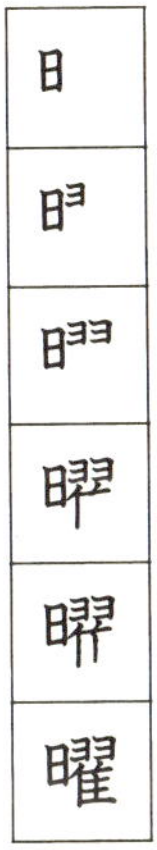

（18画）

曜

おなじくらいあける

ひつじゅん・書き方

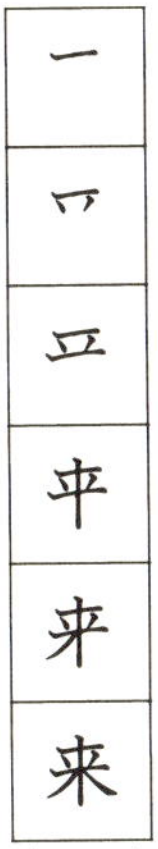

（７画）

来

うえのせんよりながく

《形《かたち》のにている字《じ》》

未《み》 末《まつ》 米《こめ》

ひつじゅん・書き方

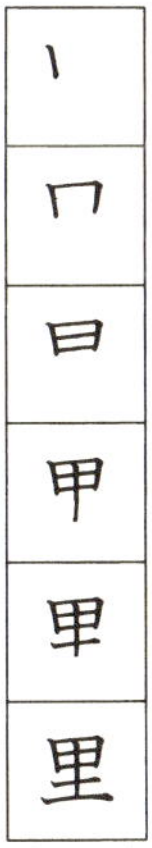

（７画）

里

うえのせんよりながく

《形《かたち》のにている字《じ》》

理《り》 黒《くろ》

□ 王／11画

理

おん リ
くん ——

なりたち

「里」は、たて横《よこ》にすじ道《みち》が通《とお》っている土地《とち》。「王」は、すじのある玉《たま》。ものごとの《すじ道《みち》》や、《すじ道《みち》をつけてととのえる》ことをあらわす字《じ》。

れい文・いみ

❶ れい文 魚《さかな》を料理《りょうり》する。／記《き》ろくを整理《せいり》する。／てきぱきとしたしょ理《り》。 いみ ものごとをすじ道《みち》を立《た》てて、ととのえる。おさめる。

❷ れい文 理《り》にかなった考《かんが》え。／道理《どうり》をわきまえる。／真理《しんり》を追究《ついきゅう》する。 いみ ものごとのすじ道《みち》。ことわり。

❸ れい文 兄《あに》は、大学《だいがく》の理学部《りがくぶ》に進《すす》みました。 いみ 自《し》ぜん科学《かがく》のこと。

じゅくご

❶ 管理《かんり》。受理《じゅり》。修理《しゅうり》。処理《しょり》。代理《だいり》。調理《ちょうり》。理容師《りようし》。

❷ 理解《りかい》。理性《りせい》(ものごとのよい悪《わる》い、正《ただ》しい正《ただ》しくないなどをすじ道《みち》を立《た》てて考《かんが》えることのできる能《のう》力《りょく》)。理知《りち》。理由《りゆう》。理論《りろん》。義理《ぎり》。原理《げんり》。心理《しんり》。推理《すいり》。地理《ちり》。論理《ろんり》。

❸ 理科《りか》。

□ 言／13画

話

おん ワ
くん はなす・はなし

なりたち

「言」は、ことば。「舌」は口《くち》をはものであけて、息《いき》がふっと出《で》てくるようす。口《くち》でいろいろなことばを言《い》うときのようすをあらわした字《じ》。口《くち》で《はなす》こと。

れい文・いみ

❶ れい文 思《おも》い出《で》を話《はな》す。／対話《たいわ》のき会《かい》をつくる。／話《はなし》がはずむ。／話題《わだい》がなくなる。 いみ しゃべる。はなす。また、その内《ない》よう。はなし。

❷ れい文 大《おお》むかしの話《はなし》。／童話《どうわ》がすきな弟《おとうと》。 いみ すじを追《お》って語《かた》られるもの。物語《ものがたり》。

❸ れい文 父《ちち》は話《はなし》がわかる。／話《はなし》が通《つう》じる。 いみ ものごとの事《じ》じょう。わけ。

じゅくご

❶ 話術《わじゅつ》。会話《かいわ》。訓話《くんわ》(よいおこないをするように教《おし》えさとすはなし)。実話《じつわ》。談話《だんわ》。電話《でんわ》。話《はな》し手《て》。立《た》ち話《ばなし》。笑《わら》い話《ばなし》。話《はな》し合《あ》い。

❷ 神話《しんわ》。民話《みんわ》。昔話《むかしばなし》。

ひつじゅん・書き方

理

ななめみぎうえへ

（11画）

《形《かたち》のにている字《じ》》

野《の》 里《さと》

ひつじゅん・書き方

話

ひだりしたへはらう

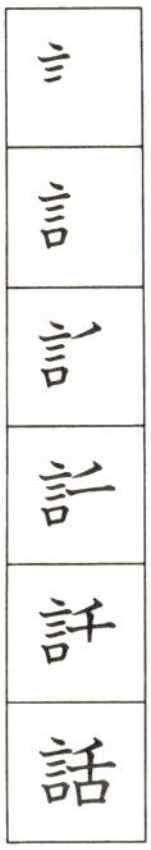

（13画）

《形《かたち》のにている字《じ》》

活《かつ》 語《ご》 読《よ》む

絵《え》からできた漢字《かんじ》⑸

（上《うえ》から順番《じゅんばん》に変化《へんか》して、現在《げんざい》の漢字《かんじ》の字体《じたい》となりました。）

心《こころ》 身《み》 毛《け》 羽《はね》

絵《え》からできた漢字《かんじ》⑹

（上《うえ》から順番《じゅんばん》に変化《へんか》して、現在《げんざい》の漢字《かんじ》の字体《じたい》となりました。）

人《ひと》

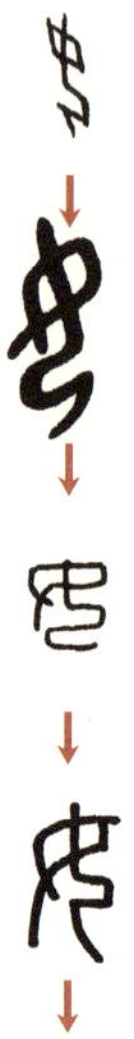

女《おんな》

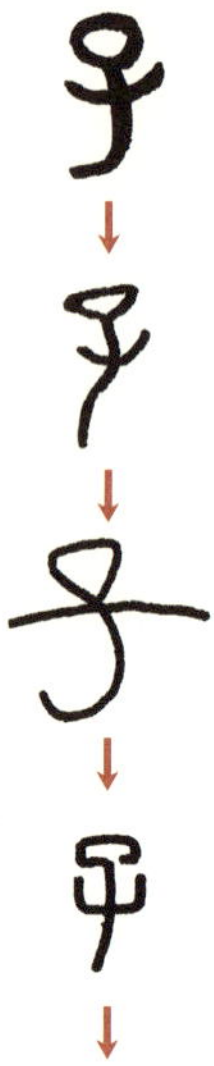

子《こ》

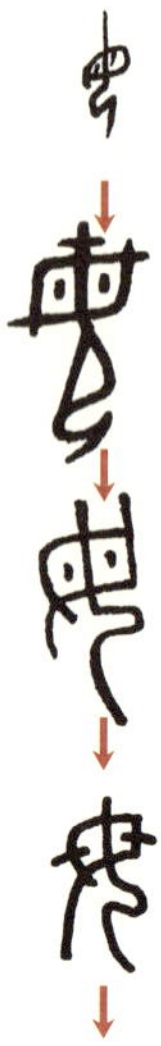

母《はは》

兄《あに》

尾《お》

角《かど》

見《み》る

三《さん》年《ねん》生《せい》で学《がく》習《しゅう》する漢《かん》字《じ》 200字《じ》

三年生《さんねんせい》で学習《がくしゅう》する漢字《かんじ》

画数《かくすう》さくいん 200字《じ》

3年

3年

心／11画

【悪】

音 アク・《オ》
訓 わるい

成り立ち

もとの字は「惡」。「亞」(家《いえ》の柱《はしら》を地面《じめん》に立《た》てるくぼみ)と「心」(こころ)を合《あ》わせた字《じ》。柱《はしら》で、おさえつけられたようないやな気持《きも》ちのことから、《わるい》の意味《いみ》をあらわした字《じ》。

筆順・書き方

つきでない

(11画)

例文・意味

❶ 例文 社会《しゃかい》の悪《あく》に立《た》ち向《む》かう。／悪《わる》いおこない。
意味 正《ただ》しくない。よくない。対語 善《ぜん》。

❷ 例文 船《ふな》よいで気分《きぶん》が悪《わる》い。／気味《きみ》の悪《わる》い話《はなし》。
意味 いやな感《かん》じがする。みにくい。

❸ 例文 国語《こくご》の成《せい》せきが悪《わる》い。／悪《わる》くなった牛肉《ぎゅうにく》。
意味 おとっている。へたな。まずい。

❹ 例文 強《つよ》いチームを相手《あいて》に悪戦苦《あくせんく》とうする。
意味 強《つよ》くはげしい。ひどい。

❺ 例文 悪意《あくい》に満《み》ちたことば。／好悪《こうお》の感《かん》じょう。
意味 にくむ。いやだと思《おも》う。

熟語

❶ 悪事《あくじ》。悪質《あくしつ》。悪党《あくとう》。悪人《あくにん》。悪用《あくよう》。悪化《あっか》。最悪《さいあく》。罪悪《ざいあく》。善悪《ぜんあく》。悪者《わるもの》。悪知恵《わるぢえ》。意地悪《いじわる》。

❷ 悪夢《あくむ》(いやな、おそろしい夢《ゆめ》)。悪寒《おかん》(熱《ねっ》が出《で》たときなどに感《かん》じる、ぞくぞくする寒気《さむけ》)。

❸ 悪声《あくせい》。悪筆《あくひつ》。悪文《あくぶん》。

❹ 悪戦苦闘《あくせんくとう》 ⇩(634ページ上)

❺ 悪口《あっこう》。悪気《わるぎ》。悪口《わるくち》。

宀／6画

【安】

音 アン
訓 やすい

成り立ち

「宀」(家《いえ》)と「女」(おんな)を合《あ》わせた字《じ》。女《おんな》の人《ひと》が家《いえ》の中《なか》であん心《しん》して《やすらかである》ようすをあらわした字《じ》。

筆順・書き方

(6画)

例文・意味

❶ 例文 美《うつく》しい音楽《おんがく》をきくと、心《こころ》が安《やす》らかになる。／宿題《しゅくだい》が終《お》わって安心《あんしん》する。／安全《あんぜん》な場所《ばしょ》にひなんする。
意味 きけんや心配《しんぱい》がない。落《お》ち着《つ》いている。おだやか。やすらか。

❷ 例文 メロンよりバナナのほうが安《やす》い。／安《やす》っぽい時計《とけい》。／大安売《おおやすう》りの広告《こうこく》。
意味 ねだんやかちが低《ひく》い。やすい。

❸ 例文 安易《あんい》な方法《ほうほう》で、問題《もんだい》をかい決《けつ》する。
意味 かん単《たん》である。やさしい。たやすい。

熟語

❶ 安産《あんざん》。安静《あんせい》(病人《びょうにん》・けが人《にん》などが、からだを動《うご》かさずに静《しず》かにしていること)。安定《あんてい》。安否《あんぴ》(ある人《ひと》が無事《ぶじ》であるかどうかということ)。安楽《あんらく》。治安《ちあん》。不安《ふあん》。平安《へいあん》。保安《ほあん》。

❷ 安値《やすね》。安物《やすもの》。格安《かくやす》。割安《わりやす》。安上《やすあ》がり。

❸ 安直《あんちょく》(簡単《かんたん》なようす)。安請《やすう》け合《あ》い。

□
日／13画

暗

音 アン
訓 くらい

成り立ち 「日」(ひ)と「音」(おと)を合《あ》わせた字《じ》。「音」は、のどから出《で》るおと。中《なか》にかくれる、とじこもることをあらわす。日《ひ》の光《ひかり》がとどかないで、家《いえ》の中《なか》が《くらい》ことをあらわした字《じ》。

筆順・書き方

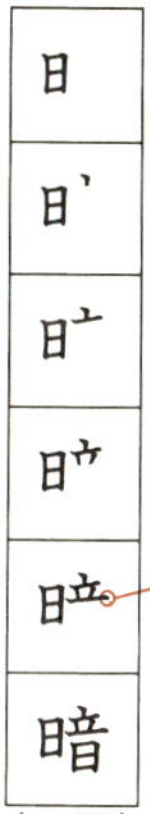

(13画)

例文・意味

❶ 例文 暗《くら》い夜道《よみち》を歩《ある》く。／暗《くら》い色《いろ》の洋服《ようふく》。意味 光《ひかり》がない。黒《くろ》ずんでいる。くらい。対語 明《めい》。

❷ 例文 たん生日会《じょうびかい》に参加《さんか》できないことを暗《あん》にほのめかす。意味 人《ひと》に知《し》られない。ひそかに。こっそり。

❸ 例文 兄《あに》は文学《ぶんがく》には明《あか》るいが、音楽《おんがく》には暗《くら》い。意味 よく知《し》らない。知《ち》えがたりない。対語 明《めい》。

❹ 例文 かけ算《ざん》の九九《くく》を暗記《あんき》する。意味 見《み》たり聞《き》いたりしないで、そらで言《い》ったり書《か》いたりする。そらんじる。

熟語

❶ 暗黒《あんこく》。暗室《あんしつ》。暗幕《あんまく》。明暗《めいあん》。暗《くら》がり。暗《くら》やみ。真《ま》っ暗《くら》。暗中模索《あんちゅうもさく》⇩(634ページ上)

❷ 暗号《あんごう》。暗殺《あんさつ》(ひそかにねらって殺《ころ》すこと)。暗示《あんじ》(あることをそれとなくわからせること)。

❹ 暗算《あんざん》。暗唱《あんしょう》。

□
匸／7画

医

音 イ
訓 ―

成り立ち もとの字《じ》は「醫」。「酉」(酒《さけ》つぼ)と「医」(矢《や》をしまう箱《はこ》)と「殳」(動作《どうさ》の記号《きごう》)を合《あ》わせた字《じ》。酒《さけ》つぼで薬用酒《やくようしゅ》をつくったことから、病気《びょうき》を治《なお》すこと、また《い者《しゃ》》の意味《いみ》になった。

筆順・書き方

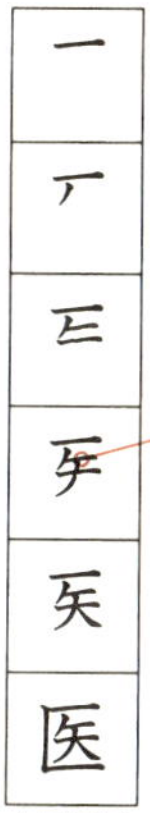

(7画)

例文・意味

❶ 例文 父《ちち》は大学《だいがく》で医学《いがく》を学《まな》んだ。／小児科《しょうにか》の医《い》院《いん》を開業《かいぎょう》する。意味 病気《びょうき》や、けがを治《なお》す。いやす。

❷ 例文 病院《びょういん》では主治医《しゅじい》の指《し》じにしたがう。／町《まち》いちばんの名医《めいい》。／犬《いぬ》の病気《びょうき》をじゅう医《い》さんに治《なお》してもらう。意味 病気《びょうき》や、けがを治《なお》す人《ひと》。

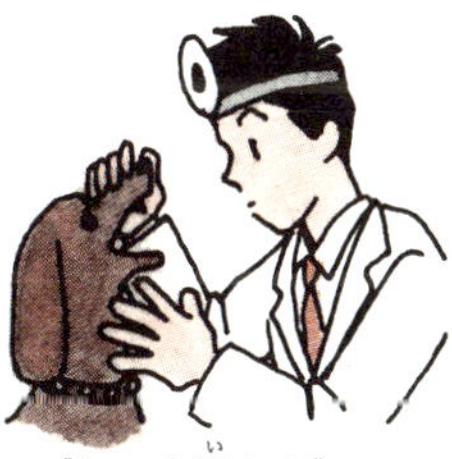
《じゅう医《い》さん》

熟語

❶ 医師《いし》。医者《いしゃ》。医術《いじゅつ》。医大《いだい》。歯医者《はいしゃ》。医学博士《いがくはくし》。

❷ 校医《こうい》(学校《がっこう》からたのまれて、児童《じどう》・生徒《せいと》のからだのぐあいを調《しら》べて治療《ちりょう》をしたり、健康《けんこう》を守《まも》ったりする、い者《しゃ》)。女医《じょい》。無医村《むいそん》。開業医《かいぎょうい》。歯科医《しかい》。

委

女／8画

音 イ
訓 ―

成り立ち

「禾」は、たれたいねのほ。それに、やさしく人《ひと》によりそう「女」(おんな)を合《あ》わせた字《じ》。人《ひと》によりそって《まかせる》ことをあらわした字《じ》。

筆順・書き方

二　千　禾　秂　委　委
(8画)

はらいのほうこうにちゅうい

例文・意味

❶ 例文 新《あたら》しい学級委員《がっきゅういいん》を選《えら》ぶ。／父《ちち》は町内会《ちょうないかい》の運《うん》えいを委任《いにん》されました。／会社《かいしゃ》から委《い》たく(自分《じぶん》の仕事《しごと》などを人《ひと》にまかせてやってもらうこと)されて商品《しょうひん》を開発《かいはつ》しています。 意味 他人《たにん》にまかせる。ゆだねる。

❷ 例文 委細《いさい》(くわしいこと)は、お会《あ》いしたときにご説明《せつめい》します。 意味 細《こま》かくて、くわしい。

熟語

❶ 委員会《いいんかい》。委員長《いいんちょう》。図書委員《としょいいん》。放送委員《ほうそういいん》。

《学級委員《がっきゅういいん》を選《えら》ぶ》

意

心／13画

音 イ
訓 ―

成り立ち

「音」(おと)と「心」(こころ)を合《あ》わせた字《じ》。「音」は中《なか》にとじこもることをあらわす。《心《こころ》の中《なか》にとじこもるおもい》をあらわした字《じ》。

筆順・書き方

亠　立　立　音　意　意
(13画)

うえのせんよりながく

例文・意味

❶ 例文 夏休《なつやす》みに行《い》くキャンプの計画《けいかく》のことで両親《りょうしん》に反対《はんたい》されたけれど、姉《あね》が、さん成《せい》してくれたので意《い》を強《つよ》くした。／他人《たにん》のことなどおかまいなしに、意《い》のままにふるまう。／みんなの前《まえ》で自分《じぶん》の意見《いけん》をはっきりとのべる。／先《せん》ぱいに好意《こうい》をよせる。 意味 心《こころ》に思《おも》っている考《かんが》えや気持《きも》ち。思《おも》い。

❷ 例文 文章《ぶんしょう》を読《よ》んで、大意《たいい》をまとめる。／外来語《がいらいご》の意味《いみ》を辞典《じてん》で調《しら》べる。 意味 ことばや文章《ぶんしょう》がもっている内《ない》よう。わけ。

熟語

❶ 意外《いがい》。意気《いき》。意向《いこう》。意志《いし》。意思《いし》。意地《いじ》。意識《いしき》。意図《いと》。意欲《いよく》。敬意《けいい》。決意《けつい》。故意《こい》。厚意《こうい》。合意《ごうい》。真意《しんい》。誠意《せいい》。善意《ぜんい》。注意《ちゅうい》。得意《とくい》。熱意《ねつい》。不意《ふい》。本意《ほんい》。用意《ようい》。来意《らいい》。

❷ 意義《いぎ》。文意《ぶんい》。表意文字《ひょういもじ》。意味深長《いみしんちょう》⇩(635ページ下)

特別な読み

意気地《いくじ》。

月／8画

育

音 イク
訓 そだつ・そだてる

成り立ち

「𠫓」は「子」をさかさにした字《じ》。生《う》まれてくる赤《あか》ちゃんのようす。「月」は、からだの肉《にく》。子《こ》どもに肉《にく》がついて《そだつ》ことを意味《いみ》する。

筆順・書き方

(8画)

例文・意味

❶ 例文 子《こ》うさぎがすくすくと育《そだ》つ。／ことしは天候《てんこう》が悪《わる》かったので、いねの育《そだ》ちが悪《わる》い。／山《やま》の手育《てそだ》ちと下町《したまち》育《そだ》ち。 意味 成長《せいちょう》する。大《おお》きくなる。そだつ。

❷ 例文 野球《やきゅう》チームを育《そだ》てる。／三人《さんにん》の子《こ》を育《そだ》てあげる。／新入社員《しんにゅうしゃいん》を教育《きょういく》する。／小鳥《ことり》を飼育《しいく》する。 意味 成長《せいちょう》させる。大《おお》きくする。そだてる。

《小鳥《ことり》を飼育《しいく》する》

熟語

❶ 生育《せいいく》(おもに、植物《しょくぶつ》が芽生《めば》えて大《おお》きくなること)。成育《せいいく》(おもに、人間《にんげん》や動物《どうぶつ》が成長《せいちょう》して大《おお》きくなっていくこと)。発育《はついく》。

❷ 育児《いくじ》。育成《いくせい》。体育《たいいく》。保育《ほいく》。養育《よういく》。飼育係《しいくがかり》。保育園《ほいくえん》。保育所《ほいくしょ》。教育《きょういく》。教育漢字《きょういくかんじ》。義務教育《ぎむきょういく》。

口／10画

員

音 イン
訓 ―

成り立ち

「員」は「口」(○印《じるし》)と「貝」(三本足《さんぼんあし》の器《うつわ》)を合《あ》わせた字《じ》。器《うつわ》をならべて数《かず》を数《かぞ》えることから、人《ひと》や数《かず》を数《かぞ》える意味《いみ》になった。

筆順・書き方

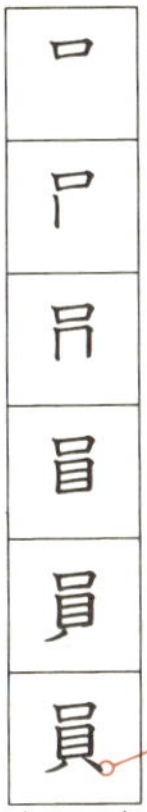

(10画)

例文・意味

❶ 例文 このげき場《じょう》の定員《ていいん》は三百名《さんびゃくめい》です。／通《つう》きん客《きゃく》で満員《まんいん》のバス。 意味 人《ひと》や物《もの》などの数《かず》。

❷ 例文 代表委員《だいひょういいん》を集《あつ》めて会議《かいぎ》を開《ひら》く。／スイミングクラブの会員《かいいん》。／漁船《ぎょせん》の乗組員《のりくみいん》。／市会議員《しかいぎいん》の選挙《せんきょ》がおこなわれる。 意味 ある仕事《しごと》や役目《やくめ》についている人《ひと》。また、だん体《たい》などに入《はい》っている人《ひと》。

《満員《まんいん》のバス》

熟語

❶ 欠員《けついん》(決《き》まっている人数《にんずう》にたりないこと。また、そのたりない人《にん》数《ずう》)。人員《じんいん》。全員《ぜんいん》。総員《そういん》。

❷ 駅員《えきいん》。係員《かかりいん》。工員《こういん》。社員《しゃいん》。職員《しょくいん》。船員《せんいん》。団員《だんいん》。店員《てんいん》。部員《ぶいん》。役員《やくいん》。会社員《かいしゃいん》。銀行員《ぎんこういん》。組合員《くみあいいん》。乗務員《じょうむいん》。用務員《ようむいん》。学級委員《がっきゅういいん》。国会議員《こっかいぎいん》。図書委員《としょいいん》。

□
阝／10画

〔院〕

音 イン
訓 ―

成り立ち
「阝」は、もりあげた土《つち》、「完」は、まるい頭《あたま》の人《ひと》を屋根《やね》で囲《かこ》んでおおうこと。家《いえ》のまわりに囲《かこ》いのある《りっぱな建《たて》物《もの》》を意味《いみ》する字《じ》。

筆順・書き方

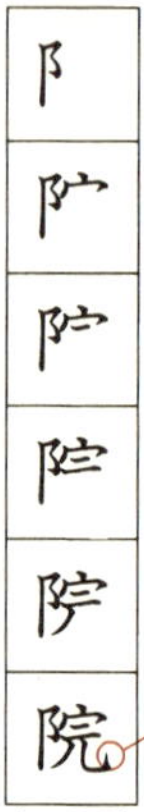

（10画）

例文・意味
❶ 例文 父《ちち》は病院《びょういん》の院長《いんちょう》です。／交通事《こうつうじ》こにあい、一《いっ》か月間入院《げつかんにゅういん》した。 意味 かき根《ね》をめぐらした大《おお》きな建物《たてもの》。役所《やくしょ》・学校《がっこう》・寺《てら》など。
❷ 例文 白河天《しらかわてん》のうは位《くらい》をゆずった後《あと》、上《じょう》こうとなって院政《いんせい》（上《じょう》こうや法《ほう》おうが、ご所《しょ》でせい治《じ》をとったこと）をおこなった。 意味 むかし、法《ほう》おうや上《じょう》こうなどがすんでいた所《ところ》。また、法《ほう》おうや上《じょう》こうを、うやまって言《い》うことば。

熟語
❶ 医院《いいん》。下院《かいん》。寺院《じいん》。上院《じょういん》。退院《たいいん》。二院制《にいんせい》（国《くに》の議会《ぎかい》が二《ふた》つに分《わ》かれている仕組《しく》み）。参議院《さんぎいん》。衆議院《しゅうぎいん》。修道院《しゅうどういん》。正倉院《しょうそういん》。美容院《びよういん》。

□
食／12画

〔飲〕

音 イン
訓 のむ

成り立ち
もとの字《じ》は「㱃」。「欠」は口《くち》をあけた人《ひと》のすがた。「酓」は酒《さけ》などをつぼに入《い》れること。大《おお》きく口《くち》をあけて、酒《さけ》や水《みず》を《のむ》ことを意味《いみ》する字《じ》。

筆順・書き方

（12画）

例文・意味
例文 コーヒーに、ミルクを入《い》れて飲《の》む。／父《ちち》は、お酒《さけ》は飲《の》みません。／コップの水《みず》を一気《いっき》に飲《の》みほす。／駅前《えきまえ》に飲食《いんしょく》店《てん》が立《た》ちならぶ。／サイダーは、清《せい》りょう飲料水《いんりょうすい》です。
意味 水《みず》・酒《さけ》・ジュースなど、えき体《たい》を口《くち》から入《い》れて、のどを通《とお》してからだの中《なか》に入《い》れる。

《飲《の》みほす》

熟語
飲酒《いんしゅ》。飲食《いんしょく》。飲用《いんよう》（のむために使《つか》うこと）。暴飲《ぼういん》（酒《さけ》や、のみ物《もの》などを、やたらにのむこと）。飲用水《いんようすい》。飲《の》み薬《ぐすり》。飲《の》み水《みず》。飲《の》み物《もの》。酒《さけ》飲《の》み。飲酒運転《いんしゅうんてん》。湯《ゆ》飲《の》み茶《ぢゃ》わん。

運

⻌／12画

音 ウン
訓 はこぶ

成り立ち

「⻌」は足《あし》の動作《どうさ》を、「軍」は戦車《せんしゃ》でまわりをとりかこむことをあらわす。いきおいよく車《くるま》がぐるぐる回《まわ》ることから、ぐるぐると回《まわ》り歩《ある》く意味《いみ》になった。

筆順・書き方

（12画）

例文・意味

❶ 例文 体育倉庫《たいいくそうこ》からとび箱《ばこ》を運《はこ》び出《だ》す。／荷物《にもつ》を運《うん》ぱんする。意味 ある場所《ばしょ》から、他《た》の場所《ばしょ》へうつす。はこぶ。

❷ 例文 星《ほし》の運行《うんこう》を観《かん》そくする。／運動場《うんどうじょう》でドッジボールをする。意味 めぐる。めぐらす。また、動《うご》く。動《うご》かす。

❸ 例文 児童会《じどうかい》の運営《うんえい》にたずさわる。意味 働《はたら》かせる。用《もち》いる。

❹ 例文 運《うん》の悪《わる》い男《おとこ》。／運勢《うんせい》をうらなう。意味 めぐりあわせ。さだめ。うん。

熟語

❶ 運河《うんが》。運休《うんきゅう》（定期的《ていきてき》にうん転《てん》されている列車《れっしゃ》・電車《でんしゃ》・バスなどがうん転《てん》を休《やす》むこと）。運送《うんそう》。運賃《うんちん》。運輸《うんゆ》。海運《かいうん》。陸運《りくうん》。運転手《うんてんしゅ》。

❷ 運航《うんこう》。運転《うんてん》。運動《うんどう》。運動会《うんどうかい》。試運転《しうんてん》。

❸ 運針《うんしん》。運用《うんよう》。

❹ 運命《うんめい》。幸運《こううん》。悲運《ひうん》。不運《ふうん》（めぐりあわせが悪《わる》いようす）。

泳

氵／8画

音 エイ
訓 およぐ

成り立ち

「氵」は水《みず》を、「永」は水《みず》の流《なが》れが細《ほそ》ながくのびるようすをあらわす。ながく水《みず》の流《なが》れにのってうかぶことから、《およぐ》ことを意味《いみ》するようになった。

筆順・書き方

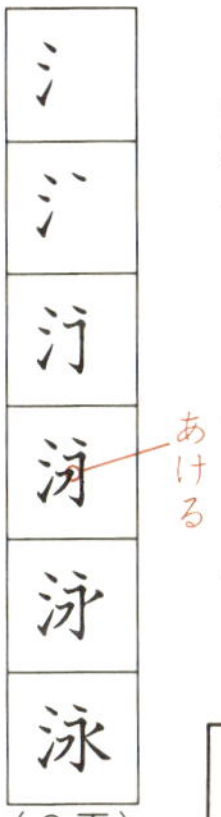

（8画）

例文・意味

例文 夏休《なつやす》みになったら、学校《がっこう》のプールで泳《およ》ぐ。／ぼくは百《ひゃく》メートル泳《およ》げる。／川《かわ》を泳《およ》いでわたる。／平《ひら》泳《およ》ぎをする。／兄《あに》は水泳《すいえい》の選手《せんしゅ》です。

意味 人間《にんげん》や動物《どうぶつ》が手《て》・足《あし》・ひれなどを動《うご》かして、水《みず》の中《なか》を進《すす》む。およぐ。

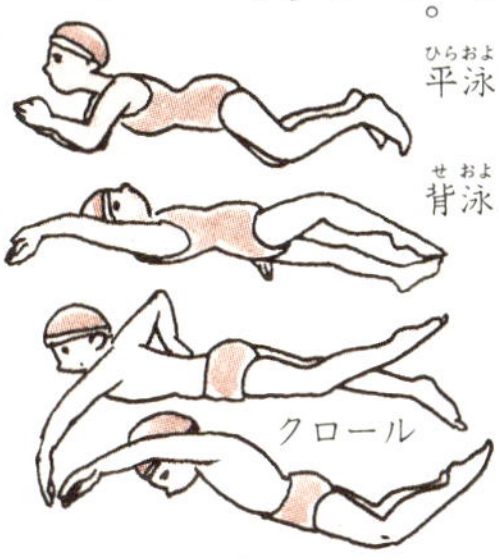

《いろいろな泳《およ》ぎ方《かた》》

熟語

遠泳《えんえい》。競泳《きょうえい》。背泳《はいえい》。遊泳《ゆうえい》。力泳《りきえい》。背泳《せおよ》ぎ。

馬／14画

駅

音 エキ
訓 ―

成り立ち

もとの字《じ》は「驛」。「睪」(ざい人《にん》を次々《つぎつぎ》に調《しら》べる)と「馬」(うま)を合《あ》わせた字《じ》。むかしの旅人《たびびと》が馬《うま》を乗《の》りつぐ宿場《しゅくば》。今《いま》の鉄道《てつどう》の《えき》の意味《いみ》になった。

筆順・書き方

(14画)

例文・意味

❶ 例文 駅《えき》まで父《ちち》をむかえに行《い》く。／駅前《えきまえ》の商店街《しょうてんがい》。／急行列車《きゅうこうれっしゃ》の停車駅《ていしゃえき》。 意味 電車《でんしゃ》や汽車《きしゃ》などが止《と》まる所《ところ》。停車場《ていしゃじょう》。えき。

❷ 例文 ここは東海道《とうかいどう》の宿駅《しゅくえき》(宿場《しゅくば》)の一《ひと》つで、むかしはたいそうにぎわったらしい。 意味 むかし、交通上《こうつうじょう》たいせつな場所《ばしょ》にあり、旅人《たびびと》がとまったり、馬《うま》や、かごの乗《の》りつぎをした所《ところ》。宿場《しゅくば》。

❸ 例文 駅伝競走《えきでんきょうそう》に出場《しゅつじょう》する。 意味 次《つぎ》から次《つぎ》へと送《おく》る。伝《つた》える。つぐ。

熟語

❶ 駅員《えきいん》。駅長《えきちょう》。駅弁《えきべん》。駅《えき》ビル。始発駅《しはつえき》。終着駅《しゅうちゃくえき》。

大／5画

央

音 オウ
訓 ―

成り立ち

「大」と「冂」のしるしとを合《あ》わせた字《じ》。大《だい》の字《じ》に立《た》った人《ひと》の頭《あたま》とからだのあいだにある首《くび》の部分《ぶぶん》を「冂」のしるしでしめし、物《もの》の《中《ちゅう》おう》をあらわした字《じ》。

筆順・書き方

(5画)

例文・意味

❶ 例文 この公園《こうえん》の中央《ちゅうおう》にとても大《おお》きなふん水《すい》があります。 意味 物《もの》の真《ま》ん中《なか》。中心《ちゅうしん》。

❷ 例文 中央官庁《ちゅうおうかんちょう》は、東京《とうきょう》の霞《かすみ》が関《せき》に集《あつ》まっています。 意味 たいせつな役目《やくめ》を果《は》たす、中心《ちゅうしん》となるところ。

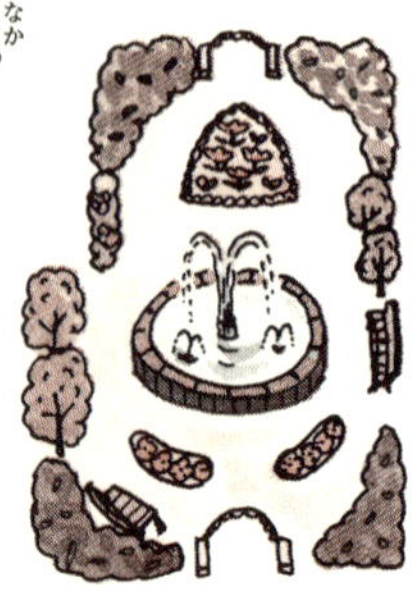

《公園《こうえん》の中央《ちゅうおう》》

熟語

❷ 中央集権《ちゅうおうしゅうけん》(国《くに》の統治権《とうちけん》が地方《ちほう》に分《わ》かれないで、中《ちゅう》おう政府《せいふ》に集中《しゅうちゅう》されていること)。

木／15画

横

音 オウ

訓 よこ

成り立ち

「木」（き）と「黄」（矢《や》の先《さき》が光《ひか》り、広《ひろ》がるようす）を合《あ》わせた字《じ》。光《ひかり》が広《ひろ》がるように、みきからはみ出《で》て広《ひろ》がるえだのことから、《よこ》の意味《いみ》になった。

横 ← 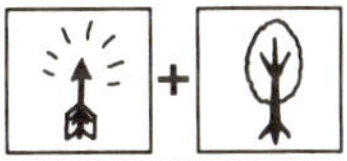

筆順・書き方

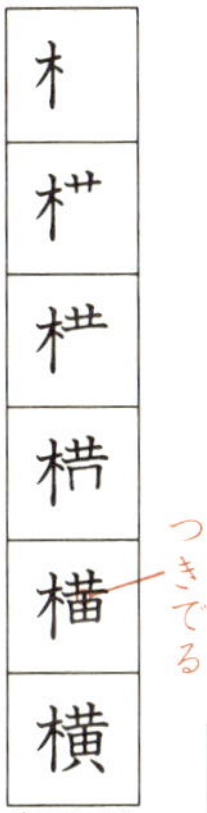

（15画）

例文・意味

❶ 例文 さくらの木《き》の横《よこ》に立《た》って、写真《しゃしん》をとる。／はがきの横《よこ》の長《なが》さをはかる。／ベッドの上《うえ》に横《よこ》たわる。／タクシーを校門《こうもん》に横《よこ》づけする。／雨《あめ》が横《よこ》なぐりにふる。／太平洋《たいへいよう》をヨットで横断《おうだん》する。 意味 左右《さゆう》の方向《ほうこう》。左右《さゆう》の長《なが》さ。また、ものの側面《そくめん》。よこ。 対語 縦《たて》。

❷ 例文 ぼう力《りょく》だんの横行《おうこう》を、けい察《さつ》がとりしまる。／友《とも》だちの横着《おうちゃく》なたい度《ど》にはらを立《た》てる。 意味 わがまま。勝手気《かってき》まま。

熟語

❶ 横転《おうてん》。縦横《じゅうおう》。横糸《よこいと》。横顔《よこがお》。横町《よこちょう》。横笛《よこぶえ》。横道《よこみち》。真横《まよこ》。横書《よこが》き。横切《よこぎ》る。横倒《よこだお》し。横文字《よこもじ》。横断歩道《おうだんほどう》。

❷ 横暴《おうぼう》（自分勝手《じぶんかって》にわがままにふるまったり、乱暴《らんぼう》をしたりするようす）。横領《おうりょう》。横紙破《よこがみやぶ》り（自分《じぶん》の思《おも》いどおりにものごとをむりにおし通《とお》すこと）。

尸／9画

屋

音 オク

訓 や

成り立ち

「尸」（かぶさってたれたぬの）と「至」（いきどまり、とどく）を合《あ》わせた字《じ》。家《いえ》をおおっている《やね》のことから、《いえ》の意味《いみ》もあらわした。

屋 ← 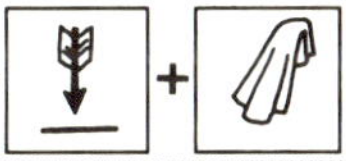

筆順・書き方

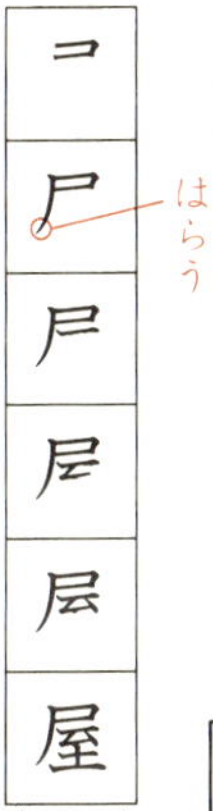

（9画）

例文・意味

❶ 例文 雨《あめ》の日《ひ》は、屋内《おくない》のテニスコートで練習《れんしゅう》する。 意味 すまい。家《いえ》。建物《たてもの》。

❷ 例文 屋上《おくじょう》に出《で》る。 意味 やね。

❸ 例文 パン屋《や》でサンドイッチを買《か》う。／かれはがんばり屋《や》だ。 意味 人《ひと》のせいしつをあらわすことばの後《あと》につけて、「そういうせいしつの人《ひと》」の意味《いみ》をあらわすことば。また、商店《しょうてん》などの名前《なまえ》につけることば。

《屋上《おくじょう》》

熟語

❶ 屋外《おくがい》。家屋《かおく》。楽屋《がくや》。小屋《こや》。長屋《ながや》。納屋《なや》（物置小《ものおきご》や）。

❷ 屋根《やね》。

❸ 屋号《やごう》（商店《しょうてん》の呼《よ》び名《な》）。薬屋《くすりや》。酒屋《さかや》。魚屋《さかなや》。肉屋《にくや》。本屋《ほんや》。気取《きど》り屋《や》。

特別な読み

母屋《おもや》。数寄屋《すきや》。数奇屋《すきや》。部屋《へや》。八百屋《やおや》。

氵／12画

温

音 オン
訓 あたたか・あたたかい・あたたまる・あたためる

成り立ち
「昷」は、あたたかい物《もの》がさめないように、お皿《さら》にふたをした形《かたち》。「氵」は湯気《ゆげ》。湯気《ゆげ》がこもって《あたたかい》こと。

筆順・書き方

(12画)

例文・意味
❶ 例文 温《あたた》かい料理《りょうり》で、お客《きゃく》さんをもてなす。／おふろに入《はい》ると、からだが温《あたた》まる。／ミルクを温《あたた》める。／温暖《おんだん》な気候《きこう》。 意味 あたたかい。あたたかさ。
❷ 例文 温《あたた》かみのある家庭《かてい》。／心温《こころあたた》まる話《はなし》。／おじさんは温和《おんわ》な人《ひと》がらです。 意味 おだやかである。心《こころ》や顔《かお》つきがやさしい。
❸ 例文 長《なが》いあいだ温《あたた》めてきた計画《けいかく》。 意味 たいせつにする。大事《だいじ》にとっておく。

熟語
❶ 温室《おんしつ》。温床《おんしょう》。温水《おんすい》。温泉《おんせん》。温帯《おんたい》。温度《おんど》。温風《おんぷう》。気温《きおん》。検温《けんおん》。高温《こうおん》。水温《すいおん》。体温《たいおん》。低温《ていおん》。保温《ほおん》。温暖前線《おんだんぜんせん》。
❷ 温顔《おんがん》(おだやかで、やさしい顔《かお》つき)。温厚《おんこう》(おだやかで、やさしいようす)。温情《おんじょう》。
❸ 温存《おんぞん》(使《つか》わないで、大事《だいじ》にしまっておくこと)。

匕／4画

化

音 カ・(ケ)
訓 ばける・ばかす

成り立ち
「亻」は左向《ひだりむ》きに立《た》っている人《ひと》。「匕」は、たおれてすがたをかえた人《ひと》。左《ひだり》の人《ひと》と右《みぎ》の人《ひと》と、ようすがかわっていることから、すがたや、ようすが《ほかのものにかわる》ことをあらわした字《じ》。

筆順・書き方

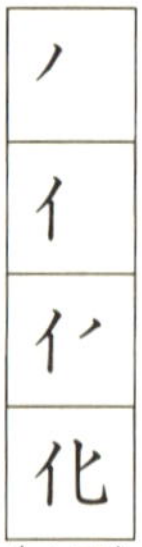
(4画)

例文・意味
❶ 例文 町《まち》は火《ひ》の海《うみ》と化《か》した。／たぬきに化《ば》かされる。／とうとう化《ば》けの皮《かわ》がはがれた。／ぼ地《ち》のそばは、お化《ば》けが出《で》そうで気味《きみ》が悪《わる》い。／大量生産《たいりょうせいさん》のために、工場《こうじょう》を機械化《きかいか》する。 意味 形《かたち》・すがた・せいしつがかわって、別《べつ》のものになる。かわる。ばける。かえる。ばかす。
❷ 例文 兄《あに》に感化《かんか》(人《ひと》にえいきょうをあたえて、考《かんが》え方《かた》や、おこないをかえること)されて、英語《えいご》を習《なら》い始《はじ》めた。 意味 人《ひと》を教《おし》えみちびく。えいきょうをおよぼす。

熟語
❶ 化学《かがく》。化合《かごう》。化石《かせき》。悪化《あっか》。液化《えきか》。強化《きょうか》。酸化《さんか》。消化《しょうか》。進化《しんか》。退化《たいか》。電化《でんか》。変化《へんか》。緑化《りょっか》。老化《ろうか》。変化《へんげ》。合理化《ごうりか》。道化師《どうけし》(サーカスなどで、人《ひと》を笑《わら》わせることを職業《しょくぎょう》としている人《ひと》。ピエロ)。化《ば》け物《もの》。

□ 艹／10画

荷

音 （カ）
訓 に

成り立ち 「艹」は植物《しょくぶつ》、「何」は人《ひと》がかたに物《もの》をかつぐようすをあらわす。もとは、大《おお》きな葉《は》をかついだような植物《しょくぶつ》の「はす」の意味《いみ》。後《のち》に《にもつ》《になう》の意味《いみ》になった。

筆順・書き方

（10画）

例文・意味

❶ 例文 トラックで荷《に》を運《はこ》ぶ。／貨物船《かもつせん》が着《つ》くと、荷《に》あげ作業《さぎょう》が始《はじ》まる。／送《おく》る本《ほん》を荷造《にづく》りする。／積《つ》み荷《に》がくずれる。／市場《いちば》に野菜《やさい》を出荷《しゅっか》する。 意味 に物《もつ》。に。

❷ 例文 せきにんを果《は》たして、かたの荷《に》がおりる。 意味 かたにのせてかつぐ。になう。引《ひ》き受《う》ける。

❸ 例文 酒《さか》だる一荷《いっか》。／たきぎ五荷《ごか》。 意味 かたにかつぐ物《もの》や、に物《もつ》を数《かぞ》えることば。

熟語

❶ 集荷《しゅうか》。入荷《にゅうか》。荷車《にぐるま》。荷札《にふだ》。荷物《にもつ》。重荷《おもに》。初荷《はつに》（正月《しょうがつ》に、その年《とし》初《はじ》めて問屋《とんや》などから小売《こう》りの店《みせ》に品物《しなもの》を送《おく》り出《だ》すこと。また、その品物《しなもの》）。荷馬車《にばしゃ》。手荷物《てにもつ》。

❷ 荷担《かたん》（味方《みかた》になり、力《ちから》を貸《か》して助《たす》けること）。

□ 田／９画

界

音 カイ
訓 ―

成り立ち 「田」は田畑《たはた》。「介」は人《ひと》があいだに分《わ》けいって分《わ》けるようす。田畑《たはた》を分《わ》けることから、《さかいめ》を意味《いみ》するようになった。

筆順・書き方

（９画）

例文・意味

❶ 例文 気力《きりょく》で走《はし》っているが、体力《たいりょく》のほうは限界《げんかい》にきている。／国《くに》と国《くに》との境界《きょうかい》を国《こっ》きょうという。 意味 さかい。区切《くぎ》り。

❷ 例文 船《ふね》で世界一周《せかいいっしゅう》の旅《たび》。／山《さん》ちょうから下界《げかい》を見《み》おろす。／芸能界《げいのうかい》。 意味 あるはん囲《い》のうち。社会《しゃかい》。

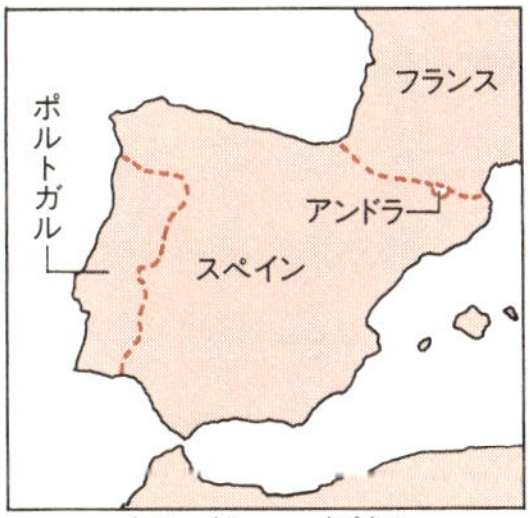

《国《くに》と国《くに》との境界《きょうかい》》

熟語

❶ 界《かい》わい（そのあたり）。

❷ 外界《がいかい》。学界《がっかい》。財界《ざいかい》。視界《しかい》。政界《せいかい》。世界中《せかいじゅう》。演劇界《えんげきかい》。教育界《きょういくかい》。銀世界《ぎんせかい》。自然界《しぜんかい》。社交界《しゃこうかい》。

□ 門／12画

開

音 カイ
訓 ひらく・ひらける・あく・あける

成り立ち
「門」は、もん。「开」は、もとは「幵」で、同《おな》じ物《もの》がそろってならんでいること。右《みぎ》のとびらと左《ひだり》のとびらが、そろって《ひらく》ようすをあらわした字《じ》。

筆順・書き方

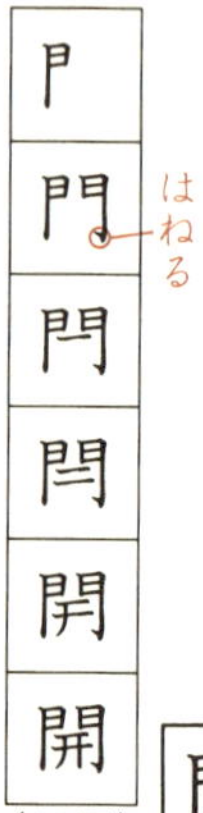

（12画）

例文・意味

❶ 例文 教科書《きょうかしょ》を開《ひら》く。／半開《はんびら》きのドア。／二階《にかい》のまどが開《あ》いている。／ふたを開《あ》ける。 意味 とじていたものをひろげる。ひらく。あける。 対語 閉《へい》。

❷ 例文 二時《にじ》から会議《かいぎ》を開《ひら》く。／プール開《びら》き。 意味 始《はじ》める。始《はじ》まる。ひらく。 対語 閉《へい》。

❸ 例文 原野《げんや》を開《ひら》いて畑《はたけ》をつくる。／交通《こうつう》が便利《べんり》になって町《まち》が開《ひら》けた。／たく地《ち》を開発《かいはつ》する。 意味 土地《とち》を切《き》りひらく。また、文化《ぶんか》が進《すす》む。発《はっ》てんさせる。ひらける。

熟語

❶ 開花《かいか》。開閉《かいへい》。開放《かいほう》。公開《こうかい》。切開《せっかい》（病気《びょうき》を治《なお》すために、医者《いしゃ》が病人《びょうにん》のからだの一部《いちぶ》を切《き》りひらくこと）。満開《まんかい》。開《ひら》き戸《ど》。

❷ 開演《かいえん》。開会《かいかい》。開館《かいかん》。開業《かいぎょう》。開校《かいこう》。開港《かいこう》。開国《かいこく》。開始《かいし》。開場《かいじょう》。開設《かいせつ》。開戦《かいせん》。開通《かいつう》。開店《かいてん》。開幕《かいまく》。再開《さいかい》。開会式《かいかいしき》。海開《うみびら》き。

❸ 未開《みかい》。文明開化《ぶんめいかいか》。

□ 阝／12画

階

音 カイ
訓 ―

成り立ち
「阝」は、もりあげた土《つち》、「皆」は人《ひと》がならんでそろっているようす。のぼり道《みち》が一《いち》だんずつ高《たか》さのそろっている《かいだん》をあらわした字《じ》。

筆順・書き方

（12画）

例文・意味

❶ 例文 階段《かいだん》をかけ下《お》りる。 意味 のぼりおりをするための、はしごや、だん。

❷ 例文 マンションの上《うえ》の階《かい》。／五階建《ごかいだ》てのビルが新《あたら》しくできた。 意味 建物《たてもの》の上下《じょうげ》の重《かさ》なり。また、それを数《かぞ》えることば。

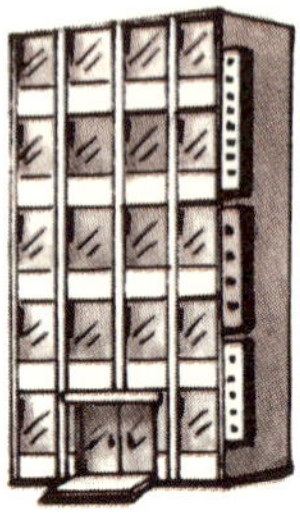
《五階建《ごかいだ》てのビル》

❸ 例文 上流階級《じょうりゅうかいきゅう》の人々《ひとびと》。 意味 地位《ちい》・身分《みぶん》・水《すい》じゅんなどの、上下《じょうげ》の等級《とうきゅう》。

熟語

❷ 階下《かいか》。階上《かいじょう》。地階《ちかい》（建物《たてもの》の、地面《じめん》より下《した》の地下室《ちかしつ》になっている部分《ぶぶん》）。二階《にかい》。

❸ 階級《かいきゅう》。階層《かいそう》。音階《おんかい》。段階《だんかい》。知識階級《ちしきかいきゅう》。

□

宀／12画

【寒】

音 カン

訓 さむい

成り立ち

「寒」は家《いえ》のかべに両手《りょうて》で石《いし》を積《つ》んで、《さむい》風《かぜ》をふせいでいるようす。「冫」は氷《こおり》のように冷《つめ》たいこと。氷《こおり》の冷《つめ》たさをふせぐことから、《さむい》意味《いみ》になった。

筆順・書き方

宀　宀　宀　宑　実　寒（12画）

てんのうちかたにちゅうい

例文・意味

❶ 例文 北国《きたぐに》の冬《ふゆ》は寒《さむ》い。／寒《さむ》さがぶりかえす。／妹《いもうと》は寒《さむ》がりだ。／寒寒《さむざむ》とした冬空《ふゆぞら》。 意味 気《き》温《おん》が低《ひく》く感《かん》じられる。さむい。 対語 暑《しょ》。

❷ 例文 寒《かん》が明《あ》ける。／寒《かん》の入《い》り。 意味 一年《いちねん》のうちで、もっともさむい時期《じき》。立春前《りっしゅんまえ》の三十日《さんじゅうにち》間《かん》をいう。かん。

❸ 例文 こわい話《はなし》を聞《き》いて、せすじが寒《さむ》くなる。 意味 ぞくぞくする。ぞっとする。

❹ 例文 お金《かね》を使《つか》いすぎて、ふところが寒《さむ》い。 意味 まずしい。さびしい。

熟語

❶ 寒気《かんき》。寒暑《かんしょ》。寒帯《かんたい》。寒暖《かんだん》。寒波《かんぱ》。寒風《かんぷう》。寒流《かんりゅう》。厳寒《げんかん》。防寒《ぼうかん》。寒空《さむぞら》。寒冷前線《かんれいぜんせん》。

❷ 寒中《かんちゅう》。小寒《しょうかん》。大寒《だいかん》。

❸ 悪寒《おかん》(熱《ねつ》が出《で》たときなどに感《かん》じる、ぞくぞくするさむ気《け》)。寒気《さむけ》。

❹ 寒色《かんしょく》(青《あお》・緑《みどり》・紫《むらさき》など、見《み》る人《ひと》にさむい感《かん》じをあたえる色《いろ》)。寒村《かんそん》。

□

心／13画

【感】

音 カン

訓 ―

成り立ち

「戊」(ほこ)と「口」(くち)「心」(こころ)を合《あ》わせた字《じ》。ほこでおどされると、びっくりして心《こころ》がどきっとすることから、何《なに》かにどきっとして《かんじる》ことをあらわした字《じ》。

筆順・書き方

丿　厂　厂　后　咸　感（13画）

てんをわすれずに

例文・意味

❶ 例文 感《かん》きわまって泣《な》き出《だ》す。／なんとなく不《ふ》安《あん》を感《かん》じる。／夏休《なつやす》みの自《じ》由課題《ゆうかだい》は、本《ほん》を読《よ》んで感想《かんそう》文《ぶん》を書《か》くことです。／感心《かんしん》な少年《しょうねん》。 意味 心《こころ》が動《うご》く。また、心《こころ》の動《うご》き。

《本《ほん》を読《よ》んだ感想文《かんそうぶん》》

❷ 例文 コレラに感染《かんせん》する。 意味 心《こころ》や、からだに、えいきょうや作用《さよう》を受《う》ける。

熟語

❶ 感覚《かんかく》。感激《かんげき》。感謝《かんしゃ》。感情《かんじょう》。感性《かんせい》。感動《かんどう》。音感《おんかん》。快感《かいかん》。共感《きょうかん》。五感《ごかん》。好感《こうかん》。実感《じっかん》。痛感《つうかん》。直感《ちょっかん》。同感《どうかん》。予感《よかん》。感謝状《かんしゃじょう》。感受性《かんじゅせい》。正義感《せいぎかん》。第六感《だいろっかん》。

❷ 感化《かんか》(人《ひと》に影響《えいきょう》をあたえて、考《かんが》え方《かた》や、おこないをかえること)。感光《かんこう》。感電《かんでん》。流感《りゅうかん》。

漢

氵／13画

音 カン
訓 —

成り立ち

「𦰩」(動物《どうぶつ》の皮《かわ》をかわかしているようす)と「氵」(みず)を合《あ》わせた字《じ》で、もとは水《みず》の少《すく》ない「漢水《かんすい》」という川《かわ》の名《な》。その上流《じょうりゅう》の国《くに》を「漢《かん》」といったが、広《ひろ》く、《中国《ちゅうごく》》をさす字《じ》になった。

筆順・書き方

(13画)

例文・意味

❶ 例文 漢《かん》の時代《じだい》に書《か》かれた書物《しょもつ》。 意味 むかし、中国《ちゅうごく》にあった王朝《おうちょう》の名《な》。

❷ 例文 漢字《かんじ》は、もとは中国《ちゅうごく》でつくられた文字《もじ》である。 意味 中国《ちゅうごく》のこと。また、中国《ちゅうごく》に関《かん》係《けい》することがらをあらわすことば。

❸ 例文 正《せい》ぎの味方《みかた》が、悪漢《あっかん》をこらしめる。 意味 おとなの男《おとこ》。

《悪漢《あっかん》をこらしめる》

熟語

❷ 漢語《かんご》。漢詩《かんし》。漢文《かんぶん》。漢数字《かんすうじ》。漢方薬《かんぽうやく》(中国《ちゅうごく》で発達《はったつ》した医術《いじゅつ》で使《つか》う薬《くすり》)。漢字字典《かんじじてん》。漢和辞典《かんわじてん》。教育漢字《きょういくかんじ》。常用漢字《じょうようかんじ》。

❸ 暴漢《ぼうかん》(乱暴《らんぼう》なふるまいをする男《おとこ》)。門外漢《もんがいかん》(そのことについて専門《せんもん》でない人《ひと》)。

館

食／16画

音 カン
訓 —

成り立ち

「食」は、たべ物《もの》、「官」は人《ひと》が集《あつ》まる建《たて》物《もの》や家《いえ》をあらわす。人《ひと》が集《あつ》まって食事《しょくじ》をする《旅《りょ》かん》や、大《おお》きな建物《たてもの》をあらわした字《じ》。

筆順・書き方

(16画)

例文・意味

❶ 例文 体育館《たいいくかん》で集会《しゅうかい》を開《ひら》く。／父《ちち》は美術館《びじゅつかん》の館《かん》長《ちょう》をしています。／図書館《としょかん》に行《い》って、夏休《なつやす》みの宿題《しゅくだい》の勉《べん》強《きょう》をする。 意味 大《おお》きな建物《たてもの》。やかた。

❷ 例文 山《やま》のふもとにある、古《ふる》い旅館《りょかん》にとまる。 意味 宿屋《やどや》。

《図書館《としょかん》で勉強《べんきょう》する》

熟語

❶ 館内《かんない》。会館《かいかん》。開館《かいかん》。旧館《きゅうかん》。休館《きゅうかん》。新館《しんかん》。入館《にゅうかん》。閉館《へいかん》。別館《べっかん》。本館《ほんかん》。映画館《えいがかん》。公民館《こうみんかん》。水族館《すいぞくかん》。大使館《たいしかん》。博物館《はくぶつかん》。

山／8画

岸

音 ガン

訓 きし

成り立ち

「山」(やま)と「厈」(切《き》りたったがけ)を合《あ》わせた字《じ》。波《なみ》のうちよせる、山《やま》のように切《き》りたった《きし》をあらわした字《じ》。

筆順・書き方

千とならないように

（8画）

例文・意味

例文 ボートを岸《きし》に着《つ》ける。／泳《およ》いで向《む》こう岸《ぎし》にわたる。／家族《かぞく》みんなで海岸《かいがん》で花火《はなび》をした。／イギリスの客船《きゃくせん》が岸《がん》ぺきをはなれる。

意味 川《かわ》・海《うみ》・湖《みずうみ》などの水《みず》と陸《りく》とがせっしているさかいめの所《ところ》。また、その陸地《りくち》の部分《ぶぶん》。きし。

《岸《がん》ぺきをはなれる》

熟語

沿岸《えんがん》。湖岸《こがん》。対岸《たいがん》(向《む》こうぎし)。海岸線《かいがんせん》。両岸《りょうがん》。岸辺《きしべ》。川岸《かわぎし》。護岸工事《ごがんこうじ》。

特別な読み

河岸《かし》。

走／10画

起

音 キ

訓 おきる・おこる・おこす

成り立ち

もとの字《じ》は「起」。「走」は足《あし》の動《うご》きを、「巳」は、ものの始《はじ》めをあらわす。人《ひと》が立《た》ちあがって、何《なに》か始《はじ》めようとするときのようすから、《おきる》《はじめる》などの意味《いみ》になった。

筆順・書き方

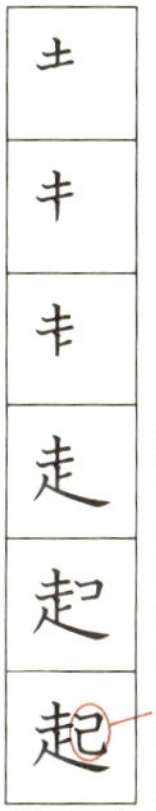

巳とならないように

（10画）

例文・意味

❶ 例文 朝早《あさはや》く起《お》きて体《たい》そうをする。／けが人《にん》を助《たす》け起《お》こす。／父《ちち》は、毎朝六時《まいあさろくじ》に起《き》しょうする。
意味 横《よこ》になっていたものが立《た》つ。おきあがる。

❷ 例文 はらいたが起《お》きる。／山火事《やまかじ》が起《お》こる。／ストライキを起《お》こす。／新人《しんじん》を起用《きよう》する。
意味 始《はじ》まる。始《はじ》める。

❸ 例文 事《こと》の起《お》こりを説明《せつめい》する。／東海道本線《とうかいどうほんせん》の起点《きてん》と終点《しゅうてん》。
意味 ものごとのはじめ。始《はじ》まり。

熟語

❶ 起立《きりつ》。再起《さいき》(事故《じこ》・病気《びょうき》・失敗《しっぱい》などで悪《わる》い状態《じょうたい》になったものが、立《た》ち直《なお》ってもとのように活動《かつどう》を始《はじ》めること)。起重機《きじゅうき》。早起《はやお》き。跳《は》ね起《お》きる。

❷ 奮起《ふんき》。起死回生《きしかいせい》⇩(636ページ上)(元気《げんき》を出《だ》して、ふるい立《た》つこと)。

❸ 起源《きげん》。

月／12画

期

音 キ・《ゴ》
訓 ―

成り立ち
「其」は四角《しかく》い竹《たけ》かごと台《だい》。四《し》角《かく》くきちんとしていることをあらわす。「月」(つき)が、満月《まんげつ》から次《つぎ》の満月《まんげつ》まできちんともとの形《かたち》にもどることから、《決《き》まった時間《じかん》》を意味《いみ》する。

筆順・書き方

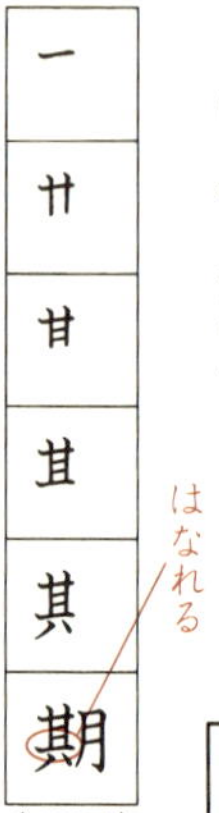

(12画)

例文・意味
❶ 例文 しめきりの期日《きじつ》を守《まも》る。／父《ちち》の最期《さいご》をみとる。／二学期《にがっき》の成《せい》せきがあがった。／この期《ご》におよんで、まだしらばっくれるつもりか。
意味 ある決《き》められた時間《じかん》。一区切《ひとくぎ》りの年《とし》・月《つき》・日《ひ》。
❷ 例文 事業《じぎょう》の成功《せいこう》を期《き》する。／期《き》せずして、友《とも》だちと出会《であ》った。／予期《よき》していたとおりの結《けっ》果《か》になった。
意味 あてにして待《ま》つ。目当《めあ》てをつける。

熟語
❶ 期間《きかん》。期限《きげん》。期末《きまつ》。雨期《うき》。延期《えんき》。夏期《かき》。後期《こうき》。時期《じき》。周期《しゅうき》。秋期《しゅうき》。春期《しゅんき》。初期《しょき》。前期《ぜんき》。早期《そうき》。短期《たんき》。中期《ちゅうき》。長期《ちょうき》。定期《ていき》。冬期《とうき》。同期《どうき》。任期《にんき》。末期《まっき》。満期《まんき》。無期《むき》。二期作《にきさく》(同《おな》じ田《た》や畑《はたけ》で一年《いちねん》に二《に》度《ど》、米《こめ》などの同《おな》じ作物《さくもつ》をつくること)。
❷ 期待《きたい》。

宀／9画

客

音 キャク・(カク)
訓 ―

成り立ち
「宀」は家《いえ》。「各」は足《あし》が石《いし》にコツンとつかえて止《と》まること。もとは外《そと》からやってきて、人《ひと》の家《いえ》にとめてもらう旅人《たびびと》のことだった。今《いま》は《きゃく》のこと。

筆順・書き方

(9画)

例文・意味
❶ 例文 おうせつ間《ま》に客《きゃく》を通《とお》す。／茶《ちゃ》わん五客《ごきゃく》。
意味 たずねて来《き》た人《ひと》。まねかれて来《き》た人《ひと》。また、客《きゃく》をもてなす道具《どうぐ》を数《かぞ》えることば。
❷ 例文 客《きゃく》をたいせつにする店《みせ》。／バスの乗客《じょうきゃく》。
意味 お金《かね》をはらって物《もの》を買《か》ったり、乗《の》り物《もの》に乗《の》ったり、見物《けんぶつ》をしたりする人《ひと》。
❸ 例文 げん実《じつ》を客観的《きゃっかんてき》に見《み》る。
意味 自分《じぶん》に対《たい》するもの。対語 主《しゅ》。
❹ 例文 宮本武蔵《みやもとむさし》は江戸《えど》時代《じだい》のけん客《きゃく》です。
意味 あることにすぐれた人《ひと》。

熟語
❶ 客室《きゃくしつ》。客間《きゃくま》。来客《らいきゃく》。
❷ 客足《きゃくあし》。客車《きゃくしゃ》。客席《きゃくせき》。客船《きゃくせん》。観客《かんきゃく》。旅客機《りょかくき》。旅客機《りょかっき》。買《か》い物客《ものきゃく》。
❸ 主客《しゅかく》(大事《だいじ》なものと、それに従《したが》っていることがら)。

□ 穴／7画

究

音 キュウ
訓 (きわめる)

成り立ち 「穴」は、ほらあな。「九」は手《て》がおくにつかえて、ゆきどまりになること。わからないことをふかくさぐって《しらべる》ことを意味《いみ》した字《じ》。

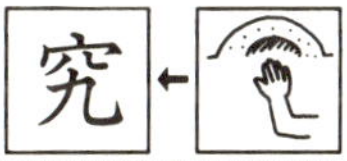

筆順・書き方

(7画)

例文・意味

❶ 例文 兄《あに》は大学《だいがく》で高山植物《こうざんしょくぶつ》の研究《けんきゅう》をしています。／一生《いっしょう》をかけて、学問《がくもん》を究《きわ》める。 意味 ものごとを、おくふかくまで調《しら》べて明《あき》らかにする。調《しら》べつくす。きわめる。

❷ 例文 ぼくたちの活動《かつどう》の究極《きゅうきょく》の目的《もくてき》は、平和《へいわ》な社会《しゃかい》をつくることだ。 意味 はて。きわまり。

《高山植物《こうざんしょくぶつ》の研究《けんきゅう》》

熟語

❶ 究明《きゅうめい》(つきつめていって、ものごとを明《あき》らかにすること)。探究《たんきゅう》(ものごとのほんとうの意味《いみ》や、あり方《かた》、姿《すがた》をさぐり、明《あき》らかにすること)。追究《ついきゅう》。研究室《けんきゅうしつ》。研究所《けんきゅうじょ》。自由研究《じゆうけんきゅう》。

□ 心／9画

急

音 キュウ
訓 いそぐ

成り立ち 「刍」は「及」のかわった形《かたち》。にげる人《ひと》を、手《て》がとどくようにしてつかまえようとすること。それと「心」(こころ)で、追《お》いつこうとしてせかせかする気持《きも》ちの《いそぐ》意味《いみ》になった。

筆順・書き方

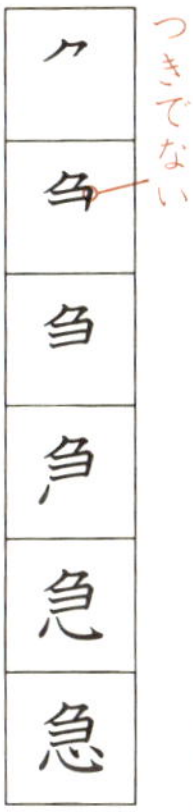

(9画)

例文・意味

❶ 例文 急《きゅう》を要《よう》する仕事《しごと》。／帰《かえ》りを急《いそ》ぐ。 意味 はやくおこなう。せく。いそぐ。

❷ 例文 川《かわ》の流《なが》れが急《きゅう》だ。／急《きゅう》に雨《あめ》がふり出《だ》す。 意味 動《うご》きや変化《へんか》などがはげしい。にわか。

❸ 例文 急《きゅう》を聞《き》いてかけつける。 意味 さしせまっている。

❹ 例文 急所《きゅうしょ》を外《はず》さない。 意味 たいせつである。大事《だいじ》な。

❺ 例文 急《きゅう》な坂《さか》をのぼる。 意味 かたむきやカーブなどの角度《かくど》が大《おお》きい。

熟語

❶ 急行《きゅうこう》。急速《きゅうそく》。急用《きゅうよう》。至急《しきゅう》。性急《せいきゅう》(せっかちなようす)。特急《とっきゅう》。急《いそ》ぎ足《あし》。大急《おおいそ》ぎ。急《いそ》がば回《まわ》れ。

❷ 急激《きゅうげき》。急死《きゅうし》。急性《きゅうせい》。急転《きゅうてん》。急病《きゅうびょう》。急流《きゅうりゅう》。急転直下《きゅうてんちょっか》⇩(636ページ中)

❸ 急場《きゅうば》。火急《かきゅう》(非常《ひじょう》にいそぐようす)。救急車《きゅうきゅうしゃ》。応急手当《おうきゅうてあ》て。

❺ 急《きゅう》カーブ。

〔級〕

糸／9画

音 キュウ

訓 ―

成り立ち 「糸」(いと)と「及」(にげていく人《ひと》にやっと手《て》がとどいたようす)を合《あ》わせた字《じ》で、はたおりの糸《いと》が切《き》れたとき、次々《つぎつぎ》につなぎめをつぎたすことから、《順《じゅん》じょ》の意味《いみ》をあらわす。

筆順・書き方

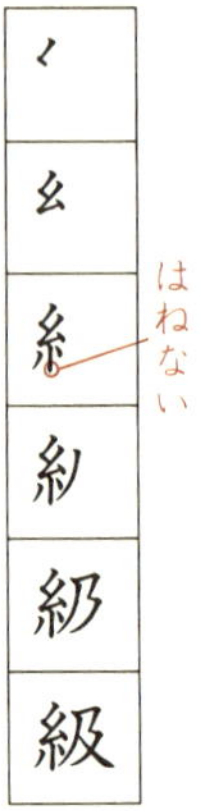

(9画)

例文・意味

❶ 例文 試験《しけん》に合《ごう》かくすれば、そろばんの級《きゅう》があがる。／高級《こうきゅう》なレストランで食事《しょくじ》をする。／姉《あね》は来年《らいねん》は六年生《ろくねんせい》に進級《しんきゅう》する。 意味 ものごとの順《じゅん》じょや、だん階《かい》。

《高級《こうきゅう》なレストラン》

❷ 例文 同級生《どうきゅうせい》とハイキングに行《い》く。 意味 学校《がっこう》で、一学年《いちがくねん》をさらに分《わ》けた、クラス。くみ。

熟語

❶ 下級《かきゅう》。階級《かいきゅう》。初級《しょきゅう》。上級《じょうきゅう》。中級《ちゅうきゅう》。低級《ていきゅう》。等級《とうきゅう》。知識《ちしき》階級《かいきゅう》。

❷ 級友《きゅうゆう》(同《おな》じクラスの友《とも》だち。クラスメート)。学級《がっきゅう》。学級会《がっきゅうかい》。上級生《じょうきゅうせい》。学級新聞《がっきゅうしんぶん》。学級文庫《がっきゅうぶんこ》。

〔宮〕

宀／10画

音 キュウ・(グウ)・《ク》

訓 みや

成り立ち 「宀」は家《いえ》。「呂」は広《ひろ》い土地《とち》に建《た》物《もの》がいくつもろう下《か》でつながって建《た》っているようすをあらわす。そこから、りっぱな建物《たてもの》、《やしき》《ごてん》を意《い》味《み》する字《じ》になった。

筆順・書き方

(10画)

例文・意味

❶ 例文 湖《みずうみ》のほとりに建《た》つ、古《ふる》びた宮《きゅう》でん。 意味 りっぱな建物《たてもの》。ごてん。

❷ 例文 毎年《まいねん》一月《いちがつ》に、宮中《きゅうちゅう》で歌会始《うたかいはじめ》がもよおされる。 意味 天《てん》のうのすまい。こうきょ。

❸ 例文 宮様《みやさま》のお車《くるま》がお着《つ》きになる。／高松宮家《たかまつのみやけ》のご出身《しゅっしん》。 意味 こう族《ぞく》。また、こう族《ぞく》の名《な》につけることば。

❹ 例文 七五三《しちごさん》を祝《いわ》って、お宮《みや》にお参《まい》りする。 意味 神《かみ》を祭《まつ》る建物《たてもの》。神社《じんじゃ》。社《やしろ》。

熟語

❶ 竜宮《りゅうぐう》(海《うみ》の底《そこ》にあって、海《うみ》の神《かみ》である竜神《りゅうじん》がすむという、想像上《そうぞうじょう》の御殿《ごてん》)。

❷ 宮城《きゅうじょう》(「皇居《こうきょ》」の古《ふる》い言《い》い方《かた》)。宮内庁《くないちょう》。

❹ 神宮《じんぐう》。宮参《みやまい》り。

王／11画

球

音 キュウ

訓 たま

成り立ち

「王」は玉《たま》をつらねた形《かたち》。「求」は、きゅっとしめつけて着《き》る毛皮《けがわ》。はなれないようにまるくまとめる意味《いみ》から、まるくまとまった《たま》をあらわした字《じ》。

筆順・書き方

王　王一　玎　玎　球　球

（11画）

てんをわすれずに

例文・意味

❶ 例文 電灯《でんとう》の球《たま》をとりかえる。／地球《ちきゅう》は太陽《たいよう》のまわりを回《まわ》っている。 意味 まるい形《かたち》をしているもの。たま。

❷ 例文 速《はや》い球《たま》を投《な》げる。／ボーリングの球《たま》。／わたしは球技《きゅうぎ》が得意《とくい》だ。／友《とも》だちと野球《やきゅう》をする。 意味 競《きょう》ぎなどに使《つか》うボール。まり。たま。また、ボールを使《つか》う競《きょう》ぎ。

❸ 例文 各球団《かくきゅうだん》の代表者《だいひょうしゃ》が集《あつ》まる。／ナイターせつびのある球場《きゅうじょう》。 意味 「野球《やきゅう》」のりゃく。

熟語

❶ 球形《きゅうけい》。球根《きゅうこん》。気球《ききゅう》。電球《でんきゅう》。北半球《きたはんきゅう》。赤血球《せっけっきゅう》。白血球《はっけっきゅう》。南半球《みなみはんきゅう》。

❷ 打球《だきゅう》。直球《ちょっきゅう》。庭球《ていきゅう》（テニス）。投球《とうきゅう》。始球式《しきゅうしき》。

ム／5画

去

音 キョ・コ

訓 さる

成り立ち

ふたのついた器《うつわ》をえがいた字《じ》。その中《なか》に物《もの》をしまうと見《み》えなくなるように、ある所《ところ》からいなくなることから、《さる》という意味《いみ》になった。

筆順・書き方

一　十　土　去　去

（5画）

うえのせんよりながく

例文・意味

❶ 例文 都会《とかい》を去《さ》り、ふるさとへ帰《かえ》る。／これは去《さ》る三月《さんがつ》におこなわれた会議《かいぎ》で決《き》められています。／急《いそ》ぎ足《あし》で立《た》ち去《さ》る。／弟《おとうと》は去年《きょねん》の春《はる》、小学校《しょうがっこう》へ入学《にゅうがく》しました。／そ父《ふ》は二年前《にねんまえ》に死去《しきょ》しました。 意味 ある場所《ばしょ》からいなくなる。また、ある時期《じき》がすぎる。さる。 対語 来《く》る。

❷ 例文 つくえの上《うえ》のほこりを取《と》り去《さ》る。／ほこりを除去《じょきょ》（とりのぞくこと）する。 意味 とりのぞく。なくす。

熟語

❶ 退去《たいきょ》（その場所《ばしょ》を立《た》ちのくこと）。過去《かこ》。

木／16画

橋

音 キョウ
訓 はし

成り立ち
「木」(き)と「喬」。「喬」は、てっぺんが弓《ゆみ》なりに曲《ま》がった高《たか》い建物《たてもの》。高《たか》い所《とこ》に弓《ゆみ》なりになってかかる木《き》の《はし》を意味《いみ》する。別《べつ》に、「はねつるべ」の形《かたち》からともいわれる。

筆順・書き方

(16画)

例文・意味
例文 大雨《おおあめ》で橋《はし》が流《なが》される。／ふかい谷《たに》につり橋《ばし》をかける。／歩道橋《ほどうきょう》をわたって学校《がっこう》へ行《い》く。／電車《でんしゃ》が鉄橋《てっきょう》をわたる。意味 川《かわ》・谷《たに》・道路《どうろ》などの上《うえ》にかけわたして、人《ひと》や乗《の》り物《もの》が通《とお》れるようにしたもの。はし。

《いろいろな橋《はし》》

熟語
陸橋《りっきょう》。石橋《いしばし》。土橋《どばし》。橋《はし》げた(はしぐいの上《うえ》にわたして、はし板《いた》を支《ささ》えている材木《ざいもく》)。橋渡《はしわた》し。太鼓橋《たいこばし》。丸木橋《まるきばし》。

木／13画

業

音 ギョウ・《ゴウ》
訓 (わざ)

成り立ち
重《おも》い楽器《がっき》をささえるための台《だい》の形《かたち》をえがいた字《じ》。じっとがまんしてささえることから、自分《じぶん》の生活《せいかつ》をささえるための決《き》まった《仕事《しごと》》を意味《いみ》するようになった。

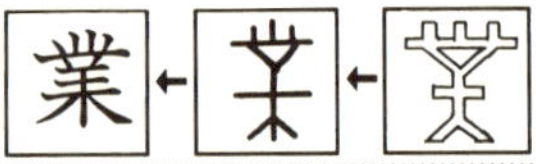

筆順・書き方

(13画)

例文・意味
❶ 例文 父《ちち》の職業《しょくぎょう》は会社員《かいしゃいん》です。／医院《いいん》を開業《かいぎょう》する。／教室《きょうしつ》で授業《じゅぎょう》を受《う》ける。意味 仕事《しごと》。つとめ。また、しなければならない学問《がくもん》。
❷ 例文 この仕事《しごと》を一日《いちにち》で仕上《しあ》げるのは、ようい な業《わざ》ではない。／人間業《にんげんわざ》とは思《おも》えない力《ちから》。意味 しわざ。おこない。わざ。
❸ 例文 交通事《こうつうじ》こで、非業《ひごう》(つみのむくいでそうなったということではないこと)の死《し》をとげる。意味 ぶっ教《きょう》で、この世《よ》でむくいを受《う》けるもととなる、生《う》まれる前《まえ》の世《よ》でのおこない。

熟語
❶ 業者《ぎょうしゃ》。業績《ぎょうせき》。業務《ぎょうむ》。営業《えいぎょう》。家業《かぎょう》。学業《がくぎょう》。漁業《ぎょぎょう》。工業《こうぎょう》。作業《さぎょう》。産業《さんぎょう》。残業《ざんぎょう》。事業《じぎょう》。終業《しゅうぎょう》。商業《しょうぎょう》。卒業《そつぎょう》。農業《のうぎょう》。本業《ほんぎょう》。始業式《しぎょうしき》。実業家《じつぎょうか》。終業式《しゅうぎょうしき》。従業員《じゅうぎょういん》。
❷ 神業《かみわざ》(神《かみ》でなければできないような、すばらしい技術《ぎじゅつ》)。軽業《かるわざ》。仕業《しわざ》。早業《はやわざ》。
❸ 自業自得《じごうじとく》⇩(637ページ下)

曰／6画

曲

音 キョク
訓 まがる・まげる

成り立ち
Lの形《かたち》に直角《ちょっかく》にまがったものさしをえがいた字《じ》。《まがる》意味《いみ》をあらわす。別《べつ》に、木《き》や竹《たけ》をまげてつくった器《うつわ》の形《かたち》からともいわれる。

筆順・書き方

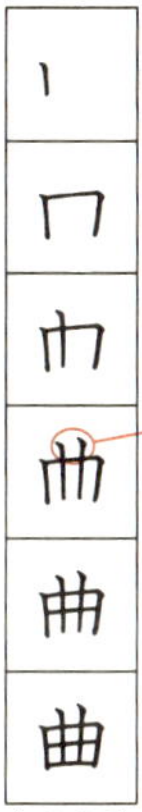

（6画）

例文・意味

❶例文 鉄《てつ》のぼうがぐにゃりと曲《ま》がる。／曲《ま》がりくねった道《みち》。／こしを曲《ま》げて歩《ある》く。意味 まっすぐでなくなる。まっすぐでなくする。まがる。まげる。対語 直《ちょく》。

❷例文 父《ちち》は曲《ま》がったことが大《だい》きらいだ。意味 正《ただ》しくない。すなおでない。対語 直《ちょく》。

❸例文 バッハの名曲《めいきょく》をきく。意味 音楽《おんがく》の節《ふし》。また、音楽《おんがく》の作品《さくひん》。

❹例文 サーカスで自転車《じてんしゃ》の曲乗《きょくの》りを見《み》る。意味 変化《へんか》があって、おもしろい。

熟語

❶曲折《きょくせつ》（まがりくねっていること）。曲線《きょくせん》。曲《ま》がり角《かど》。

❷曲解《きょっかい》（ものごとをすなおに受《う》けとらないで、ねじまげて解釈《かいしゃく》すること）。

❸曲目《きょくもく》。歌曲《かきょく》。組曲《くみきょく》。作曲《さっきょく》。序曲《じょきょく》。編曲《へんきょく》。作曲家《さっきょくか》。協奏曲《きょうそうきょく》。行進曲《こうしんきょく》。

❹曲芸《きょくげい》。

尸／7画

局

音 キョク
訓 ―

成り立ち
真《ま》ん中《なか》に小《ちい》さい四角《しかく》があり、そのまわりを「『 』」でかこったのが「局」の字《じ》のもとの形《かたち》。家《いえ》の中《なか》を一《ひと》つ一《ひと》つ区切《くぎ》った《へや》のこと。

筆順・書き方

（7画）

例文・意味

❶例文 ゆう便物《びんぶつ》を局《きょく》にほ管《かん》する。／病院《びょういん》の薬局《やっきょく》。意味 役所《やくしょ》や会社《かいしゃ》などで、仕事《しごと》をいくつかに分《わ》けた、一《ひと》つの単位《たんい》。また、「郵便局《ゆうびんきょく》」「電話局《でんわきょく》」「放送局《ほうそうきょく》」などのりゃく。

❷例文 局地的《きょくちてき》な大雨《おおあめ》にみまわれる。意味 かぎられた場所《ばしょ》や部分《ぶぶん》。一区切《ひとくぎ》り。

❸例文 局面《きょくめん》が大《おお》きく変化《へんか》する。意味 ものごとのなりゆきや、ようす。

❹例文 しょうぎを二局《にきょく》さす。／名人戦《めいじんせん》の対局《たいきょく》。意味 ごや、しょうぎなどの勝負《しょうぶ》。

熟語

❶支局《しきょく》。当局《とうきょく》。事務局《じむきょく》。放送局《ほうそうきょく》。郵便局《ゆうびんきょく》。市外局番《しがいきょくばん》。テレビ局《きょく》。

❷局所《きょくしょ》。局部《きょくぶ》。

❸時局《じきょく》。政局《せいきょく》（そのときの政治《せいじ》・政界《せいかい》のありさまや、なりゆき）。戦局《せんきょく》。大局《たいきょく》（ものごとの全体《ぜんたい》の動《うご》き）。難局《なんきょく》（どのように解決《かいけつ》したらよいか難《むずか》しい場面《ばめん》・状態《じょうたい》）。

□ 金／14画

銀

音 ギン
訓 ―

成り立ち

「金」は、きんぞく。「艮」は目《め》のまわりにいつまでも残《のこ》る入《い》れずみをすること。鉄《てつ》はさびるけれど、時間《じかん》がたってもいつまでもさびない《ぎん》のこと。

筆順・書き方

（14画）

例文・意味

❶ 例文 こう山《ざん》から銀《ぎん》をほり出《だ》す。／銀《ぎん》のフォークで食《た》べる。／オリンピックで銀《ぎん》メダルをかく得《とく》する。／純銀製《じゅんぎんせい》のネックレス。 意味 金《きん》ぞくの一《ひと》つ。白《しろ》っぽくて、美《うつく》しいつやがある。ぎん。しろがね。

❷ 例文 庭《にわ》は一面《いちめん》の銀世界《ぎんせかい》です。 意味 金《きん》ぞくのようにかがやく白色《はくしょく》。

❸ 例文 銀行《ぎんこう》にお金《かね》をあずける。 意味 おかね。貨《か》へい。

❹ 意味 しょうぎのこまの一《ひと》つ。銀《ぎん》しょう。

熟語

❶ 銀色《ぎんいろ》。銀貨《ぎんか》。銀山《ぎんざん》。水銀《すいぎん》。白銀《はくぎん》。
❷ 銀河《ぎんが》。銀幕《ぎんまく》。
❸ 日本銀行《にほんぎんこう》。

□ 匚／4画

区

音 ク
訓 ―

成り立ち

もとの字《じ》は「區」。「匚」は、囲《かこ》いのしるし、「品」は小《ちい》さい囲《かこ》みが入《い》り組《く》んだようす。細《こま》かく《くぎる》ことや、《くぎられた場所《ばしょ》》を意味《いみ》した字《じ》。

筆順・書き方

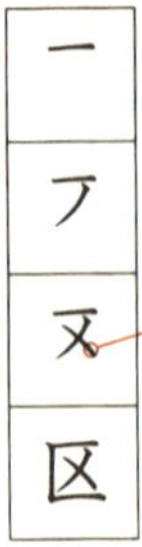

（4画）

例文・意味

❶ 例文 へやを三《みっ》つに区切《くぎ》る。／種類別《しゅるいべつ》に区分《くわ》けする。 意味 細《こま》かくくぎる。しきる。分《わ》ける。

❷ 例文 地区《ちく》ごとに代表者《だいひょうしゃ》を出《だ》す。／電車《でんしゃ》の乗車《じょうしゃ》区間《くかん》。 意味 くぎり。しきり。

❸ 例文 区《く》で、もよおす球《きゅう》ぎ大会《たいかい》に参加《さんか》する。／区民税《くみんぜい》をおさめる。／東京都中央区《とうきょうとちゅうおうく》。 意味 都《と》市《し》を、せい治《じ》をおこなううえで分《わ》けた、地《ち》いきの単位《たんい》。く。

熟語

❶ 区分《くぶん》。区別《くべつ》。
❷ 区域《くいき》。区画《くかく》。区内《くない》。禁漁区《きんりょうく》（鳥《とり》や、けものをとることを、法律《ほうりつ》で禁止《きんし》している場所《ばしょ》）。選挙区《せんきょく》。
❸ 区長《くちょう》。区立《くりつ》。区役所《くやくしょ》。

□ 艹／8画

苦

音 ク
訓 くるしい・くるしむ・くるしめる・にがい・にがる

成り立ち
「艹」(草《くさ》)と「古」(固《かた》くこわばったがいこつ)を合《あ》わせた字《じ》。《にがい》草《くさ》のこと。にがい草《くさ》の薬《くすり》を飲《の》んだので、口《くち》の中《なか》がこわばることや、《くるしい》こと。

筆順・書き方

(8画)

例文・意味

❶ 例文 楽《らく》あれば苦《く》あり。／友《とも》だちがいないのを苦《く》にする。／食《た》べすぎて、おなかが苦《くる》しい。 意味 からだが、いたかったり、心配《しんぱい》ごとがあったりしてつらい。くるしい。くるしむ。くるしみ。 対語 楽《らく》。

❷ 例文 重《おも》い荷物《にもつ》を苦《く》もなく持《も》ちあげる。 意味 努《ど》力《りょく》する。

❸ 例文 コーヒーは苦《にが》い。／失敗《しっぱい》して苦笑《くしょう》する。 意味 にがい味《あじ》がする。また、つらくて、おもしろくない。

熟語

❶ 苦境《くきょう》。苦戦《くせん》(つらい思《おも》いをして戦《たたか》うこと。また、その戦《たたか》い)。苦痛《くつう》。苦難《くなん》。苦楽《くらく》。病苦《びょうく》。貧苦《ひんく》。四苦八苦《しくはっく》⇩(637ページ中)

❷ 苦学《くがく》(働《はたら》いて学費《がくひ》をかせぎながら、学校《がっこう》へ行《い》くこと)。苦心《くしん》。苦労《くろう》。

❸ 苦情《くじょう》。苦笑《にがわら》い。苦苦《にがにが》しい。

□ 八／8画

具

音 グ
訓 ―

成り立ち
物《もの》をにる三本足《さんぼんあし》の器《うつわ》を両手《りょうて》で持《も》っているようすをえがいた字《じ》。いろいろな《どうぐ》のことや、ものを《そなえる》ことを意味《いみ》する字《じ》。

筆順・書き方

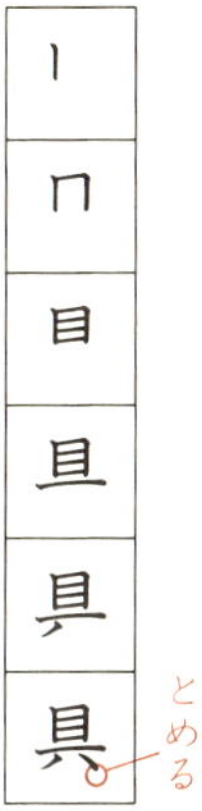

(8画)

例文・意味

❶ 例文 例《れい》をあげて具体的《ぐたいてき》に説明《せつめい》する。／必要《ひつよう》なじょうけんをすべて具備《ぐび》する。 意味 そろっている。そろえる。

❷ 例文 家具《かぐ》をトラックに積《つ》む。 意味 どうぐや品物《しなもの》。

❸ 例文 大臣《だいじん》に意見《いけん》を具申《ぐしん》(上《うえ》の人《ひと》に、くわしくのべること)する。 意味 こと細《こま》かに。くわしく。

❹ 例文 たきたてのごはんに具《ぐ》をまぜる。 意味 料理《りょうり》で、まぜごはんや、しる物《もの》などの中《なか》に入《い》れる肉《にく》や野菜《やさい》。ぐ。

熟語

❷ 雨具《あまぐ》。金具《かなぐ》。器具《きぐ》。工具《こうぐ》。建具《たてぐ》(戸《と》・障子《しょうじ》・ふすまなど、部屋《へや》の中《なか》にとりつけ、開《あ》けたり閉《し》めたりして部屋《へや》を仕切《しき》る物《もの》)。道具《どうぐ》。農具《のうぐ》。武具《ぶぐ》。文具《ぶんぐ》。夜具《やぐ》(ねるときに使《つか》う、ふとん・かいまき・まくらなど)。絵の具《えのぐ》。大道具《おおどうぐ》。小道具《こどうぐ》。装身具《そうしんぐ》。農機具《のうきぐ》。釣《つ》り道具《どうぐ》。筆記用具《ひっきようぐ》。

□ 口／7画

君

音 クン
訓 きみ

成り立ち
「尹」は、ぼうを手《て》に持《も》って、人《ひと》をさしずすること。「口」は、くち。むかし、口《くち》で命令《めいれい》して国《くに》をまとめる人《ひと》のこと。今《いま》は、人《ひと》をうやまって言《い》うときや、友《とも》だちをよぶときにも使《つか》う。

君 ← 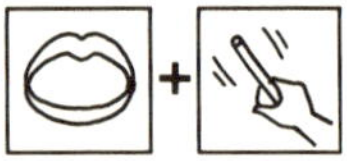

筆順・書き方
㇇ ⺕ ヨ 尹 君 君
（7画）
つきでる

例文・意味
❶ 例文 主君《しゅくん》の命令《めいれい》にそむく。 意味 国《くに》を治《おさ》める人《ひと》。
❷ 例文 父君《ちちぎみ》はお元気《げんき》ですか。 意味 相手《あいて》をうやまって言《い》うことば。
❸ 例文 君《きみ》もぼくも、北海道《ほっかいどう》生《う》まれだ。 意味 友《とも》だちや目下《めした》の人《ひと》を、親《した》しみをこめて言《い》うことば。
❹ 例文 山本君《やまもとくん》とは、おさななじみだ。 意味 友《とも》だちや目下《めした》の人《ひと》をよぶときに、名前《なまえ》の後《あと》につけることば。

熟語
❶ 君主《くんしゅ》。君臨《くんりん》（くん主《しゅ》として、その国《くに》を治《おさ》めること）。暴君《ぼうくん》（人々《ひとびと》を苦《くる》しめる乱暴《らんぼう》な王《おう》やくん主《しゅ》）。
❷ 母君《ははぎみ》。
❸ 諸君《しょくん》。

□ イ／9画

係

音 ケイ
訓 かかる・かかり

成り立ち
「イ」は人《ひと》。「系」は糸《いと》を引《ひ》き出《だ》してつなげることで、先《せん》ぞから血《ち》のつながりのある人《ひと》のこと。今《いま》は《かんけいがある》ことや、決《き》まった仕事《しごと》の《かかり》などの意味《いみ》をあらわす。

係 ← 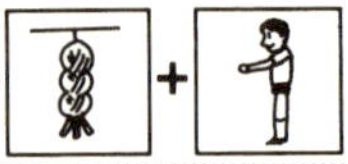

筆順・書き方
イ 亻 𠆢 伓 俘 係
（9画）
はらいのほうこうにちゅうい　とめる

例文・意味
❶ 例文 「美《うつく》しい空《そら》」の「美《うつく》しい」は、「空《そら》」に係《かか》る形《けい》ようしです。／ぼくは、この事《じ》けんとはなんの関係《かんけい》もない。 意味 かかわりをもつ。つながる。つなぐ。
❷ 例文 不明《ふめい》な点《てん》は、係《かかり》の人《ひと》におたずねください。／給食《きゅうしょく》係《がかり》をつとめる。 意味 仕事《しごと》などを受《う》け持《も》つ人《ひと》。受《う》け持《も》ち。

《給食係《きゅうしょくがかり》》

熟語
❷ 係員《かかりいん》。係長《かかりちょう》。案内係《あんないがかり》。記録係《きろくがかり》。進行係《しんこうがかり》。図書係《としょがかり》。

車／12画

軽

音 ケイ

訓 かるい・(かろやか)

成り立ち

もとの字《じ》は「輕」。「車」は、くるま。「巠」は、はたおりの台《だい》の上《うえ》にたて糸《いと》をまっすぐにはったようす。むかし、まっすぐつき進《すす》むスピードのある《かるい》戦車《せんしゃ》のことをあらわした。

筆順・書き方

(12画)

例文・意味

❶ 例文 この荷物《にもつ》は軽《かる》い。／軽量級《けいりょうきゅう》のボクサー。
意味 目方《めかた》が少《すく》ない。かるい。対語 重《じゅう》。

❷ 例文 軽《かる》い食事《しょくじ》をとる。／軽《かる》いきずでよかった。
意味 てい度《ど》や身分《みぶん》が低《ひく》い。かるい。対語 重《じゅう》。

❸ 例文 軽《かろ》やかな足《あし》どりで歩《ある》く。／軽快《けいかい》なリズム。
意味 動《うご》きがすばやい。対語 重《じゅう》。

❹ 例文 妹《いもうと》は口《くち》が軽《かる》い。／軽《かる》はずみな行動《こうどう》。
意味 落《お》ち着《つ》きがない。かるがるしい。対語 重《じゅう》。

❺ 例文 てきを軽《かる》く見《み》る。／人《ひと》を軽《かろ》んじる。
意味 見《み》さげる。あなどる。対語 重《じゅう》。

熟語

❶ 軽減《けいげん》。軽重《けいちょう》。軽石《かるいし》。身軽《みがる》。軽金属《けいきんぞく》。
❷ 軽症《けいしょう》(病気《びょうき》の症状《しょうじょう》がかるいこと)。軽食《けいしょく》。軽度《けいど》。軽工業《けいこうぎょう》。
❸ 軽業《かるわざ》。
❹ 軽率《けいそつ》(よく考《かんが》えないで言《い》ったり、したりするようす)。気軽《きがる》。軽軽《かるがる》しい。
❺ 軽視《けいし》。軽《けい》べつ。

血／6画

血

音 ケツ

訓 ち

成り立ち

大《おお》むかし、動物《どうぶつ》の《ち》を、器《うつわ》に入《い》れて神様《かみさま》にそなえたようすをえがいた字《じ》。

筆順・書き方

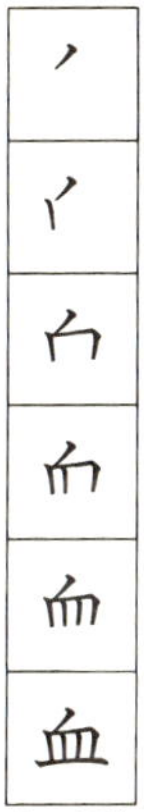

(6画)

例文・意味

❶ 例文 きず口《ぐち》から血《ち》がにじむ。／血《ち》まみれのシャツ。／血液《けつえき》のけんさ。
意味 動物《どうぶつ》のからだの中《なか》を流《なが》れる、おもに赤《あか》いえき。ち。

❷ 例文 母《はは》の血《ち》を引《ひ》いたらしく、手先《てさき》が器用《きよう》だ。
意味 親子《おやこ》などのつながり。ちすじ。

❸ 例文 血気《けっき》さかんなわか者《もの》。
意味 いきおいがさかんなようす。また、きびしいようす。

熟語

❶ 血圧《けつあつ》。血管《けっかん》。血行《けっこう》。血色《けっしょく》。血税《けつぜい》(ちが出《で》るような苦労《くろう》をしておさめる税金《ぜいきん》)。止血《しけつ》(ちが出《で》ているのを止《と》まるように手当《てあ》てすること)。流血《りゅうけつ》。鼻血《はなぢ》。出血《しゅっけつ》。輸血《ゆけつ》。白血球《はっけっきゅう》。赤血球《せっけっきゅう》。
❷ 血統《けっとう》。血筋《ちすじ》。

□ 氵／7画

〔決〕

音 ケツ
訓 きめる・きまる

成り立ち
「氵」は水《みず》を、「夬」は、物《もの》をコの形《かたち》にえぐることをあらわす。ていぼうが大水《おおみず》でえぐられ、水《みず》がどっと流《なが》れ出《だ》すことをあらわす。後《のち》、そのようにきっぱり《きめる》という意味《いみ》になった。

筆順・書き方

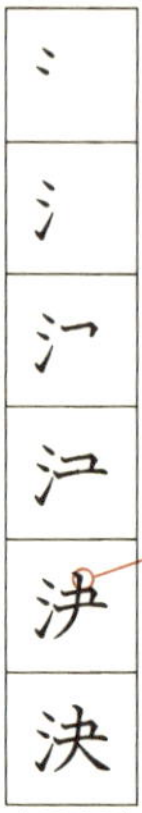

（7画）

例文・意味

❶ 例文 大雨《おおあめ》でていぼうが決《けっ》かいする。 意味 きれる。こわれる。

❷ 例文 アメリカりゅう学《がく》を決意《けつい》する。／会長《かいちょう》が決断《けつだん》をくだす。 意味 思《おも》いきる。かくごする。また、思《おも》いきりがよい。

❸ 例文 意見《いけん》が出《で》つくしたところで決《けっ》をとる。／この回《かい》で勝敗《しょうはい》が決《けっ》する。／自分《じぶん》のことは自分《じぶん》で決《き》める。／日《にっ》ていが決《き》まる。／決《き》まりを守《まも》る。 意味 きめる。きまる。とりきめ。

熟語

❷ 決行《けっこう》（思《おも》い切《き》ってものごとをおこなうこと）。決死《けっし》。決心《けっしん》。解決《かいけつ》。対決《たいけつ》。

❸ 決議《けつぎ》（会議《かいぎ》できめること）。決勝《けっしょう》。決戦《けっせん》。決着《けっちゃく》。決定《けってい》。可決《かけつ》。議決《ぎけつ》。採決《さいけつ》。先決《せんけつ》。判決《はんけつ》。否決《ひけつ》。未決《みけつ》。多数決《たすうけつ》。決《き》め手《て》。決《き》まり文句《もんく》。

□ 石／9画

〔研〕

音 ケン
訓 （とぐ）

成り立ち
「石」（いし）と「幵」（二《ふた》つの物《もの》を平《たい》らにそろえること）を合《あ》わせた字《じ》。自然《しぜん》のままの石《いし》の表面《ひょうめん》をこすって平《たい》らにそろえて、《とぐ》ことを意味《いみ》した字《じ》。

筆順・書き方

（9画）

例文・意味

❶ 例文 包丁《ほうちょう》を石《いし》で研《と》ぐ。／米《こめ》を研《と》ぐ。／研《と》ぎすまされた刀《かたな》。 意味 はものをと石《いし》などでこすって、切《き》れるようにする。また、米《こめ》などを水《みず》の中《なか》でかきまわしてきれいにする。とぐ。

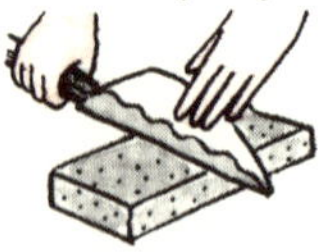
《包丁《ほうちょう》を研《と》ぐ》

《米《こめ》を研《と》ぐ》

❷ 例文 夏休《なつやす》みに、ありの研究《けんきゅう》をする。 意味 ものごとをふかく見《み》きわめる。

熟語

❶ 研磨《けんま》（金属《きんぞく》などをといでみがくこと）。研《と》ぎ師《し》。

❷ 研修《けんしゅう》（技術《ぎじゅつ》や知識《ちしき》を身《み》につけるために、特別《とくべつ》の教育《きょういく》や訓練《くんれん》をすること）。研究会《けんきゅうかい》。研究室《けんきゅうしつ》。研究所《けんきゅうじょ》。研修所《けんしゅうじょ》。自由研究《じゆうけんきゅう》。

県

目／9画

音 ケン
訓 ―

成り立ち

もとの字《じ》は「縣」。「県」は首《くび》をさかさにしてぶら下《さ》がること、「系」は糸《いと》をつなぐこと。国《くに》の下《した》にぶら下《さ》がるようにつながる《一《ひと》つ一《ひと》つの地区《ちく》》を意味《いみ》する。

筆順・書き方

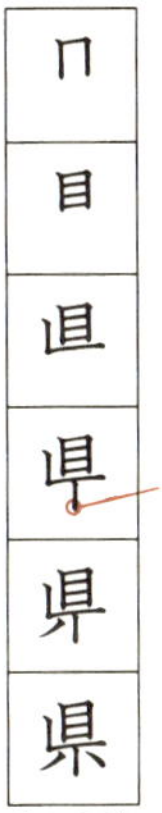

例文・意味

例文 県《けん》の中央部《ちゅうおうぶ》に、大《おお》きな山《やま》がある。／姉《あね》は県立《けんりつ》の高等学校《こうとうがっこう》に通《かよ》っています。／神奈川県《かながわけん》の県庁所《けんちょうしょ》ざい地《ち》は横浜市《よこはまし》です。

意味 地方自治《ちほうじち》体《たい》の一《ひと》つ。郡《ぐん》・市《し》・町《ちょう》・村《そん》をふくむ。日本《にっぽん》には四十三《よんじゅうさん》のけんがある。けん。

熟語

県下《けんか》。県境《けんざかい》。県道《けんどう》。県民《けんみん》。全県《ぜんけん》（そのけん全体《ぜんたい》。また、全《ぜん》部《ぶ》のけん）。都道府県《とどうふけん》。

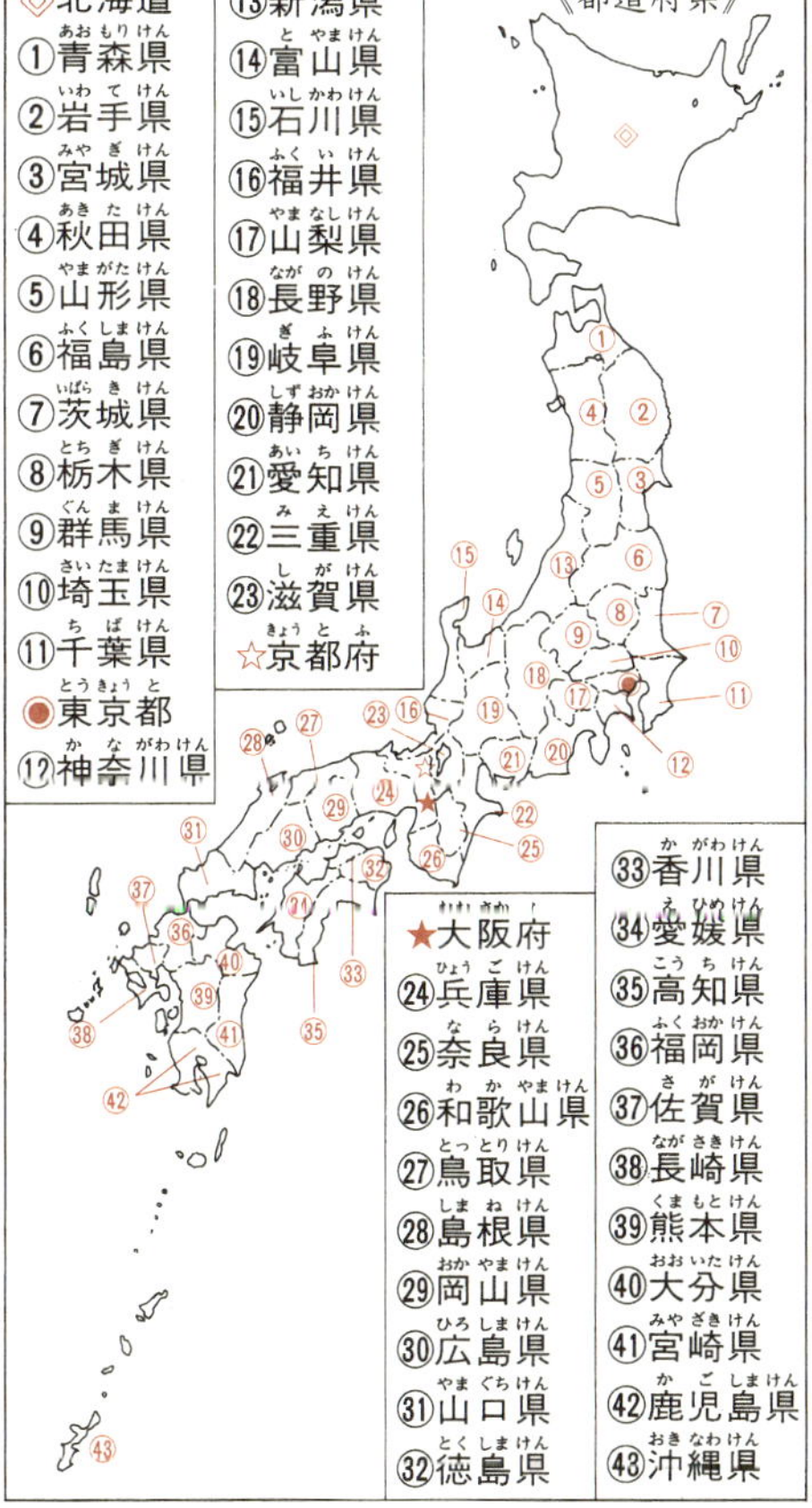

◇北海道《ほっかいどう》
①青森県《あおもりけん》
②岩手県《いわてけん》
③宮城県《みやぎけん》
④秋田県《あきたけん》
⑤山形県《やまがたけん》
⑥福島県《ふくしまけん》
⑦茨城県《いばらきけん》
⑧栃木県《とちぎけん》
⑨群馬県《ぐんまけん》
⑩埼玉県《さいたまけん》
⑪千葉県《ちばけん》
◉東京都《とうきょうと》
⑫神奈川県《かながわけん》
⑬新潟県《にいがたけん》
⑭富山県《とやまけん》
⑮石川県《いしかわけん》
⑯福井県《ふくいけん》
⑰山梨県《やまなしけん》
⑱長野県《ながのけん》
⑲岐阜県《ぎふけん》
⑳静岡県《しずおかけん》
㉑愛知県《あいちけん》
㉒三重県《みえけん》
㉓滋賀県《しがけん》
☆京都府《きょうとふ》
★大阪府
㉔兵庫県《ひょうごけん》
㉕奈良県《ならけん》
㉖和歌山県《わかやまけん》
㉗鳥取県《とっとりけん》
㉘島根県《しまねけん》
㉙岡山県《おかやまけん》
㉚広島県《ひろしまけん》
㉛山口県《やまぐちけん》
㉜徳島県《とくしまけん》
㉝香川県《かがわけん》
㉞愛媛県《えひめけん》
㉟高知県《こうちけん》
㊱福岡県《ふくおかけん》
㊲佐賀県《さがけん》
㊳長崎県《ながさきけん》
㊴熊本県《くまもとけん》
㊵大分県《おおいたけん》
㊶宮崎県《みやざきけん》
㊷鹿児島県《かごしまけん》
㊸沖縄県《おきなわけん》

庫

广／10画

音 コ・《ク》
訓 ―

成り立ち

「广」（家《いえ》の屋根《やね》）と「車」（くるま）を合《あ》わせた字《じ》。たいせつな車《くるま》などを入《い》れておく、屋根《やね》をかぶせた《くら》を意味《いみ》した字《じ》。

筆順・書き方

例文・意味

例文 自動車《じどうしゃ》を車庫《しゃこ》に入《い》れる。／倉庫《そうこ》に商品《しょうひん》を積《つ》む。／金庫《きんこ》にたいせつな書類《しょるい》をしまう。／冷蔵庫《れいぞうこ》で冷《ひ》やす。

意味 物《もの》をしまっておく建物《たてもの》。また、物《もの》をしまっておく入《い》れ物《もの》。くら。

熟語

在庫《ざいこ》。書庫《しょこ》。文庫《ぶんこ》。宝庫《ほうこ》。庫裏《くり》（寺《てら》の台所《だいどころ》。また、寺《てら》の中《なか》で、坊《ぼう》さんや、その家族《かぞく》がすんでいる部屋《へや》）。貯蔵庫《ちょぞうこ》。

氵／12画

湖

音 コ
訓 みずうみ

成り立ち 「氵」は水《みず》を、「胡」は物《もの》を大《おお》きくおおうことをあらわす。大地《だいち》をおおう大《おお》きな水《みず》たまりのことで、《みずうみ》を意味《いみ》する字《じ》。

筆順・書き方 氵 汁 沽 湖 湖 湖 （12画） はねる

例文・意味 例文 友《とも》だちと湖《みずうみ》のほとりでキャンプをする。／大雨《おおあめ》のために湖《こ》水《すい》がにごる。／遊《ゆう》らん船《せん》に乗《の》って、びわ湖《こ》めぐりをする。 意味 まわりを陸《りく》地《ち》に囲《かこ》まれたくぼみに、水《みず》がたまっている所《ところ》。池《いけ》や、ぬまよりも大《おお》きくてふかい。みずうみ。

《湖《みずうみ》のほとり》

熟語 湖岸《こがん》。湖上《こじょう》。湖面《こめん》。火口湖《かこうこ》（火山《かざん》の噴《ふん》火口《かこう》に水《みず》がたまってできたみずうみ）。人造湖《じんぞうこ》。

口／6画

向

音 コウ
訓 むく・むける・むかう・むこう

成り立ち 「宀」は家《いえ》。「口」は空気《くうき》ぬきのまどの形《かたち》。家《いえ》のまどから空気《くうき》が外《そと》へ出《で》ていくようすから、《むかう》《むく》の意味《いみ》になった。

筆順・書き方 ノ 丨 向 向 向 向 （6画） はねる

例文・意味 ❶ 例文 前《まえ》を向《む》いて話《はな》す。／声《こえ》のするほうに注意《ちゅうい》を向《む》ける。／寒《さむ》い季節《きせつ》に向《む》かう。／先生《せんせい》と向《む》かい合《あ》ってすわる。／向《む》こうのほうに船《ふね》が見《み》える。／向《む》こう岸《ぎし》にわたる。／学力《がくりょく》の向上《こうじょう》をめざす。／向学心《こうがくしん》にもえる。 意味 ある方《ほう》こうにむかって行《い》く。むかう。むく。むける。
❷ 例文 南向《みなみむ》きの家《いえ》。／小学生《しょうがくせい》向《む》きの本《ほん》。／物《ぶっ》かがあがるけい向《こう》にある。／東南《とうなん》の方向《ほうこう》をめざす。 意味 むき。また、おもむき。

熟語 ❶ 外向的《がいこうてき》（自分《じぶん》から進《すす》んで人《ひと》に会《あ》ったり話《はな》したり、活発《かっぱつ》に行動《こうどう》する性質《せいしつ》。その反対《はんたい》が、内向的《ないこうてき》）。対向車《たいこうしゃ》。内向的《ないこうてき》。風向計《ふうこうけい》。向《む》かい風《かぜ》。筋向《すじむ》かい。向《む》こう見《み》ず。向《む》かい合《あ》わせ。
❷ 意向《いこう》（どのようにするかという考《かんが》えや気持《きも》ち）。

干／8画

幸

音 コウ

訓 さいわい・(さち)・しあわせ

成り立ち

手《て》かせをえがいた字《じ》。手《て》かせをはめられないですむという意味《いみ》から、広《ひろ》く、《さいわい》《しあわせ》の意味《いみ》になった。

筆順・書き方

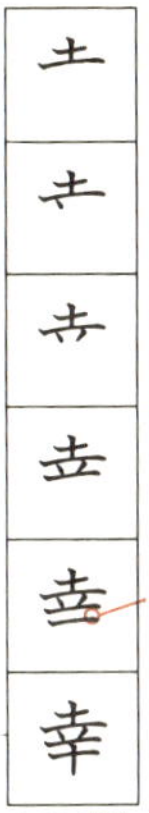

(8画)

うえのせんよりみじかく

例文・意味

❶ 例文 そのことは、ぼくにとって幸《こう》か不幸《ふこう》かわからない。／幸《さいわ》いなことに、大事《だいじ》にならずにすんだ。／結《けっ》こんするふたりに、幸多《さちおお》かれといのる。／幸《しあわ》せな毎日《まいにち》を送《おく》る。／幸運《こううん》にめぐまれる。 意味 運《うん》がよい。しあわせ。さいわい。

❷ 例文 もりだくさんの海《うみ》の幸《さち》を味《あじ》わう。 意味 海《うみ》や山《やま》でとれた食《た》べ物《もの》。えもの。さち。

❸ 例文 九州《きゅうしゅう》に行幸《ぎょうこう》される。 意味 天《てん》のうがお出《で》かけになること。みゆき。

熟語

❶ 幸福《こうふく》。

❷ 山《やま》の幸《さち》(鳥《とり》や、けもの・きのこなど、山《やま》からとれる食《た》べ物《もの》)。

《海《うみ》の幸《さち》・山《やま》の幸《さち》》

氵／12画

港

音 コウ

訓 みなと

成り立ち

「氵」は水《みず》。「巷」は人《ひと》が集《あつ》まっていっしょにいる道《みち》をあらわす。「港」はたくさんの船《ふね》が出入《でい》りする水上《すいじょう》の道《みち》の意味《いみ》から、水《みず》ぎわの町《まち》《みなと》のこと。

筆順・書き方

(12画)

巳とならない

例文・意味

例文 港《みなと》には、客船《きゃくせん》やタンカーなど、たくさんの船《ふね》がとまっていた。／この船《ふね》は、今夜《こんや》八《はち》時《じ》に出港《しゅっこう》します。／神戸港《こうべこう》から船《ふね》に乗《の》る。／海外旅行《かいがいりょこう》へ行《い》く人《ひと》たちを乗《の》せて、旅客《りょかっ》機《き》が空港《くうこう》を飛《と》び立《た》っていく。 意味 船《ふね》や飛行機《ひこうき》が、着《つ》いたり、出発《しゅっぱつ》したりする所《ところ》。船着《ふなつ》き場《ば》や飛行場《ひこうじょう》。みなと。

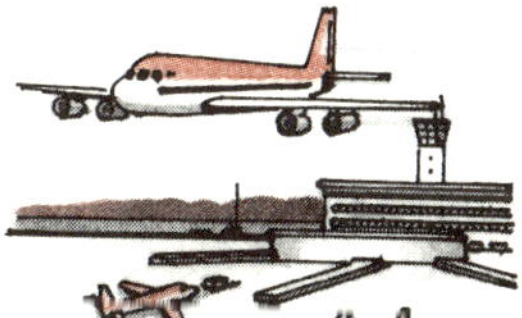

《空港《くうこう》を飛《と》び立《た》つ》

熟語

開港《かいこう》。帰港《きこう》。寄港《きこう》(船《ふね》・飛《ひ》行機《こうき》が航行《こうこう》の途中《とちゅう》で、あるみなと・飛行場《ひこうじょう》に立《た》ち寄《よ》ること)。漁港《ぎょこう》。築港《ちっこう》。入港《にゅうこう》。良港《りょうこう》。港町《みなとまち》。

口／5画

号

音 ゴウ
訓 ―

成り立ち
「口」は、くち、「丂」は息《いき》が大《おお》きくつかえて曲《ま》がることをあらわす。口《くち》をあけて、たくさんの人《ひと》に向《む》かって、《大《おお》きな声《こえ》を出《だ》す》ことを意《い》味《み》する字《じ》。

筆順・書き方

（5画）

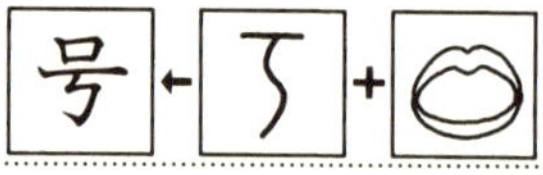

例文・意味
❶ 例文 父《ちち》のとつ然《ぜん》の死《し》に号泣《ごうきゅう》（大声《おおごえ》をあげて泣《な》くこと）する。 意味 大声《おおごえ》でさけぶ。
❷ 例文 信号《しんごう》が青《あお》にかわる。／号令《ごうれい》をかける。 意味 あいず。しるし。また、命令《めいれい》する。
❸ 例文 号《ごう》は大観《たいかん》です。 意味 よび名《な》。名前《なまえ》。
❹ 意味 乗《の》り物《もの》や馬《うま》などの名前《なまえ》につけることば。
❺ 例文 前《まえ》の号《ごう》までのあらすじを読《よ》む。／二《に》号車《ごうしゃ》。 意味 順番《じゅんばん》。また、数《かず》の後《あと》につけて順《じゅん》じょをあらわすことば。

熟語
❷ 暗号《あんごう》。記号《きごう》。番号《ばんごう》。符号《ふごう》。信号機《しんごうき》。青信号《あおしんごう》。
❸ 元号《げんごう》。年号《ねんごう》。屋号《やごう》。
❹ ひかり号《ごう》。やまびこ号《ごう》。
❺ 号外《ごうがい》。創刊号《そうかんごう》。

木／10画

根

音 コン
訓 ね

成り立ち
「艮」は目《め》のまわりにいつまでも残《のこ》る入《い》れずみをすること。後《あと》まで残《のこ》っている意《い》味《み》をあらわす。葉《は》や、えだや、みきがかれても、いつまでも残《のこ》っている木《き》の《ね》を意《い》味《み》する。

筆順・書き方

（10画）

例文・意味
❶ 例文 木《き》の根《ね》につまずく。／チューリップの球根《きゅうこん》。 意味 草《くさ》や木《き》のねっこ。ね。
❷ 例文 力《ちから》を合《あ》わせて悪《あく》の根《ね》をたつ。／きびしいけれど、根《ね》はやさしい人《ひと》。／根《ね》っからのお人《ひと》よし。 意味 ものごとの、よりどころになる大《おお》もと。
❸ 例文 根《こん》をつめて勉強《べんきょう》する。／あきっぽくて、根《こん》がつづかない。 意味 がんばったり、がまんしたりする力《ちから》。こん。

《球根《きゅうこん》》

熟語
❶ 根毛《こんもう》。大根《だいこん》。根元《ねもと》。根本《ねもと》。根《ね》こそぎ。
❷ 根源《こんげん》。根本《こんぽん》。根本的《こんぽんてき》。
❸ 根気《こんき》。根性《こんじょう》。精根《せいこん》（ものごとをやりとげようとする、ありったけの力《ちから》）。心根《こころね》（性質《せいしつ》。また、心《こころ》の底《そこ》にある気《き》持《も》ち）。性根《しょうね》（考《かんが》え方《かた》や、おこないの基本《きほん》になっている心《こころ》のもち方《かた》）。根比《こんくら》べ。根負《こんま》け。

示／11画

祭

音 サイ

訓 まつる・まつり

成り立ち

「夕又」は手《て》でよごれをとってきれいにした肉《にく》。「示」は先《せん》ぞ・神様《かみさま》にそなえ物《もの》をする台《だい》。先《せん》ぞ・神様《かみさま》におそなえをして《まつる》ことを意味《いみ》する字《じ》。

筆順・書き方

（11画）

例文・意味

❶ 例文 学問《がくもん》の神様《かみさま》を祭《まつ》った神社《じんじゃ》。／夏祭《なつまつ》りで、みこしをかつぐ。／祭《まつ》りばやしが聞《き》こえる。

意味 神《かみ》や、そ先《せん》などをまつる。まつり。

❷ 例文 体育祭《たいいくさい》に出場《しゅつじょう》する。／このテレビドラマは、芸術《げいじゅつ》祭参加作品《さいさんかさくひん》です。／たくさんの人出《ひとで》で、札幌《さっぽろ》の雪祭《ゆきまつ》りがにぎわう。

意味 にぎやかな行事《ぎょうじ》。はなやかなもよおし。

《雪祭《ゆきまつ》り》

熟語

❶ 祭日《さいじつ》。祭典《さいてん》（まつりの儀式《ぎしき》）。祭礼《さいれい》。祝祭日《しゅくさいじつ》。花祭《はなまつ》り。七夕祭《たなばたまつ》り。

❷ 学園祭《がくえんさい》。植樹祭《しょくじゅさい》。前夜祭《ぜんやさい》。文化祭《ぶんかさい》。

皿／5画

皿

音 ―

訓 さら

成り立ち

《さら》の形《かたち》をえがいた字《じ》。

筆順・書き方

（5画）

例文・意味

例文 皿《さら》にひびが入《はい》る。／落《お》として皿《さら》をわる。／テーブルにスープ皿《ざら》をならべる。／野菜《やさい》いため二皿《ふたさら》。

意味 食《た》べ物《もの》などをもる、あさい器《うつわ》。また、それにもりつけた料理《りょうり》を数《かぞ》えることば。さら。

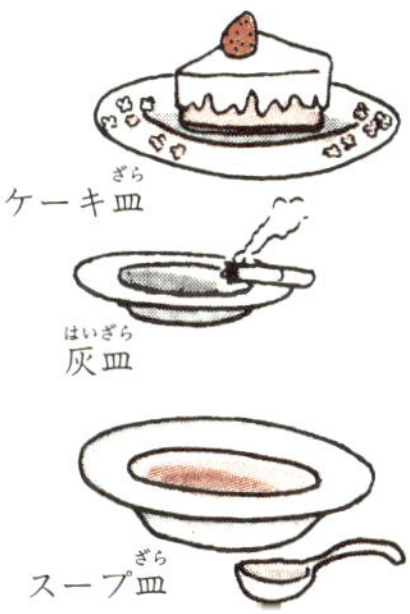

《いろいろな皿《さら》》

熟語

大皿《おおざら》。小皿《こざら》。灰皿《はいざら》。皿回《さらまわ》し。ケーキ皿《ざら》。

《皿回《さらまわ》し》

仕

イ／5画

音 シ・《ジ》
訓 つかえる

成り立ち

「イ」は人《ひと》。「士」は、まっすぐに立《た》つこと。身分《みぶん》の高《たか》い人《ひと》のそばに、しっかり立《た》ってつきしたがい、仕事《しごと》をすることから、《つかえる》ことを意味《いみ》する。

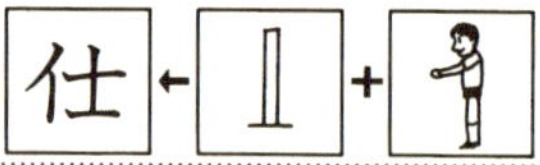

筆順・書き方

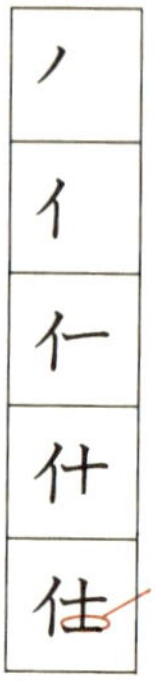

（5画）

例文・意味

❶ 例文 主君《しゅくん》にちゅう実《じつ》に仕《つか》える。／文部科学省《もんぶかがくしょう》に出仕《しゅっし》する。／お客様《きゃくさま》に、お茶《ちゃ》の給仕《きゅうじ》をする。 意味 目上《めうえ》の人《ひと》のために働《はたら》く。また、役人《やくにん》になって、つとめる。

❷ 例文 母《はは》の仕事《しごと》をてつだう。／商品《しょうひん》を仕入《しい》れる。／洋服《ようふく》を仕立《した》てなおす。／モーターの仕組《しく》みを調《しら》べる。 意味 あることをおこなう。

熟語

❷ 仕方《しかた》。仕度《したく》。仕業《しわざ》。仕上《しあ》げ。仕打《しう》ち（人《ひと》に対《たい》するあつかい方《かた》や、やり方《かた》）。仕送《しおく》り。仕来《しきた》り（むかしから伝《つた》わる習慣《しゅうかん》）。仕切《しき》り。畑仕事《はたしごと》。

死

歹／6画

音 シ
訓 しぬ

成り立ち

「歹」は、ほね。「匕」は大地《だいち》の上《うえ》にたおれた人《ひと》。人《ひと》がたおれて大地《だいち》にもどり、ほねになってしまうこと、つまり、《しぬ》ことを意味《いみ》する字《じ》。

筆順・書き方

（6画）

例文・意味

❶ 例文 友人《ゆうじん》の死《し》を悲《かな》しむ。／交通事《こうつうじ》こで死《し》ぬ。／わが子《こ》に死《し》なれる。／戦争《せんそう》で兄弟《きょうだい》と死《し》に別《わか》れる。／やすらかな死《し》に顔《がお》。／多《おお》くの死者《ししゃ》を出《だ》した火《か》さい。／病気《びょうき》で急死《きゅうし》する。 意味 命《いのち》がなくなる。しぬ。 対語 生《せい》。

❷ 例文 活用《かつよう》しなければ、せっかくの土地《とち》が死《し》んでしまう。 意味 活動《かつどう》していない。役《やく》にたたない。 対語 生《せい》。

❸ 例文 二十五《にじゅうご》メートルを必死《ひっし》になって泳《およ》いだ。 意味 命《いのち》がけ。しにものぐるい。

熟語

❶ 死因《しいん》。死去《しきょ》。死後《しご》。死体《したい》。死人《しにん》。死別《しべつ》。死亡《しぼう》。水死《すいし》。生死《せいし》。戦死《せんし》。病死《びょうし》。変死《へんし》。事故死《じこし》。死《し》に際《ぎわ》。

❷ 死角《しかく》（ある角度《かくど》からは、物《もの》にさえぎられてどうしても見《み》ることのできない範囲《はんい》）。

❸ 死守《ししゅ》（命《いのち》がけで守《まも》ること）。死力《しりょく》（ありったけの強《つよ》い力《ちから》）。決死《けっし》。

使

□ 亻／8画

音 シ

訓 つかう

成り立ち

「亻」は人《ひと》を、「吏」は仕事《しごと》をすることをあらわす。人《ひと》に仕事《しごと》をさせることから《つかう》《つかい》などの意味《いみ》をあらわした字《じ》。

筆順・書き方

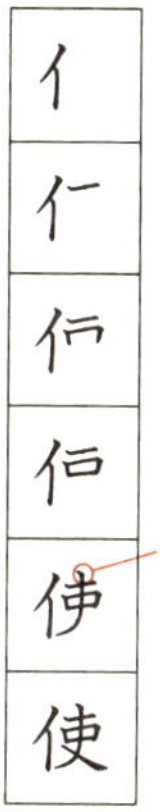

（8画）

例文・意味

❶ 例文 はさみを使《つか》って紙《かみ》を切《き》る。／もっと頭《あたま》を使《つか》いなさい。／社員《しゃいん》をこき使《つか》う。／道具《どうぐ》を使《つか》いこなす。／なかみを全部《ぜんぶ》使《つか》いきる。／ナイフとフォークの使《つか》い方《かた》。／会議室《かいぎしつ》は使用中《しようちゅう》です。 意味 物《もの》や、お金《かね》・時間《じかん》などを用《もち》いる。また、人《ひと》を働《はたら》かせる。つかう。

❷ 例文 母《はは》の使《つか》いで、やおやさんへ行《い》く。／白《しろ》びは神《かみ》の使《つか》いといわれている。／ヨーロッパからやってきた使節団《しせつだん》を出《で》むかえる。 意味 用《よう》事《じ》をしに行《い》かせる。また、つかいの人《ひと》。

熟語

❶ 使命《しめい》（果《は》たさなければならない、あたえられた役目《やくめ》）。使用《しよう》。使《つか》い道《みち》。召《め》し使《つか》い。使《つか》い果《は》たす。

❷ 使者《ししゃ》。公使《こうし》。大使《たいし》。天使《てんし》。

始

□ 女／8画

音 シ

訓 はじめる・はじまる

成り立ち

「女」（おんな）と「台」（すき を持《も》って、声《こえ》をかけて仕事《しごと》をはじめる）を合《あ》わせた字《じ》。女《おんな》の人《ひと》が赤《あか》んぼうを育《そだ》ててはじめるように、仕事《しごと》を《はじめる》こと。

筆順・書き方

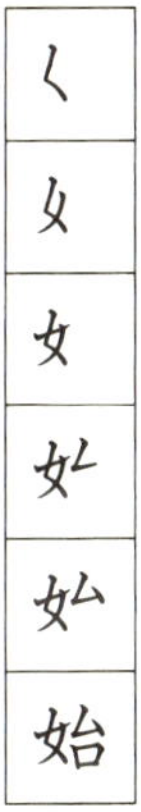
（8画）

例文・意味

❶ 例文 サッカーの練習《れんしゅう》を始《はじ》める。／四月《しがつ》からピアノを習《なら》い始《はじ》めた。／もうすぐ新学期《しんがっき》が始《はじ》まる。／今《いま》さら、なげいてみても始《はじ》まらない。／始業式《しぎょうしき》をおこなう。／試合《しあい》を開始《かいし》する。 意味 ものごとを新《あたら》しくやり出《だ》す。また、ものごとが起《お》こり出《だ》す。はじまる。はじめる。 対語 終《しゅう》。

❷ 例文 じゅ業《ぎょう》の始《はじ》めと終《お》わりにあいさつをする。／あすは仕事始《しごとはじ》めだ。／年末年始《ねんまつねんし》は列車《れっしゃ》がこんざつする。／原始林《げんしりん》をほごする。 意味 ものごとの起《お》こり。はじめ。 対語 終《しゅう》。

熟語

❶ 始動《しどう》（機械《きかい》が動《うご》きはじめること）。始発《しはつ》。始球式《しきゅうしき》。創始者《そうししゃ》（ものごとを新《あたら》しくはじめた人《ひと》）。

❷ 始終《しじゅう》。始末《しまつ》。終始《しゅうし》（はじめから終《お》わりまで）。手始《てはじ》め。一部始終《いちぶしじゅう》 ⇩（634ページ下）

指

扌／9画

音 シ
訓 ゆび・さす

成り立ち

「扌」は手《て》。「旨」は、ごちそうをさじでさすようす。「シ」(旨)という音《おん》が、まっすぐなぼうをあらわすから、まっすぐな《ゆび》の意味《いみ》になった。

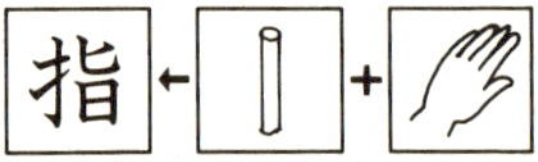

筆順・書き方

はねる

（9画）

例文・意味

❶ 例文 赤《あか》ちゃんが指《ゆび》をしゃぶる。／ダイヤモンドの指輪《ゆびわ》。／友《とも》だちと指切《ゆびき》りをする。／世中《なか》を指圧《しあつ》する。／指人形《ゆびにんぎょう》をつくる。 意味 手《て》や足《あし》の先《さき》の、分《わ》かれた部分《ぶぶん》。ゆび。

❷ 例文 北《きた》を指《さ》して進《すす》む。／地図《ちず》を指《さ》ししめす。／ゆう勝《しょう》を目指《めざ》して戦《たたか》う。／人《ひと》を名指《なざ》しでひなんする。／上級生《じょうきゅうせい》の指図《さしず》を受《う》ける。／児童《じどう》を指導《しどう》する。 意味 方向《ほうこう》や目標《もくひょう》をしめす。また、ゆびでさししめす。ゆびさす。

熟語

❶ 指紋《しもん》。親指《おやゆび》。薬指《くすりゆび》。小指《こゆび》。中指《なかゆび》。指折《ゆびお》り。指先《ゆびさ》き。

❷ 指揮《しき》。指示《しじ》。指針《ししん》(ものごとをおこなうときの方針《ほうしん》)。指定《してい》。指名《しめい》(あることをさせるために、ある人《ひと》の名《な》をさし示《しめ》すこと)。指令《しれい》(上《うえ》からのさしずや命令《めいれい》)。

歯

歯／12画

音 シ
訓 は

成り立ち

もとの字《じ》は「齒」。「𠚕」は口《くち》の中《なか》に《は》がならんでいるようす。「止」はとめること。口《くち》の中《なか》に、しっかりとついている《は》をあらわした字《じ》。

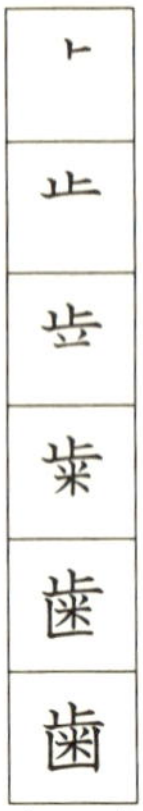

筆順・書き方

（12画）

例文・意味

❶ 例文 朝食《ちょうしょく》の後《あと》、歯《は》をみがく。／白《しろ》くて清《せい》けつな歯《は》。／歯並《はなら》びがよい。／乳歯《にゅうし》がぬけて、永《えい》久歯《きゅうし》が生《は》える。 意味 口《くち》の中《なか》にあって、物《もの》をかみくだくはたらきをするもの。は。

❷ 例文 げたの歯《は》がすりへる。／くしの歯《は》が欠《か》ける。／のこぎりの歯《は》。／大小《だいしょう》の歯車《はぐるま》が、かみ合《あ》いながら回《まわ》る。 意味 歯《は》のような形《かたち》をしているもの。また、歯《は》のようにならんだ形《かたち》のもの。

熟語

❶ 歯科《しか》。犬歯《けんし》。門歯《もんし》。奥歯《おくば》。前歯《まえば》。虫歯《むしば》。歯科医《しかい》。歯医者《はいしゃ》。歯切《はぎ》れ。八重歯《やえば》。歯《は》ぎしり。歯《は》ごたえ(食《た》べ物《もの》をかんだとき、はに受《う》ける感《かん》じ)。糸切《いとき》り歯《ば》。

□ 言／13画

詩

音 シ

訓 ―

成り立ち

「言」は、ことば。「寺」は手《て》や足《あし》を動《うご》かすこと。心《こころ》の動《うご》きをきれいにあらわした《うた》や、《し》の意味《いみ》をあらわした字《じ》。

筆順・書き方

（13画）

例文・意味

例文 国語《こくご》の時間《じかん》に、自分《じぶん》のつくった詩《し》をひとりずつろう読《どく》した。／秋《あき》の夜《よ》のさびしさをよんだ詩《し》。／へやにこもって詩作《しさく》にふける。／卒業《そつぎょう》の記念《きねん》として、クラスで詩集《ししゅう》をつくる。 意味 心《こころ》に感《かん》じたことを、リズムをもつことばであらわしたもの。

《詩《し》をろう読《どく》する》

熟語

詩情《しじょう》（美《うつく》しいしを読《よ》んだときに感《かん》じるような味《あじ》わい）。詩人《しじん》。作詩《さくし》。

□ 欠／6画

次

音 ジ・（シ）

訓 つぐ・つぎ

成り立ち

人《ひと》がからだをかがめて、物《もの》を順番《じゅんばん》にそろえているところ。《つぎつぎに》《順番《じゅんばん》に》という意味《いみ》をあらわした字《じ》。

筆順・書き方

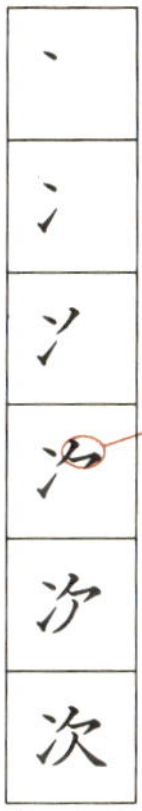

（6画）

例文・意味

❶ 例文 大阪《おおさか》は東京《とうきょう》に次《つ》ぐ大都会《だいとかい》です。／火《か》さいが相次《あいつ》いで発生《はっせい》する。／新聞《しんぶん》の取次店《とりつぎてん》。／次《つぎ》の役員《やくいん》に仕事《しごと》を引《ひ》きつぐ。／わが家《や》の次男《じなん》ぼう。 意味 後《あと》につづく。二番目《にばんめ》の。

❷ 例文 教室《きょうしつ》の席次《せきじ》を決《き》める。／本《ほん》の目次《もくじ》。／東海道五十三次《とうかいどうごじゅうさんつぎ》。 意味 順《じゅん》じょ。等級《とうきゅう》。

❸ 例文 一次《いちじ》試験《しけん》を通《つう》かする。／二次《にじ》ぼ集《しゅう》。 意味 回数《かいすう》や度数《どすう》をあらわすことば。

熟語

❶ 次回《じかい》。次官《じかん》。次期《じき》。次女《じじょ》。次点《じてん》。相次《あいつ》ぐ。次《つぎ》の日《ひ》。次《つぎ》の間《ま》。取《と》り次《つ》ぎ。

❷ 順次《じゅんじ》。次第《しだい》（式《しき》などの順序《じゅんじょ》）。

❸ 二次会《にじかい》。

亅／8画

事

音 ジ・《ズ》

訓 こと

成り立ち

むかし、役所《やくしょ》で仕《し》ごとを始《はじ》めるときたてた、旗印《はたじるし》を手《て》で持《も》っているようすをあらわした字《じ》。それから《しごと》《ようじ》の意味《いみ》になった。

筆順・書き方

ながく

（8画）

例文・意味

❶ 例文 事《こと》の重大《じゅうだい》さにおどろく。／事《こと》が起《お》こってからあわてても、もうおそい。／事件《じけん》のなりゆきを細《こま》かに話《はな》す。／事実《じじつ》をありのままに語《かた》る。／急《きゅう》に用事《ようじ》を思《おも》い出《だ》す。 意味 できごと。ものごと。ことがら。

❷ 例文 道路工事《どうろこうじ》が始《はじ》まる。／姉《あね》は会社《かいしゃ》で事務《じむ》をとっている。 意味 しごと。つとめ。

❸ 例文 大木先生《おおきせんせい》に師事《しじ》して十《じゅう》年《ねん》になる。 意味 人《ひと》につかえる。

《道路工事《どうろこうじ》》

熟語

❶ 事故《じこ》。事情《じじょう》。事態《じたい》（ものごとのなりゆきや、ありさま）。悪事《あくじ》。火事《かじ》。記事《きじ》。行事《ぎょうじ》。食事《しょくじ》。大事《だいじ》。無事《ぶじ》。返事《へんじ》。人事《ひとごと》。物事《ものごと》。事欠《ことか》く（たりなくて困《こま》る）。出来事《できごと》。百科事典《ひゃっかじてん》。

❷ 事業《じぎょう》。知事《ちじ》。仕事《しごと》。

扌／9画

持

音 ジ

訓 もつ

成り立ち

「扌」は手《て》、「寺」は手《て》と足《あし》を動《うご》かすこと。またじっと、とまること。手《て》の中《なか》で物《もの》をじっと《もつ》ことをあらわした字《じ》。

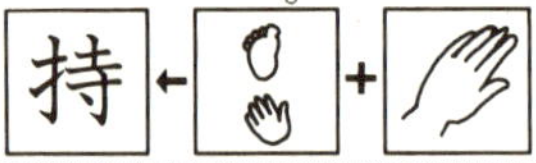

筆順・書き方

士としない

（9画）

例文・意味

❶ 例文 自家用車《じかようしゃ》を持《も》つ。／費用《ひよう》はぼくが持《も》とう。／希望《きぼう》を持《も》ちつづける。／石《いし》を持《も》ちあげる。／きょうはお金《かね》の持《も》ち合《あ》わせがない。／参考書《さんこうしょ》を持参《じさん》する。 意味 手《て》にとる。また、身《み》につける。もつ。

❷ 例文 正月《しょうがつ》のあいだ、天気《てんき》はなんとか持《も》ちそうだ。／いそがしくて、からだが持《も》たない。／チャンピオンのタイトルを保持《ほじ》する。／あなたの意見《いけん》を支持《しじ》する。 意味 ずっとかわらないで、もちこたえる。

熟語

❶ 持病《じびょう》（長《なが》いあいだ治《なお》らないで、苦《くる》しめられている病気《びょうき》）。所持《しょじ》（身《み》につけてもっていること）。持《も》ち味《あじ》。持《も》ち主《ぬし》。金持《かねも》ち。気持《きも》ち。力持《ちからも》ち。受《う》け持《も》ち。

❷ 持久《じきゅう》（長《なが》くもちこたえること）。持続《じぞく》。

□ 弋／6画

【式】

音 シキ

訓 ―

成り立ち

「弋」は先《さき》が二《ふた》またに分《わ》かれたぼう。「工」は工作《こうさく》すること。道具《どうぐ》を使《つか》って工《こう》作《さく》するときの《決《き》まったやり方《かた》》を意味《いみ》する字《じ》。

筆順・書き方

（6画）

例文・意味

❶ 例文 入会《にゅうかい》するには正式《せいしき》な手続《てつづ》きが必要《ひつよう》です。／洋《よう》式《しき》のトイレ。／今《いま》までの方式《ほうしき》にしたがっておこなう。 意味 決《き》まったやり方《かた》。きまり。

❷ 例文 式《しき》の日取《ひど》りが決《き》まる。／式辞《しきじ》（しきのときのべるあいさつ）を読《よ》みあげる。／結《けっ》こん式《しき》に出席《しゅっせき》する。 意味 決《き》まったやり方《かた》でおこなう行事《ぎょうじ》。しき。

❸ 例文 次《つぎ》の式《しき》をときなさい。 意味 計算《けいさん》の方法《ほうほう》や順《じゅん》じょなどを、数字《すうじ》や記《き》号《ごう》であらわしたもの。しき。

熟語

❶ 格式《かくしき》。旧式《きゅうしき》。形式《けいしき》。本式《ほんしき》。略式《りゃくしき》。

❷ 式場《しきじょう》。式典《しきてん》。式服《しきふく》。儀式《ぎしき》。開会式《かいかいしき》。告別式《こくべつしき》（死《し》んだ人《ひと》に別《わか》れを告《つ》げる儀《ぎ》しき）。始球式《しきゅうしき》。始業式《しぎょうしき》。成人式《せいじんしき》。卒業式《そつぎょうしき》。入学式《にゅうがくしき》。閉会式《へいかいしき》。

❸ 公式《こうしき》。

□ 宀／8画

【実】

音 ジツ

訓 み・みのる

成り立ち

もとの字《じ》は「實」。「宀」（家《いえ》）と「母」（いっぱい）と「貝」（たから物《もの》）を合《あ》わせた字《じ》。家《いえ》の中《なか》をたから物《もの》でいっぱいにしているようす。後《のち》に、中《なか》がいっぱいつまった《み》の意《い》味《み》になった。

筆順・書き方

（8画）

例文・意味

❶ 例文 かきの実《み》が実《みの》る。／実《みの》りの秋《あき》。 意味 草《くさ》や木《き》のみ。また、みがなる。みをむすぶ。

❷ 例文 名《な》をとるよりも実《じつ》をとれ。 意味 なかみ。内《ない》よう。

❸ 例文 じゅう実《じつ》した毎日《まいにち》を送《おく》る。 意味 なかみがつまっている。みちる。

❹ 例文 実《じつ》をいうと、今一文《いまいちもん》なしだ。／実《じつ》の親《おや》。 意味 ほんとうの。ほんとうのこと。真《しん》の。

❺ 例文 忠実《ちゅうじつ》ににんむを果《は》たす。 意味 うそのない。まごころのある。

熟語

❶ 果実《かじつ》。木《こ》の実《み》。

❷ 実質《じっしつ》。名実《めいじつ》（名前《なまえ》や評判《ひょうばん》と、じっ際《さい》のなかみ）。

❹ 実演《じつえん》。実家《じっか》。実感《じっかん》。実験《じっけん》。実現《じつげん》。実行《じっこう》。実際《じっさい》。実子《じっし》。実物《じつぶつ》。実名《じつめい》。実力《じつりょく》。実例《じつれい》。実話《じつわ》。確実《かくじつ》。現実《げんじつ》。事実《じじつ》。真実《しんじつ》。

❺ 実直《じっちょく》（まじめで正直《しょうじき》なようす）。誠実《せいじつ》。

【写】

冖／5画

音 シャ
訓 うつす・うつる

成り立ち

もとの字《じ》は「寫」。「宀」は家《いえ》。「舄」は、かささぎという鳥《とり》のこと。「シャ」という音《おん》はうつすという意味《いみ》をもっているので、物《もの》のすがたを《うつす》《書《か》きうつす》意味《いみ》になった。

筆順・書き方

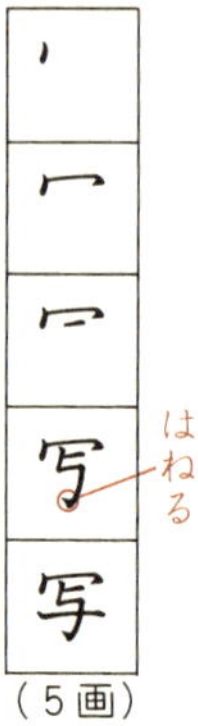

（5画）

例文・意味

❶ 例文 友《とも》だちのノートを写《うつ》す。／書類《しょるい》の写《うつ》しをとる。／この子《こ》は、なくなったお父《とう》さんに生《い》き写《うつ》しだ。／風景《ふうけい》を写生《しゃせい》する。 意味 文字《もじ》や絵《え》などを、そのとおりに書《か》く。うつす。うつる。

《写生《しゃせい》する》

❷ 例文 走《はし》る電車《でんしゃ》をカメラで写《うつ》す。／わたしは写《しゃ》真写《しんうつ》りが悪《わる》い。 意味 しゃ真《しん》やえい画《が》などをとる。さつえいする。

熟語

❶ 写実《しゃじつ》（ものごとをありのままに、絵《え》や文章《ぶんしょう》などであらわすこと）。複写《ふくしゃ》。模写《もしゃ》（本物《ほんもの》そっくりにまねてうつすこと）。書《か》き写《うつ》す。

❷ 映写《えいしゃ》。写真家《しゃしんか》。写真機《しゃしんき》。大写《おおうつ》し。

【者】

耂／8画

音 シャ
訓 もの

成り立ち

たき木《ぎ》を集《あつ》めて、こんろの上《うえ》でもやしているところをえがいた字《じ》。後《のち》、集《あつ》まった中《なか》で「これ」とさしていうときの字《じ》として使《つか》われるようになり、《…するひと》の意味《いみ》になった。

筆順・書き方

（8画）

例文・意味

❶ 例文 この問題《もんだい》の答《こた》えがわかった者《もの》は、手《て》をあげなさい。／兄《あに》のおよめさんはしっかり者《もの》だ。／ぼくはしょう来《らい》、新聞記者《しんぶんきしゃ》になりたい。／物語《ものがたり》の作者《さくしゃ》。 意味 あることに関係《かんけい》がある人《ひと》。

❷ 例文 それは前者《ぜんしゃ》（二《ふた》つのものについてのべたり、ならべたりした場合《ばあい》の前《まえ》のほうのもの）のことです。 意味 ある決《き》まったこと。

熟語

❶ 医者《いしゃ》。学者《がくしゃ》。死者《ししゃ》。使者《ししゃ》。従者《じゅうしゃ》。信者《しんじゃ》。著者《ちょしゃ》。長者《ちょうじゃ》。読者《どくしゃ》。役者《やくしゃ》。勇者《ゆうしゃ》。若者《わかもの》。悪者《わるもの》。技術者《ぎじゅつしゃ》。初心者《しょしんしゃ》。責任者《せきにんしゃ》。第三者《だいさんしゃ》。保護者《ほごしゃ》。有権者《ゆうけんしゃ》。怠《なま》け者《もの》。人気者《にんきもの》。働《はたら》き者《もの》。

❷ 後者《こうしゃ》。

特別な読み

猛者《もさ》。

【主】

丶／5画

音 シュ・《ス》
訓 ぬし・おも

成り立ち ろうそく立《た》ての上《うえ》で、じっと火《ひ》がもえているようすをえがいた字《じ》。じっと動《うご》かないで立《た》っていることをあらわす。家《いえ》でじっとして動《うご》かない人《ひと》、《ぬし》を意味《いみ》する字《じ》。

筆順・書き方

丶 ニ 亠 主 主
（5画）

例文・意味

❶ 例文 旅館《りょかん》の主《ぬし》。／一家《いっか》の主人《しゅじん》。 意味 中心《ちゅうしん》となる人《ひと》。ぬし。

❷ 例文 日本人《にっぽんじん》の主食《しゅしょく》は米《こめ》です。／読者《どくしゃ》は小学生《しょうがくせい》が主《おも》だ。／うさぎは、主《おも》に草《くさ》を食物《しょくもつ》とする。 意味 ものごとの中心《ちゅうしん》になる。 対語 従《じゅう》。

❸ 例文 ぬまの主《ぬし》のたたりがある。 意味 山《やま》・池《いけ》・ぬまなどに、むかしからすんでいるといわれる動物《どうぶつ》。ぬし。

❹ 例文 主体性《しゅたいせい》のない人《ひと》。 意味 自分《じぶん》。 対語 客《きゃく》。

熟語

❶ 主君《しゅくん》。主婦《しゅふ》。君主《くんしゅ》。神主《かんぬし》。地主《じぬし》。名主《なぬし》。家主《やぬし》。持《も》ち主《ぬし》。

❷ 主演《しゅえん》。主義《しゅぎ》。主語《しゅご》。主題《しゅだい》。主張《しゅちょう》。主部《しゅぶ》。主役《しゅやく》。主要《しゅよう》。主流《しゅりゅう》。主力《しゅりょく》。主治医《しゅじい》。

❹ 主客《しゅかく》（大事《だいじ》なものと、それに従《したが》っているもの）。主観《しゅかん》（自分《じぶん》ひとりだけの見方《みかた》や感《かん》じ方《かた》）。

主客転倒《しゅかくてんとう》 ⇩（638ページ中）

【守】

宀／6画

音 シュ・ス
訓 まもる・（もり）

成り立ち 「宀」は家《いえ》を、「寸」は手《て》をあらわす。人《ひと》や物《もの》を家《いえ》の中《なか》に入《い》れて手《て》で《まもる》ことをあらわした字《じ》。

筆順・書き方

丶 丷 宀 宀 守 守（はねる）
（6画）

例文・意味

❶ 例文 兵士《へいし》が国《こっ》きょうを守《まも》る。／交通《こうつう》きそくを守《まも》ろう。／お守《まも》り札《ふだ》を身《み》につける。／てきのこうげきにそなえて、守備《しゅび》をかためる。／母《はは》に、留守番《るすばん》をたのまれる。 意味 他《た》のものからおかされないように、たいせつにまもる。

❷ 例文 妹《いもうと》のお守《も》りをする。／子守歌《こもりうた》を歌《うた》う。 意味 小《ち》さい子《こ》どもの世話《せわ》をする。

❸ 例文 大和国《やまとのくに》の国守《こくしゅ》に、にんぜられる。 意味 むかし、地方《ちほう》を治《おさ》めた役人《やくにん》。

熟語

❶ 守衛《しゅえい》。看守《かんしゅ》。厳守《げんしゅ》。死守《ししゅ》（死《し》にものぐるいで防《ふせ》ぐこと）。保守《ほしゅ》（今《いま》までのしきたりや考《かんが》え方《かた》を重《おも》んじて、それを保《たも》ちつづけること）。守《まも》り神《がみ》。

❸ 守護《しゅご》（鎌倉《かまくら》・室町時代《むろまちじだい》に設《もう》けられ、各地方《かくちほう》の警察《けいさつ》・裁判《さいばん》の仕事《しごと》をした役職《やくしょく》）。

又／8画

取

音 シュ
訓 とる

成り立ち

「耳」(みみ)と、「又」(手《て》でつかむ)を合《あ》わせた字《じ》。手《て》で耳《みみ》をぐっとつかまえることをあらわした字《じ》。広《ひろ》く、手《て》で《とる》の意味《いみ》をあらわした字《じ》。

筆順・書き方

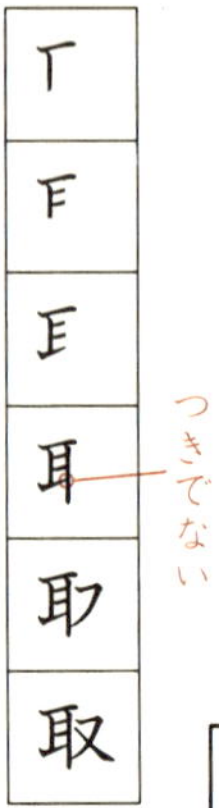

(8画)

例文・意味

❶ 例文 カメラを手《て》に取《と》ってみる。／テストで百《ひゃく》点《てん》を取《と》った。／姉《あね》は教員《きょういん》のしかくを取《と》りました。 意味 手《て》に持《も》つ。また、自分《じぶん》のものにする。

❷ 例文 服《ふく》のよごれを取《と》る。／ボタンの取《と》れたシャツ。 意味 ついている物《もの》をのぞく。はずす。

❸ 例文 ふたりの仲《なか》を取《と》りもつ。／意味《いみ》を取《と》りちがえる。 意味 他のことばの前《まえ》につけて、そのことばの意味《いみ》をととのえることば。

熟語

❶ 取材《しゅざい》(新聞《しんぶん》や雑誌《ざっし》などの記事《きじ》にするための材料《ざいりょう》を集《あつ》めること)。取得《しゅとく》。採取《さいしゅ》(必要《ひつよう》なものを、選《えら》んで拾《ひろ》い集《あつ》めること)。先取点《せんしゅてん》。取捨選択《しゅしゃせんたく》⇩(638ページ中)
受《う》け取《と》り。書《か》き取《と》り。
❷ はぎ取《と》る。
❸ 取《と》り消《け》し。取《と》り調《しら》べ。取《と》り除《のぞ》く。

酉／10画

酒

音 シュ
訓 さけ・さか

成り立ち

「氵」は水《みず》、えき体《たい》。「酉」は、さけつぼ。つぼの中《なか》のえき体《たい》の《さけ》をあらわした字《じ》。

筆順・書き方

(10画)

例文・意味

例文 さし身《み》をさかなにして酒《さけ》を飲《の》む。／酒《さけ》によってあばれる。／おひな様《さま》に白《しろ》酒《ざけ》をそなえる。／酒屋《さかや》でビールを買《か》う。／とり肉《にく》の酒蒸《さかむ》し。／父《ちち》は洋酒《ようしゅ》よりも日本酒《にほんしゅ》のほうが好《す》きです。
意味 米《こめ》・麦《むぎ》・果実《かじつ》などからつくる、アルコールをふくんだ飲《の》み物《もの》。さけ。

《白酒《しろざけ》をそなえる》

熟語

禁酒《きんしゅ》(さけを飲《の》むことを禁止《きんし》すること。また、さけを飲《の》むのをやめること)。甘酒《あまざけ》。酒場《さかば》。酒《さけ》飲《の》み。ぶどう酒《しゅ》。

特別な読み

お神酒《みき》。

□ 又／8画

受

音 ジュ

訓 うける・うかる

成り立ち 「爫」は上《うえ》からのびた手《て》、「又」は下《した》から出《だ》した手《て》。二《ふた》つの手《て》のあいだに「冖」の形《かたち》のものがある。ひとりが出《だ》したものを、もうひとりが《うけとる》ことをあらわした字《じ》。

筆順・書き方

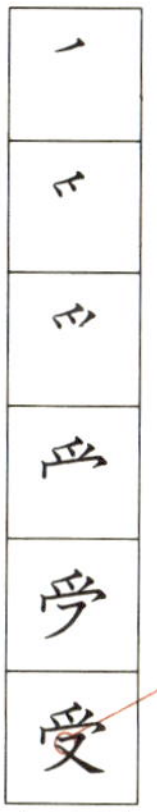

（8画）

例文・意味

❶ 例文 ボールをグローブで受《う》ける。／先生《せんせい》から注意《ちゅうい》を受《う》けた。／新人賞《しんじんしょう》を受《う》ける。／とどいた荷物《にもつ》を受《う》けとる。／受《う》け持《も》ちの先生《せんせい》がかわる。／病院《びょういん》の受付《うけつけ》。／郵便受《ゆうびんう》けをとりつける。／入学試験《にゅうがくしけん》に受《う》かる。／電話《でんわ》の受話器《じゅわき》。
意味 うけとる。もらう。また、聞《き》き入《い》れる。こうむる。

❷ 例文 きょうのしばいは観客《かんきゃく》に受《う》けた。／客《きゃく》の受《う》けがよい役《やく》者《しゃ》。
意味 人気《にんき》を得《え》る。気《き》に入《い》られる。

《電話《でんわ》の受話器《じゅわき》》

熟語

❶ 受験《じゅけん》。受賞《じゅしょう》。受信《じゅしん》。受難《じゅなん》（苦《くる》しいめにあうこと）。受粉《じゅふん》。受理《じゅり》。受信機《じゅしんき》。感受性《かんじゅせい》（外《そと》からの刺激《しげき》を感《かん》じとる力《ちから》）。受《う》け身《み》。引《ひ》き受《う》ける。

❷ 客受《きゃくう》け。

□ 川／6画

州

音 シュウ

訓 （す）

成り立ち 川《かわ》に少《すこ》しずつすながたまり、小《ちい》さな島《しま》ができたようすをえがいた字《じ》。それを《す》という。今《いま》は川《かわ》だけでなく、海《うみ》にかこまれた大《おお》きな土地《とち》のこともいう。

筆順・書き方

（6画）

例文・意味

❶ 例文 川《かわ》の下流《かりゅう》に州《す》ができる。／川《かわ》の中州《なかす》。
意味 川《かわ》や海《うみ》などで、すなや土《つち》が積《つ》もってできた島《しま》。

❷ 例文 台風《たいふう》が本州《ほんしゅう》の南部《なんぶ》をおそう。／おう州《しゅう》のしょ国《こく》をめぐる旅《たび》。／夏《なつ》は信州《しんしゅう》の山《やま》で過《す》ごす。
意味 大《おお》きな陸地《りくち》。大陸《たいりく》。また、むかし、日本《にっぽん》の地方《ちほう》の行《ぎょう》せい単位《たんい》としての国《くに》の別《べつ》のよび方《かた》。

❸ 例文 カリフォルニア州産《しゅうさん》のオレンジ。
意味 アメリカ合衆国《がっしゅうこく》などで、せい治《じ》をおこなううえで分《わ》けた、土地《とち》の区切《くぎ》り。しゅう。

熟語

❶ 三角州《さんかくす》（川上《かわかみ》から運《はこ》ばれてきた土《つち》や砂《すな》が河口《かこう》にたまってできた、三角形《さんかくけい》の低《ひく》い土地《とち》）。

❷ 欧州《おうしゅう》。九州《きゅうしゅう》。

❸ 州議会《しゅうぎかい》。

□ 扌／9画

拾

音 （シュウ）・（ジュウ）

訓 ひろう

成り立ち

「扌」は手《て》。「合」は、ふたのついた器《うつわ》で、集《あつ》め合《あ》わせることをあらわす。ちらばっているものを手《て》で《ひろって集《あつ》める》ことを意味《いみ》する字《じ》。

筆順・書き方

はねる

（9画）

例文・意味

❶ 例文 海辺《うみべ》で貝《かい》を拾《ひろ》う。／新聞《しんぶん》の拾《ひろ》い読《よ》み。／道《みち》でお金《かね》を拾得《しゅうとく》（人《ひと》の落《お》としたものをひろうこと）する。意味 落《お》ちているものをとりあげる。ひろう。また、多《おお》くのものの中《なか》から選《えら》びとる。

❷ 例文 それぞれが勝手《かって》なことを言《い》っていたので、収拾《しゅうしゅう》（みだれているものごとをおさめること）がつかない。意味 まとめる。おさめる。

❸ 例文 金参拾万円《きんさんじゅうまんえん》。意味 金《きん》がくなどを書《か》くときに、書《か》きかえられないように、「十《じゅう》」のかわりに使《つか》う字《じ》。とお。

熟語

❶ 命拾《いのちびろ》い。

《貝《かい》を拾《ひろ》う》

□ 糸／11画

終

音 シュウ

訓 おわる・おえる

成り立ち

「糸」（いと）と、「冬」（食《た》べ物《もの》をたくわえる）を合《あ》わせた字《じ》。糸《いと》まきいっぱいにまいた糸《いと》のはし・とということから《おわり》の意味《いみ》になった。

筆順・書き方

又としない

（11画）

例文・意味

❶ 例文 夏休《なつやす》みが終《お》わる。／計画《けいかく》は失敗《しっぱい》に終《お》わった。／一生《いっしょう》を終《お》える。／宿題《しゅくだい》を終《お》えてから遊《あそ》びに行《い》く。／試合《しあい》の終《しゅう》りょう時《じ》こく。意味 おしまいになる。おしまいにする。おわる。おえる。対語 始《し》。

❷ 例文 終電車《しゅうでんしゃ》に飛《と》び乗《の》る。／マラソンの最終《さいしゅう》ランナー。意味 いちばん最後《さいご》。対語 始《し》。

❸ 例文 終日《しゅうじつ》（朝《あさ》からばんまで）、本《ほん》を読《よ》んでくらす。意味 その間中《あいだじゅう》ずっと。おわりまで。

熟語

❶ 終業《しゅうぎょう》。終局《しゅうきょく》（碁《ご》や将棋《しょうぎ》の対局《たいきょく》がおしまいになること。また、ものごとがおしまいになること）。終結《しゅうけつ》。終始《しゅうし》。終戦《しゅうせん》。終末《しゅうまつ》。臨終《りんじゅう》。終業式《しゅうぎょうしき》。終止符《しゅうしふ》。終始一貫《しゅうしいっかん》⇩（638ページ上）読《よ》み終《お》える。

❷ 終点《しゅうてん》。終着駅《しゅうちゃくえき》。終列車《しゅうれっしゃ》。

❸ 終生《しゅうせい》（死《し》ぬまでずっと）。終夜《しゅうや》（夜通《よどお》し）。

羽／11画

【習】

音 シュウ
訓 なら-う

成り立ち

「羽」は鳥《とり》のはね。「白」は「自」がかわったもので、自分《じぶん》ですることをあらわす。鳥《とり》が自分《じぶん》ではねを動《うご》かして飛《と》ぶことを《ならう》ようすから、くり返《かえ》して《ならう》ことの意味《いみ》になった。

筆順・書き方

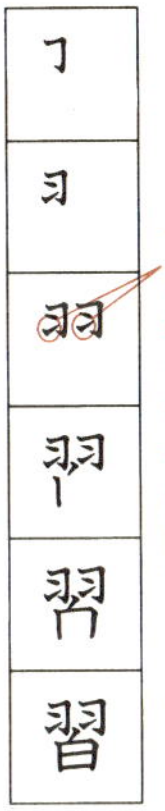

（11画）

例文・意味

❶ 例文 スイミングスクールで水泳《すいえい》を習《なら》う。／兄《あに》弟子《でし》を見習《みなら》う。／ぎじゅつを習得《しゅうとく》する。／三《さん》年生《ねんせい》で学習《がくしゅう》する漢字《かんじ》。意味 くり返《かえ》し学《まな》んで身《み》につける。ならう。

❷ 例文 この島《しま》の古《ふる》くから伝《つた》わる習《なら》わし。／古《ふる》くから言《い》い習《なら》わされたことば。／早起《はやお》きの習慣《しゅうかん》。／ちこくの常習者《じょうしゅうしゃ》（悪《わる》いしゅうかんをくり返《かえ》しておこなう人《ひと》）。意味 しきたり。ならわし。

熟語

❶ 習字《しゅうじ》。習熟《しゅうじゅく》（ものごとになれてじょうずになること）。習練《しゅうれん》。演習《えんしゅう》。講習《こうしゅう》。自習《じしゅう》。実習《じっしゅう》。独習《どくしゅう》。復習《ふくしゅう》。補習《ほしゅう》。予習《よしゅう》。練習《れんしゅう》。習《なら》い事《ごと》。手習《てなら》い。

❷ 習性《しゅうせい》（長《なが》いあいだの決《き》まったやり方《かた》や、癖《くせ》で身《み》についた性質《せいしつ》）。悪習《あくしゅう》。慣習《かんしゅう》。風習《ふうしゅう》（むかしから伝《つた》わっているしきたり）。

絵《え》からできた漢字《かんじ》(7)

（上《うえ》から順番《じゅんばん》に変化《へんか》して、現在《げんざい》の漢字《かんじ》の字体《じたい》となりました。）

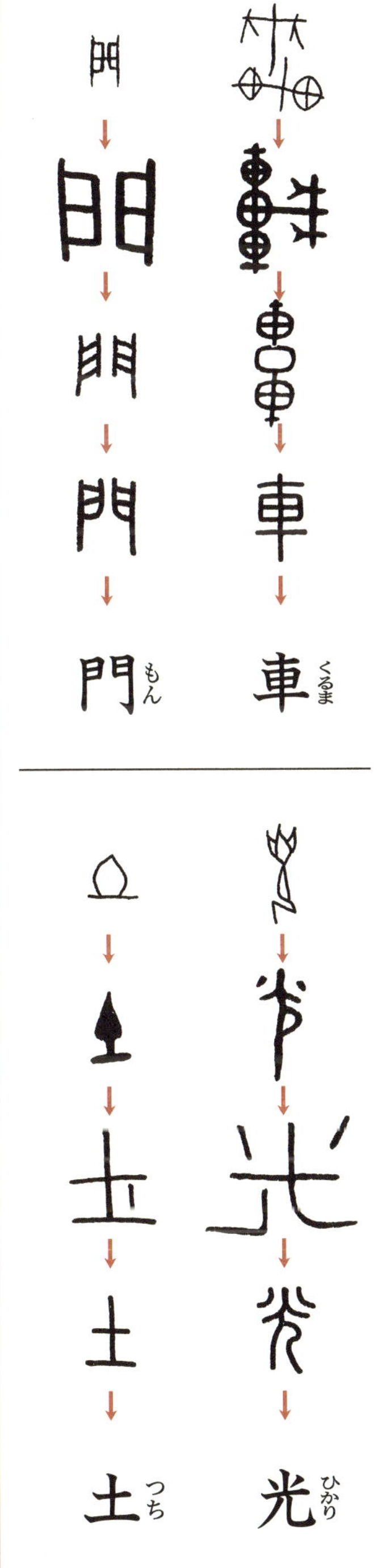

隹／12画

【集】

音 **シュウ**

訓 あつまる・あつめる・(つどう)

成り立ち もとの字《じ》は「雧」。木《き》の上《うえ》に、鳥《とり》が三羽《さんば》《あつまっている》ようす。三《さん》は、たくさんのこと。たくさんのものが《あつまる》ことを意味《いみ》する。

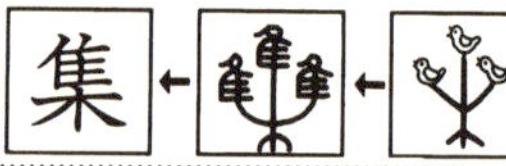

筆順・書き方

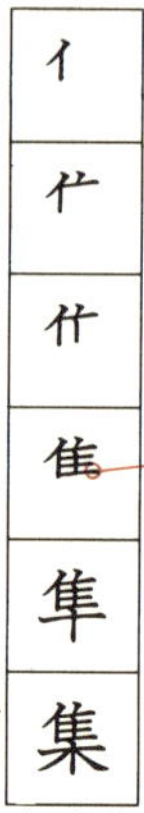

(12画)

例文・意味

❶ 例文 大《おお》ぜいの人《ひと》が広場《ひろば》に集《あつ》まる。／町会《ちょうかい》の集《あつ》まりに出《で》る。／会費《かいひ》を集《あつ》める。／世界各国《せかいかっこく》の科学者《かがくしゃ》が集《つど》う。／わか者《もの》たちの集《つど》い。／校庭《こうてい》に集合《しゅうごう》する。／植物採集《しょくぶつさいしゅう》。 意味 人《ひと》や物《もの》などが一《いっ》か所《しょ》により合《あ》う。また、よせ合《あ》わせる。あつまる。あつめる。また、より合《あ》い。つどい。

❷ 例文 クラスで詩集《ししゅう》をつくる。／日本文学全集《にほんぶんがくぜんしゅう》のうち三十《さんじっ》さつを読《よ》んだ。 意味 詩《し》や文章《ぶんしょう》などの作品《さくひん》をあつめたもの。

熟語

❶ 集会《しゅうかい》。集金《しゅうきん》。集計《しゅうけい》(あつまった数《かず》を合計《ごうけい》すること)。集結《しゅうけつ》。集団《しゅうだん》。集中《しゅうちゅう》。集配《しゅうはい》(郵便物《ゆうびんぶつ》や貨物《かもつ》などをあつめたり、配達《はいたつ》したりすること)。集落《しゅうらく》。群集《ぐんしゅう》。結集《けっしゅう》。収集《しゅうしゅう》。召集《しょうしゅう》。特集《とくしゅう》。編集《へんしゅう》。密集《みっしゅう》。集合場所《しゅうごうばしょ》。

❷ 歌集《かしゅう》。画集《がしゅう》。句集《くしゅう》。文集《ぶんしゅう》。写真集《しゃしんしゅう》。問題集《もんだいしゅう》。

イ／7画

【住】

音 **ジュウ**

訓 すむ・すまう

成り立ち 「イ」は人《ひと》、「主」は同《おな》じ所《ところ》にじっと動《うご》かないでいること。人《ひと》がひとところにとどまることから、《すむ》《すまい》を意《い》味《み》するようになった。

筆順・書き方

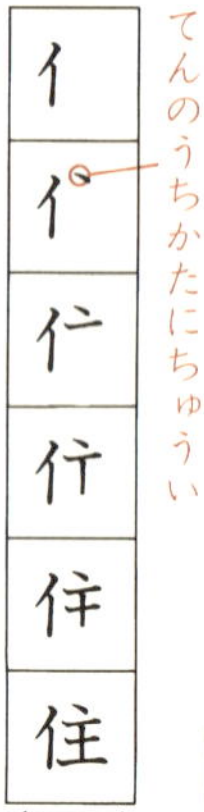

(7画)

例文・意味

例文 海辺《うみべ》の村《むら》に住《す》む。／住《す》みなれた家《いえ》を出《で》る。／都会《とかい》のマンションに住《す》まう。／お住《す》まいはどちらですか。／出《しゅっ》ちょう中《ちゅう》はホテル住《ず》まいをします。／静《しず》かな住宅地《じゅうたくち》でくらす。／ブラジルに移住《いじゅう》する。 意味 場《ば》所《しょ》を決《き》めて生活《せいかつ》をする。また、その場《ば》所《しょ》。すむ。すまい。

《静《しず》かな住宅地《じゅうたくち》》

熟語

住居《じゅうきょ》。住所《じゅうしょ》。住人《じゅうにん》。住民《じゅうみん》。安住《あんじゅう》。永住《えいじゅう》(一生《いっしょう》、また、長《なが》いあいだ、その土《と》地《ち》にすみつづけること)。居住《きょじゅう》。在住《ざいじゅう》。定住《ていじゅう》(同《おな》じ土《と》地《ち》に長《なが》くすむこと)。住所録《じゅうしょろく》。衣食住《いしょくじゅう》。住《す》み心地《ごこち》。住《す》み着《つ》く。仮住《かりず》まい。住《す》み慣《な》れる。

□ 里／9画

【重】

音 ジュウ・チョウ

訓 (え)・おもい・かさねる・かさなる

成り立ち

「人」(ひと)と「土」(つち)と、つきぬけることをあらわす「東」を合《あ》わせた字《じ》。人《ひと》が《おもみ》をかけて、地面《じめん》をつきとおすように「トン、トン」とふむようすをあらわした字《じ》。

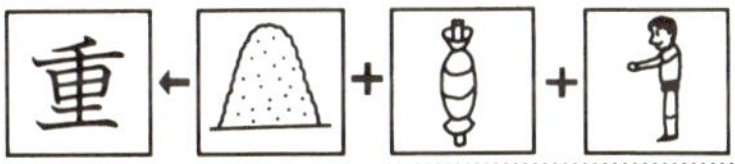

筆順・書き方

(9画)

例文・意味

❶ 例文 重《おも》い荷物《にもつ》を持《も》って外国《がいこく》から帰《かえ》る。／はかりで重《おも》さをはかる。／荷物《にもつ》が重《おも》たい。／体重《たいじゅう》がふえる。 意味 目方《めかた》が多《おお》い。また、目方《めかた》の多《おお》さ。 対語 軽《けい》。

❷ 例文 重工業《じゅうこうぎょう》がさかんな国《くに》。 意味 きぼが大《おお》きい。 対語 軽《けい》。

❸ 例文 重重《おもおも》しい口調《くちょう》で話《はな》し始《はじ》める。／重厚《じゅうこう》な家具《かぐ》のある部屋《へや》。 意味 どっしりと落《お》ち着《つ》いている。 対語 軽《けい》。

❹ 例文 父《ちち》の病気《びょうき》はかなり重《おも》い。／重《おも》いぜい金《きん》に苦《くる》しむ。／重傷《じゅうしょう》を負《お》う。／スピードい反《はん》を、厳重《げんじゅう》にとりしまる。 意味 てい度《ど》がはなはだしい。ひどい。 対語 軽《けい》。

❺ 例文 学歴《がくれき》よりも、のう力《りょく》を重《おも》んじる。／算数《さんすう》の勉強《べんきょう》に重点《じゅうてん》を置《お》く。／重要《じゅうよう》な書類《しょるい》。 意味 たいせつにする。たっとぶ。 対語 軽《けい》。

❻ 例文 本《ほん》の上《うえ》にノートを重《かさ》ねる。／着物《きもの》を重《かさ》ねて着《き》る。／苦労《くろう》を重《かさ》ねる。／箱《はこ》を積《つ》み重《かさ》ねる。／日曜日《にちようび》に用事《ようじ》が二《ふた》つ重《かさ》なる。／折《お》り重《かさ》なってたおれる。／まどを二重《にじゅう》にする。／法隆寺《ほうりゅうじ》の五重《ごじゅう》のとう。 意味 物《もの》や、ことがらをいくつも合《あ》わせる。くり返《かえ》す。かさねる。また、かさなった物《もの》を数《かぞ》えることば。

熟語

❶ 重心《じゅうしん》。重量《じゅうりょう》。重力《じゅうりょく》。比重《ひじゅう》。軽重《けいちょう》。重荷《おもに》。起重機《きじゅうき》。

❹ 重症《じゅうしょう》(病気《びょうき》の症状《しょうじょう》がはなはだしいこと)。重税《じゅうぜい》。重体《じゅうたい》(病気《びょうき》や、けがが非常《ひじょう》にひどく、生命《せいめい》が危険《きけん》な状態《じょうたい》にあること。「重態《じゅうたい》」も同《おな》じ)。重態《じゅうたい》。重病《じゅうびょう》。重労働《じゅうろうどう》。

❺ 重視《じゅうし》(たいせつなことだと思《おも》うこと)。重大《じゅうだい》。重役《じゅうやく》。重宝《ちょうほう》(便利《べんり》で役《やく》にたつようす)。貴重《きちょう》。尊重《そんちょう》。重要文化財《じゅうようぶんかざい》。

❻ 重箱《じゅうばこ》。重複《じゅうふく》。重複《ちょうふく》。一重《ひとえ》。八重桜《やえざくら》。重《かさ》ね着《ぎ》。弦楽四重奏《げんがくしじゅうそう》。音声多重放送《おんせいたじゅうほうそう》。

特別な読み

十重二十重《とえはたえ》。

宀／11画

宿

音 シュク

訓 やど・やどる・やどす

成り立ち 「宀」は家《いえ》。「イ」は人《ひと》。「百」は、せまいへやでじっとからだをちぢめてねること。旅人《たびびと》がねとまりをする《やど》、また、《心《こころ》の中《なか》にそっととどめる》ことをあらわした字《じ》。

筆順・書き方

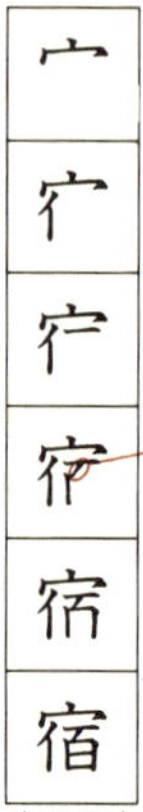

(11画)

例文・意味

❶ 例文 古《ふる》びた宿《やど》にとまる。／雨宿《あまやど》りする。 意味 自分《じぶん》の家以外《いえいがい》の所《ところ》にねとまりする。また、その場所《ばしょ》。やどる。やど。

❷ 例文 草《くさ》の葉《は》につゆが宿《やど》る。 意味 とどまって動《うご》かない。

❸ 例文 ついに宿願《しゅくがん》(前《まえ》からもちつづけていた願《ねが》い)を果《は》たした。 意味 前《まえ》からの。古《ふる》くからの。

❹ 例文 こうなったのも宿命《しゅくめい》(人《ひと》が生《う》まれる前《まえ》から決《き》められている運命《うんめい》)。 意味 生《う》まれる前《まえ》から決《き》まっていて、かえることができない。

熟語

❶ 宿舎《しゅくしゃ》。宿直《しゅくちょく》。合宿《がっしゅく》。下宿《げしゅく》(部屋代《へやだい》などをはらって、よその家《いえ》の部屋《へや》を借《か》りてすむこと)。
野宿《のじゅく》。民宿《みんしゅく》。宿帳《やどちょう》。宿賃《やどちん》。
宿屋《やどや》。寄宿舎《きしゅくしゃ》。宿無《やどな》し。
宿《やど》り木《ぎ》。

❸ 宿題《しゅくだい》。宿望《しゅくぼう》(以前《いぜん》からいだいていた望《のぞ》み)。

戸／8画

所

音 ショ

訓 ところ

成り立ち 「戸」(木《き》のとびら)と、「斤」(おの)を合《あ》わせた字《じ》。もとは、木《き》をおので切《き》ること。この字《じ》の音《おん》の「ショ」が《ところ》をあらわす「処」と同《おな》じなので《ところ》の意味《いみ》に使《つか》うようになった。

筆順・書き方

(8画)

例文・意味

❶ 例文 今夜《こんや》は雪《ゆき》になる所《ところ》もあるでしょう。／海《うみ》のふかい所《ところ》にすむ魚《さかな》。／お所《ところ》とお名前《なまえ》をお書《か》きください。／まちがえた所《ところ》を直《なお》す。／台所《だいどころ》で料理《りょうり》をつくる。／研究所《けんきゅうじょ》の所長《しょちょう》。 意味 地《ち》いき・地点《ちてん》・部分《ぶぶん》・位置《いち》などをあらわすことば。ところ。

❷ 例文 兄《あに》は、学校《がっこう》でテニス部《ぶ》に所属《しょぞく》しています。／車《くるま》の所有者《しょゆうしゃ》。 意味 他《た》のことばの前《まえ》につけて、「…するもの」「…するところ」などの意味《いみ》をあらわすことば。

熟語

❶ 急所《きゅうしょ》。近所《きんじょ》。地所《じしょ》。住所《じゅうしょ》。
関所《せきしょ》。短所《たんしょ》。長所《ちょうしょ》。難所《なんしょ》。
場所《ばしょ》。名所《めいしょ》。役所《やくしょ》。居所《いどころ》。
米所《こめどころ》。所所《ところどころ》。見所《みどころ》。
裁判所《さいばんしょ》。事務所《じむしょ》。市役所《しやくしょ》。
発電所《はつでんしょ》。保健所《ほけんじょ》。

❷ 所持《しょじ》。所信《しょしん》(自分《じぶん》でこうだと心《こころ》に思《おも》って信《しん》じていること)。
所帯《しょたい》。所定《しょてい》(決《き》まっていること)。
所得《しょとく》。

日／12画

暑

音 ショ

訓 あつい

成り立ち 「日」は太陽《たいよう》。「者」は、たき木《ぎ》を集《あつ》めてもやしているこんろの火《ひ》で、夏《なつ》の太陽《たいよう》の光《ひかり》が集《あつ》まることをあらわす字《じ》。夏《なつ》、《あつい》ことを意味《いみ》する字《じ》。

筆順・書き方 丶 冂 日 旦 旱（つきでる） 暑 （12画）

例文・意味

例文 この夏《なつ》はとくに暑《あつ》い。／きのうの夜《よる》は暑《あつ》かった。／午後《ごご》から暑《あつ》くなりそうだ。／きびしい暑《あつ》さがつづく。／わたしは暑《あつ》さに弱《よわ》い。／むし暑《あつ》い夏《なつ》の夜《よる》。／暑中《しょちゅう》お見《み》まい申《もう》しあげます。／高原《こうげん》の別《べっ》そうへひ暑《しょ》に行《い》く。 意味 気《き》温《おん》が高《たか》い。また、夏《なつ》の気温《きおん》が高《たか》いころ。あつい。 対語 寒《かん》。

熟語 寒暑《かんしょ》。残暑《ざんしょ》（立秋《りっしゅう》を過《す》ぎてもまだ残《のこ》っているあつさ）。暑苦《あつくる》しい。

《暑中見《しょちゅうみ》まい》

力／7画

助

音 ジョ

訓 たすける・たすかる・（すけ）

成り立ち ものを重《かさ》ねることをあらわす「且」と、うでに力《ちから》を入《い》れている形《かたち》の「力」を合《あ》わせた字《じ》。苦《くる》しんでいる人《ひと》に力《ちから》をかして《たすける》ことを意味《いみ》する。

筆順・書き方 丨 冂 月 且 助（はねる） 助 （7画）

例文・意味

❶ 例文 川《かわ》に落《お》ちた少年《しょうねん》を助《たす》ける。／食物《しょくもつ》の消化《しょうか》を助《たす》ける薬《くすり》。／あなたにてつだってもらうと助《たす》かる。／命《いのち》だけは助《たす》かった。 意味 力《ちから》をかす。てつだう。たすける。

❷ 例文 えい画《が》の助《じょ》かんとく。／バスの、補助席《ほじょせき》。 意味 主《しゅ》となるものについて、たすけてはたらく。

❸ 例文 おにいさんは、ねぼ助《すけ》でこまる。 意味 人《ひと》のせいしつや動作《どうさ》などをあらわすことばにつけて、名前《なまえ》のように言《い》うことば。

熟語

❶ 助言《じょげん》。助走《じょそう》。助長《じょちょう》（ある能力《のうりょく》がのびるのに力《ちから》を貸《か》すこと）。助命《じょめい》（人《ひと》の命《いのち》を救《すく》うこと）。援助《えんじょ》。救助《きゅうじょ》。賛助《さんじょ》（そのことに賛成《さんせい》して、力《ちから》を貸《か》すこと）。補助《ほじょ》。助《たす》け船《ぶね》。手助《てだす》け。助太刀《すけだち》。

❷ 助手《じょしゅ》。助役《じょやく》。

昭

日／9画

音 ショウ
訓 ―

成り立ち
「日」は太陽《たいよう》、「召」は「刀」(曲《ま》がったかたな)と口(くち)で、手《て》を回《まわ》して口《くち》でまねくこと。太陽《たいよう》の光《ひかり》がまわりを照《て》らして《あかるくする》ことをあらわした字《じ》。

筆順・書き方
日　日フ　日刀　日召　昭　昭
はねる
(9画)

例文・意味
例文 昭和時代《しょうわじだい》は、六十四年間《ろくじゅうよねんかん》つづいた。
意味 明《あか》るくかがやく。はっきりしている。

時代		
明治時代《めいじじだい》	明治元年《めいじがんねん》〜 明治四十五年《めいじよんじゅうごねん》	一八六八年九月八日《ねんくがつようか》〜 一九一二年七月三十日《ねんしちがつさんじゅうにち》
大正時代《たいしょうじだい》	大正元年《たいしょうがんねん》〜 大正十五年《たいしょうじゅうごねん》	一九一二年七月三十日《ねんしちがつさんじゅうにち》〜 一九二六年十二月二十五日《ねんじゅうにがつにじゅうごにち》
昭和時代《しょうわじだい》	昭和元年《しょうわがんねん》〜 昭和六十四年《しょうわろくじゅうよねん》	一九二六年十二月二十五日《ねんじゅうにがつにじゅうごにち》 〜一九八九年一月七日《ねんいちがつなのか》
平成時代《へいせいじだい》	平成元年《へいせいがんねん》〜	一九八九年一月七日《ねんいちがつなのか》〜

熟語
昭和天皇《しょうわてんのう》。

消

氵／10画

音 ショウ
訓 きえる・けす

成り立ち
「氵」は川《かわ》。「肖」は、ものがけずられて小《ち》さくなっていくこと。川《かわ》の流《なが》れは上流《じょうりゅう》に行《い》くにしたがって細《ほそ》くなり、見《み》えなくなってしまうことから、《きえる》ことをあらわした字《じ》。

筆順・書き方
氵　氵　氵　氵　消　消
ツとしない
(10画)

例文・意味
❶ 例文 街《まち》の明《あ》かりが消《き》える。／庭《にわ》の雪《ゆき》がいつのまにか消《き》えた。／計画《けいかく》が立《た》ち消《ぎ》えになる。 意味 形《かたち》や、ものごとなどがなくなったり、見《み》えなくなったりする。きえる。
❷ 例文 テレビを消《け》しなさい。／きず口《ぐち》を消毒《しょうどく》する。／けい約《やく》を解消《かいしょう》(それまであったじょうたいや、約束《やくそく》などをなくすこと)する。 意味 形《かたち》や、ものごとなどを見《み》えなくする。けす。
❸ 例文 負《ま》けがつづいて消極的《しょうきょくてき》になる。 意味 ひかえめである。

熟語
❶ 消失《しょうしつ》。消息《しょうそく》(なくなることと、生《い》きることから、ようすを知《し》らせるたより)。意気消沈《いきしょうちん》⇩(634ページ上)
❷ 消火《しょうか》。消化《しょうか》。消灯《しょうとう》(夜《よる》、明《あ》かりをけすこと)。消費《しょうひ》。消防《しょうぼう》。消印《けしいん》。消防署《しょうぼうしょ》。消《け》しゴム。

口／11画

商

音 ショウ

訓 （あきなう）

成り立ち 「商」は、むかしの中国《ちゅうごく》の国《くに》の名《な》。高台《たかだい》にすんでいた商《しょう》の国《くに》の人《ひと》は、物《もの》を売《う》ってくらしていたので《あきない》をする人《ひと》という意味《いみ》になった。

筆順・書き方

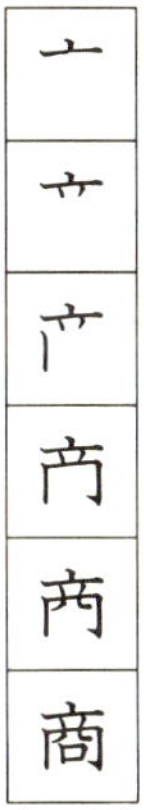

（11画）

例文・意味

❶ 例文 店頭《てんとう》に商品《しょうひん》をならべる。／野菜《やさい》の行商《ぎょうしょう》（品物《しなもの》を持《も》って売《う》りあるくこと。また、それをする人《ひと》）。／駅前《えきまえ》の商店街《しょうてんがい》。／おじはざっ貨《か》を商《あきな》っている。／あの店《みせ》の主人《しゅじん》は商《あきな》いがうまい。意味 品物《しなもの》を売《う》り買《か》いする。あきなう。

❷ 例文 父《ちち》は貿易商《ぼうえきしょう》をしている。意味 品物《しなもの》の売《う》り買《か》いを仕事《しごと》とする人《ひと》。あきんど。

❸ 例文 次《つぎ》の式《しき》の商《しょう》を求《もと》めよ。／六《ろく》わる二《に》の商《しょう》は三《さん》です。意味 わり算《ざん》の答《こた》え。対語 積《せき》。

熟語

❶ 商家《しょうか》。商業《しょうぎょう》。商社《しょうしゃ》。商船《しょうせん》。商店《しょうてん》。商人《しょうにん》。商売《しょうばい》。商標《しょうひょう》。商用《しょうよう》（物《もの》を売《う》り買《か》いするための用事《ようじ》）。商工業《しょうこうぎょう》。

❷ 画商《がしょう》（絵《え》の売り買《か》いを仕事《しごと》にしている人《ひと》）。隊商《たいしょう》（隊《たい》を組《く》み、らくだなどに荷物《にもつ》を積《つ》んで砂漠《さばく》を行《い》き来《き》するしょう人《にん》）。士農工商《しのうこうしょう》⇩（637ページ下）

立／11画

章

音 ショウ

訓 ——

成り立ち もとは「辛」（入《い》れずみに使《つか》うはり）と、「⊕」（もようのしるし）とを合《あ》わせた字《じ》。後《のち》、くっきりと目立《めだ》つしるし、美《うつく》しくまとめられた音楽《おんがく》や文《ぶん》や詩《し》などの意味《いみ》になった。

筆順・書き方

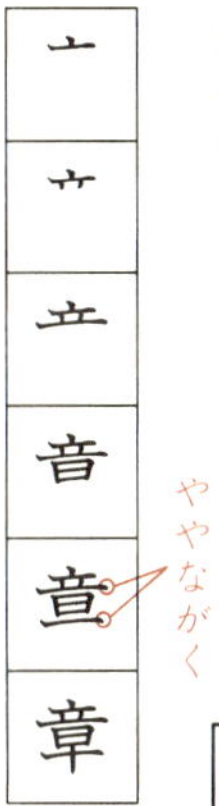

（11画）

例文・意味

❶ 例文 この物語《ものがたり》は、五《いつ》つの章《しょう》に分《わ》かれている。／交《こう》きょう曲《きょく》の第一楽章《だいいちがくしょう》。／ろん文《ぶん》の第二章《だいにしょう》。意味 詩《し》や文《ぶん》・音楽《おんがく》などの一区切《ひとくぎ》り。

❷ 例文 美《うつく》しい文章《ぶんしょう》を書《か》く。意味 書《か》きつづった文《ぶん》。

❸ 例文 セーラー服《ふく》のむねに校章《こうしょう》をつける。／文化《ぶんか》くん章《しょう》をじゅよされる。意味 しるし。

《校章《こうしょう》をつける》

熟語

❶ 憲章《けんしょう》。児童憲章《じどうけんしょう》。

❷ 記章《きしょう》。受章《じゅしょう》（勲《くん》しょうを受《う》けること）。授章《じゅしょう》（勲《くん》しょうをわたすこと）。

□ カ／12画

勝

音 ショウ
訓 かつ・(まさる)

成り立ち 「力」(ちから)と、舟《ふね》を上《うえ》へ持《も》ちあげることをあらわす「朕」を合《あ》わせた字《じ》。重《おも》いものを持《も》ちあげて、じっとがまんすることから、力《ちから》のかぎりたえて《かつ》意味《いみ》をあらわした。

筆順・書き方

(12画)

例文・意味
❶ 例文 野球《やきゅう》の試合《しあい》に勝《か》つ。／赤《あか》みの勝《か》ったオレンジ色《いろ》。／八勝七敗《はっしょうななはい》で勝《か》ちこす。／勝《か》ち負《ま》けにこだわる。／勝負《しょうぶ》がつく。／優勝《ゆうしょう》したチームをはく手《しゅ》でむかえる。 意味 相手《あいて》を負《ま》かす。また、他《た》のものをおさえつける。かつ。 対語 負《ふ》。敗《はい》。
❷ 例文 足《あし》の速《はや》さでは、君《きみ》に勝《まさ》る者《もの》はいない。／男勝《おとこまさ》りの母《はは》。／景勝《けいしょう》の地《ち》をおとずれる。 意味 すぐれている。まさる。

熟語
❶ 勝算《しょうさん》(かてる見込《みこ》み)。勝者《しょうしゃ》。勝敗《しょうはい》。勝利《しょうり》。決勝《けっしょう》。全勝《ぜんしょう》。大勝《たいしょう》。必勝《ひっしょう》。楽勝《らくしょう》。連勝《れんしょう》。不戦勝《ふせんしょう》。勝《か》ち気《き》。勝《か》ち目《め》。勝《か》ち越《こ》し。勝《か》ちどき。打《う》ち勝《か》つ。
❷ 名勝《めいしょう》(景色《けしき》がよいので有名《ゆうめい》な土《と》地《ち》)。

□ ノ／9画

乗

音 ジョウ
訓 のる・のせる

成り立ち もとの字《じ》は「乘」。人《ひと》が両足《りょうあし》で木《き》に登《のぼ》ったすがたをあらわした字《じ》。上《うえ》に《のる》こと。また数《かず》の上《うえ》にまた数《かず》を《のせる》ことから、《かけ算《ざん》》の意味《いみ》にも使《つか》うようになった。

筆順・書き方

(9画)

例文・意味
❶ 例文 いすの上《うえ》に乗《の》る。／この紙《かみ》は、インクの乗《の》りが悪《わる》い。／自動車《じどうしゃ》の助手席《じょしゅせき》に母《はは》を乗《の》せる。／バスの乗客《じょうきゃく》。 意味 物《もの》の上《うえ》にあがる。また、のり物《もの》の中《なか》に入《はい》る。のる。 対語 降《こう》。
❷ 例文 すきに乗《じょう》じてせめこむ。／おだてに乗《の》って、何曲《なんきょく》も歌《うた》う。／口車《くちぐるま》に乗《の》せられる。 意味 つけこむ。機会《きかい》をじょうずに利用《りよう》する。
❸ 例文 三《さん》に四《よん》を乗《じょう》じる。／二《に》の三乗《さんじょう》は八《はち》。 意味 かけ算《ざん》をする。 対語 除《じょ》。

熟語
❶ 乗降《じょうこう》。乗車《じょうしゃ》。乗船《じょうせん》。乗馬《じょうば》。同乗《どうじょう》(同《おな》じのり物《もの》に、いっしょにのること)。乗務員《じょうむいん》。乗用車《じょうようしゃ》。乗組員《のりくみいん》。乗《の》り物《もの》。乗《の》り組《く》む。
❷ 便乗《びんじょう》(じょうずに機会《きかい》をとらえて、自分《じぶん》のつごうのよいように利《り》用《よう》すること)。
❸ 自乗《じじょう》。二乗《にじょう》。加減乗除《かげんじょうじょ》。

植

木／12画

音 ショク
訓 うえる・うわる

成り立ち
「木」(き)とまっすぐに見《み》ることをあらわす「直」とを合《あ》わせた字《じ》。木《き》をまっすぐに立《た》てることから、《うえる》ことを意味《いみ》する字《じ》。

筆順・書き方

(12画)

例文・意味

❶ 例文 庭《にわ》にチューリップを植《う》える。／山《やま》に松《まつ》の木《き》が植《う》わっている。／梅《うめ》の木《き》を移植《いしょく》する。 意味 うえる。

❷ 例文 山《やま》で植物《しょくぶつ》をさい集《しゅう》する。／植物図《しょくぶつず》かん。 意味 地《ち》にうわっているもの。草《くさ》や木《き》。

❸ 例文 スペインの植民地《しょくみんち》(ある国《くに》のりょう土《ど》にされて、その国《くに》に治《おさ》められている地《ち》いき)。 意味 土地《とち》を切《き》りひらくために人《ひと》をうつりすまわせる。

❹ 例文 この本《ほん》には、ほとんど誤植《ごしょく》がない。 意味 活字《かつじ》をならべて組《く》む。

熟語

❶ 植樹《しょくじゅ》。植林《しょくりん》。植木《うえき》。
❷ 植物園《しょくぶつえん》。植木屋《うえきや》。田植《たう》え。

申

田／5画

音 (シン)
訓 もうす

成り立ち
まっすぐのびて光《ひか》るいなびかりの形《かたち》をあらわした字《じ》。頭《あたま》の中《なか》で考《かんが》えていることを、声《こえ》をのばしてていねいに《いう》ことをあらわした字《じ》。

筆順・書き方

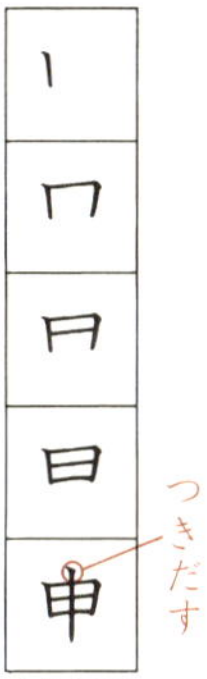

(5画)

例文・意味

❶ 例文 今《いま》さら申《もう》すまでもございません。／りんじニュースを申《もう》しあげます。／そのことについては申《もう》しかねます。／今度失敗《こんどしっぱい》したら、申《もう》し訳《わけ》が立《た》たない。／練習試合《れんしゅうじあい》を申《もう》し入《い》れる。／予約金《よやくきん》を申《もう》し受《う》ける。／申《もう》しこみをしめきる。／所得《しょとく》をぜいむ所《しょ》に申《しん》告《こく》する。／中学校《ちゅうがっこう》の内申書《ないしんしょ》を送《おく》る。 意味 目上《めうえ》の人《ひと》に言《い》う。もうす。

❷ 意味 十二《じゅうに》しの九番目《きゅうばんめ》。さる。

《申告《しんこく》する》

熟語

❶ 答申《とうしん》(上《うえ》の役所《やくしょ》や上役《うわやく》からの質問《しつもん》に対《たい》して、答《こた》えること)。申《もう》し入《い》れ。申《もう》し込《こ》み期間《きかん》。

身

身／7画

音 シン
訓 み

成り立ち

もとは、おなかの中《なか》に赤《あか》ちゃんがいるおかあさんのすがたをえがいた字《じ》。おなかの中《なか》でりっぱにそだつ《からだ》をあらわした字《じ》。

筆順・書き方

（7画）

例文・意味

❶ 例文 白衣《はくい》を身《み》につける。／身《み》を切《き》るような寒《さむ》さ。／魚《さかな》の切《き》り身《み》。／身体検査《しんたいけんさ》をする。

意味 からだ。み。

❷ 例文 身勝手《みがって》な人《ひと》はみんなにきらわれる。／身《しん》辺《ぺん》を整理《せいり》する。 意味 自分《じぶん》。

❸ 例文 刀《かたな》の身《み》と、さや。 意味 物《もの》の本体《ほんたい》。なかみ。

❹ 例文 得意《とくい》な絵《え》で身《み》を立《た》てる。／高《たか》い身分《みぶん》。 意味 世《よ》の中《なか》での地位《ちい》や立場《たちば》。

熟語

❶ 身体《しんたい》。身長《しんちょう》。心身《しんしん》。全身《ぜんしん》。長身《ちょうしん》。病身《びょうしん》。身軽《みがる》。白身《しろみ》。骨身《ほねみ》。身動《みうご》き。捨《す》て身《み》。不死身《ふじみ》（どんなめにあっても死《し》なない、がんじょうなからだ）。身代《みが》わり。

❷ 自身《じしん》。身近《みぢか》。

❸ 刀身《とうしん》。

❹ 身上《しんじょう》。身代《しんだい》。前身《ぜんしん》。身元《みもと》。身《み》の上《うえ》。身《み》の程《ほど》。

神

ネ／9画

音 シン・ジン
訓 かみ・（かん）・（こう）

成り立ち

もとの字《じ》は「神」。「示」は《かみさま》にそなえるおそなえの台《だい》。「申」はいなずま。もとは、いなずまのかみさまのこと。後《のち》、《かみさま》や、ふしぎな心《こころ》のはたらきをあらわすようになった。

筆順・書き方

（9画）

例文・意味

❶ 例文 合《ごう》かくを神《かみ》にいのる。／福《ふく》の神《かみ》。／神神《こうごう》しいまでの美《うつく》しさ。／神社《じんじゃ》でおみくじを引《ひ》く。 意味 人間《にんげん》にはない不思議《ふしぎ》な力《ちから》をもつ、とうといもの。かみ。

❷ 例文 神通力《じんつうりき》で雨《あめ》をふらせる。 意味 人間《にんげん》の知《ち》えでは、はかりしれない、不思議《ふしぎ》なはたらき。

❸ 例文 すみずみまで神経《しんけい》が行《い》きとどく。／青少《せいしょう》年《ねん》の精神《せいしん》と肉体《にくたい》をきたえる。 意味 こころ。

《神社《じんじゃ》》

熟語

❶ 神官《しんかん》。神前《しんぜん》。神殿《しんでん》。神仏《しんぶつ》。神話《しんわ》。神宮《じんぐう》。神主《かんぬし》。天神様《てんじんさま》。七福神《しちふくじん》。神頼《かみだの》み。

❷ 神童《しんどう》（非常《ひじょう》にすぐれた才能《さいのう》をもった子《こ》ども）。神業《かみわざ》。

❸ 失神《しっしん》。

特別な読み

お神酒《みき》。神楽《かぐら》。

目／10画

真

音 **シン**

訓 **ま**

成り立ち もとの字は「眞」。さじで食器《しょっき》に食《た》べ物《もの》を入《い》れ、いっぱいにすることから、欠《か》けたところや、《うそがない》の意味《いみ》になった。別《べつ》に、人《ひと》がさかさになったようすから《うそでない》の意味《いみ》になったともいう。

筆順・書き方

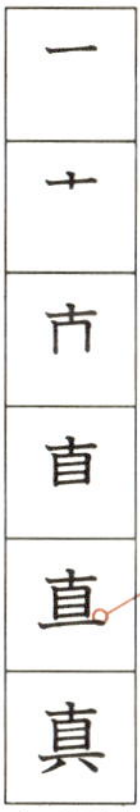

（10画）

例文・意味

❶ 例文 真《しん》の友《ゆう》じょう。／うそを真《ま》に受《う》ける。／真心《まごころ》のこもったおくり物《もの》。／真実《しんじつ》をのべる。 意味 ほんとう。うそがない。

❷ 例文 塩分《えんぶん》をとりのぞいて真水《まみず》をつくる。／純《じゅん》真《しん》な心《こころ》をもった少年《しょうねん》。 意味 自然《しぜん》のまま。まじりけがない。

❸ 例文 矢《や》が的《まと》の真《ま》ん中《なか》に当《あ》たる。／真新《まあたら》しい学《がく》生服《せいふく》。／真《ま》っ青《さお》な空《そら》。／真正面《ましょうめん》から見《み》る。 意味 他《た》のことばの前《まえ》につけて、「まったくの」「ちょうど」などの意味《いみ》をあらわすことば。

熟語

❶ 真意《しんい》（ほんとうの気持《きも》ち）。真価《しんか》（その物《もの》や、その人《ひと》がもっているほんとうの価値《かち》）。真剣《しんけん》。真相《しんそう》。真理《しんり》。写真《しゃしん》。

❷ 真空《しんくう》。

❸ 真上《まうえ》。真夏《まなつ》。真昼《まひる》。真冬《まふゆ》。真《ま》っ暗《くら》。真夜中《まよなか》。真《ま》っ盛《さか》り。真向《まむ》かい。

特別な読み 真《ま》っ赤《か》。真《ま》っ青《さお》。

氵／11画

深

音 **シン**

訓 **ふか**い・**ふか**まる・**ふか**める

成り立ち 「氵」は水《みず》。「深」は、あなの中《なか》に手《て》を入《い》れてさぐること。《おくぶかい》ことをあらわす。後《のち》に、広《ひろ》く《ふかい》という意味《いみ》になった。

筆順・書き方

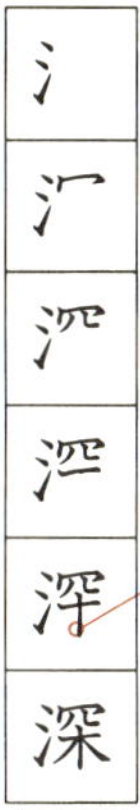

（11画）

例文・意味

❶ 例文 この湖《みずうみ》は深《ふか》い。／深《ふか》さ二《に》メートルのプール。／川《かわ》の深《ふか》みにはまる。／深海《しんかい》にすむ魚《さかな》。 意味 表面《ひょうめん》から底《そこ》、または、おくまでのきょりが長《なが》い。ふかい。 対語 浅《せん》。

❷ 例文 深《ふか》いきりに包《つつ》まれる。／ねむりが深《ふか》い。／深《ふか》みのあることば。／理《り》かいを深《ふか》める。 意味 てい度《ど》がふつう以上《いじょう》である。 対語 浅《せん》。

❸ 例文 十月《じゅうがつ》に入《はい》り、秋《あき》もようやく深《ふか》まってきた。／話《はな》し合《あ》いは深夜《しんや》にまでおよんだ。 意味 時期《じき》や季節《きせつ》などが、そうなってから長《なが》い。

熟語

❶ 深山《しんざん》（人里《ひとざと》からはなれたおくふかい山《やま》）。水深《すいしん》。目深《まぶか》。深海魚《しんかいぎょ》。根深《ねぶか》い。

❷ 深紅《しんく》（真《ま》っ赤《か》）。深刻《しんこく》（ものごとのなりゆきがさしせまっていて、重《じゅう》大《だい》なようす）。深手《ふかで》。欲深《よくふか》。深呼吸《しんこきゅう》。深入《ふかい》り。意味深長《いみしんちょう》⇩（635ページ下）。情《なさ》け深《ぶか》い。

進

⻍／11画

音 シン
訓 すすむ・すすめる

成り立ち

「⻌」は行《い》くことを、「隹」は鳥《とり》をあらわす。飛《と》ぶ鳥《とり》のようにどんどんまっすぐ前《まえ》に《すすむ》ことをあらわした字《じ》。

筆順・書き方

（11画）

例文・意味

❶ 例文 一歩《いっぽ》前《まえ》へ進《すす》む。／工事《こうじ》が予定《よてい》どおりに進《すす》む。／船《ふね》を北《きた》へ向《む》けて進《すす》める。／式《しき》の進行係《しんこうがかり》。意味 前方《ぜんぽう》や、よいほうに向《む》かって行《い》く。すすむ。対語 退《たい》。

❷ 例文 大学《だいがく》に進《すす》む。／進学教室《しんがくきょうしつ》に通《かよ》う。意味 上《じょう》級《きゅう》にあがる。すすむ。

❸ 例文 文化《ぶんか》が進《すす》む。／ぎじゅつが進歩《しんぽ》する。意味 発達《はったつ》する。よくなる。

❹ 例文 神社《じんじゃ》におみこしを寄進《きしん》する。意味 さしあげる。たてまつる。

熟語

❶ 進軍《しんぐん》。進行《しんこう》。進出《しんしゅつ》。進退《しんたい》。進度《しんど》。進入《しんにゅう》。進路《しんろ》。行進《こうしん》。推進《すいしん》。前進《ぜんしん》。進水式《しんすいしき》。

❷ 進級《しんきゅう》。

❸ 進化《しんか》。進展《しんてん》。精進《しょうじん》（あることを一生懸命努力《いっしょうけんめいどりょく》すること）。先進国《せんしんこく》。日進月歩《にっしんげっぽ》⇩（640ページ下）

❹ 進言《しんげん》。進物《しんもつ》。

世

一／5画

音 セイ・セ
訓 よ

成り立ち

「十」を三《みっ》つ、一《ひと》つの横線《よこせん》でつないだ字《じ》で、三十年《さんじゅうねん》のこと。三十年《さんじゅうねん》は親《おや》から子《こ》へとつながる一《ひと》つの区切《くぎ》りの年月《ねんげつ》だから、《せだい》、また、人《ひと》の《よのなか》の意味《いみ》をあらわす。

筆順・書き方

一　十　卄　廿　世

ややながく

（5画）

例文・意味

❶ 例文 六十《ろくじゅう》で世《よ》を終《お》える。／戦争中《せんそうちゅう》に生《う》まれた世代《せだい》。意味 人《ひと》の一代《いちだい》。人《ひと》の一生《いっしょう》。よ。

❷ 例文 江戸《えど》の世《よ》に栄《さか》えた文化《ぶんか》。／十七世紀《じゅうななせいき》の中《なか》ごろ。意味 長《なが》い時間《じかん》の一区切《ひとくぎ》り。時代《じだい》。よ。

❸ 例文 世《よ》のうつりかわりがはげしい。／ピアニストとして世《よ》に知《し》られる。／世《よ》わたりのうまい人《ひと》。／世間《せけん》なみのくらし。意味 よのなか。社会《しゃかい》。また、社会《しゃかい》のなりゆき。

熟語

❶ 二世《にせい》。

❷ 近世《きんせい》。中世《ちゅうせい》。二十世紀《にじっせいき》。

❸ 時世《じせい》。乱世《らんせい》。世界《せかい》。世相《せそう》（よの中《なか》の姿《すがた》や、ありさま）。世評《せひょう》。世論《せろん》（社会一般《しゃかいいっぱん》の人々《ひとびと》の意見《いけん》や考《かんが》え。「世論《よろん》」も同《おな》じ）。世話《せわ》。出世《しゅっせ》。世論《よろん》。世間体《せけんてい》。世間話《せけんばなし》。銀世界《ぎんせかい》。別世界《べっせかい》。世《よ》の中《なか》。あの世《よ》。この世《よ》。

文／16画

整

音 セイ

訓 ととのえる・ととのう

成り立ち
「敕」は、ばらばらの物《もの》を手《て》で束《たば》ねているようす。「正」は、まっすぐに目《もく》ひょうに向《む》かって進《すす》むことで、ばらばらの物《もの》を《きちんとととのえる》ことをあらわした字《じ》。

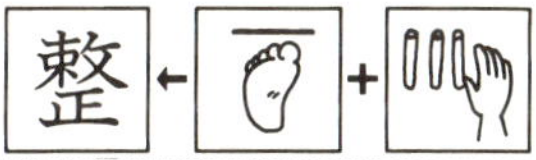

筆順・書き方

（16画）

例文・意味
例文 出《で》かける前《まえ》に服《ふく》そうを整《ととの》える。／からだの調子《ちょうし》を整《ととの》える。／立《た》ち止《ど》まってきゅうを整《ととの》える。／みだれた列《れつ》を整《ととの》える。／全員《ぜんいん》の歩《ほ》調《ちょう》が整《ととの》う。／へやの中《なか》が整《ととの》っている。／整《ととの》った顔《かお》だち。／ひきだしの中《なか》を整理《せいり》する。／均《きん》整《せい》のとれたからだ。
意味 きちんとそろえる。ととのえる。きちんとそろう。ととのう。

《整理《せいり》する》

熟語
整数《せいすう》。整然《せいぜん》（乱《みだ》れたところがなく、きちんと、ととのっているようす）。整地《せいち》。整備《せいび》。整列《せいれつ》。調整《ちょうせい》。補整《ほせい》（たりないところを補《おぎな》って、きちんと、ととのえること）。整《せい》とん。整形外科《せいけいげか》。
理路整然《りろせいぜん》⇩（642ページ下）

日／8画

昔

音 《セキ》・（シャク）

訓 むかし

成り立ち
「日」（ひ）と、「𠀍」（上《うえ》に、いくえにも何《なに》かが重《かさ》なっているようす）を合《あ》わせた字《じ》。日数《にっすう》を積《つ》み重《かさ》ねた《むかし》を意味《いみ》している。

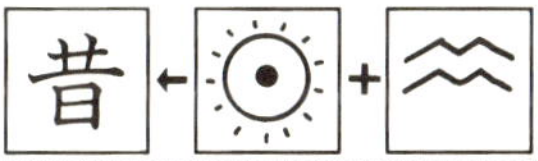

筆順・書き方

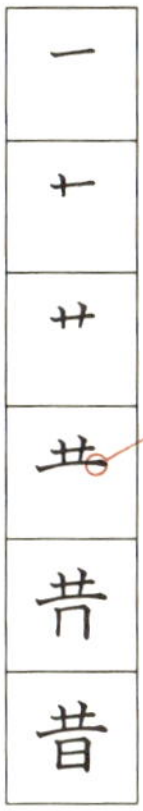

（８画）

例文・意味
例文 人《ひと》の心《こころ》は、今《いま》も昔《むかし》もかわらない。／その昔《むかし》、このあたりは竹《たけ》やぶだったらしい。／平安《へいあん》の昔《むかし》をしのぶ。／おじいさんが昔話《むかしばなし》を聞《き》かせてくれた。／遠《とお》い昔《むかし》のできごと。／昔《むかし》の歌《うた》を歌《うた》う。／昔《むかし》ながらのせい法《ほう》でつくる。
意味 今《いま》よりずっと以前《いぜん》。遠《とお》いか去《こ》。むかし。
対語 今《いま》。

熟語
昔風《むかしふう》。昔昔《むかしむかし》。大昔《おおむかし》。
昔《むかし》なじみ（ずっと前《まえ》から親《した》しくしている知《し》り合《あ》い）。

《昔話《むかしばなし》を聞《き》く》

□ 入／6画

【全】

音 ゼン
訓 まったく

成り立ち

物《もの》を集《あつ》めるしるしの「亼」と、「工」(工《こう》作《さく》)を合《あ》わせた字《じ》。大事《だいじ》につくった物《もの》を《ぜんぶ》集《あつ》めることから《ぜんぶ》《すべて》の意味《いみ》になった。

筆順・書き方

ノ　入　亼　仝　仐　全(ながく)
(6画)

例文・意味

❶ 例文 一年間《いちねんかん》かかって、やっと橋《はし》のしゅう理《り》が完全《かんぜん》に終《お》わった。／自動車《じどうしゃ》の通《とお》らない安全《あんぜん》な場所《ばしょ》で遊《あそ》ぶ。 意味 欠《か》けたところがない。そろっている。

❷ 例文 弟《おとうと》はわからず屋《や》で、全《まった》くこまったものだ。／野球《やきゅう》のルールは全《まった》く知《し》らない。／全力《ぜんりょく》をあげて戦《たたか》う。／真《ま》っ暗《くら》で全然《ぜんぜん》見《み》えない。／出《だ》された料理《りょうり》を全部《ぜんぶ》食《た》べる。 意味 そろって。みんな。すべて。まったく。

熟語

❶ 健全《けんぜん》。万全《ばんぜん》(準備《じゅんび》や手続《てつづ》きがそろっていること)。不完全《ふかんぜん》。

❷ 全員《ぜんいん》。全快《ぜんかい》(病気《びょうき》や、けががすっかりよくなること)。全額《ぜんがく》。全校《ぜんこう》。全国《ぜんこく》。全集《ぜんしゅう》。全勝《ぜんしょう》。全焼《ぜんしょう》。全身《ぜんしん》。全体《ぜんたい》。全治《ぜんち》(病気《びょうき》や、けががすっかり治《なお》ること)。全長《ぜんちょう》。全敗《ぜんぱい》。全面《ぜんめん》。全速力《ぜんそくりょく》。

□ 目／9画

【相】

音 ソウ・(ショウ)
訓 あい

成り立ち

「木」(き)と「目」(め)を合《あ》わせた字《じ》。向《む》かい合《あ》って木《き》を見《み》ることをあらわした。向《む》かい合《あ》って見《み》る《あいて》のものや、たがいに《向《む》かい合《あ》う》という意味《いみ》になった。

筆順・書き方

十　木(とめる)　木丨　木冂　相　相
(9画)

例文・意味

❶ 例文 悪《わる》い人相《にんそう》。／事《じ》けんの真相《しんそう》(事《じ》けんなどのほんとうの事《じ》じょうや、わけ)を話《はな》す。 意味 外《そと》にあらわれた形《かたち》。すがた。ようす。

❷ 例文 先生《せんせい》に相談《そうだん》する。／タクシーの相乗《あいの》り。 意味 たがいに。いっしょに。ともに。

❸ 例文 父《ちち》のい産《さん》を相続《そうぞく》する。 意味 次々《つぎつぎ》に。

❹ 例文 世界各国《せかいかっこく》の首相《しゅしょう》が集《あつ》まる。 意味 大臣《だいじん》。

❺ 例文 列車事《れっしゃじ》こが相次《あいつ》いで起《お》こる。 意味 後《あと》のことばの意味《いみ》を強《つよ》めることば。

熟語

❶ 形相《ぎょうそう》(気味《きみ》が悪《わる》く、また、おそろしい感《かん》じのする顔《かお》つき)。手相《てそう》。様相《ようそう》。

❷ 相違《そうい》。相応《そうおう》。相互《そうご》(たがい)。相似《そうじ》。相当《そうとう》。相手《あいて》。相対《あいたい》する。

❹ 外相《がいしょう》。財務相《ざいむしょう》。

❺ 相変《あいか》わらず。

⻌／9画

送

音 ソウ
訓 おくる

成り立ち
「⻌」は道《みち》を行《い》くこと。「关」は物《もの》を両手《りょうて》で、たいせつに持《も》つことをあらわす。たいせつな物《もの》をほかの場所《ばしょ》へとどける、《おくる》という意味《いみ》になった。

筆順・書き方

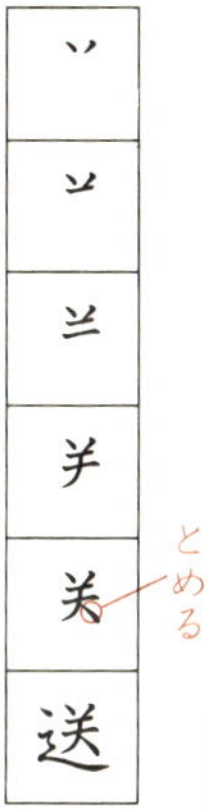

(9画)

例文・意味
❶ 例文 父《ちち》を駅《えき》まで送《おく》る。／卒業生《そつぎょうせい》を送《おく》り出《だ》す。／自動車《じどうしゃ》で送《おく》りむかえする。／先生《せんせい》をお見送《みおく》りする。／送別会《そうべつかい》を開《ひら》く。 意味 行《い》く人《ひと》を見《み》おくる。
❷ 例文 クリスマスカードを送《おく》る。／本《ほん》をゆう便《びん》で送《おく》る。／速達《そくたつ》で送《おく》れば間《ま》に合《あ》う。／いなかから送《おく》られてきた野菜《やさい》。／事《じ》こげん場《ば》に記者《きしゃ》を送《おく》りこむ。／学費《がくひ》を送金《そうきん》する。／家具《かぐ》を運送《うんそう》する。 意味 物《もの》などをほかの場所《ばしょ》におくりとどける。

熟語
❶ 送別《そうべつ》(別《わか》れていく人《ひと》をおくること)。
❷ 送付《そうふ》。送料《そうりょう》。回送《かいそう》。配送《はいそう》。発送《はっそう》。返送《へんそう》。放送《ほうそう》。輸送《ゆそう》。郵送《ゆうそう》。運送業《うんそうぎょう》。仕送《しおく》り。送《おく》り仮名《がな》。

心／13画

想

音 ソウ・(ソ)
訓 ―

成り立ち
向《む》かい合《あ》って見《み》ることをあらわす「相」と、「心」(こころ)とを合《あ》わせた字《じ》。心《こころ》の中《なか》で、あるものと向《む》かい合《あ》って見《み》るように《おもいめぐらす》ことをあらわした字《じ》。

筆順・書き方

(13画)

例文・意味
例文 小説《しょうせつ》の想《そう》を練《ね》る。／わが子《こ》のしょう来《らい》を想像《そうぞう》する。／火《か》さいが発生《はっせい》したという想定《そうてい》で、ひなん訓練《くんれん》をおこなう。／試合《しあい》は、予想《よそう》どおりの結果《けっか》になった。／読《よ》んだ本《ほん》の感想文《かんそうぶん》を書《か》く。 意味 心《こころ》の中《なか》であれこれとおもいめぐらす。また、おもいめぐらした考《かんが》え。

《火《か》さいを想定《そうてい》する》

熟語
愛想《あいそう》。仮想《かそう》(仮《かり》にそうなったときのことを考《かんが》えること)。回想《かいそう》。感想《かんそう》。空想《くうそう》。構想《こうそう》。思想《しそう》。着想《ちゃくそう》(ある仕事《しごと》をしたり、計画《けいかく》を立《た》てたりするときの思《おも》いつき)。夢想《むそう》(実現《じつげん》しそうもない、夢《ゆめ》のようなことを考《かんが》えること)。理想《りそう》。連想《れんそう》。愛想《あいそ》。

□ 心／10画

息

音 ソク
訓 いき

成り立ち

「自」は鼻《はな》、「心」は、こころ。心《しん》ぞうの動《うご》きにつれて、鼻《はな》から《いき》をするようすをあらわす。《いき》をととのえて一休《ひとやす》みすることも意味《いみ》している。

筆順・書き方

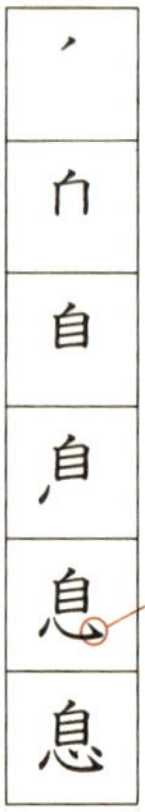

例文・意味

❶ 例文 息《いき》をふきかける。／鼻息《はないき》があらい。／息《いき》がはずむ。／息《いき》を切《き》らす。／息《いき》をのむ。 意味 こきゅう。いき。

❷ 例文 仕事《しごと》のとちゅうで一息《ひといき》入《い》れる。／三時《さんじ》に休息《きゅうそく》をとる。 意味 やすむ。いこう。

❸ 例文 高山《こうざん》に生息《せいそく》（生物《せいぶつ》がすんで、生活《せいかつ》していること）する動物《どうぶつ》。 意味 生《い》きる。生活《せいかつ》する。

❹ 意味 子《こ》ども。とくに、むすこ。

❺ 例文 利息《りそく》のよいよ金《きん》。 意味 ふえるもの。利子《りし》。

熟語

❶ 息切《いきぎ》れ。ため息《いき》。青息吐息《あおいきといき》⇩（634ページ上）

❷ 安息《あんそく》（心配《しんぱい》ごとなどからはなれ、静《しず》かに休《やす》むこと）。

❸ 消息《しょうそく》。

❹ 子息《しそく》。令息《れいそく》（よその家《いえ》のむすこをうやまって言《い》うことば）。

特別な読み

息吹《いぶき》。息子《むすこ》。

□ 辶／10画

速

音 ソク
訓 **はや**い・**はや**める・（**すみ**やか）

成り立ち

「辶」は行《い》くこと、「束」は木《き》のたばをぎゅっとたばねること。目的《もくてき》の場所《ばしょ》や時間《じかん》にはやく行《い》きつきたいとき時間《じかん》がちぢまるように、せかせかと《はやく進《すす》む》ことを意味《いみ》する字《じ》。

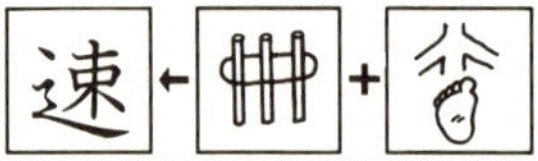

筆順・書き方

例文・意味

❶ 例文 雲《くも》の流《なが》れが速《はや》い。／速《はや》い球《たま》を投《な》げる。／自動車《じどうしゃ》のスピードを速《はや》める。／速《すみ》やかに行動《こうどう》する。／戦後《せんご》、急速《きゅうそく》に発《はっ》てんした都市《とし》。／ニュース速報《そくほう》が流《なが》れる。 意味 ものごとにかかる時間《じかん》が少《すく》ない。はやい。すみやかである。

❷ 例文 足《あし》の速《はや》さを競《きそ》う。／時速四十《じそくよんじっ》キロメートルで走《はし》る。／下《くだ》り坂《ざか》ではブレーキをかけて速度《そくど》を落《お》とす。 意味 はやさ。

熟語

❶ 速達《そくたつ》。速断《そくだん》（すばやく判断《はんだん》して決《き》めること）。速記《そっき》。早速《さっそく》（時間《じかん》をおかず、すぐにするようす）。

❷ 速力《そくりょく》。音速《おんそく》。高速《こうそく》。秒速《びょうそく》。風速《ふうそく》。加速度《かそくど》。全速力《ぜんそくりょく》。高速道路《こうそくどうろ》。

□ 方／11画

族

音 ゾク
訓 ―

成り立ち
「矢」(や)と、旗《はた》をあらわす「㫃」とを合《あ》わせた字。旗《はた》の下《した》にたくさんの矢《や》を集《あつ》めたようすをあらわす字《じ》で、同《おな》じ《なかまの集《あつ》まり》を意味《いみ》する字《じ》。

筆順・書き方

(11画)

例文・意味
例文 兄《あに》は家族《かぞく》とはなれて、東京《とうきょう》でくらしている。／平氏《へいし》の一族《いちぞく》。／イギリスの貴族《きぞく》。／この水族館《すいぞくかん》には、世界《せかい》のめずらしい魚《さかな》が集《あつ》められています。
意味 同《おな》じそ先《せん》から出《で》た、血《ち》のつながりのある仲間《なかま》。身《み》うち。また、同《おな》じ種類《しゅるい》のものの集《あつ》まり。

《水族館《すいぞくかん》》

熟語
遺族《いぞく》(家《か》ぞくのだれかが死《し》に、その後《あと》に残《のこ》された人々《ひとびと》)。氏族《しぞく》。親族《しんぞく》(血《ち》のつながりのある人《ひと》や、結婚《けっこん》によってつながりができたりした一《いち》ぞくの人々《ひとびと》)。民族《みんぞく》。

□ イ／5画

他

音 タ
訓 ―

成り立ち
「也」は、へびの形《かたち》。もとは、へびにかまれるようなあぶないこと。それに「イ」(人《ひと》)を合《あ》わせ、人《ひと》が元気《げんき》かどうかをたずねたことから、《よそのもの》の意味《いみ》になった。

筆順・書き方

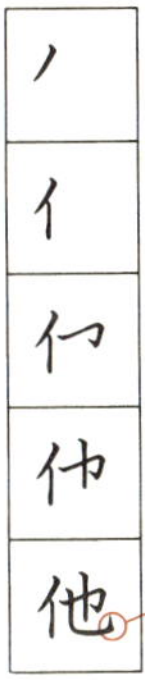

(5画)

例文・意味
例文 大会《たいかい》にはアメリカ・ドイツ・中国《ちゅうごく》、その他《た》多《おお》くの国々《くにぐに》の選手《せんしゅ》が参加《さんか》した。／この問題《もんだい》は、他《た》と区別《くべつ》して考《かんが》えたほうがよい。／ひみつを他《た》にもらす。／自他《じた》ともにみとめるうでまえ。
意味 自分《じぶん》以外《いがい》の人《ひと》や、それではないほかの物《もの》。ほかの。別《べつ》の。
対語 自《じ》。

熟語
他国《たこく》。他殺《たさつ》(人《ひと》に殺《ころ》されること)。他人《たにん》。他方面《たほうめん》。

扌／5画

【打】

音 ダ
訓 うつ

成り立ち　「扌」は手《て》。「丁」は、くぎ。くぎをトントンと《うつ》ようすをあらわした字《じ》。広《ひろ》く、手《て》で物《もの》を《うつ》ことをあらわす。

筆順・書き方

（5画）

例文・意味

❶ 例文 はしごから落《お》ちてこしを打《う》つ。／板《いた》にくぎを打《う》つ。／ヒットを打《う》つ。／太《たい》こを打《う》ち鳴《な》らす。／打《だ》順《じゅん》を決《き》める。／強《きょう》打《だ》者《しゃ》ぞろいのチーム。／かねを乱《らん》打《だ》する。 意味 たたく。うつ。

❷ 例文 友《とも》だちにひみつを打《う》ち明《あ》ける。／いいかげんなうわさを打《う》ち消《け》す。／打《だ》算《さん》的《てき》な(そん得《とく》を第《だい》一《いち》に計算《けいさん》するようす)考《かんが》え。 意味 他《た》のことばの前《まえ》につけて、意《い》味《み》を強《つよ》めることば。

熟語

❶ 打《だ》球《きゅう》。打《だ》者《しゃ》。打《だ》電《でん》(電《でん》報《ぽう》や電《でん》信《しん》で送《おく》ること)。打《だ》率《りつ》。安《あん》打《だ》。代《だい》打《だ》。連《れん》打《だ》。打《だ》楽《がっ》器《き》。打《う》ち身《み》(からだを強《つよ》くうったり、何《なに》かにぶつけたりしたとき、皮《ひ》膚《ふ》の下《した》にできる傷《きず》)。舌《した》打《う》ち。一《いち》網《もう》打《だ》尽《じん》⇩(634ページ下)。火《ひ》打《う》ち石《いし》。

❷ 打《だ》開《かい》。打《う》ち解《と》ける。

寸／7画

【対】

音 タイ・(ツイ)
訓 ―

成り立ち　もとの字《じ》は「對」。「丵」は二《ふた》つで一《ひと》組《く》みになる台《だい》の形《かたち》、「寸」は手《て》の動《どう》作《さ》。同《おな》じようなすがたで《向《む》き合《あ》う》ことをあらわす。また《二《ふた》つで一《ひと》組《く》みのもの》の意《い》味《み》もあらわす。

筆順・書き方

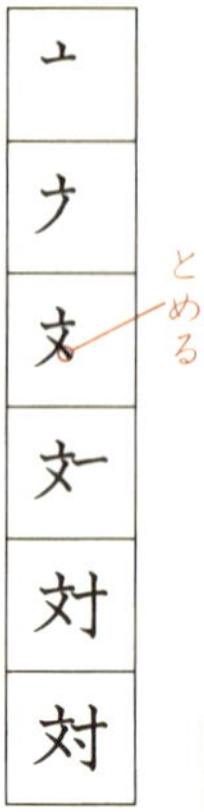

（7画）

例文・意味

❶ 例文 得《とく》点《てん》は三《さん》対《たい》二《に》で、B《ビー》チームの勝《か》ち。／赤《あか》組《ぐみ》対《たい》白《しろ》組《ぐみ》。／川《かわ》をはさんでてきと対《たい》する。／親《おや》に対《たい》するたい度《ど》が悪《わる》い。／しつ問《もん》に対《たい》する回《かい》答《とう》。／ふたりの意《い》見《けん》が対《たい》立《りつ》する。／対《たい》岸《がん》にわたる。 意味 向《む》かい合《あ》う。相《あい》手《て》になる。

❷ 例文 電《でん》話《わ》での問《と》い合《あ》わせに、ていねいに応《おう》対《たい》する。 意味 こたえる。返《へん》事《じ》をする。

❸ 例文 対《つい》の湯《ゆ》飲《の》み茶《ぢゃ》わん。 意味 二《ふた》つで一《ひと》組《く》みになっているもの。そろい。

熟語

❶ 対《たい》応《おう》。対《たい》角《かく》。対《たい》決《けつ》。対《たい》抗《こう》。対《たい》策《さく》。対《たい》象《しょう》。対《たい》照《しょう》。対《たい》戦《せん》。対《たい》談《だん》。対《たい》等《とう》。対《たい》比《ひ》。対《たい》面《めん》。対《たい》話《わ》。絶《ぜっ》対《たい》。反《はん》対《たい》。対《たい》角《かく》線《せん》。反《はん》対《たい》語《ご》。対《たい》物《ぶつ》レンズ。

❷ 対《たい》処《しょ》(ものごとのなりゆきに応《おう》じて適《てき》切《せつ》に処《しょ》置《ち》すること)。

❸ 対《つい》句《く》。対《つい》語《ご》。

□ 彳／9画

【待】

音 タイ
訓 まつ

成り立ち 「彳」(道《みち》)と「寺」(手足《てあし》を動《うご》かす。また、足《あし》をじっとひとところに止《と》める)を合《あ》わせた字《じ》。足《あし》をじっと止《と》めて《まちうける》ことをあらわした字《じ》。

筆順・書き方

(9画)

例文・意味

❶ 例文 兄《あに》の帰《かえ》りを待《ま》つ。／雨《あめ》がやむのを待《ま》つ。／チャンスが来《く》るまで待《ま》て。／待《ま》てどくらせど、なんの連《れん》らくもない。／待《ま》ちに待《ま》った入《にゅう》学《がく》の日《ひ》がやってきた。／夏休《なつやす》みが待《ま》ち遠《どお》しい。／待《ま》ち合《あ》わせの時間《じかん》におくれる。／ひとりむすこに期待《きたい》をかける。／病院《びょういん》の待合室《まちあいしつ》。 意味 あてにして、まちうける。まつ。

❷ 例文 パーティーに招待《しょうたい》する。／お客様《きゃくさま》を接待《せったい》する。 意味 もてなす。

熟語

❶ 待機《たいき》(いつでも行動《こうどう》できるように、準備《じゅんび》をととのえてまつこと)。待望《たいぼう》。心《こころ》待《ま》ち。待《ま》ち伏《ぶ》せ。待《ま》ち受《う》ける。待《ま》ち構《かま》える。待《ま》ちぼうけ。

❷ 優待《ゆうたい》(ほかより、とくによりよくもてなすこと)。

□ イ／5画

【代】

音 ダイ・タイ
訓 かわる・かえる・よ・(しろ)

成り立ち 「弋」は、ねじれることをあらわす。「イ」は人《ひと》。ねじれるように、人《ひと》がたがいちがいに《入《い》れかわる》こと。また《入《い》れかわる人《ひと》の世《よ》や時間《じかん》》をあらわす。

筆順・書き方

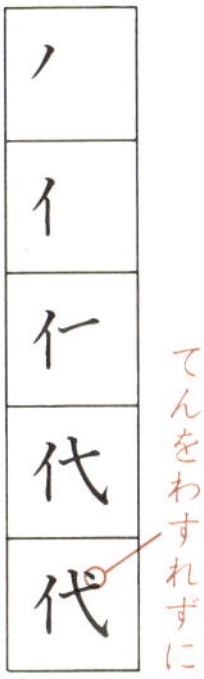

(5画)

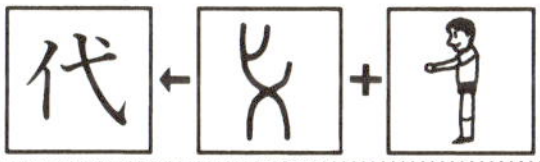

例文・意味

❶ 例文 父《ちち》に代《か》わって出席《しゅっせき》する。／投手交代《とうしゅこうたい》。 意味 場所《ばしょ》や仕事《しごと》などを引《ひ》きつぐ。入《い》れかわる。

❷ 例文 お代《だい》をいただく。／タクシー代《だい》をはらう。 意味 あるものと引《ひ》きかえるもの。ねだん。

❸ 例文 先代《せんだい》の社長《しゃちょう》。／三代《さんだい》しょう軍《ぐん》。 意味 位《くらい》や地位《ちい》についているあいだ。また、その順番《じゅんばん》。

❹ 例文 ぶ士《し》の代《よ》。／古代《こだい》の歴史《れきし》を研究《けんきゅう》する。 意味 あるひとまとまりの期間《きかん》。時代《じだい》。

❺ 例文 昭和《しょうわ》十年代《じゅうねんだい》にはやった歌《うた》。／十代《じゅうだい》の青年《せいねん》。 意味 年数《ねんすう》や年《ねん》れいのはん囲《い》。

熟語

❶ 代官《だいかん》。代行《だいこう》(人《ひと》のする仕事《しごと》などを、ほかの人《ひと》がおこなうこと)。代表《だいひょう》。代用《だいよう》。代理《だいり》。身代《みが》わり。

❷ 代金《だいきん》。足代《あしだい》。身《み》の代金《しろきん》。

❸ 代代《だいだい》。歴代《れきだい》。

❹ 近代《きんだい》。現代《げんだい》。時代《じだい》。年代《ねんだい》。神代《かみよ》。千代紙《ちよがみ》。

❺ 世代《せだい》。

竹《ﾀｹ》／11画

第

音 ダイ
訓 ―

成り立ち 「弟」（ぼうの低《ひく》いところにしるしをつける）と「竹」（たけ）を合《あ》わせた字《じ》で、たけの節《ふし》が下《した》から順々《じゅんじゅん》に上《うえ》へ一《ひと》つ一《ひと》つの積《つ》み重《かさ》なっていくようす。《順《じゅん》じょ》をあらわした字《じ》。

筆順・書き方

（11画）

例文・意味

❶ 例文 卒業式《そつぎょうしき》の式次第《しきしだい》を書《か》く。 意味 ものごとの順《じゅん》じょ。

❷ 例文 プールの第一《だいいち》コースを泳《およ》ぐ。／第二走者《だいにそうしゃ》にバトンをわたす。／ろん文《ぶん》の第一章第三節《だいいっしょうだいさんせつ》を読《よ》む。 意味 数字《すうじ》の前《まえ》につけて順《じゅん》じょをあらわすことば。

❸ 例文 テストでなんとかきゅう第点《だいてん》をとる。 意味 合《ごう》かくかどうかを決《き》めること。試験《しけん》。

熟語

❷ 第一番《だいいちばん》。第一線《だいいっせん》。第一歩《だいいっぽ》。第三者《だいさんしゃ》（そのことに直接関係《ちょくせつかんけい》のない人《ひと》）。第六感《だいろっかん》（人間《にんげん》の五感《ごかん》以外《いがい》の六番目《ろくばんめ》の感覚《かんかく》。なんとなく心《こころ》に感《かん》じる心《こころ》のはたらき）。第一印象《だいいちいんしょう》。第一人者《だいいちにんしゃ》。安全第一《あんぜんだいいち》。

❸ 落第《らくだい》。

頁／18画

題

音 ダイ
訓 ―

成り立ち 「是」（さじのえ・がまっすぐにのびること）と、「頁」（頭《あたま》）を合《あ》わせた字《じ》。正面《しょうめん》にまっすぐつき出《で》た《ひたい》のことから、文《ぶん》のいちばん先《さき》に出《で》ている《見《み》出《だ》し》の意味《いみ》になった。

筆順・書き方

（18画）

例文・意味

❶ 例文 作文《さくぶん》に題《だい》をつける。／「海《うみ》」と題《だい》した絵《え》。／物語《ものがたり》の題材《だいざい》をさがす。／小説《しょうせつ》の題名《だいめい》。／いくら話《はな》しても話題《わだい》がつきない。 意味 作品《さくひん》などの内《ない》ようをしめす見出《みだ》し。また、内《ない》ようとなることがら。

❷ 例文 むずかしい算《さん》数《すう》の問題《もんだい》をとく。／夏休《なつやす》みの宿題《しゅくだい》。 意味 答《こた》えなければならないことがら。

《問題《もんだい》をとく》

熟語

❶ 題字《だいじ》。題目《だいもく》。議題《ぎだい》。主題《しゅだい》。表題《ひょうだい》（表紙《ひょうし》に書《か》いてあるその本《ほん》の名前《なまえ》）。

❷ 課題《かだい》（あたえられた問《もん》だい）。出題《しゅつだい》。難題《なんだい》（難《むずか》しい問《もん》だい）。例題《れいだい》。問題集《もんだいしゅう》。

火／9画

炭

音 タン
訓 すみ

成り立ち

「山」(やま)と「厂」(がけ)と「火」(ひ)を合《あ》わせた字《じ》。山《やま》からほり出《だ》され、ねん料《りょう》となる《石《せき》たん》や《すみ》の意味《いみ》。別《べつ》に、「屵」(もとにもどる)の字《じ》から、もとの火《ひ》にもどる消《け》しずみのことともいわれる。

筆順・書き方

(9画)

例文・意味

❶ 例文 火ばしで炭《すみ》をつぐ。／山《やま》の中《なか》の炭焼《すみや》き小屋《ごや》。／炭火《すみび》をはいにいける。 意味 木《き》をむし焼《や》きにしてつくったねん料《りょう》。すみ。

❷ 例文 炭鉱《たんこう》で落《らく》ばん事《じ》こが起《お》こる。 意味 植物《しょくぶつ》が地中《ちちゅう》で変化《へんか》してできたもの。石《せき》たん。

❸ 例文 毎日《まいにち》の食事《しょくじ》で、たんぱく質《しつ》・しぼう・炭《たん》水化物《すいかぶつ》をバランスよくとる。／炭酸《たんさん》の入《はい》った飲《の》み物《もの》。 意味 元《げん》その一《ひと》つ。たんそ。

熟語

❶ 木炭《もくたん》。練炭《れんたん》(石《せき》たんや木《もく》たんなどの粉《こな》を練《ね》り固《かた》めた燃料《ねんりょう》)。
❷ 炭田《たんでん》。石炭《せきたん》。
❸ 炭酸《たんさん》ガス。一酸化炭素《いっさんかたんそ》。

絵《え》からできた漢字《かんじ》⑧

(上《うえ》から順番《じゅんばん》に変化《へんか》して、現在《げんざい》の漢字《かんじ》の字体《じたい》となりました。)

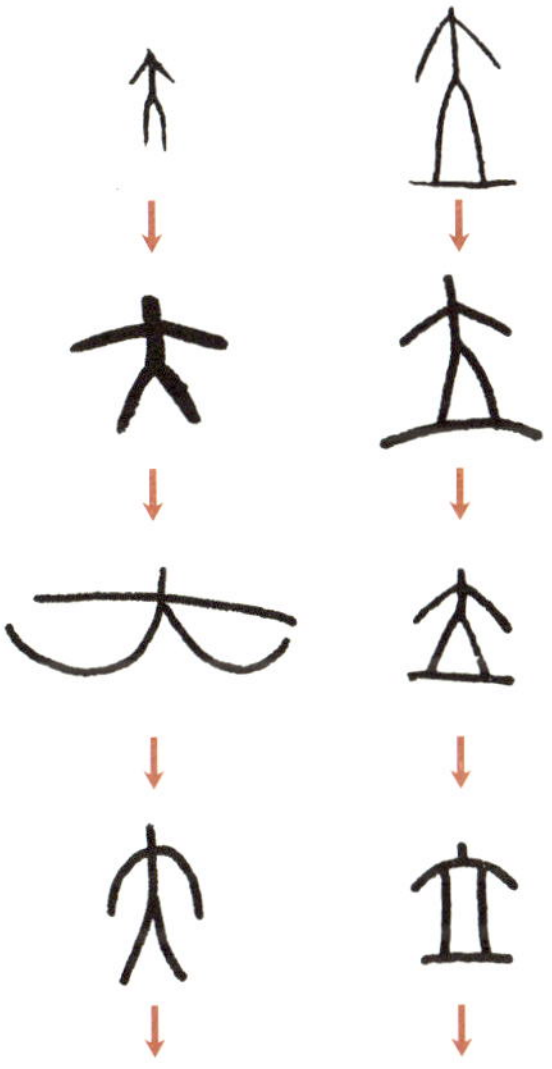

立《た》つ　大《だい》

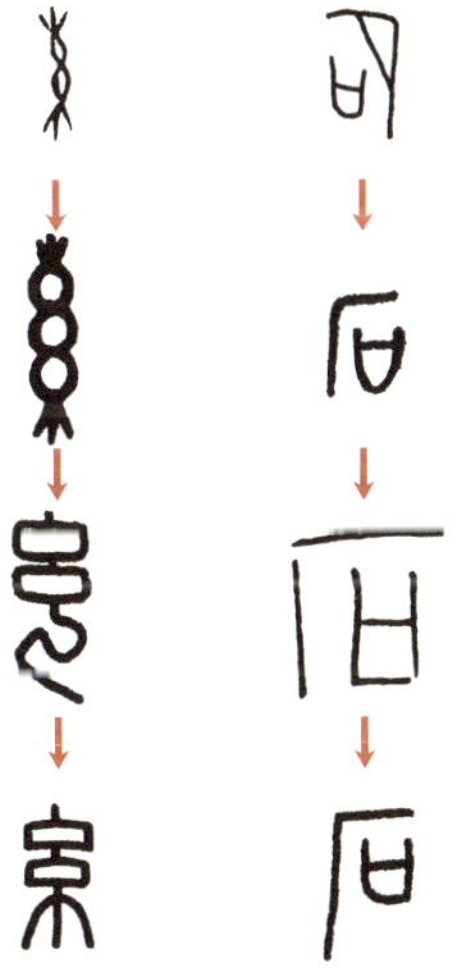

石《いし》　糸《いと》

短

□
矢／12画

音 タン
訓 みじかい

成り立ち 「豆」は、つぼにくらべて《みじかい》器《うつわ》の形《かたち》。「矢」は、やりなどにくらべて《みじかい》や。両方《りょうほう》ともたけがあまり長《なが》くないところから、《みじかい》意味《いみ》をあらわす。

短 ← 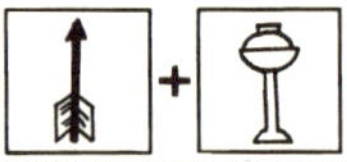

筆順・書き方
とめる

（12画）

例文・意味

❶ 例文 スカートのたけが短《みじか》い。／冬《ふゆ》は日《ひ》が短《みじか》い。／父《ちち》は気《き》が短《みじか》い。／短《みじか》いひも。／時間《じかん》がないので手短《てみじか》に話《はな》す。／宿題《しゅくだい》を短時間《たんじかん》ですませる。／時計《とけい》の短針《たんしん》と長針《ちょうしん》。／駅《えき》までの最短《さいたん》きょり。
意味 長《なが》さ・時間《じかん》・かかる手間《てま》などが少《すく》ない。わずか。みじかい。対語 長《ちょう》。

❷ 例文 のんきなところが、兄《あに》の短所《たんしょ》（ほかとくらべて、おとっている点《てん》）でもあり、長所《ちょうしょ》でもある。意味 おとっている。欠点《けってん》がある。対語 長《ちょう》。

熟語

❶ 短歌《たんか》。短気《たんき》。短期《たんき》。短冊《たんざく》。短縮《たんしゅく》。短調《たんちょう》。短波《たんぱ》。短文《たんぶん》。短編《たんぺん》。短命《たんめい》。長短《ちょうたん》。短期大学《たんきだいがく》。

❷ 一長一短《いっちょういったん》 ⇩ （635ページ中）

談

□
言／15画

音 ダン
訓 ―

成り立ち 「言」は、しゃべること。「炎」は火《ひ》がさかんにもえるようす。火《ひ》がもえるようにさかんに《しゃべること》を意味《いみ》する。別《べつ》に「炎」は、やすらかで、《やすらかにしゃべる》こととともいわれる。

談 ← 

筆順・書き方
てんのうちかたにちゅうい

（15画）

例文・意味

例文 目《もく》げき者《しゃ》の談《だん》をまとめる。／文学《ぶんがく》を談《だん》じる。／首相《しゅしょう》の談話《だんわ》を発表《はっぴょう》する。／昼休《ひるやす》みに友《とも》だちと談笑《だんしょう》する。／両親《りょうしん》と相談《そうだん》して決《き》める。／田中君《たなかくん》は、よくじょう談《だん》を言《い》って人《ひと》を笑《わら》わせる。
意味 話《はなし》をする。また、話《はなし》。物語《ものがたり》。

《両親《りょうしん》と相談《そうだん》する》

熟語

談判《だんぱん》（自分《じぶん》の要求《ようきゅう》を通《とお》すために相手《あいて》と話《はな》し合《あ》うこと）。会談《かいだん》。講談《こうだん》。雑談《ざつだん》。対談《たいだん》。美談《びだん》（人《ひと》の心《こころ》を感動《かんどう》させる、りっぱな話《はなし》）。筆談《ひつだん》（口《くち》でことばを話《はな》すかわりに、文字《もじ》を書《か》いて考《かんが》えを伝《つた》え合《あ》うこと）。面談《めんだん》。座談会《ざだんかい》。

羊／12画

【着】

音 チャク・《ジャク》

訓 きる・きせる・つく・つける

成り立ち

もとの字《じ》は「著」と同《おな》じ字《じ》。「著」は「艹」(草《くさ》)と「者」(たきぎを集《あつ》めてもやす)で、文字《もじ》を書《か》きつけたり、いろいろな文字《もじ》を竹《たけ》や木《き》の札《ふだ》に書《か》きつけたりすることを意味《いみ》した。そこから《つく》《身《み》につける》の意味《いみ》となった。

筆順・書き方

(12画)

例文・意味

❶ 例文 赤《あか》いせん料《りょう》でシャツを着色《ちゃくしょく》する。／プラスチック用《よう》の接着《せっちゃく》ざい。／ズボンによごれが付着《ふちゃく》する。意味 はなれないで、ぴったりと合《あ》う。くっつく。

❷ 例文 電車《でんしゃ》が駅《えき》に着《つ》く。／目的地《もくてきち》にたどり着《つ》く。／手紙《てがみ》が着《つ》いた。／じゅ業《ぎょう》が始《はじ》まる前《まえ》に席《せき》に着《つ》きなさい。／ボートを岸《きし》に着《つ》ける。／成田《なりた》着《ちゃく》は、午後《ごご》五時《ごじ》の予定《よてい》だ。／一着《いっちゃく》でゴールインする。意味 その場所《ばしょ》にやって来《く》る。とどく。行《い》きつく。また、とうちゃくした順番《じゅんばん》をあらわすことば。対語 発《はっ》。

《一着《いっちゃく》》

❸ 例文 着実《ちゃくじつ》な(おちついて、かく実《じつ》にものごとをするようす)仕事《しごと》ぶり。／話《はな》し合《あ》いで決着《けっちゃく》をつける。意味 ものごとが決《き》まる。おちつく。おさまる。

❹ 例文 セーラー服《ふく》を身《み》に着《つ》ける。／パジャマを着《き》る。／赤《あか》ちゃんに産着《うぶぎ》を着《き》せる。／美《うつく》しい晴《は》れ着《ぎ》。／コート三着《さんちゃく》。意味 服《ふく》などを身《み》にまとう。きる。また、服《ふく》などを数《かぞ》えることば。

❺ 例文 店《みせ》の売《う》り上《あ》げを着服《ちゃくふく》(他人《たにん》の金《きん》せんや品物《しなもの》をこっそりと自分《じぶん》のものにしてしまうこと)する。意味 自《じ》分《ぶん》のものにする。

❻ 例文 新《あたら》しい研究《けんきゅう》に着手《ちゃくしゅ》する。／道路工事《どうろこうじ》の着工《ちゃっこう》がえん期《き》になった。意味 あるものごとを始《はじ》める。

熟語

❶ 愛着《あいちゃく》(強《つよ》く心《こころ》をひかれて、思《おも》い切《き》れないこと)。密着《みっちゃく》。

❷ 着席《ちゃくせき》。着地《ちゃくち》。着陸《ちゃくりく》。到着《とうちゃく》。発着《はっちゃく》。終着駅《しゅうちゃくえき》。不時着《ふじちゃく》(飛《ひ》行機《こうき》やヘリコプターが、天気《てんき》が悪《わる》かったり、故障《こしょう》したりして、予《よ》定地《ていち》以外《いがい》の場所《ばしょ》におりること)。

❸ 船着《ふなつ》き場《ば》。土着《どちゃく》(先祖代々《せんぞだいだい》その土地《とち》にずっとすみついていること)。落《お》ち着《つ》く。

❹ 着衣《ちゃくい》。着用《ちゃくよう》(衣服《いふく》などを身《み》にまとうこと)。着物《きもの》。厚着《あつぎ》。上着《うわぎ》。下着《したぎ》。水着《みずぎ》。着替《きが》え。

氵／8画

【注】

音 チュウ
訓 そそぐ

成り立ち

「氵」は水《みず》、「主」は、ろうそくの火《ひ》がじっと立《た》っているようすをあらわす。こぼれないように水《みず》を上《うえ》からじっと《そそぐ》ことをあらわした字《じ》。

筆順・書き方

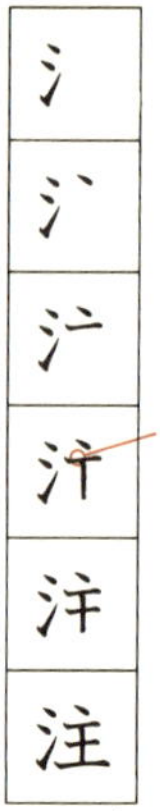

（8画）

例文・意味

❶ 例文 川《かわ》が海《うみ》に注《そそ》ぐ。／太陽《たいよう》がさんさんと注《そそ》ぐ。／グラスに水《みず》を注《そそ》ぐ。 意味 水《みず》などが流《なが》れこむ。流《なが》し入《い》れる。そそぐ。

❷ 例文 仕事《しごと》に全力《ぜんりょく》を注《そそ》ぐ。／愛《あい》じょうを注《そそ》ぐ。 意味 一《ひと》つのことに集中《しゅうちゅう》する。

❸ 例文 洋服《ようふく》を注文《ちゅうもん》する。 意味 してほしいと願《ねが》う。たのむ。

❹ 例文 むずかしい語句《ごく》にかい説《せつ》の注《ちゅう》を加《くわ》える。／『竹取物語《たけとりものがたり》』の注《ちゅう》しゃく書《しょ》。 意味 ことばの意味《いみ》などを、くわしく説明《せつめい》する。

熟語

❶ 注射《ちゅうしゃ》。注水《ちゅうすい》。注入《ちゅうにゅう》。注《そそ》ぎ口《ぐち》。降《ふ》り注《そそ》ぐ。

❷ 注意《ちゅうい》。注視《ちゅうし》（気《き》をつけて、よく見《み》ること）。注目《ちゅうもく》。不注意《ふちゅうい》。

❹ 注記《ちゅうき》。補注《ほちゅう》（補《おぎな》ってつけた説《せつ》明《めい》）。

木／9画

【柱】

音 チュウ
訓 はしら

成り立ち

「主」は、ろうそくの火《ひ》がじっと立《た》っているようすをあらわす。それに「木」（き）を合《あ》わせた字《じ》。動《うご》かずにじっと立《た》っている《はしら》をあらわした字《じ》。

筆順・書き方

（9画）

例文・意味

❶ 例文 柱《はしら》によりかかる。／電柱《でんちゅう》の広告《こうこく》。／テントの支柱《しちゅう》。 意味 屋《や》根《ね》などをささえる材木《ざいもく》。はしら。

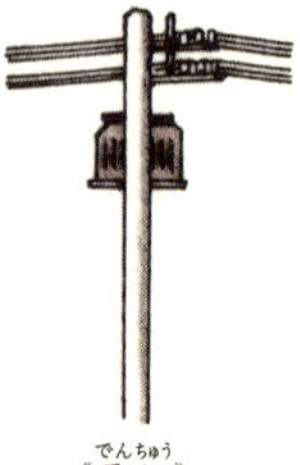
《電柱《でんちゅう》》

❷ 例文 ガスばく発《はつ》が起《お》こり、火柱《ひばしら》があがった。 意味 細長《ほそなが》いものや、まっすぐに立《た》っているもの。

❸ 例文 一家《いっか》の柱《はしら》としての父《ちち》。／チームの大黒柱《だいこくばしら》。 意味 ものごとの中心《ちゅうしん》となるもの。たよりになる人《ひと》。

熟語

❶ 円柱《えんちゅう》。角柱《かくちゅう》。鉄柱《てっちゅう》。門柱《もんちゅう》（門《もん》の両側《りょうがわ》のはしら）。柱時計《はしらどけい》。電信柱《でんしんばしら》。

❷ 貝柱《かいばしら》。茶柱《ちゃばしら》。

一／2画

丁

音 チョウ・（テイ）

訓 ―

成り立ち 板《いた》などに直角《ちょっかく》に打《う》ちつける、くぎの形《かたち》。Tの形《かたち》をした町角《まちかど》をあらわす。その町角《まちかど》から町角《まちかど》までのきょりや道具《どうぐ》などの数《かず》を数《かぞ》えるときに使《つか》うようになった。

筆順・書き方

一 丁 （2画） はねる

例文・意味

❶ 例文 むかしは成《せい》せきを甲乙丙丁《こうおつへいてい》であらわした。 意味 ものごとの四番目《よんばんめ》。

❷ 例文 園丁《えんてい》が庭木《にわき》の手入《てい》れをする。 意味 成人《せいじん》したわか者《もの》。また、労働《ろうどう》に使《つか》われる男《おとこ》。

❸ 例文 鉄《てっ》ぽう一丁《いっちょう》。／豆《とう》ふ二丁《にちょう》。 意味 道具《どうぐ》や料《りょう》理などを数《かぞ》えることば。

❹ 例文 三丁目《さんちょうめ》の角《かど》を曲《ま》がる。 意味 町《まち》の、小《ちい》さな区《く》切《ぎ》りをあらわすことば。

❺ 意味 本《ほん》の紙《かみ》の、表《おもて》とうら一《いち》まいを数《かぞ》えることば。

熟語

❹ 横丁《よこちょう》。一丁目《いっちょうめ》。

❺ 落丁本《らくちょうぼん》（ページがぬけ落《お》ちている本《ほん》）。

巾／11画

帳

音 チョウ

訓 ―

成り立ち たれているぬのをあらわす「巾」と「長」（ながい）とを合《あ》わせた字《じ》。《長《なが》いぬの》のこと。紙《かみ》のないむかしは、長《なが》いぬのに字《じ》を書《か》いたので、のち、ものを書《か》きとめるもの《ちょう面《めん》》の意味《いみ》。

筆順・書き方

（11画） はねる

例文・意味

❶ 例文 ぶ台《たい》のどん帳《ちょう》が、ゆっくりとあがり始《はじ》めた。 意味 はりめぐらすまく。とばり。また、まくや、かやなどを数《かぞ》えることば。

❷ 例文 しゅう入《にゅう》と、し出《しゅつ》を帳面《ちょうめん》につける。／手《て》帳《ちょう》に予定《よてい》を書《か》きこむ。／宿帳《やどちょう》（旅館《りょかん》で、客《きゃく》の住《じゅう》所《しょ》・氏名《しめい》・しょく業《ぎょう》などを書《か》き入《い》れるノート）に住所《じゅうしょ》と名前《なまえ》を書《か》く。／一日《いちにち》のできごとを日記帳《にっきちょう》に記《しる》す。／漢字《かんじ》の練習帳《れんしゅうちょう》。／銀行《ぎんこう》の預金通帳《よきんつうちょう》。 意味 紙《かみ》や作品《さくひん》などをつづり合《あ》わせたもの。ノート。

熟語

❷ 記帳《きちょう》（記録《きろく》としてノートに書《か》き入《い》れること）。台帳《だいちょう》（あることがらのもとになるノート）。メモ帳《ちょう》。連絡帳《れんらくちょう》。

特別な読み

蚊帳《かや》。

言／15画

調

音 **チョウ**

訓 **しらべる・（ととのう）・（ととのえる）**

成り立ち

「言」は、ことば。「周」は、一面《いちめん》になえの植《う》えてある田《た》んぼをぐるっとかこんだようすで、全体《ぜんたい》に行《い》きわたること。全体《ぜんたい》を《ととのえる》ことや、全体《ぜんたい》に目《め》を通《とお》して《しらべる》ことを意味《いみ》する。

筆順・書き方

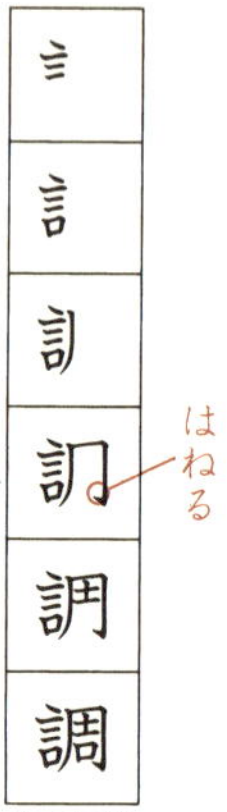

（15画）

例文・意味

❶ 例文 薬《くすり》を調合《ちょうごう》する。／おねえさんのえん談《だん》が調《ととの》う。 意味 つりあいがとれて、よいじょうたいになる。ととのう。ととのえる。

❷ 例文 よめ入《い》りじたくが調《ととの》う。／必要《ひつよう》な書類《しょるい》を調《ととの》える。／お金《かね》を調達《ちょうたつ》する。 意味 とりそろえる。つくる。

❸ 例文 今《いま》のところ、仕事《しごと》は順調《じゅんちょう》だ。／好調《こうちょう》なすべりだし。／単調《たんちょう》な毎日《まいにち》。 意味 ぐあい。ようす。おもむき。

❹ 例文 植物図《しょくぶつず》かんで花《はな》の名前《なまえ》を調《しら》べる。／事《じ》この原因《げんいん》を調《しら》べる。／だいたいの調《しら》べはついている。／けい察《さつ》の取《と》り調《しら》べを受《う》ける。／アンケートによる調査《ちょうさ》。 意味 ものごとを見《み》たり聞《き》いたりしてたしかめる。

《花《はな》の名前《なまえ》を調《しら》べる》

❺ 例文 美《うつく》しいバイオリンの調《しら》べに、うっとりとする。／きびしい口調《くちょう》で問《と》いつめる。／やわらかい色調《しきちょう》の絵《え》が好《す》きだ。／ラテン調《ちょう》の音楽《おんがく》。／格調《かくちょう》の高《たか》い文章《ぶんしょう》。 意味 音《おと》・ことば・文章《ぶんしょう》などのしらべや、ぐあい。

《バイオリンの調《しら》べ》

熟語

❶ **調印**《ちょういん》。**調整**《ちょうせい》。**調節**《ちょうせつ》。**調停**《ちょうてい》（対立《たいりつ》している両方《りょうほう》のあいだに入《はい》って、意見《いけん》のちがいや争《あらそ》いごとをやめさせること）。**調律**《ちょうりつ》。**調和**《ちょうわ》。**協調**《きょうちょう》。**調味料**《ちょうみりょう》。

❷ **調製**《ちょうせい》。**調度**《ちょうど》。**調理**《ちょうり》。**新調**《しんちょう》。

❸ **調子**《ちょうし》。**快調**《かいちょう》。**体調**《たいちょう》。**低調**《ていちょう》（内容《ないよう》が十分《じゅうぶん》でなく、盛《も》りあがりに欠《か》けるようす）。**不調**《ふちょう》（状態《じょうたい》が悪《わる》いようす）。**歩調**《ほちょう》。

❹ **下調**《したしら》**べ**。**小手調**《こてしら》**べ**（ものごとを始《はじ》める前《まえ》に、ためしに、ちょっとやってみること）。

❺ **強調**《きょうちょう》（あることをとくに強《つよ》めて言《い》うこと。また、色《いろ》や音《おと》などのぐあいを、ほかよりも強《つよ》くすること）。**短調**《たんちょう》。**長調**《ちょうちょう》。**五七調**《ごしちちょう》。**七五調**《しちごちょう》。**ハ長調**《ちょうちょう》。

□ 辶／9画

追

音 ツイ

訓 おう

成り立ち 「辶」は進《すす》むこと。「𠂤」は一《ひと》つ一《ひと》つ土《つち》を重《かさ》ねた形《かたち》。人《ひと》の後《あと》について進《すす》むようすから、後《あと》を《おう》という意味《いみ》になった。

筆順・書き方

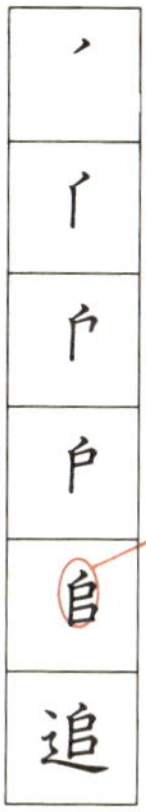

（9画）

例文・意味

❶ 例文 ボールを追《お》って走《はし》る。／先頭《せんとう》の走者《そうしゃ》に追《お》いつく。／幸福《こうふく》を追求《ついきゅう》する。 意味 後《うし》ろから、おいかける。後《あと》からせまる。おう。

❷ 例文 はえを手《て》で追《お》う。／国《くに》から追放《ついほう》する。 意味 おいはらう。

❸ 例文 少年時代《しょうねんじだい》を追想《ついそう》(すぎさったことや、なくなった人《ひと》のことを思《おも》い出《だ》してしのぶこと)する。 意味 以前《いぜん》にさかのぼる。

❹ 例文 日時《にちじ》は追《お》って連《れん》らくします。 意味 後《あと》から加《くわ》える。おぎなう。

熟語

❶ 追究《ついきゅう》(わからないことを明《あき》らかにするため、どこまでも調《しら》べて、はっきりさせること)。追《お》い風《かぜ》。追《お》い打《う》ち。追《お》い越《こ》す。

❹ 追加《ついか》。

□ 宀／8画

定

音 テイ・ジョウ

訓 さだめる・さだまる・《さだか》

成り立ち 「宀」は家《いえ》。「疋」は「正」の字《じ》がかわったもので、まっすぐ進《すす》むことをあらわす。「定」は家《いえ》の中《なか》で足《あし》をきちんとすることから、きちんと《さだめる》の意味《いみ》になった。

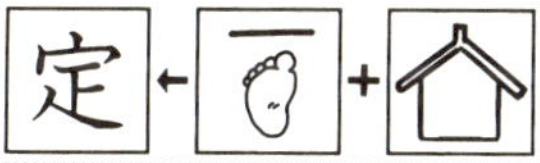

筆順・書き方

（8画）

例文・意味

❶ 例文 きそくを定《さだ》める。／方《ほう》しんが定《さだ》まる。／原《げん》いんは定《さだ》かではない。／定位置《ていいち》に置《お》く。 意味 決《き》める。決《き》まる。動《うご》かないようにする。

❷ 例文 法《ほう》の定《さだ》めにしたがう。／規定《きてい》の料金《りょうきん》。 意味 決《き》まっていること。きまり。おきて。

❸ 例文 天下《てんか》を定《さだ》める。／天候《てんこう》が定《さだ》まる。／反《はん》らんを平定《へいてい》する。 意味 しずめる。落《お》ち着《つ》かせる。しずまる。

❹ 例文 案《あん》の定《じょう》、宿題《しゅくだい》をわすれた。 意味 思《おも》ったとおり。

熟語

❶ 定員《ていいん》。定価《ていか》。定期《ていき》。定刻《ていこく》(ある決《き》められた時刻《じこく》)。定食《ていしょく》。一定《いってい》。仮定《かてい》。確定《かくてい》。協定《きょうてい》。決定《けってい》。指定《してい》。推定《すいてい》。選定《せんてい》。認定《にんてい》。判定《はんてい》。未定《みてい》。予定《よてい》。定休日《ていきゅうび》。

❷ 定義《ていぎ》。定説《ていせつ》。定例《ていれい》(おこなわれることが、しきたりや、きまりになっていること)。

❸ 定着《ていちゃく》。安定《あんてい》。固定《こてい》。

广／10画

庭

音 テイ
訓 にわ

成り立ち

「广」は屋根《やね》。「廷」は「壬」（立《た》っている人《ひと》）と「廴」（平《たい》らにのばすこと）。屋根《やね》の下《した》の平《たい》らになっている場所《ばしょ》の《中《なか》にわ》のこと。今《いま》はふつうの《にわ》の意味《いみ》に使《つか》う。

筆順・書き方

つきでる
（10画）

例文・意味

❶ 例文 庭《にわ》に池《いけ》をつくる。／裏庭《うらにわ》で遊《あそ》ぶ。／落《お》ち着《つ》いた日本庭園《にほんていえん》。
意味 屋《や》しきの中《なか》の、建物《たてもの》が建《た》っていなくて、木《き》や草花《くさばな》を植《う》えたりするあき地《ち》。にわ。

❷ 例文 学《まな》びの庭《にわ》。／明《あか》るい家庭《かてい》。
意味 ものごとをおこなったり、生活《せいかつ》したりする場所《ばしょ》。

《日本庭園《にほんていえん》》

熟語

❶ 庭園《ていえん》。校庭《こうてい》。庭石《にわいし》。庭木《にわき》。庭先《にわさき》。中庭《なかにわ》。箱庭《はこにわ》。前庭《まえにわ》。
❷ 家庭教師《かていきょうし》。家庭裁判所《かていさいばんしょ》。

⺮／11画

笛

音 テキ
訓 ふえ

成り立ち

「竹」（たけ）と、「由」（…から出《で》てくる）を合《あ》わせた字《じ》。竹《たけ》のつつの中《なか》から息《いき》をふき出《だ》して鳴《な》らす《ふえ》をあらわした字《じ》。

筆順・書き方

つきでる
（11画）

例文・意味

例文 遠《とお》くから、笛《ふえ》の音《ね》が聞《き》こえる。／合図《あいず》の笛《ふえ》が鳴《な》ったら走《はし》る。／口笛《くちぶえ》をふいて、犬《いぬ》をよぶ。／トラックが警笛《けいてき》（注意《ちゅうい》をうながしたり、きけんを知《し》らせたりするために鳴《な》らすふえ）を鳴《な》らして走《はし》る。
意味 息《いき》をふき入《い》れて音《おと》を出《だ》す楽器《がっき》。ふえ。また、合図《あいず》のための音《おと》を出《だ》す道具《どうぐ》。

《いろいろな笛《ふえ》》

熟語

汽笛《きてき》。草笛《くさぶえ》。縦笛《たてぶえ》。角笛《つのぶえ》。麦笛《むぎぶえ》。横笛《よこぶえ》。鼓笛隊《こてきたい》。

金／13画

鉄

音 テツ
訓 ―

成り立ち もとの字《じ》は「鐵」。「金」（きんぞく）と、「戜」（おので切《き》る）と、「呈」（人《ひと》がまっすぐ立《た》つ）を合《あ》わせた字《じ》。ものをまっすぐに切《き》れる金《きん》ぞくの《てつ》のこと。

筆順・書き方

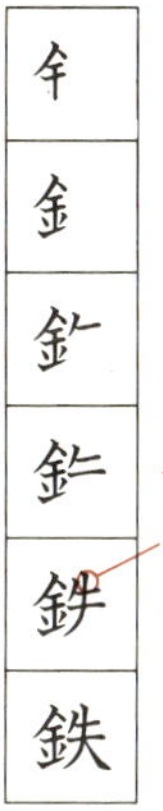

（13画）

例文・意味

❶ 例文 鉄《てつ》のぼうを曲《ま》げる。／鉄《てつ》でできたフライパン。／汽車《きしゃ》が鉄橋《てっきょう》をわたる。／鉄筋六階建《てっきんろっかいだ》てのマンション。／鉄製《てっせい》のとびら。 意味 金《きん》ぞくの一《ひと》つ。かたくて強《つよ》く、白《しろ》っぽい銀色《ぎんいろ》をしている。てつ。

❷ 例文 鉄《てつ》の意志《いし》でやりとげる。 意味 鉄《てつ》❶のように、かたくて強《つよ》いもののたとえ。

❸ 例文 地下鉄《ちかてつ》に乗《の》りかえる。 意味 「鉄道《てつどう》」のりゃく。

《地下鉄《ちかてつ》》

熟語

❶ 鉄管《てっかん》。鉄器《てっき》。鉄骨《てっこつ》。鉄材《てつざい》。鉄板《てっぱん》。鉄棒《てつぼう》。鋼鉄《こうてつ》。砂鉄《さてつ》。製鉄《せいてつ》。

❷ 鉄則《てっそく》（厳《きび》しく守《まも》らなければならないたいせつな規則《きそく》）。

❸ 私鉄《してつ》。

車／11画

転

音 テン
訓 **ころ**がる・**ころ**げる・**ころ**がす・**ころ**ぶ

成り立ち もとの字《じ》は「轉」。「專」はくるくる回《まわ》る糸《いと》まき。それに「車」（くるま）を合《あ》わせた字《じ》。車《くるま》のようにくるくる《まわる》《ころがる》ことを意味《いみ》する。

筆順・書き方

（11画）

例文・意味

❶ 例文 ボールが転《ころ》がる。／あまりのいたさに転《ころ》げ回《まわ》る。／さいころを転《ころ》がす。／頭《あたま》の回転《かいてん》がはやい。／タクシーの運転手《うんてんしゅ》。 意味 ぐるぐる回《まわ》る。回《まわ》す。ころがる。

❷ 例文 足《あし》がすべって、雪《ゆき》の上《うえ》に転《ころ》がる。／相手《あいて》の力士《りきし》を転《ころ》がす。／バスが横転《おうてん》する。 意味 ひっくりかえる。ひっくりかえす。ころぶ。

❸ 例文 守《まも》りからせめに転《てん》じる。／北海道《ほっかいどう》の学校《がっこう》に転校《てんこう》する。／事《じ》む所《しょ》が、移転《いてん》する。 意味 場所《ばしょ》や、ものごとがかわる。うつる。うつす。

熟語

❶ 転回《てんかい》。転転《てんてん》。運転《うんてん》。公転《こうてん》。自転《じてん》。自転車《じてんしゃ》。輪転機《りんてんき》。

❷ 転落《てんらく》。七転《ななころ》び八起《やお》き。

❸ 転居《てんきょ》。転勤《てんきん》。転出《てんしゅつ》。転職《てんしょく》。転入《てんにゅう》。転任《てんにん》。一転《いってん》。栄転《えいてん》（今《いま》までより高《たか》い地位《ちい》や役《やく》になること）。急転《きゅうてん》。変転《へんてん》。急転直下《きゅうてんちょっか》（ようすが急《きゅう》にかわって、解決《かいけつ》へと進《すす》むこと）。

□ 阝／11画

都

音 ト・ツ
訓 みやこ

成り立ち
「者」は、こんろでもやすたきぎの火《ひ》がひとところに集《あつ》まること。「阝」は人《ひと》の集《あつ》まる村《むら》や町《まち》。人々《ひとびと》が集《あつ》まる大《おお》きな町《まち》の《みやこ》の意味《いみ》をあらわした字《じ》。

筆順・書き方
十 土 耂 者 者阝 都
(11画)
つきだす

例文・意味
❶ 例文 こきょうを出《で》て、都《みやこ》にのぼる。／都《みやこ》をうつす。／日本《にっぽん》の首都《しゅと》東京《とうきょう》。／花《はな》の都《みやこ》パリ。／都会《とかい》にあこがれる。意味 国《くに》のせい治《じ》の中心《ちゅうしん》になっている所《ところ》。また、大《おお》きな町《まち》。人口《じんこう》の多《おお》い町《まち》。みやこ。
❷ 例文 都《と》の所有地《しょゆうち》。／都民《とみん》のいこいの場《ば》。意味 「東京都《とうきょうと》」のりゃく。
❸ 例文 料金《りょうきん》は、その都度《つど》はらう。／都合《つごう》二十台《にじゅうだい》の自転車《じてんしゃ》。意味 すべて。みな。

熟語
❶ 都市《とし》。古都《こと》(むかし、みやこだった所《ところ》)。水《みず》の都《みやこ》。
❷ 都心《としん》。都政《とせい》(東京都《とうきょうと》がおこなう政治《せいじ》)。都庁《とちょう》。都内《とない》。都立《とりつ》。都道府県《とどうふけん》。

□ 广／9画

度

音 ド・《ト》・(タク)
訓 (たび)

成り立ち
「⿸广廿」は「庶」をかん単《たん》にした形《かたち》で、たくさん集《あつ》まってつながること。「又」は手《て》を意味《いみ》する。手《て》の指《ゆび》を広《ひろ》げて《いちど》また《いちど》と長《なが》さをはかること。回数《かいすう》をあらわす字《じ》。

筆順・書き方
广 ⿸广一 ⿸广廿 ⿸广廿 ⿸广廿丿 度
(9画)
廿としない

例文・意味
❶ 例文 ふつうの尺度《しゃくど》では、はかれない人《ひと》。意味 長《なが》さなどをはかる道具《どうぐ》。ものさし。
❷ 例文 度《ど》の強《つよ》いめがね。意味 ものごとのていど。ほどあい。また、単位《たんい》。
❸ 例文 制度《せいど》を改《あらた》める。意味 きまり。きそく。
❹ 例文 おどろいて度《ど》を失《うしな》う。／態度《たいど》が大《おお》きい。意味 心《こころ》の大《おお》きさ。また、ようす。
❺ 例文 失敗《しっぱい》が度重《たびかさ》なる。／何度《なんど》も注意《ちゅうい》される。意味 回数《かいすう》。たび。

熟語
❶ 分度器《ぶんどき》。
❷ 温度《おんど》。過度《かど》(ちょうどよいほどあいをこえていること)。角度《かくど》。感度《かんど》。極度《きょくど》。経度《けいど》。限度《げんど》。高度《こうど》。速度《そくど》。程度《ていど》。適度《てきど》。密度《みつど》。温度計《おんどけい》。
❹ 度胸《どきょう》。度量《どりょう》(他人《たにん》の言《い》うことや、おこないを受《う》け入《い》れる心《こころ》の広《ひろ》さ)。
❺ 今度《こんど》。年度《ねんど》。毎度《まいど》。度度《たびたび》。

□ 扌／7画

投

音 トウ

訓 なげる

成り立ち
「扌」は手《て》。「殳」は、おのを手《て》で持《も》ったようす。むかしこれをなげて、かりをしたことから、えものをめがけて《なげる》ことをあらわした字《じ》。

筆順・書き方

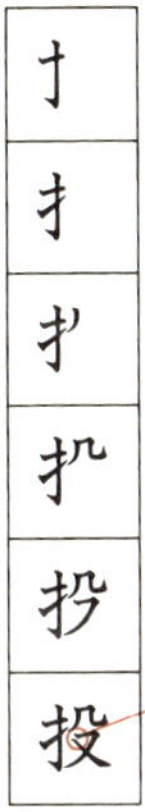

（7画）

例文・意味

❶ 例文 第一球《だいいっきゅう》を投《とう》じる。／雪《ゆき》をまるめて投《な》げる。 意味 手《て》で物《もの》をほうる。なげる。

❷ 例文 一票《いっぴょう》を投《とう》じる。／川《かわ》に身《み》を投《な》げる。 意味 ほうりこむ。なげる。

❸ 例文 仕事《しごと》を投《な》げ出《だ》して、遊《あそ》びに行《い》く。 意味 やめる。あきらめる。なげる。

❹ 例文 ふたりはすっかり意気投合《いきとうごう》した。 意味 ぴったり合《あ》う。かなう。

❺ 例文 ふもとの旅館《りょかん》に投宿《とうしゅく》する。 意味 とどまる。とまる。

熟語

❶ 投下《とうか》。投球《とうきゅう》。投手《とうしゅ》。投石《とうせき》。完投《かんとう》。力投《りきとう》（ピッチャーが力《ちから》いっぱいなげること）。輪投《わな》げ。上手投《うわてな》げ。

❷ 投書《とうしょ》。投入《とうにゅう》。投票《とうひょう》。

❸ 投降《とうこう》（自分《じぶん》から敵《てき》に降参《こうさん》すること）。

特別な読み 投網《とあみ》。

□ 豆／7画

豆

音 トウ・ズ

訓 まめ

成り立ち
食《た》べ物《もの》をもる、短《みじか》い足《あし》がついた器《うつわ》をえがいた字《じ》。後《のち》、その形《かたち》ににている《まめ》をあらわすようになった。

筆順・書き方

（7画）

例文・意味

❶ 例文 節分《せつぶん》に豆《まめ》をまく。／母《はは》が、おせち料理《りょうり》に入《い》れる黒豆《くろまめ》をにている。 意味 だいず・あずきなどの植物《しょくぶつ》。まめ。

❷ 例文 豆自動車《まめじどうしゃ》に乗《の》って遊《あそ》ぶ。 意味 形《かたち》の小《ちい》さいものをあらわすことば。まめ。

《豆《まめ》をまく》

熟語

❶ 豆腐《とうふ》。納豆《なっとう》。大豆《だいず》。豆粒《まめつぶ》。枝豆《えだまめ》。豆《まめ》まき。みつ豆《まめ》。

❷ 豆電球《まめでんきゅう》。

特別な読み 小豆《あずき》。

山／10画

島

音 トウ
訓 しま

成り立ち
もとの字は「嶋」。「山」(やま)と「鳥」(とり)を合《あ》わせた字《じ》。わたり鳥《どり》が休《やす》む海《うみ》の中《なか》の小《ちい》さい山《やま》、つまり、《しま》をあらわした。別《べつ》に、波《なみ》のあいだにうかぶ山《やま》の形《かたち》からできたともいわれる。

筆順・書き方

(10画)

例文・意味
例文 湖《みずうみ》の真《ま》ん中《なか》の小《ちい》さな島《しま》。／船《ふね》でおきの島《しま》へわたる。／島《しま》づたいに南《みなみ》へ進《すす》む。／島《しま》流《なが》しのけい。／ロビンソン・クルーソーは、無人島《むじんとう》へ流《なが》れついた。／火山《かざん》がふん火《か》したので、島民全員《とうみんぜんいん》、海辺《うみべ》にひなんした。
意味 まわりを水《みず》で囲《かこ》まれた陸地《りくち》。しま。

《船《ふね》でおきの島《しま》へわたる》

熟語
群島《ぐんとう》(ある地域《ちいき》に、群《むら》がっているたくさんのしまじま)。諸島《しょとう》。半島《はんとう》。本島《ほんとう》。列島《れっとう》(列《れつ》のように、長《なが》く連《つら》なっているしまじま)。島国《しまぐに》。

氵／12画

湯

音 トウ
訓 ゆ

成り立ち
「氵」は水《みず》、「昜」は太陽《たいよう》がいきおいよくあがること。湯気《ゆげ》をあげて、いきおいよくわきたつ《ゆ》をあらわした字《じ》。

筆順・書き方

(12画)

例文・意味
❶ 例文 やかんで湯《ゆ》をわかす。／ごはんから湯気《ゆげ》が立《た》つ。／湯《ゆ》あかがこびりつく。／ふきんを熱湯《ねっとう》消毒《しょうどく》する。 意味 水《みず》をわかしたもの。ゆ。
❷ 例文 湯《ゆ》につかる。／ぼくは熱《あつ》い湯《ゆ》が好《す》きだ。／箱根《はこね》の湯《ゆ》。／湯上《ゆあ》がりにジュースを飲《の》む。／赤《あか》ちゃんに産湯《うぶゆ》をつかわせる。／山《やま》の宿《やど》は湯治客《とうじきゃく》でこんざつしていた。 意味 ふろ。また、温《おん》せん。ゆ。

《湯気《ゆげ》が立《た》つ》

熟語
❶ 湯冷《ゆざ》まし(わかしたゆを冷《さ》ましたもの)。湯《ゆ》たんぽ。ぬるま湯《ゆ》。湯飲《ゆの》み茶《ぢゃ》わん。
❷ 銭湯《せんとう》。湯船《ゆぶね》。湯冷《ゆざ》め(ふろから出《で》た後《あと》、温《あたた》まったからだが冷《ひ》えて寒《さむ》く感《かん》じること)。ゆず湯《ゆ》。

登

癶／12画

音 トウ・ト
訓 のぼる

成り立ち 「癶」は足《あし》を左右《さゆう》に開《ひら》いて上《うえ》へのぼる形《かたち》。「豆」は食《た》べ物《もの》をのせる食器《しょっき》を高《たか》く持《も》ちあげるようす。《高《たか》い所《ところ》にあがる、のぼる》ことを意味《いみ》する字《じ》。

筆順・書き方

つけない

(12画)

例文・意味

❶例文 山《やま》に登《のぼ》る。／富士山《ふじさん》の登《のぼ》り口《ぐち》。／さるは木登《きのぼ》りが得意《とくい》だ。／夏山《なつやま》の登山者《とざんしゃ》。意味 高《たか》い所《ところ》にあがる。のぼる。

❷例文 新人《しんじん》を登用《とうよう》(ある人《ひと》をたくさんの人《ひと》の中《なか》から選《えら》んで、今《いま》より上《うえ》の地位《ちい》に引《ひ》きあげて使《つか》うこと)する。意味 高《たか》い地位《ちい》につく。

❸例文 いよいよ主役《しゅやく》の登場《とうじょう》だ。意味 ある場所《ばしょ》にあらわれる。また、出《で》かける。

❹例文 市役所《しやくしょ》で住民登録《じゅうみんとうろく》をする。意味 正式《せいしき》の書類《しょるい》に書《か》きつける。記録《きろく》する。

熟語

❶登頂《とうちょう》(高《たか》い山《やま》の頂上《ちょうじょう》にあがること)。登山《とざん》。登山口《とざんぐち》。山登《やまのぼ》り。

❸登校《とうこう》(児童《じどう》や生徒《せいと》が、授業《じゅぎょう》を受《う》けるために学校《がっこう》に行《い》くこと)。登場人物《とうじょうじんぶつ》。

等

⺮／12画

音 トウ
訓 ひとしい

成り立ち 「⺮」は竹《たけ》の札《ふだ》、「寺」は手《て》や足《あし》を動《うご》かして仕事《しごと》をすること。むかし同《おな》じ長《なが》さや、はばの竹《たけ》の札《ふだ》をととのえて、本《ほん》にしたことから、《ひとしい》という意味《いみ》になった。

筆順・書き方

いちばんながく

(12画)

例文・意味

❶例文 三《みっ》つの辺《へん》の長《なが》さが等《ひと》しい三角形《さんかくけい》。／ケーキを等分《とうぶん》に切《き》り分《わ》ける。／男子《だんし》も女子《じょし》も平等《びょうどう》にあつかう。意味 量《りょう》・しつ・形《かたち》などが同《おな》じである。ひとしい。

❷例文 徒競走《ときょうそう》で一等賞《いっとうしょう》をとる。／特等席《とくとうせき》にすわる。／高等学校《こうとうがっこう》に入学《にゅうがく》する。／上等《じょうとう》な着物《きもの》。意味 ものごとの順《じゅん》じょや順位《じゅんい》。階級《かいきゅう》。

❸例文 ノート・えんぴつ等《とう》の文《ぶん》ぼう具《ぐ》を売《う》る店《みせ》。意味 「…など」「…たち」「…ら」の意味《いみ》をあらわすことば。

熟語

❶等号《とうごう》。均等《きんとう》(どれも同《おな》じで、差《さ》がないこと)。対等《たいとう》。同等《どうとう》。等高線《とうこうせん》。等身大《とうしんだい》(人《ひと》のからだと同《おな》じくらいの大《おお》きさ)。二等辺三角形《にとうへんさんかくけい》。

❷等外《とうがい》。等級《とうきゅう》。下等《かとう》。高等《こうとう》。初等《しょとう》。中等《ちゅうとう》。優等《ゆうとう》。一等星《いっとうせい》。

❸等等《とうとう》。

カ／11画

動

音 ドウ
訓 うごく・うごかす

成り立ち
足《あし》にトントンと重《おも》みをかけることをあらわす「重」と「力」(ちから)を合《あ》わせた字《じ》。足《あし》に力《ちから》を入《い》れて地面《じめん》をふむとからだが上下《じょうげ》に《うごく》ことから、広《ひろ》く、《うごく》という意味《いみ》になった。

筆順・書き方
はらいのほうこうにちゅうい
はねる
(11画)

例文・意味
❶ 例文 風《かぜ》でカーテンが動《うご》く。／電車《でんしゃ》が動《うご》き出《だ》す。／雲《くも》の動《うご》きがはやい。／テーブルを動《うご》かす。
意味 位置《いち》やじょうたいなどがかわる。うごく。
❷ 例文 機械《きかい》が正《せい》じょうに動《うご》く。／ドアを自動《じどう》から手動《しゅどう》に切《き》りかえる。
意味 はたらく。仕事《しごと》をする。うごく。
❸ 例文 よく考《かんが》えて行動《こうどう》する。／動作《どうさ》がにぶい。
意味 おこなう。ふるまう。
❹ 例文 何事《なにごと》にも動《どう》じない人《ひと》。／動乱《どうらん》をしずめる。
意味 みだれる。さわぐ。落《お》ち着《つ》きを失《うしな》う。

熟語
❶ 動物《どうぶつ》。移動《いどう》。運動《うんどう》。激動《げきどう》。反動《はんどう》。不動《ふどう》。流動《りゅうどう》。動植物《どうしょくぶつ》。自動車《じどうしゃ》。地動説《ちどうせつ》。天動説《てんどうせつ》。
❷ 動力《どうりょく》。活動《かつどう》。出動《しゅつどう》(消防《しょうぼう》隊《たい》・警察隊《けいさつたい》などが、仕事《しごと》をするために出《で》て行《い》くこと)。電動機《でんどうき》。
❸ 動機《どうき》。言動《げんどう》。一挙一動《いっきょいちどう》 ⇩ (635ページ上)
❹ 暴動《ぼうどう》。

立／12画

童

音 ドウ
訓 (わらべ)

成り立ち
もとは、はもので目《め》のまわりに入《い》れずみをされた男《おとこ》のめしつかいをあらわした字《じ》。後《のち》に、《小《ちい》さい子《こ》ども》の意味《いみ》になった。

筆順・書き方
ながく
(12画)

例文・意味
例文 きょう一日《いちにち》、童《どう》心《しん》に返《かえ》って遊《あそ》ぶ。／八才《はっさい》の児童《じどう》のかいた絵《え》が、てんらん会《かい》で金賞《きんしょう》に選《えら》ばれた。／童話《どうわ》劇《げき》がまくがあがって始《はじ》まった。／今《こん》度《ど》の学習発表会《がくしゅうはっぴょうかい》には、クラスみんなで童歌《わらべうた》を歌《うた》う。
意味 子《こ》ども。わらべ。

《童話劇《どうわげき》》

熟語
童顔《どうがん》(子《こ》どもっぽい顔《かお》つき)。童話《どうわ》。学童《がくどう》。牧童《ぼくどう》(牧場《ぼくじょう》で、牛《うし》・馬《うま》・羊《ひつじ》などの世話《せわ》をする少年《しょうねん》)。児童会《じどうかい》。児童館《じどうかん》。児童憲章《じどうけんしょう》。児童文学《じどうぶんがく》。

辰／13画

〔農〕

音 ノウ
訓 ―

成り立ち
「曲」は田《た》と同《おな》じ。「辰」は貝《かい》がらでつくった、田畑《たはた》をたがやす道具《どうぐ》。田畑《たはた》の土《つち》をやわらかく《たがやして作物《さくもつ》をつくる》ことを意味《いみ》する字《じ》。

筆順・書き方

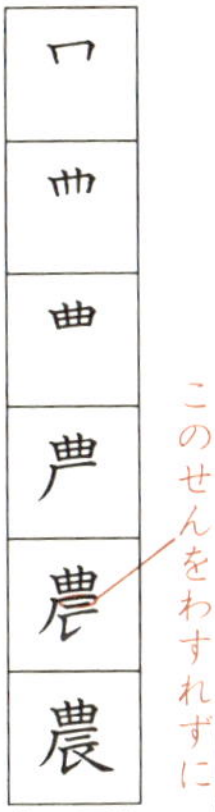

（13画）

例文・意味
例文 山《やま》のふもとに数《すう》けんの農家《のうか》がある。／あれ地《ち》を切《き》り開《ひら》いて農地《のうち》にする。／農作物《のうさくぶつ》を出荷《しゅっか》する。／母《はは》の実家《じっか》では、農業《のうぎょう》をいとなんでいます。／畑《はたけ》に農薬《のうやく》をまく。意味 田《た》や畑《はたけ》をたがやして作物《さくもつ》をつくる。また、それを仕事《しごと》とする人《ひと》。

《農業《のうぎょう》をいとなむ》

熟語
農園《のうえん》。農協《のうきょう》。農具《のうぐ》。農耕《のうこう》。
農場《のうじょう》。農村《のうそん》。農夫《のうふ》。農民《のうみん》。
農機具《のうきぐ》。農産物《のうさんぶつ》。
士農工商《しのうこうしょう》 ⇩（637ページ下）
農林水産省《のうりんすいさんしょう》。

氵／8画

〔波〕

音 ハ
訓 なみ

成り立ち
「氵」は水《みず》。「皮」は毛皮《けがわ》を手《て》でななめにかぶせることをあらわす。海《うみ》の《なみ》がななめにかたむいて、かぶさるようすをあらわした字《じ》。

筆順・書き方

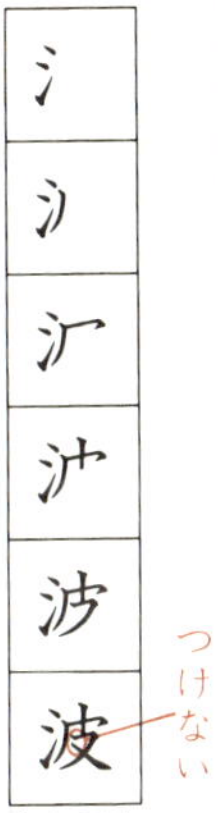

（8画）

例文・意味
❶ 例文 波《なみ》が岸《きし》にうちよせる。／水面《すいめん》に波《なみ》が立《た》つ。／波打《なみう》ちぎわで貝《かい》を拾《ひろ》う。／波乗《なみの》りをして遊《あそ》ぶ。／波頭《なみがしら》が白《しろ》くくだけ散《ち》る。／防波《ぼうは》ていをきずく。意味 水面《すいめん》や水中《すいちゅう》にできる、水《みず》の上下《じょうげ》の動《うご》き。なみ。
❷ 例文 流行《りゅうこう》の波《なみ》に乗《の》る。／調子《ちょうし》に波《なみ》のあるチーム。／いねのほが波打《なみう》つ。／電波《でんぱ》をアンテナで受《う》ける。／強《つよ》い寒波《かんぱ》におそわれる。意味 波《なみ》❶のように動《うご》いたり、伝《つた》わったりするもの。波《なみ》❶のような形《かたち》・動《うご》き。

熟語
❶ 波風《なみかぜ》。波間《なみま》。大波《おおなみ》。小波《こなみ》。白波《しらなみ》。高波《たかなみ》。横波《よこなみ》。さざ波《なみ》。土用波《どようなみ》（夏《なつ》の、立秋《りっしゅう》の前《まえ》に海岸《かいがん》におし寄《よ》せてくる大《おお》きななみ）。
❷ 波乱《はらん》（もめごと。また、激《はげ》しい変化《へんか》）。音波《おんぱ》。短波《たんぱ》。余波《よは》。人波《ひとなみ》。周波数《しゅうはすう》。

特別な読み
波止場《はとば》。

□ 酉／10画

配

音 ハイ
訓 くばる

成り立ち
「酉」は酒《さけ》つぼ。「己」は人《ひと》がひざまずいたすがた。人《ひと》がお酒《さけ》を《くばっている》ようすをあらわした。後《のち》に、広《ひろ》く、ものを《くばる》意味《いみ》となった。

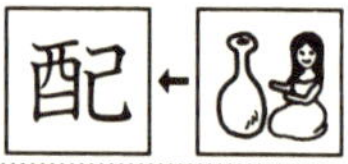

筆順・書き方
一 ｜ 襾 西 酉 酉' 配（10画）
うえにはねる

例文・意味
❶ 例文 要所《ようしょ》に見《み》はりを配《はい》する。／各戸《かくこ》にパンフレットを配《くば》る。／酒屋《さかや》さんにジュースの配達《はいたつ》をたのむ。／利《り》えきを分配《ぶんぱい》する。 意味 わりあてる。くばる。
❷ 例文 竹《たけ》にすずめを配《はい》した絵《え》。／薬《くすり》を配合《はいごう》する。 意味 組《く》み合《あ》わせる。ならべる。
❸ 例文 ホテルの、支配人《しはいにん》。 意味 とりしまる。おさめる。
❹ 意味 島流《しまなが》しにする。

《配達《はいたつ》》

熟語
❶ 配給《はいきゅう》。配水《はいすい》。配線《はいせん》。配送《はいそう》。配属《はいぞく》（人《ひと》を割《わ》り当《あ》てて、それぞれの役目《やくめ》につかせること）。配置《はいち》。配電《はいでん》。配布《はいふ》。配分《はいぶん》。配役《はいやく》。集配《しゅうはい》。心配《しんぱい》。手配《てはい》。気配《きくば》り。心配《こころくば》り。目配《めくば》り。
❷ 配色《はいしょく》。配列《はいれつ》。
❹ 配所《はいしょ》（むかし、罪《つみ》を犯《おか》して島流《しまなが》しにされた所《ところ》）。

□ イ／10画

倍

音 バイ
訓 ―

成り立ち
「イ」は人《ひと》、「咅」は一《ひと》つのものを二《ふた》つに切《き》りはなすこと。二《ふた》つに切《き》りはなすと数《かず》は《二《に》ばい》になることから、《二《に》ばいにする》ことを意味《いみ》した字《じ》。

筆順・書き方
亻 亻' 亻亠 亻立 倍 倍（10画）
ながく

例文・意味
例文 しゅう入《にゅう》が倍《ばい》になる。／借《か》りを倍《ばい》にして返《かえ》す。／前年《ぜんねん》に倍《ばい》する売《う》り上《あ》げ。／参加者《さんかしゃ》が倍増《ばいぞう》する。／かれは、ぼくの二倍《にばい》も多《おお》くごはんを食《た》べる。／妹《いもうと》は、どんなことでも人一倍《ひといちばい》努力《どりょく》する。
意味 もとの数《かず》に、同《おな》じ数《かず》を加《くわ》える。また、もとの数《かず》に、ある数《かず》をかける。ばい。

《二倍多《にばいおお》く食《た》べる》

熟語
倍数《ばいすう》。公倍数《こうばいすう》（二《ふた》つ以上《いじょう》の整数《せいすう》の、どちらでも割《わ》り切《き》れる整数《せいすう》）。最小公倍数《さいしょうこうばいすう》。

箱

⺮／15画

音 —
訓 はこ

成り立ち

「相」（両側《りょうがわ》から向《む》かい合《あ》う）と「竹」（たけ）を合《あ》わせた字《じ》。もとは、一輪車《いちりんしゃ》の両《りょう》側《がわ》に荷物《にもつ》をはこぶものにとりつけた竹《たけ》の《はこ》を意味《いみ》した。

筆順・書き方

（15画）

例文・意味

例文 道具《どうぐ》を箱《はこ》にしまう。／おせち料理《りょうり》を重箱《じゅうばこ》につめる。／本箱《ほんばこ》を整理《せいり》する。／木《き》のえだに巣箱《すばこ》をかける。／弁当箱《べんとうばこ》のふたを開《あ》ける。／かしの折《お》り箱《ばこ》。 意味 物《もの》を入《い》れておく、入《い》れ物《もの》。はこ。

《重箱《じゅうばこ》》

熟語

箱庭《はこにわ》。木箱《きばこ》。薬箱《くすりばこ》。小箱《こばこ》。針箱《はりばこ》。筆箱《ふでばこ》。救急箱《きゅうきゅうばこ》。玉手箱《たまてばこ》。貯金箱《ちょきんばこ》。跳《と》び箱《ばこ》。百葉箱《ひゃくようばこ》。宝石箱《ほうせきばこ》。さい銭箱《せんばこ》。マッチ箱《ばこ》。

畑

田／9画

音 —
訓 はた・はたけ

成り立ち

ざつ草《そう》や作物《さくもつ》のくきを焼《や》いて、ひ料《りょう》にする《はたけ》をあらわした字《じ》。中国《ちゅうごく》からきた漢字《かんじ》ではなく、日本人《にっぽんじん》がつくった字《じ》。

筆順・書き方

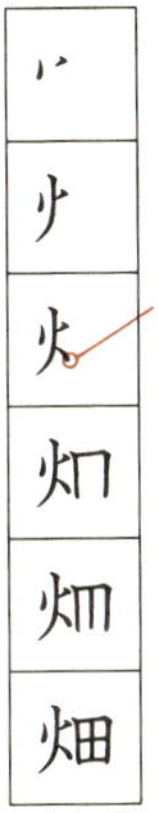

（9画）

例文・意味

❶ 例文 畑《はたけ》をたがやす。／うちの畑《はたけ》でなすときゅうりをつくる。／畑《はたけ》仕事《しごと》をする。／一面《いちめん》に広《ひろ》がる麦畑《むぎばたけ》。／この村《むら》は、田畑《たはた》の仕事《しごと》をする農《のう》家《か》が多《おお》い。 意味 水《みず》をはらないで、野菜《やさい》や麦《むぎ》などをつくる土地《とち》。はたけ。

❷ 例文 文学《ぶんがく》は畑《はたけ》ちがいなので、よくわからない。／友《とも》だちのおとうさんは、法律畑《ほうりつばたけ》の仕事《しごと》をしてきたそうです。 意味 せん門《もん》とする方面《ほうめん》。

熟語

❶ 茶畑《ちゃばたけ》。花畑《はなばたけ》。段段畑《だんだんばたけ》。野菜畑《やさいばたけ》。田地《でんち》田畑《でんぱた》。

❷ 演劇畑《えんげきばたけ》。音楽畑《おんがくばたけ》。

□ 癶／9画

【発】

音 ハツ・(ホツ)

訓 ―

成り立ち もとの字《じ》は「發」。「癶」は足《あし》を右《みぎ》と左《ひだり》に開《ひら》いた形《かたち》。「弢」は弓《ゆみ》をぱっと引《ひ》くこと。弓《ゆみ》がぱっと、いきおいよくはなれていくように、《はねでる》ことをあらわした字《じ》。

筆順・書き方

(9画)

例文・意味

❶ 例文 ねらいを定《さだ》めてじゅうを発《はっ》する。／ピストルを連発《れんぱつ》する。／三発《さんぱつ》のたま。／そう発《はっ》の飛行機《ひこうき》。 意味 矢《や》・だん丸《がん》などをうつ。はなつ。はれつする。また、だん丸《がん》やエンジンなどを数《かぞ》えることば。

❷ 例文 東京発《とうきょうはつ》の夜行列車《やこうれっしゃ》に乗《の》る。／バスの発車《はっしゃ》がおくれる。／朝六時《あさろくじ》に出発《しゅっぱつ》する。／東北本線《とうほくほんせん》の始発駅《しはつえき》。 意味 外《そと》に出《で》かける。たつ。 対語 着《ちゃく》。

❸ 例文 新《あたら》しい島《しま》を発見《はっけん》する。／調《ちょう》さ結果《けっか》を発表《はっぴょう》する。 意味 明《あき》らかにする。明《あき》らかになる。

❹ 例文 強《つよ》い光《ひかり》を発《はっ》する。／おどろいてき声《せい》を発《はっ》する。／山火事《やまかじ》が発生《はっせい》する。／麦《むぎ》が発芽《はつが》する。／交通事《こうつうじ》こが多発《たはつ》する。／かぜによる発熱《はつねつ》。 意味 新《あら》たに出《で》てくる。生《しょう》じる。起《お》こる。起《お》こす。

《島《しま》を発見《はっけん》する》

❺ 例文 命令《めいれい》を発《はっ》する。／新《しん》せい品《ひん》を発売《はつばい》する。／新聞《しんぶん》の発行部数《はっこうぶすう》。／委員会《いいんかい》が発足《ほっそく》する。 意味 新《あたら》しく始《はじ》める。世《よ》に出《だ》す。

❻ 例文 発育《はついく》ざかりの子《こ》ども。／町《まち》が急速《きゅうそく》に発展《はってん》する。／火山《かざん》の活動《かつどう》が活発《かっぱつ》になる。 意味 のびる。さかんになる。成長《せいちょう》する。

《火山《かざん》の活動《かつどう》が活発《かっぱつ》になる》

熟語

❶ 発射《はっしゃ》。乱発《らんぱつ》。百発百中《ひゃっぱつひゃくちゅう》 ⇩(641ページ中)

❷ 発信《はっしん》。発送《はっそう》。発着《はっちゃく》。後発《こうはつ》。先発《せんぱつ》。増発《ぞうはつ》。

❸ 発明《はつめい》。告発《こくはつ》(悪《わる》いことや不正《ふせい》をあばいて、世《よ》の中《なか》の人々《ひとびと》に知《し》らせること)。

❹ 発案《はつあん》。発音《はつおん》。発火《はっか》。発揮《はっき》。発言《はつげん》。発光《はっこう》。発散《はっさん》(内部《ないぶ》にこもっていた熱《ねつ》・光《ひかり》・におい・感情《かんじょう》などが外部《がいぶ》に飛《と》び散《ち》ること)。発声《はっせい》。発電《はつでん》。再発《さいはつ》。蒸発《じょうはつ》。続発《ぞくはつ》。反発《はんぱつ》(はね返《かえ》ること。また、相手《あいて》に逆《さか》らって、受《う》け入《い》れないこと)。奮発《ふんぱつ》。発作《ほっさ》。自発的《じはつてき》。

❺ 発刊《はっかん》。発布《はっぷ》。発表会《はっぴょうかい》。

❻ 発達《はったつ》。

□
又／4画

【反】

音 ハン・《ホン》・（タン）

訓 そる・そらす

成り立ち

「厂」（うすい板《いた》や、ぬの）と「又」（手《て》）を合《あ》わせた字《じ》で、うすい板《いた》や、ぬのを、ぽんと手《て》で打《う》つようすをえがいた字《じ》。打《う》たれた板《いた》や、ぬのは、《そり返《かえ》る》。また、もとへもどろうと《はん対《たい》》の力《ちから》がはたらくことから、《そり返《かえ》る》ことや、《さからう》ことをあらわした字《じ》。

筆順・書き方

（4画）

例文・意味

❶ 例文 積《つ》もった雪《ゆき》に光《ひかり》が反射《はんしゃ》する。／風《かぜ》にあおられてボートが反転《はんてん》する。／反応《はんのう》がにぶい。

意味 もとにもどる。ひっくりかえる。

❷ 例文 努力《どりょく》したけれど、期待《きたい》に反《はん》する結果《けっか》に終《お》わった。／親《おや》に反《はん》こうする。／反対者《はんたいしゃ》の意見《いけん》を聞《き》く。／反乱《はんらん》をしずめる。／命令《めいれい》口調《くちょう》は、人《ひと》の反感《はんかん》を買《か》う。

意味 さからう。そむく。

❸ 例文 高度《こうど》なわざを、反復練習《はんぷくれんしゅう》によって身《み》につける。

意味 くり返《かえ》す。

❹ 例文 指《ゆび》が反《そ》る。／板《いた》が反《そ》り返《かえ》る。／上半身《じょうはんしん》を後《うし》ろに反《そ》らす。／自《じ》まんげにむねを反《そ》らす。

意味 弓《ゆみ》のように曲《ま》がる。そる。そらす。

《上半身《じょうはんしん》を反《そ》らす》

❺ 例文 ゆかた地《じ》を一反《いったん》買《か》う。／反物《たんもの》を着物《きもの》に仕《し》立《た》てる。

意味 ぬのの長《なが》さをあらわす単位《たんい》。一《いっ》反《たん》は約十一《やくじゅういち》メートル。

❻ 例文 反当《たんあ》たりの米《こめ》のしゅうかく高《だか》。／畑五反《はたけごたん》。

意味 むかしの、土地《とち》の広《ひろ》さをあらわす単位《たんい》。一反《いったん》は約十《やくじゅう》アール。

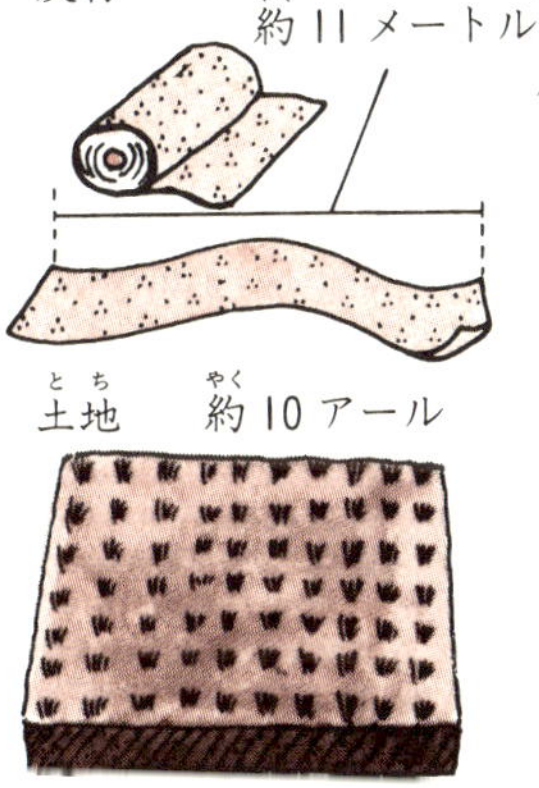

《一反《いったん》》

熟語

❶ **反映《はんえい》**（光《ひかり》などがはね返《かえ》って映《うつ》ること）。**反省《はんせい》**。**反射鏡《はんしゃきょう》**。

❷ **反逆《はんぎゃく》**。**反語《はんご》**。**反戦《はんせん》**（戦争《せんそう》にはん対《たい》すること）。**反則《はんそく》**。**反対《はんたい》**。**反発《はんぱつ》**。**反面《はんめん》**。**反論《はんろん》**（相手《あいて》の意《い》見《けん》に逆《さか》らって、自分《じぶん》の意見《いけん》を述《の》べること）。**反対語《はんたいご》**。**反比例《はんぴれい》**。

❹ **反《そ》り身《み》**。

❻ **減反《げんたん》**（農作物《のうさくぶつ》の植《う》えつけ面積《めんせき》を減《へ》らすこと）。

土／7画

【坂】

音 《ハン》
訓 さか

成り立ち

そり返《かえ》ることや、かたむくことをあらわす「反」と、「土」(つち)とを合《あ》わせた字《じ》。土地《とち》がそり返《かえ》って、かたむいている所《ところ》、《さか》をあらわした字《じ》。

筆順・書き方

(7画)

例文・意味

例文 急《きゅう》な坂《さか》をのぼる。／坂《さか》の上《うえ》に教会《きょうかい》がある。
意味 坂《さか》をかけおりる。／かたむいている道《みち》や地形《ちけい》。さか。

《坂《さか》》

熟語

坂道《さかみち》。山坂《やまさか》。下《くだ》り坂《ざか》。上《のぼ》り坂《ざか》。

木／8画

【板】

音 ハン・バン
訓 いた

成り立ち

そり返《かえ》ることをあらわす「反」と、「木」(き)とを合《あ》わせた字《じ》。そり返《かえ》らせることができるようなうすい《いた》のこと。

筆順・書き方

(8画)

例文・意味

❶ 例文 板《いた》の間《ま》をふきそうじする。／ベニヤ板《いた》にペンキをぬる。 意味 木《き》をうすく平《ひら》たく切《き》ったもの。いた。

❷ 例文 とう明《めい》な板《いた》ガラス。／牛肉《ぎゅうにく》を鉄板《てっぱん》で焼《や》く。／出場者《しゅつじょうしゃ》の氏名《しめい》をけい示板《じばん》にはり出《だ》す。 意味 金《きん》ぞくなどを、板《いた》❶のようにうすく平《ひら》たくしたもの。いた。

❸ 例文 おもしろみのない、平板《へいばん》な(内《ない》ように変化《へんか》がなく、おもしろみがないさま)ストーリー。 意味 変化《へんか》がない。平《ひら》べったい。

熟語

❶合板《ごうはん》。画板《がばん》。看板《かんばん》。黒板《こくばん》。合板《ごうばん》。板切《いたき》れ。羽子板《はごいた》。まな板《いた》。
❷トタン板《いた》。

□ 皮／5画

皮

音 ヒ
訓 かわ

成り立ち 「⺁」(動物《どうぶつ》の毛《け》がわ)と、「又」(右手《みぎて》)とを合《あ》わせた字《じ》。右手《みぎて》で動物《どうぶつ》の《毛《け》がわ》を手《て》でかぶせるようすをえがいた字《じ》。動物《どうぶつ》や植物《しょくぶつ》の表面《ひょうめん》をおおっている《かわ》をあらわしている。

筆順・書き方

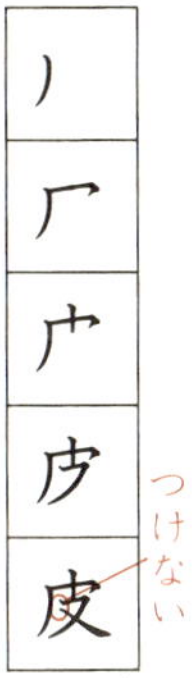

(5画)

例文・意味

❶ 例文 みかんの皮《かわ》をむく。／木《き》の皮《かわ》をはぐ。／わに皮《がわ》のハンドバッグ。／運動《うんどう》をして皮下《ひか》しぼうをとる。／皮革製品《ひかくせいひん》をあつかう店《みせ》。意味 動物《どうぶつ》や植物《しょくぶつ》の表面《ひょうめん》をおおっているもの。また、それを加工《かこう》したもの。かわ。

❷ 例文 ついに化《ば》けの皮《かわ》がはがれた。意味 ものごとの表面《ひょうめん》の、目《め》につくところ。うわべ。

熟語

❶ **皮膚《ひふ》**。**樹皮《じゅひ》**。**表皮《ひょうひ》**(動物《どうぶつ》や植《しょく》物《ぶつ》のからだをおおっているかわ)。**毛皮《けがわ》**。**合成皮革《ごうせいひかく》**。

❷ **皮肉《ひにく》**(うわべのことばで、あてこすること)。

□ 心／12画

悲

音 ヒ
訓 かなしい・かなしむ

成り立ち 「非」は鳥《とり》の羽《はね》が左右《さゆう》に分《わ》かれている形《かたち》。それに「心」(こころ)を合《あ》わせた「悲」は、心《こころ》が二《ふた》つにさけてしまうほど、せつない気持《きも》ち、《かなしみ》をあらわした字《じ》。

筆順・書き方

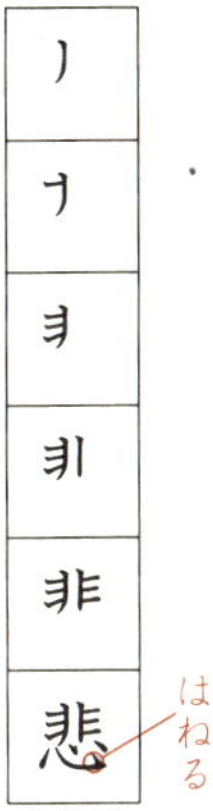

(12画)

例文・意味

❶ 例文 つらく悲《かな》しいできごと。／もの悲《がな》しい笛《ふえ》の音《ね》。／悲《かな》しくて、なみだが出《で》そうだ。／悲《かな》しげな目《め》をした少女《しょうじょ》。／悲《かな》しさをじっとこらえる。／友《とも》の死《し》を悲《かな》しむ。／わが子《こ》のしょう来《らい》を悲観《ひかん》する。／悲痛《ひつう》な(非常《ひじょう》にかなしくいたましいようす)表《ひょう》じょうをうかべる。／悲劇《ひげき》の主人公《しゅじんこう》。意味 心《こころ》がいたみ、泣《な》けてきそうな感《かん》じがする。かなしい。また、かなしむ。対語 喜《き》。

❷ 例文 じ悲《ひ》ぶかい人《ひと》。意味 あわれみの心《こころ》。めぐみぶかい心《こころ》。

熟語

❶ **悲運《ひうん》**(不幸《ふこう》な運命《うんめい》)。**悲報《ひほう》**(かなしい知《し》らせ)。**悲鳴《ひめい》**(おどろいたり、おそろしかったりしたときに出《だ》すさけび声《こえ》)。

羊／9画

美

音 ビ
訓 うつくしい

成り立ち

「羊」（ひつじ）と「大」（手《て》をひろげて立《た》っている人《ひと》。おおきい）を合《あ》わせた字《じ》。形《かたち》のよい大《おお》きな羊《ひつじ》はとてもうまいので、《うつくしい》という意味《いみ》になった。

筆順・書き方

（9画）

例文・意味

❶ 例文 愛《あい》と美《び》の女神《めがみ》、ビーナス。／自然《しぜん》の美《び》。／美《うつく》しい花《はな》がさく。／町内《ちょうない》の美化《びか》に力《ちから》を入《い》れる。 意味 きれいだ。うつくしい。

❷ 例文 有終《ゆうしゅう》の美《び》をかざる（ものごとをやりとおし、よい結果《けっか》をおさめて最後《さいご》をりっぱに終《お》わらせる）。／美《うつく》しい友《ゆう》じょう。／ひかえめなところが、かの女《じょ》の美点《びてん》だ。 意味 りっぱだ。みごとだ。うつくしい。

❸ 例文 美味《びみ》な料理《りょうり》。 意味 おいしい。

❹ 例文 人生《じんせい》を賛美《さんび》する。 意味 ほめる。たたえる。

熟語

❶ 美観《びかん》（うつくしいながめ）。美術《びじゅつ》。美女《びじょ》。美人《びじん》。優美《ゆうび》。美容院《びよういん》。

❷ 美談《びだん》（人《ひと》の心《こころ》を感動《かんどう》させる、りっぱな話《はなし》）。美徳《びとく》（人間《にんげん》としてりっぱなおこない）。美風《びふう》。

❸ 美食家《びしょくか》（おいしい食《た》べ物《もの》を好《この》んで食《た》べる人《ひと》）。

鼻／14画

鼻

音 （ビ）
訓 はな

成り立ち

「自」は《はな》の形《かたち》をえがいた字《じ》。「畀」は「ビ」という音《おん》をあらわし、くっつくこと。二《ふた》つくっついているあなから息《いき》が出《で》てくる《はな》のこと。

筆順・書き方

（14画）

例文・意味

例文 高《たか》くてとがった鼻《はな》。／鼻《はな》にかかった声《こえ》。／悪《あく》しゅうが鼻《はな》をつく。／できのいい弟《おとうと》をもって、ぼくも鼻《はな》が高《たか》い。／そ父《ふ》は、目《め》と鼻《はな》の先《さき》にすんでいる。／父《ちち》は鼻《はな》の病気《びょうき》で、病院《びょういん》に通院《つういん》しています。 意味 動物《どうぶつ》の顔《かお》の中央《ちゅうおう》につき出《で》た部分《ぶぶん》。息《いき》をしたり、においをかいだりするはたらきをする。はな。

熟語

鼻息《はないき》。鼻歌《はなうた》（はなにかかった小《ちい》さな声《こえ》で、うきうきしたときなどに歌《うた》う、おもにメロディーだけの歌《うた》）。鼻紙《はながみ》。鼻声《はなごえ》。鼻先《はなさき》。鼻血《はなぢ》。鼻高高《はなたかだか》。団子鼻《だんごばな》。目鼻《めはな》だち。

□ ⺮／12画

筆

音 ヒツ
訓 ふで

成り立ち

「⺮」(たけ)と、「聿」(ふでで字《じ》を書《か》くようす)を合《あ》わせた字《じ》。竹《たけ》のえをつけた《ふで》をあらわした字《じ》。

筆順・書き方

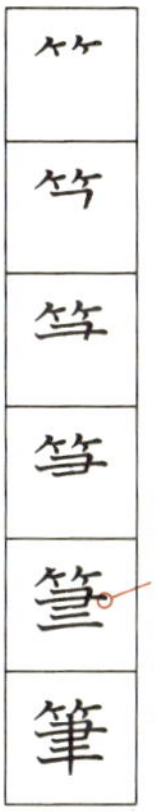

(12画)

例文・意味

❶ 例文 筆《ふで》にすみをつける。／年《ねん》がじょうを毛筆《もうひつ》で書《か》く。／えん筆《ぴつ》をけずる。 意味 絵《え》や字《じ》などをかく道具《どうぐ》。ふで。

❷ 例文 達筆《たっぴつ》な(字《じ》がじょうずなさま)手紙《てがみ》。 意味 かいた絵《え》や文字《もじ》。文章《ぶんしょう》。

❸ 例文 筆算《ひっさん》でかけ算《ざん》を習《なら》う。／筆記用具《ひっきようぐ》を持参《じさん》する。／漢字《かんじ》の筆順《ひつじゅん》をまちがえる。／手紙《てがみ》の代筆《だいひつ》をたのむ。 意味 絵《え》や字《じ》などをかく。

熟語

❶ 筆箱《ふでばこ》。絵筆《えふで》。万年筆《まんねんひつ》。筆入《ふでい》れ。筆立《ふでた》て。

❷ 悪筆《あくひつ》。絶筆《ぜっぴつ》(死《し》んだ人《ひと》が生前《せいぜん》、最後《さいご》に書《か》いた作品《さくひん》)。肉筆《にくひつ》(印《いん》刷《さつ》や複写《ふくしゃ》でなく、その人《ひと》が実際《じっさい》に、ふでやペンなどを使《つか》って手《て》で書《か》いたもの)。乱筆《らんぴつ》。

❸ 筆写《ひっしゃ》。筆者《ひっしゃ》。筆《ふで》まめ。

□ 水／5画

氷

音 ヒョウ
訓 こおり・(ひ)

成り立ち

もとの字《じ》は「冰」。「水」(みず)と、「冫」(こおりのわれめ)を合《あ》わせた字《じ》。水《みず》がこおってできる《こおり》をあらわした字《じ》。

筆順・書き方

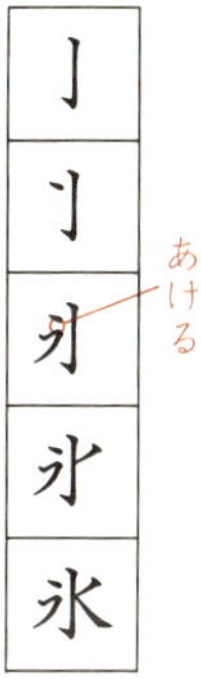

(5画)

例文・意味

❶ 例文 池《いけ》に氷《こおり》がはる。／手《て》が氷《こおり》のように冷《つめ》たい。／雪《ゆき》と氷《こおり》にとざされた島《しま》。／氷《ひょう》のうで頭《あたま》を冷《ひ》やす。／流氷《りゅうひょう》が流《なが》れつく。／スキーヤーが、樹氷《じゅひょう》の間《あいだ》をぬってすべる。 意味 水《みず》が冷《ひ》えて、固《かた》まったもの。こおり。

❷ 例文 気温《きおん》が氷点下《ひょうてんか》に下《さ》がる。／池《いけ》が氷結《ひょうけつ》する。 意味 水《みず》が冷《ひ》えて固《かた》まる。こおる。

《氷《ひょう》のうで頭《あたま》を冷《ひ》やす》

熟語

❶ 氷河《ひょうが》。氷山《ひょうざん》。製氷《せいひょう》。氷水《こおりみず》。氷雨《ひさめ》(秋《あき》に降《ふ》る、冷《つめ》たい雨《あめ》)。氷室《ひむろ》。かき氷《ごおり》。氷《こおり》まくら。

【表】

衣／8画

音 ヒョウ
訓 おもて・あらわす・あらわれる

成り立ち 「衣」(着物《きもの》)と「毛」(け)を合《あ》わせた字《じ》。人《ひと》が着《き》る動物《どうぶつ》の毛皮《けがわ》のころもをえがいた。着物《きもの》を外《そと》に出《だ》して着《き》ることから《おもて》、また、中《なか》のものが外《そと》に《あらわれる》の意味《いみ》になった。

筆順・書き方

(8画)

例文・意味

❶ 例文 ふうとうの表《おもて》にあて名《な》を書《か》く。 意味 上《うえ》・外《そと》になる部分《ぶぶん》。外面《がいめん》。うわべ。おもて。 対語 裏《うら》。

❷ 例文 先生《せんせい》にけい意《い》を表《ひょう》する。／感《かん》しゃの気持《きも》ちをことばで表《あらわ》す。／苦労《くろう》が顔《かお》に表《あらわ》れる。 意味 気持《きも》ちや考《かんが》えなどを外《そと》に出《だ》して見《み》せる。また、外《そと》に出《で》る。あらわす。あらわれる。

❸ 例文 実験結果《じっけんけっか》を表《ひょう》にまとめる。／歴史《れきし》の年表《ねんぴょう》。 意味 見《み》やすいように図《ず》や線《せん》を使《つか》って数量《すうりょう》の大《だい》小《しょう》などを書《か》いたもの。ひょう。

熟語

❶ 表紙《ひょうし》。表題《ひょうだい》(ひょう紙《し》に書《か》いてあるその本《ほん》の名前《なまえ》)。表面《ひょうめん》。地表《ちひょう》。表口《おもてぐち》。表門《おもてもん》。裏表《うらおもて》。表書《おもてが》き。表向《おもてむ》き。表裏一体《ひょうりいったい》 ⇩ (641ページ中)

❷ 表現《ひょうげん》。表示《ひょうじ》。表情《ひょうじょう》。公表《こうひょう》(広《ひろ》く、一般《いっぱん》の人《ひと》に知《し》らせること)。発表《はっぴょう》。発表会《はっぴょうかい》。

❸ 図表《ずひょう》。一覧表《いちらんひょう》。時刻表《じこくひょう》。

【秒】

禾／9画

音 ビョウ
訓 ——

成り立ち 「禾」(いねのほ)と「少」(小《ちい》さい)を合《あ》わせた字《じ》。もとは、いねのほの小《ちい》さく細《ほそ》い毛《け》のこと。そこから、わずかという意味《いみ》になり、《小《ちい》さい時間《じかん》や角度《かくど》の単位《たんい》》をあらわす意味《いみ》になった。

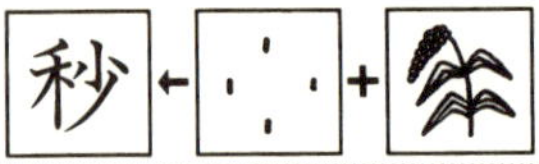

筆順・書き方

(9画)

例文・意味

❶ 例文 発《はっ》しゃ前《まえ》の秒読《びょうよ》みが始《はじ》まる。／秒速十《びょうそくじゅう》メートルの風《かぜ》。／わずか一秒《いちびょう》の差《さ》で二着《にちゃく》になる。／あと五秒《ごびょう》で正午《しょうご》になる。／東《とう》けい九十度十《きゅうじゅうどじっ》分五秒《ぷんごびょう》の地点《ちてん》。 意味 時間《じかん》・角度《かくど》。けい度《ど》・い度《ど》の単位《たんい》。一秒《いちびょう》は一分《いっぷん》の六十分《ろくじゅうぶん》の一《いち》。

❷ 例文 寸秒《すんびょう》を争《あらそ》う問題《もんだい》。 意味 きわめてわずかな時間《じかん》。

熟語

❶ 秒針《びょうしん》。

《秒読《びょうよ》み》

病

疒／10画

音 ビョウ・《ヘイ》
訓 （やむ）・やまい

成り立ち
「疒」（びょう気《き》のときにねるベッド）と「丙」（びょう気《き》の人《ひと》の足《あし》が開《ひら》いたまま動《うご》かなくなっているようす）を合《あ》わせた字《じ》。《やまい》の意《い》味《み》をあらわす字《じ》。

筆順・書き方

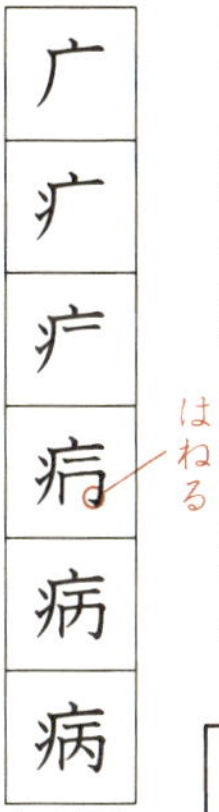

（10画）

例文・意味

❶ 例文 むりを重《かさ》ねて病《やまい》にたおれる。／目《め》を病《や》む。／病《や》みあがりのからだ。／病人《びょうにん》の世《せ》話《わ》をする。／仮《け》病《びょう》を使《つか》って、ずる休《やす》みをする。 意味 からだのぐあいが悪《わる》くなる。また、からだのぐあいが悪《わる》いこと。やむ。やまい。

❷ 例文 失敗《しっぱい》を気《き》に病《や》む。 意味 なやみ苦《くる》しむ。

❸ 例文 悪《わる》いせい治《じ》の病根《びょうこん》をたつ。 意味 悪《わる》いくせや習《しゅう》かん。欠点《けってん》。

熟語

❶ 病院《びょういん》。病気《びょうき》。病苦《びょうく》。病死《びょうし》。病室《びょうしつ》。病弱《びょうじゃく》。病状《びょうじょう》。病身《びょうしん》。看病《かんびょう》。急病《きゅうびょう》。持病《じびょう》。重病《じゅうびょう》。難病《なんびょう》（治《なお》りにくいびょう気《き》）。熱病《ねつびょう》。発病《はつびょう》。日射病《にっしゃびょう》。白血病《はっけつびょう》。

品

口／9画

音 ヒン
訓 しな

成り立ち
「口」（四角《しかく》いしな物《もの》）を三《みっ》つ合《あ》わせた字《じ》。いろいろな《しなもの》をあらわしている。

筆順・書き方

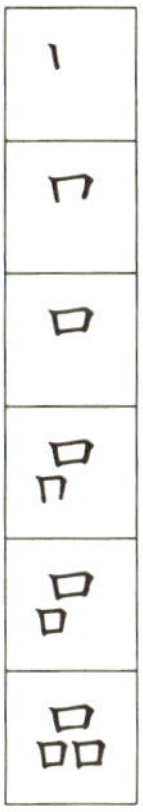
（9画）

例文・意味

❶ 例文 記念《きねん》の品《しな》をおくる。／どの品《しな》も一《ひと》つ百円《ひゃくえん》です。／品数《しなかず》の多《おお》い店《みせ》。／店《みせ》の中《なか》に商品《しょうひん》をならべる。／新製品《しんせいひん》を発売《はつばい》する。 意味 しな物《もの》。

❷ 例文 品《ひん》のよい人《ひと》。／品《ひん》のない話《はなし》。／品位《ひんい》をけがすおこない。 意味 人《ひと》や物《もの》のせいしつや、かち。ひん。

熟語

❶ 品名《ひんめい》。景品《けいひん》。現品《げんぴん》。作品《さくひん》。新品《しんぴん》。出品《しゅっぴん》。賞品《しょうひん》。食品《しょくひん》。納品《のうひん》。備品《びひん》。部品《ぶひん》。物品《ぶっぴん》。返品《へんぴん》。薬品《やくひん》。洋品《ようひん》。品物《しなもの》。手品《てじな》。学用品《がくようひん》。日用品《にちようひん》。品切《しなぎ》れ。

❷ 品性《ひんせい》。気品《きひん》（気高《けだか》い感《かん》じがすること）。下品《げひん》。上品《じょうひん》。品行方正《ひんこうほうせい》 ⇩（641ページ中）

貝／9画

負

音 フ
訓 まける・まかす・おう

成り立ち 「⺈」は、せなかをまるめてかがんだ人《ひと》。「貝」は、お金《かね》やざい産《さん》で、せなかにものをせおうこと。せなかに品《しな》物《もの》を《せおう》ことから、せなかを向《む》けてにげる、《まける》の意《い》味《み》になった。

筆順・書き方

とめる
(9画)

例文・意味

❶ 例文 かたに荷《に》を負《お》う。／せきにんを負《お》う。／全《ぜん》治《ち》一《いっ》か月《げつ》のきずを負《お》う。／仕《し》事《ごと》をうけ負《お》う。 意味 せなかにのせる。また、身《み》に受《う》ける。引《ひ》き受《う》ける。おう。

❷ 例文 画《が》家《か》としては一《いち》流《りゅう》であると自《じ》負《ふ》する。 意味 たのみとする。

❸ 例文 試《し》合《あい》で負《ま》ける。／やっと勝《しょう》負《ぶ》がつく。 意味 戦《たたか》いや競《きょう》争《そう》にやぶれる。まける。 対語 勝《しょう》。

❹ 例文 負《ふ》の数《かず》。 意味 ゼロより小《ちい》さい数《かず》。マイナス。 対語 正《せい》。

熟語

❶ 負《ふ》傷《しょう》。負《ふ》担《たん》(費《ひ》用《よう》の支《し》払《はら》い、仕《し》事《ごと》・責《せき》任《にん》などを引《ひ》き受《う》けること)。背《せ》負《お》う。背《せ》負《お》い投《な》げ。

❸ 根《こん》負《ま》け(根《こん》気《き》がつづかないでまけること)。負《ま》けん気《き》。勝《か》ち負《ま》け。負《ま》けるが勝《か》ち。

❹ 負《ふ》数《すう》。正《せい》負《ふ》。

阝／11画

部

音 ブ
訓 ―

成り立ち 「音」(分《わ》けること)と「阝」(人《ひと》が土《と》地《ち》に集《あつ》まっている村《むら》)を合《あ》わせた字《じ》。村《むら》をいくつかに分《わ》けることをあらわし、後《のち》に、小《ちい》さく分《わ》けた《一《ひと》つ、一《ひと》つ》の意《い》味《み》をあらわすようになった。

筆順・書き方

阝としない
(11画)

例文・意味

❶ 例文 しばいの昼《ひる》の部《ぶ》と夜《よる》の部《ぶ》。／機《き》械《かい》の部《ぶ》品《ひん》をとりよせる。／関《かん》東《とう》地《ち》方《ほう》の北《ほく》部《ぶ》に大《おお》雨《あめ》がふる。／ころんで頭《とう》部《ぶ》を打《う》つ。 意味 全《ぜん》体《たい》を分《わ》ける。また、分《わ》けたもの。

❷ 例文 部《ぶ》下《か》に命《めい》令《れい》する。／大《だい》学《がく》の文《ぶん》学《がく》部《ぶ》に入《はい》る。／サッカー部《ぶ》の主《しゅ》しょう。 意味 学《がっ》校《こう》・会《かい》社《しゃ》・役《やく》所《しょ》などの組《そ》しきをいくつかに分《わ》けたものの一《ひと》つ。

❸ 例文 本《ほん》が七《なな》万《まん》部《ぶ》売《う》れる。／新《しん》聞《ぶん》の発《はっ》行《こう》部《ぶ》数《すう》。 意味 本《ほん》・新《しん》聞《ぶん》・ざっしなどを数《かぞ》えることば。

熟語

❶ 部《ぶ》首《しゅ》。部《ぶ》分《ぶん》。部《ぶ》門《もん》。部《ぶ》類《るい》。一《いち》部《ぶ》。外《がい》部《ぶ》。上《じょう》部《ぶ》。全《ぜん》部《ぶ》。中《ちゅう》部《ぶ》。内《ない》部《ぶ》。腹《ふく》部《ぶ》。一《いち》部《ぶ》分《ぶん》。

❷ 部《ぶ》員《いん》。部《ぶ》長《ちょう》。支《し》部《ぶ》。入《にゅう》部《ぶ》。本《ほん》部《ぶ》。部《ぶ》外《がい》者《しゃ》(その組《そ》織《しき》以《い》外《がい》の人《ひと》)。営《えい》業《ぎょう》部《ぶ》。

❸ 大《たい》部《ぶ》。

特別な読み 部《へ》屋《や》。

月／8画

服

音 フク

訓 —

成り立ち 「月」は、もと「舟」(ふね)。「𠬝」は手《て》をぴたりとくっつけること。もとは、ふなべりにぴたりとくっつける板《いた》。後《のち》に、からだにつける《ふく》、また、人《ひと》に《つきしたがう》という意味《いみ》になった。

筆順・書き方

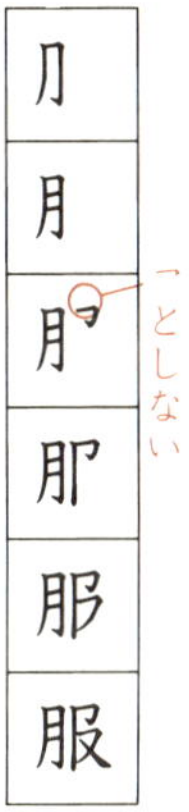

（8画）

例文・意味

❶ 例文 白《しろ》い服《ふく》を着《き》る。／外出用《がいしゅつよう》の服《ふく》。／洋服《ようふく》を仕立《した》てる。意味 着《き》るもの。ふく。

❷ 例文 会社《かいしゃ》の金《かね》を着服《ちゃくふく》(他人《たにん》の金《きん》せんや品物《しなもの》をこっそり自分《じぶん》のものにしてしまうこと)する。意味 自分《じぶん》のものにする。

❸ 例文 にんむに服《ふく》する。／命令《めいれい》に服従《ふくじゅう》する。意味 したがう。したがわせる。

❹ 例文 仕事《しごと》を終《お》えて一服《いっぷく》する。／毎食後《まいしょくご》、三《さん》じょうずつ薬《くすり》を服用《ふくよう》する。意味 薬《くすり》・茶《ちゃ》・たばこなどをのむ。

熟語

❶ 服地《ふくじ》。服装《ふくそう》。衣服《いふく》。軍服《ぐんぷく》。私服《しふく》。制服《せいふく》。夏服《なつふく》。冬服《ふゆふく》。和服《わふく》。学生服《がくせいふく》。婦人服《ふじんふく》。

❸ 感服《かんぷく》(非常《ひじょう》に感心《かんしん》すること)。敬服《けいふく》(感心《かんしん》して、尊敬《そんけい》すること)。降服《こうふく》。不服《ふふく》。

❹ 服毒《ふくどく》。内服《ないふく》。

ネ／13画

福

音 フク

訓 —

成り立ち もとの字《じ》は「福」。「示」は神様《かみさま》を祭《まつ》る祭《さい》だんのこと。「畐」は中《なか》に酒《さけ》がたっぷり入《はい》ったつぼ。神様《かみさま》のめぐみにめぐまれることから、《しあわせ》という意味《いみ》になった。

筆順・書き方

（13画）

例文・意味

例文 福《ふく》の神《かみ》。／福《ふく》をよぶお守《まも》り。／残《のこ》り物《もの》には福《ふく》がある。／幸福《こうふく》な毎日《まいにち》を送《おく》る。／結《けっ》こんを祝福《しゅくふく》する。／福福《ふくぶく》しい顔《かお》。意味 幸《さいわ》い。幸《しあわ》せ。

《七福神《しちふくじん》》

熟語

福引《ふくび》き。福笑《ふくわら》い。七福神《しちふくじん》。福祉会館《ふくしかいかん》。

牛／8画

【物】

音 ブツ・モツ
訓 もの

成り立ち
「牜」は牛《うし》。「勿」は、いろいろな色《いろ》のぬのでできた、ふきながしをえがいた字《じ》。もと、いろいろな毛《け》の色《いろ》がまざっている牛《うし》をあらわした。後《のち》に、いろいろな《もの》の意味《いみ》になった。

筆順・書き方

（8画）

例文・意味

❶ 例文 物《もの》をたいせつにするように、祖母《そば》から言《い》われました。／生《い》き物《もの》をだいじにする。／村《むら》祭《まつ》りを見物《けんぶつ》する。／着物《きもの》をぬう。／物価《ぶっか》があがる。／水辺《みずべ》の植物《しょくぶつ》をかんさつする。 意味 形《かたち》のあるもの。

❷ 例文 ふくれて物《もの》も言《い》わない。／物思《ものおも》いにふける。／物覚《ものおぼ》えが悪《わる》い。／かぐやひめの物語《ものがたり》。 意味 ことがら。

《物思《ものおも》いにふける》

熟語

❶ 物体《ぶったい》。好物《こうぶつ》。動物《どうぶつ》。名物《めいぶつ》。貨物《かもつ》。作物《さくもつ》。食物《しょくもつ》。荷物《にもつ》。宝物《ほうもつ》。物置《ものおき》。青物《あおもの》。大物《おおもの》。小物《こもの》。品物《しなもの》。本物《ほんもの》。

❷ 事物《じぶつ》。禁物《きんもつ》（してはいけないこと）。物事《ものごと》。博物館《はくぶつかん》。物言《ものい》い。物知《ものし》り。物好《ものず》き。

特別な読み
果物《くだもの》。

干／5画

【平】

音 ヘイ・ビョウ
訓 たいら・ひら

成り立ち
うき草《くさ》が水面《すいめん》に《たいら》にうかんだ形《かたち》をえがいた字《じ》。《たいら》に広《ひろ》がることや、おだやかであることもあらわす。

筆順・書き方

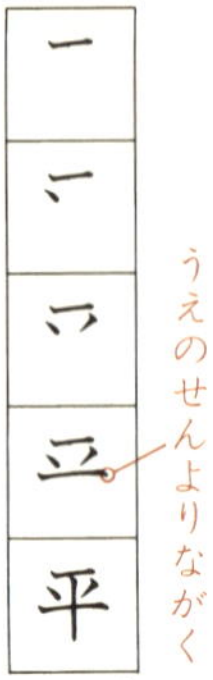

（5画）

例文・意味

❶ 例文 板《いた》の表面《ひょうめん》を平《たい》らにする。／平《ひら》たい山《やま》。 意味 高低《こうてい》や、でこぼこがない。高《たか》さが低《ひく》い。たいら。

❷ 例文 てきを平《たい》らげる。／平和《へいわ》な家庭《かてい》。／太平《たいへい》の世《よ》の中《なか》。 意味 争《あらそ》いなどがなく、おだやかである。

❸ 例文 平《ひら》の社員《しゃいん》。／平日《へいじつ》は十時《じゅうじ》に開店《かいてん》する。 意味 ふつう。なみ。ひら。

❹ 例文 ざい産《さん》を平等《びょうどう》に分《わ》ける。／国語《こくご》の平均点《へいきんてん》。 意味 かたよりや差《さ》がない。等《ひと》しい。

❺ 例文 平明《へいめい》な文章《ぶんしょう》。 意味 やさしい。たやすい。

熟語

❶ 平原《へいげん》。平地《へいち》。平面《へいめん》。平野《へいや》。水平《すいへい》。平屋《ひらや》。水平線《すいへいせん》。地平線《ちへいせん》。平泳《ひらおよ》ぎ。

❷ 平気《へいき》。平成《へいせい》。平静《へいせい》。平定《へいてい》。平穏無事《へいおんぶじ》 ⇩ （641ページ下）

❸ 平常《へいじょう》。平生《へいぜい》。平素《へいそ》。平熱《へいねつ》。平年《へいねん》。平服《へいふく》。平平凡凡《へいへいぼんぼん》 ⇩ （641ページ下）

❹ 公平《こうへい》。不平等《ふびょうどう》。

❺ 平易《へいい》。平仮名《ひらがな》。

□ 辶／7画

【返】

音 ヘン

訓 かえす・かえる

成り立ち 行《い》くことをあらわす「辶」と、そりかえることをあらわす「反」を合《あ》わせた字《じ》。もと来《き》た道《みち》を《ひきかえる》《もどる》ことをあらわした字《じ》。

筆順・書き方

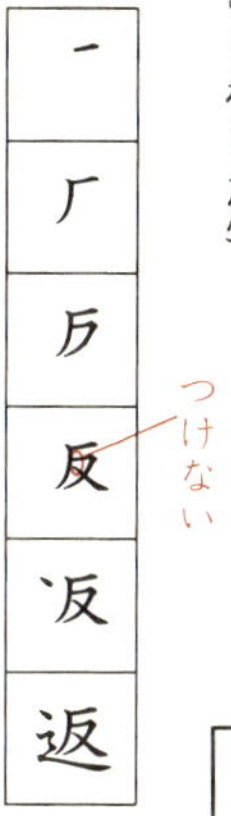

（7画）

例文・意味

例文 借《か》りた本《ほん》を返《かえ》す。／二十円《にじゅうえん》のお返《かえ》しです。／結《けっ》こん祝《いわ》いのお返《かえ》しをする。／同《おな》じ失敗《しっぱい》をくり返《かえ》さないようにする。／さいふが落《お》とし主《ぬし》に返《かえ》る。／後《うし》ろをふり返《かえ》る。／手紙《てがみ》を返《へん》送《そう》する。／名前《なまえ》をよばれたら返事《へんじ》をする。

意味 もとにもどす。もとにもどる。かえる。かえす。

《ふり返《かえ》る》

熟語 返金《へんきん》。返済《へんさい》（借《か》りていたお金《かね》や品物《しなもの》をかえすこと）。返信《へんしん》（へんじの手紙《てがみ》）。返答《へんとう》。返品《へんぴん》。返礼《へんれい》。恩返《おんがえ》し。仕《し》返《かえ》し。宙返《ちゅうがえ》り。言《い》い返《かえ》す。折《お》り返《かえ》す。読《よ》み返《かえ》す。生《い》き返《かえ》る。跳《は》ね返《かえ》る。振《ふ》り返《かえ》る。

□ 力／10画

【勉】

音 ベン

訓 ―

成り立ち 「免」は、おかあさんが、がんばって赤《あか》ちゃんを生《う》むようす。それに「力」（ちから）を合《あ》わせて、苦《くる》しいことに負《ま》けずに、力《ちから》を入《い》れて《がんばる》《つとめる》の意味《いみ》をあらわした字《じ》。

筆順・書き方

（10画）

例文・意味

例文 算数《さんすう》の勉強《べんきょう》をする。／勉学《べんがく》にいそしむ。

意味 一生《いっしょう》けん命《めい》につとめる。はげむ。

《勤勉《きんべん》》

熟語 勤勉《きんべん》（仕事《しごと》や勉強《べんきょう》に、よくはげむこと）。

攵／8画

放

音 ホウ
訓 はなす・はなつ・はなれる

成り立ち 「方」は両側《りょうがわ》にえがはり出《で》たすき。「攵」は動作《どうさ》の記号《きごう》をあらわす。とじこめていたものをさっと両方《りょうほう》に《はなし》て、ものを自由《じゆう》にさせてやることを意味《いみ》する字《じ》。

筆順・書き方

（8画）

例文・意味
❶ 例文 魚《さかな》を川《かわ》に放《はな》す。／牛《うし》を放牧《ほうぼく》する。 意味 自由《ゆう》にする。自由《じゆう》になる。はなす。はなつ。
❷ 例文 赤《あか》い光《ひかり》を放《はな》つ。／放《はな》たれた矢《や》。 意味 遠《とお》くへ行《い》かせる。はなつ。
❸ 例文 開《あ》けっ放《ぱな》しのまど。／自転車《じてんしゃ》を放置《ほうち》する。 意味 かまわずそのままにしておく。
❹ 例文 言《い》いたい放題《ほうだい》のことを言《い》う。 意味 気《き》ままにする。わがままにふるまう。
❺ 例文 放火《ほうか》のはん人《にん》がつかまった。 意味 あるじょうたいにする。

熟語
❶ 放流《ほうりゅう》。解放《かいほう》。放課後《ほうかご》。放《はな》し飼《が》い。
❷ 放射《ほうしゃ》。放出《ほうしゅつ》。放水《ほうすい》。放送《ほうそう》。放電《ほうでん》。追放《ついほう》。放射線《ほうしゃせん》。放射能《ほうしゃのう》。放水路《ほうすいろ》。
❸ 放任《ほうにん》(かまわないで、したいようにさせること)。開放《かいほう》。見放《みはな》す。
❹ 放言《ほうげん》(思《おも》ったままのことを無責任《むせきにん》に言《い》うこと)。

口／8画

味

音 ミ
訓 あじ・あじわう

成り立ち 「口」(くち)と「未」(木《き》の先《さき》にあるえだのように、細《ほそ》くて小《ちい》さいこと)を合《あ》わせた字《じ》。口《くち》でかん単《たん》にはわからない細《こま》かい《あじ》を、《あじわう》という意味《いみ》の字《じ》。

筆順・書き方

（8画）

例文・意味
❶ 例文 スープの味《あじ》をみる。／塩《しお》で味《あじ》をつける。 意味 食《た》べ物《もの》のあじ。
❷ 例文 母《はは》の手料理《てりょうり》を味《あじ》わって食《た》べる。／勝利《しょうり》の感《かん》げきを味《あじ》わう。／ごちそうを賞味《しょうみ》する。 意味 食《た》べ物《もの》のあじや、ものごとのよさを感《かん》じる。あじわう。
❸ 例文 味《あじ》のある文章《ぶんしょう》。／野球《やきゅう》に興味《きょうみ》をもつ。 意味 おもしろみ。おもむき。内《ない》よう。
❹ 例文 銀行強《ぎんこうごう》とうの一味《いちみ》がつかまった。 意味 仲《なか》間《ま》。

熟語
❶ 味覚《みかく》。酸味《さんみ》。美味《びみ》。風味《ふうみ》(上品《じょうひん》なあじわい)。味見《あじみ》。
❷ 後味《あとあじ》。塩味《しおあじ》。調味料《ちょうみりょう》。味付《あじつ》け。
❸ 意味《いみ》。気味《きみ》。地味《じみ》。
❹ 味方《みかた》。

特別な読み 三味線《しゃみせん》。

〔命〕

口／8画

音 メイ・（ミョウ）

訓 いのち

成り立ち

「亼」（集《あつ》めるしるし）と「口」（言《い》う）と「卩」（ひざまずく人《ひと》）を合《あ》わせた字《じ》。人《ひと》を集《あつ》め、神《かみ》や王《おう》が《めいれい》すること。むかしの人《ひと》は、神《かみ》の言《い》いつけによって《いのち》が決《き》まると考《かんが》えたので、《いのち》の意《い》味《み》になった。

筆順・書き方

（8画）

例文・意味

❶ 例文 仕事《しごと》を命《めい》じる。／議《ぎ》長《ちょう》の命令《めいれい》にしたがう。 意味 言《い》いつける。言《い》いつけ。

❷ 例文 仕事《しごと》に命《いのち》をかける。／命《いのち》のおん人《じん》。／人《じん》命《めい》を救助《きゅうじょ》する。 意味 いのち。

❸ 例文 運命《うんめい》にさからう。／宿命《しゅくめい》（人《ひと》が生《う》まれる前《まえ》から決《き》められている、どうにもならないめぐりあわせ）の対《たい》決《けっ》。 意味 めぐりあわせ。定《さだ》め。

❹ 例文 生《う》まれた子《こ》に「花子《はなこ》」と命名《めいめい》する。 意味 名《な》づける。定《さだ》める。

❺ 例文 命中《めいちゅう》する。 意味 目《め》当《あ》て。

熟語

❶ **使命《しめい》**（果《は》たさなければならない、あたえられた役目《やくめ》）。**任命《にんめい》**。

❷ **一命《いちめい》**。**助命《じょめい》**。**生命《せいめい》**。**絶命《ぜつめい》**（死《し》ぬこと）。**短命《たんめい》**。**長命《ちょうめい》**。**余命《よめい》**（これから先《さき》の残《のこ》りのいのち）。**救命具《きゅうめいぐ》**。**命取《いのちと》り**。**命拾《いのちびろ》い**。**一生懸命《いっしょうけんめい》**⇩（635ページ上） **絶体絶命《ぜったいぜつめい》**⇩（639ページ中） **命《いのち》知《し》らず**。

❸ **天命《てんめい》**（天《てん》が決《き》めた定《さだ》め）。

絵《え》からできた漢字《かんじ》⑨

（上《うえ》から順番《じゅんばん》に変化《へんか》して、現在《げんざい》の漢字《かんじ》の字体《じたい》となりました。）

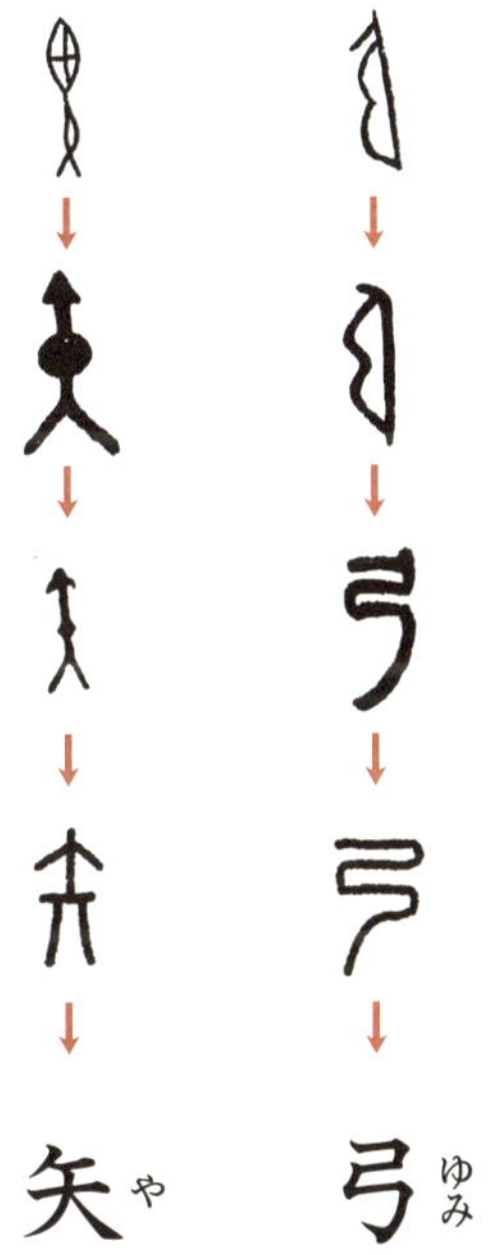

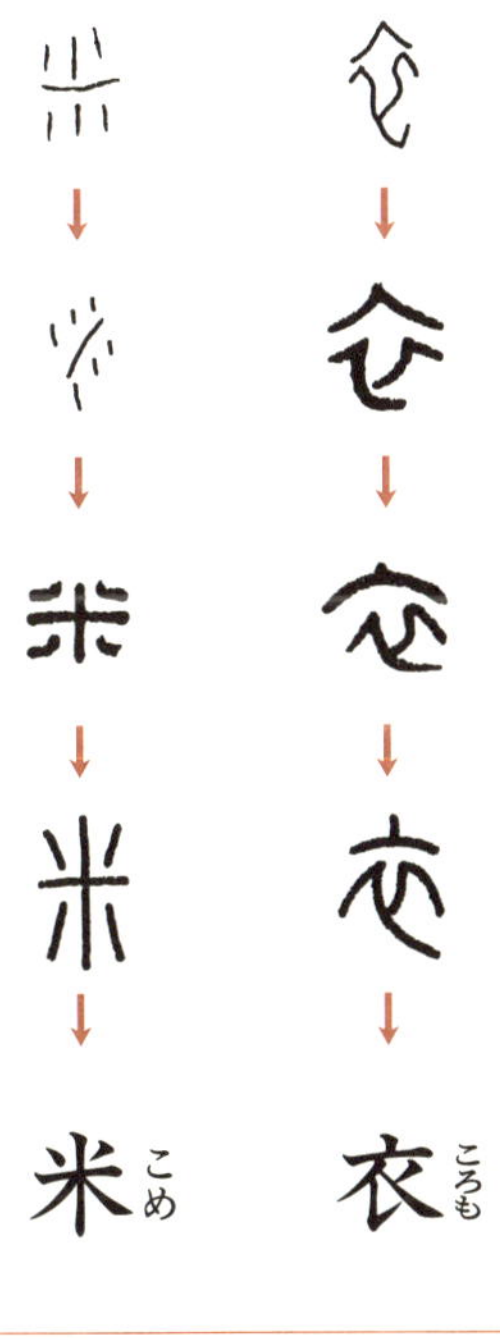

□
面／９画

【面】

音 メン

訓 （おも）・（おもて）・《つら》

成り立ち 人《ひと》の顔《かお》のまわりをぐるっと線《せん》で囲《かこ》んだようすをえがいた字《じ》。顔《かお》の《ひょうめん》をあらわしている。また、《おめん》の意味《いみ》でも使《つか》う。

筆順・書き方

（９画）

例文・意味

❶ 例文 面《めん》と向《む》かって悪口《わるくち》を言《い》う。／不安《ふあん》そうな面持《おもも》ち。／しかられて面《おもて》をふせる。／ふてぶてしい面構《つらがま》えをした男《おとこ》。／言《い》いまちがえて赤《せき》面《めん》する。 意味 かお。つら。おもて。

❷ 例文 入院中《にゅういんちゅう》の父《ちち》に面会《めんかい》する。／面接試験《めんせつしけん》を受《う》ける。 意味 顔《かお》を合《あ》わせる。

❸ 例文 おにの面《めん》をかぶる。／仮面《かめん》をぬぐ。 意味 顔《かお》につけるかぶりもの。めん。おもて。

《おにの面《めん》》

❹ 例文 おだやかな水《みず》の面《おもて》。／上《うわ》っ面《つら》をかざる。／地面《じめん》にくいを打《う》ちこむ。／テレビの画面《がめん》。／テニスコート二面《にめん》。 意味 物《もの》の平《たい》らな部分《ぶぶん》や、外側《そとがわ》の部分《ぶぶん》。また、平《たい》らなものを数《かぞ》えることば。

❺ 例文 立方体《りっぽうたい》は六《むっ》つの面《めん》をもつ。／三角形《さんかくけい》の面積《めんせき》を求《もと》める。 意味 算数《さんすう》で、広《ひろ》さをもつ図形《ずけい》の部分《ぶぶん》。また、広《ひろ》さ。めん。

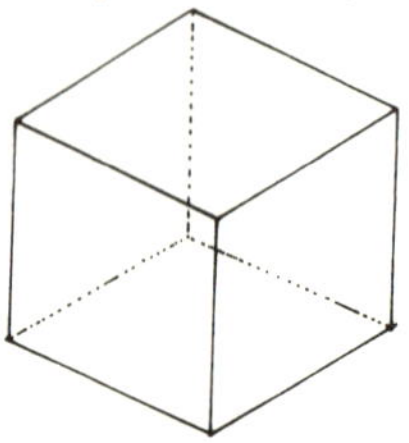

《立方体《りっぽうたい》》

❻ 例文 川《かわ》に面《めん》した建物《たてもの》。／児童《じどう》の、よい面《めん》をのばす。／正面《しょうめん》から写《うつ》した写真《しゃしん》。／東北方面《とうほくほうめん》に向《む》かう車《くるま》。 意味 向《む》く。向《む》き合《あ》う。向《む》いている方向《ほうこう》。向《む》き。めん。

熟語

❶ 面識《めんしき》（会《あ》って、顔《かお》を知《し》っていること）。面前《めんぜん》。顔面《がんめん》。洗面《せんめん》。満面《まんめん》。面影《おもかげ》。面長《おもなが》。面差《おもざ》し（顔《かお》つき）。泣《な》き面《つら》。仏頂面《ぶっちょうづら》（機嫌《きげん》の悪《わる》い顔《かお》つき）。

❷ 面談《めんだん》（その人《ひと》と直接《ちょくせつ》会《あ》って話《はな》すこと）。対面《たいめん》。

❸ 能面《のうめん》。

❹ 海面《かいめん》。紙面《しめん》。書面《しょめん》。図面《ずめん》。水面《すいめん》。帳面《ちょうめん》。表面《ひょうめん》。断面図《だんめんず》。

❺ 平面《へいめん》。

❻ 一面《いちめん》。局面《きょくめん》（ものごとのなりゆきや、ようす）。全面《ぜんめん》。前面《ぜんめん》。側面《そくめん》。直面《ちょくめん》。場面《ばめん》。反面《はんめん》。両面《りょうめん》。矢面《やおもて》（質問《しつもん》や非難《ひなん》を直《ちょく》接受《せつう》ける立場《たちば》）。全面的《ぜんめんてき》。

口／11画

問

音 モン

訓 とう・とい・とん

成り立ち

とびらをとじた「門」(もん)をたたいて、もしもしと「口」(くち)でたずねることをあらわした字《じ》。わからないことを《といただす》ことや、人《ひと》の家《いえ》を《たずねる》意味《いみ》もある。

筆順・書き方

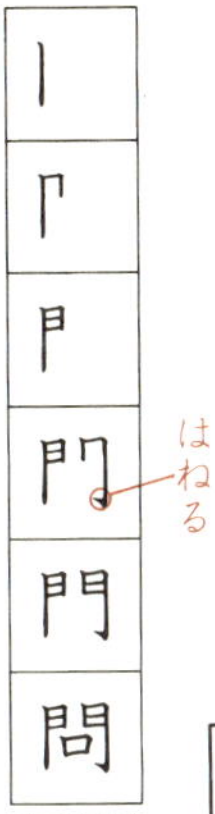

(11画)

例文・意味

❶ 例文 交番《こうばん》で道《みち》を問《と》う。／集合場所《しゅうごうばしょ》を問《と》い合《あ》わせる。／せきにんを問《と》われる。／この会《かい》には男女《だんじょ》を問《と》わず入会《にゅうかい》できる。／次《つぎ》の問《と》いに答《こた》えなさい。／先生《せんせい》に質問《しつもん》する。意味 人《ひと》にたずねる。聞《き》きただす。また、聞《き》き出《だ》すこと。とう。とい。対語 答《とう》。

❷ 例文 友人《ゆうじん》の家《いえ》を訪問《ほうもん》する。意味 人《ひと》をたずねて行《い》く。おとずれる。

《家《いえ》を訪問《ほうもん》する》

熟語

❶ 問題《もんだい》。問答《もんどう》。学問《がくもん》。疑問《ぎもん》。設問《せつもん》(出題《しゅつだい》に答《こた》えさせること。また、その出題《しゅつだい》)。難問《なんもん》。反問《はんもん》(相手《あいて》のたずねたことに答《こた》えないで、反対《はんたい》に相手《あいて》にたずねかえすこと)。口頭試問《こうとうしもん》。

彳／7画

役

音 ヤク・(エキ)

訓 ―

成り立ち

「彳」(行《い》く)と、「殳」(ぶ器《き》を持《も》った手《て》)を合《あ》わせた字《じ》。ぶ器《き》を持《も》ってわりあてられた仕事《しごと》をすることから、《仕事《しごと》》《やくめ》の意味《いみ》となった。

筆順・書き方

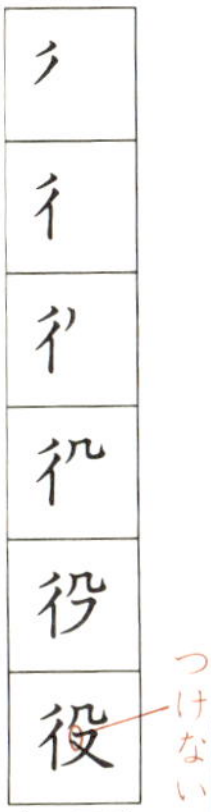

(7画)

例文・意味

❶ 例文 世《よ》の中《なか》の役《やく》に立《た》ちたい。／会《かい》のまとめ役《やく》を引《ひ》き受《う》ける。／役目《やくめ》を果《は》たす。／会社《かいしゃ》の重役《じゅうやく》。意味 受《う》けもってするつとめ。にんむ。やく。

❷ 例文 学芸会《がくげいかい》で、ピノキオの役《やく》をえんじる。／えい画《が》の配役《はいやく》が決《き》まる。意味 げきなどでの、はいゆうの受《う》けもち。

❸ 例文 労役《ろうえき》にかりたてられた農民《のうみん》。意味 人《ひと》を仕《し》事《ごと》に使《つか》う。働《はたら》かせる。

❹ 例文 西南《せいなん》の役《えき》。意味 いくさ。戦争《せんそう》。

熟語

❶ 役員《やくいん》。役所《やくしょ》。役人《やくにん》。役場《やくば》。役割《やくわり》。上役《うわやく》。下役《したやく》。助役《じょやく》。大役《たいやく》。適役《てきやく》(その人《ひと》にぴったり当《あ》てはまるやくがら)。現役《げんえき》。役立《やくだ》つ。市役所《しやくしょ》。

❷ 役者《やくしゃ》。子役《こやく》。主役《しゅやく》。

❸ 雑役《ざつえき》。

❹ 戦役《せんえき》(いくさ)。

艹／16画

薬

音 ヤク
訓 くすり

成り立ち
「艹」は草《くさ》。「楽」は木《こ》の実《み》のついたくぬぎの木《き》。草《くさ》や木《こ》の実《み》をすりつぶした《くすり》をあらわしている。別《べつ》に、病気《びょうき》を治《なお》す草《くさ》の意味《いみ》からともいわれる。

筆順・書き方

（16画）

例文・意味
❶ 例文 かぜ薬《ぐすり》を飲《の》む。／きず口《ぐち》に薬《くすり》をつける。／頭《ず》つうによくきく薬《くすり》。／町《まち》の薬局《やっきょく》。／畑《はたけ》に農薬《のうやく》をまく。 意味 けがや病気《びょうき》を治《なお》すために使《つか》うもの。くすり。

❷ 例文 火薬《かやく》がばく発《はつ》する。 意味 火《ひ》をつけたり、ばく発《はつ》させたりするための材料《ざいりょう》。

《町《まち》の薬局《やっきょく》》

熟語
❶ 薬草《やくそう》。薬品《やくひん》。医薬《いやく》。劇薬《げきやく》（使《つか》い方《かた》をまちがえると、命《いのち》にかかわるような激《はげ》しい作用《さよう》をもつ危険《きけん》なくすり）。製薬《せいやく》。薬箱《くすりばこ》。薬屋《くすりや》。薬指《くすりゆび》。胃薬《いぐすり》。粉薬《こなぐすり》。目薬《めぐすり》。薬剤師《やくざいし》。漢方薬《かんぽうやく》（中国《ちゅうごく》で発達《はったつ》した医術《いじゅつ》で使《つか》うくすり）。飲《の》み薬《ぐすり》。

❷ 爆薬《ばくやく》。

田／5画

由

音 ユ・ユウ・（ユイ）
訓 （よし）

成り立ち
細《ほそ》い口《くち》のついたつぼをえがいた字《じ》。細《ほそ》い口《くち》から中《なか》のえき体《たい》が出《で》てくることから、《…から》《…を通《とお》って》という意味《いみ》をあらわすようになった。

筆順・書き方

（5画）

例文・意味
❶ 例文 地名《ちめい》の由来《ゆらい》（ものごとがたどってきたすじ道《みち》）を調《しら》べる。／ちこくの理由《りゆう》を説明《せつめい》する。／あなたがせめられる由《よし》はない。／由《よし》ありげなそぶり。 意味 わけ。いわれ。よりどころ。よし。

❷ 例文 名古屋《なごや》から静岡《しずおか》を経由《けいゆ》して東京《とうきょう》に行《い》く。／人形《にんぎょう》を自由《じゆう》にあやつる。 意味 もとづく。また、そこを通《とお》って行《い》く。よる。

❸ 例文 お元気《げんき》の由《よし》、安心《あんしん》いたしました。 意味 「…とのこと」の意味《いみ》をあらわすことば。

熟語
❶ 由緒《ゆいしょ》（いわれ）。

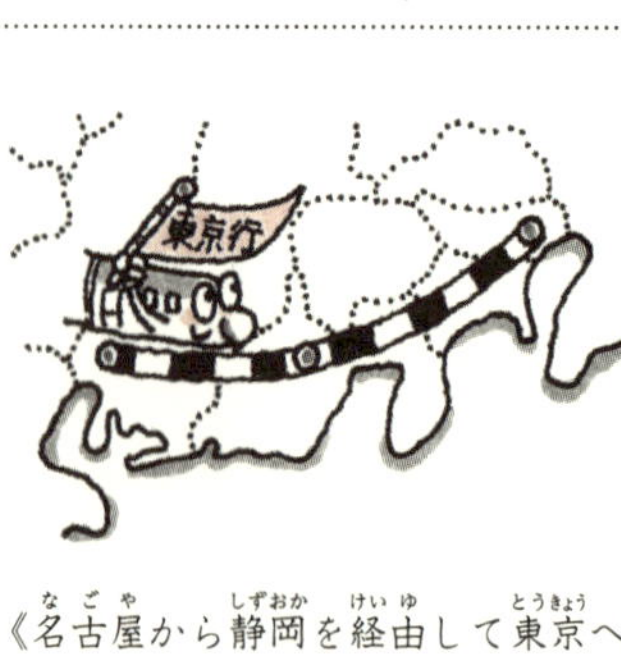

《名古屋《なごや》から静岡《しずおか》を経由《けいゆ》して東京《とうきょう》へ》

氵／8画

油

音 ユ
訓 あぶら

成り立ち
「氵」は、えき体《たい》。「由」は口《くち》が細《ほそ》くくびれたつぼをあらわす。つぼの口《くち》からたらたら出《で》てくるえき体《たい》の《あぶら》の意《い》味《み》をあらわすようになった。

筆順・書き方
氵 氵 汩 汩 油 油 （8画）
つきだす

例文・意味
例文 ミシンに油《あぶら》をさす。／ごま油《あぶら》であげた料《りょう》理《り》。／油《あぶら》を流《なが》したような海《うみ》。／かみの毛《け》につばき油《あぶら》をつける。／ガソリンスタンドで給《きゅう》油《ゆ》する。／海《かい》底《てい》油《ゆ》田《でん》の開《かい》発《はつ》をする。／油《あぶら》絵《え》を習《なら》う。 意味 もえやすく、水《みず》にとけないえき体《たい》。あぶら。

《給《きゅう》油《ゆ》する》

熟語
油《ゆ》田《でん》。軽《けい》油《ゆ》。原《げん》油《ゆ》。重《じゅう》油《ゆ》。製《せい》油《ゆ》(地《ち》中《ちゅう》のあぶらからせきゆをつくったり、動《どう》物《ぶつ》や植《しょく》物《ぶつ》からあぶらをとったりすること)。精《せい》油《ゆ》(せきゆを、まじり気《け》のない、品《ひん》質《しつ》のよいものにすること)。石《せき》油《ゆ》。灯《とう》油《ゆ》。油《あぶら》紙《がみ》。油《あぶら》気《け》。油《あぶら》菜《な》。油《あぶら》虫《むし》。機《き》械《かい》油《あぶら》。菜《な》種《たね》油《あぶら》。しょう油《ゆ》。

月／6画

有

音 ユウ・(ウ)
訓 ある

成り立ち
「ナ」は、かかえこむ手《て》を、「月」は肉《にく》をあらわす。手《て》で肉《にく》をかかえこむことから、たいせつなものを《自《じ》分《ぶん》のものとしてもつ》意《い》味《み》をあらわすようになった。

筆順・書き方
ノ ナ 冇 有 有 有 （6画）
はねる

例文・意味
❶ 例文 有《あ》り合《あ》わせの材《ざい》料《りょう》で夕《ゆう》飯《はん》をつくる。／げん実《じつ》には有《あ》り得《え》ない話《はなし》。／事《じ》実《じつ》を有《あ》りのままに話《はな》す。／しょう来《らい》有《ゆう》望《ぼう》な選《せん》手《しゅ》。 意味 そんざいする。 対語 無《む》。
❷ 例文 選《せん》手《しゅ》けんを有《ゆう》する。／東《とう》京《きょう》に家《いえ》と土《と》地《ち》が有《あ》る。／絵《え》の才《さい》のうが有《あ》る。／有《あ》り金《がね》をはたいて買《か》った洋《よう》服《ふく》。／県《けん》の所《しょ》有《ゆう》地《ち》。 意味 もつ。もっている。
❸ 例文 十《じゅう》有《ゆう》五《ご》年《ねん》にわたる研《けん》究《きゅう》。 意味 さらにまた。そのうえに。

熟語
❶ 有《ゆう》益《えき》。有《ゆう》害《がい》。有《ゆう》形《けい》。有《ゆう》限《げん》。有《ゆう》効《こう》。有《ゆう》罪《ざい》。有《ゆう》数《すう》。有《ゆう》毒《どく》。有《ゆう》利《り》。有《ゆう》料《りょう》。有《ゆう》力《りょく》。有《う》無《む》。有《ゆう》意《い》義《ぎ》(それをするだけのねうちがあること)。有《あ》り様《さま》。有《ゆう》線《せん》放《ほう》送《そう》。有《ゆう》名《めい》無《む》実《じつ》⇩(642ページ中) 万《ばん》有《ゆう》引《いん》力《りょく》。
❷ 有《ゆう》志《し》。有《ゆう》能《のう》。共《きょう》有《ゆう》。固《こ》有《ゆう》。国《こく》有《ゆう》。私《し》有《ゆう》。専《せん》有《ゆう》。特《とく》有《ゆう》。保《ほ》有《ゆう》。有《ゆう》権《けん》者《しゃ》。

辶／12画

遊

音 ユウ・（ユ）
訓 あそぶ

成り立ち

「㫃」は、ゆらゆらとゆれる旗《はた》。「子」は、こども。「辶」は道《みち》を歩《ある》いていくこと。子《こ》どもがゆらゆらと歩《ある》き回《まわ》るようすから、《あそぶ》意味《いみ》をあらわした。

筆順・書き方

（12画）

例文・意味

❶ 例文 なわとびをして遊《あそ》ぶ。／庭《にわ》で妹《いもうと》と遊《あそ》んだ。／友《とも》だちの家《いえ》へ遊《あそ》びに行《い》く。／遊園地《ゆうえんち》で遊《あそ》ぶ。 意味 おもしろく楽《たの》しむ。あそぶ。

❷ 例文 一年間《いちねんかん》パリに遊《あそ》ぶ。／外国《がいこく》に遊学《ゆうがく》する。 意味 他《た》の土地《とち》へ行《い》く。あそぶ。

❸ 例文 高波《たかなみ》のため、遊泳禁止《ゆうえいきんし》になる。 意味 自由《じゆう》に動《うご》き回《まわ》る。

❹ 例文 遊《あそ》んでいる土地《とち》を活用《かつよう》する。 意味 役《やく》にたっていない。使《つか》われないでいる。あそぶ。

熟語

❶ 遊具《ゆうぐ》。遊《あそ》び場《ば》。砂遊《すなあそ》び。水遊《みずあそ》び。

❷ 遊説《ゆうぜい》（政治家《せいじか》などが自分《じぶん》の考《かんが》えや党《とう》の考《かんが》えを各地《かくち》で演説《えんぜつ》して回《まわ》ること）。回遊《かいゆう》。外遊《がいゆう》（研究《けんきゅう》や会議《かいぎ》などのために外国《がいこく》に行《い》くこと）。周遊券《しゅうゆうけん》。

❸ 遊星《ゆうせい》。遊牧《ゆうぼく》。遊歩道《ゆうほどう》。遊動円木《ゆうどうえんぼく》。

亅／4画

予

音 ヨ
訓 ―

成り立ち

わを下《した》にずらすようすをあらわす。ずらしてゆとりをつくることから《前《まえ》もって、ゆとりをもってする》の意味《いみ》になった。別《べつ》に、はたおりの横糸《よこいと》を通《とお》す道具《どうぐ》の形《かたち》からともいわれる。

筆順・書き方

（4画）

例文・意味

❶ 例文 きょうは勝《か》てそうな予感《よかん》がする。／テレビの天気予報《てんきよほう》を見《み》る。／かぜの予防注射《よぼうちゅうしゃ》を受《う》ける。 意味 あらかじめ。前《まえ》もって。

❷ 例文 もはや一《いっ》こくのゆう予《よ》もゆるされない。 意味 ゆとりをおく。ためらう。ぐずぐずする。

❸ 例文 よい家来《けらい》をもって、予《よ》は満足《まんぞく》である。 意味 「わたくし」の古《ふる》い言《い》い方《かた》。自分《じぶん》。

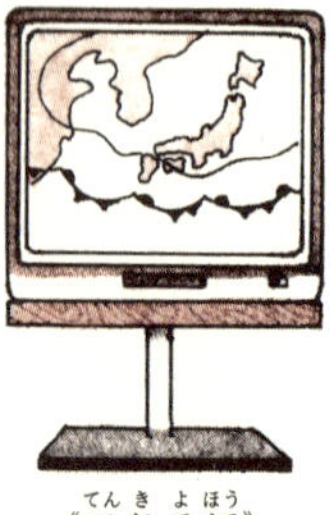
《天気《てんき》予報《よほう》》

熟語

❶ 予期《よき》。予言《よげん》（これから先《さき》に起《お》こることを前《まえ》もって言《い》うこと）。予告《よこく》。予算《よさん》。予習《よしゅう》。予選《よせん》。予想《よそう》。予測《よそく》。予知《よち》（ものごとが起《お》こる前《まえ》に、それを知《し》ること）。予定《よてい》。予備《よび》。予約《よやく》（前《まえ》もって約束《やくそく》すること。また、その約束《やくそく》）。予行演習《よこうえんしゅう》。

羊／6画

羊

音 ヨウ
訓 ひつじ

成り立ち
《ひつじ》の頭《あたま》をえがいた字《じ》。

筆順・書き方

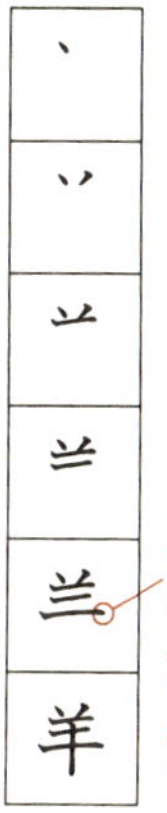

(6画)

例文・意味

例文 羊《ひつじ》の毛《け》をかる。／羊毛《ようもう》のふとん。
意味 牛《うし》の仲間《なかま》の動物《どうぶつ》。ひつじ。

《羊飼《ひつじか》い》

熟語
牧羊《ぼくよう》。綿羊《めんよう》。子羊《こひつじ》。羊飼《ひつじか》い。

氵／9画

洋

音 ヨウ
訓 ―

成り立ち
「羊」(ひつじ。りっぱで大《おお》きいこと)と「氵」(水《みず》)を合《あ》わせた字《じ》。広々《ひろびろ》として、《大《おお》きく広《ひろ》い海《うみ》》をあらわした字《じ》。

筆順・書き方

(9画)

例文・意味

❶ 例文 洋上《ようじょう》はるかに島《しま》が見《み》える。／太平洋《たいへいよう》をヨットで横《おう》だんする。／船《ふね》が外洋《がいよう》に出《で》る。
意味 大《おお》きな海《うみ》。広《ひろ》い海《うみ》。

❷ 例文 洋《よう》の東西《とうざい》を問《と》わず、多《おお》くの人《ひと》に読《よ》まれてきた童話《どうわ》。／東洋《とうよう》の医学《いがく》を学《まな》ぶ。
意味 世界《せかい》を東《ひがし》と西《にし》に分《わ》けた部分《ぶぶん》。

❸ 例文 レストランで洋食《ようしょく》を食《た》べる。
意味 西洋《せいよう》。西洋《せいよう》ふうの。

❹ 例文 洋洋《ようよう》と広《ひろ》がる海《うみ》。／前《ぜん》と洋洋《ようよう》たる青年《せいねん》。
意味 広々《ひろびろ》としている。開《ひら》けている。

熟語
❶ 遠洋《えんよう》(陸地《りくち》から遠《とお》くはなれた海《うみ》)。海洋《かいよう》。大洋《たいよう》。南洋《なんよう》。北洋《ほくよう》。大西洋《たいせいよう》。
❷ 西洋《せいよう》。
❸ 洋画《ようが》。洋楽《ようがく》(西洋《せいよう》の音楽《おんがく》)。洋裁《ようさい》。洋式《ようしき》。洋室《ようしつ》。洋酒《ようしゅ》。洋装《ようそう》。洋服《ようふく》。洋間《ようま》。和洋《わよう》。

艹／12画

【葉】

音 ヨウ
訓 は

成り立ち

「艹」(植物《しょくぶつ》)と、「枼」(木《き》のこずえに、ひらひらする平《ひら》べったいはがあるよう す)を合《あ》わせた字《じ》。草《くさ》や木《き》の《は》をあらわした字《じ》。

筆順・書き方

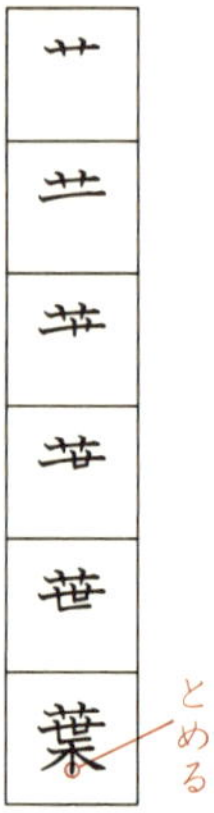

(12画)

例文・意味

❶ 例文 木《こ》の葉《は》が散《ち》る。／青葉《あおば》が風《かぜ》にそよぐ。／落《お》ち葉《ば》をはく。／山《やま》の木《き》が、紅葉《こうよう》する。／父《ちち》は観葉植物《かんようしょくぶつ》(はの美《うつく》しさをかん賞《しょう》するための植物《しょくぶつ》)の研究《けんきゅう》をしています。 意味 草《くさ》や木《き》の、は。

❷ 例文 一葉《いちよう》の写真《しゃしん》。／色紙《しきし》二葉《によう》。 意味 紙《かみ》など、うすくて平《ひら》たいものを数《かぞ》えることば。

❸ 例文 明治時代中葉《めいじじだいちゅうよう》。 意味 一《ひと》つの時代《じだい》をいくつかに分《わ》けたそれぞれの時期《じき》。

《観葉植物《かんようしょくぶつ》》

熟語

❶ 葉脈《ようみゃく》。黄葉《こうよう》。子葉《しよう》。落葉《らくよう》。葉桜《はざくら》。枝葉《えだは》。若葉《わかば》。葉緑素《ようりょくそ》。広葉樹《こうようじゅ》。針葉樹《しんようじゅ》。落葉樹《らくようじゅ》。

❸ 末葉《まつよう》。

特別な読み

紅葉《もみじ》。

阝／12画

【陽】

音 ヨウ
訓 ―

成り立ち

「阝」(おか)と、「昜」(太《たい》ようがあがって明《あか》るいこと)を合《あ》わせた字《じ》。もと、《あかるい》《南側《みなみがわ》のおか》をあらわしたが、後《のち》に、明《あか》るく照《て》らす《おひさま、たいよう》をあらわすようになった。

筆順・書き方

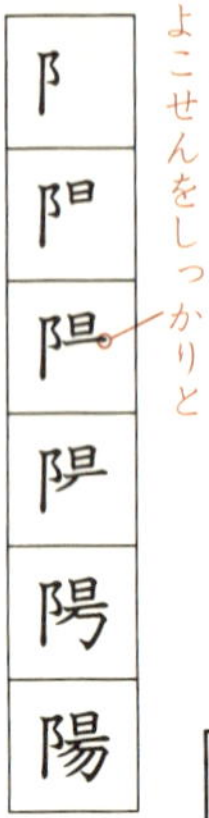

(12画)

例文・意味

❶ 例文 陽光《ようこう》がさんさんとふり注《そそ》ぐ。／太陽《たいよう》がしずむ。 意味 たいよう。日《ひ》。

❷ 意味 日《ひ》の当《あ》たる場《ば》所《しょ》。ひなた。山《やま》では南側《みなみがわ》、川《かわ》では北側《きたがわ》をさす。

❸ 例文 陽気《ようき》なせいかく。／ツベルクリン反《はん》のうが陽性《ようせい》になる。 意味 外《そと》にあらわれる。また、二《ふた》つのもののうち、外《そと》にあらわれるほう、積《せっ》極的《きょくてき》なほうのもの。

《太陽《たいよう》がしずむ》

熟語

❶ 太陽系《たいようけい》。太陽電池《たいようでんち》。

❸ 陽極《ようきょく》。陽子《ようし》。陽電子《ようでんし》。陽《よう》イオン。

木／14画

様

音 ヨウ
訓 さま

成り立ち
「羕」は、りっぱな羊《ひつじ》のように、のびのびと大《おお》きくのびること。それに「木」を合《あ》わせた字《じ》。りっぱにのびた木《き》のことから、《すがたかたち》《ようす》の意味《いみ》になった。

筆順・書き方

(14画)

例文・意味
❶ 例文 町《まち》がすっかり様変《さまが》わりした。／物《もの》かげから様子《ようす》をうかがう。 意味 ありさま。ようす。
❷ 例文 生活様式《せいかつようしき》がかわる。 意味 かたち。しかた。形式《けいしき》。
❸ 例文 水玉模様《みずたまもよう》のブラウス。 意味 図《ず》がら。がら。
❹ 例文 山田様《やまださま》のおたくですか。／マリア様《さま》のぞう。 意味 人《ひと》の名前《なまえ》などの後《あと》につけて、うやまう気持《きも》ちをあらわすことば。

熟語
❶ 様相《ようそう》(ものごとのありさま)。異様《いよう》(ふつうとはちがって変《へん》なようす)。多様《たよう》。同様《どうよう》。様様《さまざま》。有《あ》り様《さま》。各人各様《かくじんかくよう》。
❹ 王様《おうさま》。奥様《おくさま》。神様《かみさま》。殿様《とのさま》。仏様《ほとけさま》。

艹／12画

落

音 ラク
訓 おちる・おとす

成り立ち
「艹」(植物《しょくぶつ》)と「洛」(おちること)を合《あ》わせた字《じ》。木《こ》の葉《は》や木《こ》の実《み》が、おちて、土《つち》の上《うえ》でとまるようすをあらわした字《じ》。《おちる》《おとす》の意味《いみ》になった。

筆順・書き方

(12画)

例文・意味
❶ 例文 雨《あま》だれが落《お》ちる。／ハンカチを落《お》とす。 意味 上《うえ》から下《した》へおちる。おとす。
❷ 例文 人気《にんき》が落《お》ちる。／店《みせ》が落《お》ち目《め》だ。 意味 おとろえる。おちぶれる。おちる。おとす。
❸ 例文 試験《しけん》に落《お》ちる。／名《めい》ぼに落《お》ちがある。／番地《ばんち》を書《か》き落《お》とす。／選挙《せんきょ》で落選《らくせん》する。 意味 ぬける。もれる。もらす。おちる。おとす。
❹ 例文 さわぎが落《お》ち着《つ》く。／校《こう》しゃが落成《らくせい》する。 意味 きまりがつく。おさまる。完成《かんせい》する。
❺ 意味 人《ひと》が集《あつ》まってすんでいるところ。

熟語
❶ 落日《らくじつ》(しずむ太陽《たいよう》)。落石《らくせき》。落馬《らくば》。落葉《らくよう》。落下《らっか》。下落《げらく》。転落《てんらく》。落書《らくが》き。落《お》ち葉《ば》。落《お》とし穴《あな》。
❸ 落後《らくご》(仲間《なかま》からとり残《のこ》されてぬけること)。落第《らくだい》。脱落《だつらく》。落《お》ち度《ど》。手落《てお》ち。
❹ 落語《らくご》。
❺ 集落《しゅうらく》。村落《そんらく》。

氵／10画

【流】

音 リュウ・《ル》
訓 ながれる・ながす

成り立ち

「氵」(水《みず》)と、「㐬」(赤《あか》ちゃんが、おかあさんのおなかからながれ出《で》るように生《う》まれるようす)を合《あ》わせた字《じ》。水《みず》が《ながれる》ことや、《ながれるように広《ひろ》くいきわたる》ことをあらわした字《じ》。

筆順・書き方

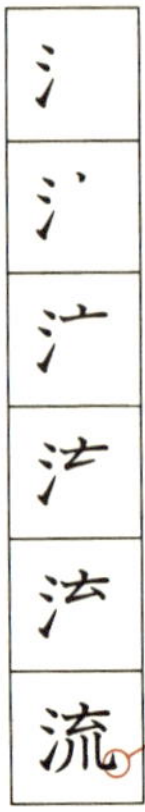

(10画)

例文・意味

❶ 例文 川《かわ》が流《なが》れる。／あせが流《なが》れ落《お》ちる。／流《なが》れのはやい川《かわ》。／ささぶねを川《かわ》に流《なが》す。／なみだを流《なが》す。／大雨《おおあめ》で橋《はし》が流《なが》される。／夜空《よぞら》に流星《りゅうせい》を見《み》る。／急流《きゅうりゅう》をカヌーでくだる。意味 水《みず》・空気《くうき》・物《もの》などがい動《どう》する。ながれる。ながす。

❷ 例文 町中《まちじゅう》にうわさが流《なが》れる。／デマを流《なが》す。／流行《りゅうこう》の服《ふく》を着《き》る。意味 世間《せけん》に広《ひろ》まる。はやる。ながれる。

❸ 例文 流《りゅう》ちょうに英語《えいご》をしゃべる。意味 ものごとが、すらすらといく。よどみない。

❹ 例文 旅《たび》から旅《たび》へと流《なが》れ歩《ある》く。／流転《るてん》の旅《たび》。意味 あてもなくさまよう。さすらう。

《急流《きゅうりゅう》をくだる》

❺ 例文 ざい人《にん》を島《しま》に流《なが》す。意味 遠《とお》くの地《ち》に追《お》いやる。ながす。

❻ 例文 平家《へいけ》の流《なが》れをくむ家《いえ》がら。／自己流《じこりゅう》のテニス。／生《い》け花《ばな》の流派《りゅうは》。意味 血《ち》すじ・やり方《かた》・考《かんが》え方《かた》などが同《おな》じもの。ながれ。

❼ 例文 遠足《えんそく》が雨《あめ》で流《なが》れる。／計画《けいかく》がお流《なが》れになる。／会議《かいぎ》が流会《りゅうかい》になる。意味 計画《けいかく》などをやめてしまう。ながれる。

❽ 例文 一流《いちりゅう》のホテルにとまる。／ぼくたちのサッカーチームは、まだ三流《さんりゅう》だといわれている。意味 等級《とうきゅう》や階《かい》そうをあらわすことば。

熟語

❶ 流域《りゅういき》。流血《りゅうけつ》。流出《りゅうしゅつ》。流動《りゅうどう》。流氷《りゅうひょう》。下流《かりゅう》。海流《かいりゅう》。寒流《かんりゅう》。気流《きりゅう》。逆流《ぎゃくりゅう》。激流《げきりゅう》。源流《げんりゅう》。合流《ごうりゅう》。支流《しりゅう》。主流《しゅりゅう》。上流《じょうりゅう》。水流《すいりゅう》。清流《せいりゅう》。暖流《だんりゅう》。潮流《ちょうりゅう》(潮《しお》の満《み》ち引《ひ》きの力《ちから》で生《しょう》ずる海水《かいすい》のながれ)。電流《でんりゅう》。放流《ほうりゅう》。本流《ほんりゅう》。流線型《りゅうせんけい》。流《なが》れ星《ぼし》。

❷ 流感《りゅうかん》。流通《りゅうつう》。流布《るふ》(世《よ》の中《なか》に知《し》れわたること)。

❺ 流罪《るざい》。島流《しまなが》し。

❻ 我流《がりゅう》(正式《せいしき》なものではない自分《じぶん》勝手《かって》なやり方《かた》)。

❽ 下流《かりゅう》。中流《ちゅうりゅう》。

方／10画

旅

音 リョ
訓 たび

成り立ち

「方」(旗《はた》)と、「𠂉」(人《ひと》がならんだようす)を合《あ》わせた字《じ》。旗《はた》を立《た》て、列《れっ》を組《く》んで行《い》く軍隊《ぐんたい》をあらわした。後《のち》、遠《とお》くへ行《い》くことから《たび》の意味《いみ》になった。

筆順・書き方

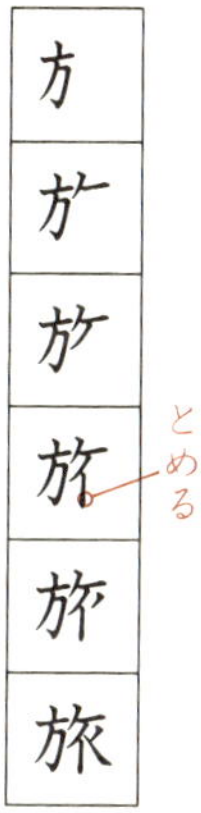

（10画）

例文・意味

❶ 例文 北海道一周《ほっかいどういっしゅう》の旅《たび》に出《で》る。／船《ふね》の旅《たび》を楽《たの》しむ。／旅行《りょこう》のしたくをする。／日本各地《にっぽんかくち》を旅《たび》してまわる。／あす、フランスへ旅立《たびだ》つ。／旅先《たびさき》から絵《え》はがきを出《だ》す。／気《き》ままなひとり旅《たび》。／修学旅行《しゅうがくりょこう》で京都《きょうと》へ行《い》く。 意味 家《いえ》をはなれて、よその土地《とち》へ行《い》くこと。たび。

❷ 例文 歩兵旅団《ほへいりょだん》を組《そ》しきする。 意味 軍隊《ぐんたい》。

《旅行《りょこう》のしたく》

熟語

❶ 旅客《りょかく》。旅館《りょかん》。旅券《りょけん》(外国《がいこく》に行《い》く人《ひと》に、政府《せいふ》が発行《はっこう》する証明《しょうめい》書《しょ》。パスポート)。旅情《りょじょう》(たびに出《で》て感《かん》じるしみじみとした思《おも》い)。旅費《りょひ》。旅路《たびじ》。旅人《たびにん》。旅人《たびびと》。船旅《ふなたび》。旅客機《りょかっき》。旅行記《りょこうき》。海外旅行《かいがいりょこう》。

一／6画

両

音 リョウ
訓 ―

成り立ち

もとの字《じ》は「兩」。物《もの》の重《おも》さをはかるてんびんばかりをえがいた字《じ》。おもりと品物《しなもの》とがつり合《あ》ったとき、重《おも》さがはかれる。二《ふた》つがつり合《あ》っている《一組《ひとく》みのもの》という意味《いみ》をあらわす。

筆順・書き方

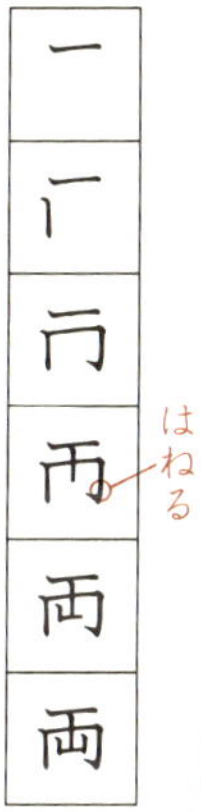

（6画）

例文・意味

❶ 例文 両親《りょうしん》といっしょにくらす。／勉強《べんきょう》とクラブ活動《かつどう》を両立《りょうりつ》させる。／道《みち》の両側《りょうがわ》にビルが立《た》ちならぶ。／紙《かみ》の両面《りょうめん》に書《か》く。 意味 二《ふた》つ。また、一組《ひとく》みになる、二《ふた》つのもの。

❷ 例文 十両編成《じゅうりょうへんせい》の列車《れっしゃ》。／道路工事《どうろこうじ》のため、車《しゃ》両《りょう》の通行《つうこう》をきん止《し》する。 意味 車《くるま》。また、車《くるま》を数《かぞ》えることば。

❸ 例文 百円玉《ひゃくえんだま》を十円玉《じゅうえんだま》に両《りょう》がえする。 意味 むかしのお金《かね》の単位《たんい》。

熟語

❶ 両岸《りょうがん》。両手《りょうて》。両刀《りょうとう》。両人《りょうにん》。両方《りょうほう》。一両日《いちりょうじつ》。一挙両得《いっきょりょうとく》⇩(635ページ上)　一刀両断《いっとうりょうだん》⇩(635ページ下)　賛否両論《さんぴりょうろん》。水陸両用《すいりくりょうよう》。

❸ 千両箱《せんりょうばこ》。

糸／14画

緑

音 リョク・《ロク》
訓 みどり

成り立ち
竹《たけ》の皮《かわ》をはいだ、青々《あおあお》とした竹《たけ》をあらわす「彔」と、「糸」(いと)とを合《あ》わせた字《じ》で、もと、青竹《あおたけ》の色《いろ》にそめた糸《いと》をあらわした。そこから、みずみずしい《みどり色《いろ》》の意味《いみ》になった。

緑 ← 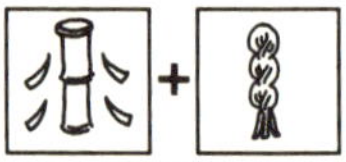

筆順・書き方
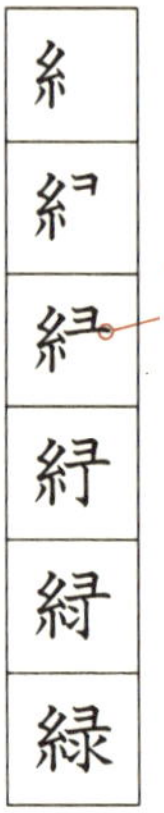

(14画)

例文・意味
例文 緑《みどり》のわか葉《ば》が風《かぜ》にそよぐ。／緑色《みどりいろ》のクレヨンで草原《そうげん》の風景《ふうけい》をかく。／駅《えき》の周辺《しゅうへん》は緑《みどり》が少《すく》ない。／新緑《しんりょく》の季節《きせつ》をむかえる。／かおりのよい緑茶《りょくちゃ》を飲《の》む。意味 色《いろ》の一《ひと》つ。青《あお》と黄《き》の中間《ちゅうかん》の色《いろ》。また、みどり色《いろ》をした木《き》や草《くさ》。みどり。

熟語
緑地《りょくち》。緑化《りょっか》(草木《くさき》を植《う》えて、みどりの地域《ちいき》を多《おお》くすること)。緑青《ろくしょう》(銅《どう》の表面《ひょうめん》にできるみどり色《いろ》の有毒《ゆうどく》なさび)。浅緑《あさみどり》。黄緑《きみどり》。緑地帯《りょくちたい》。常緑樹《じょうりょくじゅ》。葉緑素《ようりょくそ》。

ネ／5画

礼

音 レイ・《ライ》
訓 ——

成り立ち
もとの字《じ》は「禮」。「示」は神《かみ》におそなえをする台《だい》、「豊」はおそなえ物《もの》。神《かみ》におそなえ物《もの》をして、ていねいにお祭《まつ》りをすること。そのときのていねいな《作法《さほう》》や《れいぎ》をあらわした字《じ》。

礼 ← 

筆順・書き方

(5画)

例文・意味
❶ 例文 礼《れい》にかなった服《ふく》そう。／失礼《しつれい》のないように話《はな》す。／朝礼《ちょうれい》をおこなう。意味 形《かたち》のととのった作法《さほう》や、ぎ式《しき》。れい。
❷ 例文 頭《あたま》をさげて礼《れい》をする。／隊長《たいちょう》に敬礼《けいれい》する。意味 相手《あいて》をうやまって、おじぎをする。また、おじぎ。れい。
❸ 例文 電話《でんわ》でお礼《れい》を言《い》う。／お礼《れい》の品《しな》をおくる。／お世話《せわ》になった人《ひと》に礼状《れいじょう》を出《だ》す。意味 感《かん》しゃの気持《きも》ちをあらわす、ことばや品物《しなもの》。れい。

熟語
❶ 礼儀《れいぎ》。礼装《れいそう》。礼服《れいふく》。祭礼《さいれい》。洗礼《せんれい》(キリスト教《きょう》で、信者《しんじゃ》になるためにおこなう儀式《ぎしき》)。無礼《ぶれい》。
❷ 礼拝《れいはい》。礼賛《らいさん》(ありがたいと思《おも》い、ほめたたえること)。礼拝《らいはい》。
❸ 謝礼《しゃれい》。返礼《へんれい》。

刂／6画

列

音 レツ
訓 ―

成り立ち 「歹」は、ほねを、「刂」は刀《かたな》をあらわす。つながったほねを切《き》りはなして、順《じゅん》じょよくならべることから、《ならべる》《ならんだもの》の意味《いみ》になった。

筆順・書き方 一 ア 万 歹 歹 列（6画）　みじかく

列 ←  + 

例文・意味

❶ 例文 卒業式《そつぎょうしき》に列席《れっせき》する。／注意事《ちゅういじ》こうを列記《れっき》する。／五十音順《ごじゅうおんじゅん》に配列《はいれつ》する。 意味 順《じゅん》にならぶ。ならべる。つらなる。

❷ 例文 横《よこ》の列《れつ》がみだれる。／えい画館《がかん》の前《まえ》に、長《なが》い列《れつ》ができる。／二列《にれつ》にならんで行進《こうしん》する。／校庭《こうてい》に整列《せいれつ》する。 意味 順《じゅん》にならんだもの。ならび。また、それを数《かぞ》えることば。れつ。

❸ 例文 ヨーロッパの列国《れっこく》。 意味 たくさんの。多《おお》くの。

熟語

❶ 列挙《れっきょ》（一《ひと》つ一《ひと》つ並《なら》べあげること）。列車《れっしゃ》。列島《れっとう》。系列《けいれつ》。参列《さんれつ》（式《しき》や会《かい》などに出席《しゅっせき》すること）。直列《ちょくれつ》。並列《へいれつ》。
❷ 行列《ぎょうれつ》。後列《こうれつ》。前列《ぜんれつ》。隊列《たいれつ》。
❸ 列強《れっきょう》（多《おお》くの強《つよ》い国々《くにぐに》）。

糸／14画

練

音 レン
訓 ねる

成り立ち もとの字《じ》は「練」。たくさんの中《なか》からより分《わ》けることをあらわす「柬」と「糸」（いと）とを合《あ》わせた字《じ》。糸《いと》をより分《わ》け、《よりよいものにする》ことをあらわした字《じ》。

筆順・書き方 幺 糸 糹 絅 練 練（14画）　とめる

練 ←  + 

例文・意味

例文 小麦粉《こむぎこ》を水《みず》で練《ね》る。／試合《しあい》の前《まえ》に作戦《さくせん》を練《ね》る。／けい験《けん》を積《つ》んで、人間《にんげん》が練《ね》れてきた。／計画《けいかく》を練《ね》りなおす。／ねん土《ど》を練《ね》り固《かた》める。／おみこしが町内《ちょうない》を練《ね》り歩《ある》く。／サッカーの練習《れんしゅう》をする。／けい察犬《さっけん》を訓練《くんれん》する。 意味 ものをこねる。また、ものごとをねりきたえて、しつのよいものをつくる。ねる。

《サッカーの練習《れんしゅう》》

熟語

練炭《れんたん》。試練《しれん》。修練《しゅうれん》。習練《しゅうれん》。熟練《じゅくれん》。精練《せいれん》。洗練《せんれん》（文章《ぶんしょう》や、人《ひと》がら・趣味《しゅみ》などが上品《じょうひん》ですっきりとしていて、りっぱなこと）。老練《ろうれん》（長《なが》いあいだその仕事《しごと》をして慣《な》れていて、じょうずなようす）。

足／13画

【路】

音 ロ
訓 じ

成り立ち
「足」(あし)と、「各」(足《あし》がつらなること)を合《あ》わせた字《じ》。よこにつないでいる《みち》をあらわしたが、今《いま》は広《ひろ》く《みち》の意《い》味《み》。

筆順・書き方

(13画)

路 ← 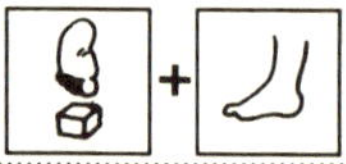

例文・意味

❶ 例文 通学路《つうがくろ》に、ゆう便局《びんきょく》がある。／バスの路《ろ》線図《せんず》。／線路《せんろ》ぞいの道《みち》を歩《ある》く。／帰省《きせい》する車《くるま》で、道路《どうろ》がこんざつしている。／外国航路《がいこくこうろ》の船《ふね》。／街路樹《がいろじゅ》の葉《は》が赤《あか》く色《いろ》づく。／仕事《しごと》を終《お》えて家路《いえじ》につく。 意味 みち。人《ひと》や車《くるま》が行《い》き来《き》するところ。

❷ 例文 自分《じぶん》の考《かんが》えを理路整然《りろせいぜん》と語《かた》る。 意味 ものごとのすじ道《みち》。

❸ 例文 路銀《ろぎん》を使《つか》い果《は》たす。 意味 旅《たび》。旅行《りょこう》。

熟語

❶ 路上《ろじょう》。路頭《ろとう》(道端《みちばた》)。路面《ろめん》。遠路《えんろ》。海路《かいろ》。帰路《きろ》。空路《くうろ》。経路《けいろ》。順路《じゅんろ》(順序《じゅんじょ》よく進《すす》んで行《い》ける道《みち》すじ)。通路《つうろ》。迷路《めいろ》。陸路《りくろ》。旅路《たびじ》。山路《やまじ》。十字路《じゅうじろ》。放水路《ほうすいろ》。道路工事《どうろこうじ》。

ロ／8画

【和】

音 ワ・《オ》
訓 (やわらぐ)・(やわらげる)・(なごむ)・(なごやか)

成り立ち
「禾」(いねのほ・が実《みの》ってしなやかにたれているようす)と「口」(くち)を合《あ》わせた字《じ》。みんなが口々《くちぐち》に《なごやか》にものを言《い》うことの意《い》味《み》。

筆順・書き方

(8画)

和 ← 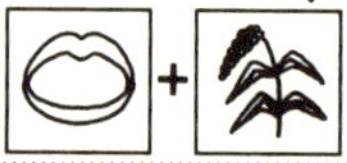

例文・意味

❶ 例文 いたみが和《やわ》らぐ。／和《なご》やかなふんいき。 意味 おだやかになる。やわらぐ。なごむ。また、そのようなようす。

❷ 例文 人《ひと》の和《わ》をたいせつにする。 意味 仲《なか》がよい。仲《なか》よくする。

❸ 例文 ピアノに和《わ》して歌《うた》う。／さんを中和《ちゅうわ》する。 意味 調子《ちょうし》を合《あ》わせる。また、まぜ合《あ》わせる。

❹ 例文 二《に》と三《さん》の和《わ》は五《ご》。／和《わ》を求《もと》める。 意味 二《ふた》つ以《い》上《じょう》の数《かず》を加《くわ》えたあたい。 対語 差《さ》。

❺ 意味 日本《にっぽん》・日本語《にほんご》・日本《にっぽん》ふうのこと。

熟語

❶ 温和《おんわ》(気候《きこう》や性質《せいしつ》がおだやかなようす)。昭和《しょうわ》。平和《へいわ》。
❷ 和解《わかい》。講和《こうわ》。不和《ふわ》。
❸ 和音《わおん》。
❹ 総和《そうわ》。
❺ 和歌《わか》。和裁《わさい》。和紙《わし》。和室《わしつ》。和風《わふう》。和服《わふく》。英和辞典《えいわじてん》。漢和辞典《かんわじてん》。

特別な読み
日和《ひより》。大和《やまと》。

四《よ》年《ねん》生《せい》で学《がく》習《しゅう》する漢《かん》字《じ》

200字《じ》

四年生《よねんせい》で学習《がくしゅう》する漢字《かんじ》

画数《かくすう》さくいん 200字《じ》

心／13画

愛

音 アイ
訓 ―

成り立ち 「爫」(むねがいっぱいで、ため息《いき》をつく)と「心」(こころ)に「夊」(足《あし》をひきずる)を合《あ》わせた字《じ》。むねがいっぱいになって、足《あし》が進《すす》まないようすから、《あいする》の意味《いみ》になった。

筆順・書き方

てんのうちかたにちゅうい
(13画)

例文・意味

❶ 例文 愛《あい》とにくしみ。／母《はは》が子《こ》に愛情《あいじょう》を注《そそ》ぐ。／親《おや》が子《こ》を愛《あい》する。 意味 かわいがること。いつくしむこと。
❷ 例文 姉《あね》は詩集《ししゅう》を愛読《あいどく》している。 意味 好《この》む。
❸ 例文 動物愛護《どうぶつあいご》の運動《うんどう》に参加《さんか》する。／愛鳥週間《あいちょうしゅうかん》。 意味 大事《だいじ》にする。たいせつにする。
❹ 例文 紙面《しめん》のつごうで、文章《ぶんしょう》の一部《いちぶ》を割愛《かつあい》する。 意味 おしいと思《おも》う。
❺ 例文 あのふたりは、れん愛関係《あいかんけい》にある。 意味 男女《だんじょ》がこいしく思《おも》う。

熟語

❶ 愛犬《あいけん》。愛児《あいじ》。最愛《さいあい》(いちばんあいすること)。親愛《しんあい》(あいし、親《した》しみを感《かん》じること)。博愛《はくあい》(人《じん》種《しゅ》などの差別《さべつ》なく、平等《びょうどう》にみんなをあいすること)。母性愛《ぼせいあい》。
❷ 愛好《あいこう》。愛唱《あいしょう》。愛用《あいよう》。愛読者《あいどくしゃ》。愛読書《あいどくしょ》。
❸ 愛国《あいこく》。自愛《じあい》。愛国心《あいこくしん》。
❺ 純愛《じゅんあい》。

木／10画

案

音 アン
訓 ―

成り立ち 「安」(家《いえ》の中《なか》で、女《おんな》の人《ひと》が落《お》ち着《つ》いているようす)と「木」(もたれるき)を合《あ》わせた字《じ》。もとは、木のつくえのこと。後《のち》に、《じっくり考《かんが》えること》《考《かんが》えたこと》の意味《いみ》になった。

筆順・書き方

とめる
(10画)

例文・意味

❶ 例文 それはいい案《あん》だ。／思案《しあん》の末《すえ》、その計画《けいかく》は中止《ちゅうし》した。 意味 考《かんが》える。調《しら》べる。また、考《かんが》え。計画《けいかく》。
❷ 例文 作文《さくぶん》の文案《ぶんあん》を練《ね》る。／クラブの規則《きそく》の草案《そうあん》をつくる。 意味 下書《したが》き。
❸ 例文 君《きみ》って案外《あんがい》おく病《びょう》だね。／寒《さむ》いと思《おも》ったら案《あん》の定《じょう》、雪《ゆき》になった。 意味 もともと思《おも》っていたこと。予想《よそう》。
❹ 例文 案内《あんない》してもらう。 意味 ようす。また、ようすをたずねる。

熟語

❶ 議案《ぎあん》。原案《げんあん》(会議《かいぎ》などで相談《そうだん》するためのもとになる最初《さいしょ》の考《かんが》えや計画《けいかく》)。考案《こうあん》。私案《しあん》。試案《しあん》(試《ため》しに出《だ》した考《かんが》え)。新案《しんあん》。提案《ていあん》。発案《はつあん》。腹案《ふくあん》(心《こころ》の中《なか》にもっていて、まだ発表《はっぴょう》していない考《かんが》えや計画《けいかく》)。名案《めいあん》。立案《りつあん》(計画《けいかく》を立《た》てること)。案内板《あんないばん》。

人／5画

以

音 イ

訓 ―

成り立ち

曲《ま》がった木《き》のすき・・と手《て》を合《あ》わせた字《じ》。すきを手《て》に持《も》って仕事《しごと》をするようすをあらわした字《じ》。道具《どうぐ》で仕事《しごと》をすることから、《…を使《つか》って》《…をもって》の意味《いみ》になった。

筆順・書き方

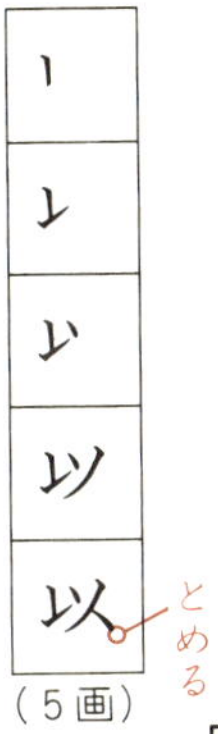

（5画）

例文・意味

❶ 例文 六才《ろくさい》以上《いじょう》の子《こ》どもの運《うん》ちんは、おとなの半額《はんがく》です。／わが家《や》は江戸《えど》時代《じだい》以来《いらい》つづいている酒屋《さかや》です。 意味 他《た》のことばのあとにつけて、「…より」「…から」の意味《いみ》をあらわすことば。

❷ 意味 「…でもって」「…を使《つか》って」の意味《いみ》をあらわすことば。

熟語

❶ 以下《いか》。以外《いがい》。以後《いご》。以降《いこう》（ある時《とき》をふくんで、それより後《のち》）。以前《いぜん》。以内《いない》。

❷ 以心伝心《いしんでんしん》 ⇩（634ページ中）

衣／6画

衣

音 イ

訓 （ころも）

成り立ち

後《うし》ろのえりを立《た》て、前《まえ》のえりもとを合《あ》わせた、着物《きもの》のえりの部分《ぶぶん》をえがいた字《じ》。からだをおおいかくす《きもの》をあらわした字《じ》。

筆順・書き方

（6画）

例文・意味

❶ 例文 衣食住《いしょくじゅう》は人間《にんげん》の生活《せいかつ》にとって基本的《きほんてき》なことがらだ。／ぶ台衣装《たいいしょう》を着《つ》けてリハーサルをおこなう。 意味 身《み》に着《つ》けるもの。きもの。ころも。

❷ 例文 てんぷらの衣《ころも》。 意味 てんぷら・フライなどのなかみを包《つつ》んでいるもの。ころも。

《衣《ころも》がえ》

熟語

❶ 衣食《いしょく》。衣服《いふく》。衣料《いりょう》。衣類《いるい》。白衣《はくい》。羽衣《はごろも》。作業衣《さぎょうい》。衣替《ころもが》え（季節《きせつ》のかわりめに、それまで着《き》ていたものを、その季節《きせつ》に合《あ》った着《き》るものにかえること）。

特別な読み

浴衣《ゆかた》。

イ／7画

〔位〕

音 イ
訓 くらい

成り立ち

立(人《ひと》が大地《だいち》に両足《りょうあし》をふんばって、しっかりと立《た》っている)と、「イ」(人《ひと》)を合《あ》わせた字《じ》。その人《ひと》の立《た》つ《場所《ばしょ》》や、その人《ひと》の《くらい》をあらわす。

筆順・書き方

ながく
(7画)

例文・意味

❶例文 川《かわ》の水位《すいい》があがる。／家具《かぐ》の位置《いち》。意味 置《お》かれた場所《ばしょ》。所《ところ》。
❷例文 王位《おうい》を王子《おうじ》がつぐ。意味 身分《みぶん》。くらい。
❸例文 転《ころ》んだので、かけっこは最下位《さいかい》だった。意味 ものごとの程度《ていど》や順番《じゅんばん》。
❹例文 位取《くらいど》りを確《たし》かめてから計算《けいさん》しなさい。意味 数《かず》を数《かぞ》えるときの十倍《じゅうばい》ごとの基準《きじゅん》。
❺例文 会員各位《かいいんかくい》。意味 相手《あいて》の人《ひと》をうやまって言《い》うことば。

熟語

❶方位《ほうい》。
❷学位《がくい》(一定《いってい》の学問《がくもん》を修《おさ》め、すぐれた研究論文《けんきゅうろんぶん》を出《だ》した人《ひと》に対《たい》して、大学《だいがく》があたえる呼《よ》び名《な》。修士《しゅうし》と博士《はくし》とがある)。単位《たんい》。
❸下位《かい》。首位《しゅい》(第一《だいいち》の順番《じゅんばん》)。地位《ちい》。品位《ひんい》。名人位《めいじんい》。順位《じゅんい》。上位《じょうい》。

囗／7画

〔囲〕

音 イ
訓 かこむ・かこう

成り立ち

もとの字《じ》は「圍」。「囗」は、かこむこと、「韋」は、「囗」(もの)のまわりをめぐることをあらわす。まわりをぐるりと《とりかこむ》ことをあらわした字《じ》。

筆順・書き方

はねない
(7画)

例文・意味

❶例文 次《つぎ》の中《なか》から正《ただ》しい答《こた》えを選《えら》んで、その番号《ばんごう》を丸《まる》で囲《かこ》みなさい。／いろりを囲《かこ》んでおばあさんの話《はなし》を聞《き》く。／犯人《はんにん》のかくれ家《が》をけいさつが包囲《ほうい》した。／予算《よさん》のはん囲内《いない》で計画《けいかく》を立《た》てる。意味 かこむ。かこまれる。かこみ。
❷例文 身体測定《しんたいそくてい》で胸囲《きょうい》をはかる。／おしろの周囲《しゅうい》にはほりがめぐらしてある。意味 まわり。

熟語

❶範囲《はんい》。外囲《そとがこ》い。取《と》り囲《かこ》む。

《胸囲《きょうい》をはかる》

□ 月／9画

胃

音 イ

訓 ——

成り立ち

「田」は食《た》べ物《もの》がいぶくろの中《なか》でちらばっているようす。「月」は肉《にく》・からだの意味《いみ》。からだの中《なか》で、食《た》べた物《もの》を消化《しょうか》する《いぶくろ》をあらわした字《じ》。

筆順・書き方

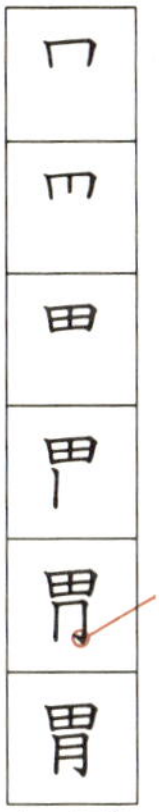

（9画）

例文・意味

例文 きゅうに、胃《い》がきりきりといたんできたので、病院《びょういん》へ行《い》った。／父《ちち》は胃腸《いちょう》が悪《わる》いので、いつも薬《くすり》を飲《の》んでいます。

意味 動物《どうぶつ》の消化器《しょうかき》官《かん》の一《ひと》つ。食《た》べた物《もの》をこなすところ。いぶくろ。い。

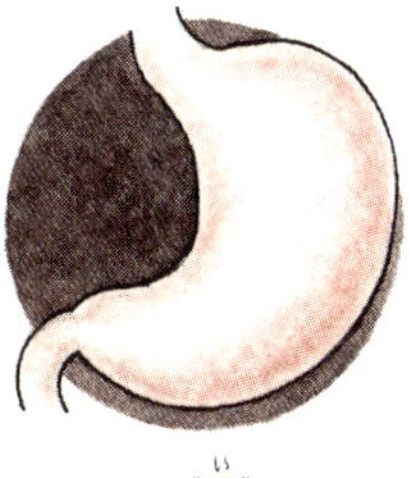

《胃《い》》

熟語

胃液《いえき》。胃《い》がん。胃腸薬《いちょうやく》。胃《い》カメラ。

□ 卩／6画

印

音 イン

訓 しるし

成り立ち

「E」は手《て》、「卩」は、ひざまずいた人《ひと》。人《ひと》を手《て》でおさえてひざまずかせるすがたをえがいた字《じ》。後《のち》、上《うえ》からおさえつけて《しるしをつける》、また、《はんこ》の意味《いみ》になった。

筆順・書き方

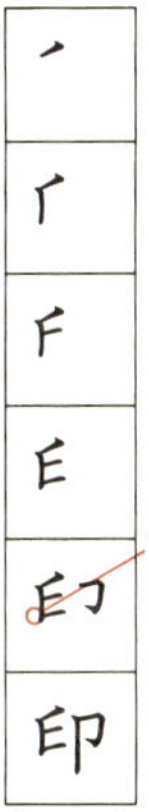

（6画）

例文・意味

❶ 例文 初対面《しょたいめん》の印象《いんしょう》は、明《あか》るい感《かん》じの人《ひと》だった。

意味 しるしをつける。また、しるし。

❷ 例文 伝票《でんぴょう》になつ印《いん》（判《はん》をおすこと。また、おした判《はん》）する。／役所《やくしょ》で実印《じついん》の登録《とうろく》をする。／平和条約《へいわじょうやく》が調印《ちょういん》された。

意味 はんこ。はんこをおす。いん。

❸ 例文 日本《にっぽん》の印刷《いんさつ》技術《ぎじゅつ》はすぐれている。

意味 刷《す》る。

熟語

❶ 旗印《はたじるし》。目印《めじるし》。矢印《やじるし》。印画紙《いんがし》。収入印紙《しゅうにゅういんし》。

❷ 消印《けしいん》（郵便局《ゆうびんきょく》で、切手《きって》や、はがきに使用済《しようず》みのしるしとしておす、日付《ひづけ》入《い》りのスタンプ）。認《みと》め印《いん》。

❸ 印刷工場《いんさつこうじょう》。

□ 艹／8画

英

音 エイ

訓 ―

成り立ち 「艹」は植物《しょくぶつ》、「央」は立《た》っている人《ひと》の首《くび》の真《ま》ん中《なか》をおさえること。もとは、きくの花《はな》のように真《ま》ん中《なか》がくぼんだ花《はな》のこと。花《はな》の美《うつく》しさから、《すぐれている》という意味《いみ》になった。

筆順・書き方

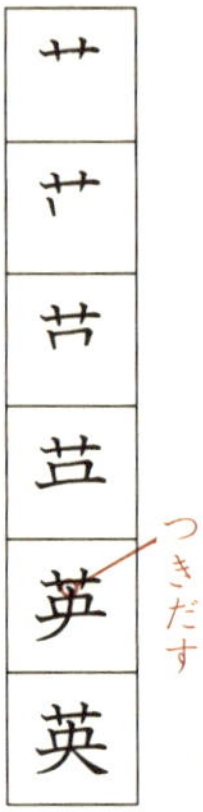

（8画）

例文・意味

❶ 例文 リーダーの英断《えいだん》であやうくそうなんをまぬがれた。／英才教育《えいさいきょういく》で知《し》られる小学校《しょうがっこう》。／ナポレオンは英《えい》ゆうとして知《し》られている。
意味 すぐれる。すぐれている。また、そのような人《ひと》。

❷ 例文 水曜日《すいようび》は英会話《えいかいわ》を習《なら》いに行《い》く日《ひ》です。／英語《えいご》の文章《ぶんしょう》を日本《にほん》語《ご》にやくす。
意味 イギリスのこと。

《英会話《えいかいわ》》

熟語

❶ 英気《えいき》(さかんな気力《きりょく》)。英知《えいち》(すぐれた知恵《ちえ》)。

❷ 英国《えいこく》。英文《えいぶん》。英訳《えいやく》。英和辞典《えいわじてん》。和英辞典《わえいじてん》。

□ 木／9画

栄

音 エイ

訓 さかえる・《はえ》・《はえる》

成り立ち もとの字《じ》は「榮」。「𤇾」(かがり火《び》で囲《かこ》み、まわりが明《あか》るくなったようす)と「木」(き)を合《あ》わせた字《じ》。木《き》をとりまいてさいている花《はな》のようすから、《さかえる》の意味《いみ》になった。

筆順・書き方

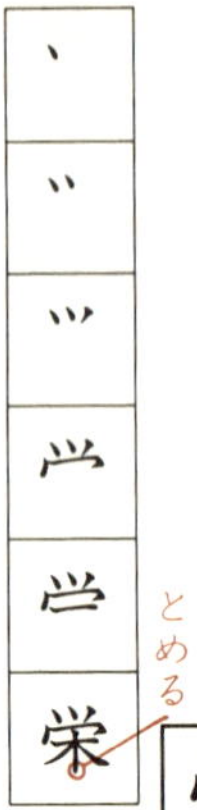

（9画）

例文・意味

❶ 例文 ヒット商品《しょうひん》のため、会社《かいしゃ》が栄《さか》える。／はん栄《えい》する国《くに》。
意味 さかえる。さかんになる。

❷ 例文 わがチームは栄《は》えあるゆう勝《しょう》を果《は》たした。／栄光《えいこう》の勝利《しょうり》にかがやく。
意味 ほまれ。名《めい》よ。はえ。

❸ 例文 十分《じゅうぶん》なすいみんと栄養《えいよう》をとる。
意味 さかんにする。

❹ 例文 わが家《や》は父《ちち》の栄転《えいてん》(今《いま》までより高《たか》い地位《ちい》や役《やく》になること)で東京《とうきょう》にやってきた。
意味 地位《ちい》があがる。出世《しゅっせ》する。

熟語

❶ 栄枯盛衰《えいこせいすい》⇩(635ページ下)

❷ 光栄《こうえい》(ほめられたりして、うれしかったり、名誉《めいよ》に思《おも》ったりすること)。見栄《みば》え。出来栄《できば》え。

❸ 栄養士《えいようし》。栄養分《えいようぶん》。

土／13画

〔塩〕

音 エン
訓 しお

成り立ち
もとの字は「鹽」。「鹵」（しおのかたまり）と、音《おん》をあらわす「監」とを合《あ》わせた字《じ》で、《しお》をあらわす字《じ》。

筆順・書き方

（13画）

例文・意味
❶ 例文 塩《しお》は人間《にんげん》の生活《せいかつ》に欠《か》かせない食品《しょくひん》の一《ひと》つです。／塩分《えんぶん》のとりすぎはからだによくない。／むかしは、瀬戸内海《せとないかい》えん岸《がん》には塩田《えんでん》が数多《かずおお》くありました。 意味 白《しろ》くてからい味《あじ》のする結《けっ》しょう。しお。
❷ 例文 大理石《だいりせき》に塩酸《えんさん》をかけると、あわが出《で》てとけ始《はじ》める。 意味 元素《げんそ》の一《ひと》つ。塩素《えんそ》をあらわす。

熟語
❶ 岩塩《がんえん》。食塩《しょくえん》。製塩《せいえん》。塩味《しおあじ》。塩気《しおけ》。塩水《しおみず》。塩焼《しおや》き。
❷ 塩素《えんそ》。塩化《えんか》ビニール。塩化《えんか》ナトリウム。

亻／15画

〔億〕

音 オク
訓 ―

成り立ち
「亻」（人《ひと》）と「意」（あれこれ考《かんが》えて、むねの中《なか》がいっぱいになること）を合《あ》わせた字《じ》。心《こころ》で考《かんが》えるかぎりの、いっぱいの《大《おお》きな数《かず》》のこと。

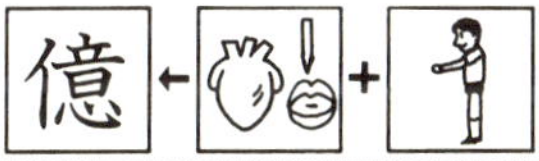

筆順・書き方

（15画）

例文・意味
❶ 例文 台風《たいふう》による農作物《のうさくぶつ》のひ害額《がいがく》は、三億円《さんおくえん》にのぼった。 意味 数《かず》の名《な》で、一万《いちまん》の一万倍《いちまんばい》。おく。
❷ 例文 かれは一代《いちだい》で億《おく》の財産《ざいさん》を築《きず》きあげた。 意味 数《かず》が非常《ひじょう》に多《おお》いこと。

《億万長者《おくまんちょうじゃ》》

熟語
❶ 数億《すうおく》。
❷ 億万長者《おくまんちょうじゃ》⇩（635ページ下）

□ 力／5画

〔加〕

音 カ

訓 くわえる・くわわる

成り立ち 「力」(ちから)と「口」(くち)とを合《あ》わせた字《じ》。手《て》の力《ちから》にそえて口《くち》でかけ声《ごえ》をかけたり、口《くち》に手《て》のはたらきを《くわえ》て、勢《いきお》いを助《たす》けたりすることをあらわした字《じ》。

筆順・書き方

例文・意味

❶ 例文 毎年《まいねん》、交通事故《こうつうじこ》が増加《ぞうか》している。／利子《りし》を加算《かさん》する。 意味 増《ふ》やす。くわえる。 対語 減《げん》。

❷ 例文 とれた魚《さかな》は、港《みなと》の工場《こうじょう》で加工《かこう》される。／いろいろな事情《じじょう》を加味《かみ》して考《かんが》えなければならない。 意味 あるものや、ことをあたえる。つけくわえる。

❸ 例文 オリンピックに参加《さんか》する。／国連《こくれん》に加盟《かめい》する。／保険《ほけん》に加入《かにゅう》する。 意味 仲間《なかま》に入《はい》る。くわわる。

熟語

❶ 加減《かげん》。加減乗除《かげんじょうじょ》。

❷ 加勢《かせい》。加熱《かねつ》。追加《ついか》。加害者《かがいしゃ》(人《ひと》を傷《きず》つけたり、人《ひと》の物《もの》をこわしたりして損害《そんがい》をあたえた人《ひと》)。加速度《かそくど》(速度《そくど》がしだいに増《ま》していくこと。また、その割合《わりあい》)。付《つ》け加《くわ》える。

❸ 参加者《さんかしゃ》。

□ 木／8画

〔果〕

音 カ

訓 はたす・はてる・はて

成り立ち 木《き》に、まるい実《み》が三《みっ》つなっているようすをえがいた字《じ》。木《き》が育《そだ》ってたいせつな実《み》がなることから、ものごとの《結《けっ》か》という意味《いみ》をあらわすようになった。

筆順・書き方

例文・意味

❶ 例文 果樹園《かじゅえん》で、もぎたてのなしを食《た》べた。 意味 くだもの。木《き》の実《み》。

❷ 例文 切《き》りきずに効果《こうか》がある薬《くすり》。／よい結果《けっか》。 意味 原因《げんいん》などによって生《しょう》じたもの。できばえ。

❸ 例文 会議《かいぎ》の進行役《しんこうやく》を果《は》たした。／金《かね》を使《つか》い果《は》たす。／果《は》てしなく広《ひろ》がる海《うみ》。 意味 終《お》わりまでやる。終《お》わる。つきる。はたす。はてる。

❹ 例文 うちゅうの果《は》てには何《なに》があるのだろう。 意味 ゆきつくところ。いちばんはし。はて。

熟語

❶ 果実《かじつ》。果実酒《かじつしゅ》。青果市場《せいかしじょう》。

❷ 果報《かほう》(幸運《こううん》)。因果《いんが》(原因《げんいん》と、そこから生《しょう》じたことがら)。成果《せいか》(あることをして得《え》たよいこと)。

❹ 最果《さいは》て(いちばん端《はし》の土地《とち》)。

特別な読み 果物《くだもの》。

貨

□ 貝／11画

音 カ
訓 —

成り立ち

「化」は、すがたをかえること。「貝」はむかしのお金《かね》。いろいろな物《もの》とかえることのできる《おかね》や、《おかねのようにねうちのある品物《しなもの》》をあらわした字《じ》。

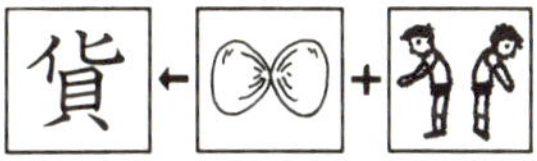

筆順・書き方

はねる
(11画)

例文・意味

❶ 例文 日本《にっぽん》の通貨《つうか》の単位《たんい》は円《えん》です。／輸出《ゆしゅつ》によって外貨《がいか》を得《え》る。意味 お金《かね》。金銭《きんせん》。

❷ 例文 貨物《かもつ》を満《まん》さいしたトラック。／財貨《ざいか》(お金《かね》と品物《しなもの》)をちく積《せき》する。意味 品物《しなもの》。

《貨物《かもつ》を満《まん》さいしたトラック》

熟語

❶ 金貨《きんか》。銀貨《ぎんか》。銅貨《どうか》。

❷ 貨車《かしゃ》。雑貨《ざっか》。貨物船《かもつせん》。百貨店《ひゃっかてん》。貨物列車《かもつれっしゃ》。

課

□ 言／15画

音 カ
訓 —

成り立ち

「言」(ことば)と「果」(実《み》がなっている木《き》)を合《あ》わせた字《じ》。みのりや結果《けっか》はどうなのか調《しら》べること。また勉強《べんきょう》や仕事《しごと》をわりあてるという意味《いみ》もあらわす。

筆順・書き方

つきでない
(15画)

例文・意味

❶ 例文 学級委員《がっきゅういいん》に課《か》せられている仕事《しごと》をする。／作文《さくぶん》の課題《かだい》は「家族《かぞく》」です。／日課《にっか》(毎日《まいにち》やるように決《き》めていることがら)のジョギング。意味 わりあてる。わりあて。

❷ 例文 父《ちち》は市役所《しやくしょ》の土木課《どぼくか》にきん務《む》している。意味 会社《かいしゃ》や役所《やくしょ》などで仕事《しごと》の一部《いちぶ》を受《う》け持《も》っているところ。仕事《しごと》の区分《くわ》け。

《日課《にっか》のジョギング》

熟語

❶ 課外《かがい》。課税《かぜい》。課目《かもく》。学課《がっか》。正課《せいか》。放課後《ほうかご》。

❷ 課長《かちょう》。人事課《じんじか》。総務課《そうむか》。

□
艹／8画

【芽】

音 ガ
訓 め

成り立ち

「艹」(草《くさ》)と「牙」(上下《じょうげ》が、ちぐはぐにかみあう)を合《あ》わせた字《じ》。土《つち》から出《で》るとき、ふた葉《ば》がたがいにかみあって出《で》てくる、草《くさ》の《め》をあらわした字《じ》。

筆順・書き方

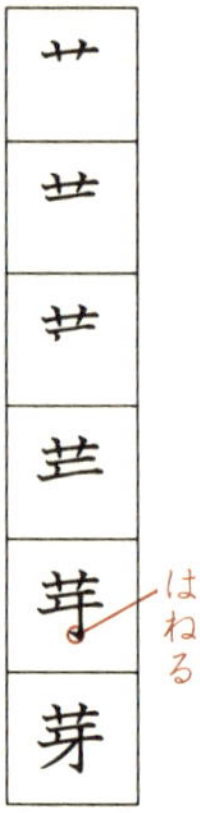

(8画)

例文・意味

❶ 例文 春《はる》になって土《つち》の中《なか》から草《くさ》が芽《め》を出《だ》した。／あさがおの発《はっ》芽《が》を観察《かんさつ》する。 意味 草《くさ》や木《き》のめ。め。

❷ 例文 かれのすぐれた才能《さいのう》のほう芽《が》はおさないときに、あらわれていた。／せりふのある役《やく》がきて、やっとはいゆうとして芽《め》が出《で》た。 意味 新《あたら》しく生《う》まれ、これから何《なに》かが始《はじ》まるもの。きざし。め。

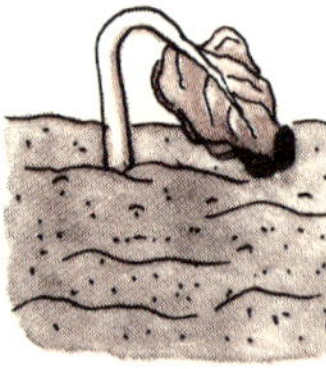
《発《はつ》芽《が》》

熟語

❶ 新《しん》芽《め》。若芽《わかめ》。芽《め》生《ば》え。

□
攵／7画

【改】

音 カイ
訓 あらためる・あらたまる

成り立ち

「攵」は手《て》の動作《どうさ》のしるし。「己」は、合図《あいず》されてハッと立《た》ちあがるようす。たるんだものに力《ちから》を入《い》れて、ハッと起《お》こすことから、よくないものを《あらためる》意味《いみ》をあらわす字《じ》になった。

筆順・書き方

(7画)

例文・意味

❶ 例文 改良《かいりょう》を重《かさ》ねてよい品《しな》をつくる。／店内改《てんないかい》装《そう》のため休業《きゅうぎょう》します。／年《とし》が改《あらた》まる。／「ことばづかいを改《あらた》めなさい。」としかられた。 意味 古《ふる》いものを新《あたら》しくする。あらためる。また、古《ふる》いものが新《あたら》しくなる。あらたまる。よくする。

❷ 例文 駅《えき》の改札口《かいさつぐち》で切《きっ》ぷにはさみを入《い》れる。／持《も》ち物《もの》を改《あらた》めてわすれ物《もの》をしないようにしよう。 意味 調《しら》べる。

熟語

❶ 改悪《かいあく》(あらためることによって、かえって前《まえ》よりも悪《わる》くすること)。改革《かいかく》。改行《かいぎょう》。改作《かいさく》。改修《かいしゅう》。改心《かいしん》。改新《かいしん》。改正《かいせい》。改選《かいせん》。改善《かいぜん》。改造《かいぞう》。改築《かいちく》。改訂《かいてい》(本《ほん》の内容《ないよう》などを、直《なお》してあらためること)。改名《かいめい》。農地改革《のうちかいかく》。品種改良《ひんしゅかいりょう》。

木／11画

械

音 カイ
訓 —

成り立ち 「戒」（武器《ぶき》を両手《りょうて》で持《も》っておどすようす）と「木」（き）を合《あ》わせた字《じ》。罪人《ざいにん》の手足《てあし》の自由《じゆう》をうばう木《き》でできた道具《どうぐ》のことから、《しかけのある道具《どうぐ》》をあらわす字《じ》となった。

筆順・書き方

（11画）

例文・意味

例文 こわれた器械《きかい》を修理《しゅうり》に出《だ》す。／新《あたら》しい機《き》械《かい》を入《い》れたので仕事《しごと》がはかどる。
意味 しかけ。そう置《ち》。また、道具《どうぐ》。

《器械体操《きかいたいそう》》

熟語

機械化《きかいか》。機械的《きかいてき》。
器械体操《きかいたいそう》。

宀／10画

害

音 ガイ
訓 —

成り立ち 竹《たけ》かごなどを頭《あたま》の上《うえ》にかぶせてじゃまをするようすをあらわした字《じ》。動《うご》きを止《と》めるという意味《いみ》から、《じゃまをする》《わざわい》の意味《いみ》になった。

筆順・書き方

（10画）

例文・意味

❶ 例文 商品《しょうひん》がぬすまれて、お店《みせ》は大《おお》きな損害《そんがい》を出《だ》した。／害虫《がいちゅう》をくじょする。 意味 きずつける。こわす。そこなう。そん。

❷ 例文 運動会《うんどうかい》の障害物競走《しょうがいぶつきょうそう》で一等《いっとう》になる。／選《せん》挙運動《きょうんどう》のぼう害《がい》をとりしまる。 意味 じゃまをする。

❸ 例文 ことしは長雨《ながあめ》で水害《すいがい》になやまされた。／この夏《なつ》は冷害《れいがい》が心配《しんぱい》されている。／日照《ひで》りで作物《さくもつ》に害《がい》が出《で》た。 意味 わざわい。がい。

熟語

❶ 害悪《がいあく》。害鳥《がいちょう》。危害《きがい》（人《ひと》を傷《きず》つけたり、殺《ころ》したりすること）。殺害《さつがい》。傷害《しょうがい》。被害《ひがい》。利害《りがい》（得《とく》をすることと、損《そん》をすること）。

❸ 干害《かんがい》。公害《こうがい》。災害《さいがい》。無害《むがい》。有害《ゆうがい》。病虫害《びょうちゅうがい》。風水害《ふうすいがい》。

行／12画

【街】

音 ガイ・（カイ）
訓 まち

成り立ち

「行」は「行」で、大《おお》きな道《みち》の四《よ》つ角《かど》のこと。「圭」は、きちんともりあげた土《つち》。きちんと区切《くぎ》りをつけた《まちなみ》や、まちを区切《くぎ》る《大《おお》きな道《みち》》を意味《いみ》する。

筆順・書き方

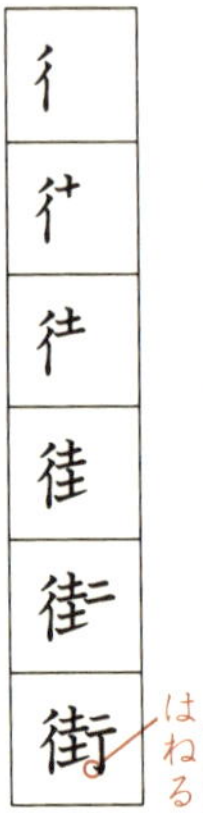

（12画）

例文・意味

❶ 例文 街頭《がいとう》で演説《えんぜつ》をしている。／日光街道《にっこうかいどう》のすぎなみ木《き》。／あたりが暗《くら》くなって街灯《がいとう》がともった。 意味 大《おお》きな通《とお》り。大通《おおどお》り。

❷ 例文 学生街《がくせいがい》にはきっ茶《さ》店《てん》が多《おお》い。／母《はは》と街《まち》まで買《か》い物《もの》に出《で》かける。 意味 商店《しょうてん》など、家々《いえいえ》が立《た》ちならんでいてにぎやかな所《ところ》。まち。

《街灯《がいとう》がともる》

熟語

❶ 街路《がいろ》。街路樹《がいろじゅ》。
❷ 市街《しがい》。街角《まちかど》。市街地《しがいち》。商店街《しょうてんがい》。地下街《ちかがい》。

口／6画

【各】

音 カク
訓 《おのおの》

成り立ち

「夂」（足《あし》）と「口」（四角《しかく》い石《いし》）を合《あ》わせた字《じ》。歩《ある》いている人《ひと》の足《あし》が石《いし》にあたったとき、止《と》まってみて、《一《ひと》つ一《ひと》つ》を確《たし》かめることをあらわした字《じ》。後《のち》、《それぞれ》の意味《いみ》になった。

筆順・書き方

（6画）

例文・意味

例文 筆記用具《ひっきようぐ》は各自《かくじ》で用意《ようい》して受験《じゅけん》してください。／新《しん》せんな魚《さかな》を各種《かくしゅ》とりそろえています。／各地《かくち》を旅《たび》して見聞《けんぶん》を広《ひろ》める。／各選手《かくせんしゅ》、入場門《にゅうじょうもん》から登場《とうじょう》しました。／各《おのおの》弁当《べんとう》と水《すい》とうを持《も》ってくること。 意味 めいめい。ひとりひとり。一《ひと》つ一《ひと》つ。また、それぞれ。それぞれの。

《新《しん》せんな各種《かくしゅ》の魚《さかな》》

熟語

各位《かくい》（大勢《おおぜい》の人々《ひとびと》に対《たい》して、そのひとりひとりを敬《うやま》って言《い》うことば。皆様方《みなさまがた》）。各員《かくいん》。各人《かくじん》。各駅停車《かくえきていしゃ》。各人各様《かくじんかくよう》⇩（636ページ上）

見／12画

【覚】

音 **カク**

訓 **おぼ**える・**さ**ます・**さ**める

成り立ち

もとの字は「覺」。「𦥯」は家《いえ》の中《なか》で人《ひと》と人《ひと》とがまじわって学《まな》ぶこと、「見」は見《み》ること。見《み》たり聞《き》いたりしたことが、心《こころ》の中《なか》でまじわって、気《き》がつくことをあらわす。また、ものごとがよくわかるように《おぼえる》意味《いみ》もあらわす。

筆順・書き方

（12画）

例文・意味

❶ 例文 寒《さむ》さで指先《ゆびさき》の感覚《かんかく》がなくなった。／視覚《しかく》のするどい動物《どうぶつ》。 意味 自然《しぜん》にそう感《かん》じる。おぼえる。

❷ 例文 「近《ちか》ごろ物覚《ものおぼ》えが悪《わる》くなった。」と祖父《そふ》がなげく。／覚《おぼ》え書《が》き。 意味 わすれずに心《こころ》にとめておく。記《き》おくする。おぼえる。

❸ 例文 覚《かく》ごはしていたけれど、歯《は》の治《ち》りょうはやっぱりいたい。／せきや、くしゃみは、かぜの自覚《じかく》しょう状《じょう》の一《ひと》つです。 意味 気《き》がつく。ものごとがはっきりわかる。

❹ 例文 不正《ふせい》が発覚《はっかく》する。 意味 あらわになる。あらわれる。

❺ 例文 目《め》が覚《さ》めるともう九時《くじ》を過《す》ぎていた。 意味 目《め》がさめる。目《め》をさます。

《感覚《かんかく》のいろいろ》

熟語

❶ 自覚《じかく》。臭覚《しゅうかく》。触覚《しょっかく》。知覚《ちかく》。聴覚《ちょうかく》。直覚《ちょっかく》。味覚《みかく》。

❷ 見覚《みおぼ》え。うろ覚《おぼ》え。

❸ 才覚《さいかく》（すぐれた知恵《ちえ》のはたらき）。不覚《ふかく》（ものごとを意識《いしき》せずに、思《おも》わずしてしまうようす）。先覚者《せんかくしゃ》（ものごとの道理《どうり》や世《よ》の中《なか》の進《すす》み方《かた》を人《ひと》より先《さき》に理解《りかい》し、その進《すす》んだ考《かんが》えを実行《じっこう》した人《ひと》）。

❺ 目覚《めざ》め。目覚《めざ》まし時計《どけい》。

《目覚《めざ》まし時計《どけい》》

宀／7画

【完】

音 カン
訓 ―

成り立ち
「宀」は家《いえ》の屋根《やね》、「元」は、まるい頭《あたま》の人《ひと》。まるい頭《あたま》の人《ひと》が屋根《やね》の下《した》にいるところをえがいた字《じ》。人《ひと》の頭《あたま》はまるく欠《か》けめがないので、《全部《ぜんぶ》そろっている》《すっかりおわる》の意味《いみ》になった。

筆順・書き方

（7画）

例文・意味
❶ 例文 機械《きかい》の故《こ》しょうは完全《かんぜん》に直《なお》った。／冷《れい》だんぼう完備《かんび》のホテル。／かぶと虫《むし》は、たまご、よう虫《ちゅう》、さなぎ、成虫《せいちゅう》と完全変態《かんぜんへんたい》をします。 意味 まったく欠《か》けたところがない。すっかりそろっている。 対語 欠《けつ》。
❷ 例文 飛行機《ひこうき》は整備《せいび》を完《かん》りょうして飛《と》び立《た》つのを待《ま》つばかりだ。／九回《きゅうかい》うらの苦《くる》しい場面《ばめん》を乗《の》り切《き》って、とうとうぼくは完投《かんとう》した。 意味 終《お》わる。できあがる。また、終《お》わりまでやりとげる。

熟語
❶ 完治《かんち》（病気《びょうき》や、けががすっかり治《なお》ること）。完納《かんのう》。完敗《かんぱい》。完《かん》ぺき（欠点《けってん》がまったくないこと）。不完全《ふかんぜん》。完全無欠《かんぜんむけつ》 ⇩ （636ページ上）
❷ 完結《かんけつ》（つづいていたものがすっかり終《お》わること）。完成《かんせい》。完了《かんりょう》。未完《みかん》。未完成《みかんせい》。

宀／8画

【官】

音 カン
訓 ―

成り立ち
「宀」は家《いえ》の屋根《やね》、「𠂤」は、たくさんのものが積《つ》み重《かさ》なっていること。屋根《やね》の下《した》にたくさんの人《ひと》の集《あつ》まる《役所《やくしょ》》や、《役所《やくしょ》につとめている人《ひと》》の意味《いみ》になった。

筆順・書き方

（8画）

例文・意味
❶ 例文 兄《あに》は警察官《けいさつかん》にあこがれている。 意味 国《くに》の仕事《しごと》をする人《ひと》。役人《やくにん》。また、その役目《やくめ》や地位《ちい》。
❷ 例文 官庁街《かんちょうがい》は日曜《にちよう》ともなるとひっそりしている。 意味 国《くに》の仕事《しごと》をおこなう所《ところ》。役所《やくしょ》。政府《せいふ》。
❸ 例文 消化器官《しょうかきかん》が弱《よわ》いのでよくおなかがいたむ。 意味 からだのあるはたらきをする部分《ぶぶん》。

《警察官《けいさつかん》》

熟語
❶ 官職《かんしょく》。教官《きょうかん》。上官《じょうかん》。代官《だいかん》。長官《ちょうかん》。
❷ 官舎《かんしゃ》（公務員《こうむいん》や、その家族《かぞく》がすむために、役所《やくしょ》が建《た》てた家《いえ》。公務員住宅《こうむいんじゅうたく》）。官庁《かんちょう》。官報《かんぽう》（政府《せいふ》が、国民《こくみん》に知《し》らせる必要《ひつよう》のあることがらをまとめて、発行《はっこう》する文書《ぶんしょ》）。官公庁《かんこうちょう》。
❸ 五官《ごかん》（目《め》・耳《みみ》・鼻《はな》・舌《した》・皮膚《ひふ》の五《いつ》つの器《き》かん）。

竹／14画

【管】

音 カン
訓 くだ

成り立ち

「竹」(たけ)と「官」(屋根《やね》の下《した》で人《ひと》がまるくとりまくこと)を合《あ》わせた字《じ》。まるくまわりを囲《かこ》んだ《細《ほそ》いくだ》をあらわした字《じ》。

筆順・書き方

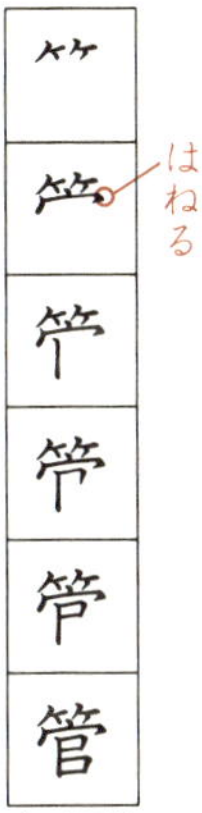

(14画)

例文・意味

❶ 例文 古《ふる》くなった水道管《すいどうかん》をとりかえる。／管《くだ》で水《みず》を通《とお》す。 意味 細長《ほそなが》くて、中《なか》がからになっているつつのようなもの。くだ。

❷ 例文 わたしは楽器《がっき》の中《なか》でもとくに金管楽器《きんかんがっき》が好《す》きです。 意味 笛《ふえ》。ふきならす楽器《がっき》。

❸ 例文 学級文庫《がっきゅうぶんこ》の管理《かんり》は、当番《とうばん》でやっている。 意味 とりしまる。とりしきる。つかさどる。

《金管楽器《きんかんがっき》》

熟語

❶ 気管《きかん》。血管《けっかん》。土管《どかん》。試験管《しけんかん》。

❷ 木管楽器《もっかんがっき》。

❸ 管内《かんない》(受《う》け持《も》っている区域《くいき》の中《なか》)。保管《ほかん》(お金《かね》や品物《しなもの》などを預《あず》かって、しまっておくこと)。管理人《かんりにん》。選挙管理委員《せんきょかんりいいん》。

門／14画

【関】

音 カン
訓 せき

成り立ち

もとの字《じ》は「關」。左右《さゆう》のとびらにかんぬきを通《とお》して、門《もん》をしめることをあらわした。門《もん》をしめて、人《ひと》の出入《でい》りをとりしまる《せき所《しょ》》の意味《いみ》になった。

筆順・書き方

(14画)

例文・意味

❶ 例文 兄《あに》は難関《なんかん》をとっ破《ぱ》して志望《しぼう》の高校《こうこう》に入学《にゅうがく》した。／げん関《かん》の戸《と》じまりをする。／箱根《はこね》の関所《せきしょ》あとを見学《けんがく》する。 意味 通《とお》る人《ひと》をとりしまる出入《でい》り口《ぐち》。せき。

❷ 例文 重《おも》い荷物《にもつ》を持《も》ったので、関節《かんせつ》がいたい。／交通機関《こうつうきかん》が雪《ゆき》で止《と》まったそうだ。 意味 つなぎになる、たいせつなところ。仕組《しく》み。

❸ 例文 父《ちち》は、教育《きょういく》の問題《もんだい》に関心《かんしん》がある。／そんなことはわたしには関係《かんけい》ない。 意味 かかわる。かかわりあう。

熟語

❶ 関西《かんさい》。関税《かんぜい》(外国《がいこく》から買《か》った品物《しなもの》や、外国《がいこく》に売《う》った品物《しなもの》に対《たい》して国《くに》がかける税金《ぜいきん》)。関東《かんとう》。関門《かんもん》。玄関《げんかん》。税関《ぜいかん》(外国《がいこく》から入《はい》ってくる物《もの》や、外国《がいこく》へ出《だ》す物《もの》を調《しら》べたり、税金《ぜいきん》をかけたりする役所《やくしょ》)。関守《せきもり》(せき所《しょ》を守《まも》る役人《やくにん》)。

❷ 機関車《きかんしゃ》。

❸ 関連《かんれん》。

見／18画

観

音 カン

訓 ―

成り立ち

もとの字《じ》は「觀」。「雚」（鳥《とり》が口《くち》をそろえて鳴《な》いている）と「見」（みる）を合《あ》わせた字《じ》。物《もの》を《全部見《ぜんぶみ》わたす》《よく比《くら》べてみる》ことをあらわす字《じ》。

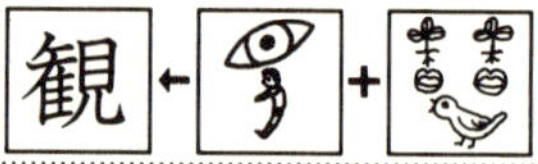

筆順・書き方

（18画）

例文・意味

❶ 例文 今度《こんど》の日曜日《にちようび》は授業参観日《じゅぎょうさんかんび》だ。／観光《かんこう》で京都《きょうと》をおとずれる。意味 よく見《み》る。ながめる。

❷ 例文 町《まち》の美観《びかん》をそこねる。／建物《たてもの》の外観《がいかん》をスケッチする。意味 見《み》えたようす。ながめ。

❸ 例文 主観《しゅかん》（自分《じぶん》ひとりだけの見方《みかた》や感《かん》じ方《かた》）をまじえないで冷静《れいせい》に考《かんが》えれば、どちらが正《ただ》しいかわかるだろう。／それは、ぼくの人生観《じんせいかん》をかえてしまうような事件《じけん》だった。意味 物《もの》の見方《みかた》。見《み》る立場《たちば》。考《かんが》え。

熟語

❶ 観客《かんきゃく》。観劇《かんげき》。観察《かんさつ》。観衆《かんしゅう》。観賞《かんしょう》。観戦《かんせん》。観測《かんそく》。観覧《かんらん》。観光地《かんこうち》。

❷ 景観《けいかん》（景色《けしき》）。

❸ 観点《かんてん》。観念《かんねん》（ものごとに対《たい》する考《かんが》え）。直観《ちょっかん》。楽観《らっかん》（ものごとがすべて思《おも》うようになると考《かんが》えて、心配《しんぱい》しないこと）。客観的《きゃっかんてき》。先入観《せんにゅうかん》。

頁／19画

願

音 ガン

訓 **ねが**う

成り立ち

「原」（まるいあなから水《みず》が流《なが》れ出《で》るいずみ）と「頁」（頭《あたま》）を合《あ》わせた字《じ》。まるい頭《あたま》の意味《いみ》から、頭《あたま》で考《かんが》え、一心《いっしん》に《ねがう》ことをあらわした字《じ》。

筆順・書き方

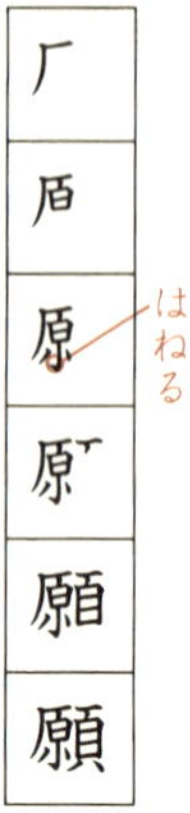

（19画）

例文・意味

例文 ことしの大学入試《だいがくにゅうし》の志願者数《しがんしゃすう》。／念願《ねんがん》（こうなってほしいといつも心《こころ》の中《なか》でねがうこと。また、そのねがい）のヨーロッパ旅行《りょこう》が実現《じつげん》しそうだ。／さい末助《まったす》け合《あ》いのぼ金《きん》にご協力《きょうりょく》をお願《ねが》いします。／おいなりさんに願《がん》をかける。意味 ねがう。望《のぞ》む。また、神《かみ》や仏《ほとけ》にいのる。また、ねがいごと。

熟語

願書《がんしょ》。願望《がんぼう》。出願《しゅつがん》。悲願《ひがん》（どうしてもやりとげようと、かたく心《こころ》に思《おも》っているねがい）。入学願書《にゅうがくがんしょ》。願《ねが》い下《さ》げ。

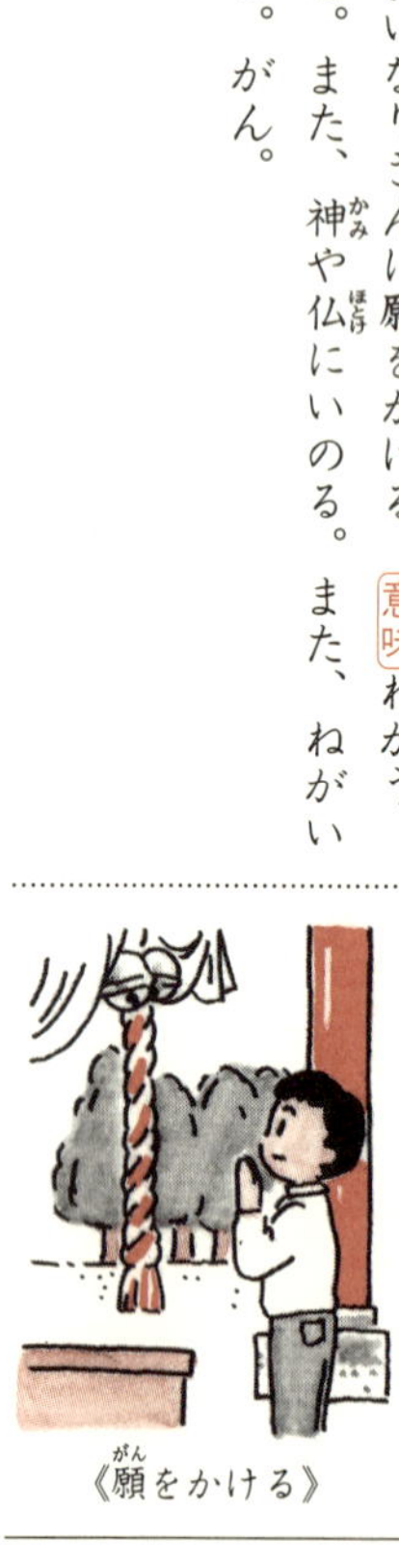

《願《がん》をかける》

巾／7画

希

音 キ

訓 ―

成り立ち

「㐅」(細《こま》かいししゅうの織《お》りめ)と「巾」(布《ぬの》)を合《あ》わせた字《じ》。すき間《ま》がない布《ぬの》のことから、小《ちい》さくて少《すく》ない、《めずらしい》の意味《いみ》になり、また、めずらしいことを《ねがう》意味《いみ》になった。

筆順・書き方

（7画）

例文・意味

❶ 例文 希少価値《きしょうかち》のあるほう石《せき》。 意味 めったになく、めずらしい。まれ。

❷ 例文 高山地帯《こうざんちたい》は空気《くうき》が希《き》はくです。 意味 こくない。うすい。

❸ 例文 希望《きぼう》がかなえられてうれしい。 意味 願《ねが》う。望《のぞ》む。

《希望《きぼう》がかなえられる》

熟語

❷ 希塩酸《きえんさん》。

❸ 希求《ききゅう》(強《つよ》く、ねがいもとめる)。

子／8画

季

音 キ

訓 ―

成り立ち

「禾」(いねのほ)と「子」(こども。たね)を合《あ》わせた字《じ》。いねや作物《さくもつ》が実《みの》る期間《きかん》や、作物《さくもつ》をとりいれる《き節《せつ》》をあらわした。

筆順・書き方

（8画）

例文・意味

❶ 例文 季節《きせつ》の移《うつ》りかわりを毎月《まいつき》の平均気温《へいきんきおん》の折《お》れ線《せん》グラフであらわす。／季刊《きかん》の雑《ざっ》しが発行《はっこう》される。 意味 一年《いちねん》を春夏秋冬《しゅんかしゅうとう》に分《わ》けたときのそれぞれの区分《くぶん》。時節《じせつ》。

❷ 例文 日本《にっぽん》の雨季《うき》は六月《ろくがつ》ごろです。 意味 あるものごとがつづく期間《きかん》。

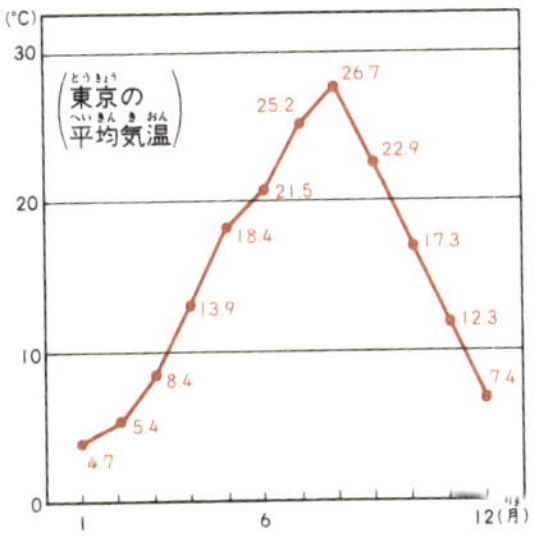

《四季《しき》の気温《きおん》の変化《へんか》のグラフ》

熟語

❶ 季語《きご》(俳句《はいく》で、き節《せつ》をあらわすために句《く》の中《なか》に入《い》れる、決《き》められたことば)。夏季《かき》。四季《しき》。秋季《しゅうき》。春季《しゅんき》。冬季《とうき》。季節感《きせつかん》。季節風《きせつふう》。

❷ 年季《ねんき》(むかし、人《ひと》をやとうときに、あらかじめいつまでと、約束《やくそく》をしておく年数《ねんすう》のこと)。

糸／９画

紀

音 キ

訓 ―

成り立ち

「己」（起《お》きあがること）と、「糸」（いと）を合《あ》わせた字《じ》で、糸《いと》のまきはじめのしるしをあらわした。そこから、ものごとの《はじまり》《おこり》を意味《いみ》するようになった。

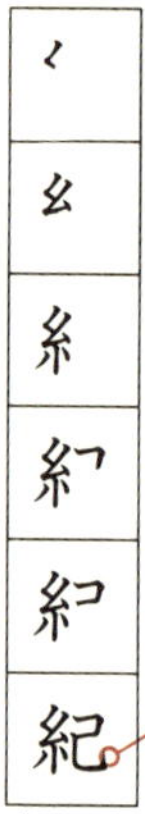

筆順・書き方（９画）はねる

例文・意味

❶ 例文 学生《がくせい》の風紀《ふうき》（世《よ》の中《なか》の生活《せいかつ》や、おこないのもとになるきまり）のみだれが社会問題《しゃかいもんだい》になっている。
意味 すじ道《みち》。きまり。

❷ 例文 紀行文《きこうぶん》を読《よ》む。
意味 順序《じゅんじょ》だてて書《か》き記《しる》す。

❸ 例文 おしゃか様《さま》は紀元前六世紀《きげんぜんろくせいき》ごろ生《う》まれたといわれています。／二十一世紀《にじゅういっせいき》はどんな時《じ》代《だい》になるのだろう。
意味 年《とし》。年代《ねんだい》。

熟語

❷ 紀行《きこう》（旅行中《りょこうちゅう》に見聞《みき》きしたことや感《かん》じたことを書《か》いたもの）。

口／12画

喜

音 キ

訓 よろこぶ

成り立ち

食器《しょっき》に山《やま》もりになっているごちそうをあらわす「壴」と「口」（くち）を合《あ》わせた字《じ》。ごちそうを目《め》の前《まえ》にして、《よろこぶ》ことを意味《いみ》している。

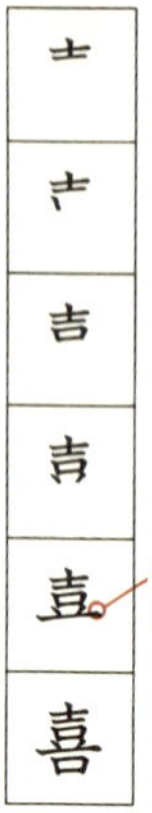

筆順・書き方（12画）ながく

例文・意味

❶ 例文 書道《しょどう》てんで入選《にゅうせん》して、妹《いもうと》はたいそう喜《よろこ》んでいる。／ゆう勝《しょう》してかん喜《き》（おおいによろこぶこと）の声《こえ》をあげる。
意味 よろこぶ。うれしがる。
対語 悲《ひ》。

❷ 例文 わたしは、シェークスピアの喜劇《きげき》が好《す》きです。
意味 楽《たの》しい。おかしい。

《喜《よろこ》ぶ》

熟語

❶ 大喜《おおよろこ》び。ぬか喜《よろこ》び（今《いま》までよろこんでいたのに、当《あ》てがはずれたり、まちがいだったりして、よろこんだかいがなくなること）。
喜怒哀楽《きどあいらく》⇩（636ページ中）
一喜一憂《いっきいちゆう》⇩（634ページ下）
悲喜《ひき》こもごも。

方／14画

旗

音 キ
訓 はた

成り立ち

「㫃」は、はたが風《かぜ》になびくようすをえがいた字《じ》。「其」は、こく物《もつ》をふるい分《わ》ける、み・という角《かく》ばった道具《どうぐ》。四角《しかく》い形《かたち》の《はた》をあらわした字《じ》。

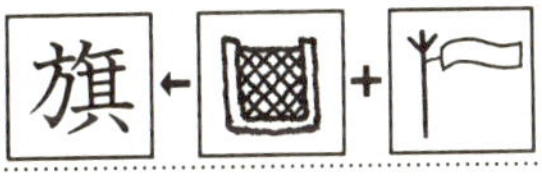

筆順・書き方

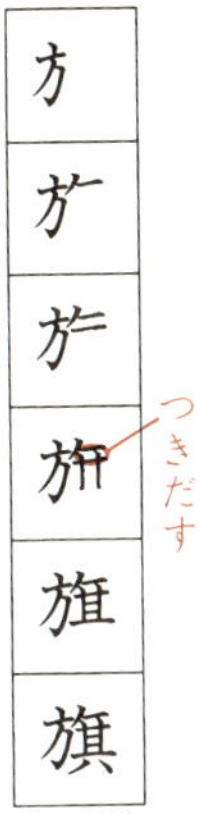

（14画）

例文・意味

例文 えん道《どう》の人々《ひとびと》は小旗《こばた》をふってマラソンのランナーを応《おう》えんした。／運動場《うんどうじょう》には万国旗《ばんこくき》がかざられていた。／オリンピックの入場行進《にゅうじょうこうしん》で、重量挙《じゅうりょうあ》げの選手《せんしゅ》が旗《き》手《しゅ》を務《つと》めた。 意味 国《くに》や団体《だんたい》などの目印《めじるし》などにする布《ぬの》や紙《かみ》でできたもの。はた。

《万国旗《ばんこくき》》

熟語

校旗《こうき》。国旗《こっき》。半旗《はんき》（たいせつな人《ひと》の死《し》をいたみ悲《かな》しんだりするために、国《こっ》きなどをさおの先《さき》から三《さん》分《ぶん》の一《いち》ほど下《さ》げてかかげること）。旗色《はたいろ》。旗印《はたじるし》。

口／15画

器

音 キ
訓 （うつわ）

成り立ち

もとの字《じ》は「噐」。「㗊」（四《よっ》つのくち。いろいろな入《い》れ物《もの》）と「犬」（いぬ。種類《しゅるい》が多《おお》いこと）を合《あ》わせた字《じ》。いろいろな形《かたち》の《うつわ》をあらわした字《じ》。

筆順・書き方

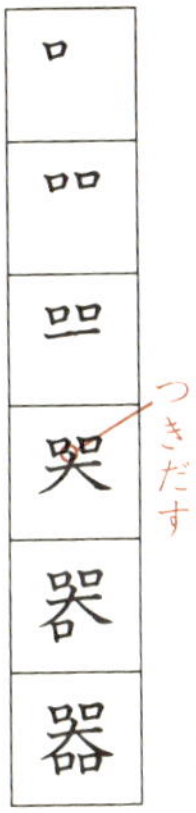

（15画）

例文・意味

❶ 例文 結《けっ》こんのお祝《いわ》いに食器《しょっき》をおくる。／きれいな色《いろ》の器《うつわ》がウインドーにかざってある。 意味 入《い》れ物《もの》。うつわ。

❷ 例文 オーケストラで使《つか》われる楽器《がっき》の代表《だいひょう》はバイオリンです。／分度器《ぶんどき》で三角形《さんかくけい》の三《みっ》つの角《かく》の大《おお》きさをはかる。 意味 道具《どうぐ》。

❸ 例文 かれは社長《しゃちょう》としての器量《きりょう》（地位《ちい》や、ものごとをしていくうえでのふさわしい才能《さいのう》）をもっている。／かれは人間《にんげん》の器《うつわ》が大《おお》きい。 意味 人間《にんげん》の才能《さいのう》。人《ひと》がらや人間《にんげん》の力《ちから》。

熟語

❶ 茶器《ちゃき》。容器《ようき》。

❷ 器械《きかい》。器楽《きがく》。器官《きかん》。器具《きぐ》。器材《きざい》。石器《せっき》。鉄器《てっき》。武器《ぶき》。兵器《へいき》。利器《りき》（便利《べんり》ですぐれた、簡単《かんたん》なしかけの道具《どうぐ》）。受話器《じゅわき》。消火器《しょうかき》。浄水器《じょうすいき》。注射器《ちゅうしゃき》。電熱器《でんねつき》。変圧器《へんあつき》。

❸ 器用《きよう》。大器《たいき》。不器用《ぶきよう》。大器晩成《たいきばんせい》 ⇩（639ページ下）

木／16画

〔機〕

音 キ
訓 （はた）

成り立ち

「幾」は「𢆶」（細《ほそ》い糸《いと》）と「戈」（ほこ）と「人《ひと》」で、人《ひと》の首《くび》にもう少《すこ》しでほこがとどくようすから、わずかなこと。それに「木」（き）を合《あ》わせた字《じ》。仕《し》組《く》みの細《こま》かい《しかけ》を意《い》味《み》する字《じ》。

筆順・書き方

わすれずに
（16画）

例文・意味

❶ 例文 電《でん》子《し》計《けい》算《さん》機《き》はすばらしい能《のう》力《りょく》をもっている。／ぼくは生《う》まれてはじめて飛《ひ》行《こう》機《き》に乗《の》った。／機《はた》を織《お》る音《おと》が聞《き》こえてくる。 意味 しかけ。からくり。

❷ 例文 機《き》会《かい》があったらまたお会《あ》いしましょう。 意味 時《とき》。折《おり》。しおどき。

❸ 例文 機《き》密《みつ》（国《くに》や会《かい》社《しゃ》などの外《そと》にもれてはならないひみつ）文《ぶん》書《しょ》がぬすまれて大《おお》さわぎとなった。 意味 たいせつなものごと。

❹ 例文 機《き》転《てん》の利《き》く子《こ》。 意味 心《こころ》のはたらき。

熟語

❶ 機《き》械《かい》。機《き》関《かん》。機《き》体《たい》。織《しょっ》機《き》。機《き》関《かん》車《しゃ》。航《こう》空《くう》機《き》。写《しゃ》真《しん》機《き》。

❷ 危《き》機《き》。好《こう》機《き》。時《じ》機《き》。待《たい》機《き》。動《どう》機《き》（あることを考《かんが》えたり、行《こう》動《どう》したりするようになった直《ちょく》接《せつ》の原《げん》因《いん》となるもの）。臨《りん》機《き》応《おう》変《へん》 ⇩（642ページ下）

❹ 機《き》知《ち》。機《き》能《のう》。心《しん》機《き》一《いっ》転《てん》 ⇩（638ページ下）

言／20画

〔議〕

音 ギ
訓 ―

成り立ち

「言」は、はっきりということ。「義」は形《かたち》のよい羊《ひつじ》と「我」（ほこ）で、ととのっていること。よくととのえて《すじ道《みち》を通《とお》して話《はな》し合《あ》いをする》ことを意《い》味《み》する字《じ》。

筆順・書き方

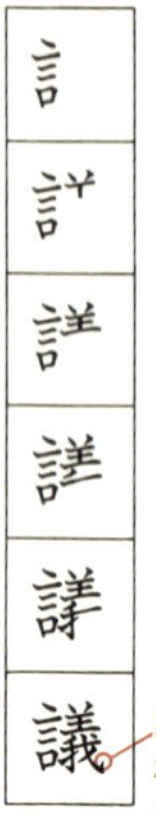
はねる
（20画）

例文・意味

❶ 例文 議《ぎ》論《ろん》の末《すえ》、やっとよい解《かい》決《けつ》方《ほう》法《ほう》がみつかった。／今《こん》後《ご》のことを全《ぜん》員《いん》で協《きょう》議《ぎ》する。／議《ぎ》題《だい》は、修《しゅう》学《がく》旅《りょ》行《こう》の日《にっ》程《てい》です。 意味 意《い》見《けん》を出《だ》して話《はな》し合《あ》う。相《そう》談《だん》する。また、話《はな》し合《あ》い。相《そう》談《だん》。

❷ 例文 この考《かんが》えに異《い》議《ぎ》のある人《ひと》は手《て》をあげてください。／判《はん》定《てい》にこう議《ぎ》する。 意味 考《かんが》え。意《い》見《けん》。

《協《きょう》議《ぎ》する》

熟語

❶ 議《ぎ》案《あん》。議《ぎ》員《いん》。議《ぎ》会《かい》。議《ぎ》決《けつ》。議《ぎ》事《じ》。議《ぎ》場《じょう》。議《ぎ》席《せき》。議《ぎ》長《ちょう》。会《かい》議《ぎ》。閣《かく》議《ぎ》。決《けつ》議《ぎ》。争《そう》議《ぎ》。討《とう》議《ぎ》（あることがらについて、たがいに意《い》見《けん》を言《い》い合《あ》うこと）。動《どう》議《ぎ》（会《かい》ぎ中《ちゅう》に、予《よ》定《てい》していなかった案《あん》を出《だ》すこと）。論《ろん》議《ぎ》。議《ぎ》事《じ》堂《どう》。参《さん》議《ぎ》院《いん》。衆《しゅう》議《ぎ》院《いん》。

❷ 不《ふ》思《し》議《ぎ》。

□ 水／7画

【求】

音 キュウ
訓 もとめる

成り立ち

動物《どうぶつ》の毛皮《けがわ》をえがいた字《じ》。人《ひと》のからだから毛皮《けがわ》がぬげないように、ひもできゅっとひきしめる意味《いみ》から、《ひきしめる》《もとめる》の意味《いみ》になった。

筆順・書き方

(7画)

例文・意味

例文 角《かど》のスーパーマーケットに店員《てんいん》の求人《きゅうじん》の張《は》り紙《がみ》が出《で》ている。／次《つぎ》の計算《けいさん》の答《こた》えを求《もと》めなさい。／ひ告人《こくにん》に求《きゅう》けい(さい判《ばん》で、検察官《けんさつかん》が、ひ告《こく》へのけいをさい判官《ばんかん》にもとめること)どおりの判決《はんけつ》が下《くだ》った。／おこづかいのねあげをしてほしいと、母《はは》に要求《ようきゅう》する。

意味 自分《じぶん》のものにしようとする。もとめる。

熟語

求刑《きゅうけい》。求職《きゅうしょく》。探求《たんきゅう》。追求《ついきゅう》。欲求《よっきゅう》。求心力《きゅうしんりょく》(物体《ぶったい》が回転《かいてん》しているとき、その円《えん》の中心《ちゅうしん》に近《ちか》づこうとはたらく力《ちから》)。

□ 氵／8画

【泣】

音 (キュウ)
訓 なく

成り立ち

「氵」は水《みず》。「立」は「粒」(つぶ)をかん単《たん》にした形《かたち》。目《め》から、そろって、つぶのように出《で》てくるなみだを出《だ》して《なく》ことをあらわした字《じ》。

筆順・書き方

(8画)

例文・意味

例文 どこかで子《こ》どもの泣《な》き声《ごえ》がする。／めったになみだを見《み》せない父《ちち》も、兄《あに》の病死《びょうし》に号泣《ごうきゅう》(大声《おおごえ》をあげてなくこと)した。／弟《おとうと》は、いたずらをしかられたら、大声《おおごえ》で泣《な》き出《だ》した。

意味 悲《かな》しみや喜《よろこ》びなどを感《かん》じて、なみだを流《なが》したり声《こえ》をあげたりする。なく。

《泣《な》き出《だ》す》

熟語

泣《な》き顔《がお》。泣《な》き言《ごと》。泣《な》き虫《むし》。男泣《おとこな》き。泣《な》き伏《ふ》す。泣《な》きべそ。泣《な》き笑《わら》い。うれし泣《な》き。すすり泣《な》き。もらい泣《な》き。

救

攵／11画

音 キュウ
訓 すくう

成り立ち 「求」(動物《どうぶつ》の毛皮《けがわ》を、からだにきゅっとひきしめる)と「攵」(動作《どうさ》の記号《きごう》)を合《あ》わせた字《じ》。あぶないところをひきとめて助《たす》けることから、《すくう》の意味《いみ》になった。

救 ← 

筆順・書き方
扌 才 求 求 求' 救
(11画)
わすれずに

例文・意味
例文 なだれにまきこまれた人《ひと》を救助《きゅうじょ》する。／大地《おおじ》しんのひ災地《さいち》に各国《かっこく》から救《きゅう》えんの手《て》がさしのべられた。／救急車《きゅうきゅうしゃ》がサイレンを鳴《な》らして通《とお》りすぎる。／おぼれかけた人《ひと》が救《すく》いを求《もと》めている。／海《うみ》でおぼれている人《ひと》を救《すく》う。
意味 助《たす》ける。力《ちから》をそえる。すくう。

《救急車《きゅうきゅうしゃ》》

熟語 救護《きゅうご》。救済《きゅうさい》(災害《さいがい》や不幸《ふこう》で困《こま》っている人《ひと》を助《たす》けること)。救出《きゅうしゅつ》。救難《きゅうなん》。救世主《きゅうせいしゅ》(世《よ》の中《なか》の困《こま》っている人々《ひとびと》をすくう人《ひと》)。救命具《きゅうめいぐ》。

給

糸／12画

音 キュウ
訓 —

成り立ち 「合」と「糸」(いと)を合《あ》わせた字《じ》。あなをふさぐことをあらわすを、糸《いと》でぬってふさぐことをあらわした。後《のち》に《人《ひと》に必要《ひつよう》なものをあたえる》ことの意味《いみ》になった。

給 ← 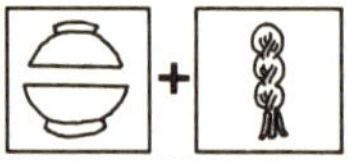

筆順・書き方
幺 糸 糸 紒 紒 給
(12画)
八としない

例文・意味
❶ 例文 水不足《みずぶそく》で給水制限《きゅうすいせいげん》がおこなわれる。／品《しな》物《もの》が売《う》れすぎて、供給《きょうきゅう》が間《ま》に合《あ》わない。／あせをかいたので、水分《すいぶん》を補給《ほきゅう》する。／給食《きゅうしょく》の時間《じかん》。意味 たりないところをたす。たりるようにする。
❷ 例文 店員《てんいん》に制服《せいふく》を支給《しきゅう》する。意味 あたえる。目上《めうえ》から目下《めした》にあたえる。
❸ 例文 きょうは母《はは》が留守《るす》なので、わたしが夕食《ゆうしょく》のお給仕《きゅうじ》をしました。意味 世話《せわ》をする。

熟語
❶ 給油《きゅうゆ》。配給《はいきゅう》。自給自足《じきゅうじそく》⇩(637ページ中)
❷ 給金《きゅうきん》。給料《きゅうりょう》。月給《げっきゅう》。

手／10画

【挙】

音　キョ
訓　あげる・あがる

成り立ち
もとの字《じ》は「擧」。「與」（ふたりが両手《りょうて》で高《たか》く持《も》ちあげること）と「手」（て）を合《あ》わせた字《じ》。そこから、人《ひと》によく見《み》えるように物《もの》を《高《たか》くあげる》意味《いみ》になった。

筆順・書き方

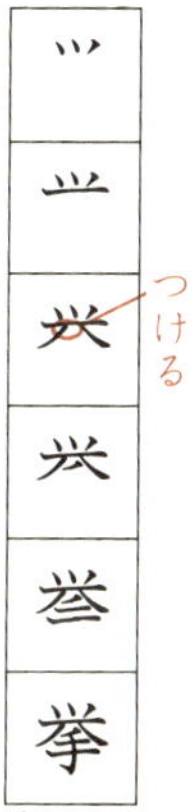

（10画）

例文・意味

❶ 例文 名前《なまえ》をよばれたら挙手《きょしゅ》してください。／手《て》を挙《あ》げて横断歩道《おうだんほどう》をわたる。 意味 高《たか》く持《も》ちあげて見《み》えるようにする。あげる。

❷ 例文 姉《あね》は十月《じゅうがつ》に挙式《きょしき》をひかえていそがしい。／戦国時代《せんごくじだい》は、各地《かくち》で武士《ぶし》が挙兵《きょへい》（兵《へい》を集《あつ》めて軍事行動《ぐんじこうどう》を起《お》こすこと）し、世《よ》の中《なか》がみだれていた。／結《けっ》こん式《しき》を挙《あ》げる。 意味 計画《けいかく》してておこなう。くわだてる。あげる。

❸ 例文 門《もん》の前《まえ》を挙動《きょどう》（動作《どうさ》や、ふるまい）のおかしな男《おとこ》がうろつく。 意味 ふるまい。動作《どうさ》。

❹ 例文 山田氏《やまだし》をこの会《かい》の代表者《だいひょうしゃ》として推挙《すいきょ》します。／選挙《せんきょ》に当選《とうせん》して代議士《だいぎし》になった。 意味 とりあげて、ある地位《ちい》につける。

❺ 例文 犯人《はんにん》は残《のこ》らず検挙《けんきょ》（罪《つみ》をおかした疑《うたが》いのある者《もの》をつかまえて、とり調《しら》べるためにけい察《さつ》に連《つ》れていくこと）された。／必死《ひっし》のそう査《さ》のおかげで犯人《はんにん》が挙《あ》がった。 意味 つかまえる。とらえる。あげる。

❻ 例文 問題点《もんだいてん》を列挙《れっきょ》する。／例《れい》を挙《あ》げて説明《せつめい》する。／証《しょう》こはすべて挙《あ》がっている。 意味 ならべたてる。例《れい》に出《だ》して示《しめ》す。あげる。

❼ 例文 おこった市民《しみん》は大挙《たいきょ》（大勢《おおぜい》の人《ひと》がそろって行動《こうどう》すること）して役所《やくしょ》におしかけた。／国《くに》を挙《あ》げて祝日《しゅくじつ》を祝《いわ》う。 意味 残《のこ》らず。全部《ぜんぶ》。みんな。あげて。

《重量挙《じゅうりょうあ》げ》

熟語

❶ 重量挙《じゅうりょうあ》げ。

❷ 挙行《きょこう》（式《しき》や行事《ぎょうじ》などをおこなうこと）。 快挙《かいきょ》（気持《きも》ちがすっきりするような、すばらしいおこない）。 暴挙《ぼうきょ》（乱暴《らんぼう》なおこないや計画《けいかく》）。

❼ 挙国一致《きょこくいっち》 ⇩（636ページ下）

《挙手《きょしゅ》》

氵／14画

〔漁〕

音 ギョ・リョウ

訓 ―

成り立ち

「氵」(水《みず》。川《かわ》)と「魚」(さかな)を合《あ》わせた字《じ》。川《かわ》や海《うみ》で《魚《さかな》をとる》ことをあらわした字《じ》。

筆順・書き方

(14画)

例文・意味

例文 父《ちち》は遠洋漁業《えんようぎょぎょう》に出《で》ています。／漁村《ぎょそん》のはまには、あみがほしてある。／船《ふね》が大漁旗《たいりょうばた》をかかげて帰港《きこう》した。／かつお漁《りょう》に出《で》る。

意味 魚《さかな》や海《かい》そうなどをとる。

《大漁旗《たいりょうばた》》

熟語

漁期《ぎょき》。漁具《ぎょぐ》。漁港《ぎょこう》。漁場《ぎょじょう》。漁船《ぎょせん》。漁民《ぎょみん》。漁師《りょうし》。禁漁《きんりょう》。出漁《しゅつりょう》。大漁《たいりょう》。不漁《ふりょう》(海《うみ》や川《かわ》で、魚《さかな》や貝《かい》などがあまりとれないこと)。豊漁《ほうりょう》(海《うみ》や川《かわ》で、魚《さかな》や貝《かい》などがたくさんとれること)。密漁《みつりょう》(法律《ほうりつ》を破《やぶ》って、こっそりと魚《さかな》や貝《かい》などをとること)。沿岸漁業《えんがんぎょぎょう》。

八／6画

〔共〕

音 キョウ

訓 とも

成り立ち

物《もの》を両手《りょうて》でささげ持《も》つ形《かたち》をあらわした字《じ》。かた手《て》でなく、両手《りょうて》でということから、《いっしょに》《ともに》の意味《いみ》になった。

筆順・書き方

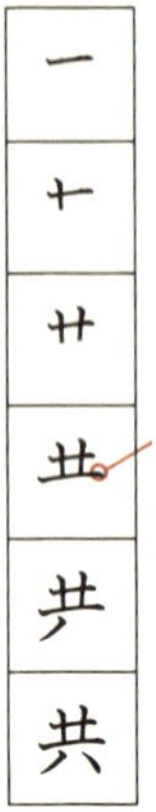

(6画)

例文・意味

❶ 例文 おねえさんの高校《こうこう》は男女共学《だんじょきょうがく》です。／みんなと行動《こうどう》を共《とも》にする。／両親《りょうしん》と共《とも》にくらす。

意味 いっしょ。いっしょに。同時《どうじ》。とも。ともに。

❷ 例文 社共《しゃきょう》(社会民主党《しゃかいみんしゅとう》と日本共産党《にほんきょうさんとう》)が力《ちから》を合《あ》わせて選挙運動《せんきょうんどう》をおこなう。

意味 「共産党《きょうさんとう》」また、「共産主義《きょうさんしゅぎ》」の略《りゃく》。

《男女共学《だんじょきょうがく》》

熟語

❶ 共演《きょうえん》。共感《きょうかん》(人《ひと》の考《かんが》えや意見《いけん》などに、自分《じぶん》も同《おな》じようだと感《かん》じること)。共生《きょうせい》。共存《きょうそん》(二《ふた》つ以上《いじょう》の、たがいに性質《せいしつ》や考《かんが》え方《かた》のちがうもの同士《どうし》がいっしょに生《い》きていくこと)。共著《きょうちょ》。共通《きょうつう》。共同《きょうどう》。共犯《きょうはん》。共鳴《きょうめい》。共有《きょうゆう》。公共《こうきょう》。共共《ともども》。共通語《きょうつうご》。共和国《きょうわこく》。共食《ともぐ》い。共同募金《きょうどうぼきん》。

協

十／8画

音 キョウ

訓 ―

成り立ち 「十」(一《ひと》つにまとめること)と「劦」(多《おお》くの力《ちから》を合《あ》わせること)を合《あ》わせた字《じ》。みんなで力《ちから》を《一《ひと》つに合《あ》わせてする》ことを意味《いみ》する字《じ》。

筆順・書き方

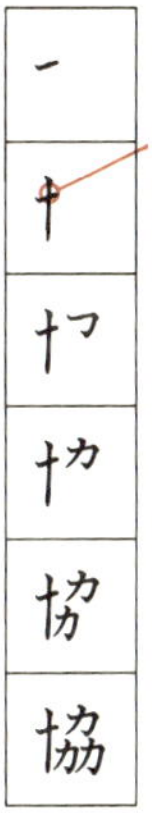

(8画)

例文・意味

❶ 例文 クラス全員《ぜんいん》協力《きょうりょく》したので、学芸会《がくげいかい》は大成《だいせい》功《こう》だった。 意味 心《こころ》や力《ちから》を合《あ》わせる。

❷ 例文 兄《あに》は勉強《べんきょう》はできるが、協調性《きょうちょうせい》がないので、クラスの中《なか》で人気《にんき》がない。 意味 調子《ちょうし》が合《あ》う。なごやかにする。

❸ 例文 とりいれた野菜《やさい》は、一度《いちど》農協《のうきょう》に集《あつ》められてから出荷《しゅっか》される。 意味 「協同組合《きょうどうくみあい》」などの略《りゃく》。

熟語

❶ 協会《きょうかい》。協議《きょうぎ》。協定《きょうてい》(みんなで相談《そうだん》して決《き》めること)。協同《きょうどう》。

❸ 漁協《ぎょきょう》。生協《せいきょう》(「生活協同組合《せいかつきょうどうくみあい》」の略《りゃく》)。

鏡

金／19画

音 キョウ

訓 かがみ

成り立ち 「金」は、きんぞくのどう。「竟」は、こちらと向《む》こうのあいだの境目《さかいめ》。むかしは、みがいたどうを《かがみ》に使《つか》った。自分《じぶん》のすがたと、うつったすがたとの境目《さかいめ》にある《かがみ》をあらわした字《じ》。

筆順・書き方

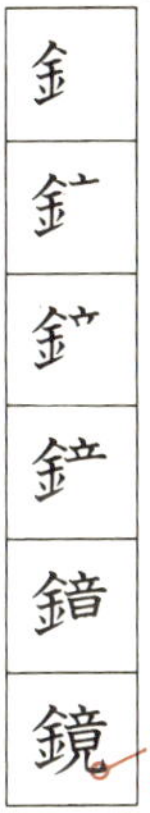

(19画)

例文・意味

❶ 例文 姉《あね》は鏡《かがみ》に向《む》かって念入《ねんい》りにお化《け》しょうをする。／鏡台《きょうだい》の引《ひ》き出《だ》しをあける。 意味 顔《かお》や、すがたなどをうつして見《み》る道具《どうぐ》。かがみ。

❷ 例文 父《ちち》が天体望遠鏡《てんたいぼうえんきょう》を買《か》ってくれた。 意味 レンズ。また、レンズを通《とお》して物《もの》を見《み》る器械《きかい》。

《天体望遠鏡《てんたいぼうえんきょう》》

熟語

❶ 三面鏡《さんめんきょう》。

❷ 拡大鏡《かくだいきょう》。顕微鏡《けんびきょう》。老眼鏡《ろうがんきょう》。双眼鏡《そうがんきょう》。

特別な読み 眼鏡《めがね》。

《顕微鏡《けんびきょう》》

競

立／20画

音 キョウ・ケイ

訓 （きそう）・《せる》

成り立ち

「音」は、もと「言」で、ことば。「儿」は人《ひと》の形《かたち》。二《ふた》つの「竞」でふたりの人《ひと》が自分《じぶん》こそすぐれていると、言《い》い《あらそう》ことや、《きそいあう》ことをあらわした字《じ》。

筆順・書き方

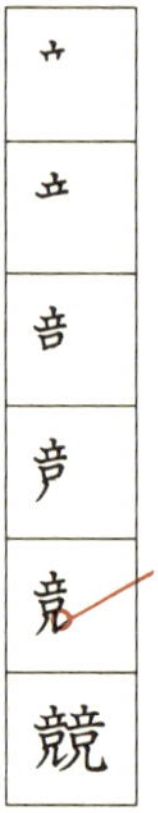

（20画）

例文・意味

❶ 例文 運動会《うんどうかい》では、百《ひゃく》メートル競走《きょうそう》に出《で》ます。／選手《せんしゅ》たちが、わざを競《きそ》う。意味 力《ちから》を比《くら》べ合《あ》う。きそう。せる。

❷ 例文 市場《いちば》に競《せ》りのかけ声《ごえ》がひびく。／ピカソの絵《え》が競売《きょうばい》（大勢《おおぜい》の買《か》い手《て》に、ある品物《しなもの》のねだんをつけさせて、そのうちのいちばん高《たか》いねだんをつけた人《ひと》に売《う》ること）になる。意味 買《か》いとろうとしてたがいに争《あらそ》って、ねをあげる。せる。

熟語

❶ 競泳《きょうえい》。競演《きょうえん》。競技《きょうぎ》。競争《きょうそう》。競歩《きょうほ》。競馬《けいば》。競売《けいばい》（「競売《きょうばい》」と同《おな》じ）。競輪《けいりん》。競技場《きょうぎじょう》。徒競走《ときょうそう》。競馬場《けいばじょう》。

❷ 競《せ》り合《あ》い。競《せ》り市《いち》。競《せ》り売《う》り。

極

木／12画

音 キョク・（ゴク）

訓 （きわめる）・（きわまる）・（きわみ）

成り立ち

「亟」（上《うえ》と下《した》の二本《にほん》の線《せん》のあいだをぴんと張《は》る）と「木」（き）を合《あ》わせた字《じ》。天《てん》じょうからゆかまで張《は》った、家《いえ》を支《ささ》える柱《はしら》のこと。そこから、《いちばんはし》の意味《いみ》をあらわした字《じ》。

筆順・書き方

（12画）

例文・意味

❶ 例文 兄《あに》は極度《きょくど》の暑《あつ》がりだ。／極《ごく》さい色《しき》にいろどられた建物《たてもの》。／白馬岳《しろうまだけ》の山《さん》ちょうを極《きわ》める。／ふゆかい極《きわ》まるできごと。／美《うつく》しさの極《きわ》みともいうべき風景《ふうけい》だ。意味 ものごとの、このうえないところ。また、このうえないところまでいく。きわまる。また、そのようす。きわめて。

❷ 例文 北極《ほっきょく》を犬《いぬ》ぞりで横断《おうだん》する。／かん電池《でんち》の＋側《プラスがわ》を陽極《ようきょく》、－側《マイナスがわ》をいん極《きょく》といいます。意味 一方《いっぽう》のはし。はて。

熟語

❶ 極限《きょくげん》。極力《きょくりょく》。究極《きゅうきょく》（ものごとや、考《かんが》え方《かた》をおしすすめていって、行《い》き着《つ》くところ）。極意《ごくい》（芸《げい》や、わざなどで、いちばん難《むずか》しくて大事《だいじ》なところ）。極秘《ごくひ》。極楽《ごくらく》。至極《しごく》。消極的《しょうきょくてき》。積極的《せっきょくてき》。見極《みきわ》める。

❷ 極地《きょくち》。極東《きょくとう》。南極《なんきょく》。両極《りょうきょく》。北極星《ほっきょくせい》。南極大陸《なんきょくたいりく》。

□ 言／10画

訓

音 クン
訓 ―

成り立ち

「言」は、ことば。「川」は、かわ。もとは、川《かわ》の流《なが》れのようにすじが通《とお》っていることばをあらわした。後《のち》に、むずかしいことがらを、《すじを通《とお》して教《おし》える》ことの意味《いみ》になった。

筆順・書き方

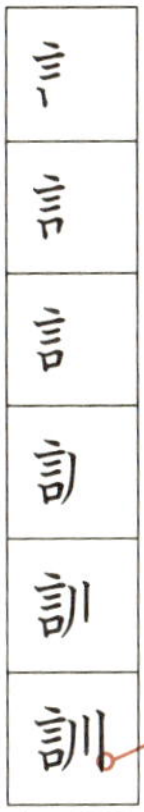

（10画）

例文・意味

❶ 例文 校長先生《こうちょうせんせい》の訓話《くんわ》はよくわかっておもしろい。／地《じ》しんのひなん訓練《くんれん》をする。 意味 教《おし》える。導《みちび》く。また、教《おし》え。

❷ 例文 「海」の訓《くん》は「うみ」で、音《おん》は「カイ」です。／「人《じん》」を訓読《くんよ》みにすると「ひと」です。 意味 漢《かん》字《じ》を、日本語《にほんご》の意味《いみ》に当《あ》てはめて読《よ》む読《よ》み方《かた》。くん。 対語 音《おん》。

熟語

❶ **訓示**《くんじ》（上《うえ》の位《くらい》の人《ひと》が、下《した》の者《もの》に注意《ちゅうい》したり教《おし》えさとしたりすること。また、そのことば）。**訓辞**《くんじ》。**教訓**《きょうくん》。**特訓**《とっくん》（特別《とくべつ》のくん練《れん》）。

❷ **音訓**《おんくん》。**熟字訓**《じゅくじくん》（熟語《じゅくご》それぞれの漢字《かんじ》にはふつうはない読《よ》み方《かた》で、そのことば全体《ぜんたい》に当《あ》てられている、特別《とくべつ》の読《よ》み方《かた》をするもの）。**音訓索引**《おんくんさくいん》。

□ 車／9画

軍

音 グン
訓 ―

成り立ち

「冖」（ぐるりととり囲《かこ》むこと）と「車」（戦車《せんしゃ》）を合《あ》わせた字《じ》。もとは、戦車《せんしゃ》でとり囲《かこ》むことをあらわした。後《のち》に、《ぐん隊《たい》》をあらわすようになった。

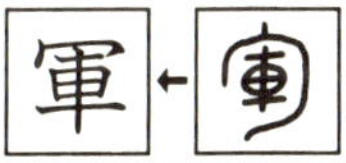

筆順・書き方

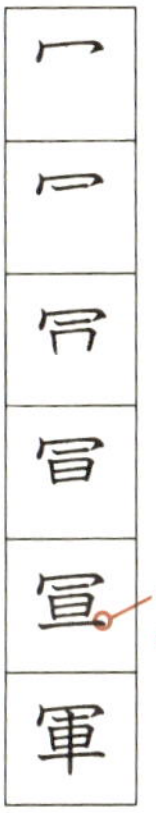

（9画）

例文・意味

❶ 例文 軍隊《ぐんたい》が出動《しゅつどう》して、暴動《ぼうどう》をしずめる。／敵《てき》の軍勢《ぐんぜい》がおしよせる。 意味 兵隊《へいたい》の集《あつ》まり。また、それに似《に》た団《だん》体《たい》や組織《そしき》。

❷ 例文 おきに軍《ぐん》かんの黒《くろ》いかげが見《み》えた。／『平家物語《へいけものがたり》』は、軍記物語《ぐんきものがたり》です。 意味 戦争《せんそう》。いくさ。

《空軍《くうぐん》》

熟語

❶ **軍歌**《ぐんか》。**軍人**《ぐんじん》。**軍配**《ぐんばい》。**海軍**《かいぐん》。**空軍**《くうぐん》。**将軍**《しょうぐん》。**大軍**《たいぐん》。**陸軍**《りくぐん》。

❷ **軍備**《ぐんび》（戦争《せんそう》をしたり、敵《てき》から国《くに》を守《まも》ったりするために備《そな》える兵器《へいき》や設備《せつび》）。**軍国主義**《ぐんこくしゅぎ》（ぐん隊《たい》の力《ちから》を強《つよ》くし、国《くに》の政治《せいじ》をそれによって進《すす》めようとする考《かんが》え）。

□ 阝／10画

郡

音 グン
訓 —

成り立ち
「君」(手《て》と口《くち》を使《つか》ってまとめる)と、「阝」(土地《とち》と人《ひと》で、人《ひと》の集《あつ》まる村《むら》)を合《あ》わせた字《じ》。都市《とし》のまわりをまるくとりまく《村《むら》や町《まち》》のことをあらわした字《じ》。

筆順・書き方

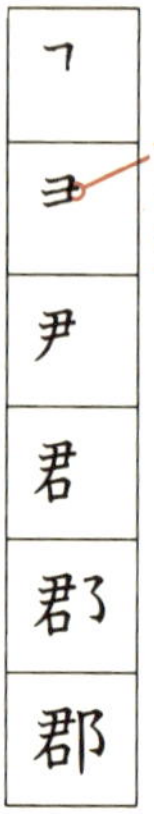

(10画)

例文・意味
例文 東京都《とうきょうと》の中《なか》でも、郡部《ぐんぶ》にはたいへんのどかな所《ところ》があります。／神奈川県三浦郡葉山町《かながわけんみうらぐんはやままち》。
意味 都道府県《とどうふけん》を分《わ》けた、市《し》や区《く》以外《いがい》の区画《くかく》。いくつかの町《まち》や村《むら》からなる地《ち》いき。

《郡部《ぐんぶ》》

熟語
郡下《ぐんか》。

□ 彳／8画

径

音 ケイ
訓 —

成り立ち
もとの字《じ》は「徑」。「彳」(道《みち》)と、「巠」(機織《はたお》りの台《だい》に、たて糸《いと》をまっすぐ張《は》ったようす)を合《あ》わせた字《じ》。二《ふた》つの場所《ばしょ》をまっすぐにつないだ《ちかみち》をあらわした字《じ》。

筆順・書き方

(8画)

例文・意味
❶ 例文 円《えん》の中心《ちゅうしん》と円周上《えんしゅうじょう》の一点《いってん》を結《むす》ぶ直線《ちょくせん》を円《えん》の半径《はんけい》という。／口径《こうけい》(つつ状《じょう》の物《もの》の口《くち》の内側《うちがわ》のさしわたし)五《ご》センチのびん。 意味 円《えん》・球《きゅう》のさしわたし。
❷ 例文 庭内《ていない》の小径《しょうけい》(小《ちい》さい道《みち》。こみち)。
意味 こみち。細《ほそ》い道《みち》。

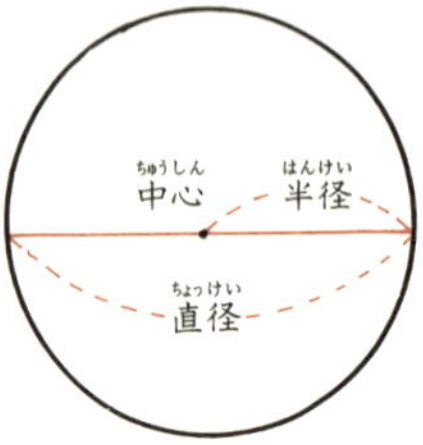

《円《えん》の直径《ちょっけい》と半径《はんけい》》

熟語
❶ 直径《ちょっけい》。

型

土／9画

音 ケイ
訓 かた

成り立ち 小刀《こがたな》でわくの形《かたち》をきざむことをあらわす「刑」と「土」（つち）を合《あ》わせた字《じ》。土《つち》でつくったもののかたのことから、《もとになるかたち》の意味《いみ》をあらわすようになった。

筆順・書き方

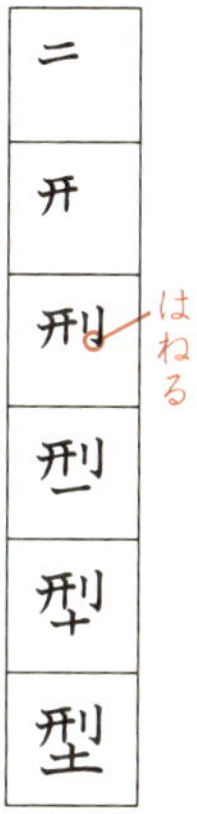

例文・意味

❶ 例文 つい落《らく》した機体《きたい》は原型《げんけい》をとどめないほどだ。／模型飛行《もけいひこう》機《き》をつくって遊《あそ》ぼう。／ワンピースの型紙《かたがみ》。 意味 もとになるかたち。

❷ 例文 典型的《てんけいてき》な夏台風《なつたいふう》。／けん道《どう》の型《かた》を習《なら》う。 意味 手本《てほん》。もはんとなるもの。

❸ 例文 大型冷蔵庫《おおがたれいぞうこ》を買《か》う。 意味 決《き》まったかたちや、大《おお》きさ。

《模型飛行機《もけいひこうき》をつくる》

熟語

❶ ひな型《がた》（実物《じつぶつ》どおりに小《ちい》さくつくったもの）。

❷ 典型《てんけい》（同《おな》じ種類《しゅるい》のものの中《なか》で、その特徴《とくちょう》をもっともよくあらわしているもの）。定型詩《ていけいし》。

❸ 体型《たいけい》。類型《るいけい》。小型《こがた》。新型《しんがた》。流線型《りゅうせんけい》。血液型《けつえきがた》。

景

日／12画

音 ケイ
訓 ―

成り立ち 「日」（太陽《たいよう》）と「京」（おかの上《うえ》に立《た》つ家《いえ》が日《ひ》に照《て》らされて明《あか》るく見《み》えるようす）を合《あ》わせた字《じ》。明暗《めいあん》のけじめのつくことから、《ひかげ》、また、その《けしき》の意味《いみ》になった。

筆順・書き方

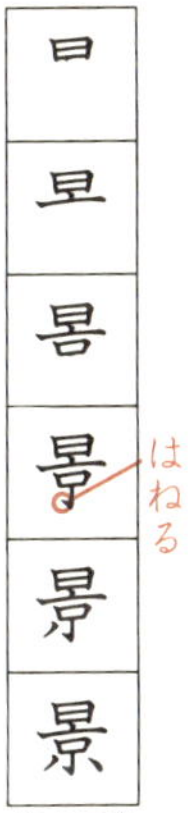

例文・意味

❶ 例文 日光《にっこう》は景勝地《けいしょうち》（けしきのすぐれている土地《とち》）として名高《なだか》い。／あの画家《がか》は風景画《ふうけいが》が得意《とくい》です。／望遠鏡《ぼうえんきょう》で見《み》ると、遠景《えんけい》も手《て》にとるように見《み》える。 意味 けしき。見《み》わたすことのできるあたりのようす。

❷ 例文 来年《らいねん》は景気《けいき》がよくなるだろう。／情景《じょうけい》が目《め》にうかぶ。 意味 ありさま。状態《じょうたい》。

❸ 例文 このしばいは二幕三景《にまくさんけい》です。 意味 演《えん》げきなどの、場面《ばめん》。

熟語

❶ 景観《けいかん》（けしき）。近景《きんけい》。絶景《ぜっけい》（すばらしくて、美《うつく》しいけしき）。全景《ぜんけい》。背景《はいけい》。風景《ふうけい》。夜景《やけい》。殺風景《さっぷうけい》（見《み》た感《かん》じが、おもしろみがなく、味《あじ》わいのないようす）。

❷ 光景《こうけい》。不景気《ふけいき》。

❸ 第一景《だいいっけい》。

特別な読み 景色《けしき》。

【芸】

艹／7画

音 ゲイ
訓 ―

成り立ち

もとの字《じ》は「藝」。植物《しょくぶつ》を土《つち》に植《う》え、形《かたち》よく成長《せいちょう》させるようすをあらわした。そのことから、広《ひろ》く《物《もの》の形《かたち》をととのえるわざ》を意味《いみ》するようになった。

筆順・書き方

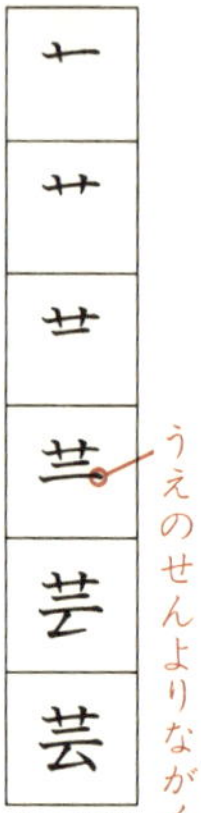

（7画）

例文・意味

❶ 例文 学芸会《がくげいかい》が間近《まぢか》で、練習《れんしゅう》にいそがしい。／武芸《ぶげい》の達人《たつじん》。意味 練習《れんしゅう》をして身《み》につけたわざ。技術《ぎじゅつ》。

❷ 例文 有名《ゆうめい》な芸能人《げいのうじん》に町《まち》で出会《であ》った。／父《ちち》は、テレビ番組《ばんぐみ》の中《なか》で、とくに演芸番組《えんげいばんぐみ》が好《す》きです。意味 遊《あそ》びごと。げいごと。

❸ 例文 デパートの園芸用品売《えんげいようひんう》り場《ば》。意味 草《くさ》や木《き》を植《う》える。

《武芸《ぶげい》の達人《たつじん》》

熟語

❶ 芸術《げいじゅつ》。工芸《こうげい》。手芸《しゅげい》（ししゅうや編《あ》み物《もの》など、手先《てさき》を使《つか》って物《もの》をつくること）。文芸《ぶんげい》。芸術家《げいじゅつか》。工芸品《こうげいひん》。民芸品《みんげいひん》。

❷ 芸当《げいとう》。芸人《げいにん》。芸名《げいめい》。曲芸《きょくげい》（ふつうの人《ひと》にはできないようなかわった、難《むずか》しいわざ）。

❸ 園芸植物《えんげいしょくぶつ》。

【欠】

欠／4画

音 ケツ
訓 かける・かく

成り立ち

人《ひと》が口《くち》をあけて、からだをくぼませてかがんだようすをえがいた字《じ》。くぼむことから、《たりない》《かける》という意味《いみ》をあらわすようになった。

筆順・書き方

（4画）

例文・意味

例文 四年二組《よねんにくみ》は、かぜで八人《はちにん》も欠席《けっせき》している。／台風《たいふう》で船《ふね》は欠航中《けっこうちゅう》です。／ゆかに落《お》として茶《ちゃ》わんを欠《か》いてしまった。／メンバーがひとり欠《か》けても、このゲームはできません。意味 そろっていなければならないものがたりない。かける。また、こわれる。対語 完《かん》。

熟語

欠員《けついん》（決《き》まっている人数《にんずう》にたりないこと）。欠勤《けっきん》。欠場《けつじょう》。欠損《けっそん》（事業《じぎょう》などで、損《そん》をすること）。欠点《けってん》。出欠《しゅっけつ》。補欠《ほけつ》。欠席者《けっせきしゃ》。不可欠《ふかけつ》（なくてはならないようす。また、なくてはならないもの）。事欠《ことか》く。

糸／12画

結

音 ケツ

訓 むすぶ・(ゆう)・(ゆわえる)

成り立ち 「吉」(なかみをいっぱいつめ、ふたをした器《うつわ》)と「糸」(いと)を合《あ》わせた字《じ》。なかみが出《で》ないように、糸《いと》でしっかり《むすぶ》ことをあらわした字《じ》。

筆順・書き方

(12画)

例文・意味

❶ 例文 貨車《かしゃ》を客車《きゃくしゃ》に連結《れんけつ》する。／ひもを結《むす》ぶ。／かみを結《ゆ》う。 意味 束《たば》ねたり、つないだりして一《ひと》つにする。むすぶ。ゆう。ゆわえる。

❷ 例文 チームが団結《だんけつ》する。 意味 約束《やくそく》して一《ひと》つにまとめる。集《あつ》まりをつくる。

❸ 例文 理科《りか》で塩《しお》の結《けっ》しょうをつくる実験《じっけん》をした。 意味 ばらばらのものが一《ひと》つに固《かた》まる。

❹ 例文 戦争《せんそう》がやっと終結《しゅうけつ》した。／テストの結果《けっか》はよかった。 意味 終《お》わりになる。しめくくる。

熟語

❶ 結合《けつごう》。直結《ちょっけつ》。結《むす》び目《め》。

❷ 結成《けっせい》(人《ひと》を集《あつ》めて、団体《だんたい》や会《かい》などをつくること)。

❸ 結集《けっしゅう》。集結《しゅうけつ》。

❹ 結局《けっきょく》。結末《けつまつ》(物語《ものがたり》や話《はなし》などのいちばん終《お》わり)。結論《けつろん》。完結《かんけつ》。

廴／9画

建

音 ケン・《コン》

訓 たてる・たつ

成り立ち 「聿」(筆《ふで》をまっすぐ立《た》てて手《て》で持《も》つようす)と「廴」(まっすぐ進《すす》む)を合《あ》わせた字《じ》。からだをまっすぐに立《た》ててしっかり歩《ある》くことから、物《もの》をまっすぐ《たてる》の意味《いみ》になった。

筆順・書き方

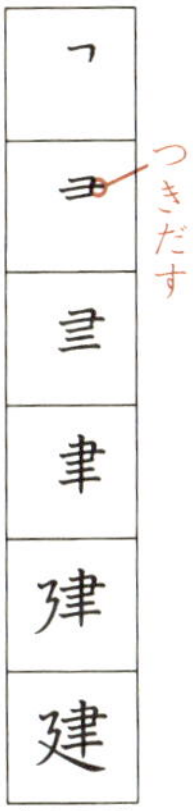

(9画)

例文・意味

❶ 例文 建築中《けんちくちゅう》のマンション。／七世紀《ななせいき》に法隆寺《ほうりゅうじ》は建立《こんりゅう》された。／子《こ》どもべやを建《た》て増《ま》しする。／高《こう》そうビルが建《た》つ。 意味 家《いえ》などを新《あたら》しくつくる。

❷ 例文 建国記念《けんこくきねん》の日《ひ》は国民《こくみん》の祝日《しゅくじつ》です。 意味 おこす。新《あたら》しくつくる。

❸ 例文 国会《こっかい》に建白書《けんぱくしょ》(政府《せいふ》・役所《やくしょ》や上役《うわやく》に、自分《じぶん》の意見《いけん》を申《もう》し述《の》べるために書《か》き記《しる》した文書《ぶんしょ》)を提出《ていしゅつ》する。 意味 意見《いけん》を申《もう》し立《た》てる。

熟語

❶ 建設《けんせつ》。建造《けんぞう》。建築《けんちく》。再建《さいけん》。建具《たてぐ》(戸《と》・障子《しょうじ》・ふすまなど、部屋《へや》の中《なか》にとりつけ、開《あ》けたり閉《し》めたりして部屋《へや》を仕切《しき》る物《もの》)。建物《たてもの》。建築現場《けんちくげんば》。建《た》て売《う》り。二階建《にかいだ》て。

□ イ／11画

健

音 ケン
訓 （すこやか）

成り立ち 「イ」（人《ひと》）と「建」（からだをまっすぐ立《た》てて歩《ある》くこと）を合《あ》わせた字《じ》。人《ひと》がまっすぐ立《た》ってしっかり歩《ある》くように元気《げんき》である、つまり、《からだがじょうぶである》ことを意味《いみ》する字《じ》。

筆順・書き方

（11画）

例文・意味

❶ 例文 ぼくは健康《けんこう》には自信《じしん》がある。／山田君《やまだくん》は健《けん》きゃくだから山《さん》ちょうに一番先《いちばんさき》に着《つ》いた。／子《こ》どもの健《すこ》やかな成長《せいちょう》を願《ねが》う。 意味 からだがしっかりして、じょうぶである。すこやか。

❷ 例文 健《けん》とう（一生《いっしょう》けん命《めい》たたかうこと）もむなしく、マラソンの成績《せいせき》は六位《ろくい》に終《お》わった。 意味 程度《ていど》が、ふつう以上《いじょう》であることをあらわすことば。非常《ひじょう》に。

熟語

❶ 健在《けんざい》。健全《けんぜん》（からだが、丈夫《じょうぶ》なようす。また、考《かんが》え方《かた》や、おこないがしっかりしていて、かたよりのないようす）。保健《ほけん》。保健所《ほけんじょ》。健康食品《けんこうしょくひん》。健康診断《けんこうしんだん》。健康保険《けんこうほけん》。

□ 馬／18画

験

音 ケン・《ゲン》
訓 ―

成り立ち もとの字《じ》は「驗」。「僉」（集《あつ》めて調《しら》べる）と「馬」（うま）を合《あ》わせた字《じ》。馬《うま》を集《あつ》めて、乗《の》りくらべ、よしあしを《ためす》ことを意味《いみ》する字《じ》。

筆順・書き方

（18画）

例文・意味

❶ 例文 理科《りか》の実験《じっけん》でかえるを解《かい》ぼうする。／ことしの夏休《なつやす》みは、いなかのおじさんの所《ところ》へのひとり旅《たび》という、き重《ちょう》な体験《たいけん》をした。 意味 実際《じっさい》にやってみる。ためす。

❷ 例文 この神社《じんじゃ》のお守《まも》りは、れい験《げん》あらたかだといわれています。 意味 効《き》きめ。しるし。

❸ 例文 このバットは、よくヒットが打《う》てて験《げん》がいい。／験《げん》をかつぐ。 意味 えんぎ。

熟語

❶ 験算《けんざん》（計算《けいさん》した結果《けっか》が正確《せいかく》かどうかを確《たし》かめること）。経験《けいけん》。試験《しけん》。受験《じゅけん》。試験管《しけんかん》。実験室《じっけんしつ》。

【固】

口／8画

音 コ

訓 かためる・かたまる・かたい

成り立ち

「口」(かこい)と「古」(ふるくなってかたくなったがいこつ)を合《あ》わせた字《じ》。まわりをかたく囲《かこ》まれて、《動《うご》きのとれない》《かたい》の意味《いみ》をあらわす。

筆順・書き方

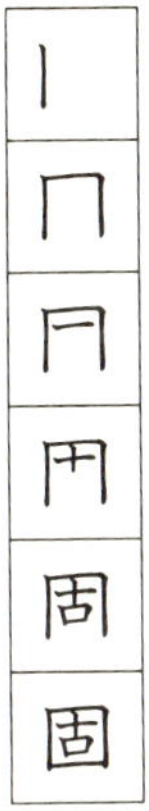

(8画)

例文・意味

❶ 例文 くぎを打《う》って、たなを固定《こてい》する。／決意《けつい》を固《かた》める。／じょう門《もん》を兵士《へいし》で固《かた》め、敵《てき》に備《そな》えた。／ゼリーが固《かた》まる。意味 しっかりして、こわれないようにする。また、そのようす。かためる。かたまる。

❷ 例文 父《ちち》は頭《あたま》が固《かた》くて、新《あたら》しいものは何《なん》でもきらう。意味 かたくなで、ゆうずうがきかない。かたい。

❸ 例文 日本《にっぽん》固有《こゆう》の文化《ぶんか》。意味 はじめからそうである。もともと。

熟語

❶ **固形**《こけい》。**固守**《こしゅ》(しっかりと守《まも》ること)。**固体**《こたい》。**確固**《かっこ》(しっかりとして動《うご》かないようす)。**強固**《きょうこ》。**警固**《けいご》。**断固**《だんこ》(ものごとに対《たい》してきっぱりとした態度《たいど》を示《しめ》すようす)。

❷ **固辞**《こじ》(かたくことわること)。

【功】

力／5画

音 コウ・《ク》

訓 ―

成り立ち

「工」(むずかしい工作《こうさく》)と「力」(ちから)を合《あ》わせた字《じ》。一生《いっしょう》けん命《めい》がんばって仕事《しごと》をやりとげることから、《てがら》をあらわすようになった。

筆順・書き方

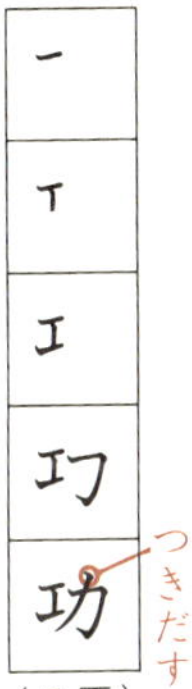

(5画)

例文・意味

❶ 例文 クラスでまん画《が》の功罪《こうざい》について話《はな》し合《あ》った。／むずかしい実験《じっけん》がついに成功《せいこう》した。／おじいさんは、町《まち》の発《はっ》てんにたいへん功績《こうせき》のあった人《ひと》だそうです。意味 てがら。力《ちから》をつくして、なしとげた仕事《しごと》。

❷ 例文 仏様《ほとけさま》の功徳《くどく》があるようにいのる。意味 効《き》きめ。

《成功《せいこう》》

熟語

❶ **功名**《こうみょう》(てがらを立《た》てて、有名《ゆうめい》になること)。**功労**《こうろう》(あることのためにつくしたことのてがら)。**功利的**《こうりてき》(自分《じぶん》の利益《りえき》を第一《だいいち》に考《かんが》えるようす)。**年功序列**《ねんこうじょれつ》(年《ねん》齢《れい》や勤続年数《きんぞくねんすう》に応《おう》じて地位《ちい》や賃金《ちんぎん》が決《き》まる制度《せいど》)。

□ 女／6画

好

音 コウ

訓 このむ・すく

成り立ち

「女」(おんな)と「子」(こども)を合《あ》わせた字《じ》。女《おんな》の人《ひと》が子《こ》どもをかわいがるようすをあらわした字《じ》。大事《だいじ》にしてかわいがることから《このむ》《このましい》《よい》という意味《いみ》になった。

好 ← 

筆順・書き方

く　女　女　女　好　好（6画）　はねる

例文・意味

❶ 例文 メロンはわたしの大好物《だいこうぶつ》です。／わたしと姉《あね》とは食《た》べ物《もの》の好《この》みがちがう。／弟《おとうと》は犬《いぬ》が大好《だいす》きです。 意味 すきである。気《き》にいる。愛《あい》する。このむ。

❷ 例文 父《ちち》の手術後《しゅじゅつご》の経過《けいか》は良好《りょうこう》だ。／好敵手《こうてきしゅ》同士《どうし》が対決《たいけつ》する。／そういうやり方《かた》は好《この》ましくない。 意味 よい。つごうがよい。望《のぞ》ましい。

❸ 例文 日本《にっぽん》と中国《ちゅうごく》で友好《ゆうこう》をふかめる。 意味 仲《なか》がよい。親《した》しい。

熟語

❶ 好意《こうい》(すきだと思《おも》う気持《きも》ち)。好悪《こうお》(すきなことと、きらいなこと)。好感《こうかん》。好物《こうぶつ》。愛好《あいこう》。同好《どうこう》。物好《ものず》き。好《す》き好《ず》き。

❷ 好機《こうき》。好調《こうちょう》。好適《こうてき》(ちょうどよいようす)。好天《こうてん》。好転《こうてん》。好評《こうひょう》。格好《かっこう》。絶好《ぜっこう》。好人物《こうじんぶつ》。好都合《こうつごう》。

❸ 修好《しゅうこう》(国《くに》と国《くに》とが仲《なか》よくつきあうこと)。

□ イ／10画

候

音 コウ

訓 《そうろう》

成り立ち

「イ」(人《ひと》)と「矦」(矢《や》でねらいうかがうこと)を合《あ》わせた字《じ》。《ようすをうかがう》こと。また、ものごとの《ようす》《きざし》の意味《いみ》でも使《つか》う。

候 ←  + 

筆順・書き方

イ　…　候（10画）　つきでない

例文・意味

❶ 例文 手紙《てがみ》に時候《じこう》のあいさつを書《か》く。／気候《きこう》の温《おん》だんな地方《ちほう》。／病状《びょうじょう》に回復《かいふく》の兆候《ちょうこう》(ものごとが起《お》こる前《まえ》ぶれ)がみえる。 意味 ものごとのあらわれるきざし。

❷ 例文 市長《しちょう》に立候補《りっこうほ》する。 意味 待《ま》ちのぞむ。

❸ 例文 祖父《そふ》はときどき候文《そうろうぶん》の手紙《てがみ》を書《か》く。 意味 むかし、「である」「いる」をていねいにいう場合《ばあい》に用《もち》いたことば。

❹ 例文 せっ候《こう》を出《だ》して敵《てき》の動《うご》きを知《し》る。 意味 さぐる。うかがう。

熟語

❶ 天候《てんこう》。測候所《そっこうじょ》。

❷ 候補者《こうほしゃ》。

舟／10画

【航】

音 コウ
訓 ―

成り立ち
「亢」（まっすぐの人《ひと》の首《くび》）と「舟」（ふね）を合《あ》わせた字《じ》で、《舟《ふね》がまっすぐに進《すす》む》ことをあらわした字《じ》。空中《くうちゅう》を海《うみ》にたとえて飛行機《ひこうき》が進《すす》むこともあらわす。

筆順・書き方

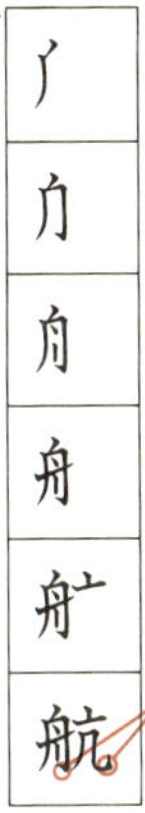

（10画）

例文・意味
例文 春休《はるやす》みに航空《こうくう》ショーを見《み》に行《い》く。／無事《ぶじ》に航海《こうかい》を終《お》えて帰港《きこう》した客船《きゃくせん》。
意味 水上《すいじょう》・水《すい》中《ちゅう》や空中《くうちゅう》を乗《の》り物《もの》で進《すす》む。

《航空《こうくう》ショー》

熟語
航行《こうこう》。航路《こうろ》。運航《うんこう》。帰航《きこう》。欠航《けっこう》（悪《わる》い天候《てんこう》などのため、その日予定《ひよてい》されている船《ふね》や飛行機《ひこうき》の出発《しゅっぱつ》をやめること）。就航《しゅうこう》（飛行《ひこう》機《き》や船《ふね》などが、初《はじ》めてそのこう路《ろ》につくこと）。出航《しゅっこう》。航空機《こうくうき》。航空便《こうくうびん》。

广／11画

【康】

音 コウ
訓 ―

成り立ち
「庚」（両手《りょうて》でぼうを立《た》てているようす）と「氺」（もみがら）を合《あ》わせた字《じ》。かたいしんが通《とお》っているようにかたいしんがあるこく物《もつ》のからのように《じょうぶ》なこと。

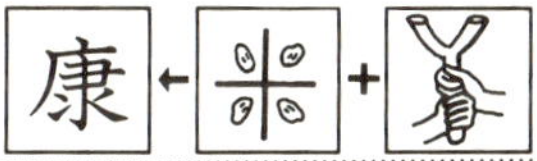

筆順・書き方

（11画）

例文・意味
❶ 例文 いまのところ、病状《びょうじょう》は小康《しょうこう》状態《じょうたい》（病《びょう》気《き》のぐあいがよい状態《じょうたい》で落《お》ち着《つ》いていること）を保《たも》っている。意味 安《やす》らかで、心配《しんぱい》ごとがない。
❷ 例文 健康《けんこう》だから、何《なに》を食《た》べてもおいしい。意味 すこやか。からだがじょうぶ。

《健康《けんこう》》

熟語
❷ 不健康《ふけんこう》。健康食品《けんこうしょくひん》。健康保険《けんこうほけん》。

口／7画

【告】

音 **コク**
訓 つげる

成り立ち
牛《うし》の角《つの》にわくをしばりつけて、角《つの》が人《ひと》にあたらないように注意《ちゅうい》して知《し》らせることから、《つげる》の意味《いみ》をあらわした字《じ》。

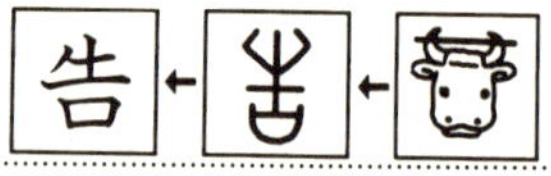

筆順・書き方

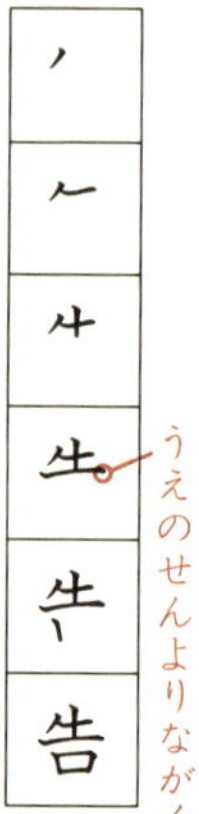

（7画）

例文・意味

❶ 例文 そうじが終《お》わったことを先生《せんせい》に報告《ほうこく》する。／新聞広告《しんぶんこうこく》で車《くるま》のせん伝《でん》をする。／テレビで来週《らいしゅう》のドラマの予告《よこく》をしている。／十二時《じゅうにじ》を**告**《つ》げるチャイムが聞《き》こえてくる。 意味 相手《あいて》に知《し》らせる。つげる。

❷ 例文 公害問題《こうがいもんだい》で原告《げんこく》(さい判所《ばんしょ》にさい判《ばん》をしてもらおうとうったえ出《で》た人《ひと》)側《がわ》の住民《じゅうみん》が勝《しょう》そした。 意味 うったえる。

熟語

❶ **告示**《こくじ》。**告知**《こくち》。**告白**《こくはく》。**告発**《こくはつ》。**警告**《けいこく》。**申告**《しんこく》。**宣告**《せんこく》。**忠告**《ちゅうこく》。**通告**《つうこく》。**密告**《みっこく》。**告別式**《こくべつしき》(死《し》んだ人《ひと》に別《わか》れをつげる儀式《ぎしき》)。**告**《つ》**げ口**《ぐち》。**宣戦布告**《せんせんふこく》。

❷ **上告**《じょうこく》(判決《はんけつ》に対《たい》して、上級《じょうきゅう》の裁《さい》判所《ばんしょ》へ訴《うった》えを申《もう》し立《た》てること)。**被告**《ひこく》。

工／10画

【差】

音 **サ**
訓 さす

成り立ち
「左」(ひだり手《て》)と「𦍌」(いねのほ・がたれ下《さ》がった形《かたち》)を合《あ》わせた字《じ》。ほの先《さき》がじぐざぐして、そろわないことから、そろわないで生《しょう》じた《ちがい》のこと。

筆順・書き方

（10画）

例文・意味

❶ 例文 二《ふた》つの品物《しなもの》の品質《ひんしつ》に大差《たいさ》はない。／人《ひと》は考《かんが》え方《かた》も好《この》みも千差万別《せんさばんべつ》だ。 意味 ちがい。あわない。

❷ 例文 アメリカと日本《にっぽん》では時差《じさ》がある。／特急《とっきゅう》料金《りょうきん》と急行料金《きゅうこうりょうきん》の差額《さがく》。／ゆっくり歩《ある》いていたら先頭《せんとう》の人《ひと》と差《さ》がついてしまった。 意味 二《ふた》つの数《かず》をさしひきしたあたい。さ。 対語 和《わ》。

❸ 例文 差出人《さしだしにん》の名前《なまえ》がかすれていて、よく読《よ》めない。 意味 送《おく》る。人《ひと》を行《い》かせる。

熟語

❶ **差異**《さい》(ほかのものと比《くら》べたときの違《ちが》い)。**差別**《さべつ》。**落差**《らくさ》。**交差点**《こうさてん》。**無差別**《むさべつ》。**千差万別**《せんさばんべつ》⇩(639ページ下)

❷ **誤差**《ごさ》(ほんとうの値《あたい》と、はかったり計算《けいさん》したりして得《え》た値《あたい》との違《ちが》い)。**点差**《てんさ》。**差**《さ》**し引**《ひ》**き**。

特別な読み
差《さ》し支《つか》える。

【菜】

音 サイ
訓 な

成り立ち 「艹」(草《くさ》)と「采」(手《て》で葉《は》をつみとること)を合《あ》わせた字《じ》。つみとった草《くさ》をあらわした。そこから、おかずにする《なっぱ》や《やさい》を意味《いみ》するようになった。

筆順・書き方

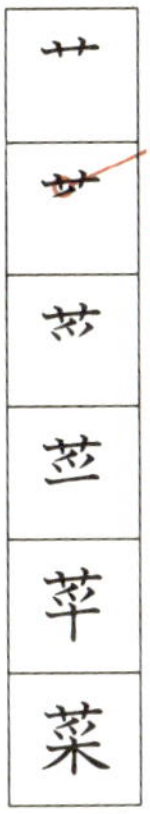

わすれずに

(11画)

例文・意味

❶ 例文 庭《にわ》のすみに菜園《さいえん》をつくる。／こう負《ま》けつづけては、横《よこ》づなも青菜《あおな》に塩《しお》だ。／あぶらなの花《はな》は、菜《な》の花《はな》ともいう。 意味 葉《は》・くき・根《ね》を食用《しょくよう》とする草《くさ》。やさい。また、な。

❷ 例文 「このお料理《りょうり》、お総菜《そうざい》にいいわね。」と母《はは》がテレビを見《み》ながら言《い》う。 意味 おかず。

《菜園《さいえん》》

熟語

❶ 菜食《さいしょく》(人間《にんげん》が、肉《にく》や魚《さかな》よりも、やさい類《るい》を主《しゅ》として食《た》べること)。山菜《さんさい》。白菜《はくさい》。野菜《やさい》。菜種《なたね》。菜《な》っ葉《ぱ》。

❷ 前菜《ぜんさい》(おもな料理《りょうり》の前《まえ》に食《た》べる軽《かる》い食《た》べ物《もの》。オードブル)。

【最】

音 サイ
訓 もっとも

成り立ち 「曰」は、太陽《たいよう》ではなく、おおいをあらわす。そのおおいの下《した》のものを、むりに、《もっとも少《すく》なく》手《て》でつまみとることをあらわした。後《のち》に、広《ひろ》く《もっとも》の意味《いみ》になった。

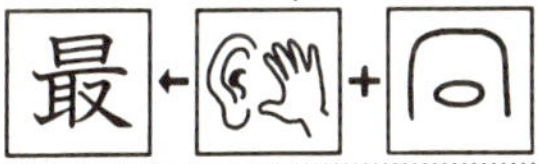

筆順・書き方

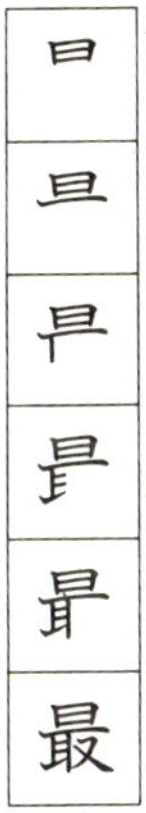

(12画)

例文・意味

例文 スキー場《じょう》はどこも、この冬《ふゆ》最高《さいこう》の人出《ひとで》です。／きょうの最低気温《さいていきおん》は氷点下三度《ひょうてんかさんど》だった。／この作品《さくひん》はピカソのけっ作《さく》の最《さい》たるものだ。／かれはクラスで最《もっと》もせが高《たか》い。／成功《せいこう》させるために最善《さいぜん》をつくす。 意味 いちばんの。このうえなく。もっとも。

熟語

最愛《さいあい》。最悪《さいあく》。最強《さいきょう》。最近《さいきん》。最古《さいこ》。最後《さいご》。最期《さいご》(命《いのち》の終《お》わるとき。死《し》にぎわ)。最終《さいしゅう》。最初《さいしょ》。最小《さいしょう》。最上《さいじょう》。最新《さいしん》。最多《さいた》。最大《さいだい》。最中《さいちゅう》。最長《さいちょう》。最適《さいてき》。最良《さいりょう》。最小限《さいしょうげん》。最盛期《さいせいき》(勢《いきお》いがもっともさかんな時期《じき》)。

特別な読み

最寄《もよ》り。

□ 木／7画

〔材〕

音 ザイ
訓 ―

成り立ち

水《みず》の流《なが》れを「ノ」印《じるし》でたちきることをあらわす「才」と「木」(き)を合《あ》わせて、《たちきった木《き》》をあらわした。その切《き》った木《き》でいろいろな物《もの》をつくることから《つくるもと》の意《い》味《み》になった。

筆順・書き方

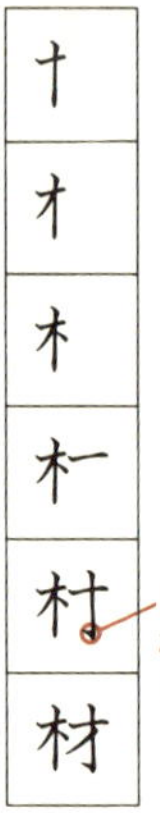

（7画）

例文・意味

❶ 例文 工事現場《こうじげんば》の材木《ざいもく》がくずれて、けが人《にん》が出《で》た。／このいすはチーク材《ざい》を使《つか》っている。 意味 物《もの》をつくるための木《き》。

❷ 例文 カレーの材料《ざいりょう》を用意《ようい》する。／このえい画《が》は実際《じっさい》に起《お》こったできごとを素材《そざい》にしている。 意味 物《もの》をつくるときのもとになるもの。原料《げんりょう》となるもの。

❸ 例文 会社《かいしゃ》のき重《ちょう》な人材《じんざい》(才能《さいのう》があって役《やく》にたつ人《ひと》)。 意味 才能《さいのう》や、うで前《まえ》。

熟語

❶ 角材《かくざい》。 製材《せいざい》。 木材《もくざい》。

❷ 材質《ざいしつ》。 画材《がざい》。 器材《きざい》。 教材《きょうざい》。 取材《しゅざい》(新聞《しんぶん》や雑誌《ざっし》などの記事《きじ》にするための、もとになるものを集《あつ》めること)。 題材《だいざい》。 断熱材《だんねつざい》。

❸ 適材適所《てきざいてきしょ》 ⇩(640ページ中)

□ 日／9画

〔昨〕

音 サク
訓 ―

成り立ち

「日」(ひ)と「乍」(木《き》に切《き》れめを入《い》れる)を合《あ》わせた字《じ》。「昨」はその意《い》味《み》とは関係《かんけい》なく「サク」という音《おん》が「積《つ》み重《かさ》ねる」の意《い》味《み》をあらわすので、積《つ》み重《かさ》なった《過《す》ぎた日《ひ》》の意《い》味《み》になった。

筆順・書き方

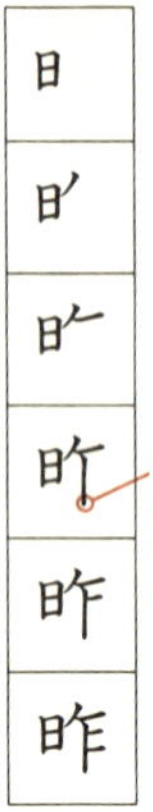

（9画）

例文・意味

❶ 例文 昨夜《さくや》は本《ほん》を読《よ》んでいて、ねるのがおそくなった。／ことしのいねは昨年《さくねん》よりもよいできばえです。／昨晩《さくばん》、関東《かんとう》地方《ちほう》を中心《ちゅうしん》に大《おお》きな地《じ》しんがあった。 意味 今《いま》より一《ひと》つ前《まえ》の日《ひ》や時《とき》。

❷ 例文 温室《おんしつ》さいばいがさかんになり、昨今《さっこん》(この近《ちか》ごろ)は食《た》べ物《もの》にも季節感《きせつかん》がうすれてきた。 意味 以前《いぜん》。むかし。

熟語

❶ 昨日《さくじつ》。 一昨日《いっさくじつ》。 一昨年《いっさくねん》。

特別な読み

昨日《きのう》。

木／5画

札

音 サツ
訓 ふだ

成り立ち
「木」(き)と「し」(ピンで止《と》めた形《かたち》)を合《あ》わせた字《じ》。ピンなどで止《と》めた《木《き》のふだ》をあらわした字《じ》。

筆順・書き方
一 十 才 木 札(はねる)
(5画)

例文・意味

❶ 例文 表札《ひょうさつ》に家族全員《かぞくぜんいん》の名前《なまえ》を書《か》く。 意味 文字《もじ》などを記《しる》すための木《き》や紙《かみ》などのふだ。

❷ 例文 乗《の》りこしなので検札《けんさつ》のときに精算《せいさん》しよう。 意味 乗車券《じょうしゃけん》や入場券《にゅうじょうけん》。きっぷ。

❸ 例文 新《あたら》しい一万円札《いちまんえんさつ》をご祝《しゅう》ぎぶくろに入《い》れる。 意味 紙《かみ》のお金《かね》。紙《し》へい。さつ。

❹ 例文 神社《じんじゃ》で合格《ごうかく》き願《がん》のお札《ふだ》を受《う》けた。 意味 お守《まも》り。

熟語

❶ 標札《ひょうさつ》(家《いえ》の門《もん》や戸口《とぐち》に、その家《いえ》にすんでいる人《ひと》の名前《なまえ》を書《か》いてかけておくふだ。「表札《ひょうさつ》」と同《おな》じ)。正札《しょうふだ》。名札《なふだ》。荷札《にふだ》。立《た》て札《ふだ》。

❷ 改札《かいさつ》。出札《しゅっさつ》。改札口《かいさつぐち》。

❸ 札束《さつたば》。札入《さつい》れ。千円札《せんえんさつ》。

❹ 守《まも》り札《ふだ》。

刂／8画

刷

音 サツ
訓 する

成り立ち
「㕞」(布《ぬの》でよごれをふきとること)と、「刂」(刀《かたな》)を合《あ》わせた字《じ》。刀《かたな》でよごれをけずりとることから、《こする》《すりつける》の意味《いみ》になった。

筆順・書き方

つきだす
(8画)

例文・意味

❶ 例文 わが家《や》ではことし、年賀《ねんが》はがきを百《ひゃく》まい印《いん》刷《さつ》しました。/クラスの新聞《しんぶん》を刷《す》って全校《ぜんこう》の児童《じどう》に配《くば》る。/四色刷《よんしょくず》りの新聞広告《しんぶんこうこく》。 意味 版《はん》に紙《かみ》をのせて写《うつ》しとる。する。

❷ 例文 政界《せいかい》を刷新《さっしん》して、お職《しょく》をなくそう。 意味 きれいにする。ぬぐう。清《きよ》める。

《年賀《ねんが》はがきを印刷《いんさつ》する》

熟語

❶ 印刷機《いんさつき》。印刷物《いんさつぶつ》。刷《す》り物《もの》。色刷《いろず》り。印刷工場《いんさつこうじょう》。

殳／10画

殺

音 サツ・《サイ》・《セツ》
訓 ころす

成り立ち
「殳」(武器《ぶき》を手《て》に持《も》っているすがた)と「杀」(もちあわを、はものでかりとるようす)を合《あ》わせた字《じ》。後《のち》に、生《い》き物《もの》を《ころす》意味《いみ》になった。

筆順・書き方

(10画)

例文・意味

❶例文 自殺《じさつ》が増《ふ》えていると新聞《しんぶん》に出《で》ていた。／おぼうさんが殺生《せっしょう》はいけないとお説教《せっきょう》をする。／ありを足《あし》でふんで殺《ころ》してしまった。意味 命《いのち》をうばう。命《いのち》を絶《た》つ。ころす。

❷例文 去年《きょねん》の赤字《あかじ》は、ことしのもうけで相殺《そうさい》された。意味 なくす。へらす。

❸例文 ファンがテレビ局《きょく》の入《い》り口《ぐち》に殺《さっ》とう(多《おお》くの人《ひと》やものが、一度《いちど》にどっとおし寄《よ》せること)する。意味 他《た》のことばにつけて、その意味《いみ》を強《つよ》めることば。

熟語

❶殺意《さつい》。殺害《さつがい》。殺気《さっき》。殺人《さつじん》。暗殺《あんさつ》(政治上《せいじじょう》の対立《たいりつ》する人《ひと》を、ひそかにねらってころすこと)。射殺《しゃさつ》。他殺《たさつ》。毒殺《どくさつ》。殺虫剤《さっちゅうざい》。見殺《みごろ》し。

❷殺風景《さっぷうけい》(趣《おもむき》や、おもしろみがないようす)。

宀／14画

察

音 サツ
訓 ―

成り立ち
「宀」は家《いえ》の屋根《やね》、「祭」は神《かみ》へのおそなえの肉《にく》をすみずみまで清《きよ》めてそなえるようす。家《いえ》をすみずみまで清《きよ》めることから、《すみまでよくみる》《しらべる》という意味《いみ》になった。

筆順・書き方

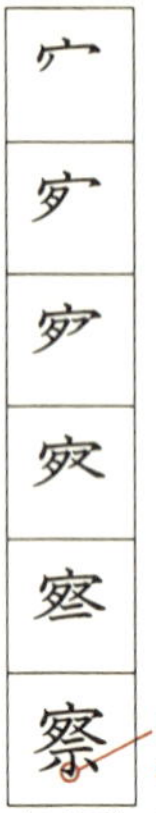

(14画)

例文・意味

❶例文 天体望遠鏡《てんたいぼうえんきょう》で星《せい》ざを観察《かんさつ》する。／大臣《だいじん》が台風《たいふう》のひ災地《さいち》を視察《しさつ》する。意味 よく見《み》る。調《しら》べて明《あき》らかにする。

❷例文 手紙《てがみ》の文面《ぶんめん》からかれのおどろいているようすが十分《じゅうぶん》に推察《すいさつ》できた。／何《なに》をほしがっているのか、おおよその察《さっ》しはつく。／母《はは》をなくした子《こ》の気持《きも》ちを察《さっ》すると、なみだが出《で》てくる。意味 おしはかる。思《おも》いやる。

《星《せい》ざを観察《かんさつ》する》

熟語

❶警察《けいさつ》。検察《けんさつ》。考察《こうさつ》。警察官《けいさつかん》。

❷察知《さっち》(あるものごとを、おしはかって知《し》ること)。

ム／8画

参

音 サン

訓 まいる

成り立ち もとの字《じ》は「參」。女《おんな》の人《ひと》が三《みっ》つの玉《たま》のかんざしをつけ、からだに三《み》すじのかざりをつけたすがたから、数《かず》の《3》の意味《いみ》になった。また、もようが入《い》りまじることから《仲間《なかま》の中《なか》に加《くわ》わる》の意味《いみ》。

筆順・書き方

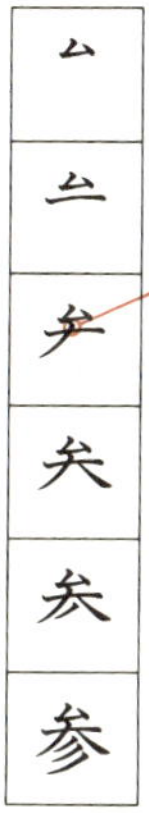

（8画）

例文・意味

❶ 例文 テニス大会《たいかい》に参加《さんか》する。 意味 仲間《なかま》に加《くわ》わる。集《あつ》まる。

❷ 例文 正月《しょうがつ》、神社《じんじゃ》に参拝《さんぱい》した。／墓《はか》に参《まい》る。 意味 寺《てら》や神社《じんじゃ》におまいりする。また、目上《めうえ》の人《ひと》に会《あ》う。

❸ 例文 父《ちち》の意見《いけん》はおおいに参考《さんこう》になりました。 意味 比《くら》べ合《あ》わせる。

❹ 例文 母《はは》はもうじき帰《かえ》って参《まい》ります。 意味 「行《い》く」「来《く》る」をへりくだって言《い》うことば。

❺ 意味 数《かず》で3。「三《さん》」のかわりに使《つか》う。

熟語

❶ 参観《さんかん》(ある場所《ばしょ》に行《い》き、そのようすを実際《じっさい》に見《み》ること)。参集《さんしゅう》。参列《さんれつ》。参加者《さんかしゃ》。

❷ 参賀《さんが》(新年《しんねん》や祝日《しゅくじつ》などに、皇居《こうきょ》にお祝《いわ》いに行くこと)。参上《さんじょう》。参道《さんどう》。持参《じさん》。日参《にっさん》。墓参《ぼさん》。墓参《はかまい》り。宮参《みやまい》り。

❸ 参照《さんしょう》。参考書《さんこうしょ》。

❺ 参万円《さんまんえん》。

生／11画

産

音 サン

訓 うむ・うまれる・《うぶ》

成り立ち もとの字《じ》は「產」。「文」は、もよう、「厂」はがけ、「生」は草《くさ》がうまれる。もとになるものから、くっきりきりはなされて《うまれる》こと。《土地《とち》や事業《じぎょう》からうまれたもの》の意味《いみ》もあらわす。

筆順・書き方

（11画）

例文・意味

❶ 例文 三《さん》びきの子犬《こいぬ》が産《う》まれた。／母《はは》は姉《あね》のお産《さん》のてつだいに行《い》った。／赤《あか》んぼうの産声《うぶごえ》。 意味 子《こ》をうむ。子《こ》がうまれる。

❷ 例文 この野菜《やさい》は産地直送《さんちちょくそう》です。 意味 物《もの》をつくりだす。物《もの》ができる。

❸ 例文 広島産《ひろしまさん》のかき。 意味 つくられたり、とれたりした土地《とち》をあらわすことば。

❹ 例文 不動産《ふどうさん》(山林《さんりん》・土地《とち》・建物《たてもの》など、動《うご》かすことができない財《ざい》さん)が、ねあがりする。 意味 生活《せいかつ》のもとになるもの。元手《もとで》。

熟語

❶ 産院《さんいん》。産卵《さんらん》。安産《あんざん》。難産《なんざん》。産着《うぶぎ》。産毛《うぶげ》。産湯《うぶゆ》。

❷ 産業《さんぎょう》。産出《さんしゅつ》。産物《さんぶつ》。月産《げっさん》。水産《すいさん》。生産《せいさん》。増産《ぞうさん》。特産《とくさん》。農産《のうさん》。物産《ぶっさん》。量産《りょうさん》。生産量《せいさんりょう》。農産物《のうさんぶつ》。

❸ 国産《こくさん》。外国産《がいこくさん》。

❹ 遺産《いさん》。財産《ざいさん》。資産《しさん》。破産《はさん》。

特別な読み 土産《みやげ》。

□ 攵／12画

【散】

音 **サン**
訓 **ち**る・**ち**らす・**ち**らかす・**ち**らかる

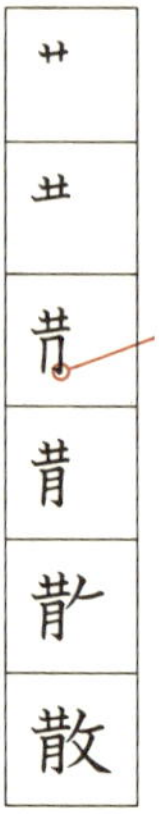

（12画）

成り立ち 「𣎳」は植物《しょくぶつ》や肉《にく》のすじを小《ちい》さくばらばらにすること。「攵」は動作《どうさ》の記号《きごう》。小《ちい》さくばらばらに《ちらかす》ことを意味《いみ》する字《じ》。

例文・意味

❶ 例文 あたりには、われたガラスが散乱《さんらん》していた。／おもちゃを散《ち》らかす。／桜《さくら》が散《ち》る。 意味 ばらばらになる。ちる。ちらす。ちらかす。

❷ 例文 けがをするのは注意力《ちゅういりょく》が散《さん》まんだからだ。／気《き》が散《ち》って集中《しゅうちゅう》できない。 意味 まとまりがない。しまりがない。ちる。

❸ 例文 父《ちち》は毎朝《まいあさ》散歩《さんぽ》に出《で》ます。 意味 気《き》まま。

❹ 例文 食後《しょくご》、散薬《さんやく》を飲《の》む。 意味 粉薬《こなぐすり》。

熟語

❶ **散会**《さんかい》（会《かい》が終《お》わって、集《あつ》まった人々《ひとびと》が帰《かえ》ること）。**散在**《さんざい》。**散布**《さんぷ》。**解散**《かいさん》。**退散**《たいさん》。**発散**《はっさん》。**分散**《ぶんさん》。**集散地**《しゅうさんち》。**散**《ち》り**散**《ぢ》り。**飛**《と》び**散**《ち》る。

❸ **散文**《さんぶん》（ことばの数《かず》や調子《ちょうし》、文章《ぶんしょう》の形《かたち》などに特別《とくべつ》のきまりのないふつうの文章《ぶんしょう》）。

❹ **胃散**《いさん》。

□ 歹／10画

【残】

音 **ザン**
訓 **のこ**る・**のこ**す

（10画）

成り立ち もとの字《じ》は「殘」。「歹」（ほね）と「戔」（ほこが二《ふた》つ）を合《あ》わせた字《じ》。もとはほこで切《き》られて小《ちい》さくなったほねのかけらをあらわした。後《のち》に、最後《さいご》にわずかに《のこったもの》の意味《いみ》になった。

例文・意味

❶ 例文 ことしは残暑《ざんしょ》がきびしい。／ごはんは残《のこ》さずに食《た》べなさい。／山《さん》ちょうにはまだ雪《ゆき》が残《のこ》っている。 意味 余《あま》って後《あと》にとどまる。のこる。のこす。また、とどまったもの。余《あま》り。のこり。

❷ 例文 残《ざん》にんな（むごいことを平気《へいき》でするようす）殺人《さつじん》犯《はん》。 意味 むごい。いたましい。

熟語

❶ **残額**《ざんがく》。**残業**《ざんぎょう》。**残金**《ざんきん》。**残雪**《ざんせつ》。**残高**《ざんだか》。**残念**《ざんねん》。**残飯**《ざんぱん》。**残留**《ざんりゅう》。**残**《のこ》り**物**《もの》。**居残**《いのこ》り。**言**《い》い**残**《のこ》す。**生**《い》き**残**《のこ》る。**残念至極**《ざんねんしごく》⇩（637ページ中）

（637ページ中）

❷ **無残**《むざん》（むごたらしいようす）。

特別な読み 名残《なごり》。

□ 士／3画

【士】

音 シ
訓 ―

成り立ち

ぼうなどがしっかりまっすぐに立《た》っているようすをえがいた字《じ》。りっぱに成人《せいじん》して、《ひとり立《だ》ちした男《おとこ》の人《ひと》》の意《い》味《み》をあらわした字《じ》。

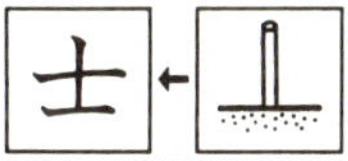

筆順・書き方

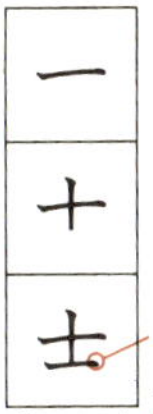

(3画) うえのせんよりみじかく

例文・意味

❶ 例文 勇《いさ》ましい兵士《へいし》。／江戸時代《えどじだい》には、武士《ぶし》がいちばん高《たか》い身分《みぶん》とされた。意味 軍人《ぐんじん》。さむらい。

❷ 例文 会合《かいごう》には、各界《かくかい》の名士《めいし》(世《よ》の中《なか》の人《ひと》によく名《な》前《まえ》を知《し》られている人《ひと》)がたくさん出席《しゅっせき》した。意味 りっぱな男《おとこ》の人《ひと》。

❸ 例文 かれは医学博士《いがくはくし》です。／兄《あに》は弁護士《べんごし》になるための勉強《べんきょう》をしています。意味 学問《がくもん》を修《おさ》めた人《ひと》。また、ある資格《しかく》をもっている人《ひと》。

熟語

❶ 士官《しかん》。士気《しき》(あることをいっしょにしようとする人々《ひとびと》の意気《いき》ごみ)。勇士《ゆうし》。士農工商《しのうこうしょう》⇩(637ページ下)

❷ 力士《りきし》。

❸ 運転士《うんてんし》。栄養士《えいようし》。飛行士《ひこうし》。

特別な読み 一言居士《いちげんこじ》。博士《はかせ》。

□ 氏／4画

【氏】

音 シ
訓 (うじ)

成り立ち

先《さき》のするどくとがったさじをえがいた字《じ》。次々《つぎつぎ》と移《うつ》り、代々《だいだい》かわっていく血《ち》すじや家名《かめい》を「シ」といった。その「シ」という音《おん》をあらわすのに「氏」が使《つか》われるようになった。

筆順・書き方

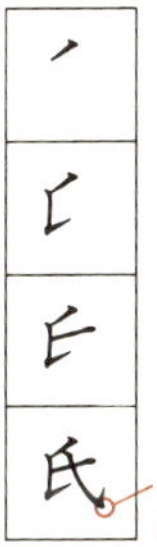

(4画) はねる

例文・意味

❶ 例文 書類《しょるい》に住所《じゅうしょ》氏名《しめい》を書《か》きこむ。／平氏《へいし》は源《げん》氏《じ》にほろぼされた。意味 みょうじ。また、血《ち》すじの同《おな》じ人々《ひとびと》の集団《しゅうだん》。

❷ 例文 山本氏《やまもとし》は世界的《せかいてき》に有名《ゆうめい》な画家《がか》です。意味 人《ひと》の名《な》の後《あと》につけて、その人《ひと》をうやまう気持《きも》ちをあらわすことば。

熟語

❶ 氏族《しぞく》。氏神《うじがみ》。徳川氏《とくがわし》。豊臣氏《とよとみし》。藤原氏《ふじわらし》。

❷ 諸氏《しょし》。

口／5画

【史】

音 シ

訓 ―

成り立ち

記録用《きろくよう》の竹《たけ》の札《ふだ》を入《い》れたつつを手《て》に持《も》ったようすをあらわした字《じ》。《記録《きろく》する人《ひと》》、また、《記録《きろく》した物《もの》》をあらわした字《じ》。

筆順・書き方

（5画）

例文・意味

❶ 例文 歴史《れきし》を学《まな》ぶのは楽《たの》しい。／今放《いまほう》えい中《ちゅう》のテレビの時代《じだい》げきは、史実《しじつ》とかなりちがう。／有史以来《ゆうしいらい》の大発見《だいはっけん》といわれるいせきが、いっぱんに公開《こうかい》された。 意味 世《よ》の中《なか》の移《うつ》りかわりや、できごと。また、それを書《か》き記《しる》したもの。歴史《れき》し。

❷ 例文 今井女史《いまいじょし》(女《おんな》の学者《がくしゃ》や芸術家《げいじゅつか》などをうやまって言《い》うことば)のろん文《ぶん》を読《よ》む。 意味 社会的《しゃかいてき》な仕事《しごと》や文筆《ぶんぴつ》などにたずさわる人《ひと》。

熟語

❶ 史上《しじょう》。国史《こくし》。歴史的《れきしてき》。古代史《こだいし》。世界史《せかいし》。日本史《にほんし》。美術史《びじゅつし》。文学史《ぶんがくし》。先史時代《せんしじだい》。

口／5画

【司】

音 シ

訓 ―

成り立ち

人《ひと》が小《ちい》さなあなからのぞいているようすをあらわした字《じ》。一《ひと》つの仕《し》事《ごと》をよく見《み》きわめて、《つかさどる》こと。また、その《役目《やくめ》を受《う》け持《も》つ人《ひと》》の意味《いみ》をあらわす。

筆順・書き方

（5画）

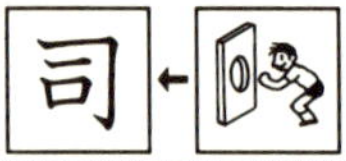

例文・意味

例文 さい判官《ばんかん》のことを司法官《しほうかん》ともいいます。／結《けっ》こん式《しき》の司会《しかい》をする。／すもうの行司《ぎょうじ》が東《ひがし》の力士《りきし》に軍配《ぐんばい》をあげた。／会社《かいしゃ》の上司《じょうし》。／図書館《としょかん》では司書《ししょ》(図書館《としょかん》の、本《ほん》の整理《せいり》や貸《か》し出《だ》しなどの仕事《しごと》をする資格《しかく》をもっている人《ひと》)の先生《せんせい》が本《ほん》のことを教《おし》えてくれます。 意味 仕《し》事《ごと》や役目《やくめ》などを受《う》け持《も》ち、とりしきる。また、それをする人《ひと》。

熟語

司令《しれい》(軍隊《ぐんたい》や艦船《かんせん》などを指揮《しき》したり、指図《さしず》したりすること。また、それをする人《ひと》)。国司《こくし》(奈《な》良《ら》時代《じだい》から平安時代《へいあんじだい》にかけて、朝廷《ちょうてい》の命令《めいれい》で地方《ちほう》を治《おさ》めた役人《やくにん》)。司会者《しかいしゃ》。

《行司《ぎょうじ》》

言／13画

試

音 シ

訓 こころみる・（ためす）

成り立ち

「言」（ことば）と「式」（ぼうで工作《こうさく》する）を合《あ》わせた字《じ》。人《ひと》に工作《こうさく》をさせたり、ことばで問《と》いただしてみたりして、よしあしを《ためす》《こころみる》ことをあらわした字《じ》。

筆順・書き方

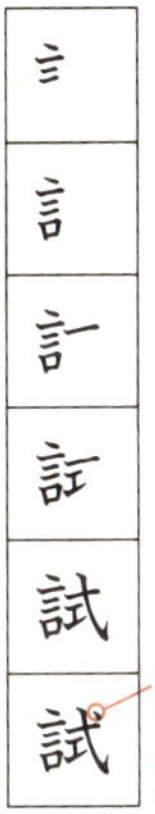

（13画）

例文・意味

例文 あしたはサッカーの試合《しあい》だ。／リニアモーターカーの試運転《しうんてん》を見《み》に行《い》く。／もう一度《いちど》試《こころ》みてから決《き》めよう。／試《ため》しにノブを回《まわ》すと、ドアはあいた。／今度《こんど》のテストは実力《じつりょく》を試《ため》すいい機会《きかい》だ。 意味 やってみる。ためす。こころみる。

《リニアモーターカーの試運転《しうんてん》》

熟語

試案《しあん》（ためしに出《だ》した考《かん》え）。試験《しけん》。試作《しさく》。試写《ししゃ》。試食《ししょく》。試用《しよう》。試練《しれん》（決心《けっしん》・実力《じつりょく》・体力《たいりょく》などをためすこと）。入試《にゅうし》（「入学試験《にゅうがくしけん》」の略《りゃく》）。試験管《しけんかん》。力試《ちからだめ》し。試行錯誤《しこうさくご》 ⇩（637ページ中）

儿／7画

児

音 ジ・（ニ）

訓 ―

成り立ち

もとの字《じ》は「兒」。まだ、頭《あたま》のほねがしっかり固《かた》まっていない《小《ちい》さなこども》のすがたをあらわした字《じ》。

筆順・書き方

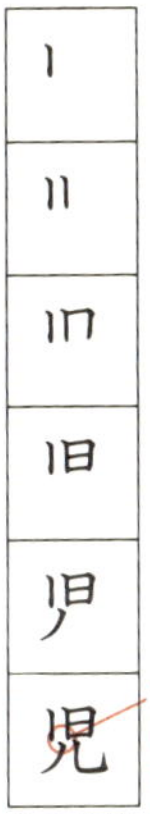

（7画）

例文・意味

❶ 例文 児童書《じどうしょ》を図書館《としょかん》で読《よ》む。／弟《おとうと》が熱《ねつ》を出《だ》して小児科《しょうにか》のお医者《いしゃ》さんにかかった。 意味 子《こ》ども。

❷ 例文 戦国時代《せんごくじだい》の風雲児《ふううんじ》（社会《しゃかい》の大《おお》きな変化《へんか》を利用《りよう》して、世《よ》の中《なか》に出《で》て活《かつ》やくする男《おとこ》）、織田《おだ》信長《のぶなが》。 意味 わかい男《おとこ》。

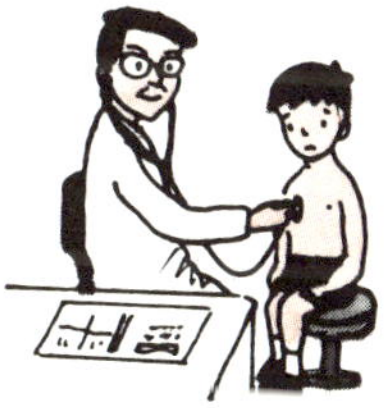
《小児科《しょうにか》のお医者《いしゃ》さん》

熟語

❶ 児童《じどう》。育児《いくじ》。園児《えんじ》。乳児《にゅうじ》。幼児《ようじ》。児童会《じどうかい》。乳幼児《にゅうようじ》。児童公園《じどうこうえん》。

❷ 快男児《かいだんじ》。

特別な読み

稚児《ちご》。

□
氵／8画

【治】

音 **ジ・チ**
訓 **おさ**める・**おさ**まる・**なお**る・**なお**す

成り立ち 「氵」（水《みず》）と「台」（すきと口《くち》で、声《こえ》をかけて工事《こうじ》をする）を合《あ》わせた字《じ》。こう水《ずい》を防《ふせ》ぐ工事《こうじ》。こう水《ずい》を防《ふせ》ぐことは、国《くに》をおさめるたいせつな仕事《しごと》だったので《おさめる》の意味《いみ》になった。

筆順・書き方

（８画）

例文・意味
❶ 例文 日本《にっぽん》は**治**安《ちあん》（国家《こっか》や社会《しゃかい》のきまりが守《まも》られ、おだやかであること）のよい国《くに》です。／争《あらそ》いを**治**《おさ》める。／一夜《いちや》明《あ》けて台風《たいふう》はやっと**治**《おさ》まった。／兄《あに》は政治家《せいじか》を志《こころざ》している。 意味 みだれをととのえておだやかにする。おさめる。おさまる。
❷ 例文 けがの**治**《ち》りょうに病院《びょういん》に行《い》く。／祖母《そぼ》は湯治《とうじ》に出《で》かけた。／いたみどめを飲《の》んだら、頭《ず》つうが**治**《おさ》まった。／手《て》のきずがやっと**治**《なお》った。 意味 病気《びょうき》や、けがなどのぐあいをよくする。なおす。なおる。おさまる。

熟語
❶ **政治**《せいじ》。**退治**《たいじ》。**治水**《ちすい》（洪水《こうずい》を防《ふせ》ぎ、河川《かせん》の水《みず》を農業《のうぎょう》や工業《こうぎょう》などに利用《りよう》するために堤防《ていぼう》を築《きず》いたり、運河《うんが》をつくったりすること）。**自治**《じち》。**統治**《とうち》。**治外法権**《ちがいほうけん》 ⇩（640ページ上） **法治国家**《ほうちこっか》。
❷ **不治**《ふじ》（病気《びょうき》がなおらないこと）。**全治**《ぜんち》。**不治**《ふち》。**主治医**《しゅじい》。

□
辛／13画

【辞】

音 **ジ**
訓 （**や**める）

成り立ち もとの字《じ》は「辭」。「𤔔」は、もつれた糸《いと》を上《うえ》と下《した》から引《ひ》っ張《ぱ》るようす。「辛」はするどい、はもの。もつれたことがらを区切《くぎ》ったり、ときほぐしたりするようにきちんと説明《せつめい》する《ことば》のこと。

筆順・書き方

（13画）

例文・意味
❶ 例文 わからないことばを**辞**典《じてん》で調《しら》べる。／入《にゅう》学式《がくしき》の校長先生《こうちょうせんせい》の祝**辞**《しゅくじ》はぼくの心《こころ》を強《つよ》く打《う》った。 意味 ことばや文章《ぶんしょう》。
❷ 例文 生徒会《せいとかい》の委員《いいん》に選《えら》ばれたが**辞**退《じたい》した。／社長職《しゃちょうしょく》を**辞**《じ》する。／姉《あね》は結《けっ》こんするために会《かい》社《しゃ》を**辞**《や》めることになりました。 意味 ことわる。ことわりを言《い》う。やめる。よす。
❸ 例文 「先生《せんせい》たくを三時《さんじ》に**辞**《じ》して帰《き》たく」と日記《にっき》に書《か》いた。 意味 いとまごいをする。その場所《ばしょ》を去《さ》る。

熟語
❶ **辞書**《じしょ》。**辞令**《じれい》（会社《かいしゃ》や役所《やくしょ》などで、役《やく》についたり、やめさせたりすることなどを書《か》いて、本人《ほんにん》にわたす書《か》き付《つ》け）。**訓辞**《くんじ》。**賛辞**《さんじ》。**式辞**《しきじ》。**漢和辞典**《かんわじてん》。**国語辞典**《こくごじてん》。
❷ **辞職**《じしょく》。**辞任**《じにん》。**辞表**《じひょう》（勤《つと》めや役《やく》目《め》をやめたいということを書《か》いて出《だ》す書類《しょるい》）。
❸ **辞世**《じせい》（この世《よ》を去《さ》ること）。

大／5画

失

音 シツ

訓 うしなう

成り立ち

「手」(て)の中《なか》のものが「乀」の形《かたち》に、するりとぬけてなくなるようすをあらわした字《じ》。《うしなう》こと。また、うっかりなくしてしまった《あやまち》をあらわす。

筆順・書き方

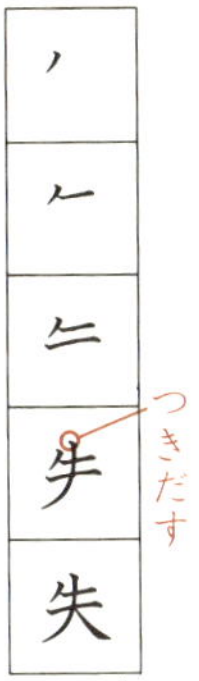

(5画)

例文・意味

❶ 例文 予選《よせん》で七位《なない》になり、失格《しっかく》してしまった。／父は近《ちか》ごろの政治《せいじ》には失望《しつぼう》(期待《きたい》したことがちがって、がっかりすること)したと言《い》っています。／約束《やくそく》をやぶり、信用《しんよう》を失《うしな》ってしまった。／機《き》会《かい》を失《しっ》した。 意味 なくす。うしなう。 対語 得《とく》。

❷ 例文 よく考《かんが》えもしないで行動《こうどう》すると失敗《しっぱい》するよ。／きのうの山火事《やまかじ》は登山者《とざんしゃ》のたばこの火《ひ》の不始末《ふしまつ》による失火《しっか》だそうだ。 意味 あやまち。しくじり。

熟語

❶ 失意《しつい》(思《おも》いどおりにならないで、がっくりすること)。失業《しつぎょう》。失職《しっしょく》。失神《しっしん》(気《き》をうしなうこと)。失点《しってん》。失明《しつめい》。失礼《しつれい》。消失《しょうしつ》。焼失《しょうしつ》。損失《そんしつ》。得失《とくしつ》。遺失物《いしつぶつ》。見失《みうしな》う。

❷ 失言《しつげん》(言《い》ってはならないことや、よけいなことをうっかり言《い》ってしまうこと)。失策《しっさく》。過失《かしつ》。

亻／10画

借

音 シャク

訓 かりる

成り立ち

「亻」(人《ひと》)と、「昔」(日《ひ》を重《かさ》ねる)を合《あ》わせた字《じ》。自分《じぶん》のものがたりないときに、人《ひと》から重《かさ》ねて付《つ》け加《くわ》えてもらう、つまり、《かりる》ことを意味《いみ》する。

筆順・書き方

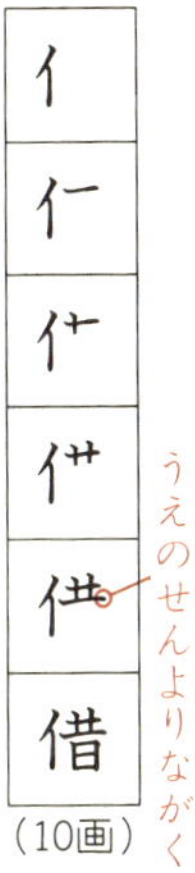

(10画)

例文・意味

例文 借地《しゃくち》に自分《じぶん》の家《いえ》を建《た》ててすむ。／ちょっとえん筆《ぴつ》を拝借《はいしゃく》します。／図書館《としょかん》で本《ほん》を三《さん》さつ借《か》りる。／君《きみ》の知《ち》えを借《か》りたい。／つくえを動《うご》かすために、兄《あに》の力《ちから》を借《か》りる。 意味 後《あと》で返《かえ》す約束《やくそく》で、人《ひと》のお金《かね》や物《もの》を一時《いちじ》使《つか》う。また、人《ひと》の助《たす》けを受《う》ける。かりる。 対語 貸《たい》。

《本《ほん》を借《か》りる》

熟語

借家《しゃくや》。借用《しゃくよう》。借金《しゃっきん》。前借《まえが》り。貸《か》し借《か》り。

【種】

禾／14画

音 シュ
訓 たね

成り立ち

「禾」（作物《さくもつ》）と「重」（上《うえ》から下《した》へおもみをかける）を合《あ》わせた字《じ》。土《つち》に重《おも》みをかけるようにして草《くさ》や木《き》を植《う》えること、またそのようにしてまく作物《さくもつ》の《たね》をあらわした字《じ》。

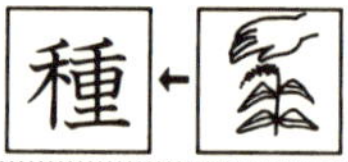

筆順・書き方

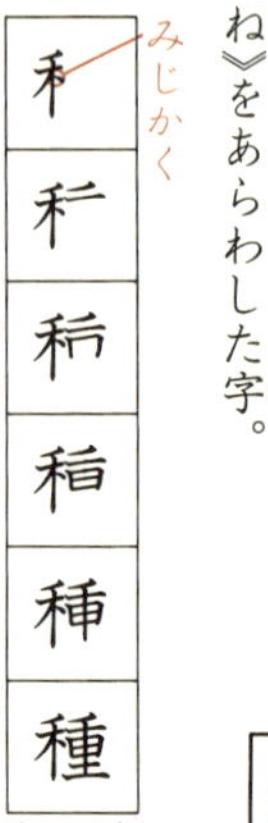

（14画）

例文・意味

❶ 例文 菜種油《なたねあぶら》は、あぶらなの種子《しゅし》からとれる。／あさがおの種《たね》をまく。 意味 植物《しょくぶつ》のたね。

❷ 例文 手品《てじな》の種明《たねあ》かしをする。／母《はは》の心配《しんぱい》の種《たね》は、弟《おとうと》の病気《びょうき》のことです。 意味 もののごとのもとになるもの。材料《ざいりょう》。

❸ 例文 図《ず》かんで犬《いぬ》の種類《しゅるい》を調《しら》べる。／品種《ひんしゅ》の改良《かいりょう》が進《すす》む。 意味 仲間《なかま》。また、生物《せいぶつ》を分類《ぶんるい》するときに、基本《きほん》とするもの。

熟語

❷ **特種《とくだね》**（新聞記事《しんぶんきじ》などで、その新聞社《しんぶんしゃ》だけが手《て》に入《い》れた記事《きじ》の材料《ざいりょう》）。**火種《ひだね》**。**種《たね》まき**。

❸ **種種《しゅじゅ》**。**種族《しゅぞく》**。**種目《しゅもく》**。**雑種《ざっしゅ》**。**人種《じんしゅ》**。**多種《たしゅ》**。**変種《へんしゅ》**。**種種雑多《しゅじゅざった》** ⇩（638ページ下）**多種多様《たしゅたよう》** ⇩（640ページ上）**変《か》わり種《だね》**。

【周】

口／8画

音 シュウ
訓 まわり

成り立ち

「円」は田《た》のすみずみまでなえが植《う》えてあるようす、「口」は四角《しかく》い土地《とち》。土地《とち》のすみずみまでゆきわたること、また、ものの《まわり》をあらわした字《じ》。

筆順・書き方

（8画）

例文・意味

❶ 例文 京都《きょうと》と奈良《なら》を五日間《いつかかん》かけて周遊《しゅうゆう》する計画《けいかく》です。／円《えん》の直径《ちょっけい》がわかれば円《えん》周《しゅう》を求《もと》めることができる。／湖《みずうみ》の周囲《しゅうい》を走《はし》る。／家《いえ》の周《まわ》りを散歩《さんぽ》する。 意味 ひとめぐり。まわる。めぐる。まわり。

《湖《みずうみ》の周囲《しゅうい》を走《はし》る》

❷ 例文 そのことはクラス全員《ぜんいん》が、周知《しゅうち》のことです。 意味 すみずみまでゆきとどく。ひろくゆきわたる。

熟語

❶ **周期《しゅうき》**。**周辺《しゅうへん》**。**周期的《しゅうきてき》**（同《おな》じことが、一定《いってい》のあいだをおいて規則《きそく》的《てき》にくり返《かえ》されるようす）。**周波数《しゅうはすう》**。**円周率《えんしゅうりつ》**。**世界一周《せかいいっしゅう》**。

ネ／9画

祝

音 シュク・《シュウ》
訓 いわう

成り立ち

「ネ」は神《かみ》を祭《まつ》る祭《さい》だん。「兄」は人《ひと》がひざまずいて神《かみ》にいのりのことばをあげるようす。神《かみ》にとなえるめでたいことばから、《いわう》の意味《いみ》になった。

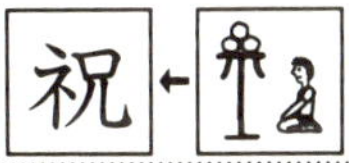

筆順・書き方

（9画）

例文・意味

例文 成人《せいじん》の日《ひ》は国民《こくみん》の祝日《しゅくじつ》の一《ひと》つです。／町内運動会《ちょうないうんどうかい》の祝勝会《しゅくしょうかい》では、みんなでゆう勝《しょう》を喜《よろこ》び合《あ》った。／姉《あね》は秋《あき》に祝言《しゅうげん》（結《けっ》こん式《しき》）をあげます。／新《あたら》しい人生《じんせい》の門出《かどで》を祝《いわ》ってみんなで歌《うた》おう。 意味 めでたいこととして喜《よろこ》ぶ。いわう。

熟語

祝辞《しゅくじ》。祝典《しゅくてん》（おいわいの式《しき》）。祝電《しゅくでん》。祝福《しゅくふく》。祝賀会《しゅくがかい》。祝賀式《しゅくがしき》。祝祭日《しゅくさいじつ》。内祝《うちいわ》い。

特別な読み

祝詞《のりと》。

頁／12画

順

音 ジュン
訓 ―

成り立ち

「川」（かわ）と「頁」（人《ひと》の頭《あたま》）を合《あ》わせた字《じ》。流《なが》れる川《かわ》の水《みず》のように、人《ひと》の言《い》うことにさからわず《したがう》意味《いみ》をあらわした字《じ》。

筆順・書き方

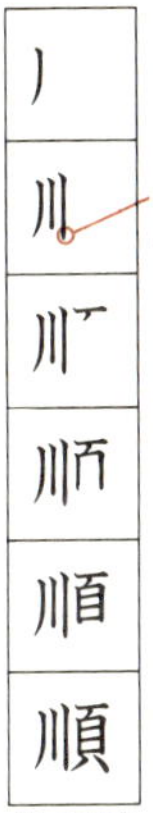

（12画）

例文・意味

❶例文 すぐには新《あたら》しい土地《とち》に順応《じゅんのう》できない。／従順《じゅうじゅん》な態度《たいど》を示《しめ》す。 意味 さからわない。すなおである。

❷例文 順風《じゅんぷう》にのってヨットを進《すす》める。／天候《てんこう》が不順《ふじゅん》な（ものごとがいつもとはちがったり、規則正《きそくただ》しくなかったりするようす）ので、旅行《りょこう》の計画《けいかく》が立《た》てにくい。 意味 ぐあいがよい。思《おも》いどおりである。

❸例文 バスや電車《でんしゃ》には順序《じゅんじょ》よく乗《の》ろう。 意味 決《き》められたならび。しだい。じゅん。

熟語

❷順調《じゅんちょう》。順当《じゅんとう》。

❸順位《じゅんい》。順延《じゅんえん》。順次《じゅんじ》（決《き》められたとおりに従《したが》って次々《つぎつぎ》に）。順順《じゅんじゅん》。順番《じゅんばん》。順路《じゅんろ》（決《き》められたとおりに進《すす》んで行《い》ける道《みち》すじ）。席順《せきじゅん》。手順《てじゅん》。筆順《ひつじゅん》。道順《みちじゅん》。五十音順《ごじゅうおんじゅん》。

刀／7画

【初】

音 ショ
訓 はじめ・はじめて・はつ・《うい》・（そめる）

成り立ち
「ネ」（衣《ころも》。着物《きもの》）と「刀」（はもの）を合《あ》わせた字《じ》。着物《きもの》をつくるのには、はじめに布《ぬの》を切《き》ることから、ものごとの《はじめ》の意味《いみ》になった。

筆順・書き方

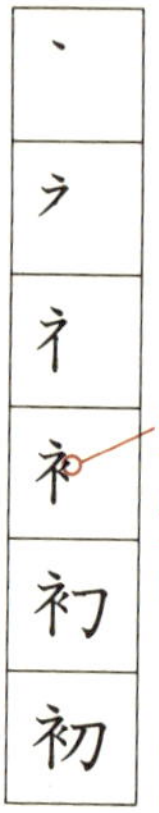

（7画）

例文・意味

❶ 例文 わたしは初夏《しょか》の気候《きこう》が大好《だいす》きです。／初級者向《きゅうしゃむ》けのスキースクールに入《はい》る。／あわてないで初《はじ》めから話《はな》してごらん。 意味 ものごとのはじまり。早《はや》い時期《じき》。はじめ。

❷ 例文 ぼくは祖父母《そふぼ》にとっては初孫《ういまご》になる。／人類初《じんるいはつ》の月面着陸《げつめんちゃくりく》は、一九六九年《ねん》に記録《きろく》された。／富士山《ふじさん》に初雪《はつゆき》がふった。／姉《あね》は初《はじ》めての海外旅行《かいがいりょこう》へ出《で》かけた。／書《か》き初《ぞ》めに「初日《はつひ》の出《で》」と書《か》いた。 意味 はじめて。始《はじ》まる。はじめての。

熟語

❶ 初回《しょかい》。初期《しょき》。初志《しょし》（はじめにものごとをやろうと思《おも》った気持《きも》ち）。初秋《しょしゅう》。初春《しょしゅん》。初心《しょしん》（ものごとを始《はじ》めたときの気持《きも》ち）。初冬《しょとう》。初等《しょとう》。初歩《しょほ》。最初《さいしょ》。当初《とうしょ》。初春《はつはる》。

❷ 初日《しょにち》。初荷《はつに》。初孫《はつまご》。初耳《はつみみ》（はじめて聞《き》くこと）。初夢《はつゆめ》。初対面《しょたいめん》。初《はつ》もうで。出初《でぞ》め式《しき》。

木／8画

【松】

音 ショウ
訓 まつ

成り立ち
左右《さゆう》に開《ひら》いて、すき間《ま》があることをあらわす「公」と「木」（き）を合《あ》わせた字《じ》。葉《は》にすき間《ま》がある《まつ》の木《き》をあらわした字《じ》。

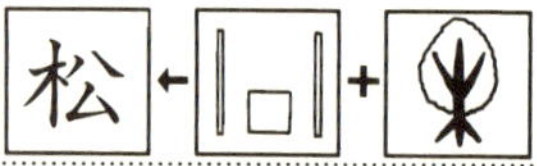

筆順・書き方

（8画）

例文・意味

例文 お正月《しょうがつ》には、わが家《や》でも門松《かどまつ》（正月《しょうがつ》に、家《いえ》の門《もん》に立《た》てるまつ）を立《た》てます。／お祝《いわ》いごとには松竹梅《しょうちくばい》を使《つか》って、めでたさをあらわす。 意味 常緑《じょうりょく》のしん葉《よう》じゅ。葉《は》は、はりのような形《かたち》をしている。まつ。

《松《まつ》》

熟語
松林《まつばやし》。松原《まつばら》。松《まつ》かさ。松《まつ》たけ。松《まつ》の内《うち》。松《まつ》ぼっくり。

《門松《かどまつ》》

竹／10画

笑

音 （ショウ）

訓 わらう・（えむ）

成り立ち

もとは細《ほそ》い竹《たけ》をあらわした。それに「口」をそえた「咲」が、《わらう》ことを意味《いみ》した。後《のち》に、「笑」という字《じ》になった。

筆順・書き方

（10画）

例文・意味

❶ 例文 テレビを見《み》ていて笑《わら》ってしまった。／おさなごのしぐさに思《おも》わずほほ笑《え》んだ。／知《し》らないことを質問《しつもん》されて、思《おも》わず苦笑《くしょう》（苦《にが》わらい）した。 意味 わらう。にっこりする。

❷ 例文 人《ひと》に笑《わら》われるようなことはするな。 意味 ばかにする。

❸ 例文 気持《きも》ちばかりの品《しな》ですが、ご笑納《しょうのう》ください。 意味 人《ひと》におくり物《もの》をするときや、自分《じぶん》の物《もの》を見《み》てもらいたいときなどにへりくだって言《い》うことば。

熟語

❶ 笑《わら》い声《ごえ》。笑《わら》い話《ばなし》。大笑《おおわら》い。苦笑《にがわら》い。忍《しの》び笑《わら》い。泣《な》き笑《わら》い。

❷ 冷笑《れいしょう》（ばかにしてわらうこと）。物笑《ものわら》い。笑《わら》いぐさ。あざ笑《わら》う。

特別な読み 笑顔《えがお》。

口／11画

唱

音 ショウ

訓 となえる

成り立ち

「口」（くち）と「昌」（日と曰。太陽《たいよう》のように明《あか》るくはっきり声《こえ》を出《だ》す）を合《あ》わせた字《じ》。《となえる》こと、節《ふし》をつけて《うたう》ことを意味《いみ》する字《じ》。

筆順・書き方

（11画）

例文・意味

❶ 例文 校歌《こうか》をせい唱《しょう》する。／二重唱《にじゅうしょう》のハーモニーが美《うつく》しい。／グループに分《わ》かれて、「かえるのうた」を輪唱《りんしょう》する。 意味 節《ふし》をつけて歌《うた》う。

❷ 例文 運動会《うんどうかい》で、勝《か》った白組《しろぐみ》は万《ばん》ざいを三唱《さんしょう》した。／世界平和《せかいへいわ》を提唱《ていしょう》する。／科学者《かがくしゃ》が戦争《せんそう》反対《はんたい》を唱《とな》えている。／お寺《てら》の本堂《ほんどう》からお経《きょう》を唱《とな》える声《こえ》が聞《き》こえてくる。 意味 声高《こえたか》く言《い》う。声《こえ》に出《だ》して読《よ》みあげる。となえる。

熟語

❶ 唱歌《しょうか》。合唱《がっしょう》。斉唱《せいしょう》。合唱隊《がっしょうたい》。

❷ 暗唱《あんしょう》。復唱《ふくしょう》（人《ひと》から言《い》われたことを、まちがいないように確《たし》かめるため、その場《ば》で声《こえ》を出《だ》してくり返《かえ》すこと）。

□ 火／12画

【焼】

音 (ショウ)
訓 やく・やける

成り立ち もとの字《じ》は「燒」。「火」(ひ)と「堯」(うずたか高《たか》い土《つち》と人《ひと》)を合《あ》わせた字《じ》。ほのおを高《たか》くあげて火《ひ》が燃《も》えること、《やく》《やける》ことを意味《いみ》する字《じ》。

筆順・書き方

(12画)

例文・意味

❶ 例文 夕焼《ゆうや》けが美《うつく》しいからあしたも晴《は》れるだろう。／庭《にわ》で紙《かみ》くずを焼《や》く。／魚《さかな》を焼《や》く。／現《げん》在《ざい》の金閣寺《きんかくじ》は焼失《しょうしつ》した後《のち》、再建《さいけん》されたものです。 意味 火《ひ》をつけて燃《も》やす。やく。火《ひ》であぶる。熱《ねっ》する。

❷ 例文 おせっかいを焼《や》く。／世話《せわ》の焼《や》ける子《こ》。 意味 めんどうをみる。

❸ 例文 写真《しゃしん》を焼《や》く。 意味 フィルムから写真《しゃしん》をつくる。

熟語

❶ 延焼《えんしょう》(火事《かじ》が火《ひ》もとからほかの所《ところ》へ燃《も》え広《ひろ》がること)。全焼《ぜんしょう》。燃焼《ねんしょう》。半焼《はんしょう》。類焼《るいしょう》(よその家《いえ》から出《で》た火事《かじ》が移《うつ》って、いっしょにやけること)。焼《や》き肉《にく》。焼《や》き物《もの》。朝焼《あさや》け。日焼《ひや》け。丸焼《まるや》け。焼《や》き討《う》ち。

❷ 世話焼《せわや》き。

❸ 焼《や》き増《ま》し。

□ 豕／12画

【象】

音 ショウ・ゾウ
訓 ―

成り立ち 動物《どうぶつ》のぞうのすがたをえがいた字《じ》。ぞうは動物《どうぶつ》の中《なか》でいちばん大《おお》きくりっぱなすがたをしていることから、外《そと》にあらわれた《すがた》《かたち》の意《い》味《み》にも使《つか》う。

筆順・書き方

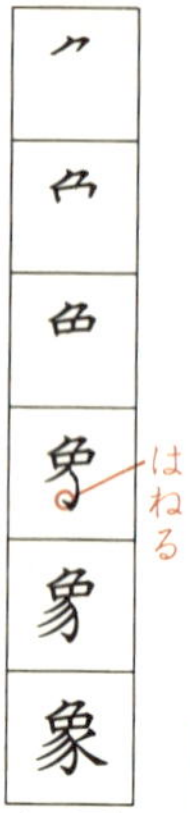

(12画)

例文・意味

❶ 例文 動物園《どうぶつえん》で象《ぞう》を見《み》た。／象《ぞう》げでつくった置《おき》物《もの》。 意味 鼻《はな》の長《なが》いからだの大《おお》きな動物《どうぶつ》。ぞう。

❷ 例文 「目《め》・山《やま》・口《くち》」などのように、物《もの》の形《かたち》をえがいた漢字《かんじ》を象形文字《しょうけいもじ》といいます。／天《てん》のうは日本国《にっぽんこく》の象《しょう》ちょうです。 意味 かたどる。形《かたち》にする。目《め》に見《み》えないものを形《かたち》にしてそれを思《おも》い起《お》こさせるようにする。

❸ 例文 気象《きしょう》の変化《へんか》を記録《きろく》する。／かれには初対《しょたい》面《めん》からとてもよい印象《いんしょう》をもった。 意味 目《め》に見《み》えるものや、あらわれたものの形《かたち》。

熟語

❸ 現象《げんしょう》。対象《たいしょう》。気象台《きしょうだい》。自然現象《しぜんげんしょう》。第一印象《だいいちいんしょう》。

灬／13画

照

音 ショウ
訓 てる・てらす・てれる

成り立ち

「照」は光《ひかり》がすみずみまで明《あか》るくてらすこと。「灬」は火《ひ》をあらわす。火《ひ》の明《あ》かりがまわりを《てらす》ことをあらわした字《じ》。

筆順・書き方

（13画）

例文・意味

❶ 例文 照明器具《しょうめいきぐ》をかえたら、へやの感《かん》じがずいぶんかわった。／夏《なつ》の太陽《たいよう》がぎらぎらと照《て》りつけるはま辺《べ》。／かい中電灯《ちゅうでんとう》でどうくつの中《なか》を照《て》らす。 意味 光《ひかり》を当《あ》てて明《あか》るくする。てる。てらす。

❷ 例文 原文《げんぶん》と照合《しょうごう》する。／図《ず》かんに照《て》らしてこん虫《ちゅう》の名前《なまえ》を調《しら》べる。 意味 調《しら》べるために見比《みくら》べる。

熟語

❶ 日照《にっしょう》。日照権《にっしょうけん》（生活《せいかつ》や健康《けんこう》に必要《ひつよう》な太陽《たいよう》の光《ひかり》をうける権利《けんり》）。日照《ひで》り。照《て》り返《かえ》し。照《て》る照《て》る坊主《ぼうず》。

❷ 照会《しょうかい》（よくわからないことや、確《たし》かめておきたいことなどを問《と》い合《あ》わせること）。参照《さんしょう》。対照《たいしょう》。対照的《たいしょうてき》。照《て》らし合《あ》わせる。

貝／15画

賞

音 ショウ
訓 ―

成り立ち

「尚」（音《おん》の「ショウ」がぴたりと合《あ》う意《い》味）と「貝」（お金《かね》や品物《しなもの》）を合《あ》わせた字《じ》。すぐれたおこないをした人《ひと》に、それに合《あ》う《ほうびをあたえる》の意味《いみ》。

筆順・書き方

（15画）

例文・意味

❶ 例文 上演中《じょうえんちゅう》のミュージカルを各紙《かくし》とも激賞《げきしょう》（非常《ひじょう》にほめたたえること）している。／かれの勇気《ゆうき》ある行動《こうどう》は人々《ひとびと》の賞賛《しょうさん》を浴《あ》びた。 意味 すぐれた点《てん》を述《の》べてたたえる。ほめる。

❷ 例文 クイズを全問正解《ぜんもんせいかい》すると賞金十万円《しょうきんじゅうまんえん》が出《で》る。／父《ちち》の絵《え》がコンクールで賞《しょう》をとった。 意味 ほうび。

❸ 例文 美《うつく》しい音楽《おんがく》を心《こころ》ゆくまでかん賞《しょう》した。／ばらの花《はな》の美《うつく》しさを観賞《かんしょう》する。 意味 美《うつく》しさやすぐれたところを味《あじ》わう。楽《たの》しむ。

熟語

❶ 推賞《すいしょう》（ある物《もの》や人《ひと》が、すぐれていると、多《おお》くの人《ひと》にほめたたえて言《い》うこと）。

❷ 賞品《しょうひん》。受賞《じゅしょう》。授賞《じゅしょう》。入賞《にゅうしょう》。副賞《ふくしょう》。

❸ 鑑賞《かんしょう》。

□
臣／7画

【臣】

音 シン・ジン

訓 ―

成り立ち

じっとうつむいた目《め》をえがいた字《じ》。主《しゅ》君《くん》の前《まえ》で頭《あたま》を下《さ》げてじっとかしこまっている《けらい》をあらわした字《じ》。

←

←
臣

筆順・書き方

（7画）

例文・意味

例文 勇《いさ》ましい家臣《かしん》をもつ、との様《さま》。／内《ない》かく総理《そうり》大臣《だいじん》が年頭《ねんとう》にあたって所信表明《しょしんひょうめい》の演説《えんぜつ》をする。／国王《こくおう》の臣下《しんか》としてちゅうせいをちかう。

意味 主君《しゅくん》に仕《つか》える人《ひと》。けらい。

内《ない》かく総理大臣《そうりだいじん》

財務大臣《ざいむだいじん》

《大臣《だいじん》》

熟語

重臣《じゅうしん》（重要《じゅうよう》な役目《やくめ》についている家来《けらい》）。外務大臣《がいむだいじん》。環境大臣《かんきょうだいじん》。財務大臣《ざいむだいじん》。総務大臣《そうむだいじん》。法務大臣《ほうむだいじん》。経済産業大臣《けいざいさんぎょうだいじん》。厚生労働大臣《こうせいろうどうだいじん》。国土交通大臣《こくどこうつうだいじん》。内閣総理大臣《ないかくそうりだいじん》。農林水産大臣《のうりんすいさんだいじん》。文部科学大臣《もんぶかがくだいじん》。

□
亻／9画

【信】

音 シン

訓 ―

成り立ち

「亻」は人《ひと》、「言」は、はっきりことばを言《い》うこと。一度《いちど》言《い》いきったことばは、もとにもどすことはしない人《ひと》をあらわす字《じ》。《うそがない》ことを意味《いみ》する。

信
←

+

筆順・書き方

（9画）

例文・意味

❶ 例文 信義《しんぎ》（約束《やくそく》を守《まも》り、義務《ぎむ》を果《は》たすこと）に反《はん》するおこないはつつしもう。 意味 うそをつかないこと。いつわりのないこと。

❷ 例文 かれはクラスでいちばん信用《しんよう》できる。／わたしは親友《しんゆう》を心《こころ》から信《しん》じている。 意味 ほんとうであると思《おも》ってうたがわない。

❸ 例文 キリスト教信者《きょうしんじゃ》。 意味 神《かみ》や仏《ほとけ》をうやまう。

❹ 例文 かれからの音信《おんしん》がとだえて久《ひさ》しい。／青《あお》信号《しんごう》になったらわたろう。 意味 手紙《てがみ》。また、合図《あいず》。

熟語

❷ 信条《しんじょう》（ふだんから、かたくしんじて守《まも》っていることがら）。信任《しんにん》。信念《しんねん》。信望《しんぼう》（人々《ひとびと》から尊敬《そんけい》され、しん頼《らい》されること）。過信《かしん》。確信《かくしん》。自信《じしん》。不信《ふしん》。半信半疑《はんしんはんぎ》 ⇩（641ページ中）

❸ 信心《しんじん》。迷信《めいしん》。

❹ 信号《しんごう》。受信《じゅしん》。送信《そうしん》。通信《つうしん》。電信《でんしん》。発信《はっしん》。返信《へんしん》。

戈／6画

成

音 セイ・（ジョウ）

訓 なる・なす

成り立ち

「戉」は、ほこの形《かたち》。物《もの》をつくる道具《どうぐ》をあらわす。「丁」は、くぎの頭《あたま》をトントンとたたくこと。道具《どうぐ》でまとめあげる、物《もの》が《できあがる》ことをあらわす。

筆順・書き方

ノ　厂　万　成　成　成（つきだす）

（6画）

例文・意味

❶ 例文 いよいよ来月《らいげつ》には新校舎《しんこうしゃ》が落成《らくせい》（大《おお》きな建《けん》造物《ぞうぶつ》の工事《こうじ》がすっかりできあがること）する。／学芸会《がくげいかい》で練習《れんしゅう》の成果《せいか》を見《み》てもらおう。／ついに念願《ねんがん》のゆう勝《しょう》成《な》る。 意味 できあがる。なしとげる。なる。なす。

❷ 例文 この物質《ぶっしつ》のおもな成分《せいぶん》はグリセリンです。／水《みず》は水素《すいそ》と酸素《さんそ》から成《な》る。／姉《あね》は短大《たんだい》の保《ほ》育師《いくし》の養成《ようせい》コースで学《まな》んでいる。 意味 ものがなりたつ。できている。なる。

熟語

❶ 成功《せいこう》。成熟《せいじゅく》。成人《せいじん》。成績《せいせき》。成虫《せいちゅう》。成長《せいちょう》。成年《せいねん》。成否《せいひ》。成立《せいりつ》。完成《かんせい》。達成《たっせい》。成就《じょうじゅ》。成仏《じょうぶつ》（仏教《ぶっきょう》で、死《し》んで仏《ほとけ》になること）。大器晩成《たいきばんせい》 ⇩（639ページ下） 成《な》り立《た》ち。

❷ 育成《いくせい》。形成《けいせい》。結成《けっせい》。構成《こうせい》。合成《ごうせい》。作成《さくせい》。速成《そくせい》。編成《へんせい》。火成岩《かせいがん》。

目／9画

省

音 セイ・ショウ

訓 （かえりみる）・はぶく

成り立ち

「少」（小《ちい》さくけずる）と「目」（め）を合《あ》わせた字《じ》。細《こま》かいところまで見《み》ること。自分《じぶん》のおこないをふり返《かえ》って考《かんが》え、《かえりみる》、また、よけいなものを《はぶく》意味《いみ》になった。

筆順・書き方

亅　小　小（はねる）　少　省　省

（9画）

例文・意味

❶ 例文 一日《いちにち》を反省《はんせい》する。／一年《いちねん》を省《かえり》みる。 意味 自分《じぶん》の行動《こうどう》などについて、ふり返《かえ》ってよく考《かんが》える。かえりみる。

❷ 例文 正月《しょうがつ》は帰省《きせい》（親《おや》などに会《あ》うためにふるさとに帰《かえ》ること）します。 意味 ようすをたずねる。

❸ 例文 説明《せつめい》を省略《しょうりゃく》する。／あいさつは省《はぶ》きます。 意味 とりのぞく。はぶく。

❹ 例文 法律《ほうりつ》に関《かん》する仕事《しごと》は法務省《ほうむしょう》がおこなう。 意味 国《くに》の仕事《しごと》をする役所《やくしょ》。

❺ 意味 中国《ちゅうごく》の行政区画《ぎょうせいくかく》の名《な》。

熟語

❶ 内省《ないせい》（自分《じぶん》のしたことなどを、心《こころ》の中《なか》でふり返《かえ》ってふかく考《かんが》えること）。

❹ 外務省《がいむしょう》。環境省《かんきょうしょう》。財務省《ざいむしょう》。総務省《そうむしょう》。法務省《ほうむしょう》。経済産業省《けいざいさんぎょうしょう》。厚生労働省《こうせいろうどうしょう》。国土交通省《こくどこうつうしょう》。農林水産省《のうりんすいさんしょう》。文部科学省《もんぶかがくしょう》。

❺ 山東省《さんとうしょう》。

□ 氵／11画

清

音 セイ・《ショウ》

訓 きよい・きよまる・きよめる

成り立ち

「氵」(水《みず》)と「青」(すみきっていること)を合《あ》わせた字《じ》。きよくすんだ水《みず》をあらわした字《じ》。広《ひろ》く、《すんでいてにごりがない》こともあらわす。

筆順・書き方

(11画)

例文・意味

❶ 例文 清流《せいりゅう》を好《この》む。／清《きよ》らかないずみの水《みず》。意味 水《みず》がすみきっている。きよい。

❷ 例文 清潔《せいけつ》なハンカチ。／心《こころ》が清《きよ》まるようないい話《はなし》。意味 けがれがない。また、さわやかにする。

❸ 例文 夏《なつ》は清《せい》りょう飲料水《いんりょうすい》がとくにおいしい。／心身《しんしん》を清《きよ》めて新年《しんねん》をむかえよう。意味 さわやかである。きれいにしまつする。

❹ 意味 むかしの中国《ちゅうごく》の王朝《おうちょう》の名《な》。

熟語

❶ 清音《せいおん》。

❷ 清純《せいじゅん》。清掃《せいそう》。

❸ 清算《せいさん》(よくない生活《せいかつ》や関係《かんけい》をたちきって、きれいに始末《しまつ》すること)。清書《せいしょ》。清新《せいしん》。清清《せいせい》。

❹ 日清戦争《にっしんせんそう》。

特別な読み

清水《しみず》。

□ 青／14画

静

音 セイ・(ジョウ)

訓 しず・しずか・しずまる・しずめる

成り立ち

「青」(すみきっていること)と「争」(手《て》でとりあう)を合《あ》わせた字《じ》。とりあいをやめて動《うご》かないこと、つまり、《しずかなようす》を意味《いみ》する字《じ》。

筆順・書き方

(14画)

例文・意味

❶ 例文 熱《ねつ》が高《たか》いので、安静《あんせい》にしています。／うでの静脈《じょうみゃく》に注《ちゅう》しゃをした。意味 じっとして動《うご》かない。しずか。

❷ 例文 なりゆきを静観《せいかん》する。／ひっそりと静《しず》かな森《もり》の中《なか》。／内海《うちうみ》は波《なみ》が静《しず》かだ。／気《き》を静《しず》める。／昨夜《さくや》からのあらしも、ようやくけさは静《しず》まった。意味 ひっそりしている。音《おと》がない。しずか。しずまる。しずめる。

熟語

❶ 静止《せいし》。静養《せいよう》(心《こころ》や、からだをしずかにゆっくりと休《やす》めて、病気《びょうき》や疲《つか》れをいやすこと)。動静《どうせい》(人《ひと》や世《よ》の中《なか》のようすや、動《うご》き)。静電気《せいでんき》。

❷ 平静《へいせい》(落《お》ち着《つ》いてしずかなようす)。冷静《れいせい》。物静《ものしず》か。静《しず》まり返《かえ》る。

巾／10画

席

音 セキ
訓 ——

成り立ち

「庐」(家《いえ》の中《なか》のあたたかいしき物《もの》)と「巾」(布《ぬの》)を合《あ》わせた字《じ》。あたたかい《ざぶとん》をあらわした字《じ》。後《のち》、《すわる場所《ばしょ》》の意味《いみ》になった。

筆順・書き方

(10画)

例文・意味

❶ 例文 この列車《れっしゃ》は一号車《いちごうしゃ》から十号車《じゅうごうしゃ》までが指定《してい》席《せき》です。／席順《せきじゅん》を決《き》める。 意味 すわる場所《ばしょ》。決《き》められたすわり場所《ばしょ》。せき。

❷ 例文 父《ちち》は大学《だいがく》を首席《しゅせき》(位《くらい》や成績《せいせき》がいちばん上《うえ》)で卒《そつ》業《ぎょう》したそうです。 意味 地位《ちい》や成績《せいせき》などの順位《じゅんい》。

❸ 例文 各界《かくかい》の名士《めいし》が臨席《りんせき》して祝賀会《しゅくがかい》がおこなわれた。／クラス会《かい》に出席《しゅっせき》する。 意味 会《かい》や式《しき》をおこなう場所《ばしょ》。

熟語

❶ 空席《くうせき》。座席《ざせき》。着席《ちゃくせき》。末席《まっせき》。満席《まんせき》。運転席《うんてんせき》。特別席《とくべつせき》。
❷ 主席《しゅせき》。
❸ 席上《せきじょう》。議席《ぎせき》。客席《きゃくせき》。欠席《けっせき》。退席《たいせき》。列席《れっせき》(式《しき》や会《かい》に出《で》ること)。

特別な読み

寄席《よせ》。

禾／16画

積

音 セキ
訓 つむ・つもる

成り立ち

「禾」(作物《さくもつ》)と「責」(つみ重《かさ》ねる)を合《あ》わせた字《じ》。かりとった作物《さくもつ》を《つみ重《かさ》ねる》ことを意味《いみ》する字《じ》。

筆順・書き方

(16画)

例文・意味

❶ 例文 積雪量《せきせつりょう》をはかる。／一《ひと》ばんで五《ご》センチも雪《ゆき》が積《つ》もった。／れんがを積《つ》む。 意味 つみ重《かさ》なる。つみ重《かさ》ねる。つもる。つむ。

❷ 例文 積年《せきねん》(つもった年月《ねんげつ》)のうらみをはらす。／積《つ》もる話《はなし》。 意味 たくさん重《かさ》なった。たび重《かさ》なる。

❸ 例文 びんの容積《ようせき》。 意味 広《ひろ》さ。かさ。

❹ 例文 四《し》と五《ご》の積《せき》は二十《にじゅう》です。 意味 かけ算《ざん》の答《こた》え。 対語 商《しょう》。

熟語

❶ 山積《さんせき》(山《やま》のように、たくさんたまること)。集積《しゅうせき》。積《つ》み木《き》。積《つ》み荷《に》。下積《したづ》み。積《つ》み立《た》て。
❸ 体積《たいせき》。面積《めんせき》。

4年

〔セキ〕 席・積

扌／7画

【折】

音 **セツ**
訓 **おる・おり・おれる**

成り立ち
「扌」は、もとは手《て》へんではなく、木《き》を二《ふた》つに切《き》った形《かたち》「⺘⺘」。「斤」は、おの。おので、木《き》や枝《えだ》の中《なか》ほどをたちきる、つまり、《おる》ことをあらわした字《じ》。

筆順・書き方

（7画）

《四季《しき》折折《おりおり》の花《はな》》

例文・意味

❶ 例文 兄《あに》はスキーで左足《ひだりあし》を骨折《こっせつ》した。／野山《のやま》の花《はな》を折《お》るのはよそう。／台風《たいふう》で古木《こぼく》が折《お》れた。／ズボンに折《お》り目《め》をつける。／千代紙《ちよがみ》でつるを折《お》る。／旅先《たびさき》で折《お》りづめの駅弁《えきべん》を買《か》う。／駅前《えきまえ》の通《とお》りを右《みぎ》に折《お》れて、まっすぐ進《すす》む。意味 もとにもどらないほど曲《ま》げる。曲《ま》がって二《ふた》つ以上《いじょう》に、はなれる。おる。おれる。

《骨折《こっせつ》する》

❷ 例文 父《ちち》のたん生日《じょうび》のプレゼント代《だい》は兄《あに》と折半《せっぱん》(お金《かね》や品物《しなもの》を半分《はんぶん》ずつに分《わ》けること)したので二千《にせん》円《えん》ずつになった。意味 分《わ》ける。

❸ 例文 折《おり》をみて先生《せんせい》に相談《そうだん》してみようと思《おも》っている。／近《ちか》くまでおいでの折《おり》には、わたしの家《いえ》にも立《た》ち寄《よ》ってください。／四季《しき》折折《おりおり》の花《はな》。／寒《さむ》さの折《おり》、おからだをたいせつに。意味 機《き》会《かい》。そのとき。

❹ 例文 天才《てんさい》とよばれた芸術家《げいじゅつか》には、みとめられることなくよう折《せつ》(わかくして死《し》ぬこと)した人《ひと》も多《おお》い。意味 死《し》ぬ。

熟語

❶ 右折《うせつ》。曲折《きょくせつ》(曲《ま》がりくねっていること。また、ものごとがいろいろ変《へん》化《か》したり、事情《じじょう》がこみいっていたりすること)。左折《させつ》。折《お》り紙《がみ》。折《お》り箱《ばこ》。骨折《ほねお》り。指折《ゆびお》り。折《お》り返《かえ》し。折《お》り重《かさ》なる。折《お》れ線《せん》グラフ。

❸ 時折《ときおり》。

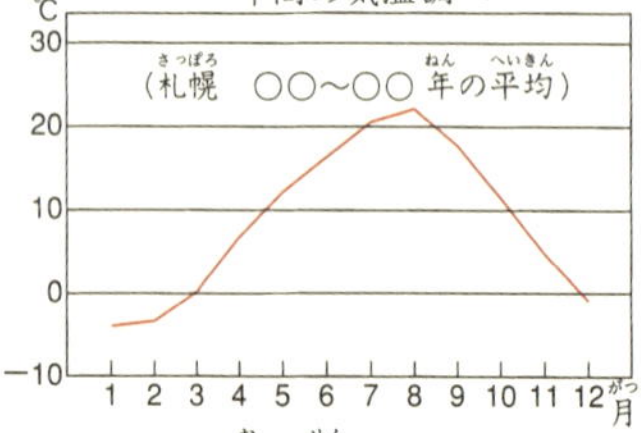

《折《お》れ線《せん》グラフ》

⺮／13画

【節】

音 セツ・《セチ》
訓 ふし

成り立ち
人《ひと》がごちそうを前《まえ》にしてひざを折《お》るようすをえがいた「即」と「竹」（たけ）を合《あ》わせた字《じ》。人《ひと》のひざのように、一《いち》だん一《いち》だん区《く》切《ぎ》れている竹《たけ》の《ふし》をあらわす。後《のち》、ものごとの《区《く》切《ぎ》り》の意《い》味《み》になった。

筆順・書き方

（13画）

例文・意味

❶ 例文 熱《ねつ》が二日間《ふつかかん》つづいたので、あちこちの関《かん》節《せつ》がいたくてたまらない。／節《ふし》の多《おお》い竹《たけ》。意味 物《もの》が結《むす》びついていて、区《く》切《ぎ》りになっている部《ぶ》分《ぶん》。ふし。

❷ 例文 長《なが》い文章《ぶんしょう》も文節《ぶんせつ》で区《く》切《ぎ》ればわかりやすい。意味 詩《し》・文章《ぶんしょう》・楽《がく》ふなどの区《く》切《ぎ》り。

❸ 例文 節分《せつぶん》には豆《まめ》まきをする。／季《き》節感《せつかん》を出《だ》すために花《はな》を生《い》けよう。意味 気候《きこう》のかわりめ。

❹ 例文 「当節《とうせつ》（このごろ）のわかい者《もの》は…」が祖《そ》母《ぼ》の口《くち》ぐせです。意味 時《とき》。折《おり》。

❺ 例文 五月五日《ごがついつか》はたん午《ご》の節句《せっく》です。意味 祝《いわ》いの日《ひ》。

《たん午《ご》の節句《せっく》》

❻ 例文 水《みず》不《ぶ》足《そく》なので節水《せっすい》に協力《きょうりょく》する。／資《し》げんは限《かぎ》りあるものなので、節約《せつやく》して使《つか》おう。意味 ほどよくする。ひかえめにする。けじめ。

❼ 例文 むかしの武《ぶ》士《し》は主君《しゅくん》に忠節《ちゅうせつ》（国《くに》や主人《しゅじん》に真《ま》心《ごころ》をもって仕《つか》える心《こころ》をもつこと）をつくした。意味 心《こころ》に決《き》めたことをかえないこと。

❽ 例文 この歌《うた》は節回《ふしまわ》しがむずかしい。／父《ちち》はお酒《さけ》を飲《の》むと決《き》まって黒田節《くろだぶし》を歌《うた》う。意味 詩《し》や歌《うた》の区《く》切《ぎ》り。

❾ 例文 かれの言動《げんどう》にはあやしい節《ふし》がある。意味 ものごとの、あるところ。ふし。

熟語

❶ 節穴《ふしあな》。節《ふし》目《め》。節足動物《せっそくどうぶつ》。
❷ 一節《いっせつ》。
❸ 季《き》節《せつ》。
❹ 時《じ》節《せつ》。
❻ 節制《せっせい》（したいことを控《ひか》えめにしたり、おさえたりすること）。節電《せつでん》。節度《せつど》（守《まも》らなければならないことをしっかり守《まも》り、ちょうどよい程度《ていど》）。調節《ちょうせつ》。礼節《れいせつ》（礼儀《れいぎ》作《さ》法《ほう》と、ほどよいおこない）。
❽ 大漁節《たいりょうぶし》。

【説】

言／14画

音 セツ・《ゼイ》
訓 とく

成り立ち

「言」（ことば）と「兑」（はぎとる、ときはなす）を合《あ》わせた字《じ》。わかりにくいむずかしいことを、ことばでときほぐすように《とく》ことを意味《いみ》する字《じ》。

説 ←  ＋ 

筆順・書き方

言 … 説（14画）
はねる

例文・意味

❶ 例文 解説《かいせつ》を読《よ》んで名作《めいさく》への理解《りかい》をふかめた。／弟《おとうと》を説得《せっとく》して、いたずらをやめさせた。／平和《へいわ》のとうとさを説《と》く。 意味 話《はな》してわからせる。とく。

❷ 例文 新聞《しんぶん》の社説《しゃせつ》を読《よ》む。／コペルニクスは地《ち》動説《どうせつ》を唱《とな》えた。 意味 考《かんが》え。意見《いけん》。

❸ 例文 各地《かくち》に伝《つた》わる説話《せつわ》を集《あつ》めた本《ほん》。／この山《やま》おくには天《てん》ぐがすむという伝説《でんせつ》がある。 意味 話《はなし》。物語《ものがたり》。

熟語

❶ 説教《せっきょう》。説明《せつめい》。演説《えんぜつ》。力説《りきせつ》（強く主張すること）。遊説《ゆうぜい》（政《せい》治《じ》家《か》などが自分《じぶん》の考《かんが》えや党《とう》の考《かんが》えを各地《かくち》でといて回《まわ》ること）。口説《くど》く。

❷ 仮説《かせつ》。学説《がくせつ》。自説《じせつ》。新説《しんせつ》。通説《つうせつ》（世間《せけん》に広《ひろ》く認《みと》められている考《かんが》え方《かた》）。定説《ていせつ》。論説《ろんせつ》。天動説《てんどうせつ》。

❸ 小説《しょうせつ》。

【浅】

氵／9画

音 （セン）
訓 あさい

成り立ち

もとの字《じ》は「淺」。「戔」は、ほこのようなものでけずって小《ちい》さくすること。それに「氵」（水《みず》）を加《くわ》え、水《みず》が少《すく》ないこと、つまり、《あさい》の意味《いみ》をあらわす。

浅 ←  ＋ 

筆順・書き方

氵 … 浅（9画）
わすれずに

例文・意味

❶ 例文 川《かわ》の浅《あさ》い所《ところ》で水遊《みずあそ》びをする。／このはま辺《べ》は遠浅《とおあさ》なので、しおひがりによい。／浅《あさ》い皿《さら》。 意味 表面《ひょうめん》から底《そこ》までのきょりが短《みじか》い。あさい。 対語 深《しん》。

❷ 例文 わたしの浅見《せんけん》からこんな結末《けつまつ》になってしまった。／ねむりが浅《あさ》い。／こちらに来《き》てから日《ひ》が浅《あさ》い。 意味 ものごとの度合《どあ》いや程度《ていど》が少《すく》ない。また、日時《にちじ》が短《みじか》い。あさい。 対語 深《しん》。

❸ 例文 新緑《しんりょく》のころは木々《きぎ》の緑《みどり》もまだ浅《あさ》い。 意味 色《いろ》がうすい。あわい。あさい。 対語 深《しん》。

熟語

❶ 浅瀬《あさせ》。

❷ 浅知恵《あさぢえ》（ふかく考《かんが》えていない知《ち》恵《え》）。浅《あさ》はか（ものごとについて考《かんが》えがたりないようす）。

❸ 浅緑《あさみどり》。浅黒《あさぐろ》い。

戈／13画

戦

音 セン

訓 （いくさ）・たたかう

成り立ち
もとの字《じ》は「戰」。「單」（はたきをえがいた字《じ》で、たたくこと）と「戈」（ほこ）を合《あ》わせた字《じ》。ほこで敵《てき》をたたくように、《たたかう》ことをあらわした字《じ》。

筆順・書き方

はねる

（13画）

例文・意味

❶ 例文 作戦《さくせん》を立《た》てる。／必死《ひっし》で戦《たたか》ったが、ついに力《ちから》つきた。／戦争《せんそう》の悲《ひ》げき。／あすは強敵《きょうてき》と対戦《たいせん》する。

意味 勝《か》ち負《ま》けを競《きそ》う。武器《ぶき》を持《も》って争《あらそ》う。たたかう。また、いくさ。

❷ 例文 父《ちち》のきげんの悪《わる》い日《ひ》は、いつしかられるかと、わたしは戦戦《せんせん》きょうきょうと（あることが起《お》こるのをおそれて、びくびくするようす）している。

意味 おそろしさにふるえる。

熟語

❶ 戦後《せんご》。戦災《せんさい》。戦死《せんし》。戦車《せんしゃ》。戦術《せんじゅつ》。戦場《せんじょう》。戦前《せんぜん》。戦地《せんち》。戦乱《せんらん》。戦力《せんりょく》。開戦《かいせん》。合戦《かっせん》。観戦《かんせん》。苦戦《くせん》。激戦《げきせん》。決戦《けっせん》。接戦《せっせん》（競技《きょうぎ》などで、勝負《しょうぶ》をせりあうこと。また、そのようなたたかい）。挑戦《ちょうせん》。停戦《ていせん》。反戦《はんせん》。不戦勝《ふせんしょう》。雪合戦《ゆきがっせん》。

辶／15画

選

音 セン

訓 えらぶ

成り立ち
もとの字《じ》は「選」。「辶」（進《すす》む動《どう》作《さ》の記号《きごう》）と「巽」（人《ひと》をならべて、そろえること）を合《あ》わせた字《じ》。多《おお》くの物《もの》をそろえて見比《みくら》べて、その中《なか》から《えらぶ》動作《どうさ》をあらわした字《じ》。

筆順・書き方

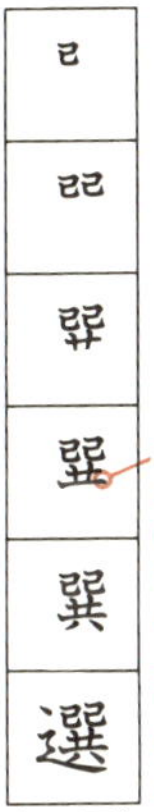

うえのせんよりながく

（15画）

例文・意味

例文 全国各地《ぜんこくかくち》から選《えら》ばれた野球《やきゅう》チームが甲子園《こうしえん》でゆう勝《しょう》を争《あらそ》う。／選挙《せんきょ》の日《ひ》には、わすれずに投票《とうひょう》しましょう。／コンクールの予選《よせん》を通《とお》る。／クラス委員《いいん》を選《えら》ぶ。

意味 多《おお》くの中《なか》からえらび出《だ》す。えらぶ。

《選手入場《せんしゅにゅうじょう》》

熟語

選考《せんこう》。選者《せんじゃ》。選手《せんしゅ》。選集《せんしゅう》。選出《せんしゅつ》。選定《せんてい》。選別《せんべつ》（ある基準《きじゅん》に従《したが》ってえらび分《わ》けること）。改選《かいせん》。厳選《げんせん》。公選《こうせん》。再選《さいせん》。人選《じんせん》。精選《せいせん》。当選《とうせん》。特選《とくせん》。入選《にゅうせん》。落選《らくせん》。選挙権《せんきょけん》。選手入場《せんしゅにゅうじょう》。

□ 灬／12画

然

音 ゼン・ネン

訓 ―

成り立ち

「夕」(肉《にく》)と「犬」(いぬ)と「灬」(火《ひ》)の三《みっ》つを合《あ》わせた字《じ》で、もとは、犬《いぬ》の肉《にく》のあぶらを燃《も》やすことをあらわした。後《のち》に、《そのとおり》《そうなる》という意味《いみ》になった。

筆順・書き方

(12画)

例文・意味

❶ 例文 自然《しぜん》を守《まも》ろうとよびかける。／減《へ》りつづける天然《てんねん》の資《し》げんをたいせつに使《つか》おう。 意味 そのとおりである。また、そのままである。

❷ 例文 そっちよりこっちのほうが断然《だんぜん》(ほかと比《くら》べて、はっきりしたちがいがあるようす)いい。／あそこの家《いえ》の犬《いぬ》は人間同然《にんげんどうぜん》にかわいがられている。 意味 ほかのことばの後《あと》につけて、そのようすをあらわすことば。

熟語

❶ 当然《とうぜん》。必然《ひつぜん》(かならずそうなると決《き》まっていること)。大自然《だいしぜん》。自然保護《しぜんほご》。

❷ 厳然《げんぜん》(厳《きび》しくおごそかなようす)。雑然《ざつぜん》。整然《せいぜん》。全然《ぜんぜん》。突然《とつぜん》。平然《へいぜん》(平気《へいき》なようす)。

□ 亅／6画

争

音 ソウ

訓 あらそう

成り立ち

もとの字《じ》は「爭」。一《ひと》つの物《もの》を両方《りょうほう》から手《て》でとりあうようすをえがいた字《じ》。《あらそう》《あらそい》という意味《いみ》をあらわした字《じ》。

筆順・書き方

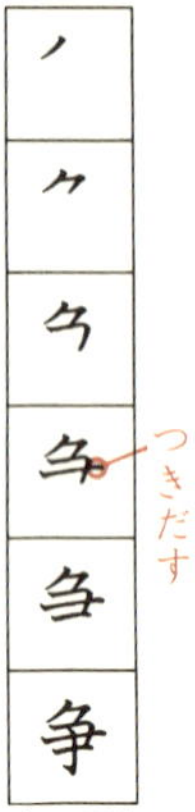

(6画)

例文・意味

例文 弟《おとうと》と、どちらがはやく夏休《なつやす》みの宿題《しゅくだい》をすませるか競争《きょうそう》する。／野生《やせい》の動物《どうぶつ》たちは、はげしい生存競争《せいぞんきょうそう》をしている。／ふたりの学者《がくしゃ》がそれぞれの学説《がくせつ》をめぐって論争《ろんそう》(たがいに意《い》見《けん》を述《の》べ合《あ》ってあらそうこと)をくりひろげた。／新《あたら》しい切手《きって》が発売《はつばい》されると、マニアは先《さき》を争《あらそ》うようにゆう便局《びんきょく》に行《い》く。 意味 競《きそ》って相手《あいて》に勝《か》とうとする。あらそう。

熟語

争議《そうぎ》(たがいに自分《じぶん》の意見《いけん》を出《だ》してあらそうこと)。戦争《せんそう》。言《い》い争《あらそ》い。優勝争《ゆうしょうあらそ》い。

人／10画

倉

音 ソウ
訓 くら

成り立ち

「𠆣」は食《た》べ物《もの》をあらわす「食」を略《りゃく》した字《じ》。「口」は、物《もの》を入《い》れる四角《しかく》い場所《ばしょ》。作物《さくもつ》や物《もの》を《しまっておく建物《たてもの》》をあらわした字《じ》。

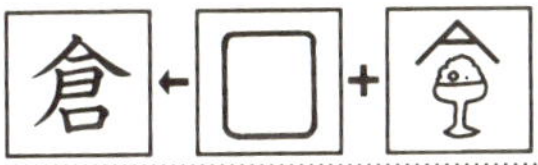

筆順・書き方

（10画）

例文・意味

例文 荷物《にもつ》を倉庫《そうこ》にしまってある。／日本《にっぽん》の穀倉《こくそう》地帯《ちたい》（こく物《もつ》がたくさんとれる地方《ちほう》）とよばれる新潟平野《にいがたへいや》。／倉《くら》の中《なか》は、かびくさいにおいがした。／川《かわ》にそって、むかしの米倉《こめぐら》がならんで建《た》っている。

意味 こく物《もつ》や品《しな》物《もの》をしまっておく建物《たてもの》。くら。

《倉庫《そうこ》にしまう》

熟語

あぜ倉《くら》（三角形《さんかくけい》や台形《だいけい》の木材《もくざい》を横《よこ》に組《く》みあげてつくった古代《こだい》のくら）。体育倉庫《たいいくそうこ》。

《あぜ倉《くら》》

⺍／11画

巣

音 《ソウ》
訓 す

成り立ち

もとの字《じ》は「巢」。木《き》の上《うえ》に鳥《とり》がす・をつくったところをえがいた字《じ》。

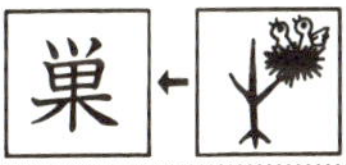

筆順・書き方

（11画）

例文・意味

❶ 例文 夏《なつ》になると鳥《とり》のひなが巣立《すだ》ちを始《はじ》める。／のき先《さき》に、あしながばちが巣《す》をつくる。／巣箱《すばこ》をつくって、木《き》の枝《えだ》にかける。 意味 鳥《とり》・虫《むし》・魚《さかな》などのすみか。す。

❷ 例文 悪《あく》の巣《そう》くつ（悪者《わるもの》などが集団《しゅうだん》でかくれてすんでいる場所《ばしょ》）。 意味 悪者《わるもの》などがかくれすむ所《ところ》。

《巣箱《すばこ》》

熟語

❶ 古巣《ふるす》（前《まえ》にすんでいたす・。また、前《まえ》にすんだり働《はたら》いたりしていた所《ところ》をたとえたことば）。空《あ》き巣《す》。

木／7画

束

音 ソク
訓 たば

成り立ち 「木」(き)と「口」(たばねるひもの形《かたち》)を合《あ》わせた字《じ》。たき木《ぎ》を集《あつ》めて、真《ま》ん中《なか》をひもで《たばねる》こと、また、その《たば》を意味《いみ》する字《じ》。

筆順・書き方

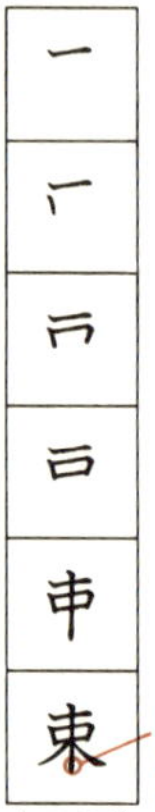

(7画) はねない

例文・意味

❶ 例文 友《とも》だちの病気見《びょうきみ》まいに花束《はなたば》を買《か》った。／一週間分《いっしゅうかんぶん》の新聞《しんぶん》を束《たば》にする。 意味 まとめてしばる。また、細長《ほそなが》い物《もの》や平《たい》らな物《もの》をまとめてしばった物《もの》。たば。

❷ 例文 約束《やくそく》を守《まも》る。／母《はは》はパートタイムで働《はたら》いていて、一日四時間仕事《いちにちよじかんしごと》にこう束《そく》(法《ほう》りつや規則《きそく》などで、自由《じゆう》に行動《こうどう》させないこと)されています。 意味 動《うご》きがとれないようにする。

《花束《はなたば》》

熟語

❶ 札束《さつたば》。二束三文《にそくさんもん》 ⇩(640ページ下)

❷ 結束《けっそく》(同《おな》じ考《かんが》えをもった人《ひと》が力《ちから》を合《あ》わせて、一《ひと》つにまとまること)。

亻／11画

側

音 ソク
訓 かわ

成り立ち 「則」(入《い》れ物《もの》とナイフを組《く》み合《あ》わせ、くっついてはなれないこと)と「人」(ひと)を合《あ》わせた字《じ》。人《ひと》の《そば》、《かたわら》また、《こちらがわ》をあらわす字《じ》。

筆順・書き方

(11画) はねる

例文・意味

❶ 例文 総理大臣《そうりだいじん》の側近《そっきん》(身分《みぶん》の高《たか》い人《ひと》などのそば近《ちか》くで仕《つか》えること。また、その人《ひと》)。 意味 人《ひと》や物《もの》のかたわら。そば。

❷ 例文 この図《ず》は建物《たてもの》を側面《そくめん》から見《み》たときのものです。／けがをした子《こ》が両側《りょうがわ》から支《ささ》えられるようにして歩《ある》いている。／車《くるま》は左側通行《ひだりがわつうこう》です。 意味 物《もの》や場所《ばしょ》のわき。対《たい》するものの一方《いっぽう》。横《よこ》。がわ。

熟語

❷ 内側《うちがわ》。片側《かたがわ》。外側《そとがわ》。反対側《はんたいがわ》。右側通行《みぎがわつうこう》。

続

糸／13画

音 ゾク

訓 つづく・つづける

成り立ち

もとの字は「續」。「賣」（次々《つぎつぎ》とつづく）と、物《もの》をつなぐ「糸」（いと）を合《あ》わせて、《つながってとぎれない》ことをあらわした字《じ》。

筆順・書き方

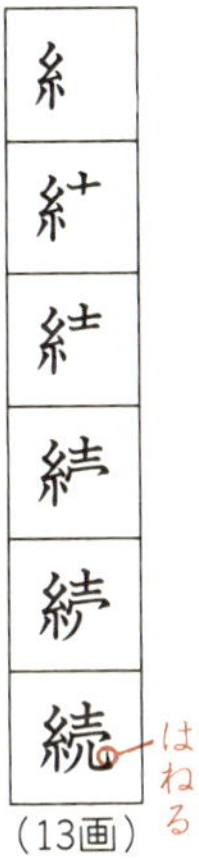

（13画）

例文・意味

❶ 例文 強《つよ》い雨《あめ》が断続的《だんぞくてき》にふる。／同《おな》じような事《じ》件《けん》が続《つづ》くので、けい察《さつ》は関連《かんれん》を調《しら》べている。／話《はな》し合《あ》いがつかず、会議《かいぎ》は今《いま》も続行《ぞっこう》している。 意味 連《つら》なる。とぎれないで、次々《つぎつぎ》と重《かさ》なる。つづく。

❷ 例文 もうおそいから、この話《はなし》の続《つづ》きはあしたにしよう。／続《つづ》き物《もの》のテレビドラマ。／歴史《れきし》物語《ものがたり》の続編《ぞくへん》。 意味 後《あと》につながる部分《ぶぶん》。つづくもの。

熟語

❶ 続出《ぞくしゅつ》。続続《ぞくぞく》。続発《ぞくはつ》。続行《ぞっこう》。永続《えいぞく》。勤続《きんぞく》。後続《こうぞく》。持続《じぞく》（同《おな》じ状態《じょうたい》が長《なが》くつづくこと）。接続《せつぞく》。相続《そうぞく》（財産《ざいさん》や権利《けんり》などを受《う》けつぐこと）。存続《そんぞく》。連続《れんぞく》。接続語《せつぞくご》。続《つづ》け様《ざま》。地続《じつづ》き。手続《てつづ》き。長続《ながつづ》き。引《ひ》き続《つづ》き。

卒

十／8画

音 ソツ

訓 ―

成り立ち

「衣」（着物《きもの》）と「十」（十人《じゅうにん》ずつまとまる）を合《あ》わせた字《じ》。もとは、そろいの衣服《いふく》を着《き》たまとまった兵士《へいし》のこと。後《のち》、一《ひと》つにまとめることから、《しめくくる》、《おわる》ことをあらわす。

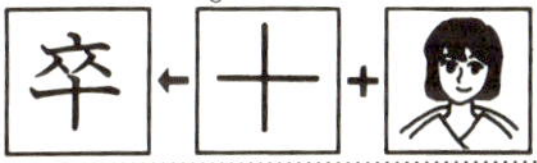

筆順・書き方

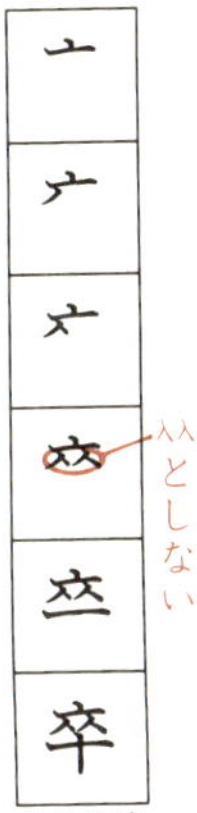

（8画）

例文・意味

❶ 例文 三月《さんがつ》は卒業《そつぎょう》の季節《きせつ》です。／ことしは例年《れいねん》になく高卒者《こうそつしゃ》の採用《さいよう》が増《ふ》えているらしい。 意味 終《お》わる。終《お》える。

❷ 例文 祖父《そふ》が脳卒中《のうそっちゅう》（血管《けっかん》のしょう害《がい》によって、とつぜん意識《いしき》を失《うしな》ったり、手足《てあし》の自由《じゆう》が利《き》かなくなったりする病気《びょうき》）でたおれた。 意味 とつぜん。にわかに。

❸ 例文 一兵卒《いっぺいそつ》から身《み》をおこす。 意味 地位《ちい》の低《ひく》い兵士《へいし》や役人《やくにん》。

熟語

❶ 卒園《そつえん》。大卒《だいそつ》（「大学卒業《だいがくそつぎょう》」の略《りゃく》）。中卒《ちゅうそつ》（「中学卒業《ちゅうがくそつぎょう》」の略《りゃく》）。卒業式《そつぎょうしき》。卒業生《そつぎょうせい》。

孫

子／10画

音 ソン

訓 まご

成り立ち

「系」(糸《いと》をつないで一《ひと》すじにのばすこと)と、「子」(こども)を合《あ》わせた字《じ》。一《ひと》すじの糸《いと》のように、《先祖《せんぞ》からの血《ち》すじがずっとつづいて生《う》まれた小《ちい》さい子《こ》ども》、つまり、《まご》の意味《いみ》。

筆順・書き方

了 子 孑 孫 孫 孫 (10画) わすれずに

例文・意味

❶ 例文 となりのおじいさん夫婦《ふうふ》には孫《まご》が五人《ごにん》いるそうだ。／この家《いえ》はしっかり建《た》てられているので、孫子《まごこ》の代《だい》まで残《のこ》るだろう。 意味 子《こ》どもの子《こ》ども。まご。

❷ 例文 子孫《しそん》がはん栄《えい》する。 意味 血《ち》すじをひく者《もの》。

❸ 例文 文《ぶん》けんを孫引《まごび》き(もとの資料《しりょう》によらずに、ほかの本《ほん》から文句《もんく》をそのまま引用《いんよう》すること)する。／わたくしは茶道《さどう》の家元《いえもと》と孫弟子《まごでし》の関係《かんけい》にあります。 意味 一《ひと》つあいだをおいた、直接《ちょくせつ》でない間《あいだ》がら。

熟語

❶ 孫娘《まごむすめ》。

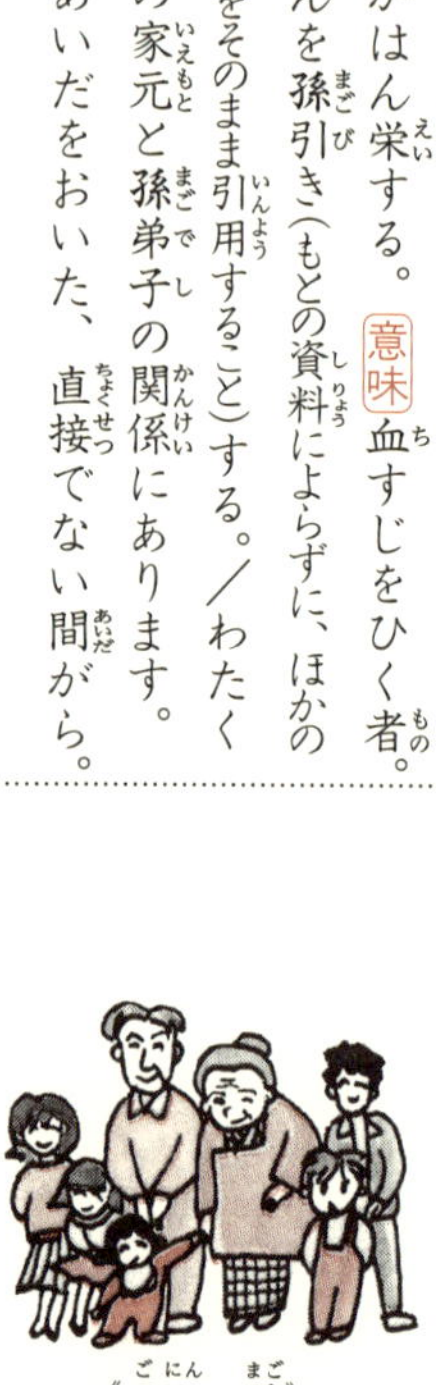
《五人《ごにん》の孫《まご》》

帯

巾／10画

音 タイ

訓 おびる・おび

成り立ち

もとの字《じ》は「帶」。「卌」は、ひもを通《とお》した形《かたち》。「巾」は長《なが》い布《ぬの》がたれたようす。長《なが》い布《ぬの》でつくった《おび》の意味《いみ》。また、おびをまくように《身《み》に着《つ》ける》こと。

筆順・書き方

一 十 卄 卌 帯 帯 (10画) つきだす

例文・意味

❶ 例文 帯《おび》を太《たい》こ結《むす》びにする。／帯《おび》をしめる。 意味 着物《きもの》を着《き》るとき、どうにまいてしめる長《なが》い布《ぬの》。おび。

❷ 例文 けがをした指《ゆび》に包帯《ほうたい》をまく。／父《ちち》あてに、帯《おび》ふうをした雑《ざっ》しが送《おく》られてきた。 意味 物《もの》をまくための細長《ほそなが》い布《ぬの》や紙《かみ》。おび。

❸ 例文 遠足《えんそく》には、雨具《あまぐ》をけい帯《たい》する。 意味 持《も》つ。身《み》に着《つ》ける。ふくむ。

❹ 例文 関東地方一帯《かんとうちほういったい》を強《つよ》いらい雨《う》がおそった。 意味 おびのような形《かたち》をした地《ち》いき。

熟語

❶ 帯状《おびじょう》。角帯《かくおび》。黒帯《くろおび》。帯留《おびど》め。

❷ 帯封《おびふう》。眼帯《がんたい》。

❸ 所帯《しょたい》。世帯《せたい》。帯分数《たいぶんすう》($1\frac{1}{2}$、$3\frac{3}{4}$などの分数《ぶんすう》)。

❹ 温帯《おんたい》。寒帯《かんたい》。声帯《せいたい》(のどの中《なか》ほどにあって声《こえ》を出《だ》す器官《きかん》)。地帯《ちたい》。熱帯《ねったい》。冷帯《れいたい》。熱帯魚《ねったいぎょ》。火山帯《かざんたい》。緑地帯《りょくちたい》。

⻖／12画

隊

音 タイ
訓 ―

成り立ち

「⻖」(ずっしりともりあげた土《つち》)と「㒸」(重《おも》いぶた)を合《あ》わせた字《じ》。ずっしりと重《おも》い土《つち》が積《つ》み重《かさ》なっているように《まとまった人《ひと》》や《兵士《へいし》の集《あつ》まり》をあらわすようになった。

筆順・書き方

(12画)

例文・意味

❶ 例文 らくだに乗《の》った隊商《たいしょう》がさばくを行く。／もよおし物《もの》に楽隊《がくたい》が出場《しゅつじょう》する。／北極《ほっきょく》点《てん》をめざして探検隊《たんけんたい》がふぶきの中《なか》を進《すす》む。
意味 大勢《おおぜい》の人《ひと》の統一《とういつ》された集《あつ》まり。一団《いちだん》。

❷ 例文 台風《たいふう》のひ災地《さいち》で自衛隊《じえいたい》が活《かつ》やくした。／き馬隊《ばたい》が大通《おおどお》りをパレードする。
意味 軍《ぐん》たい。

《探検隊《たんけんたい》がふぶきの中《なか》を進《すす》む》

熟語

❶ 隊列《たいれつ》。編隊《へんたい》(飛行機《ひこうき》などが、ひとまとまりの形《かたち》をととのえること)。合唱隊《がっしょうたい》。
❷ 隊員《たいいん》。隊長《たいちょう》。軍隊《ぐんたい》。本隊《ほんたい》。兵隊《へいたい》。

⻌／12画

達

音 タツ
訓 ―

成り立ち

「幸」は「土(大)」(おおきくてゆとりがある)と「羊」(ひつじ)を合《あ》わせた字《じ》で、羊《ひつじ》の子《こ》がらくらくと生《う》まれること。「⻌」(進《すす》むこと)を合《あ》わせ、するりと《通《とお》りぬける》ことを意味《いみ》する。

筆順・書き方

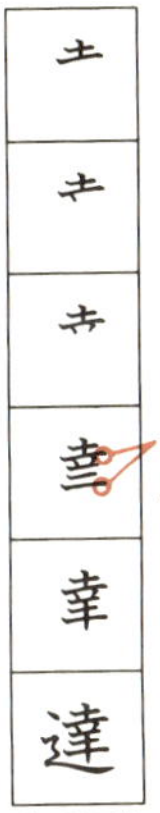

(12画)

例文・意味

❶ 例文 年賀状《ねんがじょう》が配達《はいたつ》される。／希望《きぼう》を達《たっ》する。
意味 とどく。目的《もくてき》がかなう。なしとげる。

❷ 例文 祖父《そふ》は弓《ゆみ》の達人《たつじん》だ。／書道《しょどう》が上達《じょうたつ》する。
意味 技術《ぎじゅつ》などが十分《じゅうぶん》使《つか》えるようになる。

❸ 例文 教育委員会《きょういくいいんかい》からの達《たっ》しで、学校《がっこう》が休《やす》みになった。／欠席《けっせき》の人《ひと》には電話《でんわ》で伝達《でんたつ》してください。
意味 命令《めいれい》を伝《つた》える。知《し》らせ。

❹ 例文 ぼく達《たち》はみんな小学校《しょうがっこう》四年生《よねんせい》です。
意味 ふたり以《い》上《じょう》をあらわすことば。

熟語

❶ 達成《たっせい》。栄達《えいたつ》(りっぱな身分《みぶん》、地《ち》位《い》になること)。速達《そくたつ》。調達《ちょうたつ》。発達《はったつ》。未発達《みはったつ》。
❷ 達見《たっけん》(りっぱな考《かんが》えや意見《いけん》)。達者《たっしゃ》。達筆《たっぴつ》(じょうずに字《じ》を書《か》くこと)。熟達《じゅくたつ》。
❸ 通達《つうたつ》。
❹ 私達《わたくしたち》。

特別な読み

友達《ともだち》。

ツ／9画

【単】

音 タン
訓 ―

成り立ち

もとの字《じ》は「單」。平《たい》らでうすいむかしのうちわをえがいた字《じ》。うすくて、かんたんなつくりだったので《ただ一《ひと》つ》《こみいっていない》という意味《いみ》になった。

筆順・書き方

(９画)

例文・意味

❶ 例文 現在《げんざい》は川本選手《かわもとせんしゅ》が単独《たんどく》で首位《しゅい》にいる。／父《ちち》は大阪《おおさか》に単身《たんしん》ふ任《にん》した。 意味 ただひとり。ただ一《ひと》つ。 対語 複《ふく》。

❷ 例文 姉《あね》はテストに備《そな》えて英語《えいご》の単語《たんご》を覚《おぼ》えている。／グループ単位《たんい》で行動《こうどう》する。 意味 ひとまとまり。

❸ 例文 かれは単純《たんじゅん》で、おだてにのりやすい。／単調《たんちょう》なドラマ。 意味 あまり変化《へんか》がない。また、仕組《しく》みがこみいっていない。

熟語

❶ **単価**《たんか》。**単眼**《たんがん》。**単身**《たんしん》(家族《かぞく》や他《た》の人《ひと》といっしょでなく、ただひとり)。**単数**《たんすう》。**単線**《たんせん》。**単行本**《たんこうぼん》(雑誌《ざっし》や全集《ぜんしゅう》などではなく、独立《どくりつ》した内容《ないよう》をもつ一冊《いっさつ》の本《ほん》として出版《しゅっぱん》される本《ほん》)。**単子葉植物**《たんしようしょくぶつ》。

❷ **単元**《たんげん》。

❸ **簡単**《かんたん》。**単純明快**《たんじゅんめいかい》 ⇩(640ページ上)

罒／13画

【置】

音 チ
訓 おく

成り立ち

「罒」(あみ)と「直」(まっすぐ見《み》る)を合《あ》わせた字《じ》。小鳥《ことり》をとるあみを決《き》めた場所《ばしょ》にまっすぐに立《た》てておくことから、あるべき所《ところ》に、きちんと《おく》という意味《いみ》をあらわした。

筆順・書き方

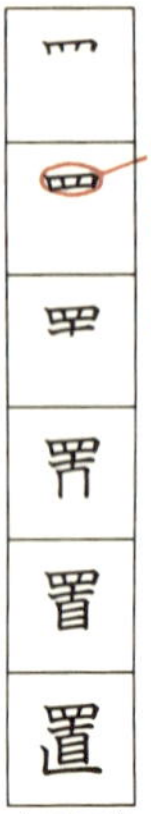

(13画)

例文・意味

❶ 例文 消火器《しょうかき》を設置《せっち》する。／手《て》もとが暗《くら》いので、電気《でんき》スタンドの位置《いち》を少《すこ》しかえよう。／放置《ほうち》された自転車《じてんしゃ》が道《みち》をふさいで通行《つうこう》のじゃまになっている。／テーブルの上《うえ》にコップを置《お》く。／今度《こんど》、父《ちち》の会社《かいしゃ》ではニューヨークに支社《ししゃ》を置《お》くことになった。 意味 ある場所《ばしょ》にすえつける。おく。

❷ 例文 かの女《じょ》は何《なに》か考《かんが》えているらしく、間《ま》を置《お》いて話《はな》し始《はじ》めた。／一《いっ》けん置《お》いたとなりの家《いえ》。 意味 へだてる。あいだをあける。おく。

熟語

❶ **処置**《しょち》。**配置**《はいち》。**置物**《おきもの》。**物置**《ものおき》。**置《お》き去《ざ》り**(その場所《ばしょ》に残《のこ》して行《い》ってしまうこと)。**置《お》き手紙**《てがみ》。

❷ **置《お》き土産**《みやげ》。**書《か》き置《お》き**。**三年置**《さんねんお》**き**。**二日置**《ふつかお》**き**。

□ イ／6画

仲

音 （チュウ）
訓 なか

成り立ち

「亻」（人《ひと》）と「中」（まんなか）を合《あ》わせた字《じ》。人《ひと》と人《ひと》との《間《あいだ》がら》、兄弟《きょうだい》の真《ま》ん中《なか》の人《ひと》のこと。また、人《ひと》のあいだに入《はい》って《とりつぐ人《ひと》》のことも意味《いみ》する。

筆順・書き方

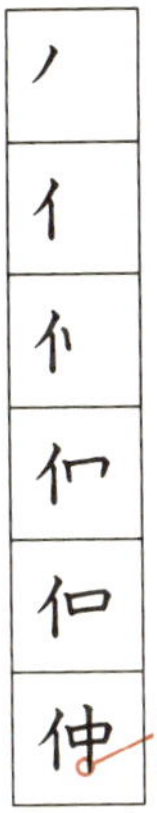

はねない
（6画）

例文・意味

❶ 例文 売買《ばいばい》の仲《ちゅう》かいをする。／けんかの仲裁《ちゅうさい》に入《はい》る。／あのふたりはうらやましいほど仲《なか》がいい。／兄《あに》は二十才《にじっさい》のたん生日《じょうび》がきておとなの仲間入《なかまい》りをした。 意味 人《ひと》と人《ひと》の間《あいだ》がら。なか。

❷ 例文 試合《しあい》は両《りょう》チームの実力《じつりょく》がはく仲《ちゅう》（力量《りきりょう》などに、まさりおとりのないこと）してなかなか勝負《しょうぶ》がつかない。／仲秋《ちゅうしゅう》（旧《きゅう》れきの八月《はちがつ》のこと）のさわやかな風《かぜ》。 意味 二番目《にばんめ》。また、三《みっ》つに分《わ》けたものの二番目《にばんめ》。

熟語

❶ 仲介《ちゅうかい》。仲直《なかなお》り。仲良《なかよ》し。仲《なか》たがい（人《ひと》と人《ひと》との関係《かんけい》が悪《わる》くなること）。

特別な読み

仲人《なこうど》。

□ 貝／12画

貯

音 チョ
訓 ―

成り立ち

「貝」（お金《かね》や品物《しなもの》）と「宁」（四角《しかく》いわくの中《なか》につめこんでおく）を合《あ》わせた字《じ》。箱《はこ》の中《なか》にお金《かね》や品物《しなもの》をつめて、《たくわえる》ことをあらわした字《じ》。

筆順・書き方

はねる
（12画）

例文・意味

例文 ことしは日照《ひで》りつづきなので、貯水池《ちょすいち》の貯水量《ちょすいりょう》が心配《しんぱい》される。／食料《しょくりょう》の貯蔵庫《ちょぞうこ》はビルの地下《ちか》にあります。／妹《いもうと》は、おこづかいを貯金《ちょきん》している。 意味 たくわえる。ためる。集《あつ》めておく。

《貯金《ちょきん》》

熟語

貯水《ちょすい》。貯金箱《ちょきんばこ》。

兆

□ 儿／6画

音 チョウ
訓 《きざす》・《きざし》

成り立ち

かめのこうらや、動物《どうぶつ》のほねにあらわれたわれめをえがいた字《じ》。むかし、このわれめの形《かたち》でうらないをしたことから、《まえぶれ》《きざし》の意《い》味《み》になった。

筆順・書き方

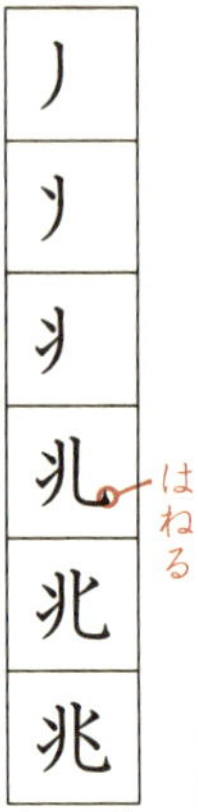

（6画）

例文・意味

❶ 例文 大地《おおじ》しんの前兆《ぜんちょう》（何《なに》かが起《お》ころうとするきざしとしてあらわれるもの）とみられる現象《げんしょう》があちこちで起《お》こっている。／三月《さんがつ》に入《はい》ると、春《はる》の兆《きざ》しが感《かん》じられる。／成功《せいこう》の機運《きうん》が兆《きざ》している。 意味 あるものごとが起《お》こりそうなようす。まえぶれ。

❷ 例文 政府《せいふ》は一兆円《いっちょうえん》の減税《げんぜい》をおこなう計画《けいかく》だ。 意味 数《かず》の単位《たんい》。億《おく》の一万倍《いちまんばい》。

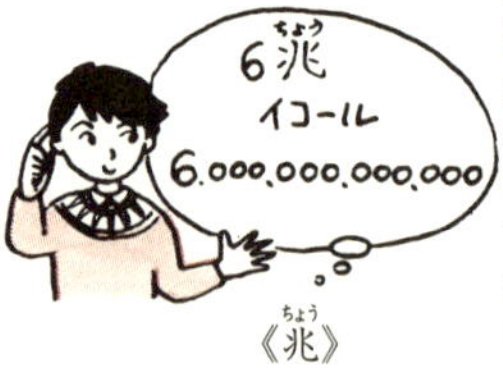

《兆《ちょう》》

熟語

❶ 兆候《ちょうこう》（ものごとが起《お》こる前《まえ》ぶれ）。

腸

□ 月／13画

音 チョウ
訓 ―

成り立ち

「月」（からだ。肉《にく》）と「昜」（太陽《たいよう》の光《ひかり》のように長《なが》くのびる）を合《あ》わせた字《じ》。からだの中《なか》にある長《なが》い物《もの》、つまり、《はらわた》を意《い》味《み》する字《じ》。

筆順・書き方

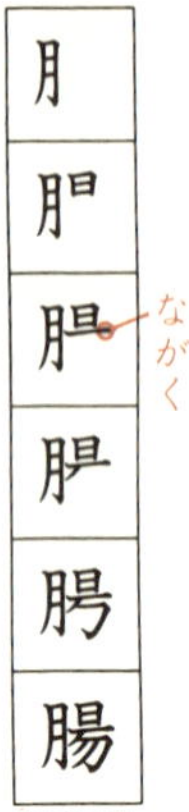

（13画）

例文・意味

例文 このごろ胃腸《いちょう》のぐあいが悪《わる》くて食《しょく》よくがない。／もう腸《ちょう》えんで入院《にゅういん》する。 意味 消化器《しょうかき》の一《ひと》つで、食《た》べた物《もの》をこなして栄養《えいよう》をとるところ。胃《い》につづく管《くだ》のような器官《きかん》。ちょう。

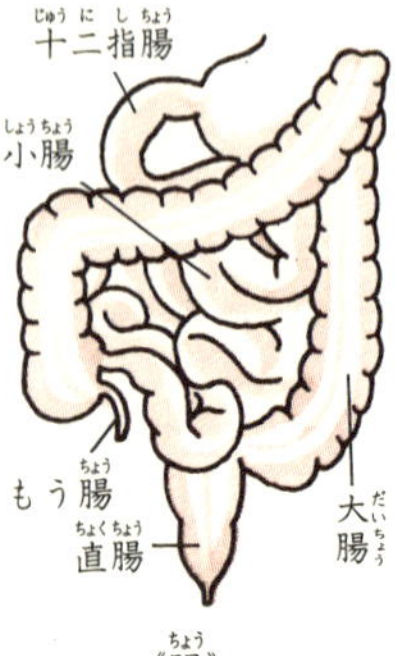

《腸《ちょう》》

熟語

小腸《しょうちょう》。大腸《だいちょう》。直腸《ちょくちょう》。胃腸薬《いちょうやく》。十二指腸《じゅうにしちょう》。

イ／7画

低

音 テイ
訓 ひくい・ひくめる・ひくまる

成り立ち
「イ」(人《ひと》)と「氐」(積《つ》みあげた物《もの》の、いちばん下《した》のひくいところを一印《じるし》で示《しめ》したもの)を合《あ》わせた字《じ》。せの《ひくい》人《ひと》のこと。広《ひろ》く、《ひくい》という意味《いみ》もあらわす。

筆順・書き方

(7画) わすれずに

例文・意味

❶ 例文 このあたりは低地《ていち》なので、大雨《おおあめ》がふるとすぐ水《みず》びたしになる。／あの人《ひと》は声《こえ》が低《ひく》い。／けさはこの冬《ふゆ》の最低気温《さいていきおん》を記録《きろく》した。 意味 地面《じめん》から上《うえ》のほうのきょりが小《ちい》さいこと。また、音《おと》・温度《おんど》・年《ねん》れい・程度《ていど》・身分《みぶん》・ねだんなどが下《した》である。おとっている。ひくい。 対語 高《こう》

❷ 例文 こしを低《ひく》めてくぐり戸《ど》をぬける。／あたりを気《き》にするように声《こえ》を低《ひく》めて話《はな》す。／ちょう上《じょう》より少《すこ》し低《ひく》まった所《ところ》に休《きゅう》けい所《じょ》がある。 意味 下《さ》がる。下《さ》げる。ひくめる。ひくまる。

熟語

❶ 低音《ていおん》。低温《ていおん》。低級《ていきゅう》。低空《ていくう》。低調《ていちょう》(内容《ないよう》が十分《じゅうぶん》でなく、調子《ちょうし》が悪《わる》いようす)。低木《ていぼく》。高低《こうてい》。低学年《ていがくねん》。低気圧《ていきあつ》。

❷ 低下《ていか》。

广／8画

底

音 テイ
訓 そこ

成り立ち
「广」(家《いえ》)と「氐」(積《つ》みあげた物《もの》の、いちばん下《した》の低《ひく》いところを一印《じるし》で示《しめ》したもの)を合《あ》わせた字《じ》。もとは建《たて》物《もの》の「土台《どだい》」をあらわした。後《のち》に、物《もの》のいちばん低《ひく》い《そこ》の意味《いみ》になった。

筆順・書き方

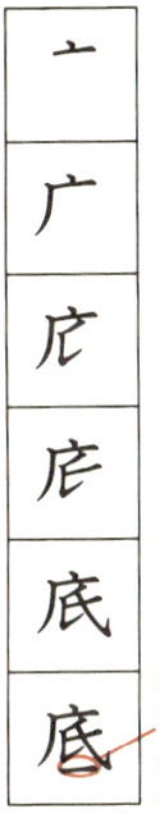
(8画) わすれずに

例文・意味

例文 スキューバをつけて、海底《かいてい》をたん検《けん》する。／目《め》がいたむので、眼底検査《がんていけんさ》をしてもらった。／かれは口《くち》ではああ言《い》っているが、心《こころ》の底《そこ》では君《きみ》に感謝《かんしゃ》しているよ。／弟《おとうと》は底《そこ》ぬけののんき屋《や》です。／今夜《こんや》は底冷《そこび》えがする。 意味 物《もの》のいちばん下《した》の部分《ぶぶん》。物《もの》のいちばんおくの部分《ぶぶん》。そこ。

《海底《かいてい》をたん検《けん》する》

熟語

底辺《ていへん》。底面《ていめん》。底流《ていりゅう》。根底《こんてい》(ものごとのいちばんもとになるもの)。水底《すいてい》。地底《ちてい》。徹底《てってい》。底力《そこぢから》。川底《かわぞこ》。谷底《たにぞこ》。船底《ふなぞこ》。徹底的《てっていてき》。底光《そこびか》り。底引《そこび》き網《あみ》。

亻／11画

停

音 テイ　訓 ―

成り立ち

「亻」(人《ひと》)と、「亭」(土台《どだい》にくぎを打《う》って動《うご》かないようにした高《たか》い建《たて》物《もの》)とを合《あ》わせた字《じ》。人《ひと》がじっと動《うご》かないことから、《とどまる》《やめる》の意《い》味《み》になった。

筆順・書き方

停　はねる　(11画)

例文・意味

❶ 例文 次《つぎ》の電車《でんしゃ》は急行《きゅうこう》なので、この駅《えき》には停車《ていしゃ》しない。／停止信号《ていししんごう》が青《あお》にかわって車《くるま》が動《うご》き出《だ》した。意味 とまる。とどまる。

❷ 例文 近《ちか》くにかみなりが落《お》ちたので、停電《ていでん》になった。／クリスマス休《きゅう》か中《ちゅう》は停戦《ていせん》になるそうだ。意味 一時《いちじ》やめる。とちゅうでやめる。

《停電《ていでん》》

熟語

❶ 停船《ていせん》。停止線《ていしせん》。停車場《ていしゃじょう》。停留所《ていりゅうじょ》。バス停《てい》。

❷ 停学《ていがく》(学校《がっこう》の規則《きそく》を破《やぶ》った学生《がくせい》や生徒《せいと》に対《たい》して、一定《いってい》の期間《きかん》だけ通学《つうがく》をさしとめる罰《ばつ》)。調停《ちょうてい》(対立《たいりつ》している両方《りょうほう》のあいだに入《はい》って、意見《いけん》の違《ちが》いや争《あらそ》いごとをやめさせること)。

白／8画

的

音 テキ　訓 まと

成り立ち

「白」(どんぐりの実《み》のようにしろい)と、「勺」(水《みず》をくむひしゃく。たいせつなものをとり出《だ》すこと)を合《あ》わせた字《じ》。白《しろ》くはっきりと目立《めだ》つ目標《もくひょう》の、《まと》のこと。

筆順・書き方

的　はねる　(8画)

例文・意味

❶ 例文 天気予報《てんきよほう》が的中《てきちゅう》(前《まえ》もって考《かんが》えていたとおりになること)した。／ほんとうの目的《もくてき》をさぐる。／父《ちち》の判断《はんだん》はいつも的確《てきかく》だ。／書道《しょどう》コンクールで金賞《きんしょう》をとったぼくは、クラスの注目《ちゅうもく》の的《まと》になった。／的外《まとはず》れな返答《へんとう》。意味 目当《めあ》て。また、目当《めあ》てに当《あ》たる。

❷ 例文 この説《せつ》には科学的根《かがくてきこん》きょはない。／かれは劇的《げきてき》な人生《じんせい》を歩《あゆ》んできた。／近代的《きんだいてき》な建物《たてもの》。意味 ほかのことばの後《あと》につけて、「…のような」「…らしい」の意味《いみ》をあらわすことば。

熟語

❷ 公的《こうてき》(おおやけのことがらに関係《かんけい》のあること)。私的《してき》。知的《ちてき》。画期的《かっきてき》(今《いま》までになかったようなことをして、新《あら》しい時代《じだい》をつくりだすくらいにすばらしいようす)。感情的《かんじょうてき》。強制的《きょうせいてき》。具体的《ぐたいてき》。合理的《ごうりてき》。自発的《じはつてき》。神秘的《しんぴてき》。積極的《せっきょくてき》。典型的《てんけいてき》。能率的《のうりつてき》。理想的《りそうてき》。立体的《りったいてき》。良心的《りょうしんてき》。

□ 八／8画

典

音 テン

訓 ―

成り立ち 上《うえ》の部分《ぶぶん》は竹《たけ》の札《ふだ》に書《か》いたむかしの書《しょ》物《もつ》がならんだ形《かたち》。下《した》の部分《ぶぶん》はそれをのせる台《だい》。たいせつな《書物《しょもつ》》のこと。また、《書物《しょもつ》に書《か》いてあるきまり》のこと。

筆順・書き方

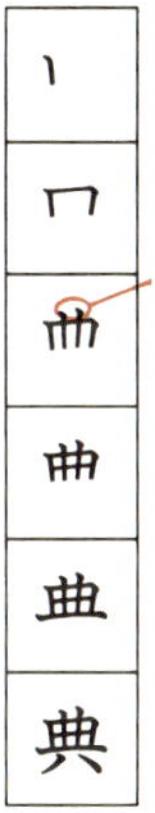

（8画）

例文・意味

❶ 例文 百科事典《ひゃっかじてん》で天体《てんたい》のことを調《しら》べる。／国語《こくご》辞典《じてん》を使《つか》って、ことばの意味《いみ》を調《しら》べる。 意味 本《ほん》。たいせつな書物《しょもつ》。

❷ 例文 がんこおやじの典型《てんけい》だ。 意味 手本《てほん》となるもの。ある一《ひと》つのきまり。

❸ 例文 引用文《いんようぶん》には出典《しゅってん》(古《ふる》いことば・ことわざや他人《たにん》の文章《ぶんしょう》を引用《いんよう》したものの出《で》どころとなった本《ほん》の名《な》)の明記《めいき》が必要《ひつよう》だ。 意味 よりどころ。

❹ 例文 新校舎《しんこうしゃ》ができて、落成《らくせい》を祝《いわ》う式典《しきてん》がせい大《だい》におこなわれた。 意味 ぎ式《しき》。

熟語

❶ 経典《きょうてん》(宗教上《しゅうきょうじょう》のよりどころとなる教《おし》えを記《しる》した書物《しょもつ》)。原典《げんてん》(翻《ほん》訳《やく》したり引用《いんよう》したりした文章《ぶんしょう》のもとになった本《ほん》)。古典《こてん》。字典《じてん》。漢字辞典《かんじじてん》。漢和辞典《かんわじてん》。

❷ 楽典《がくてん》。

❹ 祭典《さいてん》。祝典《しゅくてん》。特典《とくてん》(他《た》にはない、特別《とくべつ》によいあつかい)。

□ 亻／6画

伝

音 デン

訓 つたわる・つたえる・つたう

成り立ち もとの字《じ》は「傳」。「亻」(人《ひと》)と「専」(糸《いと》まきをくるくる回《まわ》して糸《いと》をより合《あ》わせ、次々《つぎつぎ》によりがつたわっていくこと)を合《あ》わせた字《じ》。人《ひと》から人《ひと》へと《つたえる》こと。

筆順・書き方

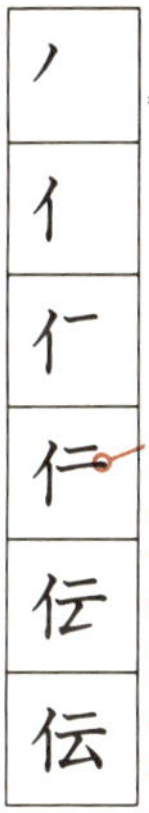

（6画）

例文・意味

❶ 例文 インフルエンザが伝染《でんせん》して欠席《けっせき》する児童《じどう》が多《おお》い。／わが家《や》に古《ふる》くから伝《つた》わるつぼ。／テレビで宣伝《せんでん》している商品《しょうひん》。 意味 受《う》けつぐ。また、知《し》らせる。つたわる。つたえる。

❷ 例文 この山《やま》には不思議《ふしぎ》な伝説《でんせつ》がある。／リンカーンの伝記《でんき》を読《よ》む。 意味 言《い》いつたえ。話《はなし》。物語《ものがたり》。また、人《ひと》の一代記《いちだいき》。

❸ 例文 どろぼうは屋根《やね》を伝《つた》ってにげた。 意味 ある物《もの》にそって移動《いどう》する。つたう。

熟語

❶ 伝言《でんごん》。伝授《でんじゅ》。伝承《でんしょう》(古《ふる》くからの言《い》いつたえ・ならわし・文化《ぶんか》などを受《う》けついで、つたえていくこと)。伝達《でんたつ》。伝統《でんとう》。伝道《でんどう》。伝票《でんぴょう》。伝聞《でんぶん》。伝来《でんらい》。伝令《でんれい》。遺伝《いでん》。駅伝《えきでん》。口伝《くちづた》え。

❷ 自伝《じでん》。

❸ 尾根伝《おねづた》い。線路伝《せんろづた》い。

特別な読み 手伝《てつだ》う。伝馬船《てんません》。

□ 彳／10画

徒

音 ト
訓 ——

成り立ち
「彳」(道《みち》を行《い》くこと)と、「土」(つち)と、「止」(あし)を合《あ》わせた字《じ》。土《つち》の上《うえ》を一《いっ》歩《ぽ》一《いっ》歩《ぽ》《歩《ある》いていく》ことをあらわした字《じ》。

筆順・書き方
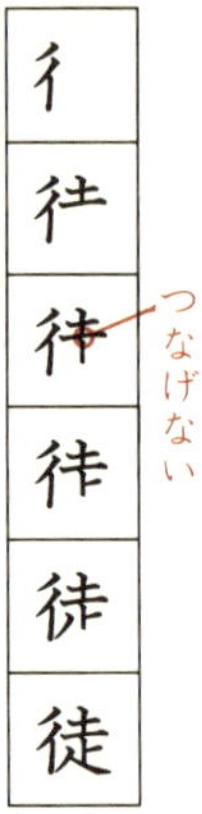

(10画)

例文・意味
❶例文 家《いえ》から学校《がっこう》まで徒歩十分《とほじっぷん》です。 意味 歩《ある》いていく。
❷例文 徒手体操《としゅたいそう》は、器具《きぐ》を使《つか》わない体操《たいそう》です。 意味 手《て》に何《なに》も持《も》たない。
❸例文 計画《けいかく》が中止《ちゅうし》され、努力《どりょく》は徒労《とろう》(一生《いっしょう》けん命《めい》やったことがむくわれないこと)に終《お》わった。 意味 むだな。役《やく》にたたない。
❹例文 全校生徒《ぜんこうせいと》が出席《しゅっせき》します。 意味 弟子《でし》。また、従《したが》う者《もの》。
❺例文 悪者《わるもの》が徒党《ととう》を組《く》む。 意味 仲間《なかま》。

熟語
❶徒競走《ときょうそう》。
❹信徒《しんと》。異教徒《いきょうと》(自分《じぶん》の宗教《しゅうきょう》とちがった宗教《しゅうきょう》を信《しん》じている人《ひと》)。仏教徒《ぶっきょうと》。キリスト教徒《きょうと》。
❺学徒《がくと》。暴徒《ぼうと》(集団《しゅうだん》で乱暴《らんぼう》なおこないをする者《もの》たち)。

□ 力／7画

努

音 ド
訓 つとめる

成り立ち
「奴」(ねばり強《づよ》く働《はたら》く女《おんな》のめしつかい)と「力」(ちから)を合《あ》わせた字《じ》。ねばり強《づよ》く力《ちから》を入《い》れて《がんばる》ことをあらわした字《じ》。

筆順・書き方

(7画)

例文・意味
例文 努力《どりょく》すれば成績《せいせき》はかならずあがります。／ことしから早起《はやお》きをしてちこくをしないよう努《つと》めます。／これからは少《すこ》しくらいのことでは泣《な》かないように努《つと》める。 意味 はげむ。一生《いっしょう》けん命《めい》にがんばる。力《ちから》をつくしてその事《こと》をする。つとめる。

《早起《はやお》きに努《つと》める》

熟語
努力家《どりょくか》。

火／6画

灯

音 トウ

訓 《ひ》

成り立ち

「火」(ひ)と「丁」(ひとところに、動《うご》かないように止《と》めること)を合《あ》わせた字《じ》。まっすぐ立《た》って、じっと動《うご》かない《ともしび》をあらわした字《じ》。

筆順・書き方

(6画)

例文・意味

例文 海辺《うみべ》に立《た》つ真《ま》っ白《しろ》な灯台《とうだい》。／灯油《とうゆ》を使《つか》うストーブ。／夜《よる》になると家々《いえいえ》のまどに灯《ひ》がともる。／山《やま》の上《うえ》から街《まち》の灯《ひ》が美《うつく》しくまたたいて見《み》える。

意味 明《あ》かり。ともしび。ひ。

《灯台《とうだい》》

熟語

灯下《とうか》。灯火《とうか》。灯明《とうみょう》。街灯《がいとう》。消灯《しょうとう》。点灯《てんとう》(明《あ》かりをともすこと)。電灯《でんとう》。門灯《もんとう》。集魚灯《しゅうぎょとう》。懐中電灯《かいちゅうでんとう》。

土／11画

堂

音 ドウ

訓 ―

成り立ち

「尚」(まどから空気《くうき》が出《で》るようす。広《ひろ》く広《ひろ》がること)と、「土」(土台《どだい》)を合《あ》わせた字《じ》。高《たか》い土台《どだい》の上《うえ》の《大《おお》きな建物《たてもの》》をあらわした字《じ》。

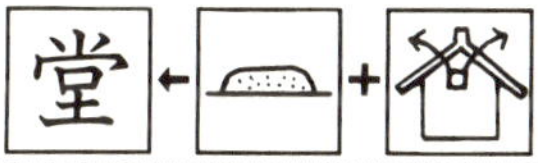

筆順・書き方

(11画)

例文・意味

❶ 例文 お寺《てら》の本堂《ほんどう》でお経《きょう》を聞《き》く。 意味 神《かみ》や仏《ほとけ》を祭《まつ》る建物《たてもの》。

❷ 例文 学生《がくせい》がよく出入《でい》りする食堂《しょくどう》。／学問《がくもん》のでん堂《どう》。 意味 多《おお》くの人《ひと》を入《い》れる建物《たてもの》。また、りっぱな建物《たてもの》。

❸ 例文 選手団《せんしゅだん》が堂堂《どうどう》と入場行進《にゅうじょうこうしん》をする。 意味 いかめしくてりっぱなようす。

❹ 例文 ご母堂《ぼどう》は、お元気《げんき》でいらっしゃいますか。 意味 他人《たにん》の母親《ははおや》をうやまって言《い》うことば。

熟語

❶ 金堂《こんどう》。聖堂《せいどう》。礼拝堂《れいはいどう》。

❷ 講堂《こうどう》。議事堂《ぎじどう》。公会堂《こうかいどう》。

❸ 正正堂堂《せいせいどうどう》⇩(639ページ上)

□
イ／13画

【働】

音 ドウ
訓 はたらく

成り立ち
「イ」(人《ひと》)と「動」(トン、トンと力《ちから》を入《い》れてうごくこと)を合《あ》わせた字《じ》。人《ひと》がからだを《うごかしてはたらく》ことをあらわした字《じ》。日本人《にっぽんじん》がつくった字《じ》。

筆順・書き方

(13画)

例文・意味

❶ 例文 一日八時間労働《いちにちはちじかんろうどう》をします。／父《ちち》は印刷所《いんさつじょ》で働《はたら》いています。／事故《じこ》で働《はたら》き手《て》を失《うしな》う。／父《ちち》は四十代《よんじゅうだい》の働《はたら》き盛《ざか》りです。

意味 仕事《しごと》をする。はたらく。

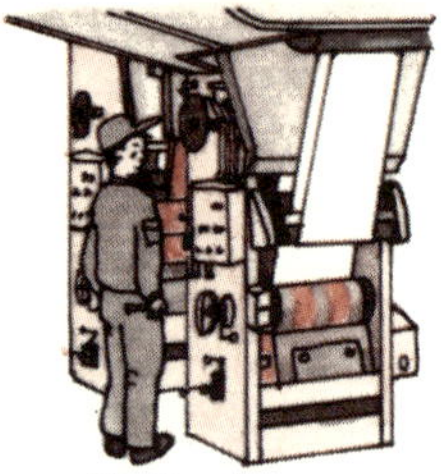
《印刷所《いんさつじょ》で働《はたら》く》

❷ 例文 引力《いんりょく》が働《はたら》く。／頭《あたま》の働《はたら》きがするどい。

意味 ほかのものに対《たい》して力《ちから》が作用《さよう》する。はたらく。

熟語

❶ 労働者《ろうどうしゃ》。重労働《じゅうろうどう》。働《はたら》き者《もの》。下働《したばたら》き。労働組合《ろうどうくみあい》。労働時間《ろうどうじかん》。

□
牛／10画

【特】

音 トク
訓 ―

成り立ち
「寺」(じっととまること)と、「牛」(牛《うし》)を合《あ》わせた字《じ》。群《む》れの中《なか》でじっと動《うご》かない、目立《めだ》つ大《おお》きな種牛《たねうし》のことをあらわした。後《のち》に、《とりわけ》という意味《いみ》にも使《つか》うようになった。

筆順・書き方

(10画)

例文・意味

例文 きょうのおやつは、おかあさん特製《とくせい》のアップルパイだ。／ぼくの書《か》き初《ぞ》めが書道《しょどう》てんで特賞《とくしょう》になった。／兄《あに》は、かどばった独特《どくとく》な字《じ》を書《か》く。／寒《さむ》い日《ひ》がつづいているが、きょうは特《とく》に寒《さむ》い。

意味 ほかのものに比《くら》べて、そのものだけとびぬけている。とりわけ。

《特製《とくせい》のアップルパイ》

熟語

特異《とくい》(ほかのものと、とくにちがっているようす)。特技《とくぎ》。特産《とくさん》。特質《とくしつ》。特集《とくしゅう》。特色《とくしょく》。特性《とくせい》。特選《とくせん》。特大《とくだい》。特長《とくちょう》。特定《とくてい》。特典《とくてん》(他《た》にはない、とくべつなよいあつかい)。特売《とくばい》。特別《とくべつ》。特有《とくゆう》。特例《とくれい》。特価《とっか》。特急《とっきゅう》。特許《とっきょ》。特訓《とっくん》。特産物《とくさんぶつ》。特派員《とくはいん》。特効薬《とっこうやく》。特急電車《とっきゅうでんしゃ》。

□ 彳／11画

【得】

音 トク
訓 える・（うる）

成り立ち

「彳」（行《い》く）と「㝵」（手《て》でお金《かね》や物《もの》を持《も》つ）を合《あ》わせた字《じ》。よい物《もの》を《手《て》に入《い》れる》ことを意《い》味《み》する字《じ》。

筆順・書き方

（11画）

うえのせんよりみじかく

例文・意味

❶ 例文 弟《おとうと》は新《あたら》しいおもちゃを得《とく》意《い》になってみせびらかしている。／本《ほん》を通《とお》して知《ち》識《しき》を得《え》る。 意味 自《じ》分《ぶん》のものにする。える。うる。 対語 失《しつ》。

❷ 例文 この仕《し》事《ごと》は損《そん》得《とく》ぬきでする。 意味 もうける。もうけ。とく。 対語 損《そん》。

❸ 例文 説《せつ》明《めい》を聞《き》いてやっと納《なっ》得《とく》した。 意味 理《り》解《かい》して自《じ》分《ぶん》のものにする。

❹ 例文 わたしにとって、わすれ得《え》ない思《おも》い出《で》。 意味 「…することができる」の意《い》味《み》をあらわすことば。

熟語

❶ 得《とく》失《しつ》。得《とく》点《てん》。得《とく》票《ひょう》。取《しゅ》得《とく》。所《しょ》得《とく》。心《こころ》得《え》る。

❷ 得《とく》策《さく》（やって、よい結《けっ》果《か》になる方《ほう》法《ほう》）。

一《いっ》挙《きょ》両《りょう》得《とく》 ⇩（635ページ上）

❸ 会《え》得《とく》（ものごとを十《じゅう》分《ぶん》に理《り》解《かい》すること）。習《しゅう》得《とく》。説《せっ》得《とく》。体《たい》得《とく》。得《え》手《て》（とく意《い》とすること）。心《こころ》得《え》。不《ふ》得《え》手《て》。

❹ 有《あ》り得《う》る。考《かんが》え得《う》る。

□ 母／8画

【毒】

音 ドク
訓 ―

成り立ち

「龶」（草《くさ》の芽《め》）と「母」（子《こ》を産《う》む母《はは》）を合《あ》わせた字《じ》。元《げん》気《き》な子《こ》どもを産《う》むための薬《やく》草《そう》をあらわした字《じ》。この薬《やく》草《そう》の薬《くすり》を飲《の》み過《す》ぎるとからだに悪《わる》いことから、《どく》の意《い》味《み》になった。

筆順・書き方

（8画）

母としない

例文・意味

❶ 例文 この山《やま》には毒《どく》へびがいるから気《き》をつけよう。／くさった物《もの》を食《た》べると中《ちゅう》毒《どく》を起《お》こす。／食《しょっ》器《き》を熱《ねっ》湯《とう》で消《しょう》毒《どく》する。 意味 命《いのち》や、からだに害《がい》をあたえるもの。どく。

❷ 例文 かの女《じょ》はいつも毒《どく》のある言《い》い方《かた》で相《あい》手《て》をやりこめる。／やせたい人《ひと》にケーキやジュースは目《め》の毒《どく》だ。 意味 人《ひと》の心《こころ》や生《せい》活《かつ》をきずつけるもの。

熟語

❶ 毒《どく》気《け》。毒《どく》殺《さつ》。毒《どく》味《み》。毒《どく》虫《むし》。毒《どく》薬《やく》。害《がい》毒《どく》。解《げ》毒《どく》（体《たい》内《ない》にはいった有《ゆう》害《がい》の作《さ》用《よう》を消《け》したり弱《よわ》めたりすること）。鉱《こう》毒《どく》。服《ふく》毒《どく》（害《がい》のあるものを飲《の》むこと）。有《ゆう》毒《どく》。

❷ 毒《どく》舌《ぜつ》（ひどい悪《わる》口《くち》や皮《ひ》肉《にく》）。

□ 灬／15画

熱

音 ネツ

訓 あつい

成り立ち 「埶」(人《ひと》がかがんで一生《いっしょう》けん命《めい》に草木《くさき》を植《う》え育《そだ》てているようす。音《おん》をあらわす)と、「灬」(火《ひ》)を合《あ》わせた字《じ》。火《ひ》のように《あつい》ことをあらわした字《じ》。

筆順・書き方

(15画)

例文・意味

❶ 例文 会場《かいじょう》のむんむんする熱気《ねっき》。／ピラニアは熱帯《ねったい》の川《かわ》にすむ魚《さかな》です。／熱《あつ》いお茶《ちゃ》を飲《の》む。 意味 温度《おんど》が高《たか》い。あつい。

❷ 例文 ヒーターが過熱《かねつ》して火事《かじ》になった。／妹《いもうと》が夜中《よなか》に発熱《はつねつ》した。 意味 温度《おんど》。ねつ。

❸ 例文 勉強《べんきょう》に熱《ねつ》が入《はい》る。／遊《あそ》びに熱中《ねっちゅう》する。 意味 一生《いっしょう》けん命《めい》やる。心《こころ》をうちこんですること。

《発熱《はつねつ》する》

熟語

❶ 熱湯《ねっとう》。熱帯魚《ねったいぎょ》。

❷ 熱量《ねつりょう》。高熱《こうねつ》。平熱《へいねつ》(その人《ひと》の健康《けんこう》なときの体温《たいおん》)。熱気球《ねつききゅう》。解熱剤《げねつざい》。光熱費《こうねつひ》。電熱器《でんねつき》。

❸ 熱意《ねつい》(ものごとに対《たい》する強《つよ》い意気《いき》ごみ)。熱演《ねつえん》。熱情《ねつじょう》。熱心《ねっしん》。熱戦《ねっせん》。熱弁《ねつべん》(せいいっぱい気持《きも》ちをこめた話《はな》し方《かた》)。情熱《じょうねつ》。

□ 心／8画

念

音 ネン

訓 ——

成り立ち 「今」(ふたをかぶせて、しまいこむこと)と、「心」(こころ)を合《あ》わせた字《じ》。心《こころ》の中《なか》にしまって《じっくり考《かんが》える》ことや、《心《こころ》の中《なか》の考《かんが》え》をあらわした字《じ》。

筆順・書き方

(8画)

例文・意味

❶ 例文 かぜをひいて遠足《えんそく》に行《い》けないのが残念《ざんねん》だ。／念願《ねんがん》がかない、パソコンを買《か》ってもらった。／外国《がいこく》に行《い》っている父《ちち》の無事《ぶじ》を念《ねん》じる。 意味 いつも心《こころ》に思《おも》う。ふかく考《かんが》える。

❷ 例文 地図《ちず》を入念《にゅうねん》に(細《こま》かい点《てん》まで注意《ちゅうい》が行《い》きとどいて、ていねいであるようす)調《しら》べる。／火《ひ》のもとは念《ねん》には念《ねん》を入《い》れて確《たし》かめよう。 意味 注意《ちゅうい》して確《たし》かめる。気《き》をつける。

❸ 例文 「なむあみだぶつ。」と念仏《ねんぶつ》を唱《とな》える。 意味 いのる。

熟語

❶ 念頭《ねんとう》(心《こころ》の中《なか》)。記念《きねん》。雑念《ざつねん》。信念《しんねん》。専念《せんねん》(ある一《ひと》つのことだけを熱心《ねっしん》にすること)。断念《だんねん》(あきらめること)。

❷ 念入《ねんい》り。

文／11画

敗

音 ハイ
訓 やぶれる

成り立ち

「貝」(二《に》まい貝《がい》が二《ふた》つに分《わ》かれること)と「攵」(動作《どうさ》の記号《きごう》)を合《あ》わせた字《じ》。ものごとが二《ふた》つにわれてだめになること、《やぶれる》ことをあらわした字《じ》。

筆順・書き方

(11画) 又としない

例文・意味

❶ 例文 敗因《はいいん》はチームワークのみだれにあった。／敗北《はいぼく》は覚《かく》ごのうえで強敵《きょうてき》にちょう戦《せん》する。／父《ちち》としょうぎをしたら、三連敗《さんれんぱい》だった。／兄《あに》はテニスの試合《しあい》に敗《やぶ》れて、しょんぼりしている。 意味 戦《たたか》いに負《ま》ける。やぶれる。 対語 勝《しょう》。

❷ 例文 ロケットの打《う》ちあげは失敗《しっぱい》に終《お》わった。 意味 やりそこなう。しくじる。

❸ 例文 つゆどきは食《た》べ物《もの》がふ敗《はい》(物《もの》がくさること)しやすい。 意味 物《もの》がだめになる。そこなわれる。

熟語

❶ 敗者《はいしゃ》。敗色《はいしょく》(負《ま》けそうなようす)。敗戦《はいせん》。敗退《はいたい》(戦《たたか》いや試合《しあい》に負《ま》けて退《しりぞ》くこと)。完敗《かんぱい》。勝敗《しょうはい》。全敗《ぜんぱい》。大敗《たいはい》。不敗《ふはい》。連敗《れんぱい》。

木／10画

梅

音 バイ
訓 うめ

成り立ち

「毎」(次々《つぎつぎ》と子《こ》どもを産《う》む母《はは》)と、「木」(き)を合《あ》わせた字《じ》。たくさん実《み》がなるという《うめ》の木《き》をあらわした字《じ》。

筆順・書き方

(10画) 母としない

例文・意味

❶ 例文 梅林《ばいりん》が梅見《うめみ》の人《ひと》でにぎわう。／白梅《はくばい》や紅《こう》梅《ばい》が美《うつく》しい庭園《ていえん》。 意味 ばらの仲間《なかま》の植物《しょくぶつ》。うめ。うめの木《き》。

《梅《うめ》の花《はな》》

❷ 例文 すっぱい梅干《うめぼ》し。／六月《ろくがつ》から七月《しちがつ》の梅雨《ばいう》の季節《きせつ》に、日本列島《にほんれっとう》は北海道《ほっかいどう》をのぞいて長雨《ながあめ》がふりつづく。 意味 うめの実《み》。また、うめの実《み》のなるころ。

熟語

❶ 観梅《かんばい》。松竹梅《しょうちくばい》。
❷ 入梅《にゅうばい》。

特別な読み

梅雨《つゆ》。

十／12画

博

音 ハク・《バク》
訓 ―

成り立ち
「十」(ひとまとめに集《あつ》める)と「尃」(平《たい》らな畑一面《はたけいちめん》に、なえを植《う》えること)を合《あ》わせた字《じ》。《広《ひろ》く行《い》きわたる》《広《ひろ》くまとめて知《し》る》ことをあらわした字《じ》。

筆順・書き方

(12画)

例文・意味
❶ 例文 博物館《はくぶつかん》を見学《けんがく》する。／山村君《やまむらくん》は博識《はくしき》で、何《なん》でもよく知《し》っている。／フランスの国旗《こっき》の色《いろ》は自由《じゆう》・平等《びょうどう》・博愛《はくあい》(人種《じんしゅ》などの差別《さべつ》なく、平《びょう》等《どう》にみんなを愛《あい》すること)の精神《せいしん》をあらわしている。 意味 広《ひろ》い。広《ひろ》く行《い》きわたる。
❷ 例文 近代絵画《きんだいかいが》てんは好評《こうひょう》を博《はく》している。 意味 うける。得《え》る。
❸ 例文 博徒《ばくと》(ばくちうち)の争《あらそ》い。 意味 かけごと。ばくち。

熟語
❶ 博学《はくがく》。博士《はくし》。万博《ばんぱく》。博覧会《はくらんかい》。医学博士《いがくはくし》。文学博士《ぶんがくはくし》。博聞強記《はくぶんきょうき》⇩(641ページ上)

特別な読み
博士《はかせ》。

食／12画

飯

音 ハン
訓 めし

成り立ち
「食」(たべ物《もの》)と「反」(そり返《かえ》ってばらばらになること)を合《あ》わせた字《じ》。米《こめ》のつぶがたきあがって、ぱらぱらになった《ごはん》のこと。

筆順・書き方

(12画)

例文・意味
例文 ぼくはお赤飯《せきはん》が大好物《だいこうぶつ》だ。／母《はは》は夕飯《ゆうはん》のしたくでいそがしい。／父《ちち》は三度《さんど》の飯《めし》よりつりが好《す》きです。／冷《ひ》や飯《めし》をお茶《ちゃ》づけにして食《た》べる。／のら犬《いぬ》が残飯《ざんぱん》をあさっている。／山《やま》もりのどんぶり飯《めし》。 意味 ごはん。おもに米《こめ》などの主食品《しゅしょくひん》をいうことが多《おお》い。めし。また、食事《しょくじ》のこと。

《どんぶり飯《めし》》

熟語
飯粒《めしつぶ》。朝飯《あさめし》。晩飯《ばんめし》。昼飯《ひるめし》。飯《はん》ごう。握《にぎ》り飯《めし》。

飛／9画

飛

音 ヒ
訓 とぶ・とばす

成り立ち 鳥《とり》が羽《はね》を左右《さゆう》に広《ひろ》げて《とびあがる》すがたをえがいた字《じ》。

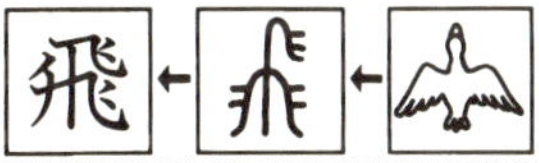

筆順・書き方

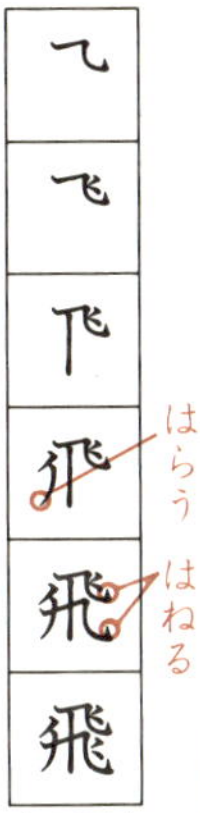

（9画）

例文・意味

❶ 例文 飛行機《ひこうき》のまどから海《うみ》が見《み》えた。／空《そら》を飛《と》ぶことは大《おお》むかしから人間《にんげん》の夢《ゆめ》だった。 意味 空中《くうちゅう》を行《い》く。空《そら》をとぶ。

❷ 例文 ことしは、ぼくの飛《ひ》やくの年《とし》にしたい。 意味 とびはねる。とびこえる。

❸ 例文 祖母《そぼ》が来《く》る日《ひ》なので家《いえ》へ飛《と》んで帰《かえ》った。 意味 急《いそ》いで行《い》く。

❹ 例文 一ページ飛《と》ばして読《よ》んでしまった。 意味 あいだをぬいたり、省《はぶ》いたりする。

❺ 意味 しょうぎのこまの一《ひと》つ。「飛車《ひしゃ》」の略《りゃく》。

熟語

❶ 飛行《ひこう》。飛行場《ひこうじょう》。飛行船《ひこうせん》。
❷ 飛《と》び火《ひ》。高飛《たかと》び。
❸ 飛脚《ひきゃく》（むかし、お金《かね》や手紙《てがみ》・荷《に》物《もつ》などの運搬《うんぱん》を仕事《しごと》とした者《もの》）。
❹ 飛《と》び石《いし》。飛《と》び飛《と》び。一足飛《いっそくと》び。

貝／12画

費

音 ヒ
訓 （ついやす）・（ついえる）

成り立ち 「弗」（もつれているものを、左右《さゆう》にさっと分《わ》ける）と「貝」（お金《かね》）を合《あ》わせた字《じ》。お金《かね》や物《もの》をはらいのけるように《使《つか》う》ことをあらわした字《じ》。

筆順・書き方

（12画）

例文・意味

❶ 例文 夏《なつ》の暑《あつ》い日《ひ》はクーラーの利用《りよう》が増《ふ》えるので、電気《でんき》の消費量《しょうひりょう》も倍増《ばいぞう》する。／このダム工《こう》事《じ》は完成《かんせい》までに十年余《じゅうねんあま》りの年月《ねんげつ》を費《つい》やした。 意味 お金《かね》や物《もの》を使《つか》ってへらす。ついやす。

❷ 例文 兄《あに》の通《かよ》う高校《こうこう》では来年度《らいねんど》から学費《がくひ》があがる。／入学《にゅうがく》に必《ひつ》要《よう》な費用《ひよう》を今週中《こんしゅうちゅう》におさめなければならない。 意味 あることに使《つか》われるお金《かね》。

《費用《ひよう》》

熟語

❶ 空費《くうひ》（お金《かね》をむだに使《つか》ったり、時間《じかん》をたいせつにしないで過《す》ごすこと）。消費《しょうひ》。消費者《しょうひしゃ》。
❷ 会費《かいひ》。官費《かんぴ》。経費《けいひ》。国費《こくひ》。雑費《ざっぴ》。私費《しひ》。自費《じひ》。実費《じっぴ》。出費《しゅっぴ》。食費《しょくひ》。旅費《りょひ》。衣料費《いりょうひ》。教育費《きょういくひ》。建築費《けんちくひ》。交際費《こうさいひ》。工事費《こうじひ》。交通費《こうつうひ》。光熱費《こうねつひ》。材料費《ざいりょうひ》。生活費《せいかつひ》。町会費《ちょうかいひ》。

□
心／5画

必

音 ヒツ
訓 かならず

成り立ち　ぼうをまっすぐにのばすため、両側《りょうがわ》から木《き》をあてて、ひもでしめつけたようすをえがいた字《じ》。動《うご》くことができず、そうならないといけないということから、《かならず》の意味《いみ》になった。

筆順・書き方

（5画）

例文・意味

❶ 例文 必勝《ひっしょう》の決意《けつい》で試合《しあい》にのぞむ。／川《かわ》に落《お》ちた少年《しょうねん》は必死《ひっし》で川岸《かわぎし》に泳《およ》ぎ着《つ》いた。／必《かなら》ず八時《はちじ》に来《き》てください。意味 まちがいなくそうである。きっと。かならず。

❷ 例文 これは小学生《しょうがくせい》必読《ひつどく》の本《ほん》だ。／あのえい画《が》は、必見《ひっけん》の価《か》ちがある。／必要《ひつよう》は発明《はつめい》の母《はは》といわれる。意味 そうしなければならない。

熟語

❶ 必至《ひっし》（かならずそうなるにちがいないこと）。必然《ひつぜん》（かならずそうなると決《き》まっていること）。

□
示／11画

票

音 ヒョウ
訓 ―

成り立ち　「襾」（「要」の字《じ》の上《うえ》と同《おな》じで、ほっそりと軽《かる》いこし）と「示」（火《ひ》の形《かたち》からかわったもの）を合《あ》わせた字《じ》。軽《かる》い火《ひ》の粉《こ》が、高《たか》くひらひらするようすから、ひらひらした《ふだ》の意味《いみ》になった。

筆順・書き方

（11画）

例文・意味

❶ 例文 売上金額《うりあげきんがく》を伝票《でんぴょう》に書《か》きこむ。／交通量《こうつうりょう》の調査《ちょうさ》のために、乗客《じょうきゃく》たちに調査票《ちょうさひょう》を配《くば》る。意味 数量《すうりょう》や用件《ようけん》などを書《か》き入《い》れる紙《し》へん。札《ふだ》。

❷ 例文 選挙《せんきょ》で投票《とうひょう》する。／開票結果《かいひょうけっか》が出《で》るのを待《ま》つ。／一票一票《いっぴょういっぴょう》が国民《こくみん》の意志《いし》を政治《せいじ》に反《はん》えいさせることになる。意味 選挙《せんきょ》をするときに用《もち》いる札《ふだ》。また、その札《ふだ》を数《かぞ》えることば。

《投票《とうひょう》する》

熟語

❷ 票決《ひょうけつ》（会議《かいぎ》などで、投《とう》ひょうによって決《き》めること）。得票《とくひょう》（選挙《せんきょ》で候補者《こうほしゃ》が、ひょうを得《え》ること。また、得《え》たひょうの数《かず》）。投票箱《とうひょうばこ》。投票日《とうひょうび》。投票用紙《とうひょうようし》。

標

木／15画

音 ヒョウ
訓 ―

成り立ち
「票」（軽《かる》い火《ひ》の粉《こ》が高《たか》くまいあがる）と「木」（き）を合《あ》わせた字《じ》。よく目立《めだ》つ木《き》の札《ふだ》のこと。後《のち》、高《たか》くかかげた《目印《めじるし》》の意味《いみ》になった。

筆順・書き方

（15画）

例文・意味
例文 川《かわ》のき険《けん》なか所《しょ》に「遊泳禁止《ゆうえいきんし》」の標識《ひょうしき》がある。／学校《がっこう》への道順《みちじゅん》を聞《き》かれたとき、わたしは近《ちか》くの書店《しょてん》を目標《もくひょう》に教《おし》えることにしている。／門標《もんぴょう》（家《いえ》の門《もん》や戸口《とぐち》に、その家《いえ》に住《す》んでいる人《ひと》の名前《なまえ》をかいて、かけておく札《ふだ》）を新《あたら》しいものにとりかえる。／こん虫《ちゅう》の標本《ひょうほん》をつくる。
意味 よく見《み》えるようにする。また、目印《めじるし》。目当《めあ》て。

《こん虫《ちゅう》の標本《ひょうほん》》

熟語
標語《ひょうご》。標高《ひょうこう》（海面《かいめん》からはかった土地《とち》の高《たか》さ）。標準《ひょうじゅん》。標題《ひょうだい》。商標《しょうひょう》（会社《かいしゃ》などが、自分《じぶん》の会社《かいしゃ》の商品《しょうひん》であることを示《しめ》すために商品《しょうひん》につけるしるし。トレードマーク）。道標《どうひょう》。標準語《ひょうじゅんご》。

不

一／4画

音 フ・ブ
訓 ―

成り立ち
ふくらんだ花《はな》のつぼみをえがいた字《じ》。人《ひと》が「そうじゃない」と打《う》ち消《け》すときは、プッと音《おと》をたてて口《くち》をふくらませて言《い》うようすから、《…でない》という意味《いみ》で使《つか》うようになった。

筆順・書き方

（4画）

例文・意味
例文 つゆどきはむし暑《あつ》くて不快《ふかい》だ。／不規則《ふきそく》な生活《せいかつ》は健康《けんこう》によくない。／説明《せつめい》が不十分《ふじゅうぶん》で使《つか》い方《かた》がよくわからない。／妹《いもうと》はとても不器用《ぶきよう》でひもがうまく結《むす》べない。
意味 あることばの前《まえ》につけて、「…ない」「…でない」「…しない」の意味《いみ》をあらわすことば。

《不快《ふかい》》

熟語
不安《ふあん》。不意《ふい》。不運《ふうん》。不潔《ふけつ》。不孝《ふこう》。不幸《ふこう》。不作《ふさく》。不足《ふそく》。不調《ふちょう》。不平《ふへい》。不便《ふべん》。不満《ふまん》。不明《ふめい》。不用《ふよう》。不要《ふよう》。不利《ふり》。不良《ふりょう》。不様《ぶざま》（かっこうの悪《わる》いようす）。不精《ぶしょう》。不可能《ふかのう》。不完全《ふかんぜん》。不公平《ふこうへい》。不思議《ふしぎ》。不自由《ふじゆう》。不注意《ふちゅうい》。不気味《ぶきみ》。不用心《ぶようじん》。一心不乱《いっしんふらん》 ⇩（635ページ中）

大／4画

【夫】

音 フ・(フウ)

訓 おっと

成り立ち

「大」の字《じ》にしっかりと立《た》っている人《ひと》。頭《あたま》にはおとなの男《おとこ》がつけるかんむりをつけている。一人前《いちにんまえ》の男《おとこ》、《おっと》の意味《いみ》をあらわす。

筆順・書き方

一 ニ 手 夫 (4画)

つきだす

例文・意味

❶ 例文 アメリカの大統領《だいとうりょう》夫妻《ふさい》が来日《らいにち》した。／うちの両親《りょうしん》は仲《なか》のよい夫婦《ふうふ》です。／姉《あね》の夫《おっと》はぼくにとって義理《ぎり》の兄《あに》にあたる。意味 結《けっ》こんしている男女《だんじょ》のうち、男《おとこ》のほう。おっと。対語 妻《つま》。

❷ 例文 農夫《のうふ》がえがかれている絵《え》を見《み》る。／落《らく》ばん事故《じこ》で多《おお》くの鉱夫《こうふ》が命《いのち》を落《お》とした。／道路《どうろ》工夫《こうふ》のおじさん。意味 一人前《いちにんまえ》の男《おとこ》。また、ある仕事《しごと》をする男《おとこ》の人《ひと》。

熟語

❶ 夫人《ふじん》。

❷ 漁夫《ぎょふ》。工夫《こうふ》。水夫《すいふ》。

亻／5画

【付】

音 フ

訓 つける・つく

成り立ち

「亻」(人《ひと》)と「寸」(手《て》)を合《あ》わせた字《じ》。人《ひと》の後《うし》ろから、手《て》をぴったりとつけたようすをあらわした字《じ》。ぴったり《つく》《つける》という意味《いみ》をあらわす。

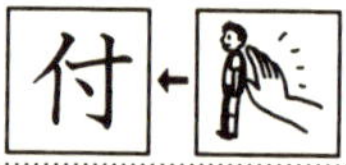

筆順・書き方

ノ 亻 仁 付 付 (5画)

はねる

例文・意味

❶ 例文 街頭《がいとう》ぼ金《きん》に協力《きょうりょく》して百円《ひゃくえん》寄付《きふ》した。／区《く》役所《やくしょ》で住民票《じゅうみんひょう》を交付《こうふ》(役所《やくしょ》などが、書類《しょるい》や、お金《かね》などをいっぱんの人《ひと》にわたすこと)してもらう。意味 手《て》わたす。あたえる。

❷ 例文 兄《あに》は私立大学《しりつだいがく》の付属《ふぞく》の中学《ちゅうがく》に通《かよ》っている。／家《いえ》の付近《ふきん》にはまだ畑《はたけ》が残《のこ》っている。／今月《こんげつ》号《ごう》の雑《ざっ》しには付録《ふろく》が多《おお》い。／先生《せんせい》は「寄《よ》り道《みち》をしないように。」と付《つ》け加《くわ》えて、おしゃった。意味 くっついている。そえる。くっつける。

熟語

❶ 送付《そうふ》。配付《はいふ》(多《おお》くの人《ひと》に配《くば》ること)。

❷ 付着《ふちゃく》。付《つ》け根《ね》。付《ふ》せん紙《し》。付《つ》け足《た》す。

《寄《き》付《ふ》》

□ 广／8画

府

音 フ

訓 ―

成り立ち 「广」(家《いえ》)と「付」(ぴったりとくっつける)を合《あ》わせた字《じ》。もとは、役《やく》所《しょ》のたいせつな物《もの》をすき間《ま》なくつめこんだ《くら》のことだったが、後《のち》に《役所《やくしょ》のある都《みやこ》》をあらわすようになった。

筆順・書き方

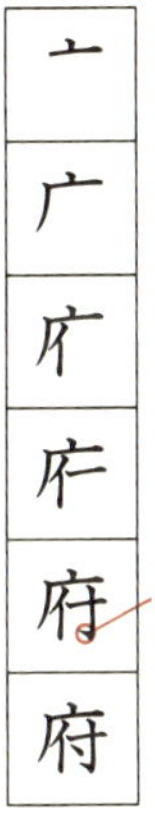

(8画)

例文・意味

❶ 例文 日本《にっぽん》の行政区画《ぎょうせいくかく》は、大《おお》きく都《と》・道《どう》・府《ふ》・県《けん》に分《わ》けられる。／父《ちち》は大阪府《おおさかふ》の府立病院《ふりつびょういん》に入院《にゅういん》した。 意味 地方自治体《ちほうじちたい》の一《ひと》つ。ふ。

❷ 例文 政府《せいふ》は今年度《こんねんど》の予算案《よさんあん》を発表《はっぴょう》した。／江《え》戸時代《どじだい》は徳川幕府《とくがわばくふ》の歴史《れきし》でもある。 意味 役所《やくしょ》。

❸ 例文 日本《にっぽん》の首府《しゅふ》は東京《とうきょう》です。 意味 ものごとの中心《ちゅうしん》になる所《ところ》。また、たくさんの人《ひと》が集《あつ》まる所《ところ》。

熟語

❶ 府庁《ふちょう》。府立高校《ふりつこうこう》。府議会《ふぎかい》。京都府《きょうとふ》。都道府県《とどうふけん》。

❷ 内閣府《ないかくふ》。

□ 刂／11画

副

音 フク

訓 ―

成り立ち 「畐」は、とっくり。「フク」という音《おん》は二《ふた》つに切《き》り分《わ》け、ぴったりとくっつくことをあらわす。これに「刂」(刀《かたな》)をつけたのが「副」。ぴったりそばについて《助《たす》けるもの》の意味《いみ》。

筆順・書き方

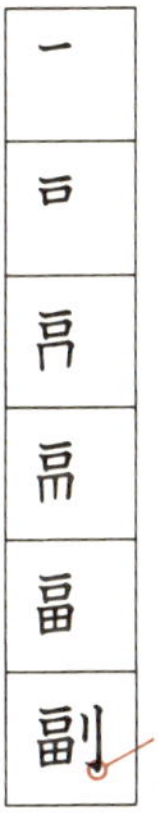

(11画)

例文・意味

❶ 例文 薬《くすり》の副作用《ふくさよう》はとてもこわい。 意味 あるものにともなってできる。

❷ 例文 正副両議長《せいふくりょうぎちょう》がそろって会議《かいぎ》が始《はじ》まった。／角《かど》の酒屋《さかや》さんが副業《ふくぎょう》でたく配便《はいびん》の取《と》り次《つ》ぎを始《はじ》めた。 意味 おもなものにそえて助《たす》けるもの。 対語 正《せい》。

❸ 例文 副本《ふくほん》を一通残《いっつうのこ》しておく必要《ひつよう》があるので、コピーをしてください。 意味 正本《せいほん》のひかえ。写《うつ》し。

熟語

❶ 副産物《ふくさんぶつ》(あるものをつくるときに、それにともなってできる別《べつ》の、役《やく》にたつ物《もの》)。

❷ 副食《ふくしょく》(主食《しゅしょく》にそえて食《た》べる物《もの》。おかず)。副題《ふくだい》。副会長《ふくかいちょう》。副読本《ふくどくほん》。

□ 米／10画

粉

音 フン
訓 こ・こな

成り立ち

「分」(はものでわけること)と、「米」(こめ)を合《あ》わせた字《じ》。こく物《もつ》をいくつもくだいて、細《こま》かくこなごなにした《こな》をあらわした字《じ》。

筆順・書き方

丶 ⺍ 半 米 粁 粉 (10画)
つかない　つきでない

例文・意味

❶ 例文 この粉末《ふんまつ》にお湯《ゆ》を注《そそ》げば、インスタントスープができる。／粉薬《こなぐすり》は苦《にが》くて飲《の》みにくい。／もちにきな粉《こ》をつけて食《た》べる。 意味 物《もの》を細《こま》かくくだいたもの。こな。

❷ 例文 転《ころ》んで、持《も》っていたつぼが粉粉《こなごな》にわれた。 意味 細《こま》かくくだく。

❸ 例文 事実《じじつ》を粉《ふん》しょく(外見《がいけん》をよくみせるために、ものごとの上辺《うわべ》をかざること)して自分《じぶん》につごうがいいように話《はな》をつくる。 意味 上辺《うわべ》をかざる。よそおう。

熟語

❶ 花粉《かふん》。金粉《きんぷん》。製粉《せいふん》。粉雪《こなゆき》。でん粉《ぷん》。小麦粉《こむぎこ》。火《ひ》の粉《こ》。粉石《こなせっ》けん。

❷ 粉《こな》みじん(くだけて、非常《ひじょう》に細《こま》かくなること)。

□ 八／7画

兵

音 ヘイ・《ヒョウ》
訓 ——

成り立ち

「斤」(おの)と、「廾」(両手《りょうて》)とを合《あ》わせた字《じ》。武器《ぶき》を手《て》に持《も》つようすから、武《ぶ》器《き》を持《も》って戦《たたか》う《へい隊《たい》》や《戦争《せんそう》》の意《い》味《み》になった。

筆順・書き方

ノ 亻 𠂉 斤 乒 兵 (7画)
ながく

例文・意味

❶ 例文 鉄《てっ》ぽうを持《も》った兵《へい》が番《ばん》をしている。／セーラー服《ふく》すがたの水兵《すいへい》さん。 意味 いくさをする人《ひと》。軍人《ぐんじん》。へい隊《たい》。

❷ 例文 源頼朝《みなもとのよりとも》は東国《とうごく》の武士《ぶし》とともに、兵《へい》をあげた。／兵《ひょう》ろうぜめ(食《しょく》りょうのほ給《きゅう》をとめて、戦《たたか》う力《ちから》を弱《よわ》らせること)を長《なが》いあいだつづけて敵《てき》を破《やぶ》る。 意味 戦争《せんそう》。たたかい。

熟語

❶ 兵士《へいし》。兵隊《へいたい》。兵力《へいりょく》。

❷ 兵器《へいき》。核兵器《かくへいき》。

《兵《へい》をあげる》

□ 刂／7画

別

音 ベツ
訓 わかれる

成り立ち

「另」(ほねの字《じ》のかわったもの)と、「刂」(刀《かたな》)を合《あ》わせた字《じ》。ほねを刀《かたな》で切《き》り《わける》ことから、広《ひろ》く《べつべつにわける》意味《いみ》になった。

筆順・書き方

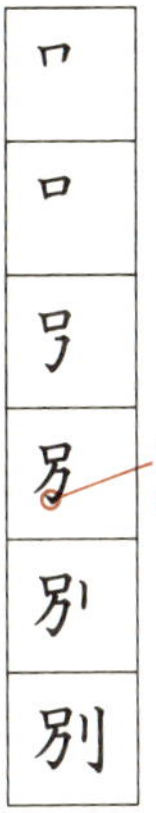

(7画)

例文・意味

❶ 例文 文《ぶん》ぼう具《ぐ》と遊《あそ》び道具《どうぐ》を区別《くべつ》して引《ひ》き出《だ》しに入《い》れる。／採集《さいしゅう》してきたこん虫《ちゅう》を種類別《しゅるいべつ》に分《わ》ける。／体育《たいいく》で男女別《だんじょべつ》にならぶ。 意味 あるめやすをもとに、分《わ》ける。

❷ 例文 ぼくは五才《ごさい》のときに父《ちち》と死《し》に別《わか》れた。／転校《てんこう》する友《とも》だちの送別会《そうべつかい》を開《ひら》く。 意味 わかれる。はなれる。

❸ 例文 雪《ゆき》が、あたり一面《いちめん》を白銀《はくぎん》の別世界《べっせかい》にかえた。 意味 ことなる。ほかのもの。

熟語

❶ **別個《べっこ》**。**個別《こべつ》**。**差別《さべつ》**。**性別《せいべつ》**。**選別《せんべつ》**。**大別《たいべつ》**。**特別《とくべつ》**。**判別《はんべつ》**。**分別《ふんべつ》**(ものごとのよい悪《わる》いを見分《みわ》けること)。**分別《ぶんべつ》**。

❷ **別居《べっきょ》**。**告別《こくべつ》**。**死別《しべつ》**。

❸ **別格《べっかく》**。**別紙《べっし》**。**別室《べっしつ》**。**別状《べつじょう》**。**別人《べつじん》**。**別名《べつめい》**。**格別《かくべつ》**。**特別《とくべつ》**。**別天地《べってんち》**(この世《よ》とはちがう、すばらしい世界《せかい》)。

□ ⻌／5画

辺

音 ヘン
訓 あたり・べ

成り立ち

もとの字《じ》は「邊」。「⻌」(行《い》くこと)と「臱」(両側《りょうがわ》に分《わ》かれた鼻《はな》)を合《あ》わせた字《じ》。中心《ちゅうしん》からはなれた《はし》《まわり》の意《い》味《み》をあらわした字《じ》。

筆順・書き方

(5画)

例文・意味

❶ 例文 海辺《うみべ》で日光浴《にっこうよく》を楽《たの》しむ。／この辺《あた》りは東《とう》京《きょう》の中《なか》でも緑《みどり》の多《おお》い所《ところ》です。／その辺《へん》でちょっと待《ま》ってくれ。 意味 ある場所《ばしょ》の近《ちか》く。ほとり。あたり。

❷ 例文 おじは自分《じぶん》から希望《きぼう》して辺地《へんち》の医者《いしゃ》になった。 意味 国境《くにざかい》。はて。かたいなか。

❸ 例文 正三角形《せいさんかくけい》は三《みっ》つの辺《へん》の長《なが》さが等《ひと》しい。／台形《だいけい》の底辺《ていへん》。 意味 多角形《たかくけい》を形《かたち》づくる直線《ちょくせん》。

熟語

❶ **近辺《きんぺん》**。**周辺《しゅうへん》**。**身辺《しんぺん》**。**川辺《かわべ》**。**岸辺《きしべ》**。**野辺《のべ》**(野原《のはら》のあたり)。**浜辺《はまべ》**。**窓辺《まどべ》**。**水辺《みずべ》**。

❷ **辺境《へんきょう》**(中心《ちゅうしん》となる町《まち》から遠《とお》くはなれた地方《ちほう》)。

❸ **一辺《いっぺん》**。**平行四辺形《へいこうしへんけい》**。**二等辺三角形《にとうへんさんかくけい》**。

□ 夂／９画

変

音 ヘン
訓 かわる・かえる

成り立ち もとの字《じ》は「變」。「䜌」(糸《いと》がもつれること)と「夂」(動作《どうさ》の記号《きごう》)とを合《あ》わせた字《じ》。もつれて《ふつうでないようす》になることをあらわした字《じ》。

筆順・書き方 亠 亣 亣 亦 亦 変 (９画) 又としない

例文・意味

❶ 例文 季節《きせつ》によってけしきが変化《へんか》する。／変《か》わりやすい天気《てんき》。／へやのカーテンを変《か》える。 意味 別《べつ》のものになる。うつりかわる。かえる。

❷ 例文 テレビのニュースが、ある国《くに》の政変《せいへん》を伝《つた》えている。／室内《しつない》で異変《いへん》(かわったできごと)が起《お》こるとブザーが鳴《な》る仕組《しく》みになっています。 意味 ふつうでないできごと。

❸ 例文 近《ちか》ごろ変質者《へんしつしゃ》による犯罪《はんざい》が増《ふ》えた。／かれは変《か》わり者《もの》だとみんなから言《い》われている。 意味 ふつうでない。

熟語

❶ 変革《へんかく》(ものごとを根本《こんぽん》から改《あらた》め、かえること)。変形《へんけい》。変更《へんこう》。変質《へんしつ》。変色《へんしょく》。変心《へんしん》。変身《へんしん》。変装《へんそう》。変転《へんてん》。変動《へんどう》。急変《きゅうへん》。不変《ふへん》。変圧器《へんあつき》。変電所《へんでんしょ》。変《か》わり目《め》。

❷ 事変《じへん》。大変《たいへん》。

❸ 変死《へんし》。変種《へんしゅ》。変人《へんじん》。変態《へんたい》。変《か》わり種《だね》。風変《ふうが》わり。

□ イ／９画

便

音 ベン・ビン
訓 たより

成り立ち 「イ」(人《ひと》)と「更」(ぴんと張《は》ってしめる)を合《あ》わせた字《じ》。引《ひ》きしめてかたくなった物《もの》を、人《ひと》がならしてつごうよくする、使《つか》いやすくて《べんり》である意味《いみ》をあらわした字《じ》。

筆順・書き方 イ 亻 仃 佰 便 便 (９画) つきでない

例文・意味

❶ 例文 飛行機《ひこうき》は速《はや》くて便利《べんり》な乗《の》り物《もの》です。／近所《きんじょ》の電気屋《でんきや》さんは修理《しゅうり》のときに何《なに》かと便《べん》をはかってくれるので助《たす》かる。 意味 つごうがよい。

❷ 例文 アメリカにいる父《ちち》に航空便《こうくうびん》でセーターを送《おく》った。／祖母《そぼ》に便《たよ》りを書《か》く。 意味 手紙《てがみ》。たより。また、手紙《てがみ》や荷物《にもつ》を運《はこ》ぶ手《しゅ》だん。

❸ 例文 げりぎみなので、便《べん》がゆるい。 意味 つうじ。

熟語

❶ 便覧《べんらん》(あるものごとを知《し》るのに、つごうのよいように、わかりやすくまとめてある小型《こがた》の本《ほん》)。簡便《かんべん》。軽便《けいべん》。不便《ふべん》。方便《ほうべん》。便乗《びんじょう》。便覧《びんらん》。

❷ 別便《べつびん》。郵便《ゆうびん》。便《びん》せん。郵便局《ゆうびんきょく》。定期便《ていきびん》。

❸ 便所《べんじょ》。便通《べんつう》。便秘《べんぴ》。検便《けんべん》。小便《しょうべん》。大便《だいべん》。

□ 勹／５画

〔包〕

音 ホウ
訓 つつむ

成り立ち
母親《ははおや》のおなかの中《なか》につつまれている赤《あか》ちゃんをえがいた字《じ》。すっぽりと《つつみこむ》ことをあらわした字《じ》。

筆順・書き方

（５画）

例文・意味
例文 けい官隊《かんたい》が犯人《はんにん》を包囲《ほうい》する。／デパートの包装紙《ほうそうし》を空《あ》き箱《ばこ》のまわりにはる。／荷物《にもつ》をふろしきで包《つつ》む。／山《やま》あいの湖《みずうみ》はきりに包《つつ》まれている。／いなかのおばあさんから、小包《こづつみ》がとどいた。
意味 おおいくるむ。中《なか》にしまう。まわりから囲《かこ》む。つつむ。また、つつまれた物《もの》。

《小包《こづつみ》がとどく》

熟語
包帯《ほうたい》。包容力《ほうようりょく》（相手《あいて》を広《ひろ》い心《こころ》で受《う》けいれることのできる力《ちから》）。包《つつ》み紙《がみ》。紙包《かみづつ》み。包《つつ》み隠《かく》す。ふろしき包《づつ》み。

□ 氵／８画

〔法〕

音 ホウ・《ハッ》・《ホッ》
訓 ―

成り立ち
もとの字《じ》は「灋」。むかし、池《いけ》の中《なか》の島《しま》にめずらしい動物《どうぶつ》をおしこめて外《そと》に出《で》られないようにしたことをあらわした。それから、人《ひと》の守《まも》るべき《きまり》のことをあらわすようになった。

筆順・書き方
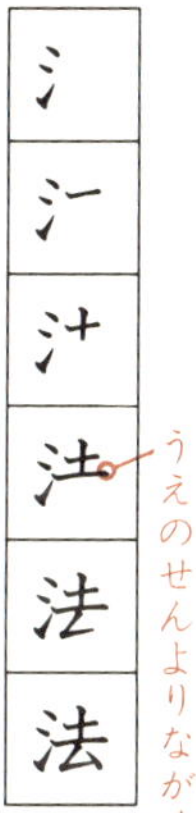

（８画）

例文・意味
❶ 例文 法律《ほうりつ》に、い反《はん》するとばっせられる。／憲法《けんぽう》で、言《げん》ろんの自由《じゆう》が保《ほ》しょうされている。／図書館《としょかん》の中《なか》でおしゃべりは、ご法度《はっと》（してはいけないこと）だよ。 意味 きまり。おきて。
❷ 例文 うまい方法《ほうほう》がなかなかみつからない。／たし算《ざん》は加法《かほう》、ひき算《ざん》は減法《げんぽう》ともいいます。 意味 やり方《かた》。作業《さぎょう》などの手順《てじゅん》。
❸ 例文 母《はは》は法事《ほうじ》でいなかに行《い》っています。 意味 仏《ほとけ》の教《おし》え。仏教《ぶっきょう》。

熟語
❶ 法案《ほうあん》。法則《ほうそく》。法令《ほうれい》。司法《しほう》（国《くに》がほう律《りつ》にのっとっておこなう、罪《つみ》を犯《おか》した人《ひと》などの裁判《さいばん》）。不法《ふほう》。立法《りっぽう》。法治国家《ほうちこっか》。治外法権《ちがいほうけん》。
❷ 技法《ぎほう》。作法《さほう》。手法《しゅほう》。除法《じょほう》。乗法《じょうほう》。製法《せいほう》。秘法《ひほう》。十進法《じっしんほう》。
❸ 法皇《ほうおう》。法要《ほうよう》（死《し》んだ人《ひと》の魂《たましい》を祭《まつ》る仏教《ぶっきょう》の行事《ぎょうじ》）。

望

□ 月／11画

音 ボウ・（モウ）
訓 のぞむ

成り立ち もとの字《じ》は「望」。「亡月」はL型《がた》のついたてにかくれて、月《つき》が見《み》えないこと。「壬」は人《ひと》がせのびしているようす。月《つき》の出《で》てくるのをせのびして待《ま》ち《のぞむ》ことをあらわした字《じ》。

筆順・書き方

（11画）

例文・意味

❶ 例文 子《こ》どもたちの人生《じんせい》は希望《きぼう》に満《み》ちている。／世界《せかい》の平和《へいわ》を望《のぞ》む。 意味 願《ねが》う。のぞむ。願《ねが》い。

❷ 例文 天体望遠鏡《てんたいぼうえんきょう》で星《ほし》をながめる。／山《さん》ちょうの展望台《てんぼうだい》からのながめはすばらしい。／アルプスを望《のぞ》む。 意味 遠《とお》くを見《み》る。

❸ 例文 かれはクラス全員《ぜんいん》の人望《じんぼう》があつい。／山田先生《やまだせんせい》は生徒《せいと》に信望《しんぼう》（人々《ひとびと》から信《しん》らいされること）がある。 意味 人気《にんき》。評判《ひょうばん》。

熟語

❶ 望外《ぼうがい》（のぞんでいたよりも、はるかによいこと）。願望《がんぼう》。志望《しぼう》。失望《しつぼう》。切望《せつぼう》（強《つよ》くのぞむこと）。絶望《ぜつぼう》。待望《たいぼう》。熱望《ねつぼう》。野望《やぼう》（その人《ひと》の実力《じつりょく》や身分《みぶん》に合《あ》わない、大《おお》きなのぞみ）。有望《ゆうぼう》。要望《ようぼう》。欲望《よくぼう》。本望《ほんもう》。

❷ 望郷《ぼうきょう》（ふるさとをなつかしく思《おも》うこと）。展望《てんぼう》。

牧

□ 牛／8画

音 ボク
訓 （まき）

成り立ち 「牜」（牛《うし》）と「攵」（動作《どうさ》を示《しめ》す記号《きごう》）を合《あ》わせた字《じ》。手《て》にぼうを持《も》って牛《うし》を追《お》うことをあらわした字《じ》。《家《か》ちくを飼《か》う》こと。また、家《か》ちくを飼《か》い育《そだ》てる《まきば》の意味《いみ》。

筆順・書き方

（8画）

例文・意味

❶ 例文 牛《うし》が牧草《ぼくそう》を食《た》べている。／牧場《まきば》の朝《あさ》はすがすがしい。／遊牧民族《ゆうぼくみんぞく》の生活《せいかつ》。 意味 牛《うし》・馬《うま》・ぶた・羊《ひつじ》などを放《はな》し飼《が》いにする。家《か》ちくを飼《か》う。

❷ 例文 教会《きょうかい》の牧師《ぼくし》さんになやみごとを聞《き》いてもらう。 意味 教《おし》え導《みちび》く。

《遊牧民族《ゆうぼくみんぞく》》

熟語

❶ 牧場《ぼくじょう》。牧童《ぼくどう》（ぼく場《じょう》で、牛《うし》や、羊《ひつじ》などの世話《せわ》をする少年《しょうねん》）。放牧《ほうぼく》。遊牧《ゆうぼく》。牧草地《ぼくそうち》。牧羊犬《ぼくようけん》。

木／5画

末

音 マツ・《バツ》

訓 すえ

成り立ち

「木」(き)の枝《えだ》の上《うえ》のほうに「一」印《じるし》をつけた字《じ》。木《き》の先《さき》のこずえ、《はしっこ》《すえ》のことを示《しめ》した字《じ》。

筆順・書き方

例文・意味

❶ 例文 この板《いた》は末《まっ》たん(物《もの》のいちばんはし)にあながあいている。意味 物《もの》のはし。木《き》の枝《えだ》の先《さき》のほう。

❷ 例文 この子《こ》の末《すえ》が心配《しんぱい》です。／これは江戸時《えどじ》代末期《だいまっき》のつぼです。意味 ものごとの終《お》わりのほう。すえ。

❸ 例文 物《もの》をそ末《まつ》にしてはいけない。意味 おおもとでない。たいせつでない。対語 本《ほん》。

❹ 例文 大豆《だいず》を粉末《ふんまつ》にしたものがきな粉《こ》です。意味 細《こま》かい物《もの》。こな。

熟語

❷ 巻末《かんまつ》。期末《きまつ》。結末《けつまつ》。月末《げつまつ》。始末《しまつ》(ものごとの初《はじ》めから終《お》わりまでのなりゆき)。終末《しゅうまつ》。週末《しゅうまつ》。年末《ねんまつ》。文末《ぶんまつ》。場末《ばすえ》。末《すえ》っ子《こ》。行《ゆ》く末《すえ》。末広《すえひろ》がり。

❸ 本末《ほんまつ》(たいせつなことと、つまらないこと)。

氵／12画

満

音 マン

訓 みちる・みたす

成り立ち

もとの字《じ》は「滿」。「氵」(水《みず》)と「㒼」(動物《どうぶつ》の毛皮《けがわ》をたらしておおう)を合《あ》わせた字《じ》。水《みず》がおおいかぶさるほどいっぱいに《みちる》ことをあらわした字《じ》。

筆順・書き方

例文・意味

❶ 例文 ごちそうを食《た》べて満腹《まんぷく》しました。／満員《まんいん》電車《でんしゃ》で通《つう》きんする。／しおが満《み》ちて海中《かいちゅう》に岩《いわ》がかくれた。意味 いっぱいになる。みちる。

❷ 例文 赤《あか》ちゃんがミルクを飲《の》み終《お》えて満足《まんぞく》そうにねむっている。／好《こう》き心《しん》を満《み》たしてくれる本《ほん》。意味 みちたりる。豊《ゆた》か。

❸ 例文 開店《かいてん》して満三年《まんさんねん》です。／満《まん》で六才《ろくさい》です。意味 期間《きかん》や年《ねん》れいがちょうどであることをあらわすことば。

熟語

❶ 満期《まんき》。満月《まんげつ》。満場《まんじょう》。満身《まんしん》。満潮《まんちょう》。満天《まんてん》(空《そら》いっぱい)。満点《まんてん》。満満《まんまん》。満面《まんめん》。干満《かんまん》。未満《みまん》。満《み》ち潮《しお》。満《み》ち干《ひ》。満場一致《まんじょういっち》⇩(641ページ下)

❷ 満開《まんかい》。円満《えんまん》(性質《せいしつ》・性格《せいかく》がおだやかなようす)。肥満《ひまん》。不満《ふまん》。満《み》ち足《た》りる。

□
木／５画

【未】

音 ミ
訓 ―

成り立ち
木《き》の枝《えだ》の先《さき》の、細《ほそ》い所《ところ》をえがいた字《じ》。まだ十分《じゅうぶん》に、枝《えだ》がのびきっていないことから、《まだ…しない》という意味《いみ》をあらわす。

筆順・書き方

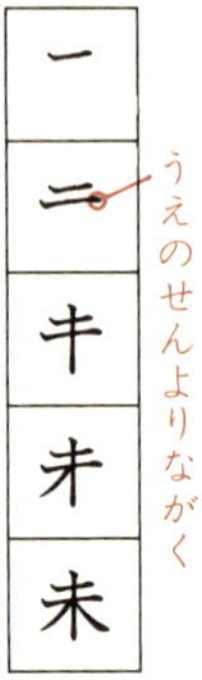

（５画）

例文・意味

❶ 例文 うちゅうはまだまだ未《み》知《ち》の世《せ》界《かい》だ。／運《うん》転手《てんしゅ》の正《ただ》しい判断《はんだん》で、事故《じこ》を未然《みぜん》に防《ふせ》ぐことができた。／未《み》開発《かいはつ》の土地《とち》を切《き》り開《ひら》いてレジャーランドをつくる。／会費《かいひ》が未納《みのう》になっていたので、さいそくされた。／二十才《にじっさい》未満《みまん》を未成年《みせいねん》という。 意味 他《た》のことばの前《まえ》につけて、「まだ…しない」「まだ…でない」の意味《いみ》をあらわすことば。

❷ 意味 十二支《じゅうにし》の八番目《はちばんめ》。ひつじ。

熟語

❶ 未開《みかい》。未完《みかん》。未熟《みじゅく》。未定《みてい》。未明《みめい》（夜《よる》がまだ明《あ》けきらないころ）。未来《みらい》。未解決《みかいけつ》。未完成《みかんせい》。未知数《みちすう》（数学《すうがく》で、まだ値《あたい》がわかっていない数《かず》）。未発達《みはったつ》。未発表《みはっぴょう》。前人未到《ぜんじんみとう》 ⇩ （639ページ下） 前代未聞《ぜんだいみもん》 ⇩ （639ページ下）

□
月／10画

【脈】

音 ミャク
訓 ―

成り立ち
「月」（からだ。肉《にく》）と「𠂢」（川《かわ》の水《みず》が分《わ》かれ出《で》て流《なが》れる）を合《あ》わせた字《じ》。からだの中《なか》を細《こま》かく分《わ》かれて流《なが》れる血管《けっかん》、つまり、《みゃく》をあらわした字《じ》。

筆順・書き方

（10画）

例文・意味

❶ 例文 静脈《じょうみゃく》に注《ちゅう》しゃを打《う》つ。／運動《うんどう》をした後《あと》は脈《みゃく》が速《はや》くなる。 意味 からだの中《なか》にある、血液《けつえき》の流《なが》れる管《くだ》。みゃく。また、血管《けっかん》に伝《つた》わる心《しん》ぞうのひびき。

❷ 例文 国境《こっきょう》にそって山脈《さんみゃく》が走《はし》っている。／文脈《ぶんみゃく》から意味《いみ》をつかむ。／桜《さくら》の葉《は》を使《つか》って葉脈《ようみゃく》の標本《ひょうほん》をつくる。 意味 連《つら》なってつづいているもの。

❸ 例文 この計画《けいかく》は進《すす》め方《かた》によっては脈《みゃく》がある。 意味 先《さき》の見《み》こみ。望《のぞ》み。

熟語

❶ 動脈《どうみゃく》。脈打《みゃくう》つ。
❷ 鉱脈《こうみゃく》。水脈《すいみゃく》。

《葉脈《ようみゃく》》

氏／5画

【民】

音 ミン
訓 （たみ）

成り立ち

目《め》をはりでさすようすをえがいた字《じ》。もとは、目《め》をはりでさされて見《み》えなくなったどれいのこと。後《のち》に、支配《しはい》される多《おお》くの《ひとびと》の意味《いみ》になった。

筆順・書き方

（5画）

例文・意味

例文 よいかん境《きょう》を守《まも》るために住民《じゅうみん》が協力《きょうりょく》しあう。／い常気象《じょうきしょう》が農民《のうみん》をなやませている。／父《ちち》は民話《みんわ》の本《ほん》を集《あつ》めています。／火《か》山《ざん》のばく発《はっ》でふもとの民家《みんか》にもひ害《がい》がおよんだ。／指《し》導者《どうしゃ》が民《たみ》の声《こえ》に耳《みみ》をかたむける。

意味 国《くに》や社会《しゃかい》を形《かたち》づくる人々《ひとびと》。また、いっぱんの人《ひと》。たみ。

《民芸品《みんげいひん》》

熟語

民営《みんえい》。民間《みんかん》。民衆《みんしゅう》。民宿《みんしゅく》。民俗《みんぞく》。民族《みんぞく》。移民《いみん》。漁民《ぎょみん》。国民《こくみん》。市民《しみん》。人民《じんみん》。難民《なんみん》（戦争《せんそう》や天災《てんさい》などの災難《さいなん》にあって避難《ひなん》してきた人々《ひとびと》）。民芸品《みんげいひん》（日用品《にちようひん》としてつくられていながら、芸術的《げいじゅってき》なねうちがあり、その地方《ちほう》の特色《とくしょく》をあらわしている物《もの》）。公民館《こうみんかん》。植民地《しょくみんち》。民主主義《みんしゅしゅぎ》。

灬／12画

【無】

音 ム・ブ
訓 ない

成り立ち

人《ひと》が両手《りょうて》にかざりを持《も》って、まう、すがたをえがいた字《じ》。形《かたち》や、すがたがない神様《かみさま》に願《ねが》ってまうことから、《ない》の意味《いみ》になった。

筆順・書き方

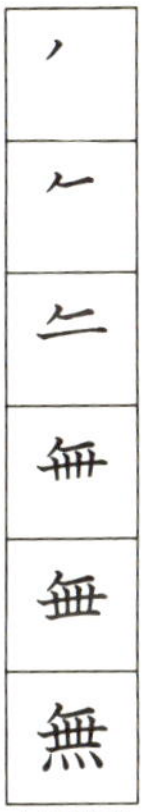

（12画）

例文・意味

❶ 例文 空《そら》は雲《くも》ひとつ無《な》く晴《は》れわたっている。／無《む》から有《ゆう》を生《う》む。／せっかくの努力《どりょく》もこれで無《む》になる。／人《ひと》の好意《こうい》を無《む》にするとは恩知《おんし》らずだ。／成功《せいこう》する見《み》こみは無《な》い。意味 まったくない。そん在《ざい》しない。対語 有《ゆう》。

❷ 例文 父《ちち》は出張先《しゅっちょうさき》のアフリカからきのう無事《ぶじ》に帰国《きこく》した。／交通機関《こうつうきかん》が無期限《むきげん》のストに入《はい》った。意味 他《た》のことばの前《まえ》につけて、「…でない」「…しない」の意味《いみ》をあらわすことば。

熟語

❶ 有無《うむ》。

❷ 無益《むえき》。無害《むがい》。無傷《むきず》。無口《むくち》。無限《むげん》。無効《むこう》。無言《むごん》。無視《むし》。無実《むじつ》（罪《つみ》になる証拠《しょうこ》がないこと）。無色《むしょく》。無数《むすう》。無線《むせん》。無断《むだん》。無名《むめい》。無用《むよう》。無理《むり》。無料《むりょう》。無難《ぶなん》。無意識《むいしき》。無関係《むかんけい》。無関心《むかんしん》。無制限《むせいげん》。無法者《むほうもの》。無愛想《ぶあいそう》。無作法《ぶさほう》。無我夢中《むがむちゅう》⇩（642ページ上）

□
糸／9画

〔約〕

音 ヤク
訓 ――

成り立ち

「勺」(物《もの》をひしゃくでくみあげて、一部分《いちぶぶん》だけ目立《めだ》たせること)と「糸」(いと)を合《あ》わせた字《じ》。糸《いと》を結《むす》んで目印《めじるし》をつけたことから、《やくそく》や《ひきしめる》の意味《いみ》になった。

筆順・書き方

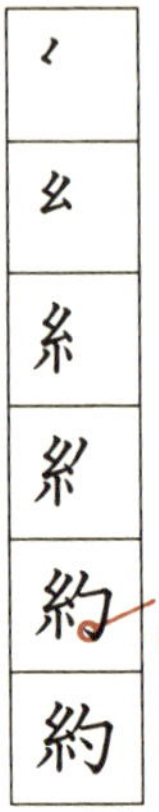
はねる
(9画)

例文・意味

❶ 例文 約束《やくそく》はかならず守《まも》る。 意味 とり決《き》める。とり決《き》め。
❷ 例文 話《はなし》の内容《ないよう》を要約《ようやく》する。 意味 短《みじか》くまとめる。ちぢめる。
❸ 例文 電気《でんき》を節約《せつやく》する。 意味 つつましくする。ひかえめにする。
❹ 例文 会場《かいじょう》には約百人《やくひゃくにん》が集《あつ》まった。 意味 ほぼ。おおよそ。
❺ 例文 約分《やくぶん》して計算《けいさん》する。 意味 算数《さんすう》で、分数《ぶんすう》をかん単《たん》にする。

熟語

❶ 解約《かいやく》。確約《かくやく》。規約《きやく》。公約《こうやく》(政府《せいふ》や政党《せいとう》などが、世間《せけん》に対《たい》して、やると決《き》めること)。条約《じょうやく》。制約《せいやく》(あるきまりをつくって制限《せいげん》すること。また、その制《せい》限《げん》や、きまり)。予約《よやく》。口約束《くちやくそく》。
❺ 公約数《こうやくすう》。最大公約数《さいだいこうやくすう》。

□
力／9画

〔勇〕

音 ユウ
訓 いさむ

成り立ち

「甬」(地面《じめん》を足《あし》でトン、トンつくこと)と「力」(ちから)を合《あ》わせた字《じ》。力《ちから》を入《い》れて足《あし》ぶみをするようすの《いさましい》ことをあらわした字《じ》。

筆順・書き方

はねる
(9画)

例文・意味

例文 こわかったけれど、友《とも》だちにはげまされてだんだん勇気《ゆうき》がわいてきた。／どんな敵《てき》をもおそれない勇《ゆう》士《し》。／勇《ゆう》をふるって強敵《きょうてき》に立《た》ち向《む》かう。／桃太郎《ももたろう》は、きびだんごを持《も》って、勇《いさ》んでおに退治《たいじ》に出《で》かけた。
意味 心《こころ》が強《つよ》くさかんである。ものごとをおそれない。また、思《おも》いきりがよい。いさぎよい。

《勇士《ゆうし》》

熟語

勇者《ゆうしゃ》。武勇《ぶゆう》(武芸《ぶげい》にすぐれていて、いさましいこと)。勇《いさ》み足《あし》(相撲《すもう》で、相手《あいて》を土俵《どひょう》ぎわに追《お》いつめながら、勢《いきお》い余《あま》って自分《じぶん》の足《あし》を先《さき》に出《だ》してしまうこと。また、調子《ちょうし》にのりすぎて、目的《もくてき》をはずれたり、よけいなことをして失敗《しっぱい》したりすること)。

要

西／9画

音 ヨウ

訓 (いる)

成り立ち

女《おんな》の人《ひと》が、両手《りょうて》でこしをきゅっとしめているようすをえがいた字《じ》。こしは人《ひと》のからだの中心《ちゅうしん》なので、《たいせつなところ》を意味《いみ》している。

筆順・書き方

(9画)

例文・意味

❶ 例文 ここは学習《がくしゅう》の重要《じゅうよう》なポイントです。／国《こく》道《どう》の要所《ようしょ》には、けい官《かん》が立《た》ってけい備《び》に当《あ》たっている。／話《はなし》を要約《ようやく》して他《た》の人《ひと》に伝《つた》える。

意味 大事《だいじ》なところ。ものごとのしめくくりとなるところ。

❷ 例文 放課後《ほうかご》の校庭使用《こうていしよう》について、生徒会《せいとかい》から先生《せんせい》に要求《ようきゅう》を出《だ》した。／学校《がっこう》までの所要時間《しょようじかん》は、二十分《にじっぷん》です。／水泳教室《すいえいきょうしつ》に入《はい》るには、医《い》師《し》の健康《けんこう》しん断書《だんしょ》が要《い》る。

意味 求《もと》める。いる。

熟語

❶ 要因《よういん》。要件《ようけん》(大事《だいじ》な用事《ようじ》)。要職《ようしょく》(大事《だいじ》な役目《やくめ》や地位《ちい》)。要素《ようそ》。要点《ようてん》。要領《ようりょう》。主要《しゅよう》。大要《たいよう》。

❷ 要望《ようぼう》(そうしてほしいと強《つよ》く望《のぞ》むこと)。強要《きょうよう》。必要《ひつよう》。不要《ふよう》。不必要《ふひつよう》。

養

食／15画

音 ヨウ

訓 やしなう

成り立ち

「羊」(おいしいひつじの肉《にく》)と「食」(ごちそう)を合《あ》わせた字《じ》。栄養《えいよう》のある食《た》べ物《もの》はからだを育《そだ》てることから、《やしなう》の意味《いみ》をあらわす。

筆順・書き方

(15画)

例文・意味

❶ 例文 野菜《やさい》づくりのかたわら養蚕《ようさん》をしています。／体《たい》力《りょく》を養《やしな》う。／好《す》ききらいが多《おお》いと栄養《えいよう》がかたよる。

意味 食《た》べ物《もの》で、からだがおとろえないようにする。やしなう。

❷ 例文 勉強《べんきょう》して豊《ゆた》かな教養《きょうよう》を身《み》につける。

意味 心《こころ》を豊《ゆた》かにする。

❸ 例文 おじの家《いえ》は子《こ》どもがいないので、親類《しんるい》の子《こ》を養子《ようし》にむかえた。

意味 実子《じっし》でない者《もの》を、子《こ》どもとして育《そだ》てる。

熟語

❶ 養育《よういく》。養魚《ようぎょ》。養護《ようご》。養生《ようじょう》。養成《ようせい》。養分《ようぶん》。休養《きゅうよう》。供養《くよう》(供《そな》え物《もの》をしたり、経《きょう》を読《よ》んだりして、死者《ししゃ》の霊《れい》や仏《ほとけ》を祭《まつ》ること)。静養《せいよう》。保養《ほよう》。栄養価《えいようか》。栄養士《えいようし》。

❷ 修養《しゅうよう》。素養《そよう》(ふだんから身《み》につけている技術《ぎじゅつ》や学問《がくもん》)。

❸ 養女《ようじょ》。養父《ようふ》。養母《ようぼ》。

氵／10画

浴

音 ヨク
訓 あびる・あびせる

成り立ち 「氵」(水《みず》)と「谷」(くぼんだあな)を合《あ》わせた字《じ》。くぼんだところにからだを入《い》れて、水《みず》を《あびる》ことをあらわした字《じ》。

筆順・書き方
氵　氵　氵　氵　浴　浴
（10画）

例文・意味

❶ 例文 食事《しょくじ》の前《まえ》に入浴《にゅうよく》する。／家族《かぞく》で海水浴《かいすいよく》に出《で》かけた。／水を浴《あ》びる。 意味 水《みず》や湯《ゆ》をからだにあびる。

❷ 例文 はま辺《べ》で日光浴《にっこうよく》をする。／緑豊《みどりゆた》かな山《やま》で森林浴《しんりんよく》をする。 意味 光《ひかり》などをからだに当《あ》てる。

❸ 例文 大自然《だいしぜん》の恩《おん》けいに浴《よく》する。／議事《ぎじ》の進行《しんこう》がおそいと、みんなから非《ひ》なんが浴《あ》びせられた。 意味 身《み》に受《う》ける。こうむる。あびる。

《日光浴《にっこうよく》をする》

熟語

❶ 浴室《よくしつ》。浴場《よくじょう》。水浴《すいよく》。水浴《みずあ》び。

特別な読み 浴衣《ゆかた》。

刂／7画

利

音 リ
訓 《きく》

成り立ち 「禾」(いねのほ)と「刂」(すき)を合《あ》わせた字《じ》。すきで、田畑《たはた》を耕《たがや》すことをあらわした。後《のち》に、よく切《き》れる刀《かたな》のように《するどい》こと、また、《役《やく》にたつ》ことをあらわすようになった。

筆順・書き方
ノ　二　千　禾　禾　利（はねる）
（7画）

例文・意味

❶ 例文 えい利《り》なはもの。／とても利発《りはつ》な(かしこいようす)子《こ》。 意味 よく切《き》れる。するどい。

❷ 例文 商店街《しょうてんがい》に近《ちか》くて便利《べんり》な場所《ばしょ》。 意味 つごうがよい。

❸ 例文 かれは利己的《りこてき》で、思《おも》いやりがない。 意味 つごうのよいように、得《とく》になるようにする。

❹ 例文 利益《りえき》の大《おお》きい仕事《しごと》。／預金《よきん》の利息《りそく》。 意味 もうけ。

❺ 例文 うで利《き》きのけい事《じ》。／ぼくは左利《ひだりき》きです。 意味 たくみに動《うご》く。

熟語

❶ 利口《りこう》。

❷ 利害《りがい》。利点《りてん》(つごうがよい点《てん》。また、得《とく》な点《てん》)。利用《りよう》。勝利《しょうり》。水利《すいり》。不利《ふり》。有利《ゆうり》。

❸ 利己主義《りこしゅぎ》。

❹ 利子《りし》。利率《りりつ》。金利《きんり》。権利《けんり》。一利一害《いちりいちがい》⇩(634ページ下)

❺ 右利《みぎき》き。

特別な読み 砂利《じゃり》。

阝／11画

陸

音 リク
訓 ―

成り立ち

「阝」(おか)と「坴」(土《つち》をいくだんにも連《つら》ねてもりあげる)をあわせた字《じ》。もりあがって、広《ひろ》く連《つら》なる大地《だいち》の《りく》をあらわした字《じ》。

筆順・書き方

(11画)

例文・意味

❶ 例文 陸地《りくち》より海《うみ》のほうが広《ひろ》い。／兄《あに》は陸上競技《りくじょうきょうぎ》の選手《せんしゅ》です。／無事《ぶじ》、旅客《りょかく》機《き》は着陸《ちゃくりく》した。意味 地球《ちきゅう》上《じょう》の、水《みず》におおわれていない部分《ぶぶん》。りく。対語 海《かい》。

❷ 例文 そうぎ場《じょう》には、その人《ひと》の死《し》をいたむ人々《ひとびと》の列《れつ》が陸続《りくぞく》としてたえまがない。意味 ひっきりなしにつづくようす。

《着陸《ちゃくりく》する》

熟語

❶ 陸運《りくうん》。陸軍《りくぐん》。陸上《りくじょう》。陸風《りくふう》。陸路《りくろ》。陸橋《りっきょう》。上陸《じょうりく》。大陸《たいりく》。内陸《ないりく》(海岸《かいがん》から遠《とお》くはなれた、りく地《ち》の中《なか》の地方《ちほう》)。南極大陸《なんきょくたいりく》。

良／7画

良

音 リョウ
訓 よい

成り立ち

米《こめ》つぶを水《みず》であらい、きれいにするようすをあらわしている。きれいで質《しつ》がよいようすから、《よい》《すぐれている》という意味《いみ》になった。

筆順・書き方

はねない

(7画)

例文・意味

例文 体調《たいちょう》は良好《りょうこう》です。／大豆《だいず》は良質《りょうしつ》のたんぱく質《しつ》です。／かれは健《けん》康優良児《こうゆうりょうじ》として表《ひょう》しょうされた。／その村《むら》の人々《ひとびと》は、みんな善良《ぜんりょう》です。／ぼくたちは仲《なか》の良《よ》い友《とも》だちです。／山《さん》ちょうからのながめはとても良《よ》い。意味 すぐれている。よい。

《仲《なか》の良《よ》い友《とも》だち》

熟語

良港《りょうこう》。良識《りょうしき》(ものごとを正《ただ》しく判断《はんだん》する能力《のうりょく》や考《かんが》え方《かた》)。良書《りょうしょ》。良心《りょうしん》。良薬《りょうやく》。良友《りょうゆう》。改良《かいりょう》。最良《さいりょう》。不良《ふりょう》。仲良《なかよ》し。

特別な読み

野良《のら》。

料

斗／10画

音 リョウ

訓 ―

成り立ち

「斗」(物《もの》をすくってはかるます)と、「米」(こめ)を合《あ》わせた字《じ》。量《りょう》を《はかる》ことをあらわした。量《りょう》をはかって使《つか》う《材《ざい》りょう》も意味《いみ》する。

筆順・書き方

(10画)

例文・意味

❶例文 セメントの原料《げんりょう》は石《せっ》かいです。／調味料《ちょうみりょう》の使《つか》い方《かた》ひとつで味《あじ》がぐんとちがいます。意味 使《つか》うのに、もとになるもの。

❷例文 有料道路《ゆうりょうどうろ》の入《い》り口《ぐち》には料金所《りょうきんじょ》がある。／小学生《しょうがくせい》の入場《にゅうじょう》は無料《むりょう》です。／お寺《てら》で、拝観料《はいかんりょう》をはらった。／本《ほん》の代金《だいきん》に送料《そうりょう》をそえて申《もう》しこみをした。意味 あることのためにはらうお金《かね》。代金《だいきん》。

熟語

❶**料理**《りょうり》。**衣料**《いりょう》。**飲料**《いんりょう》。**材料**《ざいりょう》。**資料**《しりょう》。**飼料**《しりょう》(家畜《かちく》に食《た》べさせるえさ)。**食料**《しょくりょう》。**染料**《せんりょう》。**燃料**《ねんりょう》。**肥料**《ひりょう》。**飲料水**《いんりょうすい》。**資料館**《しりょうかん》。

❷**料金**《りょうきん》。**給料**《きゅうりょう》。**手数料**《てすうりょう》。**入場料**《にゅうじょうりょう》。

量

里／12画

音 リョウ

訓 **はか**る

成り立ち

「日」は、太陽《たいよう》ではなく、こく物《もつ》がどのくらいあるかの《りょう》。それと「重」(おもさ)を合《あ》わせた字《じ》。そこから、こく物《もつ》などの重《おも》さを《はかる》という意味《いみ》になった。

筆順・書き方

(12画)

例文・意味

❶例文 さとうの量《りょう》を加減《かげん》する。／お得意《とくい》さんから大量《たいりょう》の注文《ちゅうもん》があった。／薬《くすり》を適量《てきりょう》飲《の》む。意味 物《もの》の大《おお》きさ・長《なが》さ・多《おお》さ・重《おも》さなど。

❷例文 土地《とち》の測量《そくりょう》をする。／目方《めかた》を量《はか》る。意味 かさや重《おも》さなどをはかる。

❸例文 母《はは》の心《こころ》を推量《すいりょう》する。意味 他人《たにん》の心《こころ》をおもいはかる。

❹例文 度量《どりょう》(他人《たにん》の言《い》うことや、おこないを受《う》け入《い》れる心《こころ》の広《ひろ》さ)が大《おお》きくたよりがいのある人《ひと》。意味 心《こころ》の広《ひろ》さ。能力《のうりょく》の程度《ていど》。

熟語

❶**量産**《りょうさん》。**雨量**《うりょう》。**雲量**《うんりょう》。**質量**《しつりょう》。**重量**《じゅうりょう》。**少量**《しょうりょう》。**数量**《すうりょう》。**声量**《せいりょう》。**多量**《たりょう》。**定量**《ていりょう》。**分量**《ぶんりょう》。**容量**《ようりょう》。**降水量**《こうすいりょう》。

❷**計量**《けいりょう》(かさや重《おも》さなどをはかること)。

❸**推**《お》し**量**《はか》る。

❹**器量**《きりょう》(地位《ちい》や、ものごとをしていくうえでふさわしい才能《さいのう》)。**技量**《ぎりょう》。**力量**《りきりょう》。

□ 車／15画

輪

音 リン
訓 わ

成り立ち 「侖」(順序《じゅんじょ》よくならべること)と「車」(くるま)を合《あ》わせた字《じ》。真《ま》ん中《なか》のじくと、外側《そとがわ》のわくをつなぐ細《ほそ》いぼうがきちんとならんでいる車《くるま》の《わ》の意味《いみ》。

筆順・書き方
車 ｜ 軩 ｜ 軨 ｜ 輪 ｜ 輪 ｜ 輪
つきでない
(15画)

例文・意味

❶ 例文 弟《おとうと》は三輪車《さんりんしゃ》に乗《の》り始《はじ》めた。／鳥《とり》が大空《おおぞら》を輪《わ》をえがいて飛《と》んでいく。 意味 車《くるま》のわ。また、わのようにまるい形《かたち》の物《もの》。

❷ 例文 顔《かお》の輪《りん》かくがまんまるな子《こ》。／外輪山《がいりんざん》。 意味 物《もの》の外《そと》まわり。

❸ 例文 「かっこう」の歌《うた》を輪唱《りんしょう》する。 意味 かわるがわる。順番《じゅんばん》に。

❹ 例文 一輪《いちりん》ざしの花《か》びんに花《はな》を生《い》ける。 意味 花《はな》を数《かぞ》えるときのことば。

《一輪《いちりん》ざし》

熟語

❶ 競輪《けいりん》。五輪《ごりん》。車輪《しゃりん》。年輪《ねんりん》。首輪《くびわ》。花輪《はなわ》。耳輪《みみわ》。指輪《ゆびわ》。輪転機《りんてんき》。一輪車《いちりんしゃ》。二輪車《にりんしゃ》。輪切《わぎ》り。輪《わ》ゴム。浮《う》き輪《わ》。

❸ 輪作《りんさく》(同《おな》じ土地《とち》に、種類《しゅるい》のちがう作物《さくもつ》を毎年《まいねん》くり返《かえ》して、順番《じゅんばん》につくること)。輪読《りんどく》。

❹ 一輪《いちりん》。

□ 頁／18画

類

音 ルイ
訓 —

成り立ち もとの字《じ》は「類」。「米」(こめ)と、「犬」(いぬ)と、「頁」(頭《あたま》)を合《あ》わせた字《じ》。それらが、こく物《もつ》・動物《どうぶつ》・人間《にんげん》をあらわしたことから、《グループ》の意味《いみ》になった。

筆順・書き方
米 ｜ 类 ｜ 类 ｜ 類 ｜ 類 ｜ 類
(18画)

例文・意味

❶ 例文 古《ふる》くなった衣類《いるい》の整理《せいり》をする。／人類《じんるい》の平和《へいわ》につくした人《ひと》。／鳥類図《ちょうるいず》かんで、鳥《とり》の名《な》を調《しら》べる。 意味 同《おな》じような性質《せいしつ》のものの集《あつ》まり。仲間《なかま》。

❷ 例文 二《ふた》つの絵《え》の類似点《るいじてん》をさがしなさい。／「弁明《べんめい》」と「弁解《べんかい》」は類語《るいご》です。 意味 似《に》たところがある。似《に》ている。

❸ 例文 昨夜《さくや》の火事《かじ》で、数《すう》けんの家《いえ》が類焼《るいしょう》した。 意味 同《おな》じようなめにあう。かかわりあう。

《衣類《いるい》の整理《せいり》》

熟語

❶ 魚類《ぎょるい》。穀類《こくるい》。種類《しゅるい》。書類《しょるい》。親類《しんるい》。同類《どうるい》。部類《ぶるい》。分類《ぶんるい》。

❷ 類型《るいけい》。類推《るいすい》(似《に》ていることをもとにして、ほかのものごとをおしはかること)。無類《むるい》(比《くら》べるものがないようす)。類義語《るいぎご》(意味《いみ》が似《に》ていることば)。

□ 人／5画

【令】

音 レイ
訓 ―

成り立ち

「亼」(集《あつ》めるしるし)と、「マ」(ひざまずいた人《ひと》の形《かたち》)を合《あ》わせた字《じ》。たくさんの人《ひと》が集《あつ》まって頭《あたま》を下《さ》げているところをえがいた字《じ》。神様《かみさま》や王様《おうさま》が《言《い》いつけをする》ようすをあらわした字《じ》。

筆順・書き方

ノ 人 亽 今 令
（5画）
わすれずに

例文・意味

❶ 例文 父《ちち》の命令《めいれい》は絶対《ぜったい》です。／先生《せんせい》の号令《ごうれい》で二《に》列《れつ》にならぶ。意味 言《い》いつける。命《めい》じる。

❷ 例文 県《けん》の条令《じょうれい》できそくが少《すこ》しかわるらしい。意味 制度上《せいどじょう》のきまり。おきて。

❸ 例文 令名《れいめい》(すぐれているという評判《ひょうばん》)が高《たか》い。意味 よい。りっぱな。

❹ 例文 社長《しゃちょう》の令息《れいそく》。／山田氏《やまだし》の令夫人《れいふじん》。意味 ある人《ひと》の身内《みうち》をうやまって言《い》うことば。

熟語

❶ 司令《しれい》(軍隊《ぐんたい》や艦船《かんせん》などを指揮《しき》したり、指図《さしず》したりすること。また、それをする人《ひと》)。指令《しれい》(上《うえ》からの指図《さしず》や言《い》いつけ)。辞令《じれい》(会社《かいしゃ》や役所《やくしょ》などで、役《やく》についたり、やめさせたりすることを書《か》いて、本人《ほんにん》にわたす書《か》き付《つ》け)。

❷ 法令《ほうれい》。伝令《でんれい》。命令文《めいれいぶん》。

□ 冫／7画

【冷】

音 レイ
訓 つめたい・ひえる・ひや・ひやす・ひやかす・さめる・さます

成り立ち

「冫」(氷《こおり》)と「令」(神様《かみさま》のお告《つ》げのように清《きよ》らかなこと)を合《あ》わせた字《じ》。氷《こおり》のように、すみきって《つめたい》ことをあらわした字《じ》。

筆順・書き方

丶 冫 冫人 冫亽 冷 冷
（7画）
八としない

例文・意味

❶ 例文 まどをあけると、さっと冷気《れいき》が流《なが》れこんだ。／川《かわ》の水《みず》は冷《つめ》たかった。／足《あし》が冷《ひ》えてとても寒《さむ》い。／お湯《ゆ》を冷《さ》ましてから飲《の》む。意味 温度《おんど》が低《ひく》い。つめたい。また、つめたくなる。つめたくする。ひやす。ひえる。さます。さめる。対語 暖《だん》。

❷ 例文 ずいぶん冷《れい》たんな人《ひと》だ。意味 思《おも》いやりがない。気持《きも》ちがさめている。

❸ 例文 ぼくが赤《あか》いかさをさしていたら冷《ひ》やかされた。意味 からかう。ひやかす。

熟語

❶ 冷害《れいがい》。冷水《れいすい》。冷凍《れいとう》。寒冷《かんれい》。冷蔵庫《れいぞうこ》。底冷《そこび》え。冷《ひ》や汗《あせ》。冷《ひ》や飯《めし》。湯冷《ゆざ》め。寒冷前線《かんれいぜんせん》。湯冷《ゆざ》まし。

❷ 冷静《れいせい》(心《こころ》が落《お》ち着《つ》いているようす)。

イ／8画

例

音 レイ
訓 たとえる

成り立ち

「イ」(人《ひと》)と「列」(刀《かたな》でほねをいくつにも切《き》りはなしてならべること)を合《あ》わせた字《じ》。同《おな》じ物《もの》が《いくつもならぶようす》をあらわした字《じ》。

筆順・書き方

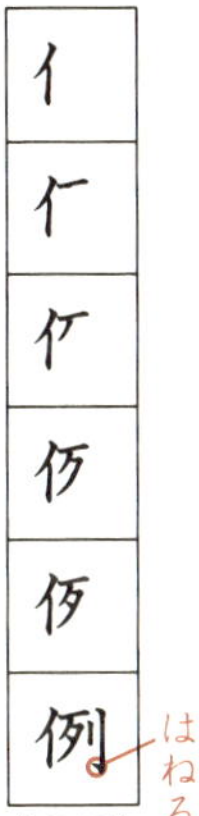

(8画)

例文・意味

❶ 例文 実例《じつれい》をあげて説明《せつめい》する。／例外《れいがい》はみとめません。 意味 同《おな》じようなものの仲間《なかま》。れい。たとえ。

❷ 例文 例年《れいねん》どおり、運動会《うんどうかい》を十月《じゅうがつ》におこなう。 意味 いつもの。決《き》まっている。

❸ 例文 情熱《じょうねつ》を赤《あか》い色《いろ》に例《たと》える。 意味 ほかのことを引《ひ》き合《あ》いに出《だ》す。

❹ 例文 ああ、例《れい》の話《はなし》なら、オーケーだよ。 意味 話《はな》し手《て》と聞《き》き手《て》のあいだで、わかっていることをいうことば。あの。

熟語

❶ 例示《れいじ》。例題《れいだい》。例文《れいぶん》。事例《じれい》。条例《じょうれい》。特例《とくれい》。用例《ようれい》。類例《るいれい》(よく似《に》ているれい)。

❷ 例会《れいかい》。異例《いれい》。慣例《かんれい》(習慣《しゅうかん》となっているやり方《かた》)。先例《せんれい》。前例《ぜんれい》。通例《つうれい》(世間一般《せけんいっぱん》のならわし)。定例《ていれい》。

❸ 例《たと》え話《ばなし》。

止／14画

歴

音 レキ
訓 ―

成り立ち

もとの字《じ》は「歷」。「厤」(屋根《やね》の下《した》にいねの束《たば》を順序《じゅんじょ》よくならべる)と「止」(足《あし》)を合《あ》わせた字《じ》。《順序《じゅんじょ》よく次々《つぎつぎ》と通《とお》り過《す》ぎたあと》をあらわした字《じ》。

筆順・書き方

(14画)

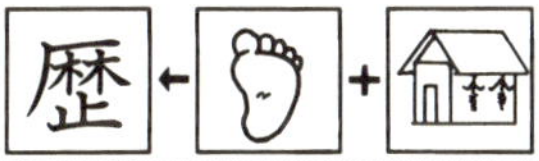

例文・意味

❶ 例文 歴史上《れきしじょう》の人物《じんぶつ》。／り歴書《れきしょ》に写真《しゃしん》をはる。 意味 過《す》ぎる。過《す》ぎてきたことがら。

❷ 例文 外相《がいしょう》がヨーロッパ各国《かっこく》を歴訪《れきほう》(方々《ほうぼう》の土地《とち》を次々《つぎつぎ》にたずねること)して帰国《きこく》した。／いろいろな会《かい》の会長《かいちょう》を歴任《れきにん》する。 意味 次々《つぎつぎ》と。順《じゅん》に。

❸ 例文 ぼくよりかれのほうが野球《やきゅう》がうまいということはだれの目《め》にも歴然《れきぜん》と(非常《ひじょう》にはっきりしているようす)している。 意味 はっきりしている。

熟語

❶ 学歴《がくれき》。経歴《けいれき》(その人《ひと》がどこで生《う》まれ育《そだ》ち、どういう学校《がっこう》で何《なに》を学《まな》び、どういう仕事《しごと》をしてきたかということ)。職歴《しょくれき》。来歴《らいれき》(ものごとや、人《ひと》がたどってきた道《みち》すじ)。略歴《りゃくれき》。

❷ 歴代《れきだい》。

連

辶／10画

音 レン

訓 つらなる・つらねる・つれる

成り立ち

「辶」（進《すす》むこと）と「車」（くるま）を合《あ》わせた字《じ》。車《くるま》が、何台《なんだい》もつながって進《すす》むことをあらわした。そこから、《つらなる》という意味《いみ》になった。

筆順・書き方

一 ｢ 亘 車 ｀車 連 （10画）

亘（ながく）

例文・意味

❶ 例文 遠《とお》くに見《み》える連山《れんざん》。／数人《すうにん》の中学生《ちゅうがくせい》たちが自転車《じてんしゃ》を連《つら》ねて行《い》く。 意味 ならんでつらなる。つらねる。

❷ 例文 このところ、連日《れんじつ》強《つよ》い風《かぜ》がふく。 意味 ひきつづいて。

❸ 例文 犯人《はんにん》がけい官《かん》に連行《れんこう》される。 意味 ひきつれる。つれる。

❹ 例文 ゆかいな連中《れんちゅう》。／連《つ》れがいると旅《たび》も楽《たの》しい。 意味 仲間《なかま》。

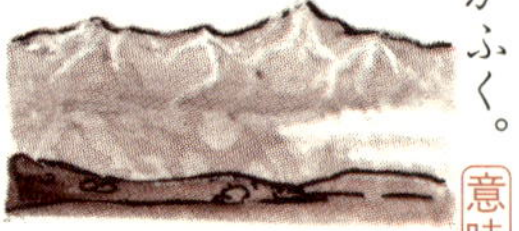

《連山《れんざん》》

熟語

❶ 連記《れんき》。連休《れんきゅう》。連結《れんけつ》。連合《れんごう》。連想《れんそう》。連続《れんぞく》。連帯《れんたい》。連名《れんめい》。連盟《れんめい》。連絡《れんらく》。連立《れんりつ》。関連《かんれん》。

❷ 連作《れんさく》。連勝《れんしょう》。連戦《れんせん》。連打《れんだ》。連敗《れんぱい》。連発《れんぱつ》。連夜《れんや》。

❹ 常連《じょうれん》（いつもつれだって行動《こうどう》する仲間《なかま》）。道連《みちづ》れ。家族連《かぞくづ》れ。

老

耂／6画

音 ロウ

訓 おいる・《ふける》

成り立ち

かみが長《なが》くのびて、こしの曲《ま》がった人《ひと》がつえをついているすがたをえがいた字《じ》。《年《とし》をとった人《ひと》》をあらわした字《じ》。

筆順・書き方

一 十 土 耂 耂 老 （6画）

老（はねる）

例文・意味

❶ 例文 老人《ろうじん》をいたわる。／年老《としお》いた祖母《そぼ》の世話《せわ》をする。／年《とし》より老《ふ》けて見《み》える人《ひと》。／敬老《けいろう》の日《ひ》。 意味 年《とし》をとる。おいる。ふける。また、年《とし》をとった人《ひと》。 対語 若《じゃく》。

❷ 例文 神社《じんじゃ》の老木《ろうぼく》。 意味 古《ふる》くなる。古《ふる》い。

❸ 例文 職人《しょくにん》の老練《ろうれん》な（長《なが》いあいだその仕事《しごと》をして慣《な》れていてじょうずなようす）わざに思《おも》わず目《め》を見張《みは》った。 意味 もの慣《な》れているようす。

熟語

❶ 老化《ろうか》（年《とし》をとって、からだのはたらきがにぶくなること）。老眼《ろうがん》。老後《ろうご》。老年《ろうねん》。老父《ろうふ》。老母《ろうぼ》。長老《ちょうろう》。老大家《ろうたいか》。老《お》い先《さき》。老《ふ》け役《やく》。老若男女《ろうにゃくなんにょ》 ⇩（642ページ下）

□ 力／7画

労

音 ロウ
訓 ―

成り立ち もとの字《じ》は「勞」。「𤇾」はかがり火《び》がはげしく燃《も》えるようす。火《ひ》を燃《も》やしつくすように、「力」(ちから)を出《だ》しつくして《働《はたら》く》ことや、働《はたら》いて《つかれる》ことをあらわした字《じ》。

筆順・書き方

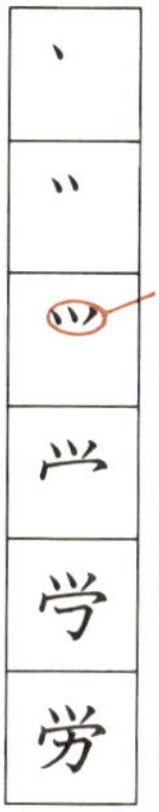

(7画)

例文・意味

❶ 例文 荷物《にもつ》があまり重《おも》いので、運《はこ》ぶのに苦労《くろう》した。／五月一日《ごがつついたち》のメーデーは労働者《ろうどうしゃ》のお祭《まつ》りです。／作者《さくしゃ》の十年《じゅうねん》がかりの労作《ろうさく》(苦心《くしん》してつくりあげた作品《さくひん》)。意味 一生《いっしょう》けん命働《めいはたら》く。

❷ 例文 母《はは》は過労《かろう》(働《はたら》き過《す》ぎて、つかれがたまること)でたおれてしまった。意味 つかれる。つかれ。

《運《はこ》ぶのに苦労《くろう》する》

熟語

❶ 労使《ろうし》。労資《ろうし》。労働《ろうどう》。労力《ろうりょく》(力《ちから》を出《だ》して働《はたら》くこと。また、ものごとをおこなうための必要《ひつよう》な人手《ひと》)。勤労《きんろう》。功労《こうろう》(あることのためにつくしたことの手《て》がら)。徒労《とろう》(一生懸命《いっしょうけんめい》やったことが報《むく》われないこと)。気苦労《きぐろう》。労働組合《ろうどうくみあい》。労働時間《ろうどうじかん》。

□ 金／16画

録

音 ロク
訓 ―

成り立ち 「金」(きんぞく)と「录」(表面《ひょうめん》をはぎとる)を合《あ》わせた字《じ》。むかし、金《きん》属《ぞく》の表面《ひょうめん》をみがき、絵《え》や文字《もじ》をきざんだ。消《き》えずに残《のこ》るように《記《しる》す》、また、その《書《か》き記《しる》したもの》の意味《いみ》。

筆順・書き方

(16画)

例文・意味

❶ 例文 クラス会《かい》で決《き》めたことを書記《しょき》が記録《きろく》する。／テレビ番組《ばんぐみ》をビデオに録画《ろくが》する。意味 書《か》き記《しる》す。また、絵《え》や音《おと》をうつしとる。

❷ 例文 住所録《じゅうしょろく》を見《み》ながら年賀状《ねんがじょう》のあて名《な》を書《か》く。／目録《もくろく》を見《み》てから商品《しょうひん》を買《か》うことにした。意味 うつしとった物《もの》。書《か》き記《しる》した物《もの》。

《住所録《じゅうしょろく》》

熟語

❶ 録音《ろくおん》。再録《さいろく》。収録《しゅうろく》。集録《しゅうろく》(あちこちから集《あつ》めて書《か》き記《しる》すこと。また、そうして書《か》き記《しる》された物《もの》)。登録《とうろく》(役所《やくしょ》などに届《とど》け出《で》て、そこの帳簿《ちょうぼ》に正式《せいしき》に書《か》き記《しる》してもらうこと)。付録《ふろく》。記録文《きろくぶん》。

絵《え》からできた漢字《かんじ》(10)

（上《うえ》から順番《じゅんばん》に変化《へんか》して、現在《げんざい》の漢字《かんじ》の字体《じたい》となりました。）

4年

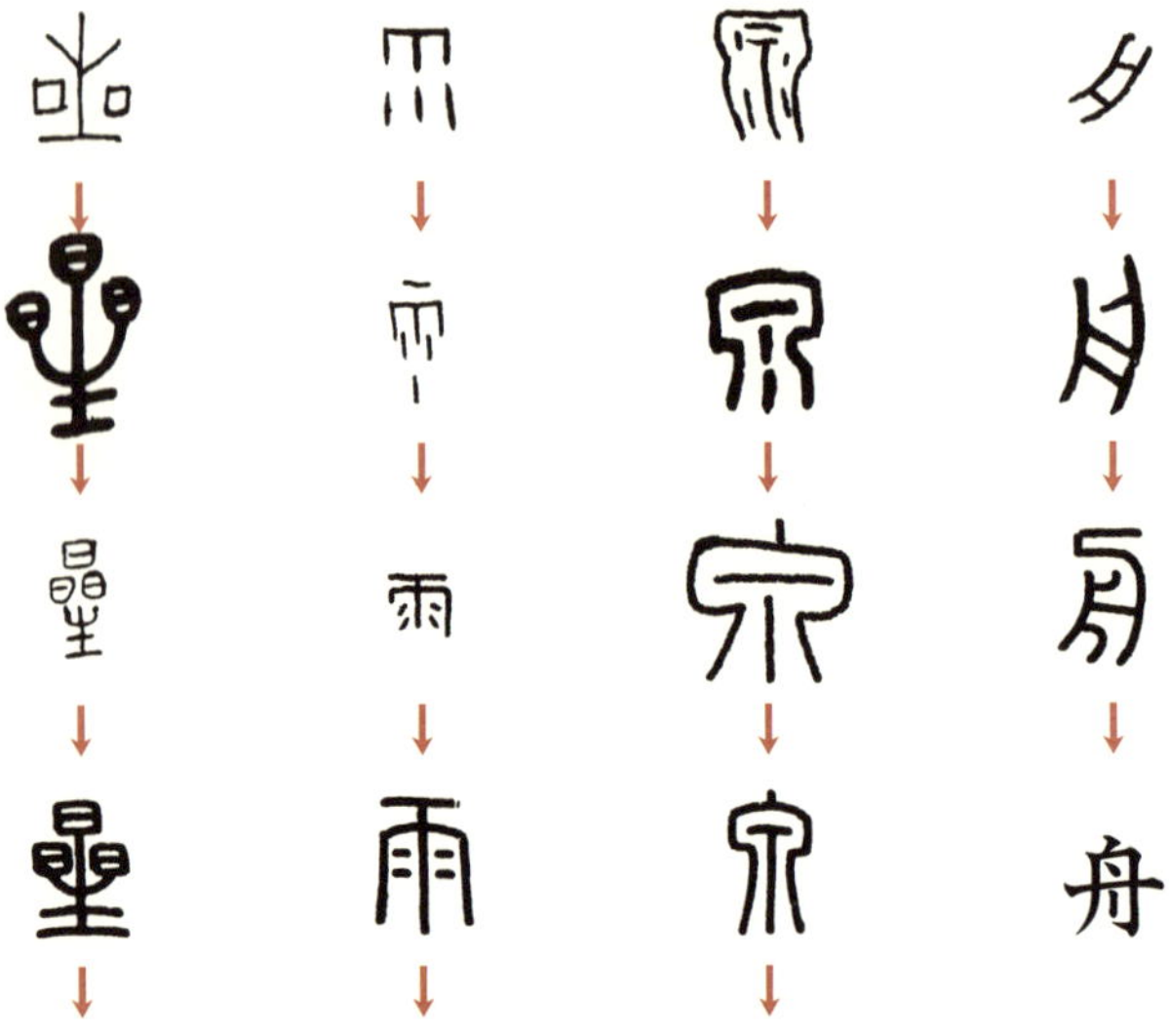

舟《ふね》　泉《いずみ》　雨《あめ》　星《ほし》

水《みず》　虫《むし》　永《なが》い　黄《き》

五年生《ごねんせい》で学習《がくしゅう》する漢字《かんじ》

185字《じ》

五年生《ごねんせい》で学習《がくしゅう》する漢字《かんじ》

画数《かくすう》さくいん 185字《じ》

□
土／5画

【圧】

音 アツ
訓 ――

成り立ち
もとの字《じ》は「壓」。「厂」（がけ）と「猒」（動物《どうぶつ》のあぶらの多《おお》い肉《にく》）と「土」（つち）を合《あ》わせた字《じ》。がけの上《うえ》から土《つち》をかぶせて、出《で》られないように《おさえつける》こと。

筆順・書き方
一　厂　圧　圧　圧（5画）
うえのせんよりながく

例文・意味
❶ 例文 相手《あいて》チームに一点《いってん》もあたえないで、ぼくたちのチームは圧勝《あっしょう》（比《くら》べものにならないほどの強《つよ》さで勝《か》つこと）した。／テスト前《まえ》の日曜日《にちようび》は重圧《じゅうあつ》を感《かん》じて、どうも気分《きぶん》がすぐれない。 意味 おさえる。おさえつける。おす。
❷ 例文 高《たか》い山《やま》にのぼると、気圧《きあつ》が下《さ》がるので息《いき》苦《ぐる》しくなる。／水《みず》がふかくなると、水圧《すいあつ》も大《おお》きくなる。 意味 おす力《ちから》。おさえつける力《ちから》。

熟語
❶ 圧縮《あっしゅく》。弾圧《だんあつ》（支配《しはい》する側《がわ》が、強《つよ》く力《ちから》でおさえつけること）。
❷ 圧力《あつりょく》。血圧《けつあつ》。電圧《でんあつ》。風圧《ふうあつ》。高気圧《こうきあつ》。低気圧《ていきあつ》。

□
禾／11画

【移】

音 イ
訓 うつる・うつす

成り立ち
「禾」（いねのほ）と「多」（肉《にく》が重《かさ》なって横《よこ》へずれること）を合《あ》わせた字《じ》。いねのほが風《かぜ》にふかれて横《よこ》へ横《よこ》へとなびくことから、横《よこ》のほうに動《うご》く、《うつる》ことをあらわした字《じ》。

筆順・書き方
ノ　二　千　禾　移　移（11画）

例文・意味
例文 植木《うえき》ばちを日当《ひあ》たりのよい所《ところ》へ移《うつ》す。／春《はる》から夏《なつ》へ、夏《なつ》から秋《あき》へと季節《きせつ》は移《うつ》る。／父《ちち》の会社《かいしゃ》が大阪《おおさか》から東京《とうきょう》へ移転《いてん》したので、ぼくたちも東京《とうきょう》へ引《ひ》っこす。／三階《さんかい》の音楽室《おんがくしつ》へ静《しず》かに移動《いどう》しなさい。 意味 時間《じかん》や位置《いち》などがかわる。うつる。また、時間《じかん》や位置《いち》などをかえる。うつす。

熟語
移行《いこう》（ものごとの状態《じょうたい》が別《べつ》の状態《じょうたい》にだんだんかわっていくこと）。移住《いじゅう》。移植《いしょく》（草《くさ》や木《き》などを別《べつ》の場所《ばしょ》へ植《う》えかえること）。移入《いにゅう》。移民《いみん》。推移《すいい》（時間《じかん》が過《す》ぎるにつれて、ものごとのようすがかわっていくこと）。移《うつ》り気《ぎ》。移《うつ》り変《か》わり。

口／6画

因

音 イン
訓 《よる》

成り立ち 「口」（ふとん）と「大」（手《て》足《あし》を広《ひろ》げてねている人《ひと》）を合《あ》わせた字《じ》。ふとんの上《うえ》に人《ひと》がねているようすの字《じ》。もとになるものが下《した》にあることから、《ものごとのもと》の意《い》味《み》になった。

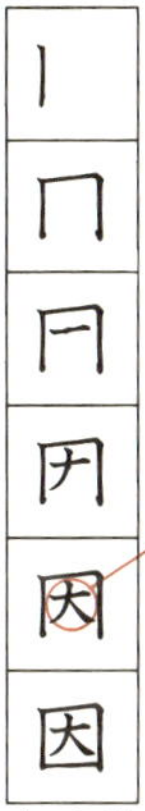

（6画）

筆順・書き方

例文・意味

❶ 例文 火事《かじ》の原因《げんいん》は、たき火《び》の不《ふ》始《し》末《まつ》らしい。／わき見《み》運転《うんてん》に因《よ》る事故《じこ》が多《おお》い。／決勝戦《けっしょうせん》の勝因《しょういん》は、一生《いっしょう》けん命《めい》やったことだろう。意味 ものごとが起《お》こるもとになるもの。わけ。起《お》こり。また、そのことによって起《お》こる。よる。

❷ 例文 この村《むら》では、今《いま》でもむかしからの因習《いんしゅう》（古《ふる》くから伝《つた》わる習慣《しゅうかん》や、しきたり）が守《まも》られている。意味 もとからあるものや、むかしからのことに従《したが》う。

熟語

❶ 因果《いんが》（原《げん》いんと結果《けっか》）。死因《しいん》。敗因《はいいん》。要因《よういん》（ものごとが生《しょう》じたもととなるもの）。

水／5画

永

音 エイ
訓 ながい

成り立ち 細《こま》かく分《わ》かれて、どこまでものびている川《かわ》の流《なが》れをえがいた字《じ》。かぎりなくいつまでも、《ながい》という意《い》味《み》をあらわす。

（5画）

筆順・書き方

例文・意味

例文 永《なが》いねむりにつく。／末永《すえなが》くおつきあいをお願《ねが》いします。／ぼくと山中君《やまなかくん》との友情《ゆうじょう》は、永遠《えいえん》にかわらないだろう。／おじは日本《にっぽん》をはなれ、オーストラリアに永住《えいじゅう》（一生《いっしょう》、また、長《なが》いあいだ、その土《と》地《ち》にすみつづけること）することにしたそうだ。／磁石《じしゃく》には、永久《えいきゅう》磁石《じしゃく》と電磁石《でんじしゃく》の二《に》種類《しゅるい》がある。意味 時間《じかん》がいつまでもつづくようす。いつまでも。ながい。

熟語

永久《えいきゅう》。永続《えいぞく》（長《なが》くいつまでもつづくこと）。永年《えいねん》。永眠《えいみん》（死《し》ぬこと）。永久歯《えいきゅうし》。永世中立国《えいせいちゅうりつこく》（よそのどこの国《くに》とも戦争《せんそう》をしないかわりに、どこの国《くに》からもせめられることのない安全《あんぜん》を約束《やくそく》され、平和《へいわ》をいつまでも守《まも》りつづけている国《くに》。スイスなど）。

⺍／12画

営

音 エイ
訓 いとなむ

成り立ち

もとの字《じ》は「營」。「𤇾」は火《ひ》がまわりをとりまくこと。「呂」はつながった建物《たてもの》。夜《よる》も建物《たてもの》のまわりにあかあかとかがり火《び》を燃《も》やしている《兵舎《へいしゃ》》のこと。

筆順・書き方

うえの口よりおおきく
(12画)

例文・意味

❶ 例文 父《ちち》は洋品店《ようひんてん》を営《いとな》んでいます。／祖母《そぼ》の三回《さんかい》きの法事《ほうじ》をお寺《てら》で営《いとな》む。／近《ちか》くのクリーニング屋《や》さんは、夜《よる》の十時《じゅうじ》まで営業《えいぎょう》している。／市営《しえい》プールは夏休《なつやす》み中満員《じゅうまんいん》だ。 意味 仕事《しごと》や行事《ぎょうじ》などをおこなう。いとなむ。

❷ 例文 宮《きゅう》でんを造営《ぞうえい》する。 意味 建物《たてもの》などをつくる。

❸ 例文 かわらで野営《やえい》する。／むかし、営舎《えいしゃ》だった建物《たてもの》。 意味 軍隊《ぐんたい》のとまる所《ところ》。また、とまる。

熟語

❶ 営利《えいり》。運営《うんえい》。経営《けいえい》。県営《けんえい》。国営《こくえい》。私営《しえい》。民営《みんえい》。営林署《えいりんしょ》。経営者《けいえいしゃ》。営団地下鉄《えいだんちかてつ》。

行／16画

衛

音 エイ
訓 —

成り立ち

まわりをめぐることをあらわす「韋」と「行」(いく)を合《あ》わせた字《じ》。中《なか》のものをまもるようにして外側《そとがわ》をとりまいてぐるぐる回《まわ》ることから、《まもる》という意味《いみ》になった。

筆順・書き方

丑としない
(16画)

例文・意味

例文 つゆどきは物《もの》がくさりやすいので、衛生《えいせい》には、とくに気《き》をつけよう。／門《もん》の両側《りょうがわ》に衛兵《えいへい》が立《た》っている。／警察官《けいさつかん》が大統領《だいとうりょう》を護衛《ごえい》する。／地球《ちきゅう》には一《ひと》つ、火星《かせい》には二《ふた》つの衛星《えいせい》があります。 意味 まわりから中《なか》をまもる。また、まもる人《ひと》。

《衛兵《えいへい》》

熟語

後衛《こうえい》。自衛《じえい》。守衛《しゅえい》。前衛《ぜんえい》。防衛《ぼうえい》。自衛隊《じえいたい》。衛星放送《えいせいほうそう》。人工衛星《じんこうえいせい》。

日／8画

易

音 エキ・イ

訓 やさしい

成り立ち

やもりをえがいた字《じ》。やもりはどこでも平《たい》らにへばりついて、小《ちい》さなすき間《ま》にもたやすくちょろちょろ入《はい》りこむことから、《なんでもないこと》《やさしいこと》をあらわす。

筆順・書き方

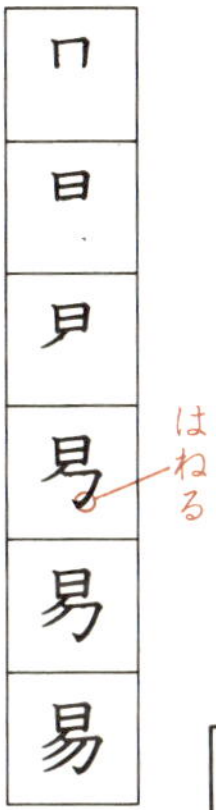

（8画）

例文・意味

❶ 例文 きょうのテストは易《やさ》しかった。／安易《あんい》に（のんきなようす）人《ひと》の言《い》うままになってはいけない。／このトンネル工事《こうじ》は容易《ようい》ではない。

意味 手軽《てがる》にできるようす。やさしい。また、のんきなようす。対語 難《なん》。

❷ 例文 日本《にっぽん》は、加工貿易《かこうぼうえき》の国《くに》です。

意味 とりかえる。かえる。

❸ 例文 易者《えきしゃ》に、運勢《うんせい》をうらなってもらう。

意味 うらなう。うらない。

熟語

❶ **簡易**《かんい》（手軽《てがる》で簡単《かんたん》なこと）。**難易**《なんい》（難《むずか》しいことと、やさしいこと）。**平易**《へいい》（やさしく、わかりやすいこと）。**簡易裁判所**《かんいさいばんしょ》。

❷ **交易**《こうえき》（品物《しなもの》を交換《こうかん》しあって、商売《しょうばい》すること）。

皿／10画

益

音 エキ・《ヤク》

訓 ―

成り立ち

もとの字《じ》は「益」。水《みず》の字《じ》を横《よこ》にした形《かたち》と「皿」（さら）を合《あ》わせた字《じ》。皿《さら》に水《みず》がいっぱいになってあふれるようすから、《ふえる》という意味《いみ》になった。

筆順・書き方

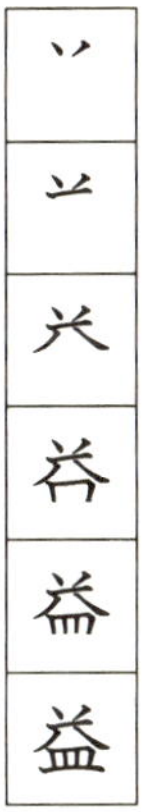

（10画）

例文・意味

❶ 例文 クラスにとって益《えき》のない行動《こうどう》は、しないように。／とんぼは害虫《がいちゅう》を食《た》べる益虫《えきちゅう》です。

意味 役《やく》にたつ。ためになる。よいことである。

❷ 例文 新商品《しんしょうひん》が売《う》れて、会社《かいしゃ》の収益《しゅうえき》があがる。／増益《ぞうえき》をはかる計画案《けいかくあん》を出《だ》す。／利益《りえき》の追求《ついきゅう》。

意味 もうけ。ふえて加《くわ》わる。

熟語

❶ **益鳥**《えきちょう》。**公益**《こうえき》（世《よ》の中《なか》の人《ひと》たちみんなの、ためになること）。**国益**《こくえき》。**実益**《じつえき》（実際《じっさい》にためになること）。**無益**《むえき》。**有益**《ゆうえき》。

❷ **減益**《げんえき》（もうけが減《へ》ること）。**純益**《じゅんえき》（売上金額《うりあげきんがく》から、仕入《しい》れや売《う》るまでにかかった費用《ひよう》を差《さ》し引《ひ》いた残《のこ》り）。**損益**《そんえき》。

氵／11画

〔液〕

音 エキ

訓 ―

成り立ち

「氵」(水《みず》)と「夜」(「亦」(両《りょう》わき)と「月」で、昼《ひる》をあいだにはさんで、やってくる、夜《よる》)を合《あ》わせた字《じ》。一《いっ》てき一《いっ》てき、あいだをあけて《たれるみず》のこと。

筆順・書き方

(11画)

例文・意味

例文 レモンの液《えき》を入《い》れたら、紅茶《こうちゃ》の色《いろ》がうすくなった。／アルコールは蒸発《じょうはつ》しやすい液体《えきたい》です。／人間《にんげん》の血液型《けつえきがた》は、A型《エーがた》・B型《ビーがた》・O型《オーがた》・AB型《エービーがた》の四《よっ》つに分《わ》けられる。／パンをよくかむと、だ液《えき》(口《くち》の中《なか》から出《で》てきて、食《た》べ物《もの》の消化《しょうか》を助《たす》けるしる。つば)とまざってあまくなってくる。

意味 水《みず》のような状態《じょうたい》になっているもの。しる。えき。

熟語

液化《えきか》(気体《きたい》が変化《へんか》して、えき体《たい》の状態《じょうたい》になること)。**胃液**《いえき》。**血液**《けつえき》。**液体燃料**《えきたいねんりょう》。リンパ**液**《えき》。

氵／14画

〔演〕

音 エン

訓 ―

成り立ち

「氵」(水《みず》)と「寅」(矢《や》を両手《りょうて》でまっすぐのばす)を合《あ》わせた字《じ》。水《みず》が流《なが》れに沿《そ》ってまっすぐのびていくように、長《なが》く引《ひ》きのばすことをあらわした字《じ》。

筆順・書き方

(14画)

例文・意味

❶ 例文 学習発表会《がくしゅうはっぴょうかい》で、劇《げき》の主役《しゅやく》を演《えん》じる。／姉《あね》は中学《ちゅうがく》のクラブ活動《かつどう》で演劇《えんげき》をやっている。／みごとなピアノ演奏《えんそう》。／算数《さんすう》の演習問題《えんしゅうもんだい》を解《と》く。 意味 実際《じっさい》におこなう。おもに劇《げき》や音楽《おんがく》などをおこなう。

❷ 例文 総理大臣《そうりだいじん》の演説《えんぜつ》がテレビ中《ちゅう》けいされる。／有名《ゆうめい》な科学者《かがくしゃ》の講演《こうえん》(大勢《おおぜい》の人《ひと》の前《まえ》で、あることがらについての話《はなし》をすること)をききに行《い》く。 意味 人《ひと》の前《まえ》で、話《はなし》をする。述《の》べる。

熟語

❶ **演技**《えんぎ》。**演芸**《えんげい》。**演出**《えんしゅつ》(脚本《きゃくほん》をもとに、俳優《はいゆう》のわざや芸《げい》を指導《しどう》したりして、しばいや映画《えいが》などを一《ひと》つの作品《さくひん》としてまとめること)。**開演**《かいえん》。**公演**《こうえん》(観客《かんきゃく》の前《まえ》で、劇《げき》・音楽《おんがく》・踊《おど》りなどをおこなうこと)。**実演**《じつえん》。**出演**《しゅつえん》。**上演**《じょうえん》。**熱演**《ねつえん》。**演奏会**《えんそうかい》。

心／7画

【応】

音 **オウ**
訓 ―

成り立ち
もとの字《じ》は「應」。人《ひと》が鳥《とり》を手《て》で受《う》け止《と》めることをあらわす「雁」と「心」(こころ)を合《あ》わせた字《じ》。しっかりと心《こころ》に受《う》け止《と》めて、《こたえる》ことを意味《いみ》する。

筆順・書き方

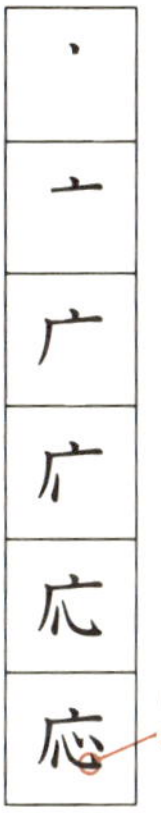

(7画)

例文・意味

❶ 例文 いくら呼《よ》んでも応答《おうとう》がない。 意味 相手《あいて》の呼《よ》びかけや問《と》いなどに対《たい》して、こたえる。

❷ 例文 議長《ぎちょう》の指名《しめい》に応《おう》じて発言《はつげん》した。／かん境《きょう》に順応《じゅんのう》(まわりのようすの変化《へんか》に合《あ》わせて、自分《じぶん》の性質《せいしつ》・行動《こうどう》・状態《じょうたい》などをかえること)した生物《せいぶつ》が生《い》き残《のこ》る。 意味 他《た》からのはたらきかけを受《う》け入《い》れて従《したが》う。

❸ 例文 その場《ば》に適応《てきおう》(あるものごとのようすに当《あ》てはまること)した行動《こうどう》をとる。 意味 そのことに対《たい》して、ちょうどよい。ふさわしい。

熟語

❶ 質疑応答《しつぎおうとう》。
❷ 応援《おうえん》。応急《おうきゅう》(急《いそ》ぐ場合《ばあい》に、間《ま》に合《あ》わせにすること)。応接《おうせつ》。応戦《おうせん》。応対《おうたい》。応募《おうぼ》。反応《はんのう》。臨機応変《りんきおうへん》 ⇩(642ページ下) 応急手《おうきゅうて》当《あ》て。
❸ 応用《おうよう》。相応《そうおう》(ふさわしいこと)。対応《たいおう》。応用問題《おうようもんだい》。

彳／8画

【往】

音 **オウ**
訓 ―

成り立ち
「彳」は行《い》くこと。「主」は主《しゅ》ではなく、もとは「㞷」で、大《おお》きく広《ひろ》いことをあらわす。大《おお》またでどんどん《進《すす》んで行《い》く》ことをあらわした字《じ》。

筆順・書き方

(8画)

例文・意味

❶ 例文 父《ちち》は会社《かいしゃ》への往復《おうふく》に車《くるま》を使《つか》います。／病気《びょうき》で動《うご》けない弟《おとうと》のために往《おう》しんをお願《ねが》いした。 意味 前《まえ》に進《すす》む。行《い》く。また、極楽《ごくらく》へ行《い》くこと。

❷ 例文 往年《おうねん》(過《す》ぎ去《さ》った年《とし》)の名選手《めいせんしゅ》の活《かつ》やくする姿《すがた》をテレビで見《み》た。／往時《おうじ》(過《す》ぎ去《さ》った時《とき》)をしのぶ。 意味 時間《じかん》が過《す》ぎ去《さ》る。また、過《す》ぎ去《さ》った時《とき》。むかし。

熟語

❶ 往生《おうじょう》(極楽《ごくらく》へ行《い》くこと。死《し》ぬこと)。往診《おうしん》。往来《おうらい》。往路《おうろ》。立往生《たちおうじょう》。右往左往《うおうさおう》 ⇩(635ページ下)

木／10画

桜

音 《オウ》
訓 さくら

成り立ち
もとの字《じ》は「櫻」。「嬰」(女《おんな》の人《ひと》が首《くび》に巻《ま》く貝《かい》の首《くび》かざりをあらわし、とりまくこと)と「木」(き)を合《あ》わせた字《じ》。花《はな》が木全体《きぜんたい》をとりまいてさく《さくらのき》のこと。

筆順・書き方

てんのうちかたにちゅうい
(10画)

例文・意味
例文 春《はる》になると、上野《うえの》の山《やま》には夜桜見物《よざくらけんぶつ》の人《ひと》が大勢《おおぜい》訪《おとず》れる。／桜《さくら》の枝《えだ》を折《お》るなんていけないことです。
意味 さくらの木《き》。さくら。花《はな》は日本《にっぽん》の国花《こっか》とされる。

《夜桜見物《よざくらけんぶつ》》

熟語
葉桜《はざくら》(花《はな》が散《ち》って、若葉《わかば》が出始《ではじ》めたころのさくら)。山桜《やまざくら》。桜並木《さくらなみき》。桜《さくら》もち。八重桜《やえざくら》。

《桜《さくら》もち》

心／10画

恩

音 オン
訓 ―

成り立ち
「因」(ふとんの上《うえ》に大《だい》の字《じ》にねる)と「心」(こころ)を合《あ》わせた字《じ》。心《こころ》の中《なか》にありがたいという気持《きも》ちがのっかって、いつまでも残《のこ》ることから、人《ひと》から受《う》けた《おん》の意味《いみ》になった。

筆順・書き方

はねる
(10画)

例文・意味
例文 先生《せんせい》のご恩《おん》は、一生忘《いっしょうわす》れません。／おぼれかかっていたところを助《たす》けてくれたおにいさんは、ぼくの命《いのち》の恩人《おんじん》だ。／地球上《ちきゅうじょう》の生《い》き物《もの》は、みんな太陽《たいよう》の恩《おん》けい(めぐみ)を受《う》けて生《い》きている。／来月《らいげつ》、謝恩会《しゃおんかい》をおこないますので、ぜひ出席《しゅっせき》してください。
意味 人《ひと》から親切《しんせつ》にしてもらったり、世話《せわ》になったりすること。なさけ。めぐみ。おん。

熟語
恩義《おんぎ》(後《あと》で報《むく》いなければならないような義理《ぎり》のあるおん)。恩恵《おんけい》。恩師《おんし》。恩情《おんじょう》。恩返《おんがえ》し。大恩人《だいおんじん》。恩知《おんし》らず。

《恩師《おんし》》

可

口／5画

音 カ

訓 ―

成り立ち

「⌐」(直角《ちょっかく》に曲《ま》がる)と「口」(くち)を合《あ》わせた字《じ》。のどのところで曲《ま》がって、やっとかすれた声《こえ》が出《で》ることから、どうにか《できる》の意味《いみ》になった。

筆順・書き方

一　丆　冂　可　可（はねる）

(5画)

例文・意味

❶ 例文 参加《さんか》の申《もう》しこみは、電話《でんわ》でも可《か》です。／森田君《もりたくん》の提案《ていあん》はクラス全《ぜん》員《いん》の賛成《さんせい》で可決《かけつ》された。／先生《せんせい》の許可《きょか》なしに理科《りか》準備室《じゅんびしつ》に入《はい》ってはいけません。 意味 よいこと。また、よいと認《みと》めて許《ゆる》す。

❷ 例文 試験《しけん》に備《そな》えて、可能《かのう》なかぎり勉強《べんきょう》しよう。 意味 「…することができる」の意味《いみ》をあらわすことば。

《可決《かけつ》される》

熟語

❶ 可否《かひ》(よいか悪《わる》いか)。認可《にんか》(願《ねが》い出《で》たことを役所《やくしょ》などがよいと認《みと》めて許《ゆる》すこと)。不可《ふか》(よくないとすること)。

❷ 可燃性《かねんせい》。可能性《かのうせい》。不可能《ふかのう》。不可思議《ふかしぎ》 ⇩(641ページ中)

仮

亻／6画

音 カ・(ケ)

訓 かり

成り立ち

もとの字《じ》は「假」。「亻」(人《ひと》)と「叚」(おおい)と「二」(そえるしるし)と「ヨ又」(両手《りょうて》)を合《あ》わせた字《じ》。おおいをかぶせて、ほんとうのものをかくすこと。人《ひと》の《かり》の姿《すがた》をあらわした字《じ》。

筆順・書き方

ノ　亻（とめる）　仁　仮　仮　仮

(6画)

例文・意味

❶ 例文 当分《とうぶん》のあいだ、仮《かり》の校舎《こうしゃ》で授業《じゅぎょう》をおこなう。／このビルはまだ名前《なまえ》が決《き》まっていないので、「第二《だいに》ビル」と仮《か》しょう(かりにつけた名《めい》しょう)で呼《よ》んでいる。／この実験《じっけん》をする前《まえ》に仮説《かせつ》を立《た》ててみよう。

❷ 例文 兄《あに》は仮病《けびょう》を使《つか》って学校《がっこう》を休《やす》んだ。 意味 一時《いちじ》の間《ま》に合《あ》わせ。 意味 ほんとうのものではない。にせ。

❸ 例文 仮《かり》に、なんでも買《か》ってあげると言《い》ったら、何《なに》がほしいですか。 意味 たとえて言《い》うと。かりに。

熟語

❶ 仮想《かそう》(かりにそうだと想像《そうぞう》すること)。仮定《かてい》。仮初《かりそ》め(その場《ば》かぎりのこと)。仮住《かりず》まい。

❷ 仮装《かそう》。仮面《かめん》。

特別な読み

仮名《かな》。

□ イ／8画

価

音 カ
訓 《あたい》

成り立ち
もとの字《じ》は「價」。「イ」(人《ひと》)と「西」(おおいかくす)と「貝」(お金《かね》)を合《あ》わせた字《じ》。「賈」は倉庫《そうこ》にしまっておいた品物《しなもの》をあきなうこと。それで、商人《しょうにん》がつける《ねだん》の意味《いみ》になった。

筆順・書き方

(8画)

例文・意味
❶ 例文 新製品《しんせいひん》の価格《かかく》は、千《せん》五百円《ごひゃくえん》に決《き》められた。／定価《ていか》二百円《にひゃくえん》のノートを、一割引《いちわりび》きの百八十円《ひゃくはちじゅうえん》で買《か》う。 意味 物《もの》などの、ねだん。あたい。
❷ 例文 講演《こうえん》は、きく価値《かち》のないつまらないものだった。／図工《ずこう》の時間《じかん》にかいた絵《え》が評価《ひょうか》されて、コンクールに出品《しゅっぴん》されることになった。 意味 物《もの》などの、ねうち。

《特価《とっか》》

熟語
❶ 安価《あんか》。原価《げんか》(その品物《しなもの》を仕入《しい》れたねだん)。高価《こうか》。市価《しか》。時価《じか》(ある品物《しなもの》の、そのときのねだん)。代価《だいか》。単価《たんか》。地価《ちか》(土地《とち》を売《う》り買《か》いするときのねだん)。特価《とっか》。売価《ばいか》。物価《ぶっか》。
❷ 真価《しんか》(その物《もの》や、その人《ひと》がもっているほんとうのねうち)。

□ 氵／8画

河

音 カ
訓 かわ

成り立ち
「氵」(水《みず》)と「可」(直角《ちょっかく》に曲《ま》がること)を合《あ》わせた字《じ》。何度《なんど》も曲《ま》がって激《はげ》しく流《なが》れる《大《おお》きなかわ》のこと。もとは中国《ちゅうごく》の大《おお》きな川《かわ》「黄河《こうが》」をあらわした字《じ》。

筆順・書き方

(8画)

例文・意味
例文 理科《りか》の時間《じかん》に、河原《かわら》でいろいろな石《いし》を集《あつ》めた。／河口《かこう》に長《なが》いてい防《ぼう》がある。／アフリカ大陸《たいりく》とアジアとの境《さかい》の所《ところ》に、スエズ運河《うんが》がある。／中国《ちゅうごく》の広大《こうだい》な山河《さんが》をテレビで見《み》て感動《かんどう》した。／台風《たいふう》による大雨《おおあめ》で河川《かせん》がはんらんする。 意味 大《おお》きなかわ。

《河原《かわら》で石《いし》を集《あつ》める》

熟語
銀河《ぎんが》。氷河《ひょうが》。銀河系《ぎんがけい》。

特別な読み
河岸《かし》。河童《かっぱ》。河原《かわら》。

辶／12画

過

音 カ
訓 すぎる・すごす・《あやまつ》・《あやまち》

成り立ち
「辶」(進《すす》む)と「咼」(自由《じゆう》に動《うご》く関節《かんせつ》)を合《あ》わせた字《じ》。するすると《すぎる》ことや、進《すす》みすぎて足《あし》をすべらせて《あやまつ》ことを意味《いみ》する。

筆順・書き方

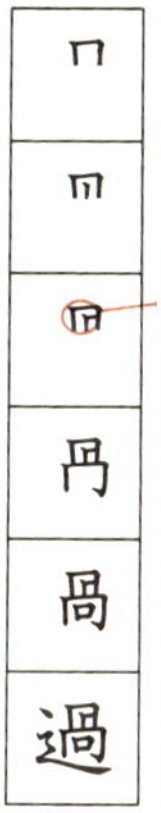

(12画)

例文・意味
❶ 例文 この駅《えき》を過《す》ぎると、まもなく山《やま》が見《み》えてくる。／今《いま》、電車《でんしゃ》は利根川《とねがわ》を通過《つうか》しました。 意味 ある場所《ばしょ》や地点《ちてん》を通《とお》っていく。すぎる。
❷ 例文 あっという間《ま》に夏休《なつやす》みが過《す》ぎてしまった。／水泳《すいえい》を始《はじ》めてから二年《にねん》が経過《けいか》した。 意味 時《じ》間《かん》がたつ。すぎる。
❸ 例文 過大《かだい》な期待《きたい》。／おいしいのでつい食《た》べ過《す》ぎた。 意味 ふつう以上《いじょう》である。
❹ 例文 あの事故《じこ》は、運転士《うんてんし》の過失《かしつ》です。 意味 うっかりしたまちがい。

熟語
❶ **過程**《かてい》(ものごとが移《うつ》りかわっていく道《みち》すじ)。**通《とお》り過《す》ぎる**。
❷ **過去**《かこ》。
❸ **過激**《かげき》。**過小**《かしょう》。**過度**《かど》。**過熱**《かねつ》。**過密**《かみつ》。**過労**《かろう》(働《はたら》きすぎて、疲《つか》れがたまること)。**過半数**《かはんすう》。**過不足**《かふそく》(多《おお》すぎることと、たりないこと)。**過保護**《かほご》。

貝／12画

賀

音 ガ
訓 ―

成り立ち
「加」は、積《つ》みあげてくわえること。「貝」は品物《しなもの》やお金《かね》をあらわす。神《かみ》や人《ひと》に、心《こころ》のこもったおくり物《もの》を積《つ》みあげて《いわう》ことをあらわした字《じ》。

筆順・書き方

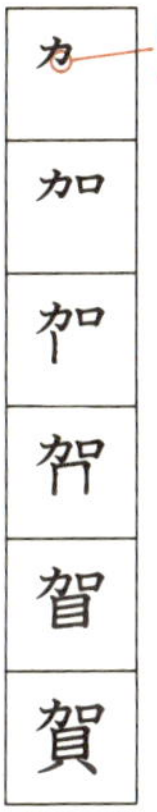

(12画)

例文・意味
例文 元日《がんじつ》に着《つ》くように年賀状《ねんがじょう》を早《はや》めに出《だ》す。／祝賀会《しゅくがかい》が、体育館《たいいくかん》でおこなわれる。／書《か》きぞめに賀正《がしょう》(新年《しんねん》を祝《いわ》うこと)と書《か》く。／新年《しんねん》の賀詞《がし》(新年《しんねん》を祝《いわ》うことば)を申《もう》しあげます。 意味 喜《よろこ》ぶ気持《きも》ちをあらわす。いわう。

《年賀状《ねんがじょう》》

熟語
賀状《がじょう》(祝《いわ》いを述《の》べる手紙《てがみ》。とくに、年賀状《ねんがじょう》)。**参賀**《さんが》(新年《しんねん》や祝《しゅく》日《じつ》などに、皇居《こうきょ》にお祝《いわ》いに行《い》くこと)。**祝賀**《しゅくが》。**年賀葉書**《ねんがはがき》。

快

忄／7画

音 カイ
訓 こころよい

成り立ち
「忄」は心《こころ》、「夬」は、たまったものがえぐられてぬけ落《お》ちること。心《こころ》の中《なか》のいやなことがとれて、すっきりした《こころよい》気《き》持《も》ちのことをあらわした字《じ》。

筆順・書き方

（7画）

例文・意味

❶ 例文 窓《まど》をあけると、快《こころよ》い春風《はるかぜ》が入《はい》ってきた。／魚《さかな》が糸《いと》を引《ひ》く快感《かいかん》を覚《おぼ》えたら、つりはやめられない。 意味 気《き》持《も》ちが晴《は》れ晴《ば》れしてよい。こころよい。

❷ 例文 父《ちち》の全快《ぜんかい》（病気《びょうき》や、けがが、すっかり治《なお》ること）を祝《いわ》って、家族《かぞく》でパーティーをする。／かぜは快方《かいほう》に向《む》かった。 意味 病気《びょうき》がよくなる。

❸ 例文 新記録《しんきろく》の快走《かいそう》に観客《かんきゃく》は総立《そうだ》ちになった。 意味 気《き》持《も》ちがよくなるほどはやい。

熟語

❶ 快活《かいかつ》（明《あか》るく元気《げんき》で、はきはきしているようす）。快挙《かいきょ》（気《き》持《も》ちがすっきりするような、すばらしいおこない）。快勝《かいしょう》。快晴《かいせい》。快調《かいちょう》。快適《かいてき》。快楽《かいらく》。痛快《つうかい》（胸《むね》がすくような気《き》持《も》ちで、たいへんゆかいなようす）。不快《ふかい》。

❸ 快速《かいそく》。軽快《けいかい》。

解

角／13画

音 カイ・《ゲ》
訓 とく・とかす・とける

成り立ち
「角」（つの）と「刀」（かたな）と「牛」（うし）を合《あ》わせた字《じ》。もと、刀《かたな》で牛《うし》をかいぼうすることをあらわした。物《もの》をばらばらにすることから、《とく》の意《い》味《み》をあらわすようになった。

筆順・書き方

（13画）

例文・意味

❶ 例文 ひもを解《と》いて荷物《にもつ》をあける。／みんなの考《かんが》え方《かた》がちがってきたので、クラブを解散《かいさん》する。／時計《とけい》を分解《ぶんかい》して修理《しゅうり》した。 意味 ばらばらにする。とく。

❷ 例文 人質《ひとじち》が解放《かいほう》された。／あゆつりが解禁《かいきん》になる。 意味 とりのぞく。自由《じゆう》にする。

❸ 例文 この本《ほん》は難《むずか》しくて、ぼくには理解《りかい》できない。／解答用紙《かいとうようし》に答《こた》えを書《か》く。 意味 わかるようにする。とく。

熟語

❶ 解体《かいたい》。溶解《ようかい》。雪解《ゆきど》け。

❷ 解決《かいけつ》。解除《かいじょ》。解任《かいにん》（役目《やくめ》をといて、やめさせること）。和解《わかい》。解熱《げねつ》。

❸ 解説《かいせつ》。解明《かいめい》。見解《けんかい》（あることに対《たい》する人《ひと》それぞれの見方《みかた》や考《かんが》え方《かた》）。誤解《ごかい》。図解《ずかい》。正解《せいかい》。読解《どっかい》。難解《なんかい》。弁解《べんかい》。不可解《ふかかい》（わけがわからないようす）。

木／10画

格

音 カク・《コウ》

訓 ―

成り立ち 「各」(足《あし》の先《さき》がかたいものにつかえて止《と》まること)と「木」(き)を合《あ》わせた字《じ》。もと、支《ささ》えて止《と》めるしん棒《ぼう》をあらわした。そのことから、《わくぐみ》や《きそく》の意味《いみ》になった。

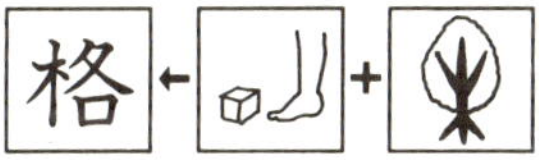

筆順・書き方

(10画)

例文・意味

❶ 例文 規格《きかく》に合《あ》った商品《しょうひん》をつくる。 意味 守《まも》らなければならないきまり。

❷ 例文 かれと将《しょう》ぎをしても、格《かく》がちがうので勝《か》てない。／妹《いもうと》はやさしい性格《せいかく》です。 意味 地位《ちい》・等級《とうきゅう》・程度《ていど》。かく。

❸ 例文 格子戸《こうしど》をがらりとあける。／骨格《こっかく》のしっかりしたからだ。 意味 縦《たて》・横《よこ》に組《く》み合《あ》わせた形《かたち》。

❹ 例文 ボクシングは格《かく》とう競技《きょうぎ》の一《ひと》つです。 意味 手《て》でうつ。

熟語

❶ 格言《かくげん》(人《ひと》が生《い》きていくための教《おし》えや、いましめなどを短《みじか》いことばで言《い》いあらわしたもの)。格式《かくしき》(身《み》分《ぶん》や家《いえ》がらなどについてのきまり)。合格《ごうかく》。失格《しっかく》。適格《てきかく》。破格《はかく》。別格《べっかく》。本格的《ほんかくてき》。

❷ 格段《かくだん》。格別《かくべつ》。格安《かくやす》。価格《かかく》。資格《しかく》。人格《じんかく》。品格《ひんかく》。風格《ふうかく》(りっぱな人《ひと》がら)。

❸ 格好《かっこう》。体格《たいかく》。

石／15画

確

音 カク

訓 たしか・たしかめる

成り立ち 「隺」(かたくて、はっきりしていること)と「石」(いし)を合《あ》わせた字《じ》。もとは、石英《せきえい》という石《いし》のこと。石英《せきえい》のようにかたいことから、《たしか》の意《い》味《み》になった。

筆順・書き方

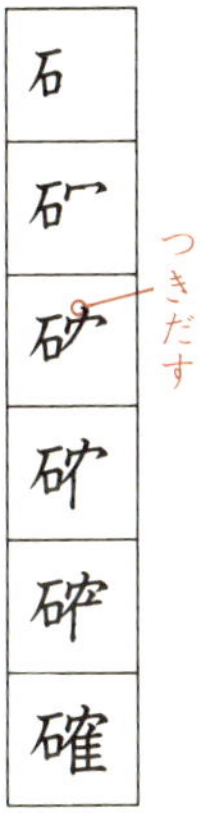

(15画)

例文・意味

❶ 例文 兄《あに》は高等学校《こうとうがっこう》の合格《ごうかく》を確信《かくしん》している。／開票《かいひょう》が終《お》わり、当選《とうせん》が確定《かくてい》した。 意味 しっかりしていて、動《うご》かない。

❷ 例文 地球《ちきゅう》が太陽《たいよう》のまわりを回《まわ》っているのは確《たし》かだ。／かれは約束《やくそく》の時間《じかん》に確実《かくじつ》に来《く》る。／この時計《とけい》はとても正確《せいかく》だ。／うそかほんとうかを確《たし》かめる。 意味 しっかりしていて、まちがいない。たしか。また、まちがいないか、はっきりさせる。たしかめる。

熟語

❶ 確保《かくほ》。確立《かくりつ》。確固《かっこ》(しっかりとして動《うご》かないようす)。

❷ 確証《かくしょう》(たしかな証拠《しょうこ》)。確答《かくとう》。確認《かくにん》。的確《てきかく》(まちがいなく、たしかなようす)。明確《めいかく》。

額

頁／18画

音 ガク

訓 ひたい

成り立ち 「客」は足《あし》の先《さき》が、かたいものにつかえて止《と》まるように、ひとところにとまる「きゃく」のこと。「頁」は人《ひと》の頭《あたま》。頭《あたま》のうちでとくにかたい骨《ほね》のある《ひたい》をあらわす。

筆順・書き方

（18画）

例文・意味

❶ 例文 父《ちち》は最近《さいきん》、額《ひたい》が広《ひろ》くなってきた。 意味 おでこ。ひたい。

❷ 例文 写真《しゃしん》を額《がく》に入《い》れてかざる。／かべから落《お》ちて額《がく》ぶちが欠《か》けてしまった。 意味 絵《え》や賞状《しょうじょう》などを入《い》れて、かべなどにかけるもの。がく。

❸ 例文 今度《こんど》の台風《たいふう》によって受《う》けた損害《そんがい》は、相当《そうとう》な額《がく》にのぼる。／おもちゃを半額《はんがく》にまけてもらった。 意味 物《もの》の分量《ぶんりょう》や、お金《かね》の高《たか》。がく。

熟語

❸ 金額《きんがく》。減額《げんがく》。高額《こうがく》。差額《さがく》（ある金《きん》がくから他《た》の金《きん》がくを引《ひ》いて残《のこ》ったがく）。残額《ざんがく》。小額《しょうがく》。少額《しょうがく》。全額《ぜんがく》。総額《そうがく》（全部《ぜんぶ》のお金《かね》を合《あ》わせたがく）。増額《ぞうがく》。多額《たがく》。

刊

刂／5画

音 カン

訓 ―

成り立ち 「干」は木《き》の幹《みき》。「刂」は刀《かたな》。むかしは木《き》や竹《たけ》の札《ふだ》に字《じ》を書《か》き、まちがったときは、小刀《こがたな》でけずって直《なお》したので、文章《ぶんしょう》を直《なお》して《本《ほん》などを出《だ》す》意味《いみ》になった。

筆順・書き方

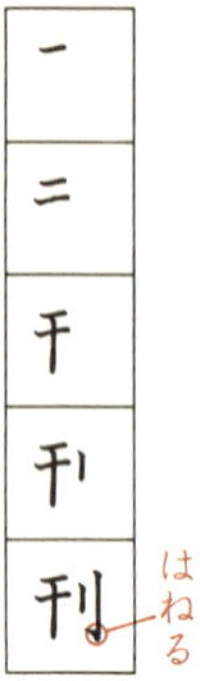

（5画）

例文・意味

例文 子《こ》ども向《む》けの新《あたら》しい雑誌《ざっし》が刊行《かんこう》される。／父《ちち》は、朝起《あさお》きるとすぐに朝刊《ちょうかん》を読《よ》みます。／月刊《げっかん》の科学雑誌《かがくざっし》を一年分予約《いちねんぶんよやく》する。／新《あたら》しい雑誌《ざっし》の創刊《そうかん》号《ごう》を買《か》う。／新刊《しんかん》の小説《しょうせつ》の広告《こうこく》が新聞《しんぶん》に出《で》る。 意味 新聞《しんぶん》や本《ほん》などを印刷《いんさつ》して出《だ》す。

《朝刊《ちょうかん》を読《よ》む》

熟語

季刊《きかん》（雑誌《ざっし》などを、春《はる》・夏《なつ》・秋《あき》・冬《ふゆ》の年四回発行《ねんよんかいはっこう》すること）。休刊《きゅうかん》。増刊《ぞうかん》。日刊《にっかん》。発刊《はっかん》。夕刊《ゆうかん》。刊行物《かんこうぶつ》。週刊誌《しゅうかんし》。新刊本《しんかんぼん》。

干／13画

幹

音 カン
訓 みき

成り立ち

「倝」は日《ひ》や旗《はた》があがるように力強《ちからづよ》いこと。「干」は力強《ちからづよ》くのびた太《ふと》い木《き》の《みき》。また、ものごとの中心《ちゅうしん》となる《大《だい》事《じ》なところ》の意味《いみ》になった。

筆順・書き方

（13画）　つきでない

例文・意味

❶ 例文 神社《じんじゃ》でいちばん大《おお》きいすぎの木《き》の幹《みき》には、しめなわがしめてあった。意味 木《き》の、枝《えだ》などをつける、地上《ちじょう》に立《た》っている太《ふと》い部分《ぶぶん》。みき。

❷ 例文 二《ふた》つの都市《とし》を結《むす》ぶ重要《じゅうよう》な幹線道路《かんせんどうろ》。／同《どう》窓会《そうかい》の幹事《かんじ》を選《えら》ぶ。／東海道新幹線《とうかいどうしんかんせん》を使《つか》って大阪《おおさか》へ行《い》く。意味 ものごとの中心《ちゅうしん》となる大事《だいじ》なところ。おおもと。

熟語

❷ 幹部《かんぶ》（会社《かいしゃ》や団体《だんたい》などの中心《ちゅうしん》となる、おもな人々《ひとびと》）。根幹《こんかん》（ものごとのもとになる、いちばん大事《だいじ》な部分《ぶぶん》）。主幹《しゅかん》（割《わ》り当《あ》てられた仕事《しごと》を中心《ちゅうしん》になっておこなう役《やく》目《め》の人《ひと》）。

忄／14画

慣

音 カン
訓 なれる・ならす

成り立ち

「忄」は心《こころ》、「貫」は、まるい貝《かい》にひもを通《とお》した形《かたち》。つらぬくこと。一《ひと》つのことをつらぬきとおしているうちに、心《こころ》がそれになじんで《なれる》ことを意味《いみ》する。

筆順・書き方

（14画）　母としない

例文・意味

❶ 例文 新《あたら》しいくつに慣《な》れる。／水泳《すいえい》の前《まえ》にからだを水《みず》に慣《な》らす。意味 くり返《かえ》してよくなじむ。なれる。ならす。

❷ 例文 わたしの家《いえ》では、家族《かぞく》そろって初《はつ》もうでに行《い》くのが慣例《かんれい》になっている。／ことしこそ、日記《にっき》を書《か》く習慣《しゅうかん》をつけるようにがんばろう。意味 いつもそうすることになっている。また、むかしからつづけておこなわれている、しきたり。ならわし。

熟語

❶ 慣用句《かんようく》。不慣《ふな》れ。足慣《あしな》らし。

❷ 慣習《かんしゅう》。慣性《かんせい》（外《そと》からの力《ちから》を受《う》けないかぎり、動《うご》いている物体《ぶったい》は動《うご》きつづけ、止《と》まっている物体《ぶったい》は止《と》まったままになっているという性《せい》質《しつ》）。

□ 目／11画

【眼】

音 ガン・《ゲン》
訓 （まなこ）

成り立ち
目《め》に小刀《こがたな》で入《い》れずみをして、それがいつまでも消《き》えずに残《のこ》ることをあらわす「艮」と「目」（め）とを合《あ》わせた字《じ》。がい骨《こつ》になっても残《のこ》る《めの穴《あな》》、また、その穴《あな》に、はまっている《め》のこと。

筆順・書き方

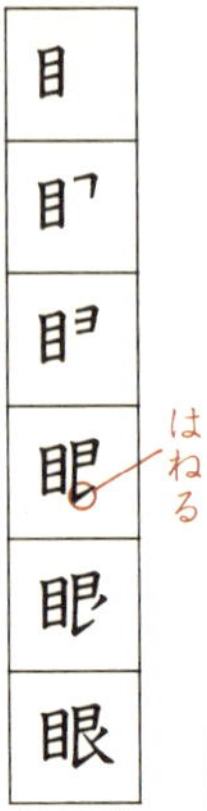

（11画）

例文・意味
❶ 例文 ものもらいができたので、眼科《がんか》に行《い》く。／せみには、二《ふた》つの複眼《ふくがん》と三《みっ》つの単眼《たんがん》があります。 意味 め。めだま。まなこ。
❷ 例文 父《ちち》の眼力《がんりき》（よいか悪《わる》いか、本物《ほんもの》かにせ物《もの》かを見分《みわ》ける力《ちから》）はするどいので、うそはつけない。 意味 ものごとの本質《ほんしつ》を、見分《みわ》ける力《ちから》。
❸ 例文 この物語《ものがたり》は、作者《さくしゃ》の心《こころ》の動《うご》きに主眼《しゅがん》（中心《ちゅうしん》となる、大事《だいじ》な点《てん》）をおいて読《よ》むとおもしろい。 意味 ものごとの、大事《だいじ》なところ。

熟語
❶ 眼下《がんか》。眼光《がんこう》。眼前《がんぜん》。眼帯《がんたい》。近眼《きんがん》。検眼《けんがん》。肉眼《にくがん》。両眼《りょうがん》。老眼《ろうがん》。方眼紙《ほうがんし》。老眼鏡《ろうがんきょう》。
❸ 眼目《がんもく》（ものごとの、もっとも大事《だいじ》なところ）。

特別な読み
眼鏡《めがね》。

□ 土／11画

【基】

音 キ
訓 （もと）・《もとい》

成り立ち
「其」（四角《しかく》い竹《たけ》かご台《だい》）と、「土」（つち）を合《あ》わせた字《じ》。ゆるがない《土台《どだい》》をあらわした。そのことから、ものごとの《もと》になることや、《よりどころ》を意味《いみ》する字《じ》。

筆順・書き方

（11画）

例文・意味
❶ 例文 逆《さか》あがりは鉄棒《てつぼう》の基本《きほん》だ。／応用問題《おうようもんだい》より基《き》そ問題《もんだい》に重点《じゅうてん》をおいて復習《ふくしゅう》する。／父《ちち》は経験《けいけん》に基《もと》づいた話《はなし》をしてくれる。 意味 ものごとが成《な》り立《た》つ土台《どだい》となるもの。よりどころ。もと。
❷ 例文 神社《じんじゃ》の境内《けいだい》に、二基《にき》の灯《とう》ろうが立《た》っていた。 意味 墓石《はかいし》や灯《とう》ろうなど、すえつけてある物《もの》を数《かぞ》えることば。

《二基《にき》の灯《とう》ろう》

熟語
❶ 基金《ききん》。基準《きじゅん》。基地《きち》。基調《きちょう》。基点《きてん》。

寄

宀／11画

音 キ
訓 よる・よせる

成り立ち
「宀」(家《いえ》)と「奇」(からだがかたよること)を合《あ》わせた字《じ》。たよりとする家《いえ》のほうに《よりかかる》という意《い》味《み》の字《じ》。

筆順・書き方

(11画)

例文・意味

❶ 例文 兄《あに》はおじの家《いえ》に寄宿《きしゅく》している。 意味 他《た》のものにたよる。よりかかる。

❷ 例文 お寺《てら》に寄付《きふ》をする。 意味 ものごとを任《まか》せる。ものを預《あず》ける。

❸ 例文 卒業《そつぎょう》の寄《よ》せ書《が》きを書《か》く。／美《うつく》しい寄《よ》せ木《ぎ》細工《ざいく》の箱《はこ》。 意味 人《ひと》や物《もの》が集《あつ》まる。また、集《あつ》める。

❹ 例文 寄《よ》り道《みち》をしていて帰《かえ》るのがおそくなる。／この船《ふね》は大阪《おおさか》に寄港《きこう》してから東京《とうきょう》に向《む》かう。 意味 とちゅうである場《ば》所《しょ》に、たちよる。よる。

熟語

❶ 寄生《きせい》。寄留《きりゅう》(よその土《と》地《ち》や家《いえ》に、ある期間《きかん》だけすむこと)。寄宿舎《きしゅくしゃ》。寄生虫《きせいちゅう》。寄《よ》る辺《べ》。身《み》寄《よ》り。

❸ 寄《よ》せ算《ざん》。寄《よ》り合《あ》い。

特別な読み
数寄屋《すきや》。最寄《もよ》り。寄席《よせ》。

規

見／11画

音 キ
訓 ―

成り立ち
「夫」(円《えん》をかくコンパスの形《かたち》)と「見」(みる)を合《あ》わせた字《じ》。コンパスでかいた半径《はんけい》は正確《せいかく》で、寸法《すんぽう》の基準《きじゅん》になることから、はかる《きじゅん》の意《い》味《み》をあらわした字《じ》。

筆順・書き方

(11画)

例文・意味

❶ 例文 定規《じょうぎ》には、三角《さんかく》定規《じょうぎ》・円定規《えんじょうぎ》・雲形《くもがた》定規《じょうぎ》など、いろいろな種類《しゅるい》のものがある。 意味 円《えん》をかくもの。また、ものさし。

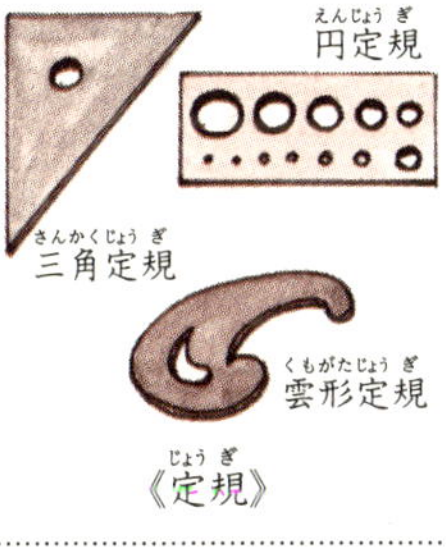

《定規《じょうぎ》》

❷ 例文 図書《としょ》の貸《か》し出《だ》し期間《きかん》は、規則《きそく》で二《に》週間《しゅうかん》です。／二学期《にがっき》からは、新規《しんき》まき直《なお》し(初《はじ》めからまた、新《あたら》しいやり方《かた》でやりなおすこと)でがんばろう。 意味 きまり。手本《てほん》。

熟語

❷ 規格《きかく》。規準《きじゅん》。規制《きせい》(きまりをつくって制限《せいげん》すること)。規定《きてい》。規模《きぼ》。規約《きやく》(みんなで話《はな》し合《あ》って決《き》めたきまり)。規律《きりつ》。正規《せいき》。不規則《ふきそく》。交通法規《こうつうほうき》。

扌／7画

技

音 ギ

訓 (わざ)

成り立ち

「扌」は手《て》、「支」は細《こま》かい枝《えだ》を手《て》に持《も》つ姿《すがた》で、細《こま》かいことをあらわす。手先《てさき》を使《つか》って細《こま》かい仕事《しごと》をする《わざ》、《うでまえ》という意味《いみ》になった。

技

筆順・書き方

(7画)

つけない

例文・意味

例文 科学技術《かがくぎじゅつ》が進歩《しんぽ》して、月《つき》にも行《い》けるようになった。／六年生《ろくねんせい》のすばらしい演技《えんぎ》に、下級生《かきゅうせい》は大《おお》きなはく手《しゅ》を送《おく》った。／航空《こうくう》ショーでジェット機《き》の曲技飛行《きょくぎひこう》を見《み》る。／体操《たいそう》の選手《せんしゅ》が、すぐれた技《わざ》を競《きそ》う。 意味 ものごとをやりとげるうでまえ。わざ。

熟語

技師《ぎし》。技能《ぎのう》。球技《きゅうぎ》。競技《きょうぎ》。国技《こくぎ》(その国《くに》を代表《だいひょう》する競《きょう》ぎ)。実技《じつぎ》。特技《とくぎ》(とくに自信《じしん》をもっていてじょうずにできるわざ)。早技《はやわざ》。技術者《ぎじゅつしゃ》。技比《わざくら》べ。陸上競技《りくじょうきょうぎ》。

羊／13画

義

音 ギ

訓 ―

成り立ち

「⺷」は、形《かたち》がよい羊《ひつじ》。「我」は角《かど》ばったほこ。きちんと角《かく》ばった形《かたち》のよいこと。《すじ道《みち》のたった正《ただ》しいおこない》や、ものの《ほんとうの意味《いみ》》をあらわした字《じ》。

義

筆順・書き方

(13画)

わすれずに

例文・意味

❶ 例文 兄《あに》はとても正義感《せいぎかん》が強《つよ》い。 意味 人《ひと》がしなければならない正《ただ》しいおこない。正《ただ》しいすじ道《みち》。

❷ 例文 日記《にっき》を書《か》きつづけることは、とても意義《いぎ》のあることです。 意味 ものごとの、わけ。意味《いみ》。

❸ 例文 姉《あね》と結《けっ》こんした男《おとこ》の人《ひと》を、義兄《ぎけい》という。 意味 血《ち》のつながっていない、親子《おやこ》・きょうだいなどをあらわすことば。

❹ 意味 あるものの、かわりになるもの。

熟語

❶ 義務《ぎむ》。義理《ぎり》。恩義《おんぎ》(後《あと》で報《むく》いなければならないと思《おも》っている恩《おん》)。忠義《ちゅうぎ》(国家《こっか》や主君《しゅくん》に真心《まごころ》をつくして仕《つか》えること)。

❷ 広義《こうぎ》。講義《こうぎ》。定義《ていぎ》。

❸ 義姉《ぎし》。義弟《ぎてい》。義父《ぎふ》。義母《ぎぼ》。義妹《ぎまい》。

❹ 義歯《ぎし》(ばっ歯後《しご》に入《い》れる、人工《じんこう》の歯《は》)。名義人《めいぎにん》。

逆

⻌／9画

音 ギャク

訓 さか・さからう

成り立ち 「⻌」は進《すす》むこと。「屰」は人《ひと》を《さかさま》にえがいた字《じ》。さかさまに進《すす》むことから、《反対《はんたい》である》こと、《さからう》ことを意味《いみ》する。

筆順・書き方

丷 → 䒑 → 屰(途中) → … → 屰 → 逆（9画）

はらう

例文・意味

❶ 例文 明智光秀《あけちみつひで》は、織田信長《おだのぶなが》に反逆《はんぎゃく》した。 意味 相手《あいて》に対《たい》して反《はん》こうする。さからう。

❷ 例文 早《はや》く帰《かえ》ろうと思《おも》って近道《ちかみち》をしたら、逆《ぎゃく》に、道《みち》に迷《まよ》っておそくなってしまった。／最初《さいしょ》は負《ま》けていたけれど、最後《さいご》に逆転《ぎゃくてん》して勝《か》った。／体育《たいいく》の時間《じかん》に、逆立《さかだ》ちの練習《れんしゅう》をした。 意味 反対《はんたい》の方向《ほうこう》に進《すす》むこと。また、そのようす。さかさ。ぎゃく。

《逆立《さかだ》ちの練習《れんしゅう》》

熟語

❶ 逆上《ぎゃくじょう》（かっとなって、気持《きも》ちがたかぶり、わけがわからないようになること）。

❷ 逆算《ぎゃくさん》。逆手《ぎゃくて》。逆風《ぎゃくふう》。逆流《ぎゃくりゅう》。逆様《さかさま》。逆光線《ぎゃくこうせん》（見《み》ているものの反対《はんたい》からさす光《ひかり》）。逆三角形《ぎゃくさんかくけい》。逆上《さかあ》がり。

久

ノ／3画

音 キュウ・（ク）

訓 ひさしい

成り立ち 背中《せなか》の曲《ま》がった老人《ろうじん》のこしに「㇏」のしるしをつけた字《じ》で、年月《ねんげつ》を経《へ》て長《なが》いという意味《いみ》をあらわした字《じ》。《長《なが》い年月《ねんげつ》を経《へ》ている》ことをあらわす。

筆順・書き方

ノ → ク → 久（3画）

みじかく

例文・意味

例文 幼《よう》ち園《えん》の先生《せんせい》に、久《ひさ》しぶりでお目《め》にかかった。／いなかのおばとは久《ひさ》しく会《あ》っていない。／ぼくたちの友情《ゆうじょう》は、永久《えいきゅう》にかわることがないだろう。／久久《ひさびさ》に父《ちち》とキャッチボールをした。 意味 時間《じかん》や年月《ねんげつ》が長《なが》い。また、ものごとなどが、長《なが》いあいだかわらない。ひさしい。

熟語

永久歯《えいきゅうし》。持久力《じきゅうりょく》（長《なが》く持《も》ちこたえる体力《たいりょく》）。

《持久力《じきゅうりょく》》

□ 日／5画

【旧】

音 キュウ
訓 —

成り立ち
もとの字《じ》は「舊」。「萑」(ふくろう)と「臼」(家《いえ》に古《ふる》くから伝《つた》わる石《いし》うす)を合《あ》わせた字《じ》。「久」(キュウ)と同《おな》じ音《おん》のことから、《久《ひさ》しい。ふるい》という意味《いみ》になった。

筆順・書き方

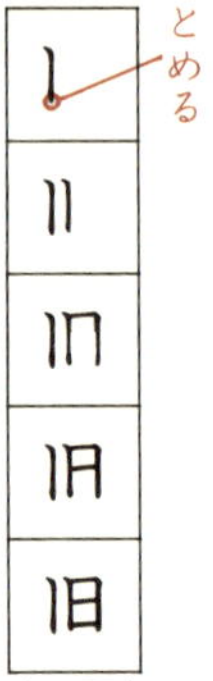

(5画)

例文・意味
❶ 例文 母《はは》の実家《じっか》はこの町《まち》の旧家《きゅうか》です。／新旧《しんきゅう》の委員《いいん》が事務《じむ》の引《ひ》きつぎをおこなう。／せまい旧道《きゅうどう》。／京都《きょうと》の名所旧《めいしょきゅう》せき(歴史《れきし》に残《のこ》るできごとや建物《たてもの》などのあった所《ところ》)を見《み》て歩《ある》く。意味 ふるいこと。ふるい。対語 新《しん》。
❷ 例文 線路《せんろ》が復旧《ふっきゅう》した。／母《はは》の旧《きゅう》せい(結《けっ》こんなどで名字《みょうじ》がかわったときの、もとの名字《みょうじ》)は大川《おおかわ》です。意味 むかしの。また、もとの状態《じょうたい》。
❸ 例文 この地方《ちほう》では、旧正月《きゅうしょうがつ》の行事《ぎょうじ》をします。意味「旧《きゅう》れき」の略《りゃく》。対語 新《しん》。

熟語
❶ 旧式《きゅうしき》。旧年《きゅうねん》(新《あたら》しい年《とし》になったときの去年《きょねん》)。名所旧跡《めいしょきゅうせき》 ⇩ (642ページ上)
❷ 旧友《きゅうゆう》(むかしからの友《とも》だち)。

□ 尸／8画

【居】

音 キョ
訓 いる

成り立ち
「尸」は人《ひと》のおしりを、「古」はふるくなったがい骨《こつ》で、かたく動《うご》かないことをあらわす。おしりを一《いっ》か所《しょ》に《落《お》ち着《つ》けてすむ》、また、その《すまい》をあらわした字《じ》。

筆順・書き方

(8画)

例文・意味
例文 高台《たかだい》に居《きょ》を構《かま》える。／このマンションには、二十世帯《にじっせたい》の家族《かぞく》が居住《きょじゅう》している。／いなかの祖父母《そふぼ》が東京《とうきょう》に出《で》てきて、ぼくの家《いえ》に同居《どうきょ》することになった。／今《いま》の皇居《こうきょ》は江戸城《えどじょう》のあと地《ち》にあります。／居《い》ても立《た》ってもいられない。意味 すんでいるところ。すまい。また、すんでいる。

熟語
住居《じゅうきょ》。新居《しんきょ》。転居《てんきょ》。別居《べっきょ》。居候《いそうろう》(他人《たにん》の家《いえ》にすんで、その家《いえ》の人《ひと》の世話《せわ》になっていること。また、その人《ひと》)。居所《いどころ》。居間《いま》。居心地《いごこち》。居留守《いるす》(家《いえ》にいるのにいないふりをすること)。

特別な読み
一言居士《いちげんこじ》。

言／11画

許

音 キョ
訓 ゆるす

成り立ち 「言」は、ことば。「午」は上下《じょうげ》に動《うご》かしてもちなどをつくきねのこと。きねを使《つか》うときは、上下《じょうげ》にはばをもたせて動《うご》かす。そのことから、《ゆるす》の意味《いみ》をあらわすようになった。

筆順・書き方

（11画）

例文・意味

例文 先生《せんせい》に許可《きょか》をいただいて、体育館《たいいくかん》でドッジボールをした。／父《ちち》は自動車《じどうしゃ》の運転《うんてん》めん許《きょ》をとってから、ずっと無事故無《むじこむ》い反《はん》だそうだ。／兄《あに》の中学校《ちゅうがっこう》では、自転車通学《じてんしゃつうがく》が許《ゆる》されています。／今度《こんど》だけは、弟《おとうと》のいたずらを許《ゆる》してやる。 意味 願《ねが》いなどを聞《き》き入《い》れる。また、あやまちなどをとがめないですます。ゆるす。

熟語

許容《きょよう》(この程度《ていど》ならよいと認《みと》めること)。特許《とっきょ》(ある人《ひと》や会社《かいしゃ》が、発明《はつめい》したり改良《かいりょう》したりしたものを商品《しょうひん》として売《う》るときに、政府《せいふ》がその人《ひと》や会社《かいしゃ》だけに、つくって売《う》る権利《けんり》をあたえること)。免許《めんきょ》。

土／14画

境

音 キョウ・(ケイ)
訓 さかい

成り立ち 「竟」は「音」(おと)と「人」(ひと)で、人《ひと》が音楽《おんがく》の一節《ひとふし》を歌《うた》った一区切《ひとくぎ》り。これに「土」(つち)を合《あ》わせた字《じ》。土地《とち》の《区切《くぎ》りめ》のこと。また、まわりを《区切《くぎ》った場所《ばしょ》》のこともあらわす。

筆順・書き方

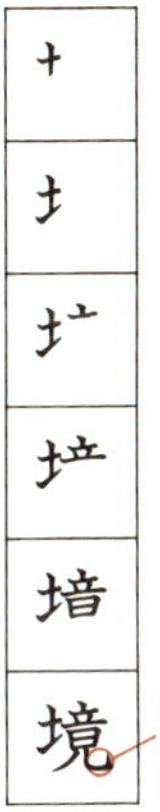

（14画）

例文・意味

❶ 例文 この川《かわ》が、となり村《むら》との境《さかい》です。／中国《ちゅうごく》とインドの国境《こっきょう》にヒマラヤ山脈《さんみゃく》が走《はし》っている。／神社《じんじゃ》の境内《けいだい》の大《おお》きないちょうの木《き》。 意味 土《と》地《ち》の区切《くぎ》りめ。さかい。

❷ 例文 兄《あに》は大学《だいがく》で秘境探検《ひきょうたんけん》クラブに入《はい》っています。／辺境《へんきょう》(中心《ちゅうしん》となる町《まち》から遠《とお》くはなれた地方《ちほう》)の地《ち》を旅《たび》する。 意味 所《ところ》。場所《ばしょ》。

❸ 例文 自然《しぜん》のかん境《きょう》を守《まも》る運動《うんどう》を進《すす》める。／不《ふ》幸《こう》な境《きょう》ぐう(その人《ひと》がおかれている生活状《せいかつじょう》きょう)にも負《ま》けず、すくすく育《そだ》つ。 意味 状態《じょうたい》。ようす。

熟語

❶ 境界《きょうかい》。県境《けんきょう》。県境《けんざかい》。
❸ 境地《きょうち》(その人《ひと》の立場《たちば》)。環境《かんきょう》。逆境《ぎゃっきょう》(自分《じぶん》の思《おも》うようにならない苦《くる》しい立場《たちば》)。苦境《くきょう》。心境《しんきょう》(心《こころ》のようす)。

□ 土／7画

【均】

音 キン
訓 ―

成り立ち 「勹」(うでをぐるっとひとまわりさせる)と「＝」(等《ひと》しくそろえる)と「土」(つち)を合《あ》わせた字《じ》。土地《とち》をならして平《たい》らにすることから、《ひとしい》《つりあう》の意味《いみ》に使《つか》われる。

筆順・書き方

土 / 扌 / 圴 / 均 / 均 / 均 (はねる)

(7画)

例文・意味

例文 均整《きんせい》(形《かた》などのつりあいがよくとれていて、ととのっていること)のとれた美《うつく》しいからだをしている体《たい》操《そう》の選手《せんしゅ》。／百円均一《ひゃくえんきんいつ》の商品《しょうひん》。／国語《こくご》の試験《しけん》の、クラスの平均点《へいきんてん》は七十点《ななじってん》でした。／おかしを均等《きんとう》に分《わ》ける。

意味 全体《ぜんたい》に等《ひと》しくゆきわたっている。等《ひと》しい。

《均等《きんとう》に分《わ》ける》

熟語

平均《へいきん》。平均気温《へいきんきおん》。

□ 示／13画

【禁】

音 キン
訓 ―

成り立ち 「示」(神《かみ》)と「林」(はやし)を合《あ》わせた字《じ》。神社《じんじゃ》のまわりに木《き》を植《う》え、勝手《かって》に人《ひと》が入《はい》れないようにすることをあらわした字《じ》。そのことから、《…してはいけない》という意味《いみ》になった。

筆順・書き方

木 / 林 / 林 / 埜 / 梺 / 禁 (うえのせんよりながく)

(13画)

例文・意味

❶ 例文 この区域《くいき》で高山植物《こうざんしょくぶつ》をとることは禁《きん》じられている。／飲酒運転《いんしゅうんてん》は厳禁《げんきん》(してはいけないと、きびしく止《と》めること)です。意味 してはならないと、止《と》める。

❷ 例文 あす、この川《かわ》のあゆつりは解禁《かいきん》になる。おきて。意味 してはならないというきまり。おきて。

❸ 例文 犯人《はんにん》にかん禁《きん》(ある場所《ばしょ》に閉《と》じこめて、自由《じゆう》な行動《こうどう》をさせないこと)されていた人質《ひとじち》が救出《きゅうしゅつ》された。／禁固三年《きんこさんねん》のけい。意味 ある場所《ばしょ》に閉《と》じこめる。

熟語

❶ 禁止《きんし》。禁酒《きんしゅ》。禁物《きんもつ》(してはいけないこと)。禁漁《きんりょう》。遊泳禁止《ゆうえいきんし》。

口／5画

句

音 ク
訓 ―

成り立ち 「型《がた》と、」型《がた》に、「口」(くち)を合《あ》わせた字《じ》。《小《ちい》さくかこったことば》や、《文章《ぶんしょう》の一区切《ひとくぎ》り》という意味《いみ》をあらわす。

筆順・書き方 ノ　勹（はねる）　句　句　句
（5画）

例文・意味

❶ 例文 はじめて学習《がくしゅう》する語句《ごく》をノートに書《か》き写《うつ》す。／「骨《ほね》が折《お》れる」「あごで使《つか》う」というようなことばを、慣用句《かんようく》と言《い》います。 意味 詩《し》・歌《うた》・文章《ぶんしょう》などの中《なか》の一区切《ひとくぎ》り。

❷ 例文 父《ちち》は毎月一回《まいつきいっかい》、句会《くかい》に出席《しゅっせき》します。／小林一茶《こばやしいっさ》には、子《こ》どものことをよんだ名句《めいく》がたくさんある。 意味 俳《はい》くのこと。

《名句《めいく》》

熟語

❶ 句点《くてん》。字句《じく》。成句《せいく》(「慣用《かんよう》句」と同《おな》じ)。対句《ついく》。文句《もんく》。句読点《くとうてん》(「。」と「、」)。一言半句《いちごんはんく》⇩(634ページ中)

❷ 句集《くしゅう》。俳句《はいく》。

羊／13画

群

音 グン
訓 むれる・むれ・むら

成り立ち 「羊」(ひつじ)はまとまってむれをつくる動物《どうぶつ》。「君」は手《て》に棒《ぼう》を持《も》ってむれをまとめることをあらわす。たくさんの人《ひと》や動物《どうぶつ》が一《ひと》つにまとまった《むれ》の意味《いみ》をあらわす。

筆順・書き方 ヨ　尹　君　君　群　群（つきでない）
（13画）

例文・意味

❶ 例文 ぼくたちの野球《やきゅう》チームは、市内《しない》では群《ぐん》をぬいて強《つよ》い。／赤《あか》とんぼが群《む》れて飛《と》ぶ。／すずめが群《むら》がっている。／火事場《かじば》で群衆《ぐんしゅう》が大《おお》さわぎしていた。 意味 多《おお》くのものが一《いっ》か所《しょ》に集《あつ》まる。むれる。むらがる。また、そうなってできた集《あつ》まり。むれ。

❷ 例文 戦国時代《せんごくじだい》は群《ぐん》ゆう割《かっ》きょ(数多《かずおお》くの英《えい》ゆうが各地《かくち》に勢力《せいりょく》をもって、たがいに対立《たいりつ》すること)の時代《じだい》だった。 意味 数多《かずおお》くの。

熟語

❶ 群集《ぐんしゅう》。群生《ぐんせい》(ある植物《しょくぶつ》が一《ひと》つの場所《ばしょ》に集《あつ》まって生《は》えること)。群島《ぐんとう》。群落《ぐんらく》(同《おな》じ場所《ばしょ》に集《あつ》まって生《は》えている植物《しょくぶつ》の集《あつ》まり)。一群《いちぐん》。大群《たいぐん》。

❷ 群臣《ぐんしん》。群雄割拠《ぐんゆうかっきょ》⇩(636ページ下)

糸／11画

経

音 ケイ・（キョウ）

訓 へる

成り立ち もとの字《じ》は「經」。布《ぬの》を織《お》るまっすぐな縦糸《たていと》をあらわす「巠」と「糸」（いと）を合《あ》わせた字《じ》。《まっすぐな縦《たて》線《せん》》や《まっすぐ通《とお》り過《す》ぎる》ことを意《い》味《み》する。

筆順・書き方

（11画）

例文・意味

❶ 例文 兵庫県明石市《ひょうごけんあかしし》は東経百三十五度《とうけいひゃくさんじゅうごど》です。 意味 地球《ちきゅう》を南北《なんぼく》に結《むす》ぶ線《せん》。

❷ 例文 京都《きょうと》経由《けいゆ》で金沢《かなざわ》へ行《い》く。／あれから二時《にじ》間経過《かんけいか》した。／会社員《かいしゃいん》を経《へ》て作家《さっか》となった人《ひと》。 意味 時間《じかん》がたつ。また、その場所《ばしょ》を通《とお》って行《い》く。へる。

❸ 例文 会社《かいしゃ》を経営《けいえい》する。 意味 ものごとを大《おお》すじをたてておさめる。

❹ 例文 寺《てら》の本堂《ほんどう》からお経《きょう》を読《よ》む声《こえ》が聞《き》こえる。 意味 仏様《ほとけさま》の教《おし》えを書《か》き記《しる》したもの。

熟語

❶ 経線《けいせん》。経度《けいど》。西経《せいけい》。

❷ 経験《けいけん》。経歴《けいれき》。経路《けいろ》（ものごとがたどってきたすじ道《みち》）。

❸ 経済《けいざい》。経費《けいひ》（ものごとをするのに必要《ひつよう》な費用《ひよう》）。経理《けいり》。経営者《けいえいしゃ》。

❹ 経文《きょうもん》。

特別な読み 読経《どきょう》。

氵／15画

潔

音 ケツ

訓 《いさぎよい》

成り立ち 「氵」（水《みず》）と「絜」（糸束《いとたば》のよごれを小刀《こがたな》でけずること。きれいなことをしめすしるし）を合《あ》わせた字《じ》。水《みず》でよごれを落《お》とし、《きれいにする》《きよらかである》の意味《いみ》をあらわす。

筆順・書き方

（15画）

例文・意味

例文 いつも清潔《せいけつ》なハンカチで手《て》をふく。／わたしは、この作者《さくしゃ》の簡潔《かんけつ》な文章《ぶんしょう》が大好《だいす》きです。／ぼくがかれの潔白《けっぱく》（おこないが正《ただ》しく、悪《わる》いことなどをしていないようす）を証明《しょうめい》してみせる。／悪《わる》いと思《おも》ったら潔《いさぎよ》くあやまるのが男《おとこ》らしい。 意味 けがれがなく、きれいで、すっきりしている。また、気持《きも》ちがさっぱりしていて、けじめ正《ただ》しい。いさぎよい。

熟語

高潔《こうけつ》（心《こころ》や、おこないが気高《けだか》く、清《きよ》らかなようす）。純潔《じゅんけつ》（心《こころ》や、からだによごれがなく、清《きよ》らかなようす）。不潔《ふけつ》。

イ／6画

件

音 ケン

訓 ―

成り立ち

「亻」(人《ひと》)と「牛」(うし)を合《あ》わせた字《じ》。人《ひと》も牛《うし》も一《ひと》つ一《ひと》つしっかりと数《かぞ》えたり確認《かくにん》したりしなければいけないことから、いいかげんにしておけない《ものごと》をあらわした字《じ》。

筆順・書き方

ノ　亻　亻'　仁　仵　件

(6画)

うえのせんよりながく

例文・意味

例文 この件《けん》は、とっくに解決《かいけつ》ずみです。／さのうは三件《さんけん》の交通事故《こうつうじこ》があった。／お客様《きゃくさま》に用件《ようけん》を聞《き》く。／大事件《だいじけん》が発生《はっせい》したので、新聞《しんぶん》社《しゃ》の人《ひと》たちがたくさんかけつけた。／人件費《じんけんひ》(人《ひと》のはたらきに対《たい》してしはらう費用《ひよう》)がかかる。

意味 ことがら。また、ことがらを数《かぞ》えることば。

《交通事故《こうつうじこ》の件数《けんすう》》

熟語

件数《けんすう》(事《じ》けんや、ことがらの数《かず》)。条件《じょうけん》。要件《ようけん》(大事《だいじ》な用《よう》事《じ》)。無条件《むじょうけん》。

刀／8画

券

音 ケン

訓 ―

成り立ち

「釆」(開《ひら》いた手《て》)と「𠬞」(両手《りょうて》)と「刀」(かたな)を合《あ》わせた字《じ》。むかしは、木《き》の札《ふだ》に約束《やくそく》のしるしを小刀《こがたな》でほり、割《わ》って一《ひと》つずつ持《も》ったことから《約《やく》束《そく》のしるしのふだ》の意味《いみ》になった。

筆順・書き方

丷　䒑　龹　关　券　券

(8画)

力にならない

例文・意味

❶ 例文 売《う》れてしまって、券《けん》は一枚《いちまい》も残《のこ》っていません。／おばさんを見《み》送《おく》るため入場券《にゅうじょうけん》を買《か》ってホームへ入《はい》った。／招待券《しょうたいけん》をいただいたので、姉《あね》といっしょに音《おん》楽会《がっかい》に行《い》きました。

意味 ある場所《ばしょ》へ入《はい》るための札《ふだ》。きっぷ。

❷ 例文 外国《がいこく》に行《い》くときは旅券《りょけん》(パスポート)が必要《ひつよう》です。

意味 証《しょう》ことなる書《か》きつけ。

《入場券《にゅうじょうけん》を買《か》う》

熟語

❶ 回数券《かいすうけん》。乗車券《じょうしゃけん》。定期券《ていきけん》。図書券《としょけん》。特急券《とっきゅうけん》。

❷ 株券《かぶけん》。

険

阝／11画

音 ケン

訓 けわしい

成り立ち もとの字《じ》は「險」。「阝」（おか）と「僉」（多《おお》くの物《もの》や人《ひと》が集《あつ》まる）を合《あ》わせた字《じ》。物《もの》をきゅっと集《あつ》めると先《さき》がとがる。その ような所《ところ》の意味《いみ》から、《けわしい》《あぶない》の意味《いみ》になった。

筆順・書き方

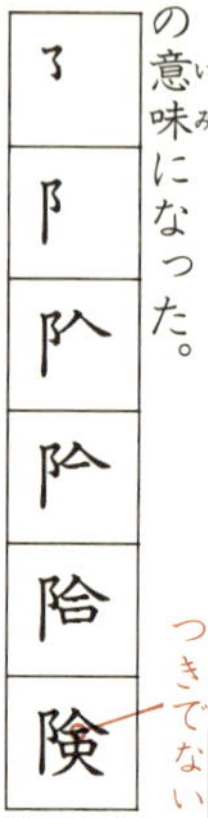

（11画）

例文・意味

❶ 例文 険《けわ》しい山道《やまみち》をのぼる。／箱根《はこね》の山《やま》は天下《てんか》の険《けん》。 意味 山《やま》が切《き》り立《た》っているようす。また、そのような場所《ばしょ》。けわしい。

❷ 例文 台風《たいふう》が近《ちか》づいているので、山登《やまのぼ》りは危険《きけん》です。／有名《ゆうめい》なぼう険家《けんか》。 意味 ものごとがどうなるか、また、何《なに》が起《お》こるかわからなくて、あぶない。

❸ 例文 険《けん》のある顔《かお》をした人《ひと》。 意味 顔《かお》つきがとげとげしい。

熟語 ❶ 険路《けんろ》（けわしい道《みち》）。 ❷ 険悪《けんあく》（よくないことが起《お》こりそうであぶないようす）。保険《ほけん》。冒険《ぼうけん》。

検

木／12画

音 ケン

訓 ―

成り立ち もとの字《じ》は「檢」。「僉」は多《おお》くの物《もの》や人《ひと》を集《あつ》めて比《くら》べること。「木」は木《き》の札《ふだ》。木《き》の札《ふだ》を集《あつ》めて比《くら》べあわせて、《しらべる》ことをあらわした字《じ》。

筆順・書き方

（12画）

例文・意味 例文 川《かわ》の水質《すいしつ》を検査《けんさ》する。／ガス器具《きぐ》の点検《てんけん》（悪《わる》いところや、まちがいがないかどうかを、一《ひと》つ一《ひと》つ調《しら》べること）をしてもらう。／高速道路《こうそくどうろ》で検問《けんもん》がおこなわれている。／検眼《がん》してめがねをつくる。／そろばんの三級《さんきゅう》の検《けん》定《てい》試《し》験《けん》を受《う》ける。 意味 よしあしを調《しら》べる。また、とりしまる。

《検眼《けんがん》する》

熟語 検温《けんおん》。検挙《けんきょ》（罪《つみ》を犯《おか》した疑《うたが》いのある者《もの》をつかまえて、取《と》り調《しら》べるために警察《けいさつ》に連《つ》れていくこと）。検札《けんさつ》。検算《けんざん》。検事《けんじ》。検出《けんしゅつ》。検証《けんしょう》。検討《けんとう》。検便《けんべん》。車検《しゃけん》（「自動車検査《じどうしゃけんさ》」「自動車検査証《じどうしゃけんさしょう》」の略《りゃく》）。探検《たんけん》。検察官《けんさつかん》。検察庁《けんさつちょう》。精密検査《せいみつけんさ》。

限

阝／9画

【限】

音 ゲン

訓 かぎる

成り立ち

「阝」は、もりあげた土《つち》。「艮」は目《め》につけた入《い》れずみのあとが消《き》えないことをあらわす。土《つち》をもりあげてものごとの区切《くぎ》りをつけることから、《かぎる》ことを意味《いみ》するようになった。

筆順・書き方

（9画）

例文・意味

例文 優勝候補《ゆうしょうこうほ》のチームが優勝《ゆうしょう》するとは限《かぎ》らない。／最後《さいご》まで力《ちから》の限《かぎ》り戦《たたか》う。／がまんするのにも限度《げんど》がある。／会場《かいじょう》がせまいので入場《にゅうじょう》制限《せいげん》があります。／わが家《や》の門限《もんげん》は夜《よる》の七時《しちじ》です。／図書《としょ》の貸《か》し出《だ》しの期限《きげん》は二週間《にしゅうかん》です。／無限《むげん》に広《ひろ》がる宇宙《うちゅう》。

意味 ものごとに、区切《くぎ》りをつける。かぎる。

《わが家《や》の門限《もんげん》》

熟語

限界《げんかい》。限定《げんてい》。局限《きょくげん》（一定《いってい》の範囲《はんい》に、せまくかぎること）。極限《きょくげん》（ものごとの状態《じょうたい》が、これ以上《いじょう》はない最後《さいご》のところ）。権限《けんげん》（規則《きそく》などによって、してもよいと許《ゆる》される範囲《はんい》）。際限《さいげん》（ものごとの果《は》て）。日限《にちげん》。年限《ねんげん》。有限《ゆうげん》。最小限《さいしょうげん》。最大限《さいだいげん》。無期限《むきげん》。

現

王／11画

【現】

音 ゲン

訓 あらわれる・あらわす

成り立ち

「王」は「玉」を略《りゃく》した字《じ》で、宝石《ほうせき》の玉《たま》。「見」はみること。玉《たま》をみがいてきれいなもようが《みえてくる》、《あらわれる》という意味《いみ》の字《じ》。

筆順・書き方

（11画）

例文・意味

❶ 例文 へびが草《くさ》むらから急《きゅう》に現《あらわ》れた。／長年《ながねん》の夢《ゆめ》がやっと実現《じつげん》した。／努力《どりょく》の現《あらわ》れ。／ぶ台《たい》に役者《やくしゃ》が姿《すがた》を現《あらわ》した。意味 今《いま》まで見《み》えなかったものが見《み》えるようになる。また、そのようにする。あらわれる。あらわす。

❷ 例文 現在《げんざい》、父《ちち》は京都《きょうと》に出張《しゅっちょう》しています。／今《いま》さいふの中《なか》に現金《げんきん》は五百円《ごひゃくえん》しかない。／工事《こうじ》は現《げん》におこなわれています。意味 今《いま》の。実際《じっさい》にある。

熟語

❶ 現出《げんしゅつ》。現象《げんしょう》。現像《げんぞう》。再現《さいげん》。出現《しゅつげん》。表現《ひょうげん》。

❷ 現役《げんえき》（ある職業《しょくぎょう》や地位《ちい》についていて、今実際《いまじっさい》に活動《かつどう》していること。また、そういう人《ひと》）。現行《げんこう》。現実《げんじつ》。現状《げんじょう》。現職《げんしょく》。現世《げんせ》。現存《げんそん》。現代《げんだい》。現地《げんち》。現場《げんば》。現品《げんぴん》。現物《げんぶつ》。現住所《げんじゅうしょ》。

氵／12画

【減】

音 ゲン
訓 へる・へらす

成り立ち
「氵」は水《みず》。「咸」は、ほこでおどかして、人《ひと》の口《くち》をふさぐことをあらわす。水《みず》の出《で》るもとをふさいで、水《みず》の流《なが》れる量《りょう》を《へらす》ことをあらわした字《じ》。

減 ←  + 

筆順・書き方
氵 氵 氵 氵 氵 減
（12画）
てんをわすれずに

例文・意味
❶ 例文 病気《びょうき》をして体重《たいじゅう》が二《に》キロも減《へ》った。／児童数《どうすう》が年々減少《ねんねんげんしょう》している。／費用《ひよう》の節減《せつげん》に努《つと》める。／駅《えき》に近《ちか》づいたので列車《れっしゃ》が減速《げんそく》した。 意味 数量《すうりょう》や程度《ていど》が少《すく》なくなる。へる。また、少《すく》なくする。へらす。 対語 加《か》。増《ぞう》。
❷ 例文 加減乗除《かげんじょうじょ》は、算数《さんすう》の基本《きほん》です。 意味 ある数《かず》から他《た》のある数《かず》を引《ひ》く。引《ひ》き算《ざん》。

《体重《たいじゅう》が二《に》キロ減《へ》る》

熟語
❶ 減員《げんいん》（人員《じんいん》を少《すく》なくすること）。減額《げんがく》。減産《げんさん》。減収《げんしゅう》（収入《しゅうにゅう》や収穫《しゅうかく》が少《すく》なくなること）。減水《げんすい》。減税《げんぜい》。減退《げんたい》（力《ちから》や、勢《いきお》いがおとろえること）。減点《げんてん》。減量《げんりょう》。加減《かげん》。軽減《けいげん》。増減《ぞうげん》。半減《はんげん》。塩加減《しおかげん》。
❷ 減法《げんぽう》（引《ひ》き算《ざん》）。

攵／9画

【故】

音 コ
訓 （ゆえ）

成り立ち
「古」は、かたいがい骨《こつ》で、ふるいこと。「攵」は手《て》でしっかりつかむこと。手《て》になじむように、むかしから親《した》しんだ、《古《ふる》いものごと》をあらわした字《じ》。

故 ←  + 

筆順・書き方
十 古 古 古 故 故
（９画）
又としない

例文・意味
❶ 例文 母《はは》の故郷《こきょう》は四国《しこく》です。 意味 以前《いぜん》からある。むかしからの。ふるい。
❷ 例文 決《けっ》して、故意《こい》（わざとすること）ではありません。 意味 わざと。わけがあって。
❸ 例文 雨《あめ》の日《ひ》は、自動車事故《じどうしゃじこ》が多《おお》い。 意味 ふつうではないできごと。
❹ 意味 死《し》んでいる。また、人《ひと》の名前《なまえ》の前《まえ》につけて、死《し》んでいることをあらわすことば。
❺ 例文 父《ちち》に故《ゆえ》なくしかられた。 意味 先《さき》の理由《りゆう》で。また、そうなった事情《じじょう》や理由《りゆう》。

熟語
❶ 故国《ここく》。故事《こじ》（むかしからあったことがら。また、むかしから伝《つた》わっている、いわれのあることがらや、そのことば）。
❸ 故障《こしょう》。交通事故《こうつうじこ》。
❹ 故人《こじん》（死《し》んだ人《ひと》）。

□ イ／10画

個

音 コ
訓 ―

成り立ち

「イ」は人《ひと》。「固」は、かたいがい骨《こつ》をぶらさげることで、かたいことをあらわす。かたく、一《ひと》つ一《ひと》つ《決《き》まった形《かたち》のもの》をあらわした字《じ》。

筆順・書き方

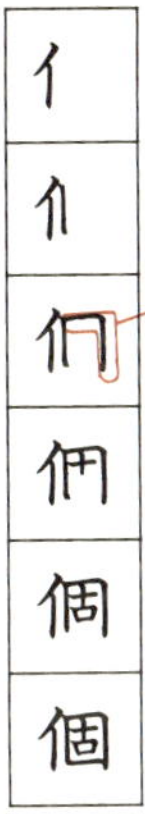

（10画）

例文・意味

❶ 例文 ある画家《がか》の絵《え》の個展《こてん》（ひとりの人《ひと》の作品《さくひん》だけを集《あつ》めて開《ひら》く展覧会《てんらんかい》）が開《ひら》かれる。／個人個人《こじんこじん》で申《もう》しこんでください。／父《ちち》は、いつも、個性《こせい》（その人《ひと》、または、その物《もの》だけがもっている、ほかとはちがった特別《とくべつ》の性質《せいしつ》）のある人間《にんげん》になれと言《い》います。／個《こ》を尊重《そんちょう》する。 意味 全体《ぜんたい》の中《なか》の一《ひと》つ。また、ひとり。

❷ 例文 このりんごは一個《いっこ》二百円《にひゃくえん》です。／みんなで玉入《たまい》れのかごに入《はい》った玉《たま》の個数《こすう》を数《かぞ》える。 意味 物《もの》を数《かぞ》えることば。

熟語

❶ 個個《ここ》。個室《こしつ》。個別《こべつ》。別個《べっこ》。個人経営《こじんけいえい》。

□ 言／20画

護

音 ゴ
訓 ―

成り立ち

「言」は、ことば。「蒦」は鳥《とり》をつかまえて自分《じぶん》の手《て》もとにおくこと。ことばで、言《い》って聞《き》かせて、自分《じぶん》の手《て》で《まもる》意味《いみ》をあらわした字《じ》。

筆順・書き方

（20画）

例文・意味

例文 犯人《はんにん》を北海道《ほっかいどう》から東京《とうきょう》へ護送《ごそう》する。／病人《びょうにん》の看護《かんご》をする。／申《もう》しこみ書《しょ》に自分《じぶん》と保護《ほご》者《しゃ》の名前《なまえ》を書《か》く。／動物愛護週間《どうぶつあいごしゅうかん》には各地《かくち》の動物園《どうぶつえん》でいろいろなもよおし物《もの》がおこなわれる。／大雨《おおあめ》に備《そな》えて護岸工事《ごがんこうじ》をする。 意味 そばにつきそって、かばい守《まも》る。

《病人《びょうにん》の看護《かんご》》

熟語

護衛《ごえい》。加護《かご》（神《かみ》や仏《ほとけ》の助《たす》け）。救護《きゅうご》。警護《けいご》（危険《きけん》のないように、警戒《けいかい》して守《まも》ること）。弁護《べんご》。養護《ようご》。護身術《ごしんじゅつ》。弁護士《べんごし》。自然保護《しぜんほご》。

□
力／8画

【効】

音　コウ
訓　きく

成り立ち　「交」（×型《がた》に足《あし》を組《く》むようにしてしぼり出《だ》すこと）と「力」（ちから）を合《あ》わせた字《じ》。しぼり出《だ》すように、ものごとをやること。このことから、その《結果《けっか》》のことも意味《いみ》するようになった。

筆順・書き方
亠　六　交　交　効　効（8画）
はねる

例文・意味
例文　祖父《そふ》は薬石《やくせき》の効《こう》なく、きのう病院《びょういん》でなくなりました。／予想以上《よそういじょう》の効果《こうか》をおさめる。／薬《くすり》の効《き》き目《め》はすぐあらわれた。／この券《けん》は三月《さんがつ》三十一日《さんじゅういちにち》まで有効《ゆうこう》です。／効率的《こうりつてき》に勉強《べんきょう》できる方法《ほうほう》をくふうする。／皮《ひ》ふ病《びょう》に効能《こうのう》（ききめ）のある温泉《おんせん》。
意味　はたらきがあらわれる。きく。また、ききめ。

《有効《ゆうこう》》

熟語
効用《こうよう》（ききめ）。効力《こうりょく》。時効《じこう》（一定《いってい》の期間《きかん》が過《す》ぎて、権利《けんり》がなくなったり、生《しょう》じたりすること）。発効《はっこう》。無効《むこう》（あることをするのに、ききめがないこと。「有《ゆう》効《こう》」は、その反対語《はんたいご》）。効果音《こうかおん》。特効薬《とっこうやく》。

□
厂／9画

【厚】

音　（コウ）
訓　あつい

成り立ち　「厂」（がけ）と「㫗」（「高」を逆《さか》さにした字《じ》）を合《あ》わせた字《じ》。がけの土《つち》が《あつく積《つ》み重《かさ》なっている》ことをあらわす。上《うえ》にたかく出《で》たのが「高」、地面《じめん》の下《した》にあつくたまったのが「厚」の字《じ》。

筆順・書き方
一　厂　𠂆　厚　厚　厚（9画）
ながく

例文・意味
❶ 例文　厚手《あつで》の板《いた》で本箱《ほんばこ》をつくった。／食《しょく》パンを厚《あつ》く切《き》ります。／寒《さむ》いので厚着《あつぎ》して出《で》かける。
意味　物《もの》の表《おもて》と裏《うら》のへだたりが大《おお》きい。あつい。
❷ 例文　このたびのご厚情感謝《こうじょうかんしゃ》いたします。／あなたからのご厚意《こうい》（ふかい思《おも》いやりのある気持《きも》ち）には、かならずむくいるつもりです。
意味　真心《まごころ》がこもっているようす。てあつい。
❸ 例文　厚顔無《こうがんむ》ちな（非常《ひじょう》にずうずうしくて、あつかましいようす）態度《たいど》。
意味　程度《ていど》がはなはだしい。

熟語
❶ 厚紙《あつがみ》。厚地《あつじ》。重厚《じゅうこう》（言《い》うことや、することが重々《おもおも》しく、どっしりと落《お》ち着《つ》いているようす）。分厚《ぶあつ》い。
❷ 厚生《こうせい》。温厚《おんこう》（おだやかで、やさしいようす）。手厚《てあつ》い。
❸ 厚顔無恥《こうがんむち》 ⇩（636ページ下）

耒／10画

耕

音 **コウ**

訓 **たがや**す

成り立ち
「耒」は畑《はたけ》をたがやす道具《どうぐ》のすき。「井」は四角《しかく》いわく。田畑《たはた》の土《つち》をすきでほりおこし、縦横《たてよこ》のすじめを入《い》れて四角《しかく》く区切《くぎ》り、《たがやす》ことをあらわした字《じ》。

筆順・書き方

(10画)

例文・意味
❶例文 畑《はたけ》を耕《たがや》す。／森林《しんりん》が多《おお》くて、耕作面積《こうさくめんせき》の少《すく》ない村《むら》。／ぬま地《ち》をうめたてて耕地《こうち》を増《ふ》やす。／農耕《のうこう》に牛《うし》や、馬《うま》を使《つか》う。意味 作物《さくもつ》が育《そだ》ちやすいように、田畑《たはた》の土《つち》をほりかえす。たがやす。
❷例文 筆耕《ひっこう》(書類《しょるい》や本《ほん》を書《か》き写《うつ》して収入《しゅうにゅう》を得《え》ること)でなんとかくらしをたてる。意味 仕事《しごと》をして、生活《せいかつ》のためのお金《かね》を得《え》る。

熟語
❶耕土《こうど》。耕《こう》うん機《き》。晴耕雨読《せいこううどく》 ⇩(639ページ上)

《畑《はたけ》を耕《たがや》す》

金／13画

鉱

音 **コウ**

訓 —

成り立ち
もとの字《じ》は「鑛」。「金」はきん属《ぞく》。「廣」は先《さき》が黄色《きいろ》く光《ひか》っている矢《や》。黄色《きいろ》く光《ひか》ることをあらわす。黄色《きいろ》く光《ひか》る《金属《きんぞく》をふくんだ石《いし》》を意味《いみ》した字《じ》。

筆順・書き方

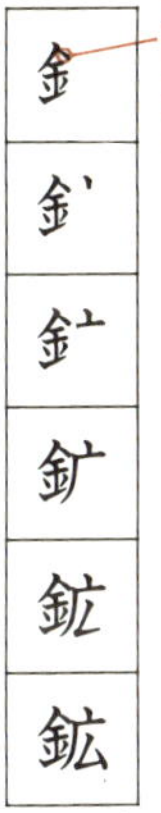

(13画)

例文・意味
例文 鉱山《こうざん》で働《はたら》く。／この旅館《りょかん》のおふろは鉱泉《こうせん》です。／この町《まち》は、むかし炭鉱《たんこう》に勤《つと》める人《ひと》たちでにぎわっていたところです。／金《きん》の鉱脈《こうみゃく》が見《み》つかる。／この川《かわ》は、鉱毒《こうどく》のために魚《さかな》がすめなくなってしまった。意味 地《ち》中《ちゅう》からほり出《だ》したままの、金属《きんぞく》をふくんだ岩《がん》石《せき》。

《鉱山《こうざん》で働《はたら》く》

熟語
鉱業《こうぎょう》。鉱石《こうせき》。鉱物《こうぶつ》。金鉱《きんこう》。黄銅鉱《おうどうこう》。

□ 木／14画

〔構〕

音 **コウ**

訓 **かまえる・かまう**

成り立ち 「冓」（前後《ぜんご》がつりあっている）と「木」（き）を合《あ》わせた字《じ》。もとは、木《き》を組《く》み合《あ》わせてつくる工事現場《こうじげんば》の足場《あしば》をあらわした字《じ》。後《のち》、形《かたち》よく《くみたてる》ことを意味《いみ》するようになった。

筆順・書き方

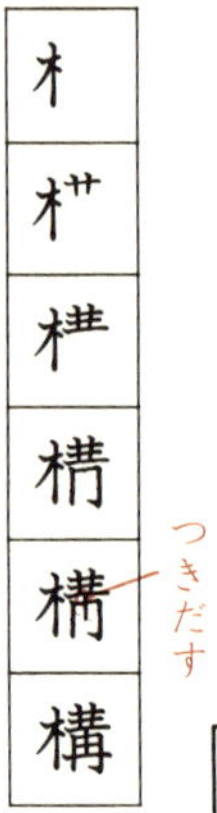

（14画）

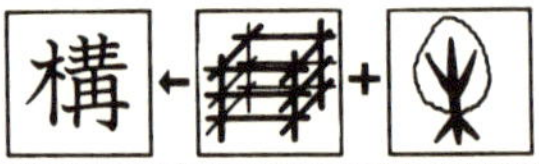

例文・意味

❶ 例文 夏休《なつやす》みの作文《さくぶん》の構想《こうそう》を練《ね》る。 意味 ものごとの組《く》み立《た》て。また、組《く》み立《た》てる。かまえる。

❷ 例文 古《ふる》い農家《のうか》のりっぱな構《かま》え。／構内《こうない》での車《くるま》のスピードは三十《さんじっ》キロ以下《いか》です。 意味 建物《たてもの》のかこい。建物《たてもの》のつくり方《かた》のようす。かまえ。

❸ 例文 りっぱな心構《こころがま》え。／すきのない身構《みがま》え。 意味 あることに対《たい》する心《こころ》の準備《じゅんび》。また、からだの準備《じゅんび》。かまえ。

熟語

❶ **構図《こうず》**。**構成《こうせい》**。**構造《こうぞう》**。**機構《きこう》**（ある団体《だんたい》や会社《かいしゃ》などの仕事《しごと》をするための仕組《しく》み）。**文章構成《ぶんしょうこうせい》**。

❷ **門構《もんがま》え**。

❸ **気構《きがま》え**。

□ 臼／16画

〔興〕

音 **コウ・キョウ**

訓 **《おこる》・《おこす》**

成り立ち 「舁」は上《うえ》からと下《した》から、合《あ》わせて四《よっ》つの手《て》がのびて、何《なに》かを持《も》ちあげようとしているようす。「同」はおなじように動《うご》かすこと。いっせいに《おこす》《おこる》ことをあらわした字《じ》。

筆順・書き方

（16画）

例文・意味

❶ 例文 戦後《せんご》の日本《にっぽん》の復興《ふっこう》はめざましい。／産業《さんぎょう》が興《おこ》る。 意味 ものごとをさかんにする。おこす。また、ものごとがさかんになる。おこる。

❷ 例文 トランプに興《きょう》じる。／兄《あに》はスポーツなら何《なん》でも興味《きょうみ》を示《しめ》す。／その場《ば》で起《お》こるおもしろみ）で手品《てじな》をする。 意味 心《こころ》におこってくる感情《かんじょう》。おもしろみ。

《トランプに興《きょう》じる》

熟語

❶ **興行《こうぎょう》**（演劇《えんげき》・映画《えいが》・スポーツなどの催《もよお》しを、客《きゃく》から料金《りょうきん》をとって見《み》せること）。**興奮《こうふん》**。**再興《さいこう》**。

❷ **感興《かんきょう》**。**座興《ざきょう》**（宴会《えんかい》などで、その場《ば》をおもしろくするためにする歌《うた》や踊《おど》りなど）。**余興《よきょう》**（「座興《ざきょう》」と同《おな》じ）。

言／17画

講

音 コウ

訓 ―

成り立ち
「言」は、ことば。「冓」は前後《ぜんご》がつりあっていること。話《はなし》の前後《ぜんご》がつりあうように《うまく組《く》み立《た》てて説明《せつめい》する》ことを意味《いみ》した字《じ》。

筆順・書き方
言 訁 訁 講 講 講（17画）
つきだす

例文・意味
❶ 例文 入学式《にゅうがくしき》は講堂《こうどう》でおこなう。／編《あ》み物《もの》の講《こう》習《しゅう》を受《う》ける。／タレントの講演《こうえん》をきく。 意味 相手《あいて》の人《ひと》にわかるように説《と》きあかす。
❷ 例文 講和会議《こうわかいぎ》がおこなわれる。 意味 仲直《なかなお》りをする。
❸ 例文 伊勢講《いせこう》（伊勢参宮《いせさんぐう》にお参《まい》りする人《ひと》たちの団体《だんたい》）参《まい》り。 意味 神様《かみさま》や仏様《ほとけさま》をお参《まい》りするための団体《だんたい》。
❹ 例文 策《さく》を講《こう》じる。 意味 ちょうどよい方法《ほうほう》をとる。

熟語
❶ 講義《こうぎ》。講座《こうざ》。講師《こうし》。講読《こうどく》（書物《しょもつ》を読《よ》んで、その意味《いみ》や内容《ないよう》を説《と》きあかすこと）。講評《こうひょう》。講演会《こうえんかい》。講習会《こうしゅうかい》。
❸ 念仏講《ねんぶつこう》。富士講《ふじこう》（富士山《ふじさん》にお参《まい》りする人《ひと》たちの団体《だんたい》）。

氵／11画

混

音 コン

訓 まじる・まざる・まぜる

成り立ち
「氵」（水《みず》）と「昆」（太陽《たいよう》の下《した》にたくさんの人《ひと》が並《なら》んで、入《い》りまじっているようす）を合《あ》わせた字《じ》。たくさんのものが集《あつ》まって《いりまじる》ことをあらわした字《じ》。

筆順・書き方
氵 氵ロ 氵日 混 混 混（11画）
はねる

例文・意味
❶ 例文 この犬《いぬ》にはシェパードの血《ち》が混《ま》じっている。／男女混合《だんじょこんごう》チームをつくる。 意味 二種類《にしゅるい》以上《いじょう》のものがいっしょになる。まじる。また、二種類《にしゅるい》以上《いじょう》のものをいっしょにする。まぜる。
❷ 例文 一度《いちど》にあれこれ言《い》われたので、頭《あたま》の中《なか》が混乱《こんらん》してきた。 意味 いっしょになって、区別《くべつ》がつけにくい。

熟語
❶ 混声合唱《こんせいがっしょう》。混《ま》じり物《もの》。かき混《ま》ぜる。
❷ 混雑《こんざつ》。混線《こんせん》。混同《こんどう》。混《ま》ぜ返《かえ》す（からかったり、冷《ひ》やかしたりして、人《ひと》の話《はなし》を乱《みだ》す）。

□ 木／9画

【査】

音 サ
訓 ―

成り立ち
「且」(重《かさ》なる)と「木」(き)を合《あ》わせた字《じ》。もと、木《き》を重《かさ》ねて組《く》み合《あ》わせた「さく」のことで、通《とお》る人《ひと》を止《と》めて取《と》り調《しら》べる所《ところ》のことだった。そこから《よくしらべてみる》の意味《いみ》になった。

筆順・書き方
十 才 木 杏 查 査 (9画)
ながく

例文・意味
例文 事故《じこ》の原因《げんいん》を調査中《ちょうさちゅう》です。／厳《きび》しいしん査《さ》の結果《けっか》、コンクールの優勝者《ゆうしょうしゃ》が決《き》まった。／交番《こうばん》でじゅん査《さ》に道《みち》を教《おし》えてもらった。／一学期《いちがっき》には、かならず身体検査《しんたいけんさ》がおこなわれます。
意味 調《しら》べて明《あき》らかにする。

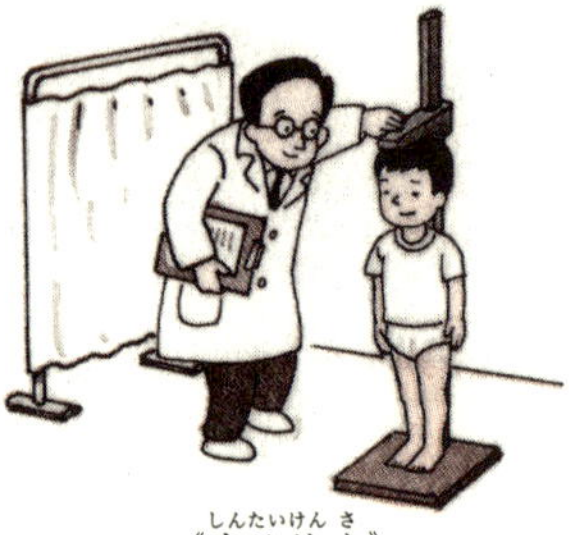
《身体検査《しんたいけんさ》》

熟語
考査《こうさ》(人《ひと》がらや学力《がくりょく》などを、いろいろな方法《ほうほう》で調《しら》べること)。発掘調査《はっくつちょうさ》。

□ 冂／6画

【再】

音 サイ・サ
訓 ふたたび

成り立ち
「冓」の字《じ》の下半分《したはんぶん》「再」(前後《ぜんご》がつりあっているもの)と「一」(いち)を合《あ》わせた字《じ》。下《した》と同《おな》じものごとがもう一《ひと》つあることを示《しめ》した。そこから、《ふたたび》という意味《いみ》になった。

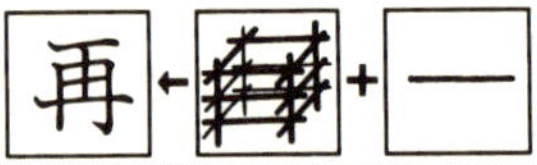

筆順・書き方
一 丆 冂 币 再 再 (6画)
ながく

例文・意味
例文 再《ふたた》びこんな失敗《しっぱい》は、しないようにしよう。／再会《さいかい》をちかって、友《とも》だちと別《わか》れた。／再来週《さらいしゅう》の日曜日《にちようび》に、サッカーの試合《しあい》がある。／再三《さいさん》お願《ねが》いしたけれど、許《ゆる》してもらえなかった。／病気《びょうき》が再発《さいはつ》(治《おさ》まっていた病気《びょうき》や事件《じけん》などが、ふたたび起《お》こること)して入院《にゅういん》した。／ぼくの自由研究《じゆうけんきゅう》は、「もっとよく調《しら》べてから再提出《さいていしゅつ》するように。」と先生《せんせい》に言《い》われた。
意味 もう一度《いちど》、ふたたび。

熟語
再開《さいかい》。再起《さいき》(悪《わる》い状態《じょうたい》になったものが、立《た》ち直《なお》って、ふたたびもとのようになること)。再建《さいけん》。再現《さいげん》。再考《さいこう》。再興《さいこう》(おとろえたり、ほろびたりしたものを、もう一度《いちど》さかんにすること)。再選《さいせん》。再度《さいど》。再任《さいにん》(前《まえ》と同《おな》じ役《やく》にもう一度《いちど》つくこと)。再利用《さいりよう》。再来年《さらいねん》。再三再四《さいさんさいし》⇩(637ページ上)

火／7画

【災】

音 サイ
訓 (わざわい)

成り立ち 流《なが》れをせき止《と》めるせ**き**をえがいた「巛」と「火」(ひ)を合《あ》わせた字《じ》。もと、生活《せいかつ》の流《なが》れを止《と》める火事《かじ》をあらわした。後《のち》、広《ひろ》く、《不幸《ふこう》なできごと》を意味《いみ》するようになった。

筆順・書き方

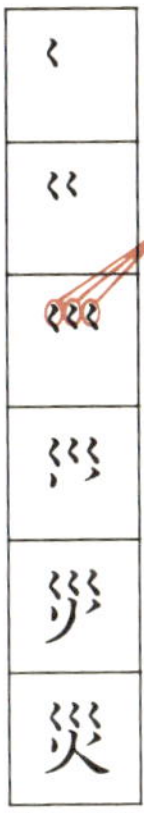

(7画)

例文・意味

例文 地《じ》しんの災害地《さいがいち》に見《み》まい品《ひん》を送《おく》る。／火《か》災《さい》の原因《げんいん》はたき火《び》の火《ひ》の不始末《ふしまつ》だった。／天《てん》災《さい》は忘《わす》れたころにやってくると言《い》われる。／学校《がっこう》で防災訓練《ぼうさいくんれん》がおこなわれた。／災《わざわ》いを転《てん》じて福《ふく》となす。意味 思《おも》いがけない害《がい》を人間《にんげん》にあたえるできごと。また、人間《にんげん》を不幸《ふこう》にさせるものごと。わざわい。

《火災《かさい》》

熟語 災難《さいなん》。人災《じんさい》(人《ひと》の不注意《ふちゅうい》などで起《お》こったわざわい)。水災《すいさい》。戦災《せんさい》(戦争《せんそう》によって受《う》けるわざわい)。

女／8画

【妻】

音 サイ
訓 つま

成り立ち 「⺕」(家事《かじ》をする人《ひと》の手《て》)と「女」(かんざしをつけたおんなの人《ひと》)を合《あ》わせた字《じ》。結《けっ》こんして家《いえ》の中心《ちゅうしん》となって《家《いえ》の仕事《しごと》をする女《おんな》の人《ひと》》をあらわした字《じ》。

筆順・書き方

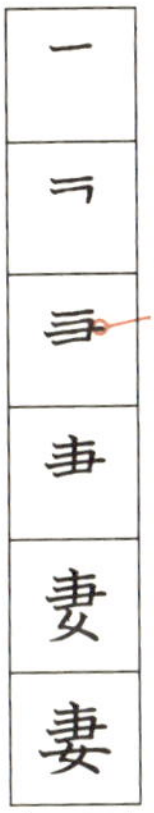

(8画)

例文・意味

例文 おじはみんなから愛妻家《あいさいか》だと言《い》われている。／田中《たなか》さん夫妻《ふさい》が、ヨーロッパから三年《さんねん》ぶりに帰国《きこく》された。意味 結《けっ》こんしている男女《だんじょ》のうち、女《おんな》のほう。つま。対語 夫《おっと》。

《夫妻《ふさい》》

熟語 妻子《さいし》。後妻《ごさい》。先妻《せんさい》(以前《いぜん》に結《けっ》婚《こん》していた女《おんな》の人《ひと》)。良妻《りょうさい》。新妻《にいづま》。

□ 扌／11画

採

音 サイ
訓 とる

成り立ち
「扌」は手《て》。「采」は、つめのある手《て》の先《さき》で木《き》の芽《め》をつみとること。手《て》で《とる》こと、また、たくさんの中《なか》から《あれこれと選《えら》んでとり出《だ》す》ことも意味《いみ》した字《じ》。

筆順・書き方

てんのうちかたにちゅうい
（11画）

例文・意味
❶ 例文 夏休《なつやす》みに、こん虫採集《ちゅうさいしゅう》をする。／検査《けんさ》のために採血《さいけつ》する。／石炭《せきたん》を採《さい》くつする。 意味 手《て》でつまみとる。とる。
❷ 例文 新入社員《しんにゅうしゃいん》を男女《だんじょ》合《あ》わせて五十人《ごじゅうにん》採《と》る。／事務員《じむいん》を採用《さいよう》する。／大木《たいぼく》をばっ採《さい》（森林《しんりん》などの木《き》や竹《たけ》を切《き》ること）する。／会議《かいぎ》で採決《さいけつ》（会議《かいぎ》に出《だ》された案《あん》を通《とお》すか通《とお》さないかを、出席者《しゅっせきしゃ》が決《き》めること）される。／研究《けんきゅう》のために高山植物《こうざんしょくぶつ》を採取《さいしゅ》する。 意味 よいものだけを選《えら》びとる。とる。

熟語
❷ 採光《さいこう》。採鉱《さいこう》。採点《さいてん》。

《こん虫採集《ちゅうさいしゅう》をする》

□ 阝／14画

際

音 サイ
訓 《きわ》

成り立ち
「阝」は積《つ》みあげたかべ。「祭」は祭《さい》だんに供《そな》える肉《にく》をこすって清《きよ》めること。かべとかべとがこすりあうほどくっついている《きわ》をあらわした字《じ》。

筆順・書き方

（14画）

例文・意味
❶ 例文 山際《やまぎわ》に夕日《ゆうひ》がしずむ。／窓際《まどぎわ》の席《せき》。 意味 ある物《もの》が他《た》の物《もの》と接《せっ》している境目《さかいめ》の所《ところ》。きわ。
❷ 例文 際限《さいげん》なく議論《ぎろん》がつづいている。 意味 はて。きり。
❸ 例文 姉《あね》はアメリカ人《じん》と交際《こうさい》しています。／父《ちち》は国際会議《こくさいかいぎ》に出席《しゅっせき》しています。 意味 たがいにふれあう。つきあう。
❹ 例文 会《あ》った際《さい》お話《はなし》します。／別《わか》れ際《ぎわ》にあく手《しゅ》をした。 意味 とき。また、場合《ばあい》。きわ。

熟語
❶ 水際《みずぎわ》。際立《きわだ》つ（まわりとちがって、はっきりと目立《めだ》つ）。
❸ 国際親善《こくさいしんぜん》。
❹ 実際《じっさい》。間際《まぎわ》（そのことがおこなわれるすぐ前《まえ》）。死《し》に際《ぎわ》。

土／6画

在

音 ザイ
訓 ある

成り立ち

「𠂇」は、もとは「才」という字《じ》。水《みず》の流《なが》れをせき止《と》める、せきをあらわす。「土」は、つち。土《つち》でふさいで流《なが》れをせき止《と》めることから、《じっとある》の意味《いみ》をあらわした字《じ》。

筆順・書き方

一 ナ 𠂇（ややつきだす） 𠂇 存 在
（6画）

例文・意味

❶ 例文 日本《にっぽん》はアジアの東《ひがし》のほうに在《あ》る。／おとうさんはご在宅《ざいたく》ですか。／その商品《しょうひん》はもう在《ざい》庫《こ》がありません。／祖父《そふ》は、ことし八十才《はちじっさい》になりますが、健在《けんざい》(健康《けんこう》に暮《く》らしていること)です。／火星《かせい》など地球《ちきゅう》以外《いがい》のわく星《せい》には生物《せいぶつ》は存在《そんざい》しないようだ。 意味 ある場所《ばしょ》をしめている。ある。いる。

❷ 例文 近在《きんざい》からたくさんの人《ひと》が、お祭《まつ》りに集《あつ》まってきた。／東京《とうきょう》の在《ざい》の人《ひと》。 意味 都会《とかい》や町《まち》などから少《すこ》しはなれた所《ところ》。いなか。

熟語

❶ 在学《ざいがく》。在京《ざいきょう》。在校《ざいこう》。在住《ざいじゅう》。在職《ざいしょく》。在中《ざいちゅう》。在留《ざいりゅう》(しばらくのあいだ、ある土地《とち》にとどまってすむこと)。現在《げんざい》。自在《じざい》。実在《じつざい》。所在《しょざい》(ある人《ひと》のいる所《ところ》。また、ある物《もの》がある所《ところ》)。点在《てんざい》(あちらこちらに散《ち》らばってあること)。不在《ふざい》。在校生《ざいこうせい》。

貝／10画

財

音 ザイ・(サイ)
訓 ―

成り立ち

「貝」はお金《かね》。「才」は、もと、水《みず》の流《なが》れをせき止《と》める、せきで、役《やく》にたつ力《ちから》のあるものをあらわす。人《ひと》の生活《せいかつ》に役立《やくだ》つ《おかねや品物《しなもの》》を意味《いみ》した字《じ》。

筆順・書き方

冂 目 貝 貝一 財 財（ややつきだす）
（10画）

例文・意味

例文 祖父《そふ》は一代《いちだい》で財《ざい》をなした。／事業《じぎょう》に失敗《しっぱい》して、財産《ざいさん》をなくしてしまう。／文化財《ぶんかざい》の保《ほ》存《ぞん》をする。／新《あたら》しい財《さい》布《ふ》を買《か》う。／ちんぼつ船《せん》から財宝《ざいほう》が発見《はっけん》された。／かれは私財《しざい》(自分《じぶん》の資産《しさん》)を投《とう》じて博物館《はくぶつかん》を建《た》てました。 意味 お金《かね》や、お金《かね》と同《おな》じくらいねうちのある品物《しなもの》や、役《やく》にたつ物《もの》。

《財《さい》布《ふ》》

熟語

財界《ざいかい》。財源《ざいげん》(あることをおこなうときの、もとになるお金《かね》)。財政《ざいせい》(国《くに》や都道府県《とどうふけん》などが仕事《しごと》をするためのお金《かね》のやりくり)。財力《ざいりょく》。家財《かざい》。器財《きざい》。資財《しざい》(物《もの》をつくるために使《つか》われる材料《ざいりょう》)。

罪

□ 罒／13画

音 ザイ
訓 つみ

成り立ち
「罒」は、あみ。「非」は鳥《とり》の羽《はね》が左右《さゆう》に分《わ》かれていることから、そうではないということ。道《みち》にそむいて法《ほう》律《りつ》のあみにかかるという意味《いみ》から、《つみ》の意味《いみ》になった。

筆順・書き方

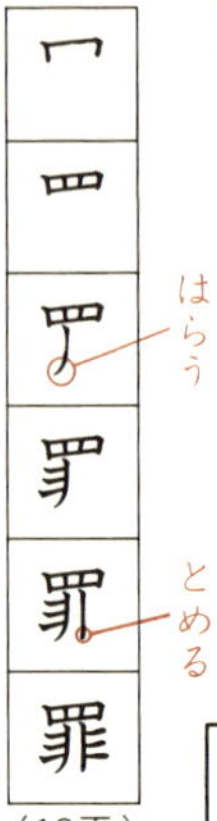

（13画）

例文・意味

❶ 例文 きょう悪《あく》な犯罪《はんざい》が数多《かずおお》く起《お》こる。／犯人《はんにん》は自分《じぶん》の罪《つみ》を認《みと》めた。／裁判《さいばん》の結果《けっか》、無罪《むざい》の判決《はんけつ》が下《くだ》った。 意味 法律《ほうりつ》にそむいた悪《わる》いおこない。つみ。

❷ 例文 罪《つみ》なことをした。／子《こ》どもをだますなんて、なんて罪深《つみぶか》いことをするの。／電話《でんわ》で「申《もう》しわけない。」と謝罪《しゃざい》（自分《じぶん》のおかしたあやまちや悪《わる》かった点《てん》をあやまること）する。 意味 相手《あいて》に対《たい》して、してはいけないこと。つみ。

熟語

❶ 罪悪《ざいあく》。罪人《ざいにん》。罪名《ざいめい》。死罪《しざい》。有罪《ゆうざい》。流罪《るざい》（むかし、つみを犯《おか》した人《ひと》を離《はな》れ島《じま》や遠《とお》い土地《とち》に追《つい》放《ほう》した刑罰《けいばつ》）。罪悪感《ざいあくかん》。

雑

□ 隹／14画

音 ザツ・ゾウ
訓 ―

成り立ち
もとの字《じ》は「雜」。「衣」は「衣」のかわったもので、着物《きもの》のこと。「隹」と「木」（き）で、物《もの》が集《あつ》まること。物《もの》が整《せい》とんされないまま、《まじりあっている》ことをあらわした字《じ》。

筆順・書き方

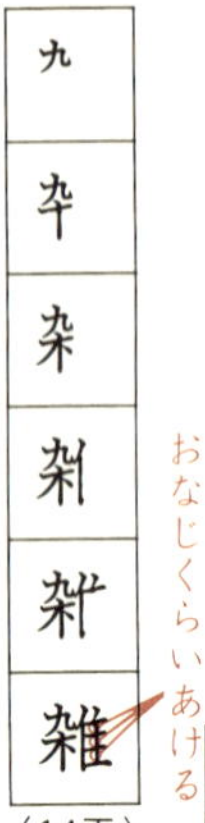

（14画）

例文・意味

❶ 例文 その店《みせ》はいつも混雑《こんざつ》している。／兄《あに》は雑《ざつ》学《がく》の大家《たいか》です。／へやの中《なか》が乱雑《らんざつ》に（乱《みだ》れていて、まとまりがないようす）なっている。／複雑《ふくざつ》な事情《じじょう》。 意味 いろいろなものがいりまじっている。また、多《おお》くのものがまざっていて、まとまりがない。

❷ 例文 雑草《ざっそう》がしげっている。／雑用《ざつよう》が多《おお》い。 意味 重要《じゅうよう》でない。

❸ 例文 仕事《しごと》が雑《ざつ》だ。 意味 ていねいでない。そまつである。

熟語

❶ 雑音《ざつおん》。雑種《ざっしゅ》。雑多《ざった》。雑談《ざつだん》。雑記帳《ざっきちょう》。雑木林《ぞうきばやし》。

❷ 雑役《ざつえき》（会社《かいしゃ》や役所《やくしょ》などのおもな仕事《しごと》以外《いがい》の、細々《こまごま》とした仕《し》事《ごと》）。雑貨《ざっか》。雑穀《ざっこく》。雑事《ざつじ》。雑務《ざつむ》。

❸ 粗雑《そざつ》（大《おお》ざっぱで、いいかげんなようす）。

特別な読み

雑魚《ざこ》。

酉／14画

酸

音 サン
訓 《すい》

成り立ち

「酉」は酒《さけ》。「夋」は、すっとひきしまることをあらわす。もと、酒《さけ》が古《ふる》くなって、人《ひと》のからだをすらりとひきしめるようなはたらきをする飲《の》み物《もの》の《すっぱいすの味《あじ》》を意味《いみ》する。

筆順・書き方

冂　酉　酉厶　酉允（まげる）　酸　酸

（14画）

例文・意味

❶ 例文 梅干《うめぼ》しは酸《す》っぱい。／このみかんは酸味《さんみ》が強《つよ》い。 意味 味《あじ》がすっぱい。すい。また、すっぱい味《あじ》のする液体《えきたい》。

❷ 例文 酸《さん》とアルカリの性質《せいしつ》を調《しら》べる。／酸性《さんせい》かアルカリ性《せい》か、実験《じっけん》してみる。／大気中《たいきちゅう》の酸《さん》素《そ》を調《しら》べる。 意味 青色《あおいろ》のリトマス試験紙《しけんし》を赤《あか》色《いろ》にかえる性質《せいしつ》のあるもの。

❸ 例文 このさびは鉄《てつ》が酸化《さんか》したものです。 意味 「酸素《さんそ》」を略《りゃく》したことば。

熟語

❷ 塩酸《えんさん》。炭酸《たんさん》。酸性雨《さんせいう》。

❸ 二酸化炭素《にさんかたんそ》。

貝／15画

賛

音 サン
訓 ―

成り立ち

もとの字《じ》は「贊」。「兟」は、そろって進《すす》むこと。「貝」はお金《かね》。もと、人々《ひとびと》がそろって集《あつ》まり、お金《かね》をさし出《だ》し、はげますことをあらわし、《たすける》《ほめる》意味《いみ》に使《つか》うようになった。

筆順・書き方

二　扌　夫　夫夫（とめる）　替　賛

（15画）

例文・意味

❶ 例文 コンクールで入賞《にゅうしょう》して、みんなから賞賛《しょうさん》された。／秋《あき》の山《やま》を賛美《さんび》(すばらしさをほめたたえること)する。 意味 ほめたたえる。

❷ 例文 父《ちち》はサッカークラブの賛助会員《さんじょかいいん》です。 意味 力《ちから》をそえて、たすける。

❸ 例文 その意見《いけん》には賛《さん》成《せい》です。／賛否両論《さんぴりょうろん》あって、みんなの意《い》見《けん》がまとまらない。 意味 同《おな》じ考《かんが》えをもっていることを示《しめ》す。

《賛成《さんせい》》

熟語

❶ 絶賛《ぜっさん》(とてもすばらしいとほめたたえること)。礼賛《らいさん》(ありがたいと思《おも》い、ほめたたえること)。賛美歌《さんびか》。自画自賛《じがじさん》⇩(637ページ中)

❸ 賛意《さんい》。賛同《さんどう》(人《ひと》の意見《いけん》や案《あん》などをよいと認《みと》めて同意《どうい》すること)。

支／4画

【支】

音 シ

訓 ささえる

成り立ち

竹《たけ》の枝《えだ》と、手《て》をあらわす「又」を合《あ》わせた字《じ》で、竹《たけ》の枝《えだ》を手《て》に持《も》つようすをあらわし、手《て》で《ささえる》という意味《いみ》になった。

筆順・書き方

（4画）

例文・意味

❶ 例文 おばさんは一生《いっしょう》けん命働《めいはたら》いて家計《かけい》を支《ささ》え、子《こ》どもをりっぱに育《そだ》てました。／友《とも》だちを支《し》えん(はげましたり助《たす》けたりすること)する。 意味 ささえる。

❷ 例文 兄《あに》は、京都《きょうと》支社《ししゃ》に転勤《てんきん》になりました。／とちゅうで支線《しせん》に乗《の》りかえる。 意味 もとのものから分《わ》かれ出《で》る。また、分《わ》かれたもの。

❸ 例文 賃金《ちんぎん》を支給《しきゅう》する。 意味 お金《かね》を分《わ》けあたえる。はらう。

熟語

❶ 支持《しじ》。支柱《しちゅう》。支点《してん》。支配《しはい》。支配人《しはいにん》。

❷ 支局《しきょく》。支店《してん》。支部《しぶ》。支流《しりゅう》。気管支《きかんし》。支離滅裂《しりめつれつ》⇩(638ページ下)

❸ 支出《ししゅつ》(お金《かね》をはらうこと。また、はらったお金《かね》)。収支《しゅうし》(収入《しゅうにゅう》と、支出《ししゅつ》)。

特別な読み

差《さ》し支《つか》える。

心／7画

【志】

音 シ

訓 こころざす・こころざし

成り立ち

目標《もくひょう》に向《む》かってまっすぐに進《すす》むことをあらわす「士」と「心」(こころ)を合《あ》わせた字《じ》。一《ひと》つの目標《もくひょう》に向《む》かってまっすぐに進《すす》んでいこうとする心《こころ》、つまり、《こころざし》をあらわした字《じ》。

筆順・書き方

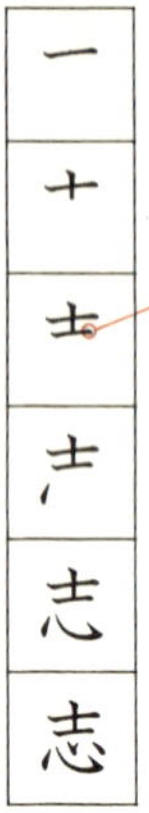

（7画）

例文・意味

❶ 例文 兄《あに》は画家《がか》を志《こころざ》して勉強《べんきょう》しています。／姉《あね》は志望《しぼう》していた高校《こうこう》に合格《ごうかく》しました。 意味 あることをしようと心《こころ》に決《き》める。こころざす。

❷ 例文 少年《しょうねん》よ大志《たいし》をいだけ。／最初《さいしょ》に決《き》めた志《こころざし》は曲《ま》げないで最後《さいご》までつらぬく。 意味 あることをしようと心《こころ》で決《き》めた考《かんが》え。こころざし。

《志望校《しぼうこう》に合格《ごうかく》する》

熟語

❶ 志願《しがん》。

❷ 志士《しし》(国《くに》や社会《しゃかい》のために命《いのち》がけでつくそうとする気持《きも》ちをもった人《ひと》)。意志《いし》。遺志《いし》。初志《しょし》。同志《どうし》。有志《ゆうし》。立志伝《りっしでん》(ある目的《もくてき》を成《な》しとげようと、かたく心《こころ》に決《き》め、苦労《くろう》や努力《どりょく》を重《かさ》ねて、成功《せいこう》した人《ひと》の伝記《でんき》)。

木／8画

枝

音 （シ）
訓 えだ

成り立ち

細《ほそ》い竹《たけ》のえだを手《て》に持《も》っているようすをえがいた「支」と「木」（き）を合《あ》わせた字《じ》。幹《みき》から分《わ》かれた細《ほそ》い《えだ》をあらわした字《じ》。

筆順・書き方

（８画）

例文・意味

❶ 例文 木《き》がのびすぎて日当《ひあ》たりが悪《わる》くなったので、少《すこ》し枝《えだ》をはらった。
意味 木《き》の幹《みき》から分《わ》かれた、細《ほそ》いところ。えだ。

❷ 例文 話《はなし》が枝道《えだみち》にそれる。
意味 ものごとの、中《ちゅう》心《しん》から分《わ》かれたもの。

《枝《えだ》をはらう》

熟語

❶ 枝豆《えだまめ》。小枝《こえだ》。枯《か》れ枝《えだ》。枝分《えだわ》かれ。

❷ 枝葉末節《しようまっせつ》⇩（638ページ下）

巾／10画

師

音 シ
訓 ―

成り立ち

「𠂤」は積《つ》み重《かさ》なった集《あつ》まり。「帀」は軍《ぐん》隊《たい》の旗印《はたじるし》。兵士《へいし》が集《あつ》まった軍隊《ぐんたい》のこと。後《のち》、たくさんの人々《ひとびと》を集《あつ》めてものを教《おし》える《先生《せんせい》》の意味《いみ》になった。

筆順・書き方

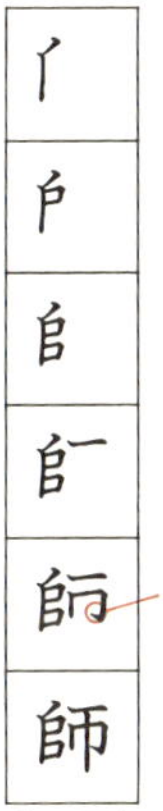

（10画）

例文・意味

❶ 例文 師《し》とあおいで、尊敬《そんけい》する人《ひと》。／小学校時《しょうがっこうじ》代《だい》の恩師《おんし》。／牧師《ぼくし》さんのお話《はなし》はとてもわかりやすかった。
意味 人《ひと》を教《おし》え導《みちび》く人《ひと》。先生《せんせい》。

❷ 例文 内科《ないか》の医師《いし》のしん察《さつ》を受《う》ける。／父《ちち》は建築技師《けんちくぎし》です。／わたしは将来《しょうらい》、美容《びよう》師《し》になるつもりです。
意味 ある職業《しょくぎょう》や技術《ぎじゅつ》をもっている専門家《せんもんか》。

《美容師《びようし》》

熟語

❶ 師弟《してい》。教師《きょうし》。講師《こうし》。法師《ほうし》（僧《そう》）。

❷ 漁師《りょうし》。看護師《かんごし》。助産師《じょさんし》。保健師《ほけんし》。

特別な読み

師走《しわす》。

貝／13画

資

音 シ

訓 ―

成り立ち

「次」は、しゃがんで、物《もの》を順序《じゅんじょ》よくそろえること。「貝」は、お金《かね》。必要《ひつよう》なときのために用意《ようい》しておくお金《かね》や物《もの》の意《い》味《み》から《もとで》の意味《いみ》になった。

筆順・書き方

（13画）

例文・意味

❶ 例文 店《みせ》を開《ひら》くための資金《しきん》。／兄《あに》はアルバイトをして学資《がくし》をかせいでいます。／自由研究《じゆうけんきゅう》のための資料《しりょう》を集《あつ》める。 意味 あることをするのに役立《やくだ》てるためのお金《かね》や品物《しなもの》。もとで。

❷ 例文 君《きみ》には画家《がか》になる資質《ししつ》(生《う》まれつきもっている性質《せいしつ》や能力《のうりょく》)がある。 意味 生《う》まれつき。

❸ 例文 そんなことでは、クラス委員《いいん》になる資格《しかく》がない。 意味 役《やく》にたつ地位《ちい》や身分《みぶん》。

熟語

❶ **資源**《しげん》。**資材**《しざい》。**資産**《しさん》(土地《とち》や、お金《かね》など、生活《せいかつ》や事業《じぎょう》に役立《やくだ》てることのできる財産《ざいさん》)。**資本**《しほん》。**出資**《しゅっし》。**投資**《とうし》(利益《りえき》を得《え》るために、事業《じぎょう》をするもとでのお金《かね》を出《だ》すこと)。**物資**《ぶっし》。**資料館**《しりょうかん》。**資本主義**《しほんしゅぎ》。**地下資源**《ちかしげん》。

食／13画

飼

音 シ

訓 かう

成り立ち

小《ちい》さいことをあらわす「司」と食《た》べ物《もの》をあらわす「食」を合《あ》わせた字《じ》で、動物《どうぶつ》の小《ちい》さくくだいた食《た》べ物《もの》。また、食《た》べ物《もの》をあたえて《かう》ことをあらわした字《じ》。

筆順・書き方

（13画）

例文・意味

例文 ぼくたちの学校《がっこう》では、うさぎと、にわとりを飼《し》育《いく》しています。／牧場《ぼくじょう》では牛《うし》の飼料《しりょう》にするために、夏《なつ》のあいだに干《ほ》し草《くさ》をつくる。／犬《いぬ》を放《はな》し飼《が》いにしてはいけません。／犬《いぬ》のふんの後始末《あとしまつ》は、飼《か》い主《ぬし》が責任《せきにん》をもってしましょう。 意味 動物《どうぶつ》にえさをあたえたり世話《せわ》をしたりして、育《そだ》てる。かう。

《飼育《しいく》する》

熟語

飼育係《しいくがかり》。**飼**《か》**い犬**《いぬ》。**飼**《か》**い慣**《な》**らす**。

示／5画

【示】

音 ジ・（シ）

訓 しめす

成り立ち

神様《かみさま》を祭《まつ》る祭《さい》だんをえがいた字《じ》。天《てん》から神様《かみさま》のお告《つ》げが、この祭《さい》だんにおりてくることから、《しめす》という意味《いみ》になった。

筆順・書き方

一　二　亍　亓　示　（5画）

うえのせんよりながく

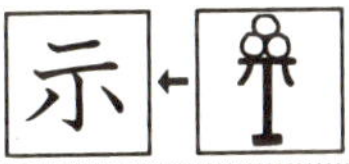

例文・意味

例文 先生《せんせい》がお手本《てほん》を示《しめ》してくださった。／上級生《じょうきゅうせい》の指示《しじ》で文化祭《ぶんかさい》の準備《じゅんび》にとりかかる。／夏休《なつやす》みの自由研究《じゆうけんきゅう》の作品《さくひん》が体育館《たいいくかん》に展示《てんじ》される。／示《し》さに富《と》んだお話《はなし》。／発表会《はっぴょうかい》の前《まえ》に自《じ》分《ぶん》がいちばんピアノがうまいと自分《じぶん》に暗示《あんじ》をかける。

意味 はっきりとわかるように、見《み》せたり教《おし》えたりする。しめす。

《展示《てんじ》する》

熟語

教示《きょうじ》。訓示《くんじ》。公示《こうじ》（おおやけの機関《きかん》が、あることがらを正式《せいしき》に一般《いっぱん》の人々《ひとびと》に知《し》らせること）。告示《こくじ》（国《くに》・都道府県《とどうふけん》・市町村《しちょうそん》などの役所《やくしょ》が、決《き》めたことを一般《いっぱん》の人《ひと》に知《し》らせたりすること）。表示《ひょうじ》。明示《めいじ》。例示《れいじ》。図示《ずし》。

イ／7画

【似】

音 （ジ）

訓 にる

成り立ち

「イ」は人《ひと》。「以」は、すきを持《も》って仕事《しごと》をすることをあらわす。道具《どうぐ》で手《て》を加《くわ》えてもとの物《もの》と同《おな》じ形《かたち》をつくることから、《にる》《にせる》の意味《いみ》になった。

筆順・書き方

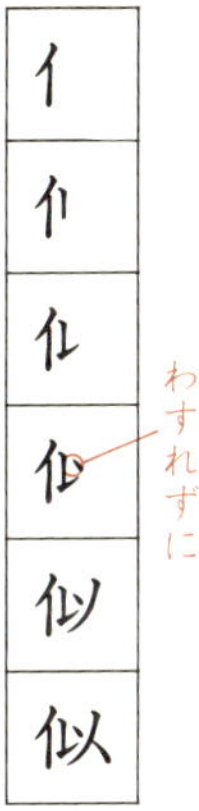

（7画）

例文・意味

例文 兄《あに》とぼくは兄弟《きょうだい》なので、顔《かお》がよく似《に》ている。／金子《かねこ》さんは似顔絵《にがおえ》をかくのがじょうずです。／類似品《るいじひん》が出回《でまわ》っているので、注意《ちゅうい》してください。

意味 にている。たがいに、同《おな》じようである。

《相似《そうじ》》

熟語

疑似《ぎじ》（本物《ほんもの》と同《おな》じようであること）。相似《そうじ》。空似《そらに》。

識

言／19画

音 シキ
訓 ―

成り立ち

「言」は、ことば、「音」は、おと、「戈」は目印《めじるし》をあらわす。ことばや音《おと》や目印《めじるし》で《はっきりと見分《みわ》ける》ことをあらわした字《じ》。

筆順・書き方

言 訁 諳 識 識 識（19画）

ながく

例文・意味

❶ 例文 歴史《れきし》についてふかい学識《がくしき》をもった人《ひと》。／本物《ほんもの》とにせ物《もの》を識《しき》別《べっ》する。／豊《ゆた》かな知《ち》識《しき》を身《み》につける。 意味 ものごとを見分《みわ》けて知《し》る。また、ものごとを見分《みわ》ける力《ちから》。

❷ 例文 あの人《ひと》とは面識《めんしき》（会《あ》って、顔《かお》を知《し》っていること）がありません。 意味 たがいに知《し》り合《あ》っていること。知《し》り合《あ》い。

《識別《しきべつ》する》

熟語

❶ 意識《いしき》。見識《けんしき》（あるものごとを見《み》通《とお》すしっかりとした力《ちから》）。常識《じょうしき》。認識《にんしき》（ものごとをよく理解《りかい》し、判断《はんだん》すること）。博識《はくしき》（多《おお》くのことを知《し》っていること）。標識《ひょうしき》。良識《りょうしき》。無意識《むいしき》。

質

貝／15画

音 シツ・（シチ）・（チ）
訓 ―

成り立ち

「斦」は、おのが二《ふた》つで、二《ふた》つのものがつりあっていること。「貝」は、お金《かね》。ある品物《しなもの》と同《おな》じねうちをもった物《もの》やお金《かね》のことから、《内容《ないよう》》の意味《いみ》になった。

筆順・書き方

厂 斤 斤 斦 晳 質（15画）

おなじかたちに

例文・意味

❶ 例文 性質《せいしつ》のすなおな子《こ》。／妹《いもうと》は神経質《しんけいしつ》です。 意味 生《う》まれつき。たち。

❷ 例文 ガラスがどんな物質《ぶっしつ》かを調《しら》べる。 意味 物《もの》の成《な》り立《た》つ、おおもとのもの。

❸ 例文 質《しっ》素《そ》な生活《せいかつ》。 意味 もとのままで、かざり気《け》がない。

❹ 例文 わからないことは質問《しつもん》してみなさい。／質《しつ》疑《ぎ》応答《おうとう》。 意味 たずねる。

❺ 例文 質《しち》屋《や》さん。／人質《ひとじち》を救出《きゅうしゅつ》する。 意味 約束《やくそく》を守《まも》るしるしとして預《あず》ける物《もの》や人《ひと》。

熟語

❶ 悪質《あくしつ》。異質《いしつ》。気質《きしつ》。材質《ざいしつ》。資質《ししつ》（生《う》まれつきもっている性格《せいかく》や能力《のうりょく》）。上質《じょうしつ》。水質《すいしつ》。素質《そしつ》。体質《たいしつ》。土質《どしつ》。特質《とくしつ》。本質《ほんしつ》。良質《りょうしつ》。

❷ 実質《じっしつ》。品質《ひんしつ》。

❸ 質実《しつじつ》（かざり気《け》がなくまじめなこと）。

❺ 質草《しちぐさ》（しち屋《や》に、お金《かね》を借《か》りた証拠《しょうこ》として預《あず》けた品物《しなもの》）。

人／8画

舎

音 シャ
訓 —

成り立ち

もとの字《じ》は「舍」。「亼」は「余」を簡単《かんたん》にした字《じ》で、土《つち》をゆったりと広《ひろ》げるスコップ。「口」は場所《ばしょ》をあらわす。ゆったりと《休《やす》む場所《ばしょ》》の意味《いみ》をあらわす。

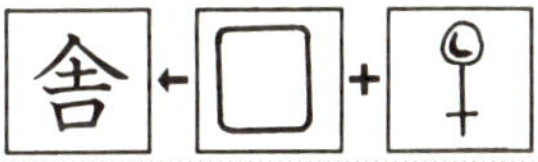

筆順・書き方

人 人 今 全 全 舎 （8画）

つきでない

例文・意味

❶ 例文 新《あたら》しい校舎《こうしゃ》ができあがった。／兄《あに》は大学《だいがく》の寄宿舎《きしゅくしゃ》に入《はい》っています。／かまぼこ型《がた》の兵舎《しゃ》が立《た》ち並《なら》んでいる。

意味 建物《たてもの》。

❷ 例文 その人《ひと》は、「これが、わたしの舎弟《しゃてい》です。」と、自分《じぶん》の弟《おとうと》のことをしょうかいした。 意味 自分《じぶん》の家族《かぞく》などをけんそんして言《い》うことば。

《新《あたら》しい校舎《こうしゃ》》

熟語

❶ 駅舎《えきしゃ》。官舎《かんしゃ》（公務員《こうむいん》や、その家族《かぞく》がすむために、役所《やくしょ》が建《た》てた家《いえ》）。牛舎《ぎゅうしゃ》。宿舎《しゅくしゃ》。

特別な読み

田舎《いなか》。

言／17画

謝

音 シャ
訓 （あやまる）

成り立ち

「言」は、ことば、「射」は矢《や》をいること。矢《や》をいると、張《は》りつめていた弓《ゆみ》がゆむことから、《お礼《れい》やおわびをして気持《きも》ちがほっとする》ことをあらわす。

筆順・書き方

言 訁 訃 訒 謝 謝 （17画）

例文・意味

❶ 例文 謝恩会《しゃおんかい》を三月三十日《さんがつさんじゅうにち》におこないます。／友《とも》だちの親切《しんせつ》に感謝《かんしゃ》する。／ピアノの先生《せんせい》に、月謝《げっしゃ》をおさめる。 意味 お礼《れい》を言《い》う。また、お礼《れい》としての品物《しなもの》。

❷ 例文 事故《じこ》について社長《しゃちょう》が謝罪《しゃざい》（自分《じぶん》のおかしたあやまちや悪《わる》かった点《てん》をあやまること）する。／二度《にど》とこんなことはしませんと、謝《あやま》る。 意味 悪《わる》かったと思《おも》ってあやまる。

❸ 例文 申《もう》し出《で》をきっぱりと謝絶《しゃぜつ》（人《ひと》の申《もう》し出《で》などをことわること）した。 意味 ことわる。

熟語

❶ 謝辞《しゃじ》（お礼《れい》のことば）。謝礼《しゃれい》（お礼《れい》の気持《きも》ちをあらわす品物《しなもの》や、お金《かね》）。感謝状《かんしゃじょう》。面会謝絶《めんかいしゃぜつ》。

授

扌／11画

音 ジュ
訓 （さずける）・（さずかる）

成り立ち
「受」は手《て》から手《て》にわたしてうけとらせること。それに、手《て》ですることをあらわす「扌」をつけて、相手《あいて》が受《う》けとれるように手《て》わたすこと。つまり、《さずける》ことを意味《いみ》した字《じ》。

筆順・書き方

（11画）

例文・意味
❶ 例文 ノーベル賞《しょう》の授賞式《じゅしょうしき》をテレビで見《み》た。／作戦《さくせん》を選手《せんしゅ》に授《さず》ける。意味 目上《めうえ》の人《ひと》などがさずけあたえる。また、目上《めうえ》の人《ひと》からいただく。さずける。さずかる。
❷ 例文 弟子《でし》に技術《ぎじゅつ》を伝授《でんじゅ》（学問《がくもん》や、わざなどを教《おし》え伝《つた》えること）する。／山中先生《やまなかせんせい》の算数《さんすう》の授業《じゅぎょう》は、とても楽《たの》しい。／父《ちち》は大学《だいがく》の教授《きょうじゅ》です。意味 知識《ちしき》や技術《ぎじゅつ》の方法《ほうほう》などを教《おし》える。

熟語
❶ 授乳《じゅにゅう》（赤《あか》ん坊《ぼう》に乳《ちち》を飲《の》ませること）。

修

亻／10画

音 シュウ・（シュ）
訓 おさめる・おさまる

成り立ち
「攸」は形《かたち》がすらりとしていること。「彡」は、かざりのしるし。《きちんと形《かたち》をととのえる》ことをあらわす。また、きちんと、ととのった《学問《がくもん》を身《み》につける》という意味《いみ》にも使《つか》うようになった。

筆順・書き方

（10画）

例文・意味
❶ 例文 新入社員《しんにゅうしゃいん》の研修会《けんしゅうかい》。／修学旅行《しゅうがくりょこう》のスケジュールが決《き》まった。／山寺《やまでら》で修行《しゅぎょう》する。／医学《いがく》を修《おさ》めて医者《いしゃ》になる。意味 学問《がくもん》や技術《ぎじゅつ》などを身《み》につける。また、学《まな》んで、心《こころ》やおこないを正《ただ》しくする。おさめる。
❷ 例文 雨《あめ》がもる物置《ものおき》を修理《しゅうり》する。／穴《あな》のあいたかべを補修《ほしゅう》する。意味 直《なお》して、つくろう。ととのえる。
❸ 例文 ことばを修《しゅう》しょくする。意味 かざって、ととのえる。

熟語
❶ 修業《しゅぎょう》（学問《がくもん》や技芸《ぎげい》などを学《まな》んで身《み》につけること）。修復《しゅうふく》。修養《しゅうよう》（りっぱな人《ひと》になるために、よく学問《がくもん》をして、心《こころ》をみがくこと）。修練《しゅうれん》（心《こころ》や、わざをみがき、きたえること）。
❷ 修正《しゅうせい》。改修《かいしゅう》（建物《たてもの》や道路《どうろ》などのいたんだ所《ところ》を直《なお》すこと）。
❸ 修飾《しゅうしょく》。

述

辶／8画

音 ジュツ

訓 のべる

成り立ち

「辶」は行《い》くこと。「朮」は、ほにくっついた、もちあわ。今《いま》までのやり方《かた》にくっついていくことから、ある考《かんが》えにそって《のべる》ということをあらわした字《じ》。

筆順・書き方

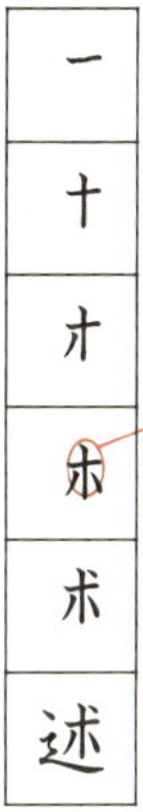

木としない

（8画）

例文・意味

例文 父《ちち》の職業《しょくぎょう》は著述業《ちょじゅつぎょう》（小説《しょうせつ》やエッセイ・論文《ろんぶん》などの文章《ぶんしょう》を書《か》くこと）です。／主語《しゅご》と、述語《じゅつご》のはっきりした文章《ぶんしょう》は、読《よ》みやすい。／クラス会《かい》で意見《いけん》を述《の》べる。／手紙《てがみ》でお礼《れい》を述《の》べる。 意味 書《か》いたり、話《はな》したりする。

《著述業《ちょじゅつぎょう》》

熟語

述部《じゅつぶ》（文《ぶん》を組《く》み立《た》てている「どうする」「どのようだ」に当《あ》たる部《ぶ》分《ぶん》）。記《き》述《じゅつ》（文章《ぶんしょう》に対《たい》して書《か》き記《しる》すこと）。前述《ぜんじゅつ》。

術

行／11画

音 ジュツ

訓 ―

成り立ち

「行」（道《みち》。やり方《かた》）の字《じ》のあいだに「朮」（ほにくっついた、もちあわ）が入《はい》った字《じ》。人《ひと》がいつも通《とお》ってきた道《みち》をあらわした。そこから、《決《き》まったやり方《かた》》や《わざ》の意味《いみ》になった。

筆順・書き方

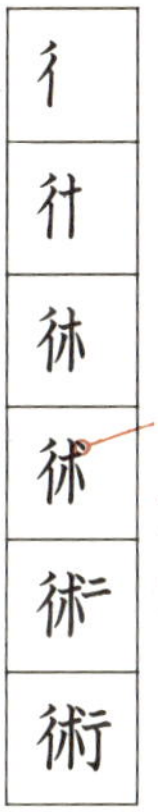

てんをわすれずに

（11画）

例文・意味

❶ 例文 日本《にっぽん》の工業《こうぎょう》技《ぎ》術《じゅつ》のレベルは高《たか》い。／アフリカの野《や》生動物《せいどうぶつ》について、学術《がくじゅつ》調《ちょう》査《さ》がおこなわれた。／大学《だいがく》で美《び》術《じゅつ》史《し》を学《まな》ぶ。 意味 身《み》についたわざ。

❷ 例文 話《わ》術《じゅつ》のたくみなセールスマン。／胃《い》の手《しゅ》術《じゅつ》をする。／わたしは、にん術《じゅつ》使《つか》いの出《で》てくる物語《ものがたり》が好《す》きです。 意味 ものごとのやり方《かた》。方法《ほうほう》。

❸ 例文 まんまと敵《てき》の術中《じゅっちゅう》におちいった。 意味 はかりごと。

熟語

❶ 術《じゅつ》語《ご》。医《い》術《じゅつ》。芸術《げいじゅつ》。美《び》術館《じゅつかん》。

❷ 算術《さんじゅつ》（計算《けいさん》のしかた。また、算《さん》数《すう》）。戦術《せんじゅつ》。馬《ば》術《じゅつ》。武《ぶ》術《じゅつ》。

氵／13画

準

音 ジュン

訓 ―

成り立ち

「準」は水《みず》が、ずっしりとした鳥《とり》のようにずっしりたまること、「十」はそろえること。水《みず》がたまって水面《すいめん》が平《たい》らにそろうことをあらわし、《もとになるきまり》を意味《いみ》した。

筆順・書き方

（13画）

例文・意味

❶ 例文 あしたのハイキングの準備《じゅんび》をする。／工業技術《こうぎょうぎじゅつ》の水準《すいじゅん》が向上《こうじょう》する。／ぼくの身長《しんちょう》は、五年生《ごねんせい》の標準《ひょうじゅん》です。 意味 めやすとなるもの。また、めやすとして、したがう。

❷ 例文 準決勝《じゅんけっしょう》にやっと進《すす》んだ。／準急列車《じゅんきゅうれっしゃ》で終点《しゅうてん》まで行《い》く。／わたしの家《いえ》は準工業地帯《じゅんこうぎょうちたい》にあります。 意味 あるものにつぐ。

《準急列車《じゅんきゅうれっしゃ》》

熟語

❶ 基準《きじゅん》（ものごとをはかったり、評価《ひょうか》したりする場合《ばあい》のもとになる目当《めあ》て）。規準《きじゅん》（ものごとのよい悪《わる》いを決《き》めるときの目当《めあ》て）。標準語《ひょうじゅんご》。判定基準《はんていきじゅん》。

❷ 準優勝《じゅんゆうしょう》。

广／7画

序

音 ジョ

訓 ―

成り立ち

「广」は家《いえ》。「予」はのびることをあらわす。おもやのわきの順《じゅん》じょよくのび出《で》た小《ちい》さな建物《たてもの》のことから、ものの並《なら》び方《かた》、《順《じゅん》じょ》をあらわすようになった。

筆順・書き方

（7画）

例文・意味

❶ 例文 序曲《じょきょく》が終《お》わると幕《まく》があいた。／本《ほん》の序文《じょぶん》。／序論《じょろん》を読《よ》んだら、著者《ちょしゃ》がこの本《ほん》を書《か》いた理《り》由《ゆう》がわかった。 意味 ものごとのはじめ。

❷ 例文 順序《じゅんじょ》正《ただ》しく並《なら》ぼう。／日本《にっぽん》の会社《かいしゃ》は、年《ねん》功序列《こうじょれつ》のところが多《おお》いそうです。／学校生活《がっこうせいかつ》のちつ序《じょ》を重《おも》んじる。 意味 あるきまりによる並《なら》び方《かた》。順番《じゅんばん》。

熟語

❶ 序奏《じょそう》（中心《ちゅうしん》になる曲《きょく》の導入《どうにゅう》の部《ぶ》分《ぶん》として演奏《えんそう》される音楽《おんがく》）。序幕《じょまく》。

招

扌／8画

音 ショウ
訓 まねく

成り立ち
「扌」(手《て》)と「刀」(そりかえったかたな)と「口」(くち)を合《あ》わせた字《じ》。手《て》をそらせてひらひらさせ、人《ひと》を《まねきよせる》ことをあらわした字《じ》。

筆順・書き方

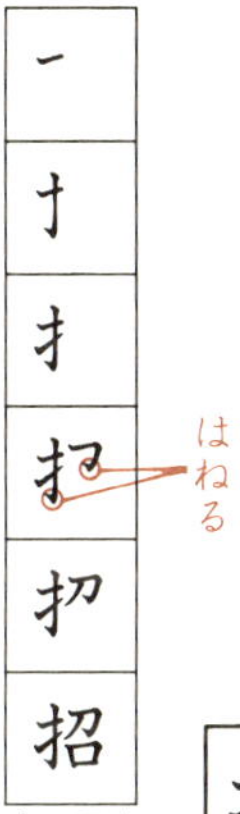

(8画)

例文・意味
例文 おばの家《いえ》の夕食《ゆうしょく》に招待《しょうたい》されたので、弟《おとうと》といっしょに出《で》かけた。／テニス部員全員《ぶいんぜんいん》を招集《しょうしゅう》する。／友《とも》だちを、誕生《たんじょう》パーティーに招《まね》く。／兄《あに》が坂《さか》の上《うえ》でさかんに手招《てまね》きしている。／このおそば屋《や》さんは、入《い》り口《ぐち》の横《よこ》に招《まね》きねこを置《お》いている。

意味 人《ひと》をさそって、呼《よ》びよせる。まねく。

《招《まね》きねこ》

熟語
招待状《しょうたいじょう》。招《まね》き寄《よ》せる。

承

手／8画

音 ショウ
訓 (うけたまわる)

成り立ち
両手《りょうて》にささげる物《もの》を持《も》ってひざまずく人《ひと》と手《て》を合《あ》わせた字《じ》。両手《りょうて》でささげ物《もの》をさしあげて、神《かみ》のお告《つ》げを聞《き》く姿《すがた》をあらわす。そこから、《うける》《うけたまわる》の意味《いみ》になった。

筆順・書き方

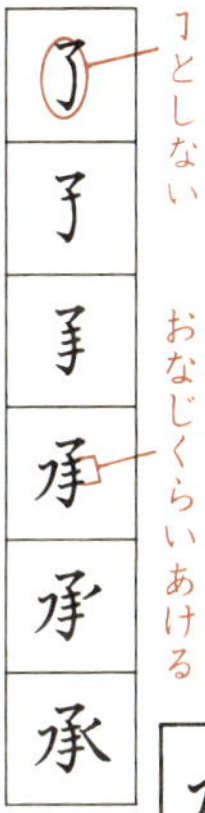

(8画)

例文・意味
❶ 例文 夏休《なつやす》みのキャンプを、父《ちち》は快《こころよ》く承知《しょうち》してくれました。／ご意見《いけん》を承《うけたまわ》ります。／母《はは》から買《か》い物《もの》を言《い》いつけられた妹《いもうと》は、不承不承《ふしょうぶしょう》(気《き》がすすまず、いやいやながらおこなうようす)出《で》かけていった。
意味 人《ひと》の言《い》うことを受《う》け入《い》れる。うけたまわる。

❷ 例文 古《ふる》くから伝《つた》わっているしきたりを伝承《でんしょう》(古《ふる》くからの言《い》い伝《つた》え・ならわし・文化《ぶんか》などを受《う》けついで、伝《つた》えていくこと)する。
意味 受《う》けつぐ。

熟語
❶ 承認《しょうにん》(よいと認《みと》めること)。承服《しょうふく》(よいと認《みと》めて、従《したが》うこと)。了承《りょうしょう》(よくわかって、聞《き》き入《い》れること)。

【証】

言／12画

音 ショウ
訓 ―

成り立ち もとの字《じ》は「證」。「言」(ことば)と「登」(高《たか》くあげる)を合《あ》わせた字《じ》。ほんとうのことをみんなにわかるように高《たか》くあげて見《み》せることから、《うそがない》《ただしい》の意味《いみ》になった。

筆順・書き方

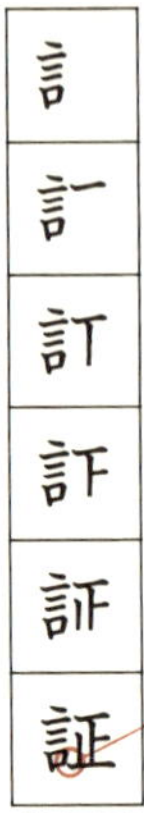

(12画)

例文・意味

例文 事実《じじつ》を証明《しょうめい》する。／この書類《しょるい》には保証人《ほしょうにん》の署名《しょめい》と判《はん》が必要《ひつよう》です。／健康保険証《けんこうほけんしょう》を持《も》って、病院《びょういん》に行《い》く。／大学《だいがく》に入学《にゅうがく》して学生証《がくせいしょう》をもらう。／車《くるま》のめん許証《きょしょう》にはる写真《しゃしん》をとる。

意味 あるよりどころとするものごとによって、ほんとうであるかどうかを明《あき》らかにする。また、そのしるしとしての書類《しょるい》。

《暗証番号《あんしょうばんごう》》

熟語

証言《しょうげん》。**証拠《しょうこ》**。**証書《しょうしょ》**。**証人《しょうにん》**。**確証《かくしょう》**(確《たし》かなよりどころとなるもの)。**実証《じっしょう》**(よりどころとなるものを示《しめ》して真実《しんじつ》を明《あき》らかにすること)。**立証《りっしょう》**(よりどころとなるものを示《しめ》して、ものごとをはっきりさせること)。**暗証番号《あんしょうばんごう》**。

【条】

木／7画

音 ジョウ
訓 ―

成り立ち もとの字《じ》は「條」。すらりと細《ほそ》長《なが》いことをあらわす「攸」と「木」(き)を合《あ》わせた字《じ》で、もとは、細長《ほそなが》い木《き》の枝《えだ》をあらわした。後《のち》、《すじみち》を意味《いみ》するようになった。

筆順・書き方

(7画)

例文・意味

❶ 例文 条理《じょうり》をつくして話《はな》せば、わかってもらえるだろう。／父《ちち》の信条《しんじょう》(ふだんから、かたく信《しん》じて守《まも》っていることがら)は、「努力《どりょく》」です。

意味 すじ。線《せん》。また、ものごとのすじ道《みち》。

❷ 例文 貿易《ぼうえき》について、外国《がいこく》と条約《じょうやく》を結《むす》ぶ。／レポートを、か条書《じょうが》きにしてまとめる。／新《あたら》しい計画《けいかく》を実行《じっこう》する条件《じょうけん》がととのった。

意味 一《ひと》区切《くぎ》りずつ書《か》き分《わ》けたもの。

熟語

❷ **条文《じょうぶん》**(法律《ほうりつ》や規則《きそく》などを、一《ひと》つ一《ひと》つ箇条《かじょう》書《が》きに書《か》いた文《ぶん》)。**条例《じょうれい》**(国《くに》の法律《ほうりつ》の範囲内《はんいない》で、都《と》道府県《どうふけん》や市町村《しちょうそん》の議会《ぎかい》でつくるきまり)。**無条件《むじょうけん》**。

状

犬／7画

音 ジョウ
訓 ―

成り立ち もとの字は「狀」。「爿」は細長《ほそなが》いベッド。「犬」は、すらりとしたいぬ。どちらもその特《とく》ちょうをよくあらわしている《ようす》の意味《いみ》や、ようすを知《し》らせる《てがみ》の意味になった。

筆順・書き方

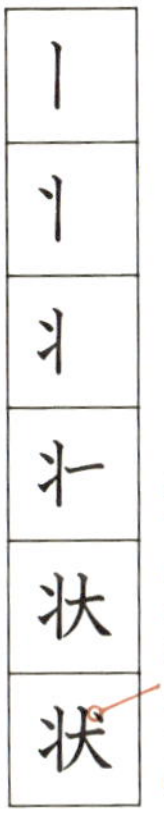

わすれないように

（7画）

例文・意味

❶ 例文 あしたは決勝戦《けっしょうせん》なので、天候《てんこう》の状態《じょうたい》がとても気《き》になる。／母《はは》の病状《びょうじょう》は、日《ひ》を追《お》ってよくなっています。／液状《えきじょう》の新《あたら》しい健康食品《けんこうしょくひん》が発売《はつばい》された。 意味 ようす。ありさま。

❷ 例文 バスケットボール大会《たいかい》で優勝《ゆうしょう》し、カップと賞状《しょうじょう》を手《て》にする。／友《とも》だちに年賀状《ねんがじょう》を出《だ》す。 意味 手紙《てがみ》。また、文書《ぶんしょ》。

《カップと賞状《しょうじょう》》

熟語

❶ 状勢《じょうせい》（ものごとが変化《へんか》していくようす）。異状《いじょう》（ふだんとちがっているようすや、ありさま）。形状《けいじょう》。現状《げんじょう》。国状《こくじょう》。白状《はくじょう》（自分《じぶん》の犯《おか》した罪《つみ》や、かくしていたことを、包《つつ》みかくさないで打《う》ち明《あ》けること）。別状《べつじょう》。

❷ 礼状《れいじょう》。案内状《あんないじょう》。感謝状《かんしゃじょう》。

常

巾／11画

音 ジョウ
訓 つね・《とこ》

成り立ち 「尚」は窓《まど》から出《で》ていく長《なが》いけむり。「巾」は、ぬの。もとは、ゆらゆらゆれる長《なが》いスカートや、旗《はた》のことだった。後《のち》に、《いつまでも長《なが》くつづく》《いつも》という意味《いみ》になった。

筆順・書き方

とめる

（11画）

例文・意味

❶ 例文 この旅館《りょかん》には、ぶ台《たい》が常設《じょうせつ》（いつでも設《もう》けてあること）されている。／当店《とうてん》はお正月《しょうがつ》も平常通《へいじょうどお》り営業《えいぎょう》いたします。／常夏《とこなつ》のハワイ。／父《ちち》は常《つね》に、ポケットの中《なか》にメモ用紙《ようし》を入《い》れています。 意味 いつもかわらない。

❷ 例文 そんなことを言《い》うなんて、異常《いじょう》（ふつうでないようす）です。／「それくらいのことは、常識《じょうしき》だよ。」と、兄《あに》に軽《けい》べつされた。 意味 かわったところがなく、ふつうの。当《あ》たり前《まえ》の。

熟語

❶ 常時《じょうじ》。常習《じょうしゅう》。常食《じょうしょく》。常備《じょうび》（いつも備《そな》えておくこと）。常用《じょうよう》。常連《じょうれん》（ある店《みせ》や遊《あそ》び場《ば》などに、いつも決《き》まって来《く》る人《ひと》）。日常《にちじょう》。非常《ひじょう》。常常《つねづね》。常緑樹《じょうりょくじゅ》。非常口《ひじょうぐち》。非常《ひじょう》ベル。

❷ 正常《せいじょう》。

忄／11画

情

音 ジョウ・《セイ》

訓 なさけ

成り立ち

「忄」は心《こころ》。「青」は若《わか》い草《くさ》の芽《め》と、いど水《みず》。清《きよ》くすんでいることをあらわす。心《こころ》の底《そこ》にある、清《きよ》くすみきった《すなおな気《き》持《も》ち》のことをあらわした字《じ》。

筆順・書き方

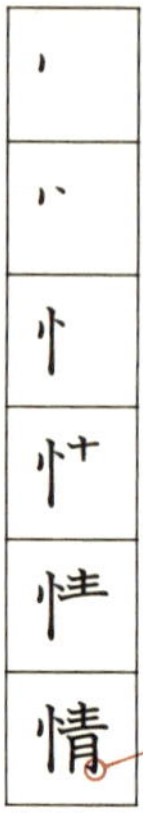

はねる

(11画)

例文・意味

❶ 例文 情熱《じょうねつ》のこもったピアノの演奏《えんそう》。／困《こま》っている人《ひと》を助《たす》けるのは人情《にんじょう》です。／情《なさ》け知《し》らずの人《ひと》。意味 心《こころ》の動《うご》き。また、他人《たにん》に対《たい》してもつ思《おも》いやり。なさけ。

❷ 例文 事情《じじょう》を知《し》っておどろいた。／春《はる》の山《やま》の情《じょう》景《けい》を詩《し》にする。意味 ありさま。ようす。

❸ 例文 秋《あき》の山道《やまみち》は風情《ふぜい》(特別《とくべつ》の味《あじ》わいや、おもむき)がある。意味 おもむき。

熟語

❶ 情感《じょうかん》。愛情《あいじょう》。温情《おんじょう》(思《おも》いやりのある、温《あたた》かい心《こころ》)。感情《かんじょう》。純情《じゅんじょう》。心情《しんじょう》(気《き》持《も》ち)。同情《どうじょう》。表情《ひょうじょう》。友情《ゆうじょう》。情《なさ》け深《ぶか》い。

❷ 情勢《じょうせい》(ものごとが変化《へんか》していくようす)。情報《じょうほう》。実情《じつじょう》。

❸ 詩情《しじょう》。旅情《りょじょう》。

糸／18画

織

音 《ショク》・シキ

訓 おる

成り立ち

はっきり見分《みわ》けることをあらわす「戠」と「糸」(いと)を合《あ》わせた字《じ》。おりめが目立《めだ》つように糸《いと》を組《く》むことから、《布《ぬの》をおる》ことを意味《いみ》した字《じ》。

筆順・書き方

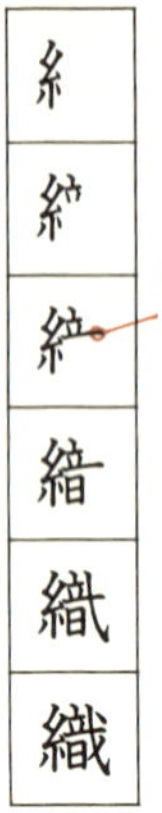

ながく

(18画)

例文・意味

❶ 例文 織《お》りめの細《こま》かい布《ぬの》。／機《はた》を織《お》る音《おと》が聞《き》こえる。／織機《しょっき》を工場《こうじょう》で見学《けんがく》した。意味 布《ぬの》をおる。また、おった物《もの》。

❷ 例文 商店組合《しょうてんくみあい》の組織《そしき》ができる。意味 組《く》み立《た》てる。

《機《はた》織《お》り》

熟語

❶ 織物《おりもの》。織女星《しょくじょせい》。毛織物《けおりもの》。機織《はたお》り。綿織物《めんおりもの》。

□ 耳／18画

〔職〕

音 ショク
訓 —

成り立ち しるしをつけて、はっきり見《み》分《わ》けて覚《おぼ》えることをあらわす「戠」と「耳」(みみ)を合《あ》わせた字《じ》。耳《みみ》で聞《き》いてよく覚《おぼ》えておく《専門《せんもん》の仕事《しごと》》《受《う》け持《も》つ仕事《しごと》》の意味《いみ》をあらわした字《じ》。

筆順・書き方

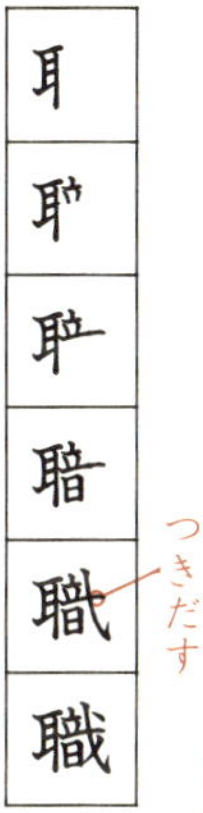

(18画)

例文・意味

❶ 例文 父《ちち》の職業《しょくぎょう》は、銀行員《ぎんこういん》です。／姉《あね》は結《けっ》こんのため、先月《せんげつ》、会社《かいしゃ》を退職《たいしょく》しました。／この病院《びょういん》の職員《しょくいん》はみんな親切《しんせつ》なので、評判《ひょうばん》がいい。／母《はは》の内職《ないしょく》をてつだう。 意味 つとめ。役目《やくめ》。

❷ 例文 職人《しょくにん》さんたちが額《ひたい》にあせして働《はたら》いている。 意味 おもに、手《て》を使《つか》ってする仕事《しごと》。

《職人《しょくにん》さん》

熟語

❶ 職種《しょくしゅ》。職場《しょくば》。職務《しょくむ》。職歴《しょくれき》。求職《きゅうしょく》。現職《げんしょく》。公職《こうしょく》(公務員《こうむいん》や議員《ぎいん》などのように、おおやけの仕事《しごと》をする役目《やくめ》)。在職《ざいしょく》。辞職《じしょく》(役目《やくめ》や、勤《つと》めを自分《じぶん》から申《もう》し出《で》てやめること)。就職《しゅうしょく》。定職《ていしょく》(決《き》まったしょく業《ぎょう》や仕《し》事《ごと》)。天職《てんしょく》(自分《じぶん》の性質《せいしつ》や才能《さいのう》に合《あ》った仕事《しごと》)。本職《ほんしょく》。役職《やくしょく》。要職《ようしょく》。職員室《しょくいんしつ》。

□ 刂／8画

〔制〕

音 セイ
訓 —

成り立ち 「朱」は、のびすぎた木《き》。「刂」は刀《かたな》。のびほうだいの木《き》を、とちゅうで切《き》ることから、《悪《わる》いところをとってととのえる》ことや、《きまり》をあらわす。

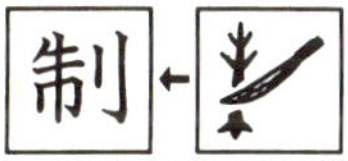

筆順・書き方

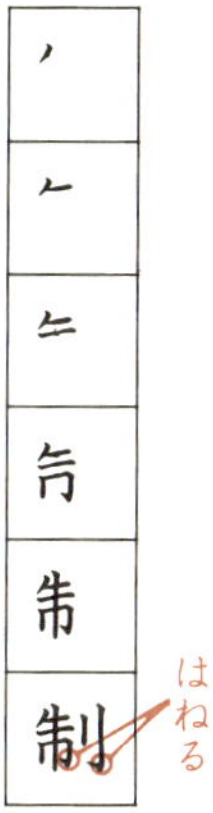

(8画)

例文・意味

❶ 例文 新《あたら》しい条約《じょうやく》を制定《せいてい》する。／制度《せいど》を改《あらた》める。／市制《しせい》五十周年《ごじっしゅうねん》の祝賀祭《しゅくがさい》がおこなわれる。 意味 とりきめ。また、とりきめる。

❷ 例文 入場者《にゅうじょうしゃ》の数《かず》には制限《せいげん》があります。／駅前《えきまえ》の道《みち》は工事中《こうじちゅう》のため、交通規制《こうつうきせい》されている。／入場《にゅうじょう》できるのは小学生《しょうがくせい》だけという制約《せいやく》がある。 意味 おさえ、とどめる。

❸ 例文 進学問題《しんがくもんだい》をあつかったテレビドラマが制《せい》作《さく》されています。 意味 つくる。

熟語

❶ 制服《せいふく》。体制《たいせい》(ものごとや社会《しゃかい》の仕組《しく》み)。

❷ 制止《せいし》。強制《きょうせい》(相手《あいて》の気持《きも》ちなど考《かんが》えないで、むりにおこなわせること)。自制《じせい》。節制《せっせい》(したいことを控《ひか》えめにしたり、おさえたりすること)。統制《とうせい》。無制限《むせいげん》。

忄／8画

【性】

音 セイ・（ショウ）
訓 —

成り立ち
「忄」は心《こころ》、「生」は草《くさ》の芽《め》がいきいきとのびているようすで、けがれのないことをあらわす。《生《う》まれつきもっているけがれがない心《こころ》のはたらき》を意《い》味《み》した字《じ》。

筆順・書き方

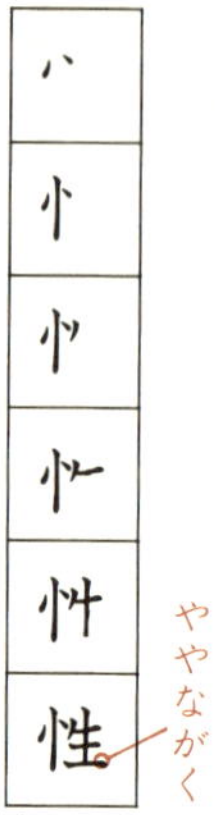

（8画）

例文・意味

❶ 例文 妹《いもうと》は、性格《せいかく》がおとなしい。／気性《きしょう》（生《う》まれつき備《そな》わっているせい質《しつ》）が激《はげ》しいにいさん。 意味 そのものだけが、もともともっている特《とく》ちょう。生《う》まれつき。

❷ 例文 そのきのこは毒性《どくせい》がある。／性能《せいのう》のすばらしいオートバイ。 意味 ものごとに備《そな》わっている特《とく》ちょう。たち。

❸ 例文 男性《だんせい》と女性《じょせい》で意見《いけん》が分《わ》かれた。 意味 男《おとこ》と女《おんな》、おすと、めすなどの区別《くべつ》。

熟語

❶ 性質《せいしつ》。個性《こせい》。習性《しゅうせい》。知性《ちせい》。理性《りせい》。性根《しょうね》（考《かんが》え方《かた》や、おこないの基本《きほん》になっている心《こころ》のもち方《かた》）。性分《しょうぶん》（その人《ひと》が生《う》まれつきもっている気質《きしつ》）。根性《こんじょう》。

❷ 悪性《あくせい》。急性《きゅうせい》。酸性《さんせい》。水性《すいせい》。中性《ちゅうせい》。品性《ひんせい》。陽性《ようせい》。

❸ 性別《せいべつ》。異性《いせい》。同性《どうせい》。

攵／9画

【政】

音 セイ・《ショウ》
訓 《まつりごと》

成り立ち
「正」は、まっすぐ目標《もくひょう》に向《む》かって進《すす》むこと。「攵」は動作《どうさ》の記号《きごう》。《まっすぐに正《ただ》しくととのえる》、《世《よ》の中《なか》をまっすぐに正《ただ》しくおさめる》ことをあらわした字《じ》。

筆順・書き方

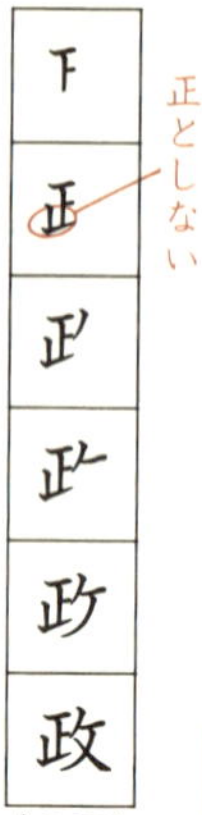

（9画）

例文・意味

❶ 例文 政府《せいふ》の見解《けんかい》が発表《はっぴょう》された。／新《あたら》しい市政《しせい》がしかれる。／政《まつりごと》が正《ただ》しくおこなわれる。／聖徳太子《しょうとくたいし》はせっ政《しょう》を務《つと》めた。 意味 世《よ》の中《なか》を治《おさ》めること。まつりごと。

《政治家《せいじか》》

❷ 例文 国《くに》の財政《ざいせい》（国《くに》や都道府県《とどうふけん》などが仕事《しごと》をするためのお金《かね》のやりくり）について、財務大臣《ざいむだいじん》が国会《こっかい》で演説《えんぜつ》する。 意味 ものごとをととのえる。

熟語

❶ 政界《せいかい》。政局《せいきょく》（そのときのせい治《じ》・せい界《かい》のありさまや、なりゆき）。政見《せいけん》。政権《せいけん》。政策《せいさく》。政治《せいじ》。政党《せいとう》。悪政《あくせい》。院政《いんせい》（上皇《じょうこう》・法皇《ほうおう》が御所《ごしょ》でせい治《じ》をおこなったこと）。王政《おうせい》。行政《ぎょうせい》。内政《ないせい》（国内《こくない》を治《おさ》めること）。政治家《せいじか》。

力／13画

勢

音 セイ

訓 いきおい

成り立ち 木《き》を植《う》え、よい形《かたち》にととのえることをあらわす「埶」と「力」(ちから)を合《あ》わせた字《じ》。物《もの》の形《かたち》を強《つよ》い力《ちから》を加《くわ》えてととのえることから、《さからえないほどの力《ちから》》《いきおい》を意味《いみ》する。

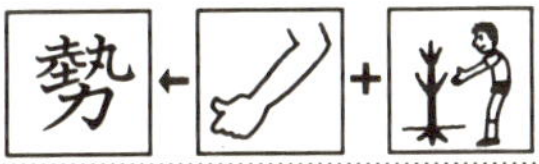

筆順・書き方 土　圥　坴　坴　埶　勢　(13画)　はねる

例文・意味

❶ 例文 火事《かじ》は火勢《かせい》が強《つよ》く、あっという間《ま》にとなりに燃《も》え移《うつ》った。／試合《しあい》の前半《ぜんはん》は、ぼくたちのチームが優勢《ゆうせい》だった。／勢《いきお》いよくぶつかる。 意味 他《た》のものにえいきょうをあたえたりおさえつけたりする力《ちから》。

❷ 例文 クーデターが起《お》こって国《くに》の情勢《じょうせい》がかわった。／前向《まえむ》きの姿勢《しせい》で立《た》ち向《む》かう。 意味 ようす。ありさま。なりゆき。

❸ 例文 人《ひと》が大勢《おおぜい》集《あつ》まって何《なに》をしているのだろう。 意味 たくさんの人々《ひとびと》。人数《にんずう》。

熟語

❶ 勢力《せいりょく》。気勢《きせい》(意気《いき》ごんでいる気持《きも》ち)。水勢《すいせい》。

❷ 運勢《うんせい》(その人《ひと》が将来《しょうらい》、幸福《こうふく》になるか不幸《ふこう》になるかの巡《めぐ》り合《あ》わせ)。形勢《けいせい》。時勢《じせい》(世《よ》の中《なか》のなりゆき)。体勢《たいせい》。態勢《たいせい》。

❸ 加勢《かせい》(力《ちから》を貸《か》して助《たす》けること)。軍勢《ぐんぜい》。総勢《そうぜい》。勢《せい》ぞろい。

米／14画

精

音 セイ・(ショウ)

訓 ―

成り立ち 「青」(若《わか》い草《くさ》の芽《め》と、いど水《みず》。清《きよ》くすんだようす)と、「米」(こめ)を合《あ》わせた字《じ》で、《ついてきれいに白《しろ》くした米《こめ》》のこと。後《のち》に、《まじり気《け》のないもの》をあらわした字《じ》。

筆順・書き方 丷　半　米　米　粁　精　(14画)　はねる

例文・意味

❶ 例文 精《せい》を出《だ》して働《はたら》く。／からだだけでなく、精神《せいしん》も強《つよ》くしなければならない。 意味 心《こころ》のはたらき。たましい。せい。

❷ 例文 精密《せいみつ》な器械《きかい》。 意味 くわしい。細《こま》かい。

❸ 例文 部員《ぶいん》を精選《せいせん》してチームをつくる。 意味 まじり気《け》がない。また、そのようなもの。すぐれたもの。

❹ 例文 山《やま》の精《せい》。 意味 ふしぎな力《ちから》をもつもの。せい。

熟語

❶ 精魂《せいこん》(ありったけの力《ちから》)。精力《せいりょく》。

❷ 精算《せいさん》(金銭《きんせん》などを細《こま》かく計算《けいさん》しなおすこと)。精通《せいつう》(あるものごとについて、細《こま》かい点《てん》までくわしく知《し》っていること)。精読《せいどく》(文章《ぶんしょう》をていねいにくわしく読《よ》むこと)。精一杯《せいいっぱい》。

❸ 精製《せいせい》。精米《せいまい》。

❹ 森《もり》の精《せい》。

□ 衣／14画

【製】

音 セイ
訓 ―

成り立ち
「制」は木《き》をよい形《かたち》に切《き》ること。「衣」は着物《きもの》をあらわす。もとは、着物《きもの》をつくるために、布《ぬの》を決《き》まった形《かたち》にたちきること。そのことから、広《ひろ》く、《ものをつくる》という意味《いみ》になった。

筆順・書き方

（14画）

例文・意味
例文 新製品《しんせいひん》を大《おお》がかりに宣伝《せんでん》する。／姉《あね》は外《がい》国製《こくせい》のハンドバッグを持《も》っている。／おじさんは製薬会社《せいやくがいしゃ》に勤《つと》めています。／この薬《くすり》の製《せい》法《ほう》は当社《とうしゃ》の秘密《ひみつ》です。／母《はは》は木製《もくせい》の家具《かぐ》が好《す》きです。／牛乳《ぎゅうにゅう》のパックには製造年月日《せいぞうねんがっぴ》が印《いん》刷《さつ》されています。
意味 品物《しなもの》をつくる。また、つくった品物《しなもの》。

熟語
製塩《せいえん》。製材《せいざい》。製作《せいさく》。製糸《せいし》。製紙《せいし》。製図《せいず》。製鉄《せいてつ》。製糖《せいとう》（砂糖《さとう》をつくること）。製氷《せいひょう》。製品《せいひん》。製粉《せいふん》。製本《せいほん》。製油《せいゆ》。作製《さくせい》。手製《てせい》。特製《とくせい》。複製《ふくせい》（美術品《びじゅつひん》・写真《しゃしん》・書物《しょもつ》などを、もとの物《もの》とそっくりにつくること。また、つくったその物《もの》）。製造業《せいぞうぎょう》。

□ 禾／12画

【税】

音 ゼイ
訓 ―

成り立ち
「禾」は、いね。「兑」は、はぎとること。もとは、とれた作物《さくもつ》の中《なか》から国《くに》が、はぎとるようにとることをあらわした。後《のち》に、役所《やくしょ》が国民《こくみん》からとりたてる《ぜい金《きん》》の意味《いみ》になった。

筆順・書き方

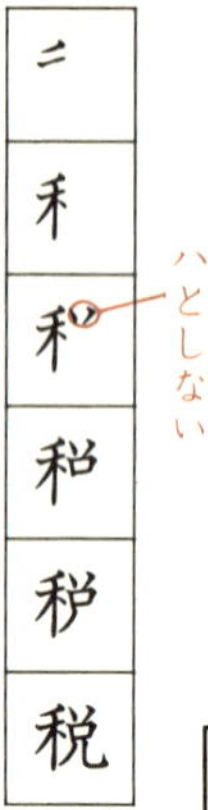

（12画）

例文・意味
例文 国民《こくみん》には、税金《ぜいきん》をおさめる義務《ぎむ》がある。／税制改革《ぜいせいかいかく》が検討《けんとう》されている。／著者《ちょしゃ》には印《いん》税《ぜい》（発行者《はっこうしゃ》が、著者《ちょしゃ》・編者《へんじゃ》に一定《いってい》の割合《わりあい》ではらうお金《かね》）がしはらわれる。／空港《くうこう》や外国船《がいこくせん》が出入《ではい》りする港《みなと》には税関《ぜいかん》があります。
意味 国《くに》・都道府県《とどうふけん》・市町村《しちょうそん》が、おおやけの仕事《しごと》をするために必要《ひつよう》な費用《ひよう》として、国《こく》民《みん》や住民《じゅうみん》からとりたてるお金《かね》。ぜい。

《税関《ぜいかん》》

熟語
課税《かぜい》（ぜい金《きん》を割《わ》り当《あ》てること）。減税《げんぜい》。国税《こくぜい》。重税《じゅうぜい》（負担《ふたん》の重《おも》いぜい金《きん》）。増税《ぞうぜい》。脱税《だつぜい》（おさめなければならないぜい金《きん》を、不正《ふせい》をしておさめないこと）。納税《のうぜい》。税務署《ぜいむしょ》。住民税《じゅうみんぜい》。消費税《しょうひぜい》。所得税《しょとくぜい》。地方税《ちほうぜい》。

責

貝／11画

音 セキ
訓 せめる

成り立ち
「龶」は、さされば痛《いた》いとげ。「貝」は、お金《かね》。お金《かね》を返《かえ》せと、とげでこするようにせめたてられること。後《のち》、広《ひろ》く、《せめる》ことをあらわした字《じ》。

筆順・書き方

(11画)

例文・意味

❶ 例文 仕事《しごと》をなまけていた社員《しゃいん》が、部長《ぶちょう》に問責《もんせき》(問《と》いつめること)された。／約束《やくそく》を破《やぶ》った弟《おとうと》を責《せ》める。
意味 あやまちや罪《つみ》をとがめる。せめる。

❷ 例文 兄《あに》は責任感《せきにんかん》が強《つよ》い。／キャプテンの重責《じゅうせき》をになう。
意味 しなければならないつとめ。

《弟《おとうと》を責《せ》める》

熟語
❶ 自責《じせき》(自分《じぶん》で自分《じぶん》の犯《おか》したあやまちや失敗《しっぱい》をとがめ、後悔《こうかい》すること)。
❷ 責任《せきにん》。

績

糸／17画

音 セキ
訓 ―

成り立ち
「責」(借《か》りたお金《かね》が積《つ》み重《かさ》なって、とげでこするようにせめられること)と「糸」(いと)を合《あ》わせた字《じ》。糸《いと》を一本一本《いっぽんいっぽん》積《つ》み重《かさ》ねて《布《ぬの》をおる》こと、また《積《つ》み重《かさ》ねてきた仕事《しごと》》の意味《いみ》。

筆順・書き方

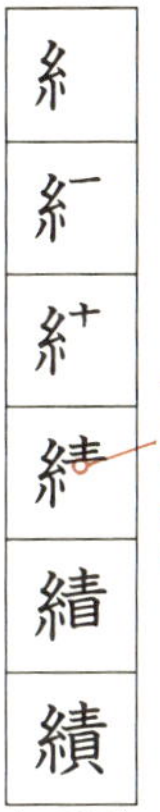

(17画)

例文・意味

❶ 例文 ぼう績工場《せきこうじょう》で働《はたら》く若《わか》い女性《じょせい》たち。
意味 綿《わた》やまゆなどから、糸《いと》をつくる。つむぐ。

❷ 例文 弟《おとうと》は一学期《いちがっき》より成績《せいせき》があがって、大喜《おおよろこ》びしていた。／言《い》うだけでなくて、実績《じっせき》(実際《じっさい》にあらわれた、仕事《しごと》の成果《せいか》やできぐあい)を出《だ》さなければいけない。／かれはこの町《まち》の発展《はってん》にとても功績《こうせき》のあった人《ひと》です。
意味 仕事《しごと》のできばえ。

熟語
❶ 業績《ぎょうせき》(仕事《しごと》や研究《けんきゅう》などの成《な》しとげた成果《せいか》)。

□
扌／11画

【接】

音 セツ
訓 《つぐ》

成り立ち
「扌」は手《て》。「妾」は主人《しゅじん》に従《したが》い、いつもぴったりついている女《おんな》のめしつかいのことで、よりそうことをあらわす。「接」は二《ふた》つのものが《つく》《ちかづくこと》を意味《いみ》した字《じ》。

接 ← 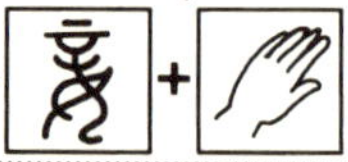

筆順・書き方

（11画）

例文・意味
❶ 例文 台風《たいふう》が**接**近《せっきん》している。／試合《しあい》は**接**戦《せっせん》（競技《きょうぎ》などで、勝負《しょうぶ》をせりあうこと。また、そのような戦《たたか》い）だったが、さよならホームランで勝《か》った。／にこやかに人《ひと》に**接**《せっ》する。 意味 近《ちか》づく。
❷ 例文 **接**《つ》ぎ木《き》をする。／この電車《でんしゃ》は、次《つぎ》の駅《えき》で、急行《きゅうこう》に**接**続《せつぞく》している。／直**接**《ちょくせつ》お話《はなし》する。 意味 つなぐ。つぐ。
❸ 例文 お客様《きゃくさま》を応**接**間《おうせつま》にお通《とお》しする。／面**接**試《めんせつし》験《けん》を受《う》ける。 意味 人《ひと》と会《あ》う。また、人《ひと》をもてなす。

熟語
❶ 密**接**《みっせつ》（すき間《ま》もないほど、くっついていること）。**接**眼《せつがん》レンズ。
❷ **接**着《せっちゃく》。間**接**《かんせつ》（じかでなく、あいだに物《もの》や人《ひと》をはさんで、遠回《とおまわ》しに言《い》ったり、おこなったりするようす）。**接**頭語《せっとうご》。
❸ **接**客《せっきゃく》。**接**待《せったい》（客《きゃく》をもてなすこと）。

□
言／11画

【設】

音 セツ
訓 もうける

成り立ち
「言」は、ことば。「殳」は手《て》に道具《どうぐ》を持《も》って仕事《しごと》をすること。もと、ことばで言《い》ったとおりに、物《もの》をつくりあげることをあらわした。後《のち》に、《そなえつける》《もうける》の意味《いみ》になった。

設 ← 

筆順・書き方
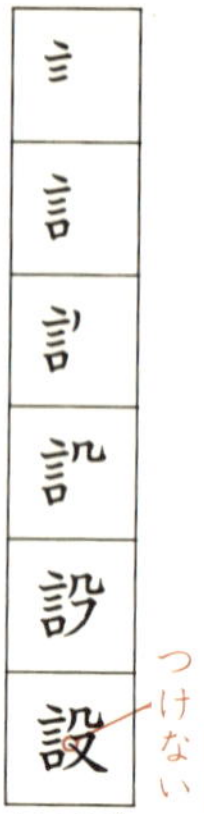

（11画）

例文・意味
例文 急《きゅう》ピッチでダムが建**設**《けんせつ》されている。／新《あたら》しい図書委員会《としょいいんかい》を**設**置《せっち》する。／バスや電車《でんしゃ》には、お年寄《としよ》りの優先席《ゆうせんせき》が**設**《もう》けられている。／校庭《こうてい》のすみにプールが新**設**《しんせつ》された。／**設**計図《せっけいず》を見《み》ながら機械《きかい》を組《く》み立《た》てる。 意味 もうける。備《そな》えつける。

《ダムが建設《けんせつ》される》

熟語
設定《せってい》。**設**備《せつび》。**設**問《せつもん》（問題《もんだい》をつくって答《こた》えさせること。また、その問題《もんだい》）。**設**立《せつりつ》。仮**設**《かせつ》（かりにつくりもうけること）。開**設**《かいせつ》。私**設**《しせつ》（個人《こじん》が、自分《じぶん》のお金《かね》でつくったり、備《そな》えたりすること）。常**設**《じょうせつ》。増**設**《ぞうせつ》。特**設**《とくせつ》。

舌／6画

舌

音 （ゼツ）

訓 した

成り立ち

「干」(先《さき》が二《ふた》またに分《わ》かれた棒《ぼう》)と、「口」(くち)を合《あ》わせた字《じ》。敵《てき》をつきさすとき、棒《ぼう》を出《だ》したりひっこめたりするように、口《くち》から出《で》たりひっこんだりする《した》をあらわす。

舌 ←  + 

筆順・書き方

一　二　千　千　舌　舌　（6画）

つける

例文・意味

❶ 例文 焼《や》きたてのおもちを食《た》べて、舌《した》をやけどした。／おいしそうなケーキに、思《おも》わず、舌《した》つづみを打《う》った。 意味 口《くち》の中《なか》にある、した。

❷ 例文 弁舌《べんぜつ》さわやかな人《ひと》。／よくあんなに舌《した》が回《まわ》るものだ。 意味 ことば。

《舌《した》つづみを打《う》つ》

熟語

❶ 猫舌《ねこじた》。舌打《したう》ち。舌《した》なめずり。

❷ 毒舌《どくぜつ》(ひどい悪口《わるぐち》や皮肉《ひにく》)。二枚舌《にまいじた》(前《まえ》に言《い》ったこととちがうことを後《あと》になって言《い》うこと。うそをつくこと)。

糸／12画

絶

音 ゼツ

訓 たえる・たやす・たつ

成り立ち

もとの字《じ》は「絕」。「糸」は、いと。「色」は「刀」(かたな)と「巴」(ひざまずいた人《ひと》)。刀《かたな》で糸《いと》をぷっつり切《き》るように物《もの》を《たちきる》ことをあらわした字《じ》。

絶 ← 

筆順・書き方

糸　糹　糹　絈　絈　絶　（12画）

はねる

例文・意味

❶ 例文 今度《こんど》約束《やくそく》を破《やぶ》ったら、絶交《ぜっこう》だ。／たばこを絶《た》つ。／いつもえがおを絶《た》やさない人《ひと》。 意味 つながりをなくす。たつ。たやす。

❷ 例文 交通《こうつう》が絶《た》える。／絶望《ぜつぼう》してはならない。 意味 動作《どうさ》や状態《じょうたい》がそこで終《お》わる。たえる。

❸ 例文 日本一《にっぽんいち》の絶景《ぜっけい》。／絶対《ぜったい》に反対《はんたい》です。 意味 非常《ひじょう》にすぐれている。まさる。きわまる。

❹ 例文 絶海《ぜっかい》の島《しま》。 意味 遠《とお》くへだてる。

熟語

❶ 絶食《ぜっしょく》。断絶《だんぜつ》(つきあいや、つながりをたちきること)。

❷ 絶縁《ぜつえん》。気絶《きぜつ》。絶体絶命《ぜったいぜつめい》⇩(639ページ中)。空前絶後《くうぜんぜつご》⇩(636ページ下)。

❸ 絶好《ぜっこう》(あることをするのに、非常《ひじょう》につごうのよいこと)。絶賛《ぜっさん》。絶大《ぜつだい》。絶頂《ぜっちょう》(ものごとや人《ひと》の気《き》持《も》ちが最高《さいこう》の状態《じょうたい》にあること)。

□
金／14画

【銭】

音 セン
訓 (ぜに)

成り立ち もとの字《じ》は「錢」。「金」は、きん属《ぞく》、「戔」はほ・こ・が二《ふた》つで、物《もの》を切《き》って小《ちい》さくすることをあらわす。もとは、金属《きんぞく》でできている《小《ちい》さいおかね》をあらわした。今《いま》では広《ひろ》く、《おかね》のこと。

筆順・書き方

(14画)

例文・意味

❶ 例文 あわてていたので、つり銭《せん》をもらうのを忘《わす》れてしまった。／バスに乗《の》るときには、小《こ》銭《ぜに》を用意《ようい》しておこう。／神社《じんじゃ》にお参《まい》りして、おさい銭《せん》をあげた。 意味 お金《かね》。ぜに。

《おさい銭《せん》をあげる》

❷ 例文 現在《げんざい》、一銭《いっせん》の通貨《つうか》はありません。 意味 日《に》本《ぽん》のお金《かね》の単位《たんい》。一円《いちえん》の百分《ひゃくぶん》の一《いち》。利子《りし》の計《けい》算《さん》などのときだけ用《もち》いられる。

熟語

❶ 銭湯《せんとう》。金銭《きんせん》。

□
ネ／9画

【祖】

音 ソ
訓 ―

成り立ち もとの字《じ》は「祖」。「示」は先《せん》ぞや神様《かみさま》を祭《まつ》る祭《さい》だん。「且」は積《つ》み重《かさ》なることをあらわす。自分《じぶん》のおじいさん、そのまたおじいさんと、何代《なんだい》も重《かさ》なっている《先《せん》ぞ》をあらわした字《じ》。

筆順・書き方

(9画)

例文・意味

❶ 例文 祖父《そふ》も祖母《そぼ》も健在《けんざい》だ。 意味 父母《ふぼ》の親《おや》。

❷ 例文 わたしの家《いえ》の祖先《そせん》は、平氏《へいし》だそうです。／おひ岸《がん》には、家中《いえじゅう》そろって先祖《せんぞ》の墓参《はかまい》りをする。 意味 人《ひと》や動物《どうぶつ》のおおもとの親《おや》。

❸ 例文 このお寺《てら》の開祖《かいそ》(宗教《しゅうきょう》や芸能《げいのう》で、その宗派《しゅうは》や流派《りゅうは》を始《はじ》めた人《ひと》)は、弘法大師《こうぼうだいし》だと言《い》われています。／この店《みせ》は、「温泉《おんせん》まんじゅうの元祖《がんそ》」を自《じ》まんにしている。 意味 あるものごとを始《はじ》めた人《ひと》。

熟語

❶ 祖父母《そふぼ》。
❷ 祖国《そこく》(自分《じぶん》の生《う》まれた国《くに》)。
❸ 教祖《きょうそ》(ある宗教《しゅうきょう》や宗派《しゅうは》を始《はじ》めた人《ひと》)。

□ 糸／10画

素

音 ソ・(ス)

訓 ―

成り立ち 「龶」(「垂」を略《りゃく》した形《かたち》。たれ下《さ》がること)と「糸」(いと)を合《あ》わせた字《じ》。まゆからとったばかりの生糸《きいと》をあらわした。後《のち》、《まだ手《て》を加《くわ》えていない》《もとになるもの》の意味《いみ》になった。

筆順・書き方

(10画)

例文・意味

❶ 例文 質素《しっそ》なくらし。／絵《え》の素養《そよう》(ふだんから身《み》につけている技術《ぎじゅつ》や学問《がくもん》)がある。／素顔《すがお》の美《うつく》しい人《ひと》。／このたんすの素材《そざい》は、きりの木《き》です。 意味 もとのままで、他《た》のものがまざっていない。かざり気《け》がない。

❷ 例文 衣食住《いしょくじゅう》は生活《せいかつ》の三大要素《さんだいようそ》です。 意味 もとになるもの。

❸ 例文 平素《へいそ》(ふだん。いつも)から地《じ》しんがあったときの準備《じゅんび》をしておく。／素行《そこう》(ふだんのおこない)の正《ただ》しい人《ひと》。 意味 いつもの。ふだん。

熟語

❶ 素質《そしつ》。素足《すあし》。素手《すで》。素直《すなお》。素肌《すはだ》。素焼《すや》き。

❷ 元素《げんそ》。酸素《さんそ》。色素《しきそ》。栄養素《えいようそ》。葉緑素《ようりょくそ》。

特別な読み 素人《しろうと》。

□ 糸／14画

総

音 ソウ

訓 ―

成り立ち もとの字《じ》は「總」。「悤」(ばらばらのものを一《ひと》つにまとめる)と「糸」(いと)を合《あ》わせた字《じ》。たくさんの糸《いと》をまとめた《ふさ》をあらわした。後《のち》、《すべてを一《ひと》つにまとめる》ことをあらわす。

筆順・書き方

(14画)

例文・意味

❶ 例文 会費《かいひ》の総計《そうけい》が二千《にせん》円《えん》になる。／点数《てんすう》を総《そう》合《ごう》して、優勝者《ゆうしょうしゃ》を決《き》める。 意味 集《あつ》めて、一《ひと》つにまとめる。

❷ 例文 これは、クラス全員《ぜんいん》の総意《そうい》です。／来年《らいねん》四月《しがつ》に総選挙《そうせんきょ》がおこなわれます。／総理大臣《そうりだいじん》が、国会《こっかい》で指名《しめい》された。 意味 すべての。全部《ぜんぶ》。また、全体《ぜんたい》を治《おさ》める。

《会費《かいひ》の総計《そうけい》》

熟語

❶ 総合病院《そうごうびょういん》。

❷ 総会《そうかい》。総画《そうかく》。総額《そうがく》。総裁《そうさい》(団体《だんたい》のいちばん上《うえ》にいて全体《ぜんたい》をまとめ、しめくくる役《やく》。また、その人《ひと》)。総数《そうすう》。総勢《そうぜい》(全体《ぜんたい》の数《かず》)。総長《そうちょう》。総務《そうむ》。総力《そうりょく》。

造

辶／10画

音 ゾウ
訓 つくる

成り立ち
「辶」は進《すす》むこと。「告」は牛《うし》の角《つの》に棒《ぼう》をつけてつなぐことをあらわす。いくつかの材料《ざいりょう》をつなぎあわせて、《物《もの》をこしらえる》ことを意味《いみ》した字《じ》。

筆順・書き方

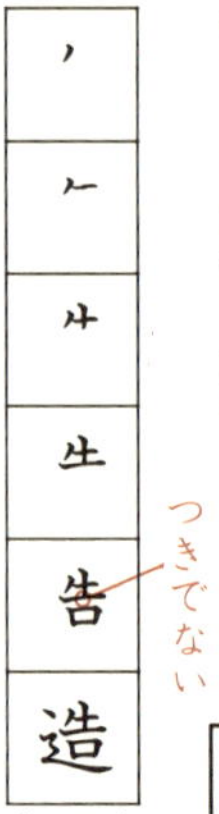

(10画)

例文・意味
例文 日本《にっぽん》の造船技術《ぞうせんぎじゅつ》は世界一《せかいいち》です。／古《ふる》い木造住宅《もくぞうじゅうたく》を修理《しゅうり》する。／衆議院議員《しゅうぎいんぎいん》の選挙《せんきょ》が終《お》わり、内閣《ないかく》の改造《かいぞう》がおこなわれた。／田中君《たなかくん》は創造力《そうぞうりょく》がとてもすぐれている。／酒《さけ》を造《つく》っている大《おお》きな家《いえ》。
意味 材料《ざいりょう》を使《つか》って物《もの》をつくる。また、ものごとをつくりあげる。

《木造住宅《もくぞうじゅうたく》》

熟語
造花《ぞうか》。造形《ぞうけい》(彫刻《ちょうこく》・建築《けんちく》・工芸《こうげい》などの作品《さくひん》をこしらえること)。造作《ぞうさく》。造成《ぞうせい》(自然《しぜん》をある目的《もくてき》に使《つか》えるようにつくりあげること)。建造《けんぞう》。構造《こうぞう》。人造《じんぞう》。製造《せいぞう》。乱造《らんぞう》(品質《ひんしつ》や内容《ないよう》を考《かんが》えず、やたらに多《おお》くこしらえること)。造船所《ぞうせんじょ》。

像

イ／14画

音 ゾウ
訓 ―

成り立ち
「イ」は人《ひと》を、「象」は動物《どうぶつ》のぞうをあらわし、大《おお》きくて目立《めだ》つ姿《すがた》の意味《いみ》。そこから、《人《ひと》のりっぱな姿《すがた》》《絵《え》にかいた人《ひと》や、ちょう刻《こく》でつくった人《ひと》の姿《すがた》》の意味《いみ》をあらわす。

筆順・書き方

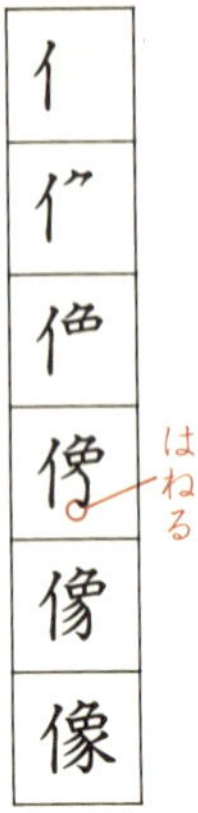

(14画)

例文・意味
❶ 例文 フィルムを現像《げんぞう》する。／自分《じぶん》の将来《しょうらい》のことを想像《そうぞう》するのは楽《たの》しい。 意味 形《かたち》や姿《すがた》。
❷ 例文 校庭《こうてい》に、初代《しょだい》の校長先生《こうちょうせんせい》の銅像《どうぞう》が建《た》っています。／やさしい顔立《かおだ》ちをした仏像《ぶつぞう》を、じっと見《み》つめる。 意味 人《ひと》などの形《かたち》を本物《ほんもの》に似《に》せてつくった物《もの》。

《仏像《ぶつぞう》》

熟語
❶映像《えいぞう》。画像《がぞう》。想像力《そうぞうりょく》。
❷胸像《きょうぞう》。石像《せきぞう》。木像《もくぞう》。立像《りつぞう》。自画像《じがぞう》(自分《じぶん》で、自分《じぶん》の顔《かお》や、姿《すがた》をかいた絵《え》)。

土／14画

増

音 ゾウ

訓 ます・ふえる・ふやす

成り立ち もとの字《じ》は「增」。せいろを重《かさ》ねることをあらわす「曾」と、「土」(つち)を合《あ》わせた字《じ》。もとは、土《つち》を重《かさ》ねて、積《つ》みあげることをあらわし、後《のち》に、物《もの》が《ふえる》意味《いみ》になった。

筆順・書き方

(14画)

例文・意味

❶ 例文 政府《せいふ》が増税案《ぞうぜいあん》を発表《はっぴょう》した。／子《こ》どもべやを増築《ぞうちく》する。／団地《だんち》ができて、町《まち》の人口《じんこう》が増《ふ》えた。／台風《たいふう》のため、川《かわ》の水《みず》が増《ま》している。／父《ちち》の会社《かいしゃ》では、新《あたら》しい仕事《しごと》のため、社員《しゃいん》を増《ふ》やす計画《けいかく》があるそうです。 意味 数《かず》や量《りょう》が多《おお》くなる。ます。ふえる。また、ふやす。 対語 減《げん》。

❷ 例文 弟《おとうと》は、ほめられるとすぐに増長《ぞうちょう》(調子《ちょうし》にのって、つけあがること)する。 意味 おごりたかぶる。

熟語

❶ 増員《ぞういん》。増加《ぞうか》。増額《ぞうがく》。増刊《ぞうかん》。増強《ぞうきょう》。増減《ぞうげん》。増産《ぞうさん》。増収《ぞうしゅう》(収入《しゅうにゅう》や収穫《しゅうかく》がふえること)。増水《ぞうすい》。増設《ぞうせつ》。増大《ぞうだい》。増発《ぞうはつ》(乗《の》り物《もの》の運転回数《うんてんかいすう》をふやすこと)。増量《ぞうりょう》。急増《きゅうぞう》。激増《げきぞう》。日《ひ》増《ま》しに。

刂／9画

則

音 ソク

訓 ―

成り立ち 「貝」は、かいではなく、「かなえ」という、物《もの》をにる器《うつわ》。「刂」は、ナイフ。器《うつわ》とナイフがくっつけて置《お》いてあるようす。何《なに》かによりそわなければならない《きまり》の意味《いみ》をあらわす。

筆順・書き方

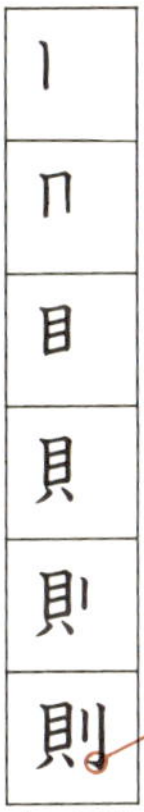

(9画)

例文・意味

例文 そうするのが、規則《きそく》です。／反則《はんそく》を二回《にかい》すると、失格《しっかく》になる。／教則本《きょうそくぼん》を使《つか》ってピアノの練習《れんしゅう》をする。／姉《あね》の高等学校《こうとうがっこう》は、校則《こうそく》がとても厳《きび》しいそうです。／足《た》し算《ざん》、引《ひ》き算《ざん》、かけ算《ざん》、割《わ》り算《ざん》をまとめて四則計算《しそくけいさん》という。 意味 きまり。また、手本《てほん》。

《四則計算《しそくけいさん》》

熟語

会則《かいそく》。原則《げんそく》。鉄則《てっそく》。変則《へんそく》。法則《ほうそく》。不規則《ふきそく》。

□
氵／12画

〔測〕

音　ソク
訓　はかる

成り立ち
「氵」は水《みず》、「則」は器《うつわ》のそばにナイフがくっついて置《お》いてあること。ものさしなどをくっつけて水《みず》の深《ふか》さを《はかる》ことから、《はかる》の意《い》味《み》になった。

筆順・書き方

(12画)

例文・意味
❶ 例文 校庭《こうてい》の広《ひろ》さを測《はか》る。／土《と》地《ち》の測量《そくりょう》をする。／向《む》こう岸《ぎし》までのきょりを目測《もくそく》(目《め》で見《み》て、だいたいのきょりや大《おお》きさなどをはかること)する。／望遠鏡《ぼうえんきょう》で天体《てんたい》を観《かん》測《そく》する。
意味 深《ふか》さ・長《なが》さ・広《ひろ》さ・高《たか》さなどをはかる。

《目測《もくそく》する》

❷ 例文 地《じ》しんを予測《よそく》するのは難《むずか》しい。／友《とも》だちの気《き》持《も》ちを推《すい》測《そく》する。
意味 おしはかる。

熟語
❶ 測定《そくてい》(道《どう》具《ぐ》や器《き》機《き》を使《つか》って、物《もの》の長《なが》さ・重《おも》さ・量《りょう》などをはかること)。 実測《じっそく》(実際《じっさい》にはかること)。 歩《ほ》測《そく》(一《いっ》定《てい》の歩《ほ》幅《はば》で歩《ある》き、その歩《ほ》数《すう》で距《きょ》離《り》をはかること)。 測候所《そっこうじょ》。 観測所《かんそくじょ》。
❷ 推《お》し測《はか》る。

□
尸／12画

〔属〕

音　ゾク
訓　—

成り立ち
もとの字《じ》は「屬」。「尾」は動物《どうぶつ》のからだにくっついているお。「蜀」は、くわの葉《は》にくっついている虫《むし》で、じっと一《ひと》つの所《ところ》にいること。何《なに》かにくっついてはなれない意《い》味《み》から、《したがう》という意《い》味《み》になった。

筆順・書き方

(12画)

例文・意味
❶ 例文 そのプロダクション専属《せんぞく》の歌《か》手《しゅ》。／大学《だいがく》病院《びょういん》に付属《ふぞく》している。／ぼくは、バスケットボール部《ぶ》に所属《しょぞく》している。
意味 つき従《したが》う。

❷ 例文 ウインドーの中《なか》にたくさんの宝石《ほうせき》を並《なら》べた貴《き》金属店《きんぞくてん》。
意味 分類《ぶんるい》したときの仲《なか》間《ま》。

《貴《き》金属店《きんぞくてん》》

熟語
❶ 属国《ぞっこく》(独立《どくりつ》していないで、よその国《くに》に支配《しはい》されている国《くに》)。 配属《はいぞく》。 無《む》所属《しょぞく》。
❷ 金属《きんぞく》。 軽金属《けいきんぞく》。

玄／11画

【率】

音 (ソツ)・リツ
訓 ひきいる

成り立ち 「玄」は細《ほそ》い糸《いと》。「⺀」は、はらいのけるしるし。「十」は、まとめるしるし。はみ出《で》た糸《いと》をのぞき、残《のこ》りをひとまとめにすることから、《ひきいる》の意味《いみ》になった。

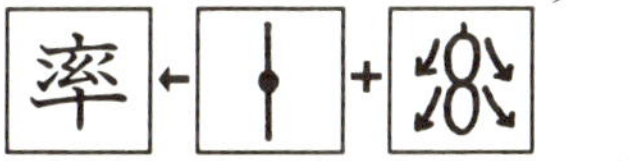

筆順・書き方
亠 玄 玅 䒑 𤣥 率（11画）
ながく

例文・意味

❶ 例文 野球部《やきゅうぶ》を率《ひき》いるのは小川先生《おがわせんせい》です。／かれはなんでも率先《そっせん》(ほかの人《ひと》に先立《さきだ》って、ものごとをおこなうこと)してやる積極的《せっきょくてき》な子《こ》だ。 意味 先《さき》に立《た》つ。みちびく。

❷ 例文 勉強《べんきょう》の能率《のうりつ》を高《たか》める。／打率《だりつ》三割三分《さんわりさんぶ》の首位打者《しゅいだしゃ》。 意味 割合《わりあい》。

❸ 例文 軽率《けいそつ》な(よく考《かんが》えないで言《い》ったり、したりするようす)おこないは、つつしみなさい。 意味 だしぬけ。軽々《かるがる》しい。

❹ 例文 かれは率直《そっちょく》な人《ひと》だ。 意味 ありのまま。

熟語

❶ 引率《いんそつ》。統率《とうそつ》(大勢《おおぜい》の人《ひと》を一《ひと》つにまとめてひきいること)。

❷ 確率《かくりつ》。効率《こうりつ》(ものごとの成果《せいか》と、その成果《せいか》をあげるために必要《ひつよう》とした労力《ろうりょく》・時間《じかん》・代償《だいしょう》などとの割《わり》合《あい》)。倍率《ばいりつ》。比率《ひりつ》。利率《りりつ》。円周率《えんしゅうりつ》。百分率《ひゃくぶんりつ》。

扌／13画

【損】

音 ソン
訓 (そこなう)・(そこねる)

成り立ち 「扌」は手《て》を、「員」は口《くち》のまるい器《うつわ》のことで、穴《あな》をあけてくぼませることを意味《いみ》した。なかみを減《へ》らすことから、今《いま》までちゃんとあったものが《こわれる》《そこなう》ことを意味《いみ》する。

筆順・書き方
扌 扌 扩 捐 捐 損（13画）
はねる

例文・意味

❶ 例文 同《おな》じ本《ほん》をうっかり買《か》ってしまい、損《そん》をした。／今月《こんげつ》は、先月《せんげつ》より少《すこ》し欠損《けっそん》です。／損《そん》得《とく》を考《かんが》えないで一生《いっしょう》けん命《めい》働《はたら》く。 意味 失《うしな》う。少《すく》なくなる。 対語 得《とく》。

❷ 例文 父《ちち》は、仕事《しごと》でむりをして、健康《けんこう》を損《そこ》ねました。／鉄橋《てっきょう》が台風《たいふう》のため破損《はそん》した。 意味 傷《きず》つける。こわす。そこなう。

❸ 例文 遊《あそ》んでいて、いつも見《み》ているテレビ番組《ばんぐみ》を見損《みそこ》なってしまった。 意味 十分《じゅうぶん》にできなくなる。そこなう。

熟語

❶ 損益《そんえき》。損金《そんきん》。損失《そんしつ》(商売《しょうばい》などで利益《りえき》を失《うしな》うこと)。

❷ 損害《そんがい》。損傷《そんしょう》(こわれたり、傷《きず》ついたりすること)。

□ 辶／9画

退

音 タイ
訓 しりぞく・しりぞける

成り立ち

「辶」は進《すす》むこと。「艮」は、もと、「日」（太陽《たいよう》）と「夊」（あし）で、足《あし》を逆《ぎゃく》に向《む》けて引《ひ》き下《さ》がることをあらわした。そこで、《後《うし》ろへ行《い》く》《ひきさがる》という意味《いみ》をあらわすようになった。

筆順・書き方

（9画）

例文・意味

❶ 例文 卒業生《そつぎょうせい》たちが、卒業式《そつぎょうしき》の会場《かいじょう》から退場《たいじょう》する。／火山《かざん》がばく発《はつ》しそうなので、ふもとの村《むら》に退去命令《たいきょめいれい》が出《で》た。／自動車《じどうしゃ》を後退《こうたい》させて車庫《しゃこ》に入《い》れる。／ぼくたちのチームは、二回《にかい》戦《せん》で敗退《はいたい》した。 意味 今《いま》いる所《ところ》から、後《うし》ろへ下《さ》がる。引《ひ》き下《さ》がる。しりぞく。 対語 進《しん》。

❷ 例文 人間《にんげん》のしっぽは、退化《たいか》（進《すす》んでいたものが後《あと》もどりすること）してなくなってしまった。 意味 おとろえる。

熟語

❶ 退学《たいがく》。退散《たいさん》（その場《ば》から立《た》ちのくこと）。退治《たいじ》（人間《にんげん》や物《もの》に害《がい》をあたえるものをほろぼすこと）。退出《たいしゅつ》。退職《たいしょく》。退席《たいせき》。退任《たいにん》。引退《いんたい》。進退《しんたい》。早退《そうたい》。中退《ちゅうたい》。一進一退《いっしんいったい》 ⇩（635ページ上）

特別な読み

立《た》ち退《の》く。

□ 貝／12画

貸

音 （タイ）
訓 かす

成り立ち

「代」は入《い》れかわること。「貝」は、お金《かね》や品物《しなもの》をあらわす。人《ひと》と人《ひと》がお金《かね》や品《しな》物《もの》をやりとりして持《も》ち主《ぬし》が入《い》れかわることから、人《ひと》に《かす》意味《いみ》になった。

筆順・書き方

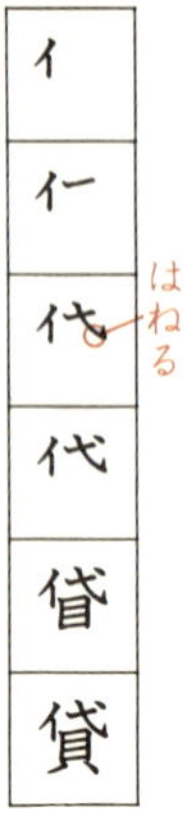

（12画）

例文・意味

例文 五年生《ごねんせい》は貸《か》し切《き》りバスで、遠足《えんそく》に行《い》くそうだ。／結《けっ》こんした兄《あに》は賃貸《ちんたい》（建物《たてもの》・へや・道具《どうぐ》などを、使《し》用料《ようりょう》をとってかすこと）マンションにすんでいる。／友《とも》だちに本《ほん》を貸《か》す。 意味 後《あと》で返《かえ》してもらう約束《やくそく》で、自分《じぶん》の物《もの》を人《ひと》に使《つか》わせる。かす。かし。 対語 借《しゃく》。

《貸《か》し切《き》りバス》

熟語

貸借《たいしゃく》（お金《かね》や品物《しなもの》をかすことと借《か》りること）。貸家《かしや》。貸《か》し服《ふく》。貸《か》し借《か》り。貸《か》し出《だ》し。

□ 心／14画

【態】

音 タイ
訓 ―

成り立ち 「能」(ねばり強《づよ》くやりとげて働《はたら》くこと)と「心」(こころ)を合《あ》わせた字《じ》。ものごとをやりとげようとする心《こころ》構《がま》えをあらわした。後《のち》に、《ありさま》《ようす》の意味《いみ》になった。

筆順・書き方

(14画)

例文・意味

例文 授業中《じゅぎょうちゅう》によそ見《み》をしていたら、「態度《たいど》が悪《わる》い。」と先生《せんせい》に注意《ちゅうい》された。／かぜぎみでからだの状態《じょうたい》がおもわしくない。／野鳥《やちょう》の生態《せいたい》を観察《かんさつ》する。／小学生《しょうがくせい》の生活《せいかつ》の実態調査《じったいちょうさ》がおこなわれた。／魚《さかな》を形態《けいたい》によって分類《ぶんるい》する。

意味 ものごとの、ようす。ありさま。

熟語

態勢《たいせい》(ものごとに対《たい》する身構《みがま》えや、ようす)。悪態《あくたい》(人《ひと》をののしることば)。事態《じたい》。失態《しったい》(面目《めんぼく》を失《うしな》うこと)。重態《じゅうたい》。容態《ようだい》(病《びょう》気《き》のようす)。

□ 口／6画

【団】

音 ダン・《トン》
訓 ―

成り立ち もとの字《じ》は「團」。「口」は、かこむこと。「專」は、まるい糸巻《いとま》きのおもりをぶら下《さ》げたようすに「寸」(手《て》)をつけた字《じ》。《まるいもの》《ひとかたまりに集《あつ》まったもの》の意味《いみ》をあらわす。

筆順・書き方

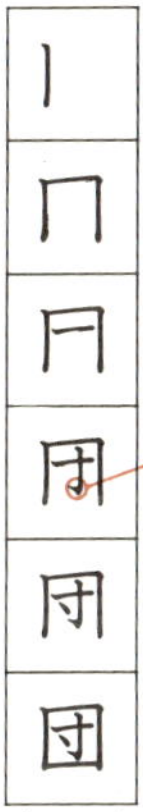

(6画)

例文・意味

❶ 例文 団地《だんち》の高層《こうそう》アパート。／二年生《にねんせい》の団体競《だんたいきょう》技《ぎ》は玉入《たまい》れです。／町《まち》の少年団《しょうねんだん》で、かわらのそうじをすることになった。／体育館《たいいくかん》で児童《じどう》劇団《げきだん》の公演《こうえん》を見《み》る。／わたしの学校《がっこう》にとなりの県《けん》から視察団《しさつだん》が来《き》ました。

意味 人《ひと》や物《もの》の、集《あつ》まったもの。集《あつ》まり。

❷ 例文 お月見《つきみ》には、お団子《だんご》をいただきます。

意味 まるいもの。まるい。

《お団子《だんご》》

熟語

❶ 団員《だんいん》。団結《だんけつ》(一《ひと》つの目的《もくてき》をもって大勢《おおぜい》の人《ひと》が力《ちから》を合《あ》わせ、まとまること)。一団《いちだん》。楽団《がくだん》。公団《こうだん》。集団《しゅうだん》。退団《たいだん》。布団《ふとん》。応援団《おうえんだん》。

❷ 団《だん》らん(親《した》しい人たちが、集《あつ》まって話《はな》し合《あ》ったり、なごやかに時《じ》間《かん》を過《す》ごしたりすること)。

□ 斤／11画

断

音 ダン

訓 (たつ)・ことわる

成り立ち もとの字《じ》は「斷」。「幺」(いと)四《よっ》つと、「乚」(切《き》るしるし)二《ふた》つと、おのをあらわす「斤」を合《あ》わせた字《じ》。糸《いと》の束《たば》を《たつ》《たちきる》の意味《いみ》をあらわした字《じ》。

筆順・書き方

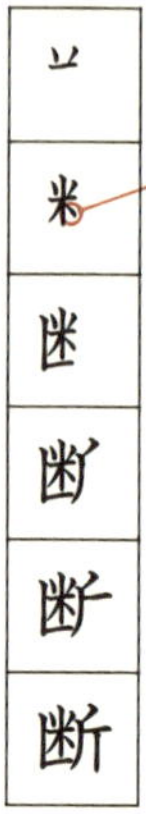

(11画)

例文・意味

❶ 例文 あすの八時《はちじ》から十時《じゅうじ》まで、工事《こうじ》のため断水《だんすい》します。／姉《あね》はやせるために、大好《だいす》きなあまいものを断《た》っている。 意味 つづいていたものを終《お》わりにする。たちきる。

❷ 例文 みんなの意見《いけん》を聞《き》いてから、先生《せんせい》が断《だん》を下《くだ》した。／遊《あそ》びに行《い》くか宿題《しゅくだい》をやるか、決断《けつだん》がつかない。 意味 はっきり決《き》める。

❸ 例文 理科室《りかしつ》に無断《むだん》で入《はい》ってはいけません。 意味 前《まえ》もって知《し》らせておく。ことわる。

熟語

❶ 断食《だんじき》(ある目的《もくてき》のために一定《いってい》の期間《きかん》、食《た》べ物《もの》を食《た》べないこと)。断絶《だんぜつ》。断層《だんそう》。断続《だんぞく》。断念《だんねん》(あきらめること)。断面《だんめん》。横断《おうだん》。縦断《じゅうだん》。切断《せつだん》。中断《ちゅうだん》。横断歩道《おうだんほどう》。

❷ 断言《だんげん》(自信《じしん》をもってきっぱり言《い》いきること)。断固《だんこ》。独断《どくだん》。判断《はんだん》。

□ ⺮／16画

築

音 チク

訓 きずく

成り立ち 「巩」は太《ふと》い棒《ぼう》を持《も》って地《じ》ならしをするようす。木《き》や竹《たけ》のわく組《ぐ》みに土《つち》を入《い》れてトントンたたいて工事《こうじ》をすることをあらわす。今《いま》では、建物《たてもの》を《つくる》《きずく》という意味《いみ》で使《つか》う。

筆順・書き方

(16画)

例文・意味

例文 家《いえ》を改築《かいちく》するときには、ぼく専用《せんよう》のへやをつくってほしい。／法隆寺《ほうりゅうじ》は世界一古《せかいいちふる》い木造建築物《もくぞうけんちくぶつ》です。／有名《ゆうめい》な建築家《けんちくか》の建《た》てたビル。／熊本城《くまもとじょう》をつくった加藤清正《かとうきよまさ》は築城《ちくじょう》の名人《めいじん》と言《い》われている。／大阪城《おおさかじょう》を築《きず》いたのは豊臣秀吉《とよとみひでよし》です。 意味 建物《たてもの》や港《みなと》などをつくる。きずく。

《築城《ちくじょう》》

熟語 構築《こうちく》(組《く》み立《た》ててきずくこと)。新築《しんちく》。増築《ぞうちく》。

特別な読み 築山《つきやま》。

張

弓／11画

音 チョウ
訓 はる

成り立ち

「弓」（ゆみ）と「長」（かみの毛《け》のながい老人《ろうじん》）を合《あ》わせた字《じ》。たるんだ弓《ゆみ》のつるをのばして、ぴんと《はる》ことをあらわす。弓《ゆみ》だけではなく気持《きも》ちをぴんと《はる》《ひきしめる》こともあらわす。

筆順・書き方

（11画）

例文・意味

❶ 例文 お店《みせ》を拡張《かくちょう》する。／演奏会《えんそうかい》でぶ台《たい》にあがったとき、ひどくきん張《ちょう》した。／花《か》だんのまわりにつなを張《は》る。意味 ひっぱってのばす。はる。また、たるまないように広《ひろ》げる。

❷ 例文 ふたりの主張《しゅちょう》（自分《じぶん》の考《かんが》えを言《い》いはること）がくいちがって、相談《そうだん》がなかなかまとまらない。意味 大《おお》きく広《ひろ》げる。さかんにする。

❸ 例文 卒業記念《そつぎょうきねん》に、体育館《たいいくかん》の暗幕《あんまく》を一張《ひとは》りおくる。意味 弓《ゆみ》や幕《まく》などを数《かぞ》えることば。

熟語

❶ 出張《しゅっちょう》（仕事《しごと》で、よその場所《ばしょ》へ出《で》かけること）。表面張力《ひょうめんちょうりょく》（液体《えきたい》の表面《ひょうめん》が面積《めんせき》を最小《さいしょう》にしようとして引《ひ》き合《あ》っている力《ちから》）。

提

扌／12画

音 テイ
訓 （さげる）

成り立ち

「扌」は手《て》、「是」はまっすぐなえのついたさじと、足《あし》を合《あ》わせた字《じ》。まっすぐに進《すす》むことをあらわす。手《て》でまっすぐにのばして持《も》つ、つまり、《さげる》《さしだす》の意味《いみ》になった。

筆順・書き方

（12画）

例文・意味

❶ 例文 買《か》い物《もの》かごを提《さ》げてマーケットへ行《い》く。意味 手《て》にさげて持《も》つ。さげる。

❷ 例文 父《ちち》の会社《かいしゃ》では、外国《がいこく》の会社《かいしゃ》と提《てい》けいして新《あたら》しい事業《じぎょう》を始《はじ》めたそうです。意味 助《たす》けあう。

❸ 例文 テストが終《お》わった人《ひと》は、答案用紙《とうあんようし》を提出《ていしゅつ》して帰《かえ》ってもよい。／クラスの代表委員《だいひょういいん》の選《えら》び方《かた》について、新《あたら》しい提案《ていあん》を出《だ》す。意味 さし出《だ》す。もち出《だ》す。

熟語

❶ 提起《ていき》（問題《もんだい》を話《はな》し合《あ》いの場《ば》などにさし出《だ》すこと）。提供《ていきょう》。提言《ていげん》。提示《ていじ》。提唱《ていしょう》（考《かんが》えや意《い》見《けん》を示《しめ》し、多《おお》くの人々《ひとびと》に呼《よ》びかけること）。前提《ぜんてい》（あることがらの成《な》り立《た》つための必要《ひつよう》な、もとになる条件《じょうけん》）。

□ 禾／12画

程

音 テイ
訓 （ほど）

成り立ち
「禾」は、いね。「呈」は、まっすぐそろえること。いねなどのほ・の長《なが》さをそろえることから、《決《き》まった長《なが》さ》や、《ほどほどに決められた度合《どあ》い》を意味《いみ》する。

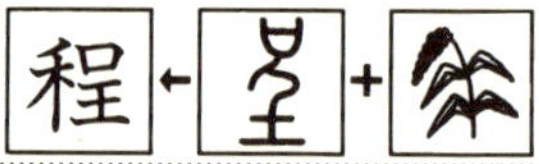

筆順・書き方

（12画）

例文・意味
❶ 例文 この程度《ていど》の練習《れんしゅう》なら、毎日《まいにち》でもだいじょうぶだ。／父《ちち》の歌《うた》は音程《おんてい》がくるっている。 意味 ものごとの、度合《どあ》い。ほど。
❷ 例文 今度《こんど》の遠足《えんそく》は、二十《にじっ》キロメートルの行程《こうてい》を徒歩《とほ》で行《い》く。／文化祭《ぶんかさい》はすべての日程《にってい》を無事《ぶじ》に終《お》えた。 意味 時間《じかん》やきょりのへだたり。道《みち》のり。
❸ 例文 規程《きてい》の手続《てつづ》きをすませて、子《こ》ども会《かい》に入《はい》った。 意味 ものごとの、きまり。

熟語
❶ 程合《ほどあ》い。身《み》の程《ほど》。
❷ 過程《かてい》（ものごとが移《うつ》りかわっていく道《みち》すじ）。課程《かてい》（修得《しゅうとく》するために割《わ》り当《あ》てられた一定《いってい》の作業《さぎょう》や学習《がくしゅう》の順序《じゅんじょ》）。程遠《ほどとお》い。

□ 辶／14画

適

音 テキ
訓 ―

成り立ち
「辶」は行《い》くこと。「啇」は、ばらばらなものを一《ひと》つにまとめること。目標《もくひょう》をしぼってまっすぐに進《すす》むことから、何《なに》かに《ぴたりとあう》ことを意味《いみ》する。

筆順・書き方

（14画）

例文・意味
例文 ハイキングに適《てき》したくつを買《か》う。／父《ちち》は毎日適当《まいにちてきとう》な運動《うんどう》をする。／天気予報《てんきよほう》が適中《てきちゅう》（ぴったりと当《あ》たる）して雨《あめ》が降《ふ》り出《だ》した。／西川《にしかわ》さんは字《じ》がきれいだから、記録係《きろくがかり》が適役《てきやく》です。／ここはキャンプをするのに最適《さいてき》の場所《ばしょ》だ。 意味 ぴったりあう。よく当《あ》てはまる。ふさわしい。

《最適《さいてき》の場所《ばしょ》》

熟語
適応《てきおう》（あるものごとのようすに当《あ》てはまること）。適温《てきおん》。適格《てきかく》。適合《てきごう》。適正《てきせい》。適性《てきせい》。適切《てきせつ》（ぴったりと当《あ》てはまるようす）。適度《てきど》。適任《てきにん》。適否《てきひ》。適用《てきよう》。適量《てきりょう》。快適《かいてき》（すばらしく気持《きも》ちがよいようす）。適材適所《てきざいてきしょ》⇩（640ページ中）

文／15画

敵

音 テキ
訓 （かたき）

成り立ち 「啇」は、ばらばらのものを一《ひと》つにまとめること。「攵」は動作《どうさ》の記号《きごう》。もとは、目標《もくひょう》を一《ひと》つにしぼってまっすぐ立《た》ち向《む》かうこと。後《のち》、まともに向《む》かいあって戦《たたか》う《てき》の意味《いみ》になった。

敵 ← 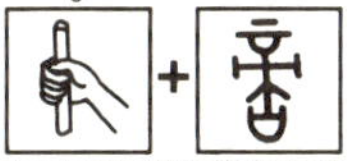

筆順・書き方

（15画）

例文・意味

❶ 例文 敵《てき》からこうげきを受《う》ける。／敵意《てきい》があって君《きみ》の意見《いけん》に反対《はんたい》したわけではない。／三回戦《さんかいせん》の相手《あいて》は強敵《きょうてき》だ。／はぶの天敵《てんてき》（その動物《どうぶつ》を好《この》んで食《た》べてしまう動物《どうぶつ》）はマングースです。意味 戦争《せんそう》・競技《きょうぎ》・試合《しあい》などで、戦《たたか》う相手《あいて》。かたき。

❷ 例文 東京都《とうきょうと》の人口《じんこう》は、日本《にっぽん》の約一割《やくいちわり》にひっ敵《てき》する。／ぼくは、学校《がっこう》では無敵《むてき》の将《しょう》ぎチャンピオンだ。意味 相手《あいて》になる。つりあう。

熟語

❶ 敵国《てきこく》。敵視《てきし》（相手《あいて》をてきとしてあつかうこと）。敵対《てきたい》。宿敵《しゅくてき》（むかしからのてき）。大敵《たいてき》。無敵《むてき》（相手《あいて》になるものがいないほど強《つよ》いこと）。好敵手《こうてきしゅ》。敵討《かたきう》ち。商売敵《しょうばいがたき》。油断大敵《ゆだんたいてき》⇩（642ページ中）

❷ 不敵《ふてき》（だいたんで、何事《なにごと》もおそれないようす）。

糸／12画

統

音 トウ
訓 《すべる》

成り立ち 「充」（太《ふと》った子《こ》どもをえがいた字《じ》で、なかみがいっぱいつまっていること）と「糸」（いと）を合《あ》わせた字《じ》。ばらばらの糸《いと》をまとめていっぱいにすることから、《まとめる》の意味《いみ》になった。

統 ← 

筆順・書き方

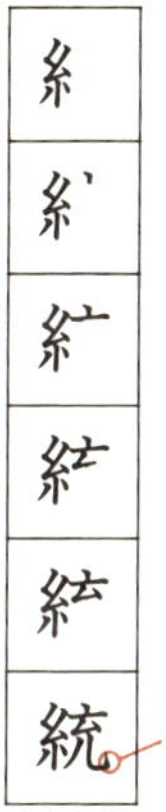

（12画）

例文・意味

❶ 例文 おじさんから、血統《けっとう》書付《しょつ》きの犬《いぬ》をもらった。／能楽《のうがく》は日本《にっぽん》の伝統的《でんとうてき》な芸能《げいのう》の一《ひと》つです。意味 ひとつづきになってつづいているもの。

❷ 例文 豊臣秀吉《とよとみひでよし》は戦国時代《せんごくじだい》の日本《にっぽん》を統一《とういつ》した。／二《ふた》つの役所《やくしょ》を統合《とうごう》して、新《あたら》しい役所《やくしょ》ができる。／武力《ぶりょく》で日本全国《にっぽんぜんこく》を統《す》べた江戸幕府《えどばくふ》。意味 全体《ぜんたい》を一《ひと》つにまとめる。すべる。

《血統書付《けっとうしょつ》きの犬《いぬ》》

熟語

❶ 正統《せいとう》（もっとも正《ただ》しい血《ち》すじや、つづいているもの）。

❷ 統計《とうけい》。統制《とうせい》（国家《こっか》などがきまりをつくって、ものごとをとりしまること）。統率《とうそつ》（大勢《おおぜい》の人《ひと》を一《ひと》つにまとめて率《ひき》いること）。統治《とうち》（国土《こくど》や人民《じんみん》を治《おさ》めること）。大統領《だいとうりょう》。

金／14画

銅

音 **ドウ**
訓 ―

成り立ち

「金」は、きん属《ぞく》、「同」は板《いた》に穴《あな》をあけることをあらわす。鉄《てつ》に比《くら》べて、穴《あな》をあけやすいやわらかい金属《きんぞく》の《どう》を意味《いみ》した字《じ》。

筆順・書き方

みじかく
金　銅
（14画）

例文・意味

例文 十円玉《じゅうえんだま》には銅《どう》がふくまれている。／東京《とうきょう》の上野《うえの》には西郷《さいごう》さんの銅像《どうぞう》が建《た》っている。／赤銅色《しゃくどういろ》（赤黒《あかぐろ》いつやのある色《いろ》）に日焼《ひや》けした漁村《ぎょそん》の人《ひと》たち。／銅線《どうせん》は電気《でんき》をよく通《とお》す。意味 赤茶《あかちゃ》色《いろ》をした金属《きんぞく》。どう。

《銅像《どうぞう》》

熟語

銅貨《どうか》。**銅器《どうき》**。**銅山《どうざん》**。**銅製《どうせい》**。**青銅《せいどう》**。**分銅《ふんどう》**（てんびんばかり・さおばかり・台《だい》ばかりなどで、物《もの》の重《おも》さをはかるとき、基準《きじゅん》として使《つか》う金属《きんぞく》）。**黄銅鉱《おうどうこう》**。

寸／15画

導

音 **ドウ**
訓 **みちびく**

成り立ち

「寸」（手《て》）と「道」（頭《あたま》を向《む》けて進《すす》んでいくみち）を合《あ》わせた字《じ》で、道《みち》に沿《そ》って手《て》で引《ひ》っぱっていくことをあらわし、《みちびく》《おしえる》の意味《いみ》になった。

筆順・書き方

丷　首　道　道　導　導
（15画）

例文・意味

❶ 例文 いちばん新《あたら》しい練習方法《れんしゅうほうほう》を導入《どうにゅう》する。／書道《しょどう》では、すみのすり方《かた》から指導《しどう》します。／案内係《あんないがかり》に導《みちび》かれて進《すす》む。意味 手引《てび》きして案内《あんない》する。また、そうなるようにしむける。みちびく。

❷ 例文 花火《はなび》の導火線《どうかせん》に火《ひ》をつける。／銅《どう》やアルミニウムのように、熱《ねつ》や電気《でんき》をよく伝《つた》えるものを導体《どうたい》という。意味 熱《ねつ》や電気《でんき》などを伝《つた》える。

熟語

❶ **先導《せんどう》**（先頭《せんとう》に進《すす》んで人《ひと》を案内《あんない》すること）。**補導《ほどう》**（青少年《せいしょうねん》が悪《わる》いおこないをしないように指《し》どうすること）。

❷ **導線《どうせん》**（電流《でんりゅう》を伝《つた》えるための針金《はりがね》）。**半導体《はんどうたい》**。

彳／14画

徳

音 トク
訓 ―

成り立ち
もとは「德」と書《か》いた。「彳」は道《みち》を行《い》くこと、おこなうこと、「悳」はまっすぐな心《こころ》をあらわす。《まっすぐな心《こころ》でものごとをおこなうこと》、また、《りっぱなおこない》を意味《いみ》した字《じ》。

筆順・書き方

（14画）

例文・意味

❶ 例文 先生《せんせい》の徳《とく》をしたって訪《おとず》れる人《ひと》が多《おお》い。／道徳《どうとく》の時間《じかん》に「規則正《きそくただ》しい生活《せいかつ》」について話《はな》し合《あ》った。
意味 人《ひと》として、正《ただ》しくりっぱなおこない。また、人《ひと》にめぐみをあたえるおこない。とく。

❷ 例文 このおかしは徳用《とくよう》なので、ふくろのなかみが多《おお》くなっています。
意味 もうけ。利益《りえき》。

《徳用《とくよう》のおかし》

熟語

❶ 悪徳《あくとく》（人間《にんげん》として守《まも》らなければならないことにそむいた、悪《わる》いおこないや心《こころ》）。功徳《くどく》（人《ひと》のためになるようなよいおこない）。人徳《じんとく》（その人《ひと》に備《そな》わっている、人《ひと》からしたわれるすぐれた性質《せいしつ》）。美徳《びとく》（人間《にんげん》としてりっぱなおこない）。道徳的《どうとくてき》。

❷ 徳用品《とくようひん》。

犭／9画

独

音 ドク
訓 ひとり

成り立ち
もとの字《じ》は「獨」。「犭」は、じっと番《ばん》をしている犬《いぬ》。「蜀」は、じっと葉《は》にくっついている虫《むし》。犬《いぬ》や虫《むし》のように、じっと《ひとりでいる》ことをあらわした字《じ》。

筆順・書き方

（9画）

例文・意味

❶ 例文 セロリには独特《どくとく》のにおいがある。／父《ちち》は会社《かいしゃ》をやめ、独立《どくりつ》して日用品《にちようひん》の店《みせ》を始《はじ》めた。／修学旅行《しゅうがくりょこう》の自由時間《じゆうじかん》は、単独《たんどく》ではなくグループで行動《こうどう》するきまりになっている。／学習《がくしゅう》発表会《はっぴょうかい》で独唱《どくしょう》した。
意味 一《ひと》つ。ひとり。自分《じぶん》だけ。

❷ 例文 兄《あに》は大学《だいがく》で独文学《どくぶんがく》を勉強《べんきょう》している。
意味 「ドイツ」のこと。

《独唱《どくしょう》する》

熟語

❶ 独演《どくえん》（ひとりだけで出演《しゅつえん》したり、演説《えんぜつ》したりすること）。独学《どくがく》。独裁《どくさい》（ひとり、または一部《いちぶ》の人《ひと》の考《かんが》えだけでものごとを決《き》めておこなうこと）。独自《どくじ》。独身《どくしん》。独走《どくそう》。独断《どくだん》（自分《じぶん》ひとりの考《かんが》えで勝手《かって》に決《き》めること）。独力《どくりょく》。独創的《どくそうてき》。独立国家《どくりつこっか》。独断専行《どくだんせんこう》⇩（640ページ下）

❷ 日独《にちどく》。独和辞典《どくわじてん》。

任

イ／6画

音 ニン
訓 まかせる・まかす

成り立ち
「イ」は人《ひと》、「壬」は、もと、真《ま》ん中《なか》がふくらんでいる糸巻《いとま》きをえがいた字《じ》で、荷物《にもつ》をいっぱいかかえこむことをあらわす。そこから、人《ひと》が《かかえこんだ役目《やくめ》》を意味《いみ》する。

筆順・書き方

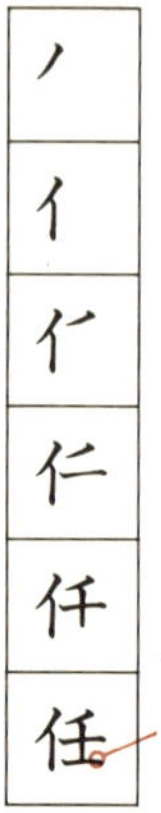

うえのせんよりみじかく

（6画）

例文・意味
❶ 例文 クラブに入《はい》る入《はい》らないは任意《にんい》です。／旅《りょ》行《こう》の計画《けいかく》は田中君《たなかくん》に一任《いちにん》する。 意味 信用《しんよう》して思《おも》うようにさせる。まかせる。
❷ 例文 ぼくには、委員長《いいんちょう》の任《にん》はとても務《つと》まらない。／今度《こんど》の学年《がくねん》では、担任《たんにん》の先生《せんせい》がだれになるか楽《たの》しみだ。 意味 つとめ。役目《やくめ》。
❸ 例文 先生《せんせい》から、学級会《がっきゅうかい》の議長《ぎちょう》に任命《にんめい》された。／体育係《たいいくがかり》と理科係《りかがかり》をけん任《にん》する。 意味 つとめをさせる。役目《やくめ》につかせる。

熟語
❶ 放任《ほうにん》(したいようにさせること)。出任《でまか》せ。人任《ひとまか》せ。
❷ 解任《かいにん》(つとめや役目《やくめ》などをやめさせること)。後任《こうにん》。在任《ざいにん》。辞任《じにん》。就任《しゅうにん》。新任《しんにん》。責任《せきにん》。前任《ぜんにん》。大任《たいにん》。適任《てきにん》。留任《りゅうにん》(やめないで、同《おな》じ役職《やくしょく》にとどまること)。歴任《れきにん》。
❸ 任期《にんき》。任地《にんち》。任務《にんむ》。委任《いにん》。主任《しゅにん》。専任《せんにん》。

燃

火／16画

音 ネン
訓 もえる・もやす・もす

成り立ち
「然」は犬《いぬ》の肉《にく》のあぶらを火《ひ》でもやすこと。これに「火」(ひ)を加《くわ》えて、《もえる》ことを、もっとはっきりあらわした字《じ》。

筆順・書き方

わすれずに

（16画）

例文・意味
例文 このストーブの燃料《ねんりょう》は石油《せきゆ》です。／火事《かじ》にならないように、不燃性《ふねんせい》の生地《きじ》でカーテンをつくる。／燃《も》えるごみと燃《も》えないごみを分《わ》ける。／落《お》ち葉《ば》を集《あつ》めて燃《も》やす。／古《ふる》い書類《しょるい》を整理《せいり》して燃《も》す。 意味 火《ひ》がついてほのおがあがる。もえる。もやす。もす。

《落《お》ち葉《ば》を燃《も》やす》

熟語
燃焼《ねんしょう》。可燃性《かねんせい》(火《ひ》がつきやすく、よくもえる性質《せいしつ》)。

月／10画

能

音 ノウ

訓 ―

成り立ち

「ム」は畑仕事《はたけしごと》の道具《どうぐ》のすき。「月」は肉《にく》・からだ。「ヒヒ」は、かめのようにゆっくりねばり強《づよ》く歩《ある》く動物《どうぶつ》の足《あし》をあらわす。《ねばり強《づよ》く力《ちから》を出《だ》して働《はたら》くこと》《やりとげるはたらき》をあらわした字《じ》。

筆順・書き方

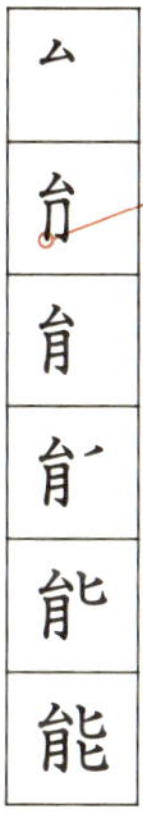

（10画）

例文・意味

❶ 例文 人《ひと》のまねばかりしていては能《のう》がない。／先生《せんせい》は生徒《せいと》の能力《のうりょく》を引《ひ》き出《だ》すような指導《しどう》をしてくれる。／すぐれた才能《さいのう》の持《も》ち主《ぬし》。／テニス・サッカー・水泳《すいえい》と、なんでも得意《とくい》な万能《ばんのう》選手《せんしゅ》。 意味 ものごとをやりとげる力《ちから》がある。よくできる。また、そのはたらき。

❷ 例文 薬《くすり》は、効能《こうのう》書《が》きをよく読《よ》んでから使《つか》いましょう。 意味 効《き》きめ。効果《こうか》。

❸ 意味 「能楽《のうがく》」の略《りゃく》。

熟語

❶ 能率《のうりつ》。可能《かのう》。機能《きのう》。技能《ぎのう》。性能《せいのう》（機械《きかい》や器具《きぐ》などがもつ性質《せいしつ》と、はたらく力《ちから》）。知能《ちのう》。本能《はんのう》。有能《ゆうのう》（のう力《りょく》があって役《やく》にたつこと）。可能性《かのうせい》。不可能《ふかのう》。放射能《ほうしゃのう》。

❷ 能書《のうが》き（薬《くすり》などの効《き》きめを書《か》き記《しる》したもの）。

❸ 能面《のうめん》。

石／10画

破

音 ハ

訓 やぶる・やぶれる

成り立ち

「皮」（かわ）と、「石」（いし）を合《あ》わせた字《じ》。動物《どうぶつ》のからだの外側《そとがわ》の皮《かわ》を石《いし》で《やぶる》意味《いみ》をあらわした字《じ》。

筆順・書き方

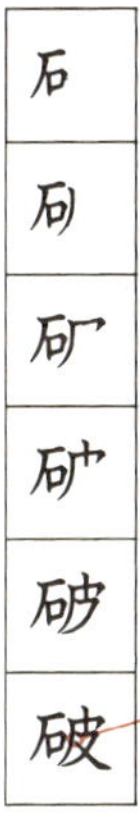

（10画）

例文・意味

❶ 例文 自然《しぜん》破《は》かいは絶対《ぜったい》に許《ゆる》せない。／破竹《はちく》の勢《いきお》い（止《と》めることができないほど激《はげ》しい勢《いきお》い）でつき進《すす》む。 意味 ひきさいたりして、だめにする。やぶる。こわす。

❷ 例文 全十五巻《ぜんじゅうごかん》の全集《ぜんしゅう》を読破《どくは》する。 意味 最後《さいご》までやりぬく。やりとげる。

❸ 例文 相手《あいて》を論破《ろんぱ》する。 意味 相手《あいて》を負《ま》かす。

❹ 例文 補欠《ほけつ》から選手《せんしゅ》へ破格《はかく》（ふつうでなく、特別《とくべつ》であること）のばってきをされた。 意味 きまりなどを無視《むし》する。

熟語

❶ 破産《はさん》（財産《ざいさん》をすっかり失《うしな》うこと）。破損《はそん》（物《もの》がこわれること）。破片《はへん》。破門《はもん》（先生《せんせい》が、自分《じぶん》の弟子《でし》としての関係《かんけい》をたちきること）。大破《たいは》。難破《なんぱ》。

❷ 走破《そうは》。突破《とっぱ》。

❸ 打破《だは》（相手《あいて》をせめてうち負《ま》かすこと）。見破《みやぶ》る。

5年 〔ノウ・ハ〕 能・破

犯

犭／5画

音 ハン
訓 （おかす）

成り立ち
「犭」は犬《いぬ》、「㔾」は、わくを破《やぶ》ろうとすることをあらわす。犬《いぬ》がわくを破《やぶ》ってとび出《だ》すことをあらわした。そこから、《きまりをおかす》という意味《いみ》になった。

筆順・書き方
ノ　犭　犭　犭　犯（つきでない）
（5画）

例文・意味
❶ 例文 容疑者《ようぎしゃ》が犯行《はんこう》を自白《じはく》する。／青少年《せいしょうねん》を犯《はん》罪《ざい》から守《まも》る。／あやまちを犯《おか》す。 意味 法律《ほうりつ》や規則《きそく》などを破《やぶ》る。罪《つみ》になることをする。おかす。
❷ 例文 きょう悪《あく》な殺人犯《さつじんはん》がたいほされた。／防《ぼう》犯《はん》ブザーをとりつける。 意味 罪《つみ》になることをした人《ひと》。また、罪《つみ》。
❸ 例文 前科《ぜんか》五犯《ごはん》。 意味 けいばつを受《う》けた回数《かいすう》をあらわすことば。

熟語
❷ 犯人《はんにん》。共犯《きょうはん》（ふたり以上《いじょう》の人《ひと》が、相談《そうだん》して悪《わる》いことをすること。また、それをする者《もの》）。主犯《しゅはん》（ふたり以上《いじょう》の人《ひと》が悪《わる》いことをしたとき、中心《ちゅうしん》となった者《もの》）。犯罪人《はんざいにん》。

判

刂／7画

音 ハン・バン
訓 ―

成り立ち
「半」は「牛」（うし）と「八」で、分《わ》けることと。「刂」は刀《かたな》。刀《かたな》で一《ひと》つのものを二《ふた》つに分《わ》けることから、よいこと悪《わる》いことを《はっきり見分《みわ》ける》意味《いみ》になった。

筆順・書き方
丷　䒑　䒑　半　判　判（はねる）
（7画）

例文・意味
❶ 例文 裁判長《さいばんちょう》が判決《はんけつ》を下《くだ》す。 意味 勝《か》ち負《ま》け、よい悪《わる》いなどを決《き》める。
❷ 例文 いたずらの犯人《はんにん》が判明《はんめい》した。 意味 区別《くべつ》をつける。分《わ》ける。また、わかる。
❸ 例文 領収書《りょうしゅうしょ》に判《はん》をおす。 意味 木《き》や石《いし》などに、その人《ひと》の名前《なまえ》やしるしなどをほり、書類《しょるい》などにおすもの。はん。はんこ。
❹ 例文 六年生《ろくねんせい》の教科書《きょうかしょ》はB《ビー》5判《はん》です。 意味 紙《かみ》や本《ほん》の大《おお》きさ。
❺ 意味 むかしの金貨《きんか》。

熟語
❶ 判事《はんじ》。判断《はんだん》。判定《はんてい》。判別《はんべつ》。公判《こうはん》（一般《いっぱん》の人《ひと》も聞《き》くことができるように、公開《こうかい》でおこなう裁《さい》ばん）。談判《だんぱん》。批判《ひはん》。評判《ひょうばん》。
❸ 三文判《さんもんばん》（安《やす》くて、そまつなはんこ）。
❹ 判型《はんけい》。A《エー》5判《はん》。新書判《しんしょばん》。
❺ 大判《おおばん》。小判《こばん》。

□ 片／8画

【版】

音 ハン
訓 ―

成り立ち 「片」は木《き》の半分《はんぶん》を、「反」は、そり返《かえ》ることをあらわす。もと、印刷《いんさつ》するために字《じ》をほった木《き》の板《いた》《はんぎ》のこと。今《いま》は、広《ひろ》く《印刷《いんさつ》して書物《しょもつ》をつくる》意味《いみ》に使《つか》う。

筆順・書き方

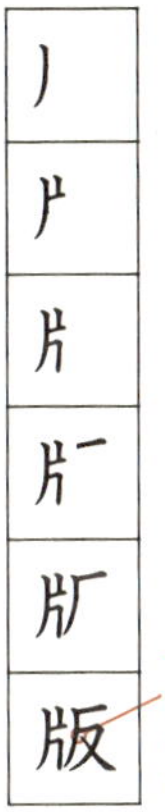

（8画）

例文・意味

❶ 例文 ことしの年賀状《ねんがじょう》は版画《はんが》にしよう。 意味 印刷《いんさつ》するために、字《じ》や絵《え》などをほったもの。

❷ 例文 自分《じぶん》でつくった詩《し》をまとめて、詩集《ししゅう》を出《しゅっ》版《ぱん》する。／新版《しんぱん》の辞書《じしょ》が発行《はっこう》される。／この事典《じてん》は版《はん》を重《かさ》ねて、第十二版《だいじゅうにはん》にもなっている。 意味 印刷《いんさつ》して本《ほん》や雑誌《ざっし》をつくること。また、つくった回数《かいすう》。

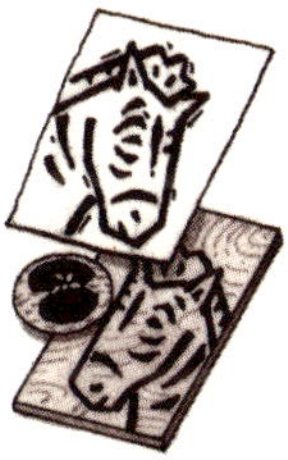
《版画《はんが》》

熟語

❶ 版木《はんぎ》。木版《もくはん》。石版画《せきはんが》。木版画《もくはんが》。

❷ 初版《しょはん》（その書籍《しょせき》の最初《さいしょ》の出《しゅっ》ぱんのもの）。絶版《ぜっぱん》（一度《いちど》出《しゅっ》ぱんした本《ほん》の印刷《いんさつ》や発行《はっこう》をやめてしまうこと）。出版社《しゅっぱんしゃ》。

□ 比／4画

【比】

音 ヒ
訓 くらべる

成り立ち 人《ひと》が同《おな》じ方向《ほうこう》にふたり並《なら》んだようすをえがいた字《じ》。《ならべる》《くらべてみる》という意味《いみ》をあらわした字《じ》。

筆順・書き方

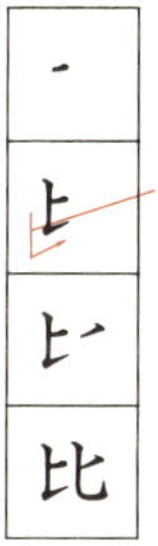

（4画）

例文・意味

❶ 例文 兄《あに》の野《や》球《きゅう》好《ず》きといったら、ぼくの比《ひ》じゃないよ。／よく似《に》ている二《ふた》つの絵《え》を比《ひ》かくしてみる。／背《せ》の高《たか》さを比《くら》べてみよう。 意味 並《なら》べてくらべあわせる。

❷ 例文 比《ひ》重《じゅう》の小《ちい》さい物体《ぶったい》は水《みず》にうく。／世界《せかい》の人口《じんこう》の男女《だんじょ》の比率《ひりつ》はほぼ一対一《いったいいち》になる。 意味 割合《わりあい》。

❸ 例文 これは痛快《つうかい》無《む》比《ひ》(ほかにくらべるものがないほど、すぐれていること)のぼう険小説《けんしょうせつ》だ。 意味 くらべられる同《おな》じようなもの。

熟語

❶ 対比《たいひ》。力比《ちからくら》べ。

❷ 比例《ひれい》。正比例《せいひれい》。反比例《はんぴれい》。

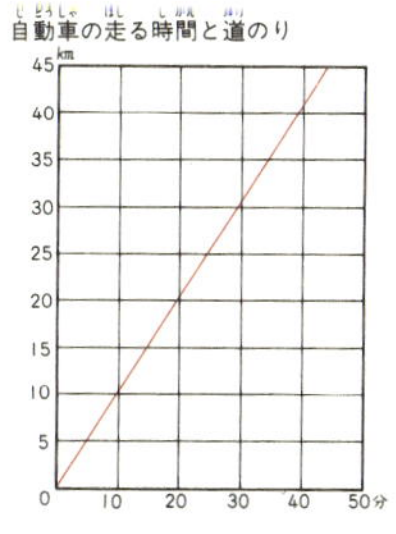

《正比例《せいひれい》のグラフ》

肥

月／8画

音 ヒ

訓 こえる・こえ・こやす・こやし

成り立ち

「月」は、月《つき》でなく、肉《にく》をあらわす。「巴」は太《ふと》った人《ひと》がひざまずいた姿《すがた》。肉《にく》がついて太《ふと》る、《こえる》ことや、作物《さくもつ》を大《おお》きくする《こやし》をあらわした字《じ》。

筆順・書き方

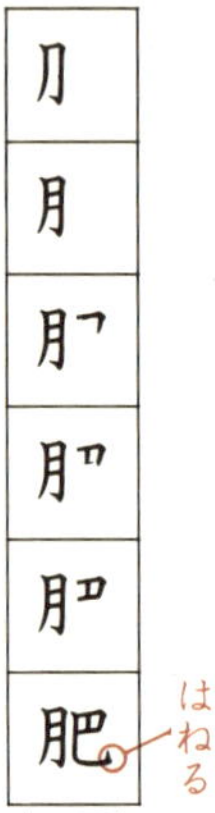

（8画）

例文・意味

❶ 例文 食欲《しょくよく》の秋《あき》には、つい食《た》べ過《す》ぎて肥《こ》えてしまう。／心臓《しんぞう》が肥大《ひだい》する。 意味 太《ふと》る。太《ふと》っている。こえる。

❷ 例文 肥《ひ》よくな（土地《とち》がこえていて、農作物《のうさくぶつ》がよくできるようす）土地《とち》で農業《のうぎょう》を営《いとな》む。／よく肥《こ》えた土《と》地《ち》では作物《さくもつ》もよく実《みの》る。 意味 土《と》地《ち》などの養分《ようぶん》が豊《ゆた》かで、作物《さくもつ》などが育《そだ》つのによい。

❸ 例文 作物《さくもつ》に肥料《ひりょう》をやる。／畑《はたけ》に肥《こえ》をほどこす。／果樹園《かじゅえん》に肥《こ》やしをまく。 意味 こやし。

熟語

❶ 肥満《ひまん》（からだが、しまりなく太《ふと》ること）。

❸ 追《お》い肥《ごえ》。化学肥料《かがくひりょう》。

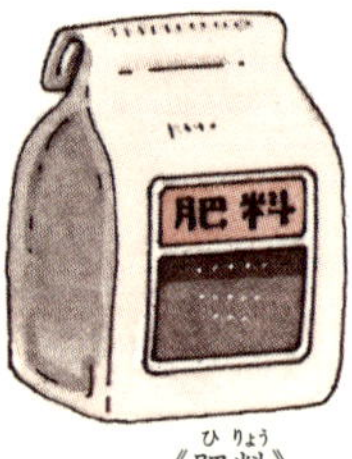

《肥料《ひりょう》》

非

非／8画

音 ヒ

訓 ―

成り立ち

鳥《とり》が羽《はね》を開《ひら》いているようすをえがいた字《じ》。羽《はね》が左右《さゆう》に分《わ》かれて、反対《はんたい》のほうを向《む》いていることから、《そうでない》という意味《いみ》になった。

筆順・書き方

（8画）

例文・意味

❶ 例文 この計画《けいかく》の失敗《しっぱい》はぼくに非《ひ》がある。／少年《しょうねん》の非行《ひこう》をなくす運動《うんどう》。 意味 正《ただ》しくない。よくない。悪《わる》い。

❷ 例文 絵《え》に非《ひ》ぼんな（ふつうの人《ひと》よりすぐれているようす）才能《さいのう》を示《しめ》す。／君《きみ》に会《あ》えて非常《ひじょう》にうれしい。／真夜中《まよなか》に電話《でんわ》をするなんて、非常識《ひじょうしき》だよ。 意味 他《た》のことばの前《まえ》につけて「…でない」「…とはちがう」の意味《いみ》をあらわすことば。

❸ 例文 人《ひと》の失敗《しっぱい》を非難《ひなん》する。 意味 欠点《けってん》をあげてせめる。

熟語

❶ 非道《ひどう》（人《ひと》がおこなうべきでないことをおこなうようす）。是非《ぜひ》。

❷ 非運《ひうん》（悲《かな》しい運命《うんめい》）。非情《ひじょう》（思《おも》いやりがなく、心《こころ》が冷《つめ》たいようす）。非番《ひばん》。非力《ひりき》。非常口《ひじょうぐち》。非売品《ひばいひん》。

イ／12画

備

音 ビ
訓 そなえる・そなわる

成り立ち 「イ」は人《ひと》、「葡」は矢《や》を何本《なんぼん》も用意《ようい》して入《い》れておく入《い》れ物《もの》をえがいた字《じ》。人《ひと》のそばに必要《ひつよう》に応《おう》じてそろえておくことから、《そなえる》という意味《いみ》になった。

筆順・書き方

亻 … 備 はねる
（12画）

例文・意味

❶ 例文 あしたの遠足《えんそく》の準備《じゅんび》をする。／兄《あに》は入学《にゅうがく》試験《しけん》に備《そな》えて勉強《べんきょう》にはげんでいる。 意味 前《まえ》もって用意《ようい》する。そなえる。

❷ 例文 冷暖《れいだん》ぼう完備《かんび》のホテルにとまる。／い厳《げん》の備《そな》わった顔《かお》。 意味 身《み》についている。そなわる。

❸ 例文 銀行強《ぎんこうごう》とうは警備《けいび》の手《て》うすな時間《じかん》をねらってしん入《にゅう》した。／ぼくたちの野球《やきゅう》チームは守備《しゅび》には自信《じしん》がある。 意味 そなえ。用意《ようい》。

熟語

❶ 備考《びこう》（参考《さんこう》になる説明《せつめい》などを書《か》き加《くわ》えること。また、その書《か》き加《くわ》えたことがら）。備品《びひん》。常備《じょうび》。整備《せいび》。設備《せつび》。予備《よび》。照明設備《しょうめいせつび》。

❷ 不備《ふび》（十分《じゅうぶん》ととのっていないこと）。備《そな》え付《つ》け。

❸ 軍備《ぐんび》。装備《そうび》（必要《ひつよう》な品物《しなもの》を用意《ようい》して、そなえつけること）。防備《ぼうび》。

イ／10画

俵

音 ヒョウ
訓 たわら

成り立ち 「イ」は人《ひと》、「表」は外側《そとがわ》や、おもてをあらわす。もとは、倉《くら》のお米《こめ》を表《おもて》に出《だ》して人《ひと》に分《わ》けることだった。日本《にっぽん》では、分《わ》けたお米《こめ》を入《い》れる《たわら》の意味《いみ》に使《つか》う。

筆順・書き方

亻 … 俵 ながく
（10画）

例文・意味

❶ 例文 米俵《こめだわら》をかつぐ力《ちから》もち。／おむすびを俵型《たわらがた》ににぎる。／横《よこ》づながな土俵《どひょう》ぎわでうっちゃりで勝《か》った。 意味 わらなどで編《あ》んでつくった、米《こめ》などを入《い》れるためのふくろ。たわら。

❷ 例文 炭《すみ》を一俵《いっぴょう》、火《ひ》ばち用《よう》に買《か》った。 意味 たわらを数《かぞ》えることば。

《土俵《どひょう》ぎわ》

熟語

❶ 炭俵《すみだわら》。

《炭俵《すみだわら》》

言／12画

【評】

音 ヒョウ

訓 ―

成り立ち

「言」は、ことば、「平」は、うき草《くさ》が水面《すいめん》にたいらにうかんでいること。《いろいろな意見《いけん》を並《なら》べて、えこひいきなく比《くら》べてみる》ことや、《よしあしを公平《こうへい》にことばで言《い》う》こと。

筆順・書き方

（12画）

例文・意味

❶ 例文 日本《にっぽん》の工業技術《こうぎょうぎじゅつ》は海外《かいがい》でも評価《ひょうか》が高《たか》い。／野球《やきゅう》の評論家《ひょうろんか》。／新聞《しんぶん》に書評《しょひょう》がのった本《ほん》を書店《しょてん》に注文《ちゅうもん》する。意味 ものごとのよしあしや、もののねうちを決《き》める。また、その文章《ぶんしょう》。

❷ 例文 好評上映中《こうひょうじょうえいちゅう》のロードショー映画《えいが》を見《み》に行《い》く。／あれが今評判《いまひょうばん》の新車《しんしゃ》だ。意味 世間《せけん》のうわさ。

《評判《ひょうばん》の新車《しんしゃ》》

熟語

❶ **定評《ていひょう》**。**批評《ひひょう》**。**論評《ろんぴょう》**。**合評会《がっぴょうかい》**。**品評会《ひんぴょうかい》**（品物《しなもの》などを集《あつ》めたり持《も》ちよったりして、その品物《しなもの》などのよい悪《わる》いを決《き》める会《かい》）。

❷ **悪評《あくひょう》**。**世評《せひょう》**。**不評《ふひょう》**（悪《わる》いうわさ）。**下馬評《げばひょう》**（世間《せけん》でのうわさ）。

貝／11画

【貧】

音 （ヒン）・ビン

訓 まずしい

成り立ち

「分」（わかれること）と、「貝」（お金《かね》）を合《あ》わせた字《じ》。お金《かね》が分《わ》かれていって、少《すく》なくなること、つまり、《まずしい》の意味《いみ》をあらわした字《じ》。

筆順・書き方

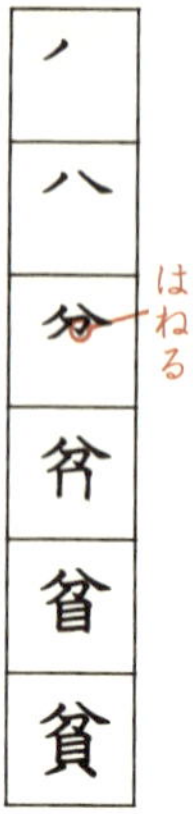

（11画）

例文・意味

❶ 例文 貧富《ひんぷ》の差《さ》の激《はげ》しい国《くに》。／発明王《はつめいおう》のエジソンは貧《びん》ぼうな家《いえ》に生《う》まれた。／貧《まず》しいマッチ売《う》りの少女《しょうじょ》の物語《ものがたり》。意味 財産《ざいさん》がない。生活《せいかつ》が苦《くる》しい。まずしい。対語 富《ふ》。

❷ 例文 政治《せいじ》の貧困《ひんこん》が世《よ》の中《なか》を暗《くら》くしている。／妹《いもうと》は貧血《ひんけつ》ぎみです。／心《こころ》の貧《まず》しい人《ひと》。／知識《ちしき》が貧弱《ひんじゃく》だ。意味 とぼしい。たりない。不十分《ふじゅうぶん》である。

熟語

❶ **貧苦《ひんく》**（生活《せいかつ》がまずしくて苦《くる》しいようす）。

器用貧乏《きようびんぼう》⇩（636ページ中）

□ 巾／5画

布

音 フ
訓 ぬの

成り立ち
「ナ」は「父」の字《じ》の略《りゃく》。石《いし》のおのを手《て》に持《も》つようす。「フ」の音《おん》が「ぴったりくっつく」意味《いみ》を示《しめ》す。「巾」はぬの。物《もの》にぴったりとくっつく《ぬの》や、ぬののように《ゆきわたる》の意味《いみ》。

筆順・書き方

（5画）

例文・意味

❶ 例文 上等《じょうとう》な大《おお》きいサイズの毛布《もうふ》。／綿布《めんぷ》でつくったスカート。／ソファーにきれいな布《ぬの》でカバーをつくる。
意味 織物《おりもの》。きれ。ぬの。

❷ 例文 ヘリコプターで農薬《のうやく》を散布《さんぷ》する。／駅前《えきまえ》でビラを配布《はいふ》する。／憲法《けんぽう》を発布《はっぷ》する。
意味 広《ひろ》くゆきわたらせる。広《ひろ》める。広《ひろ》げる。

《ビラを配布《はいふ》する》

熟語

❶ 財布《さいふ》。敷布《しきふ》。湿布《しっぷ》。布地《ぬのじ》。布《ふ》きん。布切《ぬのき》れ。

❷ 布教《ふきょう》（宗教《しゅうきょう》の教《おし》えを広《ひろ》めること）。布告《ふこく》（役所《やくしょ》などが広《ひろ》く人々《ひとびと》に知《し》らせること）。公布《こうふ》。分布《ぶんぷ》。流布《るふ》（世《よ》の中《なか》に知《し》れわたること）。分布図《ぶんぷず》。

□ 女／11画

婦

音 フ
訓 ―

成り立ち
ほうきをあらわす「帚」と「女」（おんな）を合《あ》わせた字《じ》。家《いえ》のそうじは、ふつう女《おんな》の人《ひと》の仕事《しごと》であったことから《結《けっ》こんしている女《おんな》の人《ひと》》や、《おとなの女《おんな》の人《ひと》》の意味《いみ》で使《つか》う。

筆順・書き方

（11画）

例文・意味

❶ 例文 姉《あね》はもと看護婦《かんごふ》をしていました。／デパートの婦人服《ふじんふく》売《う》り場《ば》。／婦人物《ふじんもの》のスリッパ。
意味 女《おんな》の人《ひと》。

❷ 例文 主婦《しゅふ》の仕事《しごと》はいそがしい。／仲《なか》のよい夫《ふう》婦《ふ》。／新《しん》ろう新婦《しんぷ》（花《はな》よめ）。
意味 結《けっ》こんした女《おんな》の人《ひと》。家《いえ》をとりしきる女《おんな》の人《ひと》。つま。

熟語

❶ 家政婦《かせいふ》。保健婦《ほけんふ》。

《仲《なか》のよい夫婦《ふうふ》》

□ 宀／12画

【富】

音 フ・《フウ》

訓 とむ・とみ

成り立ち

「宀」は家《いえ》、「畐」は、たっぷりとなかみの入《はい》ったつぼの形《かたち》。家《いえ》の中《なか》に、物《もの》がいっぱいあることから、《豊《ゆた》かなようす》を意《い》味《み》した字《じ》。

筆順・書き方

（12画）

例文・意味

❶ 例文 きょ万《まん》の富《とみ》を得《え》る。／明《めい》治《じ》時《じ》代《だい》には、富《ふ》国強兵策《こくきょうへいさく》がとられた。意味 たくさんの品物《しなもの》やお金《かね》。財産《ざいさん》。とみ。また、財産《ざいさん》がある。とむ。

対語 貧《ひん》。

❷ 例文 変化《へんか》に富《と》んだ地形《ちけい》が美《うつく》しいけしきをつくっている。／秋《あき》は、くだものが豊富《ほうふ》に出回《でまわ》る。意味 たくさんある。豊《ゆた》かである。とむ。

熟語

❶ 富裕《ふゆう》（お金《かね》も品物《しなもの》もたくさんあって、生活《せいかつ》が豊《ゆた》かなようす）。富貴《ふうき》（金持《かねも》ちで身分《みぶん》や地位《ちい》が高《たか》いようす）。貧富《ひんぷ》。

□ 止／8画

【武】

音 ブ・ム

訓 ―

成り立ち

「弋」（ほこ）と「止」（足《あし》）を合《あ》わせた字《じ》。戦争《せんそう》のときには、ほこを持《も》って勇《いさ》ましく進《すす》む。兵士《へいし》が進《すす》んでいくように《いさましい》ことや、《戦争《せんそう》》の意《い》味《み》になった。

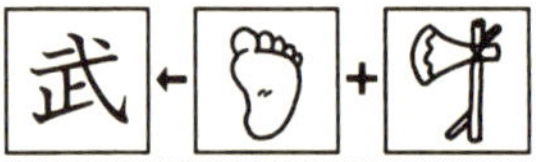

筆順・書き方

（8画）

例文・意味

❶ 例文 かがやかしい武勇伝《ぶゆうでん》（武芸《ぶげい》にすぐれていて、勇《いさ》ましい人《ひと》のことを書《か》いた物語《ものがたり》）を残《のこ》したごうけつ。意味 勇《いさ》ましい。強《つよ》い。

❷ 例文 五月五日《ごがついつか》には、武者人形《むしゃにんぎょう》をかざってお節《せっ》句《く》を祝《いわ》います。／文武両道《ぶんぶりょうどう》にすぐれた人《ひと》。意味 たたかい。戦争《せんそう》。

《武者人形《むしゃにんぎょう》》

熟語

❷ 武具《ぶぐ》。武家《ぶけ》。武芸《ぶげい》。武士《ぶし》。武術《ぶじゅつ》。武将《ぶしょう》。武装《ぶそう》。武道《ぶどう》。武力《ぶりょく》。武者震《むしゃぶる》い（あることをするとき、心《こころ》が勇《いさ》み立《た》って、からだがふるえること）。

復

彳／12画

音 フク

訓 ―

成り立ち

「彳」は行《い》くこと。「攵」は、もとへもどること。「旨」は真《ま》ん中《なか》がふくらんだつぼで、「重《かさ》ねる」意味《いみ》をあらわす。そのことから、来《き》た道《みち》を重《かさ》ねて返《かえ》ること、《もとにもどる》の意味《いみ》になった。

筆順・書き方

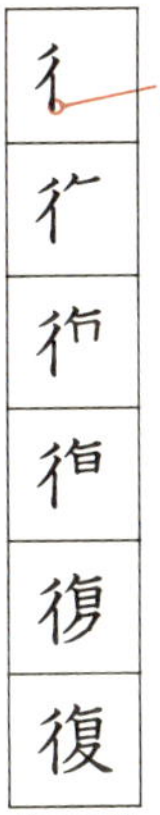

とめる

（12画）

例文・意味

❶ 例文 午前中《ごぜんちゅう》の事故《じこ》でストップしていた電車《でんしゃ》も、夕方《ゆうがた》には全面復旧《ぜんめんふっきゅう》したそうです。／父《ちち》は退院《たいいん》して、きょうから仕事《しごと》に復帰《ふっき》した。 意味 もとの場《ば》所《しょ》や状態《じょうたい》にもどる。かえる。

❷ 例文 予習《よしゅう》も大事《だいじ》だが、復習《ふくしゅう》すればもっとよくわかるだろう。／かけ算《ざん》の九九《くく》を反復練習《はんぷくれんしゅう》する。 意味 くり返《かえ》す。

❸ 例文 敵《てき》の報復《ほうふく》（仕返《しかえ》しをすること）に備《そな》える。 意味 むくいる。仕返《しかえ》しをする。

熟語

❶ 復元《ふくげん》（もとの形《かたち》や状態《じょうたい》にもどすこと）。復路《ふくろ》。復活《ふっかつ》。復興《ふっこう》。往復《おうふく》。回復《かいふく》。往復葉書《おうふくはがき》。

❷ 復唱《ふくしょう》（人《ひと》から言《い》われたことを、まちがいないように確《たし》かめるため、その場《ば》で声《こえ》を出《だ》してくり返《かえ》すこと）。

❸ 復《ふく》しゅう（仕《し》返《かえ》し。敵《かたき》討《う》ち）。

複

ネ／14画

音 フク

訓 ―

成り立ち

「ネ」は着物《きもの》、「复」は「復《ふく》」の「复」と同《おな》じで、重《かさ》ねることをあらわす。何枚《なんまい》も着《き》物《もの》を重《かさ》ねることから、《かさなる》《二《ふた》つ以《い》上《じょう》の》という意味《いみ》になった。

筆順・書き方

わすれずに

（14画）

例文・意味

❶ 例文 複雑《ふくざつ》に入《い》りくんだ地形《ちけい》。／とんぼの目《め》のように小《ちい》さな目《め》が集《あつ》まってできた目《め》を複眼《ふくがん》という。／この二《ふた》つの文章《ぶんしょう》は内容《ないよう》が重複《ちょうふく》（同《おな》じものや、ことが何回《なんかい》も重《かさ》なること）している。 意味 重《かさ》なる。重《かさ》ねる。二《ふた》つ以《い》上《じょう》ある。 対語 単《たん》。

❷ 例文 書類《しょるい》を二《に》枚《まい》複写《ふくしゃ》してひかえをつくる。／これはルノアールの絵《え》の複製《ふくせい》です。 意味 再《ふた》び。もういちど…する。

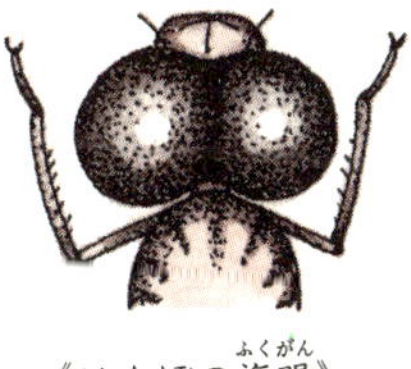

《とんぼの複眼《ふくがん》》

熟語

❶ 複合《ふくごう》。複数《ふくすう》。複線《ふくせん》。複文《ふくぶん》。重複《じゅうふく》（「重複《ちょうふく》」と同《おな》じ）。複合語《ふくごうご》（二《ふた》つ以《い》上《じょう》のことばが結《むす》びついて、別《べっ》の一《ひと》つのことばになったもの。たとえば「朝日《あさひ》」は、「朝《あさ》」と「日《ひ》」の複合語《ふくごうご》）。

亻／4画

仏

音 ブツ
訓 ほとけ

成り立ち
もとの字《じ》は「佛」。「亻」は人《ひと》。「弗」は、古代《こだい》インドのことばの発音《はつおん》をあらわした。《ほとけさま》の意味《いみ》をあらわすインドのことばで「ブッダ」を「仏陀」と書《か》きあらわすのにつくられた漢字《かんじ》。

筆順・書き方

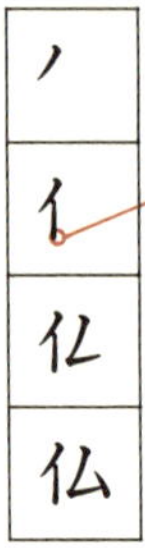

（4画）

例文・意味
❶ 例文 お寺《てら》で仏像《ぶつぞう》を拝《おが》む。／おばあさんが念仏《ねんぶつ》を唱《とな》えている。／仏様《ほとけさま》のように心《こころ》のやさしい人《ひと》。
意味 おしゃか様《さま》。さとりを開《ひら》いた人《ひと》。また、おしゃか様《さま》の説《と》いた教《おし》え。ほとけ。
❷ 意味 フランスのこと。

《仏像《ぶつぞう》を拝《おが》む》

熟語
❶ 仏教《ぶっきょう》。仏壇《ぶつだん》。仏殿《ぶつでん》。成仏《じょうぶつ》（ぶっ教《きょう》で、死《し》ぬこと。死《し》んで、ほとけになるということから）。神仏《しんぶつ》。石仏《せきぶつ》。大仏《だいぶつ》。仏心《ほとけごころ》。生《い》き仏《ぼとけ》。
❷ 仏文科《ふつぶんか》。仏和辞典《ふつわじてん》。

糸／15画

編

音 ヘン
訓 あむ

成り立ち
「扁」(うすく平《たい》らな札《ふだ》と戸《と》)に「糸」(いと)を合《あ》わせた字《じ》。もと文字《もじ》を書《か》いた竹《たけ》や木《き》の札《ふだ》を、ばらばらにならないよう糸《いと》で《とじる》ことをあらわした。後《のち》、《あむ》の意味《いみ》になった。

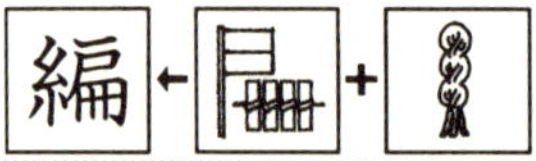

筆順・書き方

（15画）

例文・意味
❶ 例文 このセーターは母《はは》が編《あ》んでくれました。
意味 糸《いと》や竹《たけ》などを組《く》み合《あ》わせて物《もの》をつくる。あむ。
❷ 例文 父《ちち》は出版社《しゅっぱんしゃ》の編集部《へんしゅうぶ》に勤《つと》めています。
意味 書物《しょもつ》や新聞《しんぶん》などをつくる。
❸ 例文 十両編成《じゅうりょうへんせい》の電車《でんしゃ》がホームに停車《ていしゃ》する。
意味 順序《じゅんじょ》よく並《なら》べたり組《く》み立《た》てたりする。
❹ 例文 ドラマの前編《ぜんぺん》を見《み》ると後編《こうへん》も見《み》たくなる。
意味 文章《ぶんしょう》などのひとまとまり。また、それを数《かぞ》えることば。

熟語
❶ 編《あ》み物《もの》。手編《てあ》み。
❷ 編者《へんじゃ》。編集《へんしゅう》。
❸ 編曲《へんきょく》。編隊《へんたい》。編入《へんにゅう》(ある仲間《なかま》の中《なか》に、後《あと》から組《く》み入《い》れること)。
❹ 全編《ぜんぺん》。続編《ぞくへん》。短編《たんぺん》。長編《ちょうへん》。

廾／5画

【弁】

音 ベン
訓 —

成り立ち
「ム」(かんむり)と「廾」(両手《りょうて》)を合《あ》わせた字《じ》で、もとは、かんむりのこと。後《のち》に、「ベン」という音《おん》の「辨」《けじめをつける》、「辯」《のべる》、「瓣」《はなびら》など の字《じ》の代《か》わりに使《つか》うようになった。

筆順・書き方

(5画)

例文・意味

❶ 例文 弟《おとうと》はまだ幼《おさな》くて善悪《ぜんあく》の**弁**別《べんべつ》(ものごとをよく見《み》きわめて区別《くべつ》すること)がつかない。 意味 見分《みわ》ける。区別《くべつ》する。

❷ 例文 キャッチボールで割《わ》ってしまったガラスを**弁**《べん》しょう(相手《あいて》に損害《そんがい》をあたえたとき、お金《かね》や品物《しなもの》を出《だ》してつぐなうこと)する。 意味 ある用《よう》に当《あ》てる。

❸ 例文 先生《せんせい》にしかられている友《とも》だちを**弁**護《べんご》する。／かれは星《ほし》の話《はなし》になると、人《ひと》がかわったように多**弁**《たべん》(よくしゃべること)になる。／立候補者《りっこうほしゃ》が声《こえ》をからして熱**弁**《ねつべん》をふるっている。 意味 申《もう》し開《ひら》きをする。述《の》べたてる。

❹ 例文 街《まち》で久《ひさ》しぶりに東北**弁**《とうほくべん》を耳《みみ》にして故郷《こきょう》を思《おも》い出《だ》した。 意味 その土地《とち》のことばづかい。

❺ 例文 花《はな》には花**弁**《かべん》とおしべ、めしべ、がくがある。 意味 花《はな》びら。

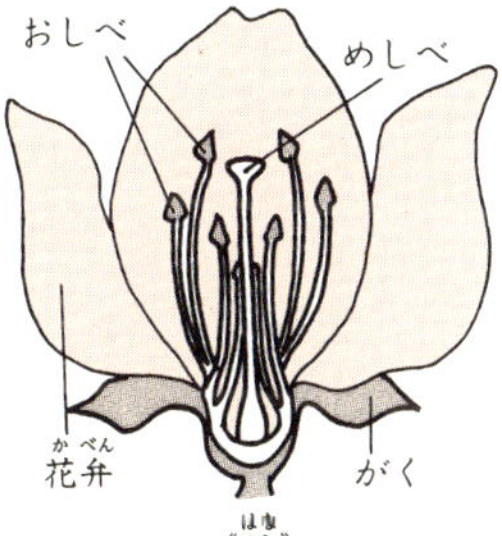

《花《はな》》

❻ 例文 血液《けつえき》は心臓《しんぞう》や動脈《どうみゃく》の**弁**《べん》によって、脈《みゃく》を打《う》って流《なが》れている。 意味 流《なが》れているものを止《と》めたり、流《なが》れる量《りょう》を調節《ちょうせつ》するもの。

❼ 例文 その土地《とち》の駅**弁**《えきべん》を買《か》うのも旅行《りょこう》の楽《たの》しみの一《ひと》つです。 意味 「弁当《べんとう》」の略《りゃく》。

熟語

❷ **白弁**《じべん》(費用《ひよう》を自分《じぶん》ではらうこと)。
❸ **弁解**《べんかい》(言《い》い訳《わけ》をすること)。**弁舌**《べんぜつ》。**弁明**《べんめい》(説明《せつめい》して、ものごとのわけをはっきりさせること)。**弁論**《べんろん》。**答弁**《とうべん》。**弁護士**《べんごし》。
❹ **関西弁**《かんさいべん》。
❻ **安全弁**《あんぜんべん》。
❼ **弁当**《べんとう》。

《駅弁《えきべん》》

□ イ／9画

保

音 ホ
訓 たもつ

成り立ち
「イ」は人《ひと》、「呆」は赤《あか》ちゃんをたいせつに守《まも》ることをあらわす。外《そと》をとりまいて、中《なか》のものを《まもる》ことや、《たいせつにまもりそだてる》ことを意味《いみ》する。

保 ←

筆順・書き方
亻 伫 但 俘 保 保
（9画）

例文・意味
❶ 例文 幼児《ようじ》は保護者《ほごしゃ》といっしょに参加《さんか》してください。 意味 世話《せわ》をする。守《まも》る。
❷ 例文 地《じ》しんなどの天災《てんさい》に備《そな》えて、母《はは》はたくさんの保存食《ほぞんしょく》を用意《ようい》している。／温室《おんしつ》の温度《おんど》を一定《いってい》に保《たも》つ。 意味 もちつづける。たもつ。
❸ 例文 この冷蔵庫《れいぞうこ》は一年間《いちねんかん》の品質保証《ひんしつほしょう》(まちがいない、確《たし》かだとうけあうこと)つきです。 意味 責任《せきにん》をもって、うけあう。

熟語
❶ 保育《ほいく》。保母《ほぼ》。保育園《ほいくえん》。
❷ 保安《ほあん》(施設《しせつ》などの安全《あんぜん》をたもつこと)。保温《ほおん》。保健《ほけん》。保持《ほじ》。保守《ほしゅ》(今《いま》までのしきたりや考《かんが》え方《かた》を重《おも》んじて、それを守《まも》ること)。保有《ほゆう》。保留《ほりゅう》。確保《かくほ》。
❸ 保管《ほかん》。保険《ほけん》。保障《ほしょう》(危険《きけん》がないように、責任《せきにん》をもって守《まも》ること)。

□ 土／13画

墓

音 ボ
訓 はか

成り立ち
「莫」(太陽《たいよう》が、草原《そうげん》の中《なか》にかくれて見《み》えなくなっていくようす)と、「土」(つち)を合《あ》わせた字《じ》。死《し》んだ人《ひと》の上《うえ》に土《つち》をかぶせて見《み》えなくした《はか》をあらわした字《じ》。

墓 ←

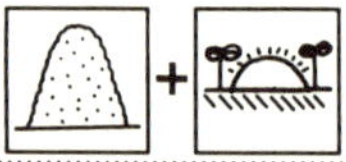

筆順・書き方
艹 昔 莒 莫 莫 墓
ながく
（13画）

例文・意味
例文 公園墓地《こうえんぼち》は、おひ岸《がん》になるとたいへんなにぎわいです。／祖父母《そふぼ》の命日《めいにち》には家族《かぞく》で、墓参《はかまい》りに行《い》きます。 意味 死《し》んだ人《ひと》をほうむる所《ところ》。はか。

《墓参《はかまい》り》

熟語
墓参《ぼさん》。墓石《ぼせき》。墓前《ぼぜん》。墓石《はかいし》。墓場《はかば》。

報

土／12画

音 ホウ
訓 (むくいる)

成り立ち

「幸」は手《て》かせをえがいた字《じ》。「𠬝」は手《て》で人《ひと》をつかまえているところで、もとは罪《つみ》をおかした人《ひと》をつかまえて、《仕返《しかえ》しをする》ことの意味《いみ》。今《いま》は広《ひろ》く、《むくいる》の意味《いみ》になった。

筆順・書き方

土　去　幸　幸　郣　報

(12画)

例文・意味

❶ 例文 敵《てき》の報復《ほうふく》をおそれる。／いたずらをした報《むく》いで手《て》にけがをしてしまった。／志望《しぼう》の学《が》校《こう》に合格《ごうかく》して、先生《せんせい》の恩《おん》に報《むく》いる。 意味 お返《かえ》し。仕返《しかえ》し。むくい。

❷ 例文 テレビで強《ごう》とう事《じ》件《けん》が報《ほう》じられて三日《みっか》日《め》に犯人《はんにん》がたいほされた。／午前十二時《ごぜんじゅうにじ》の時報《じほう》を合図《あいず》にマラソンがスタートした。／忘《わす》れ物《もの》調《しら》べの結果《けっか》を先生《せんせい》に報告《ほうこく》する。／テレビであしたの天気予報《てんきよほう》を見《み》る。 意味 知《し》らせる。知《し》らせ。

熟語

❶ 応報《おうほう》（善《よ》い悪《わる》いことをしたことに対《たい》するお返《かえ》し）。果報《かほう》。

❷ 報道《ほうどう》。官報《かんぽう》（政府《せいふ》が、国民《こくみん》に知《し》らせる必要《ひつよう》のあることがらをまとめて、発行《はっこう》する文書《ぶんしょ》）。吉報《きっぽう》（よい知《し》らせ）。警報《けいほう》。公報《こうほう》。広報《こうほう》。情報《じょうほう》。速報《そくほう》。通報《つうほう》。電報《でんぽう》。悲報《ひほう》。

豊

豆／13画

音 ホウ
訓 ゆたか

成り立ち

もとの字《じ》は「豐」。「豆」は、お供《そな》えをするときの入《い》れ物《もの》の形《かたち》。その上《うえ》に、よく実《みの》ったいねや麦《むぎ》を山《やま》のように積《つ》み重《かさ》ねたところをえがいた字《じ》。たっぷりあって《ゆたかである》の意味《いみ》。

筆順・書き方

冂　曲　曲　曲　曹　豊

つきだす

(13画)

例文・意味

❶ 例文 あそこのスーパーは品《しな》ぞろえが豊富《ほうふ》です。／豊《ゆた》かな才能《さいのう》にめぐまれて次々《つぎつぎ》によい作品《さくひん》を発表《はっぴょう》する。／実《みの》り豊《ゆた》かな人生《じんせい》を送《おく》りたい。意味たくさんあって、勢いがよい。たっぷりあるようす。ゆたか。

❷ 例文 ことしはいねが豊作《ほうさく》です。／ことしは豊《ほう》年《ねん》だったので、村《むら》のお祭《まつ》りもにぎわうだろう。 意味 作物《さくもつ》のできがよい。

熟語

❷ 豊漁《ほうりょう》（漁《りょう》で、魚《さかな》や貝《かい》などがたくさんとれること）。

□ 阝／7画

防

音 ボウ
訓 ふせぐ

成り立ち

「阝」（積《つ》みあげた土《つち》）と、「方」（左右《さゆう》にえが張《は》り出《だ》したすき）を合《あ》わせた字。水《みず》があふれないように土《つち》をもった、左右《さゆう》に張《は》り出《だ》した《土手《どて》》をあらわした。それから《ふせぐ》の意味《いみ》になった。

筆順・書き方

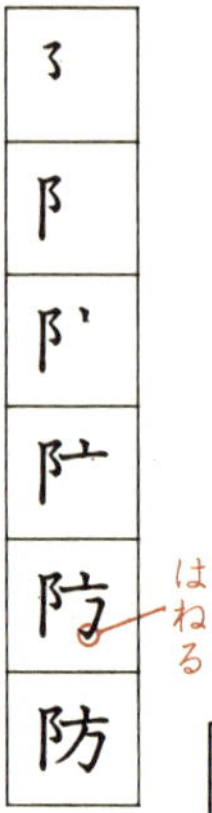

（7画）

例文・意味

❶ 例文 きょうは火災予防《かさいよぼう》デーです。／町内《ちょうない》で犯罪防止運動《はんざいぼうしうんどう》をしている。／そう音《おん》を防《ふせ》ぐ。／はま辺《べ》に沿《そ》って植《う》えられている松林《まつばやし》は防風林《ぼうふうりん》の役目《やくめ》をしている。 意味 害《がい》などに対《たい》して守《まも》る。ふせぐ。

❷ 例文 台風《たいふう》でてい防《ぼう》が切《き》れ、付近一帯《ふきんいったい》が水《みず》びたしになった。 意味 土手《どて》。つつみ。

熟語

❶ **防衛《ぼうえい》**。**防音《ぼうおん》**。**防火《ぼうか》**。**防災《ぼうさい》**。**防水《ぼうすい》**。**防戦《ぼうせん》**。**防犯《ぼうはん》**（犯罪《はんざい》が起《お》こるのをふせぐこと）。**国防《こくぼう》**（せめてくる外国《がいこく》の敵《てき》から、自分《じぶん》の国《くに》を守《まも》ること）。**消防《しょうぼう》**。**防衛庁《ぼうえいちょう》**。**消防署《しょうぼうしょ》**。**防空《ぼうくう》ごう**。

□ 貝／12画

貿

音 ボウ
訓 ―

成り立ち

「卯」は、しまった戸《と》をむりにこじあけようとすること。「貝」は、お金《かね》。遠《とお》い外国《がいこく》と、しまった窓《まど》を、むりにこじあけるようにして利益《りえき》を得《え》るために、《とりひき》する意味《いみ》をあらわした。

筆順・書き方

（12画）

例文・意味

例文 世界《せかい》の国々《くにぐに》と貿易《ぼうえき》する。 意味 売《う》り買《か》いする。また、品物《しなもの》と品物《しなもの》をとりかえる。

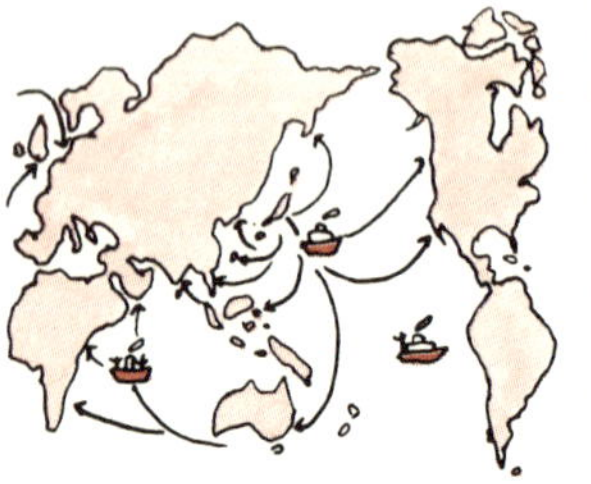

《貿易《ぼうえき》》

熟語

貿易商《ぼうえきしょう》。**貿易収支《ぼうえきしゅうし》**（外国《がいこく》との品物《しなもの》の売《う》り買《か》いによる収入《しゅうにゅう》と支出《ししゅつ》）。**国際貿易《こくさいぼうえき》**。**自由貿易《じゆうぼうえき》**。

日／15画

暴

音 ボウ・（バク）

訓 《あばく》・あばれる

成り立ち 「日」は太陽《たいよう》。「恭」は、米《こめ》を両《りょう》手《て》で持《も》っているようす。もとは、米《こめ》を持《も》ち出《だ》して、日光《にっこう》にさらしてかわかすこと。そこから《さらす》や《あばきだす》《あらあらしい》の意味《いみ》になった。

筆順・書き方

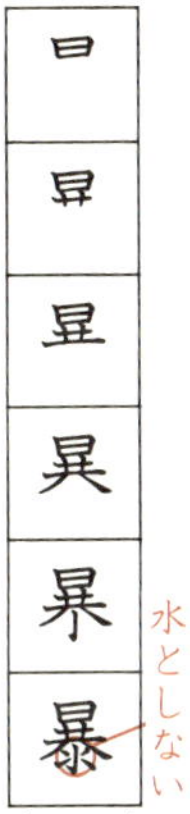

（15画）

例文・意味

❶ 例文 昨夜《さくや》は暴風雨《ぼうふうう》がふきあれた。 意味 あらあらしい。また、あばれる。

❷ 例文 暴飲暴食《ぼういんぼうしょく》をつつしむ。 意味 度《ど》を過《す》ごしてむちゃなことをする。

❸ 例文 りょうじゅうが暴発《ぼうはつ》してけがをした。 意味 思《おも》いがけなく起《お》こる。とつぜん。急《きゅう》に。

❹ 例文 事件《じけん》の真相《しんそう》を共犯者《きょうはんしゃ》が暴《ばく》ろ（悪《わる》いことや、かくしていたことをあばくこと）した。／過去《かこ》の秘密《ひみつ》を暴《あば》く。 意味 さらし出《だ》す。あらわにする。あばく。

熟語

❶ 暴漢《ぼうかん》（乱《らん》ぼうなふるまいをする男《おとこ》）。暴君《ぼうくん》（人々《ひとびと》を苦《くる》しめる乱《らん》ぼうな王《おう》や君主《くんしゅ》）。暴行《ぼうこう》。暴徒《ぼうと》。暴動《ぼうどう》。暴力《ぼうりょく》。横暴《おうぼう》。乱暴《らんぼう》。暴《あば》れん坊《ぼう》。

❷ 暴挙《ぼうきょ》（むりなおこないや計画《けいかく》）。暴言《ぼうげん》。暴走《ぼうそう》。暴投《ぼうとう》。暴利《ぼうり》（正《ただ》しい方法《ほうほう》でなくて得《え》たもうけ）。

❸ 暴落《ぼうらく》。

力／11画

務

音 ム

訓 つとめる

成り立ち 「矛」は、ほこという武器《ぶき》。ほこを持《も》って敵《てき》に向《む》かっていくことをあらわす。「务」は力《ちから》を入《い》れること。力《ちから》を入《い》れてがんばることから、《つとめ》や《やくめ》を意味《いみ》する。

筆順・書き方

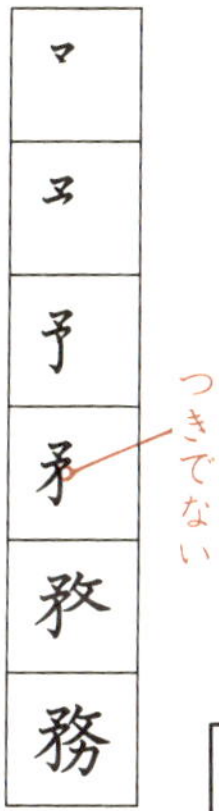

（11画）

例文・意味

例文 父《ちち》は、二《ふた》つの部《ぶ》の部長《ぶちょう》をけん務《む》している。／兄《あに》は勤務先《きんむさき》がかわって、現在《げんざい》は外国《がいこく》で仕事《しごと》をしています。／マラソン大会《たいかい》でクラス代表《だいひょう》を務《つと》めることになった。／学生《がくせい》としての務《つと》めは、「よく学《まな》び、よく遊《あそ》べ」です。

意味 仕事《しごと》。役目《やくめ》。また、役目《やくめ》を受《う》けもってする。つとめる。

《クラス代表《だいひょう》を務《つと》める》

熟語

義務《ぎむ》。急務《きゅうむ》。業務《ぎょうむ》。公務《こうむ》（国《くに》・都道府県《とどうふけん》・市町村《しちょうそん》などのおこなう仕事《しごと》）。国務《こくむ》。雑務《ざつむ》。事務《じむ》。実務《じつむ》。職務《しょくむ》（その人《ひと》が受《う》けもっている仕事《しごと》や役目《やくめ》）。任務《にんむ》。外務省《がいむしょう》。公務員《こうむいん》。事務室《じむしつ》。用務員《ようむいん》。

夕／13画

【夢】

音 ム

訓 ゆめ

成り立ち

「䒑」（まぶたをとじ、まつ毛《げ》が下《した》を向《む》いた形《かたち》の目《め》）と「冖」（何《なに》かをかぶせること）と、「夕」（ゆうべ）を合《あ》わせた字《じ》。暗《くら》くて物《もの》が見《み》えない夜《よる》、まぶたの裏《うら》で見《み》る《ゆめ》をあらわした字《じ》。

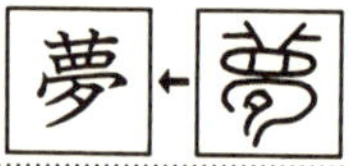

筆順・書き方

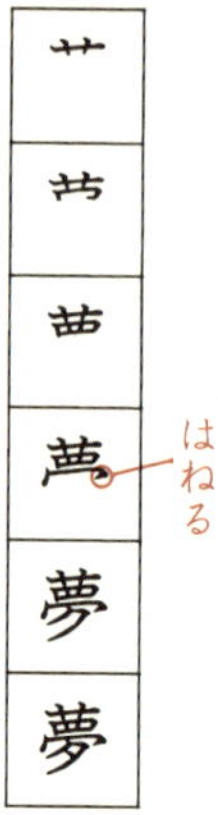

（13画）

例文・意味

❶ 例文 ゆうべとてもこわい夢《ゆめ》を見《み》てうなされた。／よい初夢《はつゆめ》を見《み》たからことしは、きっとよい年《とし》だ。意味 ねむっているあいだに、現実《げんじつ》でないことを感覚《かんかく》としてとらえること。ゆめ。

❷ 例文 大《おお》きくなったら宇宙飛行士《うちゅうひこうし》になるのがぼくの夢《ゆめ》だ。意味 あてのないもの。また、あこがれや望《のぞ》み。ゆめ。

《宇宙飛行士《うちゅうひこうし》になるのがぼくの夢《ゆめ》》

熟語

❶ 悪夢《あくむ》。正夢《まさゆめ》（ゆめに見《み》たことが、現実《げんじつ》に起《お》こるゆめ）。夢見心地《ゆめみごこち》。

❷ 夢想《むそう》（実現《じつげん》しそうもない、ゆめのようなことを考《かんが》えること）。夢中《むちゅう》。夢物語《ゆめものがたり》。

⻌／9画

【迷】

音 （メイ）

訓 まよう

成り立ち

「⻌」は道《みち》。「米」は小《ちい》さくて見《み》えにくいこめつぶ。進《すす》む道《みち》が見《み》あたらず、《まよう》ことをあらわした字《じ》。

筆順・書き方

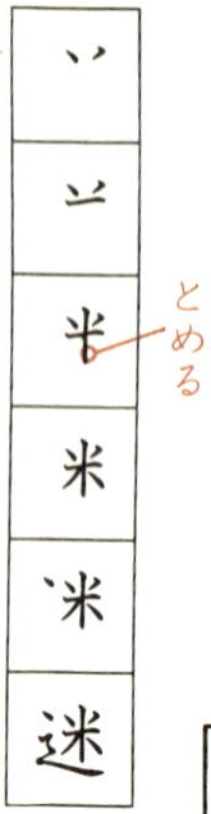

（９画）

例文・意味

❶ 例文 きりがふかくなり、山道《やまみち》で迷《まよ》ってしまった。／道《みち》が迷路《めいろ》のように入《い》り組《く》んでいる。／事件《じけん》が迷宮《めいきゅう》入《い》りする。意味 行《い》く方向《ほうこう》がわからなくなる。まよう。

❷ 例文 おまじないで病気《びょうき》が治《なお》るというのは迷信《めいしん》にすぎない。／何《なん》の前《まえ》ぶれもなく来《く》るのは迷《めい》わくだ。意味 ものごとを決《き》められずにいる。どうしてよいかわからない。まよう。

熟語

❷ 混迷《こんめい》（正《ただ》しい判断《はんだん》ができなくなり、どうしてよいか、わからなくなること）。低迷《ていめい》（悪《わる》い状態《じょうたい》がつづき、そこからぬけ出《だ》せないこと）。

特別な読み

迷子《まいご》。

糸／14画

綿

音 メン
訓 わた

成り立ち
白《しろ》い布《ぬの》をあらわす「帛」と「糸」(いと)を合《あ》わせた字《じ》。細長《ほそなが》い筋《すじ》をもった白《しろ》い《わた》のこと。

筆順・書き方
糸 糸' 糸ˊ 綿 綿 綿
はねる
(14画)

例文・意味
❶ 例文 綿百《めんひゃく》パーセントのシャツ。／ふとんの綿《わた》を打《う》ち直《なお》したので新品《しんぴん》のようにふかふかだ。 意味 草《くさ》の一種《いっしゅ》。種《たね》を包《つつ》んでいる毛《け》から糸《いと》をとる。また、それからとったやわらかいせんい。わた。もめん。
❷ 例文 伝統《でんとう》に裏《うら》づけられた日本《にっぽん》の生活様式《せいかつようしき》。 連綿《れんめん》たる(ものごとが長《なが》くつづいて絶《た》えないようす) 意味 長《なが》くつづく。
❸ 例文 綿密《めんみつ》な計画《けいかく》を立《た》てる。 意味 細《こま》かくてくわしい。

熟語
❶ 綿花《めんか》。綿糸《めんし》。海綿《かいめん》。綿雲《わたぐも》。綿毛《わたげ》。綿織物《めんおりもの》。

特別な読み
木綿《もめん》。

車／16画

輸

音 ユ
訓 ―

成り立ち
「兪」(木《き》をくりぬいてつくった舟《ふね》をあらわし、なかみをぬきとること)と「車」(くるま)を合《あ》わせた字《じ》。車《くるま》である場所《ばしょ》から、品物《しなもの》を《よそへ運《はこ》ぶ》ことをあらわした字《じ》。

筆順・書き方
亘 車 軒 軡 輸 輸
わすれずに
(16画)

例文・意味
例文 はなれ島《じま》で急病人《きゅうびょうにん》が出《で》たので、輸血用《ゆけつよう》の血液《けつえき》をヘリコプターで空輸《くうゆ》する。／石油《せきゆ》を輸《ゆ》送《そう》する大型《おおがた》タンカーが帰港《きこう》した。／日本《にっぽん》の電気製品《でんきせいひん》は世界各《せかいかっ》国《こく》に輸出《ゆしゅつ》されている。
意味 物《もの》を運《はこ》ぶ。移《うつ》し運《はこ》ぶ。

《ヘリコプターで空輸《くうゆ》する》

熟語
輸入《ゆにゅう》。運輸《うんゆ》。密輸《みつゆ》(法律《ほうりつ》を破《やぶ》って、こっそりと品物《しなもの》を外国《がいこく》へ売《う》ったり、買《か》い入《い》れたりすること)。現金輸送《げんきんゆそう》。

〔余〕

□
人／7画

音 ヨ

訓 あまる・あます

成り立ち 「⺈」型《がた》のスコップと、左右《さゆう》に開《ひら》くしるしの「八」を合《あ》わせた字《じ》。スコップで土《つち》などを左右《さゆう》にほりおこしてやわらかく《ゆとり》をつくる意味《いみ》。また、ゆとりがあって、物《もの》が《あまる》こと。

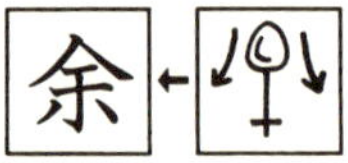

筆順・書き方

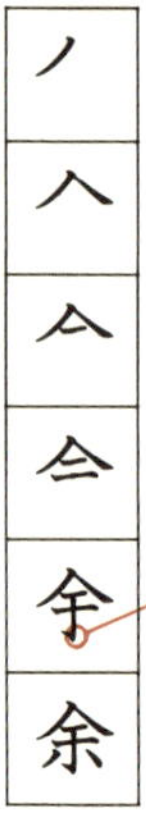
はねる
（7画）

例文・意味

❶ 例文 その計画《けいかく》には、考《かんが》える余地《よち》がある。／のんびりと余生《よせい》（年《とし》をとってからの後《あと》の人生《じんせい》）を送《おく》りたいと、祖父《そふ》はいなかに引《ひ》っこんだ。／入試《にゅうし》まで、余《あま》すところ一《いっ》か月《げつ》となった。／全部《ぜんぶ》で百有余人《ひゃくゆうよにん》。 意味 必要以上《ひつよういじょう》に、また、期限《きげん》をこえて物《もの》などがある。残《のこ》る。あまる。

❷ 例文 警察《けいさつ》が強《ごう》とう犯人《はんにん》の余罪《よざい》を追《つい》きゅうする。 意味 それ以外《いがい》。ほか。

❸ 意味 むかし、男《おとこ》の人《ひと》が自分《じぶん》のことをさすことば。われ。

熟語

❶ 余計《よけい》。余熱《よねつ》。余波《よは》（風《かぜ》がおさまった後《あと》でも、まだ立《た》っている波《なみ》）。余白《よはく》。余分《よぶん》。余命《よめい》（これから先《さき》の残《のこ》りの命《いのち》）。余力《よりょく》。余《あま》り物《もの》。

❷ 余技《よぎ》（専門《せんもん》のほかに身《み》につけている技術《ぎじゅつ》や芸《げい》）。余興《よきょう》。余談《よだん》（本《ほん》すじからはなれた話《はなし》）。余念《よねん》（ほかの考《かんが》え）。

〔預〕

□
頁／13画

音 ヨ

訓 あずける・あずかる

成り立ち 「予」は、のび出《で》てゆとりがあること。「頁」は人《ひと》の頭《あたま》。人《ひと》にゆとりができたことをあらわした字《じ》。そこからゆとりができて物《もの》を《あずける》という意味《いみ》になった。

筆順・書き方

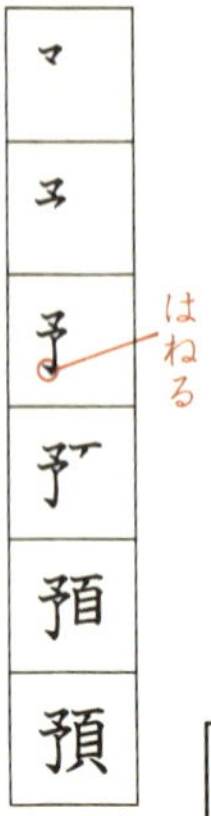
はねる
（13画）

例文・意味

❶ 例文 お年玉《としだま》は銀行《ぎんこう》に預金《よきん》した。／荷物《にもつ》は旅館《りょかん》に預《あず》けて観光《かんこう》に出《で》かけよう。 意味 人《ひと》に物《もの》などを置《お》かせてもらう。あずける。また、人《ひと》の物《もの》を保管《ほかん》する。あずかる。

❷ 例文 店《みせ》を預《あず》かって、仕入《しい》れから料理《りょうり》まできりもりしている。 意味 任《まか》せる。また、任《まか》せてもらう。

《銀行《ぎんこう》に預金《よきん》する》

熟語

❶ 預貯金《よちょきん》。預金通帳《よきんつうちょう》。預《あず》かり証《しょう》。

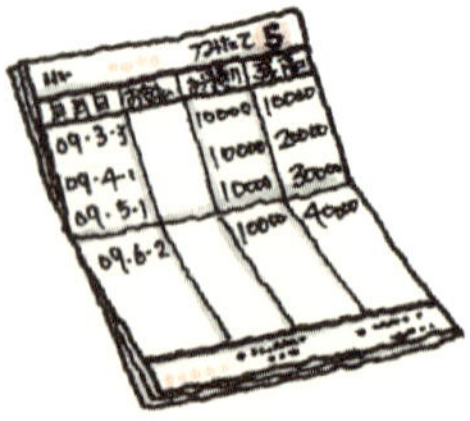
《預金通帳《よきんつうちょう》》

宀／10画

容

音 ヨウ

訓 ―

成り立ち

「谷」は水《みず》などが流《なが》れこむくぼんだたに。「宀」は中《なか》に人《ひと》や物《もの》が入《はい》っている家《いえ》。中《なか》に《物《もの》を入《い》れる》ことをあらわした字《じ》。また、《入《い》れたなかみ》のこと。

筆順・書き方

（10画）

例文・意味

❶ 例文 つった魚《さかな》を持《も》ち帰《かえ》るのに便利《べんり》な容器《ようき》。／内容《ないよう》のない話《はなし》。／子《こ》どものいたずらだからと許容《きょよう》する。 意味 中《なか》に物《もの》を入《い》れる。包《つつ》みこむ。また、入《い》れたそのなかみ。

❷ 例文 容姿《ようし》の美《うつく》しい女性《じょせい》。 意味 姿《すがた》。形《かたち》。

❸ 例文 この事件《じけん》は容易《ようい》に解決《かいけつ》するだろう。 意味 たやすい。

熟語

❶ **容積《ようせき》**。**容量《ようりょう》**。**収容《しゅうよう》**。**容疑者《ようぎしゃ》**。**収容所《しゅうようじょ》**。**包容力《ほうようりょく》**（欠点《けってん》や、あやまちをとがめたりしないで、相手《あいて》を広《ひろ》い心《こころ》で受《う》け入《い》れることのできる力《ちから》）。

❷ **容体《ようだい》**（病気《びょうき》のようす）。**容態《ようだい》**（「容体《ようだい》」と同《おな》じ）。**形容《けいよう》**。**美容《びよう》**。**形容詞《けいようし》**。**理容師《りようし》**。**形容動詞《けいようどうし》**。

田／11画

略

音 リャク

訓 ―

成り立ち

「各」（一《ひと》つ一《ひと》つの所《ところ》をつなげる）と「田」（た）を合《あ》わせた字《じ》。田畑《たはた》のこちらとあちらとをつないで近道《ちかみち》をつくることから、むだのないやり方《かた》を考《かんが》えることや、むだを《はぶく》の意味《いみ》になった。

筆順・書き方

（11画）

例文・意味

❶ 例文 敵《てき》の大軍《たいぐん》はまんまと策略《さくりゃく》（はかりごと）にはまった。 意味 考《かんが》えをめぐらす。また、はかりごと。

❷ 例文 この部分《ぶぶん》は前《まえ》に説明《せつめい》したので省略《しょうりゃく》します。 意味 はぶく。

❸ 例文 むかし、山《さん》ぞくにおそわれて、お金《かね》を略《りゃく》だつ（むりやりにうばいとること）された旅人《たびびと》が多《おお》かったという。／国境地帯《こっきょうちたい》をしん略《りゃく》されそうになり、兵士《へいし》を送《おく》る。 意味 うばいとる。かすめとる。おかす。

熟語

❶ **計略《けいりゃく》**（はかりごと）。**戦略《せんりゃく》**。**簡略化《かんりゃくか》**。

❷ **略語《りゃくご》**。**略字《りゃくじ》**。**略式《りゃくしき》**。**略図《りゃくず》**。**略歴《りゃくれき》**（その人《ひと》の経歴《けいれき》の中《なか》から、おもだったものをぬき出《だ》して書《か》いたもの）。**簡略《かんりゃく》**。**後略《こうりゃく》**。**前略《ぜんりゃく》**。

□ 田／10画

〔留〕

音 リュウ・ル
訓 とめる・とまる

成り立ち　もとの字は「畱」。「丣」は一枚《いちまい》の戸《と》を、かんぬきで止《と》めること。「田」は水《みず》を引《ひ》いて、流《なが》れ出《で》ないよう止《と》めてあるたんぼ。動《うご》きやすいものをある場《ば》所《しょ》に《とどめる》ことをあらわした字《じ》。

筆順・書き方

ノ
⺈
⺛
𠂎𠃌
𠂎刀
留

はねる

（10画）

例文・意味

例文 ブラジルに在留《ざいりゅう》する日本人《にっぽんじん》。／兄《あに》はドイツに留学中《りゅうがくちゅう》です。／ショーウインドーのきれいなハンカチが目《め》に留《と》まった。／上着《うわぎ》のボタンを留《と》める。／ひとりで留《る》守番《すばん》をする。／停《てい》留所《りゅうじょ》でバスを待《ま》つ。

《停留所《ていりゅうじょ》》

意味 そのままにとどめておく。とめる。また、とどまる。その場《ば》に残《のこ》る。とまる。

熟語

留意《りゅうい》（心《こころ》をとめる）。留置《りゅうち》（罪《つみ》を犯《おか》した疑《うたが》いのある人《ひと》を取《と》り調《しら》べるために、一定《いってい》期間《きかん》、警察署《けいさつしょ》にとめておくこと）。留任《りゅうにん》（やめないで、同《おな》じ役職《やくしょく》にとどまること）。残留《ざんりゅう》。保留《ほりゅう》（その場《ば》ですぐに決《き》めたりしないで、しばらくそのままにしておくこと）。

□ 頁／14画

〔領〕

音 リョウ
訓 ―

成り立ち　「令」は命令《めいれい》して人《ひと》を従《したが》わせる。「頁」は人《ひと》の頭《あたま》。人《ひと》のからだに命令《めいれい》を出《だ》す頭《あたま》は首《くび》すじでつながっている。首《くび》すじは人《ひと》のたいせつな部分《ぶぶん》であるから、《中心《ちゅうしん》になるところ》《支配《しはい》する》の意味《いみ》。

筆順・書き方

𠆢
亽
令
令一
領 (頁の途中)
領

（14画）

例文・意味

❶ 例文 日本《にっぽん》の領土《りょうど》。／飛行機《ひこうき》は日本《にっぽん》の領空《りょうくう》にさしかかった。／大統領《だいとうりょう》を選出《せんしゅつ》する。 意味 治《おさ》める。支配《しはい》する。また、治《おさ》める人《ひと》。

❷ 例文 買《か》い物《もの》をしたら、領収書《りょうしゅうしょ》をもらってきてください。 意味 受《う》けとる。

❸ 例文 かれの話《はなし》はどうも要領《ようりょう》を得《え》なくて困《こま》る。／テストで本領《ほんりょう》を出《だ》す。 意味 たいせつなところ。中心《ちゅうしん》。

熟語

❶ 領域《りょういき》。領海《りょうかい》（その国《くに》の海岸《かいがん》に沿《そ》った、その国《くに》の力《ちから》がおよぶ範囲内《はんいない》の海《うみ》）。領事《りょうじ》（外国《がいこく》にすんでいて、日本《にっぽん》とその国《くに》との貿易《ぼうえき》をおしすすめたり、その国《くに》にすむ日《にっ》本人《ぽんじん》の世話《せわ》をしたりする役《やく》人《にん》）。領主《りょうしゅ》。領地《りょうち》。領内《りょうない》。領分《りょうぶん》。首領《しゅりょう》。頭領《とうりょう》。領事館《りょうじかん》。

❷ 受領《じゅりょう》。

六《ろく》年《ねん》生《せい》で学《がく》習《しゅう》する漢《かん》字《じ》

181字《じ》

六年生《ろくねんせい》で学習《がくしゅう》する漢字《かんじ》 画数《かくすう》さくいん 181字《じ》

三画《かく》
干 539　己 552　寸 579　亡 611

四画《かく》
尺 566　収 568　仁 577　片 609

五画《かく》
穴 549　冊 561　処 572　庁 594　幼 617

六画《かく》
宇 533　灰 536　危 541　机 541　吸 543　后 553　至 562　存 588　宅 589

七画《かく》
我 535　系 546　孝 554　困 558　私 562　否 605　批 605　忘 612　乱 618　卵 619

八画《かく》
延 534　沿 535　拡 536　供 544　呼 552　刻 556　若 567　宗 568　垂 578　担 589　宙 592　忠 593　届 598　乳 599　拝 602　並 607　宝 610　枚 613

九画《かく》
映 534　革 537　巻 539　看 540　皇 554　紅 555　砂 558　姿 563　城 576　宣 581　専 581　泉 582　洗 582　染 583　奏 584　段 591　派 601　背 602　肺 603　律 620

十画《かく》
株 538　胸 544　降 555　骨 557　座 559　蚕 561　射 565　従 570　純 572　除 574　将 574　針 577　値 592　展 596　討 597　党 597　納 600　俳 603　班 604　秘 606　陛 608　朗 621

十一画《かく》
異 532　域 533　郷 545　済 559　視 563　捨 566　推 578　盛 579　窓 584　探 590　著 593　頂 594　脳 601　閉 608　訪 611　密 614　訳 615　郵 616　欲 617　翌 618

十二画《かく》
割 538　揮 542　貴 542　勤 545　筋 546　敬 547　裁 560　策 560　詞 564　就 569　衆 569　善 583　創 585　装 585　尊 588　痛 596　晩 604　補 609　棒 612

6年

十三画《かく》

絹	源	署	傷	蒸	聖	誠	暖	賃	腹	幕	盟	裏
549	551	573	575	576	580	580	591	595	606	613	614	620

十四画《かく》

閣	疑	誤	穀	誌	磁	障	層	認	暮	模
537	543	553	557	564	565	575	586	600	610	615

十五画《かく》

遺	劇	権	熟	諸	蔵	誕	潮	論
532	548	550	571	573	587	590	595	622

十六画《かく》

激	憲	鋼	樹	縦	操	糖	奮
548	550	556	567	570	586	598	607

十七画《かく》

厳	縮	優	覧
551	571	616	619

十八画《かく》

簡	難	臨
540	599	621

十九画《かく》

警	臓
547	587

田／11画

異

音 イ
訓 こと

成り立ち
大《おお》きな頭《あたま》を両手《りょうて》を出《だ》して持《も》っているさまをえがいた字《じ》。片手《かたて》でなくて、もう一《ひと》つの手《て》もそえていることから《ちがう》という意味《いみ》に使《つか》うようになった。

筆順・書き方
冂 → 田 → 田 → 畀 → 異 → 異
（11画）
うえのせんよりながく

例文・意味
❶ 例文 君《きみ》とは立場《たちば》を異《こと》にする。／異《い》議《ぎ》（ある意見《いけん》に反対《はんたい》、またはちがう考《かんが》え方《かた》）を申《もう》し立《た》てる。意味 同《おな》じでない。ことなる。
❷ 例文 電子技術《でんしぎじゅつ》の発達《はったつ》はまさにきょう異《い》的《てき》である。／異《い》色《しょく》の芸術家《げいじゅつか》。意味 特別《とくべつ》の。また、すばらしい。
❸ 例文 異《い》常《じょう》な気象《きしょう》がつづく。／眼前《がんぜん》に異《い》様《よう》な世《せ》界《かい》が展開《てんかい》する。／体内《たいない》から異《い》物《ぶつ》が発見《はっけん》される。意味 あやしい。ふしぎな。正常《せいじょう》でない。正当《せいとう》でない。

熟語
❶ 異《い》郷《きょう》。異《い》国《こく》。異《い》質《しつ》。異《い》種《しゅ》。異《い》性《せい》。異《い》論《ろん》（ほかの人《ひと》とちがう考《かんが》え）。差《さ》異《い》。異《い》口《く》同音《どうおん》⇩（634ページ中）
❷ 異《い》彩《さい》（ふつうとちがってすぐれて見《み》えるようす）。驚《きょう》異《い》的《てき》。
❸ 異《い》状《じょう》。異《い》変《へん》。異《い》例《れい》（これまでにないこと）。天変《てんぺん》地《ち》異《い》⇩（640ページ中）

⻌／15画

遺

音 イ・（ユイ）
訓 ―

成り立ち
「⻌」は行《い》くこと。「貴」は目立《めだ》って大《おお》きい大事《だいじ》な品物《しなもの》やお金《かね》。人《ひと》が行《い》ったあとに、置《お》き忘《わす》れたものが目立《めだ》って置《お》いてあること。このことから、《わすれる》《のこる》の意味《いみ》になった。

筆順・書き方
口 → 中 → 虫 → 貴 → 貴 → 遺
（15画）

例文・意味
❶ 例文 雨《あめ》の日《ひ》には、かさなどの遺《い》失物《しつぶつ》が多《おお》くなる。意味 わすれる。失《うしな》う。置《お》き去《ざ》りにする。
❷ 例文 新《あら》たに見《み》つかった未《み》発表《はっぴょう》の作品《さくひん》を補《ほ》遺《い》として全集《ぜんしゅう》に加《くわ》える。意味 もらす。ぬける。
❸ 例文 古《ふる》い建物《たてもの》の遺《い》構《こう》（残《のこ》っているむかしの建物《たてもの》のあと）が発《はっ》くつされる。／交通事故《こうつうじこ》で受《う》けた傷《きず》の後《こう》遺《い》しょうになやまされる。／遺《ゆい》言《ごん》にしたがって遺《い》産《さん》を配分《はいぶん》する。意味 のこる。のこす。死《し》後《ご》にのこす。

熟語
❸ 遺《い》業《ぎょう》（死《し》んだ人《ひと》がのこしていった仕事《しごと》）。遺《い》骨《こつ》。遺《い》作《さく》（死《し》んだ人《ひと》がのこした作品《さくひん》でまだ発表《はっぴょう》されずにいたもの）。遺《い》児《じ》。遺《い》書《しょ》。遺《い》跡《せき》。遺《い》族《ぞく》。遺《い》体《たい》。遺《い》伝《でん》。遺《い》品《ひん》。遺《い》物《ぶつ》。遺《い》がい（死《し》んだ人《ひと》のからだ）。

土／11画

域

音 イキ

訓 ―

成り立ち

「或」(場所《ばしょ》を四角《しかく》く区切《くぎ》って武器《ぶき》で守《まも》ること)と「土」(つち)を合《あ》わせて、《区《く》切《ぎ》った土地《とち》》《さかい》の意味《いみ》をあらわした字《じ》。

筆順・書き方

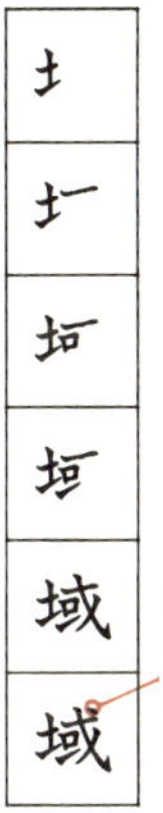

(11画)

わすれずに

例文・意味

例文 かれはまだプロの域《いき》に達《たっ》してない。／関東《かんとう》の広《ひろ》い地域《ちいき》で地しんが感《かん》じられた。／日本《にっぽん》の河川《かせん》の中《なか》で流域面積《りゅういきめんせき》が最大《さいだい》なのは利根川《とねがわ》です。／公害《こうがい》は地球全域《ちきゅうぜんいき》の問題《もんだい》となっている。／かれの得意《とくい》とする領域《りょういき》は歴史《れきし》です。／あの歌手《かしゅ》は、声域《せいいき》が広《ひろ》い。／イランなど西域《せいいき》(中国《ちゅうごく》の西《にし》のほうのおく地《ち》)の国々《くにぐに》を訪《おとず》れる。意味 かぎられた土地《とち》・地方《ちほう》・はん囲《い》・程度《ていど》。

熟語

海域《かいいき》。区域《くいき》。

宀／6画

宇

音 ウ

訓 ―

成り立ち

「宀」は屋根《やね》を、「于」は大《おお》きな広《ひろ》がりをあらわす。大《おお》きなまるい屋根《やね》のような《大空《おおぞら》におおわれた空間《くうかん》》を意味《いみ》するようになった。

筆順・書き方

(6画)

うえのせんよりながく

例文・意味

❶ 例文 宇宙《うちゅう》は大小無数《だいしょうむすう》の星《ほし》の世界《せかい》である。意味 天地四方《てんちしほう》への広《ひろ》がり。

❷ 例文 寺院《じいん》の境内《けいだい》には金《こん》堂《どう》・講堂《こうどう》・五重《ごじゅう》のとうなどの堂宇《どうう》(神《かみ》や仏《ほとけ》を祭《まつ》ってある建物《たてもの》)が立《た》ち並《なら》ぶ。意味 屋根《やね》におおわれた大《おお》きな建物《たてもの》。屋根《やね》。のき。

《堂宇《どうう》》

熟語

❶ 宇宙人《うちゅうじん》。宇宙船《うちゅうせん》。宇宙旅行《うちゅうりょこう》。宇宙飛行士《うちゅうひこうし》。

映

日／9画

音 エイ

訓 うつる・うつす・（はえる）

成り立ち

「日」は太陽《たいよう》。「央」は大《だい》の字《じ》に立《た》った人《ひと》の頭《あたま》のところにはっきりとしるしをつけた字《じ》。そこに太陽《たいよう》の光《ひかり》がさして、明暗《めいあん》の境目《さかいめ》や形《かたち》がうかんで《はえる》ことを意味《いみ》している。

筆順・書き方

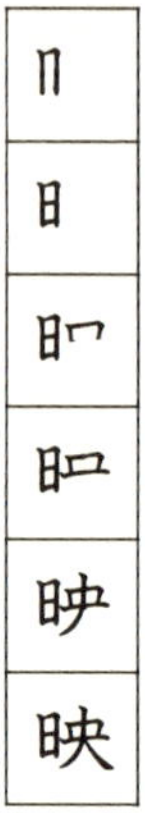

（9画）

例文・意味

❶ 例文 テレビに画像《がぞう》が映《うつ》る。／鏡《かがみ》に姿《すがた》を映《うつ》す。／外国人記者《がいこくじんきしゃ》の目《め》に映《えい》じた日本《にっぽん》。／スクリーンに図面《ずめん》を映《うつ》し出《だ》す。／映画《えいが》を見《み》に行《い》く。 意味 光《ひかり》や像《ぞう》があらわれる。光《ひかり》や像《ぞう》をあらわす。うつる。うつす。

❷ 例文 雪原《せつげん》が銀色《ぎんいろ》に映《は》える。／美《うつく》しい夕映《ゆうば》え。／母《はは》にはグリーンのセーターがよく映《うつ》る。／山《やま》の緑《みどり》が湖面《こめん》に映《えい》ずる。／国民《こくみん》の意見《いけん》を反映《はんえい》させた政治《せいじ》をおこなう。 意味 光《ひかり》や色《いろ》を反射《はんしゃ》する。かがやく。はえる。

熟語

❶ 映写《えいしゃ》。映像《えいぞう》。上映《じょうえい》。映写機《えいしゃき》。

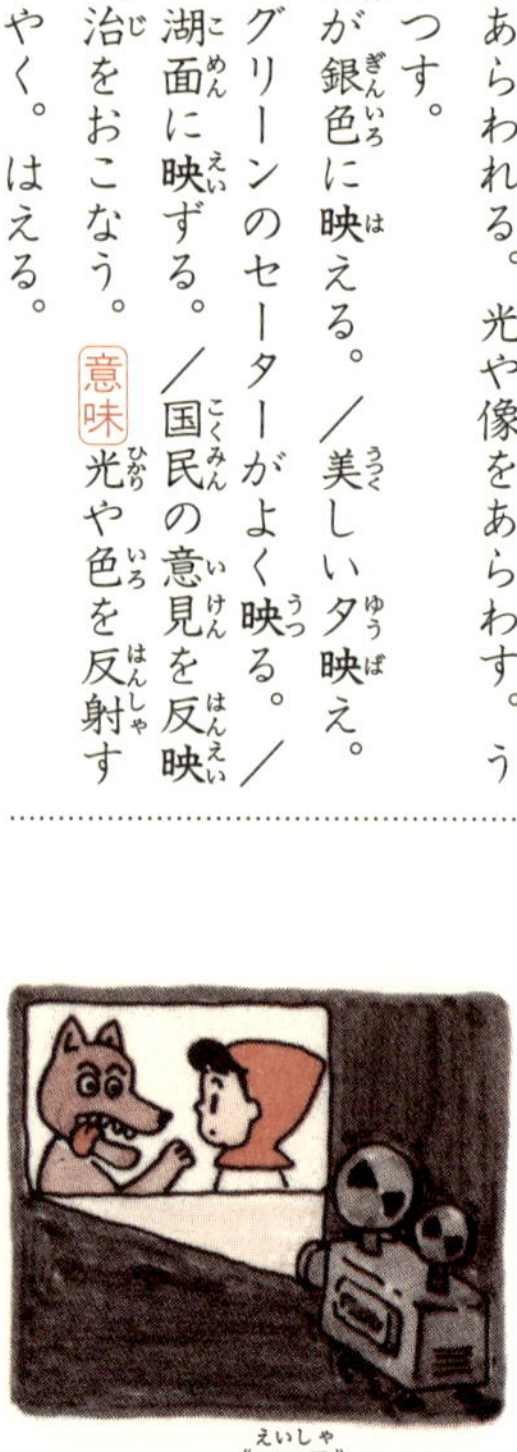

《映写《えいしゃ》》

延

廴／8画

音 エン

訓 のびる・のべる・のばす

成り立ち

「ノ」は、のばすしるし。「止」は足《あし》。「廴」は長《なが》くのびた道《みち》。長《なが》く《のびる》こと、ひっぱって《のばす》ことをあらわした字《じ》。

筆順・書き方

（8画）

例文・意味

❶ 例文 地下鉄《ちかてつ》が延《の》びる。／火事《かじ》で延焼《えんしょう》（火事《かじ》が火《ひ》もとからほかの所《ところ》へ燃《も》え広《ひろ》がること）する。 意味 ものが長《なが》くなる。ものを長《なが》くする。また、はん囲《い》が広《ひろ》まる。のびる。

❷ 例文 銅《どう》の延《の》べ棒《ぼう》。 意味 加工《かこう》して、長《なが》くしたり、面積《めんせき》を広《ひろ》げたりする。のばす。

❸ 例文 じゅ命《みょう》が延《の》びる。／列車《れっしゃ》のち・延証明《えんしょうめい》。 意味 期間《きかん》が長《なが》くなる。また、期間《きかん》を長引《ながび》かせる。

❹ 例文 延《の》べ五万人《ごまんにん》が入場《にゅうじょう》した。／延《の》べ日数《にっすう》。 意味 くり返《かえ》しもふくめての合計《ごうけい》。のべ。

熟語

❶ 延長《えんちょう》。延長戦《えんちょうせん》。まん延《えん》（よくないものが、広《ひろ》まる）。

❷ 延《の》べ板《いた》。

❸ 延期《えんき》。順延《じゅんえん》（前《まえ》もって決《き》められていた日《ひ》を、順《じゅん》ぐりに先《さき》にのばしていくこと）。遅延《ちえん》。

❹ 延《の》べ人数《にんずう》。

沿

氵／8画

音 エン
訓 そう

成り立ち
「氵」は水《みず》。「㕣」は水《みず》が流《なが》れるくぼみ。水《みず》がくぼみにそって低《ひく》い方《ほう》へと流《なが》れることから、《そう》意《い》味《み》をあらわした字《じ》。

筆順・書き方

（8画）

例文・意味
例文 川《かわ》に沿《そ》って道《みち》がつづく。／時《じ》代《だい》の流《なが》れに沿《そ》っていろいろなできごとの因《いん》果《が》関《かん》係《けい》を調《しら》べなおしてみる。／ロケット打《う》ちあげの日《にっ》程《てい》に沿《そ》って作《さ》業《ぎょう》を進《すす》める。／遊《ゆう》覧《らん》船《せん》が海《かい》岸《がん》沿《ぞ》いに行《い》く。／マラソン選《せん》手《しゅ》を沿《えん》道《どう》の人《ひと》々《びと》が声《せい》えんする。／日本《にっぽん》の古《ふる》い芸《げい》能《のう》の沿《えん》革《かく》（ものごとの移《うつ》りかわり）。 意味 つづいているものに従《したが》ってつづく。基《き》準《じゅん》となるものから、はなれない状《じょう》態《たい》を保《たも》つ。そう。

熟語
沿《えん》海《かい》。沿《えん》岸《がん》。沿《えん》線《せん》。沿《えん》岸《がん》漁《ぎょ》業《ぎょう》。

《沿《えん》道《どう》の人《ひと》々《びと》》

我

戈／7画

音 （ガ）
訓 われ・（わ）

成り立ち
「我」は、はが、ぎざぎざな武《ぶ》器《き》の形《かたち》をえがいた字《じ》。むかしは、自《じ》分《ぶん》のことを「ガ」と言《い》った。武《ぶ》器《き》をかざして自《じ》分《ぶん》を主《しゅ》張《ちょう》することから、その「ガ」と同《おな》じ音《おん》なので《自《じ》分《ぶん》》の意《い》味《み》になった。

筆順・書き方

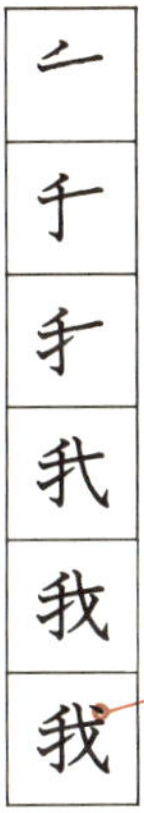

（7画）

例文・意味
❶ 例文 あまりのだらしなさに我《われ》ながらがっかりする。／我《わ》が家《や》のしきたりに従《したが》う。／自《じ》我《が》の意《い》識《しき》が芽《め》生《ば》える。／ふと我《われ》に返《かえ》った。 意味 自《じ》分《ぶん》自《じ》身《しん》。おのれ。私《わたくし》。われ。
❷ 例文 我《わ》が物《もの》顔《がお》にふるまう。／我《が》が強《つよ》い。／みんなが我《が》を張《は》ってゆずらない。／かれは我《が》流《りゅう》にこだわっているので、いつまでたってもわざが上《じょう》達《たつ》しない。 意味 自《じ》分《ぶん》中《ちゅう》心《しん》の考《かんが》え。ひとりよがり。

熟語
❶ 無《む》我《が》（自《じ》分《ぶん》の心《こころ》を忘《わす》れた状《じょう》態《たい》）。我《われ》等《ら》。我《われ》我《われ》。我《わ》が国《くに》。我《が》田《でん》引《いん》水《すい》⇩（636ページ上）無《む》我《が》夢《む》中《ちゅう》⇩（642ページ上）
❷ 我《が》意《い》（自《じ》分《ぶん》勝《かっ》手《て》な考《かんが》え）。我《が》慢《まん》。我《わ》がまま。

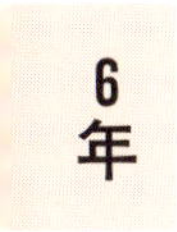

□ 火／6画

【灰】

音 （カイ）

訓 はい

成り立ち

「厂」(手《て》)と「火」(ひ)を合《あ》わせた字《じ》。かまどから燃《も》えかすの《はい》を手《て》で引《ひ》き出《だ》しているようすをえがいた字《じ》。物《もの》を燃《も》やした後《あと》に残《のこ》る、うす黒《ぐろ》い燃《も》えかすの《はい》を意味《いみ》した字《じ》。

筆順・書き方

（6画）

例文・意味

❶ 例文 火山《かざん》がふん火《か》して灰《はい》を降《ふ》らせた。／灰《はい》かぐらが立《た》つ。／たばこの灰皿《はいざら》を洗《あら》う。／火事《かじ》で町《まち》が灰《かい》じんのちまたと化《か》してしまった。

意味 物《もの》が燃《も》えつきて後《あと》に残《のこ》る粉《こな》のような物体《ぶったい》。はい。

❷ 例文 石灰岩《せっかいがん》の中《なか》から魚《さかな》の化石《かせき》が見《み》つかる。

意味 カルシウムをふくんだ鉱物《こうぶつ》の一《ひと》つ。

❸ 例文 灰《はい》と青《あお》のしま模様《もよう》。／灰白色《かいはくしょく》の貝《かい》がら。／灰色《はいいろ》の雲《くも》が全天《ぜんてん》をおおう。

意味 白《しろ》と黒《くろ》の中《ちゅう》間《かん》の色《いろ》。グレー。

熟語

❶火山灰《かざんばい》。❷石灰《せっかい》。

□ 扌／8画

【拡】

音 カク

訓 —

成り立ち

もとの字《じ》は「擴」。「扌」は手《て》を、「廣」は家《いえ》の中《なか》に矢《や》の先《さき》の黄色《きいろ》い光《ひかり》がひろがることをあらわす。手《て》でわくを《おしひろげる》ことを意味《いみ》した字《じ》。

筆順・書き方

（8画）

例文・意味

例文 とつレンズを使《つか》うと光《ひかり》を一点《いってん》に集中《しゅうちゅう》させることができるが、おうレンズでは光《ひかり》は拡散《かくさん》(広《ひろ》いはん囲《い》に散《ち》り広《ひろ》がること)してしまう。／宣伝《せんでん》カーの拡声器《かくせいき》の音《おと》が大《おお》きすぎてうるさい。／設備《せつび》の拡《かく》じゅうに努《つと》める。

意味 面積《めんせき》・はん囲《い》・程度《ていど》などを広《ひろ》げる。

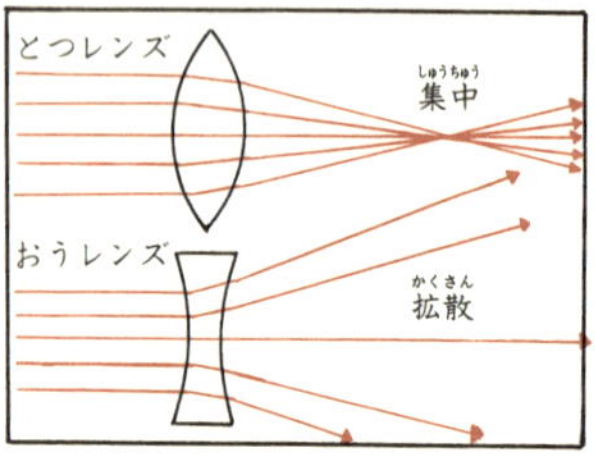

《光《ひかり》の拡散《かくさん》》

熟語

拡大《かくだい》。拡張《かくちょう》。

【革】

革／９画

音 カク
訓 （かわ）

筆順・書き方

（９画）

成り立ち

動物《どうぶつ》の《かわ》をぴんと張《は》った形《かたち》をあらわしたもの。そのかわのたるみをなくして、いろいろなものにすることから、《あらためる》の意味《いみ》にもなった。

例文・意味

❶ 例文 デパートの皮革製品《ひかくせいひん》の売《う》り場《ば》。／この本《ほん》のカバーはビニールなのに、見《み》た感《かん》じも手《て》ざわりもまるで革《かわ》のようだ。／わに革《がわ》のハンドバッグ。／母《はは》は今《いま》、革細工《かわざいく》にこっています。
意味 毛《け》や、しぼうをのぞいてやわらかく仕《し》あげた動物《どうぶつ》のかわ。なめしがわ。

❷ 例文 議会《ぎかい》の制度《せいど》を改革《かいかく》する。／革命《かくめい》が成功《せいこう》して新《あたら》しい政府《せいふ》がつくられる。
意味 これまでつづいてきたものをとりのぞいて仕組《しく》みをかえる。改《あらた》める。改《あらた》まる。

熟語

❶ **革靴**《かわぐつ》。**革製品**《かわせいひん》。**革**《かわ》ひも。
❷ **革新**《かくしん》（今《いま》までのやり方《かた》や考《かんが》えを改《あらた》めて、新《あたら》しくすること）。**沿革**《えんかく》（ものごとの移《うつ》りかわり）。**変革**《へんかく》。

【閣】

門／14画

音 カク
訓 ―

筆順・書き方

（14画）

成り立ち

足《あし》がつかえて止《と》まることをあらわす「各」と「門」（もん）を合《あ》わせた字《じ》で、もと、門《もん》のとびらをおさえて止《と》めるくいや石《いし》をあらわした。後《のち》、《大《おお》きな門《もん》のある高《たか》い建物《たてもの》》の意味《いみ》になった。

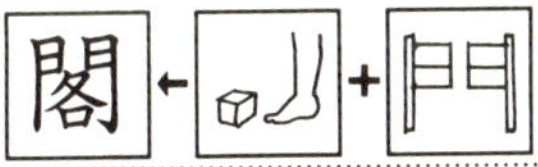

例文・意味

❶ 例文 名古屋城《なごやじょう》の天守閣《てんしゅかく》には屋根《やね》の両《りょう》はしに金《きん》のしゃちほこがついている。／そう大《だい》な計画《けいかく》も結局《けっきょく》は空中《くうちゅう》ろう閣《かく》に終《お》わってしまった。
意味 高《たか》いりっぱな建物《たてもの》。たかどの。

《天守閣《てんしゅかく》》

❷ 例文 新《あたら》しい閣《かく》りょう（内《ない》かくをつくっている大臣《だいじん》たち）が決《き》まる。／閣議《かくぎ》が始《はじ》まる。／閣外《かくがい》からの協力《きょうりょく》をあおぐ。
意味 国《くに》の政治《せいじ》をおこなっている最高《さいこう》の機関《きかん》。「内閣《ないかく》」の略《りゃく》。

熟語

❷ **組閣**《そかく》（総理大臣《そうりだいじん》が、ほかの国務《こくむ》大臣《だいじん》を決《き》めて、新《あたら》しく内《ない》かくをつくること）。

割

□ 刂／12画

音 （カツ）

訓 わる・わり・われる・（さく）

成り立ち

「害」は口《くち》をかごのふたでふさぐこと。「刂」は、二《ふた》つにわる刀《かたな》。物《もの》を《わる》《さく》の意味《いみ》をあらわす。

筆順・書き方

（12画）

例文・意味

❶ 例文 花《か》びんが割《わ》れる。／魚《さかな》を割《さ》いて三枚《さんまい》におろす。／六《ろく》を三《さん》で割《わ》る。 意味 あるものをいくつかに分《わ》ける。わる。

❷ 例文 腹《はら》を割《わ》って話《はな》す。／犯人《はんにん》の手口《てぐち》が割《わ》れる。 意味 明《あき》らかにする。明《あき》らかになる。

❸ 例文 番号《ばんごう》を割《わ》りふる。／一週間《いっしゅうかん》の時間割《じかんわり》。 意味 配分《はいぶん》する。配分《はいぶん》。

❹ 意味 十分《じゅうぶん》の一《いち》をあらわすことば。

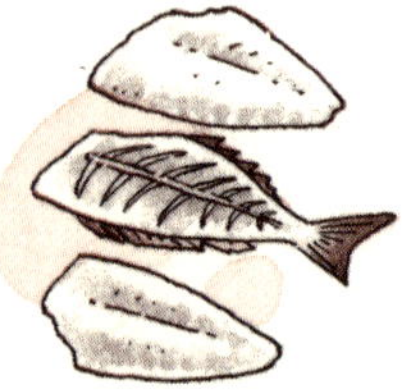

《魚《さかな》を割《さ》いて三枚《さんまい》におろす》

熟語

❶ 割愛《かつあい》（おしいと思《おも》いながら、思《おも》いきって省《はぶ》くこと）。分割《ぶんかつ》。割《わ》り印《いん》。割《わ》り算《ざん》。割《わ》れ目《め》。割《わ》れ物《もの》。割《わ》りばし。

❷ 割《わ》り出《だ》し。

❸ 役割《やくわり》。割《わ》り前《まえ》。割《わ》り当《あ》て。

❹ 五割《ごわり》。

株

□ 木／10画

音 ―

訓 かぶ

成り立ち

木《き》の切《き》りかぶをあらわす「朱」と、「木」（き）を合《あ》わせた字《じ》。木《き》を切《き》った後《あと》に残《のこ》る《切《き》りかぶ》をあらわした字《じ》。

筆順・書き方

（10画）

例文・意味

❶ 例文 切《き》り株《かぶ》に、こしをかける。／きくの株《かぶ》を分《わ》ける。 意味 切《き》り残《のこ》された木《き》の根《ね》もと。かぶ。

❷ 例文 かれは、この町《まち》ではもう古株《ふるかぶ》だ。 意味 その人独自《ひとどくじ》の立場《たちば》・地位《ちい》・身分《みぶん》。

❸ 例文 株《かぶ》をあげる。／他人《たにん》のお株《かぶ》をうばう。 意味 世間《せけん》の評判《ひょうばん》。また「お株《かぶ》」の形《かたち》で、その人《ひと》の持《も》ち味《あじ》とする本領《ほんりょう》や得意《とくい》わざ。

❹ 例文 株主総会《かぶぬしそうかい》が開《ひら》かれる。 意味 「株式《かぶしき》」「株券《かぶけん》」の略《りゃく》。また、「株券《かぶけん》」の数《かず》や植物《しょくぶつ》の数《かず》を数《かぞ》えることば。

熟語

❶ 根株《ねかぶ》。株分《かぶわ》け。

干／3画

【干】

音 カン
訓 ほす・(ひる)

成り立ち 先《さき》が二《ふた》つに分《わ》かれた棒《ぼう》の形《かたち》をえがいた字《じ》。むかし、この棒《ぼう》で戦《たたか》ったことから、《相手《あいて》とかかわる》の意味《いみ》。また、「乾」(カン)と音《おん》が同《おな》じことから《かわく》の意味《いみ》にもなった。

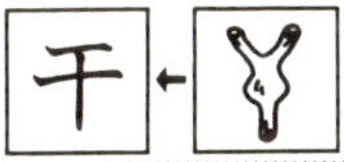

筆順・書き方

(3画)

例文・意味

❶ 例文 干害《かんがい》できょう作《さく》になる。／洗《せん》たく物《もの》を干《ほ》す。／ぬまが干《ひ》る。 意味 水《みず》がなくなる。水《みず》をなくす。かわかす。ほす。ひる。

❷ 例文 事件《じけん》に干《かん》よ(あるものごとに関係《かんけい》をもち、たずさわること)する。／兄《あに》は、ぼくのことにやたらに干《かん》しょう(自分《じぶん》に関係《かんけい》ないことにかかわりをもって、自《じ》分《ぶん》の意見《いけん》に従《したが》わせようとすること)する。 意味 かかわりあう。はたらきかける。

❸ 例文 若干《じゃっかん》(少《すこ》し)の意見《いけん》のちがいが認《みと》められる。 意味 はっきりしない数《かず》。いくらか。

熟語

❶ 干拓《かんたく》。干潮《かんちょう》。干満《かんまん》。干物《ひもの》。干《かん》ばつ(長《なが》いあいだ雨《あめ》が降《ふ》らないで、田《た》や畑《はたけ》の水《みず》がかれてしまうこと)。干《ほ》し草《くさ》。干《ほ》し物《もの》。梅干《うめぼ》し。干《かん》ぴょう。潮干狩《しおひが》り。

己／9画

【巻】

音 カン
訓 まく・まき

成り立ち もとの字《じ》は「卷」。「𠔉」は、ばらまかれたものを両手《りょうて》でまるくして受《う》けとること。「㔾」は人《ひと》がからだをまるめた姿《すがた》。くるくると《まく》ことや《まいたもの》の意味《いみ》をあらわした字《じ》。

筆順・書き方

(9画)

例文・意味

❶ 例文 ねじを巻《ま》く。／川《かわ》の流《なが》れがうずを巻《ま》く。 意味 平《たい》らな物《もの》や長《なが》い物《もの》をまきとる。また、らせん状《じょう》に回《まわ》る。ねじるように回《まわ》す。まく。

❷ 例文 巻頭《かんとう》(本《ほん》や雑誌《ざっし》などの、いちばんはじめの部分《ぶぶん》)の文章《ぶんしょう》。 意味 まき物《もの》。また、書物《しょもつ》。

❸ 例文 フィルム三巻《さんかん》。／全集《ぜんしゅう》を八巻《はっかん》にまとめる。／上中下《じょうちゅうげ》の巻《まき》に分《わ》かれている長編小説《ちょうへんしょうせつ》。 意味 まいてあるものや書物《しょもつ》を数《かぞ》えたり、順序《じゅんじょ》を示《しめ》したりすることば。

熟語

❶ 巻紙《まきがみ》。巻物《まきもの》。巻《ま》き貝《がい》。絵巻物《えまきもの》。のり巻《ま》き。
❷ 巻末《かんまつ》。巻頭言《かんとうげん》。
❸ 下巻《げかん》。上巻《じょうかん》。全巻《ぜんかん》。別巻《べっかん》。

看

目／9画

音 カン

訓 ―

成り立ち 手《て》をえがいた「手」と「目」とを合《あ》わせた字《じ》。目《め》の上《うえ》に手《て》をかざして見《み》ることから、《注意《ちゅうい》して見《み》る》こと、《みまもる》ことを意味《いみ》している。

筆順・書き方

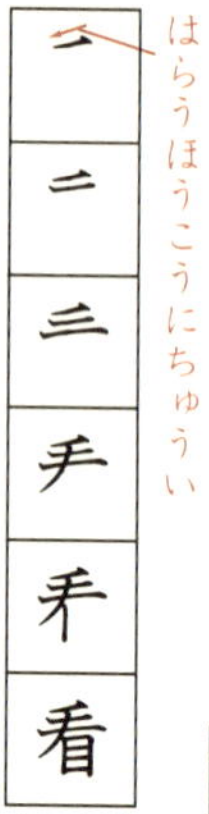

（9画）

例文・意味

例文 スーパーマーケットの入《い》り口《ぐち》に、「本日大売《ほんじつおおう》り出《だ》し」の看板《かんばん》が出《で》ていた。／お医者《いしゃ》さんの治《ち》りょうが終《お》わったあと、看護師《かんごし》さんが傷口《きずぐち》に包帯《ほうたい》を巻《ま》いてくれた。／かぜで熱《ねつ》を出《だ》している妹《いもうと》の横《よこ》で、母《はは》は一晩中看病《ひとばんじゅうかんびょう》していた。 意味 気《き》を配《くば》って見守《みまも》る。注意《ちゅうい》して見《み》る。

熟語

看守《かんしゅ》（刑務所《けいむしょ》で、受刑者《じゅけいしゃ》の見張《みは》り・監督《かんとく》・取《と》りしまりなどをする役《やく》の人《ひと》。刑務官《けいむかん》）。

簡

⺮／18画

音 カン

訓 ―

成り立ち もとの字《じ》は「簡」。「竹」（たけ）と「閒」（空間《くうかん》）を合《あ》わせた字《じ》。むかし紙《かみ》のなかったころ、それに字《じ》を書《か》いた《竹《たけ》のふだ》のこと。今《いま》は《てがみ》の意味《いみ》にも使《つか》う。

筆順・書き方

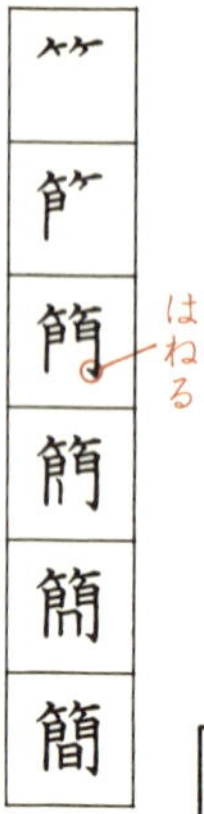

（18画）

例文・意味

❶ 例文 簡《かん》にして要《よう》を得《え》た説明《せつめい》。／式典《しきてん》はむだを省《はぶ》き、簡素《かんそ》に（かん単《たん》でかざりけがないようす）おこなわれた。／実験《じっけん》はできるだけ簡便化《かんべんか》する。 意味 手軽《てがる》である。おおまかである。

❷ 例文 遺《い》せきの発《はっ》くつ現場《げんば》からは当時《とうじ》の木簡《もっかん》（むかし、文字《もじ》や文章《ぶんしょう》を記《しる》した木《き》の札《ふだ》）が多量《たりょう》に発見《はっけん》された。／ふたりは書簡《しょかん》による交信《こうしん》を一生《いっしょう》つづけた。 意味 むかし、文字《もじ》や文章《ぶんしょう》を記《しる》した木《き》や竹《たけ》の札《ふだ》。手紙《てがみ》。また、書物《しょもつ》。

熟語

❶ 簡易《かんい》（手軽《てがる》でかん単《たん》なこと）。簡潔《かんけつ》。簡単《かんたん》。簡明《かんめい》（こみいらず、わかりやすいようす）。簡略《かんりゃく》。

卩／6画

危

音 キ

訓 あぶない・（あやうい）・（あやぶむ）

成り立ち 「⺋」は、がけの上《うえ》と下《した》に人《ひと》がしゃがんでいるようすをあらわした字《じ》。人《ひと》ががけから落《お》ちそうな、《あぶないようす》を意味《いみ》した字《じ》。

筆順・書き方 ノ ⺈ ⺈ 户 厃 危（6画） 己としない

例文・意味

❶ 例文 左右《さゆう》を確認《かくにん》しないで道路《どうろ》を横断《おうだん》するのは危《あぶ》ない。／危険《きけん》な山道《やまみち》。 意味 害《がい》を受《う》ける可能性《かのうせい》がある。あぶない。あやうい。

❷ 例文 父《ちち》に何《なに》か起《お》こったのではないかと危《あや》ぶむ。／そう難《なん》したのではないかと危《あや》ぶまれる。 意味 気《き》になる。不安《ふあん》に思《おも》う。あやぶむ。

❸ 例文 余計《よけい》な発言《はつげん》がかれの立場《たちば》を危《あや》うくした。／この犬《いぬ》は人《ひと》に危害《きがい》をあたえる心配《しんぱい》はない。 意味 そこなう。傷《きず》つける。

熟語

❶ 危機《きき》（きわめてあぶない状態《じょうたい》）。 危機一髪《ききいっぱつ》⇩（636ページ上）

木／6画

机

音 （キ）

訓 つくえ

成り立ち 四角《しかく》で平《たい》らな台《だい》をあらわす「几」と「木」（き）を合《あ》わせた字《じ》。木《き》でつくった《つくえ》をあらわした字《じ》。

筆順・書き方 一 十 オ 木 朩 机（6画） はねる

例文・意味

例文 机《つくえ》の上《うえ》にノートや雑誌《ざっし》が散《ち》らかっている。／新《あたら》しく買《か》ってもらった勉強机《べんきょうづくえ》には引《ひ》き出《だ》しがいくつもついている。／かれの着想《ちゃくそう》はすばらしいが現実《げんじつ》ばなれしていて、いつも机上《きじょう》の空論《くうろん》（頭《あたま》の中《なか》だけで考《かんが》えた、実際《じっさい》の役《やく》にたたない考《かんが》え）に終《お》わってしまう。 意味 本《ほん》を読《よ》んだり、字《じ》を書《か》いたりするときに使《つか》う台《だい》。つくえ。

熟語

作業机《さぎょうづくえ》。座《すわ》り机《づくえ》。

《勉強机《べんきょうづくえ》》

扌／12画

揮

音 キ

訓 ―

成り立ち 「扌」は手《て》、「軍」は戦車《せんしゃ》が円《えん》じんをつくること。もとは、手《て》をふって、《軍隊《ぐんたい》を指《し》きする》ことをあらわした字《じ》。広《ひろ》く、合図《あいず》したり、《力《ちから》をふるう》意味《いみ》に使《つか》う。

筆順・書き方

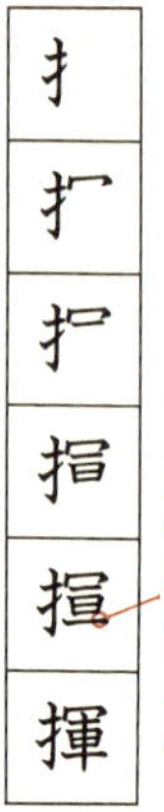

（12画）

例文・意味

❶ 例文 マラソンで第二位《だいにい》につけていた兄《あに》は、最後《さい》に実力《じつりょく》を発揮《はっき》して第一位《だいいちい》の選手《せんしゅ》を追《お》いぬいた。 意味 ふるう。ふるい起《お》こす。

❷ 例文 オーケストラの指揮者《しきしゃ》が指揮台《しきだい》に立《た》って指揮棒《しきぼう》をふる。 意味 さしずする。

❸ 例文 ペイントの揮発油《きはつゆ》のにおいが鼻《はな》をつく。 意味 まき散《ち》らす。

《指揮者《しきしゃ》》

熟語

❸ 揮発《きはつ》（液体《えきたい》が、ふつうの温度《おんど》や気圧《きあつ》の状態《じょうたい》で蒸発《じょうはつ》して気体《きたい》になること）。

貝／12画

貴

音 キ

訓 （たっとい）・（とうとい）・（たっとぶ）・（とうとぶ）

成り立ち 「虫」は両手《りょうて》で大事《だいじ》なものを持《も》つようすを、「貝」はお金《かね》をあらわす。《たいせつなお金《かね》や物《もの》》《ねうちのある物《もの》》の意味《いみ》。

筆順・書き方

（12画）

例文・意味

❶ 例文 白金《はっきん》は重要《じゅうよう》な貴金属《ききんぞく》です。／あなたのその親切《しんせつ》な気持《きも》ちが貴《とうと》い。／貴重《きちょう》な体験《たいけん》をする。／人命《じんめい》を貴《たっと》ぶ。 意味 たいせつにする。価値《かち》や身分《みぶん》が高《たか》い。たっとぶ。とうとぶ。とうとい。たっとい。

❷ 例文 貴紙《きし》にけいさいされた記事《きじ》について質問《しつもん》します。／貴《き》でんのご健康《けんこう》をおいのりします。／兄貴《あにき》に宿題《しゅくだい》を教《おし》えてもらう。 意味 相手《あいて》を敬《うやま》う気持《きも》ちをあらわすことば。

熟語

❶ 貴族《きぞく》。高貴《こうき》（身分《みぶん》が高《たか》くて、とうといこと）。富貴《ふうき》（金持《かねも》ちで身分《みぶん》や地位《ちい》が高《たか》いようす）。貴重品《きちょうひん》。

❷ 貴社《きしゃ》。姉貴《あねき》。

疑

疋／14画

音 ギ
訓 うたがう

成り立ち 「𠤕」は人《ひと》が後《うし》ろをふり返《かえ》って立《た》ち止《ど》まること。「マ」は子《こ》ども、「止」は足《あし》を止《と》めること。子《こ》どものことが心《しん》配《ぱい》で、ためらうことから、《うたがう》の意《い》味《み》になった。

筆順・書き方

(14画)

例文・意味

❶ 例文 どうしてだろうかと疑《うたが》う。／世《せ》間《けん》の常《じょう》識《しき》を疑《うたが》う。／新《しん》聞《ぶん》の報《ほう》道《どう》に疑《うたが》いの目《め》を向《む》ける。／疑《ぎ》惑《わく》がふくらむ。 意味 事《じ》実《じつ》とはちがうと思《おも》う。あやしむ。うたがう。

❷ 例文 この絵《え》が本《ほん》物《もの》なのかどうか疑《うたが》わしい。／広《こう》告《こく》の内《ない》容《よう》が疑《うたが》わしい。／疑《ぎ》似《じ》(本《ほん》物《もの》とよく似《に》ていること)コレラが発《はっ》生《せい》する。 意味 ほんとうかどうかわからない。まぎらわしい。うたがわしい。

熟語

❶ 疑《ぎ》問《もん》。質《しつ》疑《ぎ》(わからないことや、うたがわしいと思《おも》う点《てん》を人《ひと》にたずねること)。疑《ぎ》問《もん》文《ぶん》。容《よう》疑《ぎ》者《しゃ》(罪《つみ》を犯《おか》したのではないかといううたがいのある人《ひと》)。疑《ぎ》心《しん》暗《あん》鬼《き》 ⇩(636ページ上) 質《しつ》疑《ぎ》応《おう》答《とう》。半《はん》信《しん》半《はん》疑《ぎ》 ⇩(641ページ中)

吸

口／6画

音 キュウ
訓 すう

成り立ち にげる人《ひと》の背《せ》中《なか》に手《て》をのばすことをあらわす「及」と「口」(くち)を合《あ》わせた字《じ》。口《くち》が物《もの》にとどいて、《すいつく》ことをあらわした。また、水《みず》や空《くう》気《き》などを《すいこむ》ことも意《い》味《み》する。

筆順・書き方

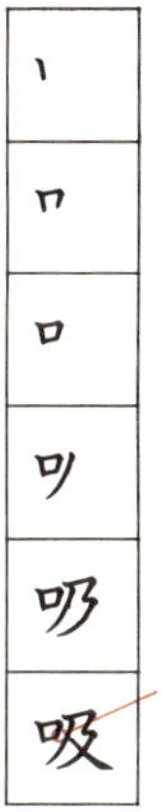

(6画)

例文・意味

❶ 例文 息《いき》を吸《す》いこんでは、はき出《だ》す。／走《はし》ってきたので呼《こ》吸《きゅう》があらい。／はちが花《はな》のみつを吸《す》う。 意味 人《ひと》や動《どう》物《ぶつ》が口《くち》や鼻《はな》から気《き》体《たい》や液《えき》体《たい》を体《たい》内《ない》にとりいれる。すう。

❷ 例文 ふとんがしっ気《け》を吸《す》う。／電《でん》気《き》そう除《じ》機《き》でごみを吸《す》いとる。／本《ほん》を読《よ》んで知《ち》識《しき》を吸《きゅう》収《しゅう》する。 意味 外《がい》部《ぶ》からとりいれる。

❸ 例文 磁《じ》石《しゃく》が鉄《てっ》片《ぺん》を吸《す》いつける。／たこや、いかは吸《きゅう》ばんのついた足《あし》でえ物《もの》をとらえる。 意味 引《ひ》きつける。引《ひ》きよせる。

熟語

❶ 吸《きゅう》入《にゅう》。深《しん》呼《こ》吸《きゅう》。吸《す》い物《もの》。

⓿ 吸《きゅう》引《いん》力《りょく》。

供

亻／８画

音 キョウ・《ク》

訓 そなえる・とも

成り立ち

「亻」は人《ひと》を、「共」は、物《もの》を両手《りょうて》でささげ持《も》つことをあらわす。《ささげる》《そなえる》という意味《いみ》をあらわした字《じ》。

筆順・書き方

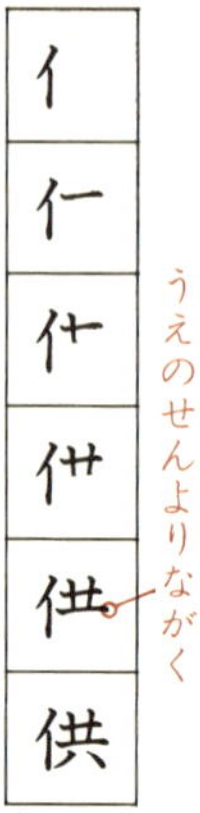

（８画）

例文・意味

❶例文 参考《さんこう》のための資料《しりょう》に供《きょう》する。／客《きゃく》にごちそうを供《きょう》する。／話題《わだい》を提供《ていきょう》する。意味 役《やく》にたてるためにさし出《だ》す。あたえる。相手《あいて》にすすめる。もてなす。

❷例文 犯行《はんこう》を自供《じきょう》(自分《じぶん》のおかした罪《つみ》を自分《じぶん》から述《の》べること)する。意味 理由《りゆう》や事情《じじょう》を述《の》べる。

❸例文 母《はは》のお供《とも》をしてデパートに行《い》く。意味 人《ひと》につき従《したが》う。また、つき従《したが》う人《ひと》。とも。

❹例文 神前《しんぜん》に供物《くもつ》を供《そな》えておいのりする。意味 神《かみ》や仏《ほとけ》にささげる。そなえる。

熟語

❶供応《きょうおう》(酒《さけ》や食事《しょくじ》をさし出《だ》してもてなすこと)。供給《きょうきゅう》。

❷供述《きょうじゅつ》(おもに犯罪《はんざい》事件《じけん》について、被告人《ひこくにん》が事実《じじつ》について述《の》べること)。

❹供養《くよう》(そなえ物《もの》をしたり、経《きょう》を読《よ》んだりして、死者《ししゃ》の霊《れい》や仏《ほとけ》を祭《まつ》ること)。供《そな》え物《もの》。お供《そな》え。

胸

月／10画

音 キョウ

訓 むね・(むな)

成り立ち

「匈」は中《なか》がからっぽの穴《あな》を外《そと》から包《つつ》むこと。それに、「月」(肉《にく》。からだ)を合《あ》わせた字《じ》。がらんどうの肺《はい》を包《つつ》みこんだ《むね》をあらわした字《じ》。

筆順・書き方

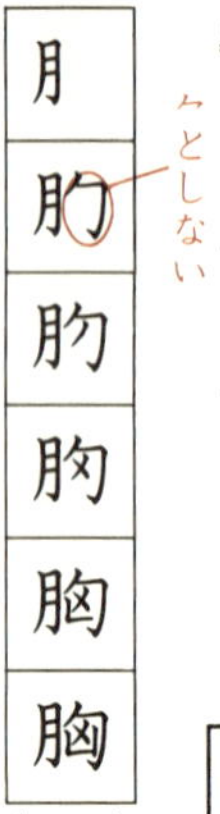

（10画）

例文・意味

❶例文 胸《むね》がどきどきする。／相手《あいて》の胸《むな》ぐらをつかむ。／胸囲《きょうい》をはかる。／胸部《きょうぶ》をエックス線《せん》さつえいする。意味 からだの前面《ぜんめん》で、首《くび》と腹《はら》のあいだの部分《ぶぶん》。また、肺《はい》や心臓《しんぞう》のこと。むね。

《胸《むな》ぐらをつかむ》

❷例文 希望《きぼう》に胸《むね》をふくらませる。／悲《かな》しみを胸《むね》に秘《ひ》める。／度胸《どきょう》をすえる。意味 心《こころ》。気持《きも》ち。むね。

熟語

❶胸像《きょうぞう》。胸毛《むなげ》。胸元《むなもと》。

❷胸中《きょうちゅう》。

□ 阝／11画

【郷】

音 キョウ・(ゴウ)

訓 ―

成り立ち もとの字は、真《ま》ん中《なか》にごちそうをおいて、両側《りょうがわ》から人《ひと》がひざまずいて向《む》かい合《あ》っているようすをえがいた字《じ》。人《ひと》が仲間《なかま》として仲《なか》よく暮《く》らす《むら》をあらわした字《じ》。

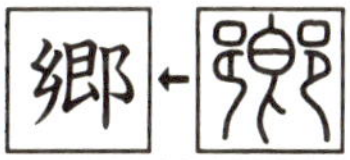

筆順・書き方

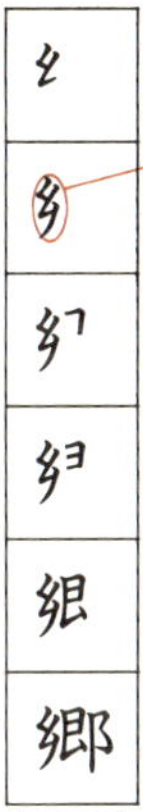

(11画)

例文・意味

❶ 例文 ダム建設《けんせつ》でやがて湖底《こてい》に消《き》える故郷《こきょう》をあとにする。／郷《きょう》土《ど》の歴史《れきし》を調《しら》べる。 意味 生《う》まれ育《そだ》った土地《とち》。ふるさと。いなか。

❷ 例文 山間《さんかん》のけい流《りゅう》に沿《そ》って一大温泉郷《いちだいおんせんきょう》が開《ひら》けている。／故国《ここく》を遠《とお》くはなれて異郷《いきょう》(生《う》まれた所《ところ》ではない、よその土地《とち》や国《くに》)を旅《たび》する。／水郷《すいごう》に遊《あそ》ぶ。 意味 所《ところ》。場所《ばしょ》。

❸ 例文 近郷《きんごう》(近《ちか》くの村里《むらざと》)の人々《ひとびと》が集《あつ》まって観光《かんこう》開発《かいはつ》の計画《けいかく》を練《ね》る。 意味 地方《ちほう》の人家《じんか》が群《むら》がっている所《ところ》。村里《むらざと》。

熟語

❶ 郷里《きょうり》。帰郷《ききょう》(ふるさとに帰《かえ》ること)。同郷《どうきょう》。望郷《ぼうきょう》(ふるさとをなつかしく思《おも》うこと)。

□ 力／12画

【勤】

音 キン・《ゴン》

訓 つとめる・つとまる

成り立ち もとの字《じ》は「勤」。「堇」は動物《どうぶつ》を火《ひ》で燃《も》やして、かわかして粉々《こなごな》にすること。それに「力」(ちから)を合《あ》わせた字《じ》。粉々《こなごな》になるほど《力《ちから》を出《だ》してつとめる》ことを意味《いみ》した字《じ》。

筆順・書き方

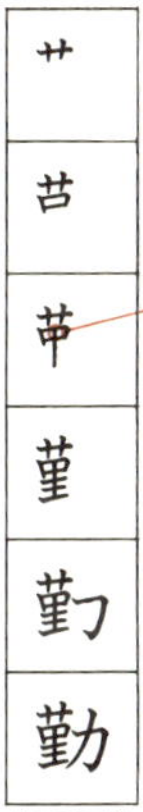

(12画)

例文・意味

❶ 例文 兄《あに》は近《ちか》くの商店《しょうてん》に勤《つと》めている。／かれはまじめで勤勉《きんべん》な男《おとこ》です。 意味 力《ちから》をつくして働《はたら》く。つとめる。

❷ 例文 父《ちち》はアメリカの支店《してん》勤《づと》めに決《き》まった。／通勤《つうきん》に時間《じかん》がかかる。／週《しゅう》に一度《いちど》夜勤《やきん》がある。 意味 会社《かいしゃ》や官庁《かんちょう》で働《はたら》くこと。仕事《しごと》。つとめ。

❸ 例文 本堂《ほんどう》から勤行《ごんぎょう》の読《ど》経《きょう》の声《こえ》が聞《き》こえてくる。 意味 仏様《ほとけさま》に仕《つか》える。お経《きょう》をあげる。

《勤行《ごんぎょう》》

熟語

❶ 勤続《きんぞく》。勤務《きんむ》。勤労《きんろう》。精勤《せいきん》(まじめに仕事《しごと》などにはげむこと)。勤《つと》め先《さき》。

❷ 欠勤《けっきん》。出勤《しゅっきん》。転勤《てんきん》。勤労感謝《きんろうかんしゃ》の日《ひ》。

❸ お勤《つと》め。

筋

⺮／12画

音 キン
訓 すじ

成り立ち

「肋」は、すじばったあばら骨《ぼね》。「⺮」は、じょうぶでしなって曲《ま》がっても折《お》れない竹《たけ》。のびちぢみするじょうぶな《すじ》《きん肉《にく》》のこと。

筆順・書き方

例文・意味

❶ 例文 足《あし》の筋《すじ》がつって痛《いた》む。／筋肉《きんにく》がふくらむ。
意味 動物《どうぶつ》の肉《にく》をのびちぢみさせる糸状《いとじょう》の組織《そしき》。

❷ 例文 額《ひたい》に青筋《あおすじ》が立《た》つ。／川筋《かわすじ》に沿《そ》って進《すす》む。
意味 糸状《いとじょう》のもの。細長《ほそなが》いもの。

❸ 例文 芸《げい》の筋《すじ》がいい。／同《おな》じ血筋《ちすじ》をひく。
意味 受《う》けついでつづいている性質《せいしつ》。すじ。

❹ 例文 まるで筋《すじ》が通《とお》らない。／そんなことを言《い》われる筋《すじ》はない。／確《たし》かな筋《すじ》からの情報《じょうほう》。
意味 ものごとの道理《どうり》・わけ。

❺ 意味 小説《しょうせつ》や劇《げき》などのつづきぐあい。すじ。

熟語

❶ 筋骨《きんこつ》。腹筋《ふっきん》。首筋《くびすじ》。背筋《せすじ》。
❷ 鉄筋《てっきん》。筋金《すじがね》。道筋《みちすじ》。
❹ 筋道《すじみち》。粗筋《あらすじ》。本筋《ほんすじ》(中心《ちゅうしん》であるすじ道《みち》)。筋違《すじちが》い(道理《どうり》に合《あ》わないこと)。
❺ 筋書《すじが》き。

系

糸／7画

音 ケイ
訓 ―

成り立ち

ひきのばすしるしの「ノ」と、「糸」(いと)を合《あ》わせた字《じ》。糸《いと》で《つなげる》ことをあらわした字《じ》。後《のち》、《ひとつづきのつながりのある仲間《なかま》》のことも意味《いみ》する。

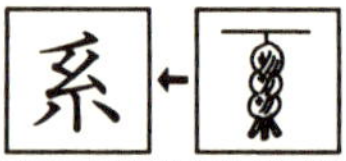

筆順・書き方

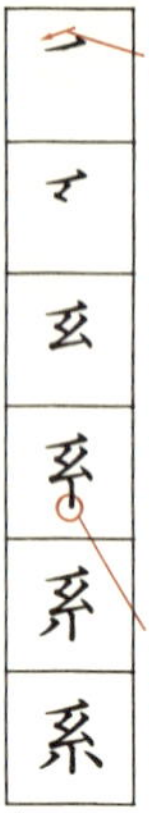

例文・意味

❶ 例文 家《いえ》にある記録《きろく》をたどって家系《かけい》を調《しら》べる。／徳川氏《とくがわし》直系《ちょっけい》の家《いえ》がら。／チョモランマはヒマラヤ山系《さんけい》の最高《さいこう》ほうです。
意味 ひとつづきになっているようす。つながり。

家康《いえやす》
├ 秀忠《ひでただ》―家光《いえみつ》―家綱《いえつな》
├ 義直《よしなお》
├ 頼宣《よりのぶ》
└ 頼房《よりふさ》―光圀《みつくに》

《徳川《とくがわ》氏《し》直系《ちょっけい》の家《いえ》がら》

❷ 例文 大学《だいがく》の理科系《りかけい》へ進《すす》む。／地球《ちきゅう》は銀河系《ぎんがけい》の中《なか》にある太陽系《たいようけい》のわく星《せい》です。
意味 一《ひと》つのつながりをもつ集《あつ》まり。部門《ぶもん》。

熟語

❶ 系図《けいず》。系統《けいとう》。系列《けいれつ》。体系《たいけい》(別々《べつべつ》のものを、ある一《ひと》つの考《かんが》え方《かた》や方針《ほうしん》に基《もと》づいて、きちんと整《せい》理《り》したものの全体《ぜんたい》)。
❷ 文科系《ぶんかけい》。

敬

文／12画

【敬】

音 ケイ
訓 うやまう

成り立ち

「苟」は羊《ひつじ》の角《つの》にふれて人《ひと》がおどろいてからだをひきしめることをあらわす。「攵」は動作《どうさ》の記号《きごう》。身分《みぶん》の高《たか》い人《ひと》や目上《めうえ》の人《ひと》に対《たい》して、からだをひきしめる《ていねいな気持《きも》ち》を意味《いみ》する。

筆順・書き方

（12画）

例文・意味

例文 感謝《かんしゃ》と敬《うやま》いの気持《きも》ちをこめて母《はは》におくり物《もの》をする。／かれのねばり強《づよ》さには敬服《けいふく》(感心《かんしん》して、うやまうこと)する。／目上《めうえ》の人《ひと》に向《む》かって失敬《しっけい》なことを言《い》うものではない。／相手《あいて》チームの四番打者《よばんだしゃ》を敬遠《けいえん》した。／外国《がいこく》の大使《たいし》が首相《しゅしょう》を表敬《ひょうけい》(うやまう気持《きも》ちをあらわすこと)訪問《ほうもん》する。／拝《はい》けいと書《か》き出《だ》した手紙《てがみ》の最後《さいご》は敬具《けいぐ》と結《むす》ぶ。 意味 相手《あいて》をりっぱと思《おも》い、相手《あいて》に対《たい》して礼《れい》ぎ正《ただ》しくふるまう。うやまう。

熟語

敬愛《けいあい》(その人《ひと》をうやまって、したうこと)。敬意《けいい》(その人《ひと》をうやまう気持《きも》ち)。敬語《けいご》。敬礼《けいれい》。敬老《けいろう》。尊敬《そんけい》。敬老《けいろう》の日《ひ》。

警

言／19画

【警】

音 ケイ
訓 —

成り立ち

「敬」は、はっとしてひきしめること。「言」はことば。ことばで注意《ちゅうい》して《用心《ようじん》させる》こと、また、《とりしまる》ことをあらわした字《じ》。

筆順・書き方

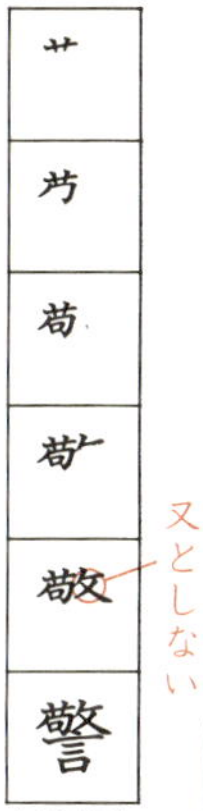

（19画）

例文・意味

❶ 例文 川《かわ》のてい防《ぼう》が決《けっ》かいしそうなのでひ難《なん》警報《けいほう》を発《はっ》する。／船《ふね》が警笛《けいてき》を鳴《な》らしながら、きりの海《うみ》を行《い》く。 意味 注意《ちゅうい》して気《き》をつけさせる。

❷ 例文 犯罪防止《はんざいぼうし》のために警備《けいび》の万全《ばんぜん》をはかる。／自警団《じけいだん》を組織《そしき》して夜《よる》の町《まち》をパトロールする。／政府《せいふ》の要人《ようじん》を警護《けいご》する。 意味 守《まも》る。とりしまる。

❸ 例文 婦警《ふけい》を募集《ぼしゅう》する。／県警《けんけい》の職員《しょくいん》。 意味 「警察官《けいさつかん》」または「警察《けいさつ》」の略《りゃく》。

熟語

❶ 警告《けいこく》。警報《けいほう》。

❷ 警官《けいかん》。警察《けいさつ》。夜警《やけい》。警察官《けいさつかん》。警察署《けいさつしょ》。警視庁《けいしちょう》。

〔劇〕

刂／15画

音 ゲキ

訓 ―

成り立ち

「豦」は、「虎」(とら)と「豕」(いのしし)がはげしく戦《たたか》うようすをえがいた字《じ》。それに「刂」(もとは、力《ちから》)をつけて《はげしい》ことを意味《いみ》する。また、はげしい身《み》ぶりをする《演《えん》げき》の意味《いみ》。

筆順・書き方

(15画)

例文・意味

❶ 例文 学園祭《がくえんさい》にみんなで劇《げき》を上演《じょうえん》することになった。／『ハムレット』は悲劇《ひげき》です。／話題《わだい》の小説《しょうせつ》を劇化《げきか》する。／イタリア歌劇団《かげきだん》の公演《こうえん》が始《はじ》まる。／はらんに満《み》ちた劇的《げきてき》な生《しょう》がい。

意味 しばい。

❷ 例文 農薬《のうやく》には劇薬《げきやく》もあるので注意《ちゅうい》しなければならない。／腹部《ふくぶ》の劇痛《げきつう》(はげしい痛《いた》み)をうったえる。／連日《れんじつ》の劇務《げきむ》(非常《ひじょう》にいそがしい勤《つと》め)にたえぬく。

意味 はげしい。程度《ていど》がひどい。

熟語

❶ 劇画《げきが》。劇場《げきじょう》。劇団《げきだん》。演劇《えんげき》。観劇《かんげき》。喜劇《きげき》。新劇《しんげき》。劇作家《げきさっか》。時代劇《じだいげき》。児童劇《じどうげき》。

〔激〕

氵／16画

音 ゲキ

訓 はげしい

成り立ち

「氵」(水《みず》)と、「放」(四方《しほう》に散《ち》ること)と、「白」(しろ)とを合《あ》わせた字《じ》で、水《みず》が白《しろ》いしぶきをあげてはげしく散《ち》るようす。広《ひろ》く、《はげしい》ことを意味《いみ》した字《じ》。

筆順・書き方

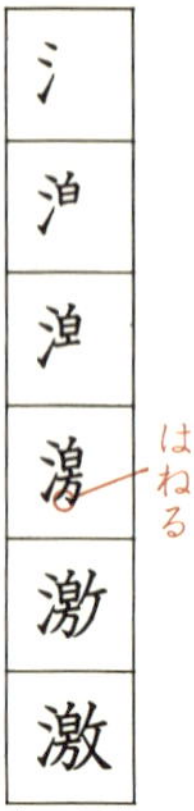

(16画)

例文・意味

❶ 例文 台風《たいふう》の接近《せっきん》にしたがって風雨《ふうう》が激《はげ》しくなった。／交通事故《こうつうじこ》が激増《げきぞう》する。／政局《せいきょく》が激変《げきへん》する。

意味 勢《いきお》いが強《つよ》い。程度《ていど》がはなはだしい。はげしい。

❷ 例文 激《げき》する感情《かんじょう》をおさえる。／ひ災地《さいち》の人々《ひとびと》を激《げき》れいする。

意味 心《こころ》を強《つよ》く動《うご》かす。

熟語

❶ 激化《げきか》(前《まえ》よりはげしくなること)。激減《げきげん》。激戦《げきせん》(試合《しあい》や戦争《せんそう》などで、はげしく戦《たたか》うこと)。激痛《げきつう》。激流《げきりゅう》。激論《げきろん》(意見《いけん》をはげしく言《い》い合《あ》うこと)。過激《かげき》。急激《きゅうげき》。

❷ 感激《かんげき》。

□
穴／5画

〔穴〕

音 《ケツ》
訓 あな

成り立ち

「宀」は家《いえ》、「八」は左右《さゆう》に分《わ》けることをあらわす。もとは土《つち》をほり分《わ》けてつくった《ほらあな》の家《いえ》のこと。後《のち》に、くぼんだ《あな》という意味《いみ》になった。

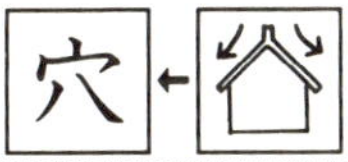

筆順・書き方

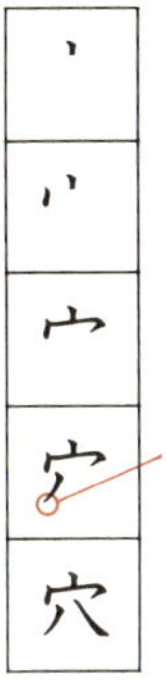

（5画）

例文・意味

❶ 例文 庭《にわ》のすみに穴《あな》をほってごみをうめる。／ほら穴《あな》の中《なか》を探検《たんけん》する。 意味 地面《じめん》にできたくぼみ。くぼんだ所《ところ》。あな。

❷ 例文 家計《かけい》の穴《あな》をうめる。／内野《ないや》の守《まも》りにミスが多《おお》いのがわがチームの穴《あな》だ。／法《ほう》の穴《あな》。 意味 不足《ふそく》の部分《ぶぶん》。損失《そんしつ》。弱点《じゃくてん》。あな。

❸ 例文 魚《さかな》つりの穴場《あなば》。 意味 あまり知《し》られていない、利益《りえき》のある場所《ばしょ》。また、勝負《しょうぶ》ごとで予想《よそう》外《がい》の結果《けっか》。あな。

熟語

❶ 穴倉《あなぐら》。穴蔵《あなぐら》。岩穴《いわあな》。縦穴《たてあな》。横穴《よこあな》。落《お》とし穴《あな》。

□
糸／13画

〔絹〕

音 《ケン》
訓 きぬ

成り立ち

蚕《かいこ》をあらわす「肙」と「糸」（いと）とを合《あ》わせた字《じ》。蚕《かいこ》のつくるまゆからとる《きぬいと》をあらわした字《じ》。

筆順・書き方

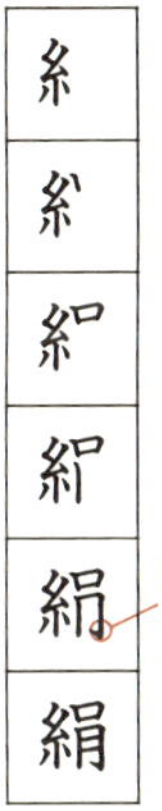

（13画）

例文・意味

例文 古代中国《こだいちゅうごく》の特産品《とくさんひん》だった絹《きぬ》はシルクロードを経《へ》て遠《とお》くヨーロッパに伝《つた》えられた。／かつて日本《にっぽん》は絹織物《きぬおりもの》の輸出《ゆしゅつ》では世界第一位《せかいだいいちい》をしめていた。／姉《あね》は、成人式《せいじんしき》に友《ゆう》ぜん染《ぞめ》の晴《は》れ着《ぎ》に正絹《しょうけん》（まじりもののないきぬ織物《おりもの》）の帯《おび》をしめて出席《しゅっせき》する。 意味 蚕《かいこ》のまゆからとった糸《いと》。きぬ。また、きぬの糸《いと》で織《お》った織物《おりもの》。

熟語

絹糸《けんし》。人絹《じんけん》。絹糸《きぬいと》。

《正絹《しょうけん》の帯《おび》》

木／15画

権

音 ケン・《ゴン》
訓 ―

成り立ち
もとの字《じ》は「權」。「雚」(そろえる)と「木」(き)を合《あ》わせた字《じ》。もと、重《おも》さをはかる棒《ぼう》ばかりをあらわした。これから、《みんなのつりあいを考《かんが》えて人《ひと》を支配《しはい》する力《ちから》》の意味《いみ》になった。

筆順・書き方

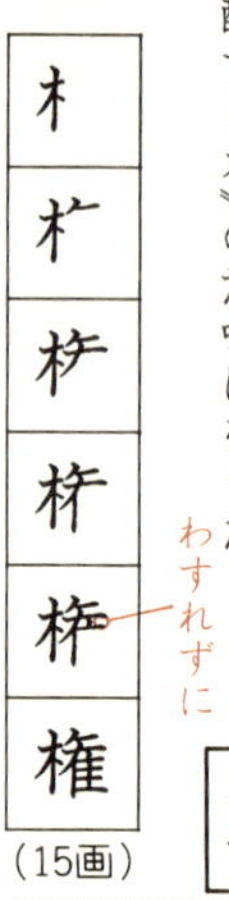

例文・意味

❶ 例文 権利《けんり》を主張《しゅちょう》する。／歴史学《れきしがく》の権《けん》い(ある専門《せんもん》の分野《ぶんや》で、とくにすぐれていると認《みと》められている人《ひと》)として有名《ゆうめい》な学者《がくしゃ》。／人権《じんけん》をしん害《がい》する。／国《くに》の権力《けんりょく》を立法《りっぽう》・行政《ぎょうせい》・司法《しほう》に分《わ》けることを三権《さんけん》分立《ぶんりつ》という。 意味 人《ひと》や、ものごとを自由《じゆう》に支配《しはい》できる力《ちから》。

❷ 例文 金《かね》もうけの権化《ごんげ》(あるものの性質《せいしつ》や考《かんが》えなどが、とくにきわだってみられる人《ひと》や物《もの》)。 意味 本物《ほんもの》ではない、間《ま》に合《あ》わせの。仮《かり》の。

熟語

❶ **権限**《けんげん》(規則《きそく》などによって、してもよいと許《ゆる》される範囲《はんい》)。 **実権**《じっけん》。 **主権**《しゅけん》(国《くに》を治《おさ》める最高《さいこう》のけん力《りょく》)。 **政権**《せいけん》(国《くに》の政治《せいじ》を動《うご》かす力《ちから》)。 **全権**《ぜんけん》。 **同権**《どうけん》。 **有権者**《ゆうけんしゃ》。 **選挙権**《せんきょけん》。 **治外法権**《ちがいほうけん》⇩(640ページ上) **自由民権運動**《じゆうみんけんうんどう》。

心／16画

憲

音 ケン
訓 ―

成り立ち
「害」(目《め》の上《うえ》にかぶせてかってな動《うご》きをおさえること)と「心」(こころ)を合《あ》わせた字《じ》。目《め》や心《こころ》のかってな動《うご》きをおさえることから、《人間《にんげん》の守《まも》るべきおきて》の意味《いみ》になった。

筆順・書き方

例文・意味

❶ 例文 国連憲章《こくれんけんしょう》には、国連《こくれん》がすべての国民《こくみん》の平和《へいわ》と自由《じゆう》の確立《かくりつ》を保障《ほしょう》するための機関《きかん》であることが明記《めいき》されている。／わが家《や》にはわが家《や》なりの家憲《かけん》がある。 意味 基本《きほん》となるきまり。おきて。

❷ 例文 イギリスやオランダと同《おな》じくデンマークも立憲君主制《りっけんくんしゅせい》の国《くに》である。 意味 「憲法《けんぽう》」の略《りゃく》。

❸ 例文 官憲《かんけん》(警察《けいさつ》)の追《つい》きゅうの手《て》がのびる。 意味 警察関係《けいさつかんけい》の役人《やくにん》。

熟語

❶ **憲法**《けんぽう》。
❷ **護憲**《ごけん》(けん法《ぽう》を守《まも》ること)。
❸ **憲兵**《けんぺい》(陸軍《りくぐん》で、軍隊《ぐんたい》の中《なか》で警察《けいさつ》の役目《やくめ》をした人《ひと》)。

□
氵／13画

〔源〕

音 ゲン
訓 みなもと

成り立ち

「氵」は水《みず》、「原」は、がけの下《した》の泉《いずみ》から水《みず》の流《なが》れ出《で》るようす。流《なが》れ出《で》る水《みず》の《みなもと》という意《い》味《み》をあらわした字《じ》。

源 ←
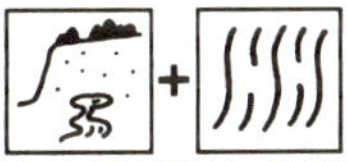

筆順・書き方

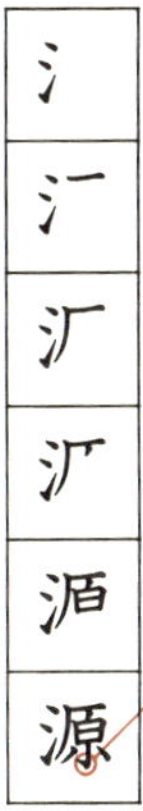

（13画）

例文・意味

❶ 例文 黄河《こうが》の源《みなもと》をたどる。／行《い》きづまりを打開《だかい》するためにもう一度《いちど》源《みなもと》に立《た》ち返《かえ》って考《かんが》える。／日本文化《にほんぶんか》の源流《げんりゅう》をさぐる。／計画《けいかく》を実現《じつげん》するための財源《ざいげん》を確保《かくほ》する。／ことばの理解《りかい》をふかめるためにそのことばの語源《ごげん》を調《しら》べる。／新《あたら》しい病源体《びょうげんたい》が発見《はっけん》された。 意味 川《かわ》の水《みず》の流《なが》れとなるもと。また、ものごとの始《はじ》まり。おおもと。

❷ 例文 中世《ちゅうせい》の軍記物語《ぐんきものがたり》『源平盛衰記《げんぺいせいすいき》』を読《よ》む。 意味 姓《せい》の一《ひと》つ。「源《みなもと》」のこと。

熟語

❶ 源泉《げんせん》。起源《きげん》。根源《こんげん》（ものごとのいちばんもと）。資源《しげん》。水源《すいげん》。電源《でんげん》。水源地《すいげんち》。

❷ 源氏《げんじ》。

□
⺍／17画

〔厳〕

音 ゲン・《ゴン》
訓 （おごそか）・きびしい

成り立ち

もとの字《じ》は「嚴」。「吅」は口《くち》やかましいことを、「厰」は思《おも》いきってきびしくすることをあらわす。《口《くち》やかましくきびしく言《い》う》ことを意《い》味《み》した字《じ》。

厳 ←
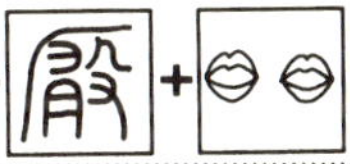

筆順・書き方

（17画）

例文・意味

❶ 例文 だれが何《なん》と言《い》おうとこれは厳然《げんぜん》たる（きびしくおごそかなようす）事実《じじつ》だ。／古式《こしき》ゆかしい厳《おごそ》かな祭《まつ》り。／パイプオルガンのそう厳《ごん》な（りっぱでおごそかなようす）調《しら》べ。 意味 いかめしく近寄《ちかよ》りがたいようす。身《み》がひきしまる気持《きも》ちになるようす。おごそか。

❷ 例文 相手《あいて》を厳《きび》しく批判《ひはん》する。／厳重《げんじゅう》にいましめる。／しつけの厳格《げんかく》な家庭《かてい》。 意味 いいかげんでないようす。きびしい。

熟語

❶ 尊厳《そんげん》（尊《とうと》くて、おごそかなこと）。

❷ 厳寒《げんかん》。厳禁《げんきん》。厳守《げんしゅ》。厳正《げんせい》（きびしくて正《ただ》しいようす）。厳選《げんせん》。厳冬《げんとう》（きびしい寒《さむ》さの冬《ふゆ》）。厳密《げんみつ》（非常《ひじょう》に細《こま》かくてきびしいようす）。

〔己〕

己／3画

音 コ・(キ)

訓 (おのれ)

成り立ち

人《ひと》から呼《よ》ばれてはっとして起《お》きあがるときの動作《どうさ》をあらわしたもので、自分《じぶん》だとはっと気《き》がついて起《お》きあがることから、《自分《じぶん》》を意味《いみ》するようになった。

筆順・書き方

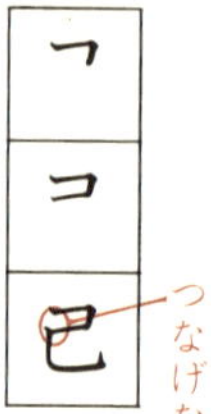

（3画）

例文・意味

例文 さかんに自己主張《じこしゅちょう》をくり返《かえ》す。／人《ひと》にはやさしいが己《おのれ》には厳《きび》しい。／すべてを己《おのれ》中心《ちゅうしん》に考《かんが》える。／あの人《ひと》は利己主義者《りこしゅぎしゃ》だから自分《じぶん》のためにならないことはしない。

意味 自分《じぶん》。私《わたくし》。おのれ。

《利己主義者《りこしゅぎしゃ》》

熟語

知己《ちき》(知《し》り合《あ》い)。利己的《りこてき》(自《じ》分《ぶん》の利益《りえき》や楽《たの》しみばかりにとらわれて、人《ひと》のことを考《かんが》えようとしないようす)。

〔呼〕

口／8画

音 コ

訓 よぶ

成り立ち

「口」(くち)と、はいた息《いき》が流《なが》れるようすをあらわした「乎」を合《あ》わせた字《じ》。はあと息《いき》をはく意味《いみ》だったが、後《のち》に、《声《こえ》をかける》《よぶ》という意味《いみ》もあらわすようになった。

筆順・書き方

（8画）

例文・意味

❶ 例文 助《たす》けを呼《よ》ぶ。／東西《とうざい》の力士《りきし》の名《な》を呼《よ》びあげる。／選挙《せんきょ》の立候補者《りっこうほしゃ》の名《な》を連呼《れんこ》(同《おな》じことばをさけびたてること)する。 意味 人《ひと》に向《む》かって声《こえ》をかける。よぶ。

❷ 例文 家《いえ》に客《きゃく》を呼《よ》ぶ。／人気《にんき》を呼《よ》ぶ。／呼《よ》び物《もの》のテレビ番組《ばんぐみ》。 意味 招《まね》く。さそう。

❸ 例文 バッハのことを「音楽《おんがく》の父《ちち》」と呼《よ》ぶ。 意味 名《な》づける。

❹ 例文 せわしく呼吸《こきゅう》する。 意味 息《いき》をはく。

熟語

❶ 呼応《こおう》(相手《あいて》のよびかけに応《おう》じて、あることをすること)。点呼《てんこ》(ひとりひとりの名前《なまえ》をよび、返事《へんじ》を聞《き》いて人数《にんずう》を確《たし》かめること)。

呼《よ》び子《こ》。呼《よ》び声《ごえ》。

呼《よ》び出《だ》し。

❷ 呼《よ》び水《みず》。

❸ 呼《よ》び名《な》。

❹ 深呼吸《しんこきゅう》。 呼吸器官《こきゅうきかん》。

言／14画

誤

音 ゴ

訓 あやまる

成り立ち

もとの字《じ》は「誤」。「言」は、ことば。「呉」は、つじつまがあわないことばに人《ひと》が首《くび》をかしげるようす。かわすことばが行《い》きちがって、つじつまが合《あ》わない《あやまり》を意味《いみ》した字《じ》。

筆順・書き方

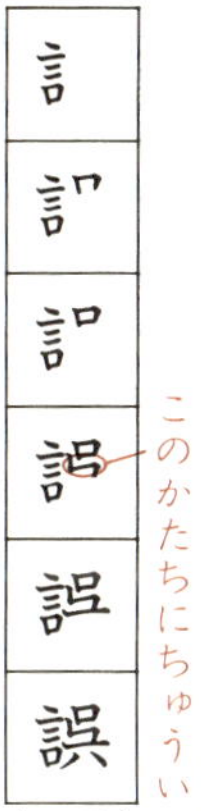

（14画）

例文・意味

例文 誤《あやま》って足《あし》をふみはずし、はしごから落《お》ちた。／友人《ゆうじん》からの伝言《でんごん》を聞《き》き誤《あやま》る。／多少《たしょう》の誤差《ごさ》（ほんとうの値《あたい》と、はかったり計算《けいさん》したりして得《え》た値《あたい》との差《さ》）が出《で》るのはしかたがない。／ちょっとした誤解《ごかい》がもとで、ふたりのあいだに長年《ながねん》にわたるいざこざがつづいた。／時代《じだい》さく誤《ご》もはなはだしい考《かんが》え方《かた》。／誤字《ごじ》を書《か》かないように気《き》をつけよう。

意味 しそこなう。まちがえる。あやまる。また、正《ただ》しくない。

対語 正《せい》。

熟語

誤算《ごさん》（見《み》こみちがい）。誤植《ごしょく》（印《いん》刷物《さつぶつ》の中《なか》にある文字《もじ》のあやまり）。誤読《ごどく》。誤訳《ごやく》。正誤表《せいごひょう》（あやまりを正《ただ》した印刷物《いんさつぶつ》）。

口／6画

后

音 コウ

訓 ―

成り立ち

「⺁」は人《ひと》。「口」は人《ひと》のからだの後《うし》ろにあるおしりの穴《あな》のことで、《うしろ》という意味《いみ》をあらわしている。王《おう》ひは宮《きゅう》でんのおくのほうにいるので、《おきさき》の意味《いみ》になった。

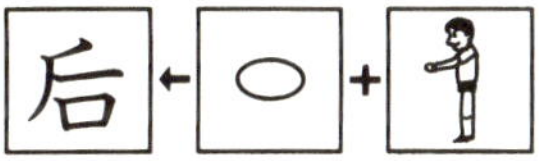

筆順・書き方

（6画）

例文・意味

例文 皇后陛下《こうごうへいか》がご臨席《りんせき》になる。／天皇《てんのう》の祖母《そぼ》に当《あ》たる太皇太后《たいこうたいごう》と、母《はは》に当《あ》たる皇太后《こうたいごう》。

意味 天皇《てんのう》の妻《つま》。きさき。

熟語

天皇皇后両陛下《てんのうこうごうりょうへいか》。

子／7画

【孝】

音 コウ

訓 ――

成り立ち 「耂」（こしの曲《ま》がった老人《ろうじん》）と「子」（こども）を合《あ》わせた字《じ》。老人《ろうじん》のそばに子《こ》どもがいて、いたわっているようすをあらわした字《じ》。《子《こ》どもが親《おや》をたいせつにする》意味《いみ》をあらわした字《じ》。

筆順・書き方 一 ＋ 土 耂 孝 孝 （7画） つきだす

例文・意味 例文 古《ふる》くから親《おや》に孝《こう》をつくすことは人《ひと》のおこなうべき重要《じゅうよう》な道《みち》と説《と》かれてきました。／孝行《こうこう》なむすめが病《びょう》身《しん》の母親《ははおや》の世話《せわ》をする。／父母《ふぼ》に孝養《こうよう》（心《こころ》をこめて親《おや》の世話《せわ》をすること）をつくす。 意味 父母《ふぼ》をたいせつにすること。

《孝行《こうこう》なむすめ》

熟語 忠孝《ちゅうこう》。不孝《ふこう》。親孝行《おやこうこう》。親不孝《おやふこう》。

白／9画

【皇】

音 コウ・オウ

訓 ――

成り立ち 「白」は、「自」（鼻《はな》）を簡単《かんたん》にしたもので、からだのいちばん前《まえ》、いちばんはじめの意味《いみ》。それと「王」（おうさま）を合《あ》わせた字《じ》。国《くに》のはじめの王《おう》である《国《くに》をおさめる人《ひと》》のこと。

筆順・書き方 丿 白 白 白 皁 皇 （9画） うえのせんよりながく

例文・意味
❶ 例文 皇太子《こうたいし》が皇位《こうい》をけい承《しょう》する。／皇室《こうしつ》や王《おう》室《しつ》が存続《そんぞく》する国《くに》。／皇居《こうきょ》のおほりに、白鳥《はくちょう》が泳《およ》いでいます。 意味 天下《てんか》を支配《しはい》する者《もの》。天子《てんし》。君主《くんしゅ》。
❷ 例文 仏門《ぶつもん》に入《はい》った上皇《じょうこう》を法皇《ほうおう》と呼《よ》ぶ。 意味 天《てん》のうに関《かん》することがらにつけていうことば。

熟語
❶ 皇后《こうごう》。皇女《こうじょ》。皇族《こうぞく》。皇帝《こうてい》。皇子《おうじ》。天皇《てんのう》。皇太后《こうたいごう》。
❷ 勤皇《きんのう》。

糸／9画

紅

音 コウ・(ク)
訓 べに・(くれない)

成り立ち

「工」は人《ひと》がいろいろ手《て》を加《くわ》えること。「糸」は、いと。いろいろくふうして糸《いと》をこい赤《あか》で染《そ》めたことから、《深《ふか》みのある赤《あか》い色《いろ》》をあらわすようになった。

筆順・書き方

幺　糸　糸　糸　紅　紅　（9画）

はねない

例文・意味

❶ 例文 紅白戦《こうはくせん》。／深紅《しんく》(まっか)の花《はな》がさく。／全《ぜん》山《ざん》が紅葉《こうよう》する。／西《にし》の空《そら》が紅《くれない》に燃《も》える。 意味 あざやかな赤色《あかいろ》。また、赤《あか》みをした色《いろ》。くれない。

❷ 例文 くちびるに紅《べに》をさす。／食紅《しょくべに》をまぜる。 意味 化《け》しょう品《ひん》の一種《いっしゅ》。口《くち》や、ほおにつける、赤《あか》い顔料《がんりょう》。べに。

❸ 例文 取材《しゅざい》じんの中《なか》で紅一点《こういってん》(たくさんの男《おとこ》の人《ひと》の中《なか》にただひとりまじっている女《おんな》の人《ひと》)の女性記者《じょせいきしゃ》。 意味 女《おんな》の人《ひと》のこと。

熟語

❶ 紅茶《こうちゃ》。紅潮《こうちょう》(顔《かお》がほてって赤《あか》くなること)。真紅《しんく》(真《ま》っ赤《か》)。

❷ 口紅《くちべに》。紅色《べにいろ》。

特別な読み 紅葉《もみじ》。

阝／10画

降

音 コウ
訓 おりる・おろす・ふる

成り立ち

「阝」は、おか。「夅」は下向《したむ》きにくだる右足《みぎあし》と左足《ひだりあし》。高《たか》い所《ところ》から低《ひく》い所《ところ》へ《おりる》意味《いみ》をあらわした字《じ》。

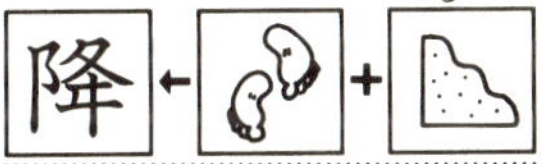

筆順・書き方

阝　阝夂　阝夅　阝夅　阝夅　降　（10画）

つきだす

例文・意味

❶ 例文 電車《でんしゃ》を降《お》りる。／劇《げき》の主役《しゅやく》を降《お》りる。／会長《かいちょう》の地位《ちい》から降《お》ろす。／坂《さか》をすべり降《お》りる。 意味 乗《の》り物《もの》から出《で》る。高《たか》い所《ところ》から下《した》へ移《うつ》る。おりる。おろす。 対語 乗《じょう》。

❷ 例文 雪《ゆき》が降《ふ》る。／雨《あめ》が小降《こぶ》りになる。 意味 空《そら》から落《お》ちてくる。ふる。

❸ 例文 力《ちから》つきてついに降《こう》ふくした。 意味 戦《たたか》いで敵《てき》に負《ま》けて、従《したが》う。

❹ 例文 あす以降《いこう》運賃《うんちん》が値上《ねあ》げになる。 意味 ある時《とき》から後《あと》。

熟語

❶ 降下《こうか》。下降《かこう》。乗降《じょうこう》。急降下《きゅうこうか》。乗降客《じょうこうきゃく》。

❷ 降雨《こうう》。降雪《こうせつ》。降水量《こうすいりょう》。降《ふ》り注《そそ》ぐ。

❸ 降参《こうさん》(戦《たたか》いに負《ま》けて、相手《あいて》の言《い》うとおりになること)。

金／16画

鋼

音 コウ

訓 (はがね)

成り立ち

「金」は、きん属《ぞく》。「岡」は、かたくてじょうぶな台地《だいち》をあらわす。かたくてじょうぶな金属《きんぞく》、つまり《はがね》のことをあらわした字《じ》。

筆順・書き方

(16画)

例文・意味

例文 鋼材《こうざい》を満《まん》さいした船《ふね》が港《みなと》を出《で》て行《い》く。／電車《でんしゃ》のレールや包丁《ほうちょう》など、多《おお》くの鉄製品《てっせいひん》は鋼《はがね》でつくられている。／ステンレスは美《うつく》しい地《じ》はだでさびない鋼《はがね》として知《し》られている。／鋼《はがね》のようなたくましいからだ。

意味 炭素《たんそ》やその他《た》の元素《げんそ》を加《くわ》えてつくった、かたくてねばり強《づよ》い性質《せいしつ》をもつ鉄《てつ》。スチール。はがね。

《鋼《はがね》のようなからだ》

熟語

鋼管《こうかん》。鋼鉄《こうてつ》。鉄鋼《てっこう》。

刂／8画

刻

音 コク

訓 きざむ

成り立ち

「亥」は、ごつごつしたぶたの骨組《ほねぐ》みをえがいたもの。それに「刂」(刀《かたな》)を合《あ》わせて、刀《かたな》でほること、力《ちから》をこめて《きざむ》ことを意味《いみ》した字《じ》。

筆順・書き方

(8画)

例文・意味

❶ 例文 思《おも》いを胸《むね》に刻《きざ》む。／仏像《ぶつぞう》を刻《きざ》む。／ちょう刻作品《こくさくひん》を出品《しゅっぴん》する。 意味 ほりつける。きざむ。

❷ 例文 大根《だいこん》を刻《きざ》む。 意味 細《ほそ》く切《き》りはなす。細《こま》かく切《き》りめをつける。きざむ。

❸ 例文 約束《やくそく》の時刻《じこく》に、ち刻《こく》する。 意味 時間《じかん》の細《こま》かい一区切《ひとくぎ》り。時間《じかん》。

❹ 例文 生《せい》か死《し》かの深刻《しんこく》な(ものごとのなりゆきがさしせまっていて、重大《じゅうだい》なようす)問題《もんだい》。／か刻《こく》な(むごくきびしいようす)処置《しょち》。 意味 きびしい。ひどい。

熟語

❷ 刻印《こくいん》。小刻《こきざ》み。

❸ 刻限《こくげん》(前《まえ》もって決《き》められた時《じ》こく)。後刻《ごこく》(後《のち》ほど)。先刻《せんこく》(少《すこ》し前《まえ》)。遅刻《ちこく》。定刻《ていこく》(決《き》められた時《じ》こく)。刻一刻《こくいっこく》。時刻表《じこくひょう》。一刻千金《いっこくせんきん》 ⇩ (635ページ上)
時時刻刻《じじこっこく》 ⇩ (637ページ下)

禾／14画

穀

音 コク
訓 ―

成り立ち

「𡉉」は、かたいから、「禾」は、いね、「殳」はコツコツたたくこと。かたいからをたたいて実《み》をとる《こく物《もつ》》をあらわす。

筆順・書き方

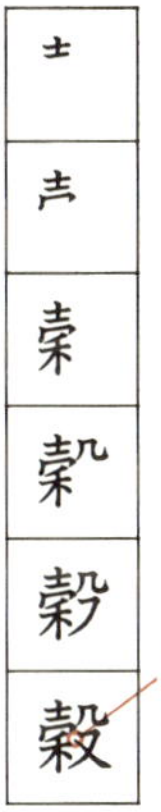

（14画）

例文・意味

例文 働《はたら》こうとしないで食《た》べるだけでは、穀《ごく》つぶしとののしられてもしかたがない。／この辺《へん》は米《こめ》の生産高《せいさんだか》日本一《にっぽんいち》の穀倉《こくそう》地帯《ちたい》だけあって見《み》わたすかぎり田《た》んぼがつづく。／とりいれたいねをだっ穀《こく》する。意味 米《こめ》・麦《むぎ》・あわ・豆《まめ》など、人《ひと》が主食《しゅしょく》とする作物《さくもつ》。

《穀物《こくもつ》》

熟語

穀倉《こくそう》。穀物《こくもつ》。穀類《こくるい》。五穀《ごこく》（人間《にんげん》の主食《しゅしょく》となる五種類《ごしゅるい》の穀《こく》物《もつ》。ふつう、米《こめ》・麦《むぎ》・あわ・きび・豆《まめ》の五《いつ》つ）。雑穀《ざっこく》。米穀《べいこく》。

骨／10画

骨

音 コツ
訓 ほね

成り立ち

「冎」は、ほねの関節《かんせつ》をあらわす。「月」は肉《にく》・からだ。動物《どうぶつ》のからだの、しんになる《ほね》をあらわした字《じ》。

筆順・書き方

（10画）

例文・意味

❶ 例文 背骨《せぼね》をのばす。／骨《こつ》つぼに骨《ほね》をおさめる。意味 内臓《ないぞう》を守《まも》り、からだを支《ささ》えるもの。ほね。

❷ 例文 寒《さむ》さが骨身《ほねみ》にしみる。意味 からだ。身体《しんたい》。

❸ 例文 かさの骨《ほね》。／計画《けいかく》の骨子《こっし》（ものごとの中心《ちゅうしん》となる、大事《だいじ》なところ）を説明《せつめい》する。意味 ものごとの中心《ちゅうしん》となるもの。

❹ 例文 あの人《ひと》には骨《ほね》がある。意味 ものごとにたえしのぶ気力《きりょく》。また、性質《せいしつ》。

❺ 例文 骨《ほね》が折《お》れる仕事《しごと》。／この計算《けいさん》は骨《ほね》だ。意味 めんどうなこと。苦労《くろう》。

熟語

❶ 骨格《こっかく》。骨折《こっせつ》。骨肉《こつにく》。遺骨《いこつ》。筋骨《きんこつ》。白骨《はっこつ》。がい骨《こつ》。

❷ 老骨《ろうこつ》（年《とし》をとっておとろえたからだ）。骨休《ほねやす》め。

❸ 鉄骨《てっこつ》。骨組《ほねぐ》み。

❹ 気骨《きこつ》。反骨《はんこつ》（理屈《りくつ》にあわない権《けん》力などに、従《したが》わない強《つよ》い心《こころ》）。

口／7画

【困】

音 **コン**

訓 **こまる**

成り立ち しばったり、囲《かこ》んだりする「口」と「木」(き)を合《あ》わせた字《じ》。木《き》がのびないようにしばることをあらわした字《じ》。動《うご》きがとれないことから、苦《くる》しんで《こまる》の意味《いみ》になった。

筆順・書き方

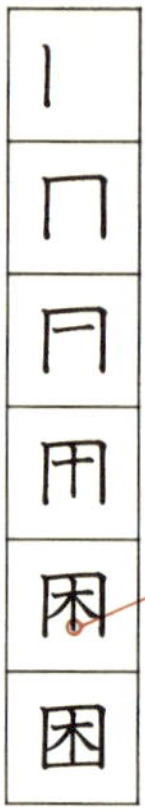

(7画)

例文・意味

例文 どうにも困《こま》った問題《もんだい》が起《お》こった。／つくづく困《こま》り果《は》てる。／友《とも》だちにうそをついたのがばれて困《こん》わく(どうしてよいかわからなくて、こまること)する。／多《おお》くの困難《こんなん》をこく服《ふく》して今日《こんにち》の成功《せいこう》を勝《か》ちとることができた。／テレビで、アフリカの貧困《ひんこん》について報道《ほうどう》していた。

意味 あつかいにくく感《かん》じる。どうしてよいかわからずに苦《くる》しむ。こまる。

熟語 困苦《こんく》。困《こま》り者《もの》。困《こま》り切《き》る。

石／9画

【砂】

音 **サ・(シャ)**

訓 **すな**

成り立ち 小《ちい》さくけずることをあらわす「少」と、「石」(いし)を合《あ》わせた字《じ》。石《いし》の中《なか》のとくに小《ちい》さく細《こま》かい石《いし》のつぶ、《すな》をあらわした字《じ》。

筆順・書き方

(9画)

例文・意味

例文 セメントに砂《すな》と小石《こいし》と水《みず》をまぜて固《かた》める。／砂時計《すなどけい》を使《つか》って時間《じかん》をはかる。／強風《きょうふう》で砂《さ》じん(すなぼこり)が起《お》こり、窓《まど》のすき間《ま》から砂《すな》ぼこりがまいこんでくる。／山《やま》つ波《なみ》でおし出《だ》された土砂《どしゃ》が川《かわ》をせき止《と》めてこう水《ずい》を起《お》こす。／うるしで下絵《したえ》をかき、金砂《きんしゃ》をまきつけて仕《し》あげるまき絵《え》は日本独特《にっぽんどくとく》の工芸《こうげい》である。

意味 岩石《がんせき》・鉱物《こうぶつ》の細《こま》かいつぶ。また、そのような細《こま》かいもの。すな。

熟語 砂岩《さがん》。砂丘《さきゅう》(海岸《かいがん》や、さ漠《ばく》で、風《かぜ》に運《はこ》ばれたすなが盛《も》りあがってできた丘《おか》)。砂金《さきん》。砂鉄《さてつ》。砂糖《さとう》。砂漠《さばく》。砂場《すなば》。砂浜《すなはま》。砂原《すなはら》。砂山《すなやま》。砂防林《さぼうりん》。土砂降《どしゃぶ》り。

特別な読み 砂利《じゃり》。

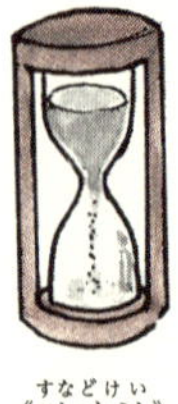

《砂時計《すなどけい》》

□
广／10画

【座】

音 ザ
訓 （すわる）

成り立ち
「广」は家《いえ》、「坐」は人《ひと》がふたり、向《む》かい合《あ》ってすわっているようす。家《いえ》の中《なか》で《人《ひと》がすわる場《ば》所《しょ》》を意《い》味《み》する。みんながすわることから、《あつまり》の意《い》味《み》もあらわすようになった。

筆順・書き方
广 广 广 广 座 座
（10画）
※「应 座 座」と書《か》く場《ば》合《あい》もある

例文・意味
❶ 例文 座《ざ》高《こう》をはかる。／座《ざ》布《ぶ》団《とん》に座《すわ》る。意味 ひざを曲《ま》げてからだを落《お》ち着《つ》かせる。すわる。
❷ 例文 政《せい》権《けん》の座《ざ》。／落《らく》語《ご》家《か》が高《こう》座《ざ》にのぼる。意味 からだを落《お》ち着《つ》かせる場《ば》所《しょ》。また、地《ち》位《い》。
❸ 例文 座《ざ》が白《しら》ける。／座《ざ》談《だん》会《かい》を開《ひら》く。意味 人《ひと》が集《あつ》まる場《ば》所《しょ》。会《かい》場《じょう》などの席《せき》。
❹ 意味 星《ほし》の集《あつ》まり。また、その集《あつ》まりにつけることば。
❺ 意味 江《え》戸《ど》時《じ》代《だい》の同《どう》業《ぎょう》者《しゃ》の組《くみ》合《あい》。
❻ 意味 劇《げき》団《だん》。また、劇《げき》場《じょう》。

熟語
❶ **正座《せいざ》**。**対座《たいざ》**。**土下座《どげざ》**（地《じ》面《めん》にひざまずいて、ふかくおじぎをすること）。
❷ **座席《ざせき》**。**座右《ざゆう》**。**王座《おうざ》**。**上座《かみざ》**。**下座《しもざ》**。**台座《だいざ》**。
❸ **中座《ちゅうざ》**（会《かい》合《ごう》などの途《と》中《ちゅう》で、席《せき》をはずすこと）。**満座《まんざ》**。
❹ **星座《せいざ》**。**オリオン座《ざ》**。
❺ **銀座《ぎんざ》**。
❻ **座長《ざちょう》**。**一座《いちざ》**。

□
氵／11画

【済】

音 サイ
訓 すむ・すます

成り立ち
もとの字《じ》は「濟」。「氵」は水《みず》、「齊」は、でこぼこがなくきちんとそろうこと。川《かわ》の水《すい》量《りょう》をそろえることから、《そろえる》《やりくりしてすます》の意《い》味《み》になった。

筆順・書き方
氵 氵 氵 氵 氵 済
（11画）
月としない

例文・意味
❶ 例文 用《よう》事《じ》が済《す》んだらすぐに行《い》く。／昼《ひる》飯《めし》を簡《かん》単《たん》に済《す》ませる。／そんなことで済《す》むはずがない。意味 ものごとを終《お》わる。終《お》える。すむ。貸《か》し借《か》りをなくする。すます。
❷ 例文 難《なん》民《みん》を救《きゅう》済《さい》（災《さい》害《がい》や不《ふ》幸《こう》で困《こま》っている人《ひと》を助《たす》けること）する。／わたしの家《いえ》は公《こう》務《む》員《いん》の共《きょう》済《さい》組《くみ》合《あい》に入《はい》っています。意味 救《すく》う。助《たす》ける。

熟語
❶ **返済《へんさい》**（借《か》りていたお金《かね》や品《しな》物《もの》を返《かえ》すこと）。
❷ **経済《けいざい》**。

《返済《へんさい》》

裁

衣／12画

音 サイ
訓 (たつ)・さばく

成り立ち

「𢦏」は川《かわ》の流《なが》れをたちきること、「衣」は布《ぬの》。着物《きもの》をつくるために《布《ぬの》を切《き》る》こと。また、《よい悪《わる》いの区別《くべつ》をつける》ことの意味《いみ》もあらわす。

筆順・書き方

(12画)

例文・意味

❶ 例文 断裁機《だんさいき》で厚紙《あつがみ》を切《き》る。／裁《さい》ほうの練習《れんしゅう》をする。／はさみで型紙《かたがみ》に合《あ》わせて布《ぬの》を裁《た》つ。意味 布《ぬの》や紙《かみ》をいくつかに切《き》り分《わ》ける。たつ。

❷ 例文 事件《じけん》を裁《さば》く。／委員会《いいんかい》の裁定《さいてい》に従《したが》う。意味 ものごとの善悪《ぜんあく》などをはっきりさせる。さばく。

❸ 例文 言《い》いつくろって体裁《ていさい》をととのえる。意味 形《かたち》。ようす。外見《がいけん》。

❹ 意味 「裁《さい》ほう」の略《りゃく》。

❺ 意味 「裁判所《さいばんしょ》」の略《りゃく》。

熟語

❶ 裁断《さいだん》。
❷ 裁決《さいけつ》(さい判《ばん》で正《ただ》しいか正《ただ》しくないかを、さばいて決《き》めること)。裁判《さいばん》。制裁《せいさい》(規則《きそく》を守《まも》らなかったり、悪《わる》いことをしたりした者《もの》をこらしめること)。総裁《そうさい》。
❸ 風裁《ふうさい》。仲裁《ちゅうさい》。独裁《どくさい》。
❹ 洋裁《ようさい》。和裁《わさい》。
❺ 最高裁《さいこうさい》。

策

⺮／12画

音 サク
訓 ―

成り立ち

「⺮」(たけ)と「朿」(とげ)を合《あ》わせた字《じ》。はしがぎざぎざして、さすような竹《たけ》のむち。むかしは、竹《たけ》の札《ふだ》に命令《めいれい》や計画《けいかく》を書《か》いたことから、《はかりごと》の意味《いみ》になった。

筆順・書き方

(12画)

例文・意味

❶ 例文 いろいろと策《さく》をめぐらす。／一度《いちど》に数《すう》か所《しょ》から火《ひ》の手《て》があがったので策《さく》のほどこしようがなかった。／世界情勢《せかいじょうせい》がかわり、政府《せいふ》は対外政策《たいがいせいさく》の変《へん》こうを余《よ》ぎなくされた。／敵《てき》を破《やぶ》るための策略《さくりゃく》を練《ね》る。／この際《さい》ただじっとしているのがいちばんの得策《とくさく》(やってとくになる方法《ほうほう》)だろうという結論《けつろん》に達《たっ》した。意味 はかりごと。計略《けいりゃく》。

❷ 例文 庭園内《ていえんない》を散策《さんさく》(散歩《さんぽ》)する。意味 つえをつくこと。

熟語

❶ 画策《かくさく》(計画《けいかく》を立《た》てること)。国策《こくさく》。失策《しっさく》。対策《たいさく》。方策《ほうさく》(ものごとを解決《かいけつ》するための手段《しゅだん》)。善後策《ぜんごさく》(じょうずに後《あと》始《し》末《まつ》をするための方法《ほうほう》)。

《散策《さんさく》する》

冊

□ 冂／5画

音 サツ・《サク》

訓 ―

成り立ち 木《き》や竹《たけ》の札《ふだ》を、ひもで横《よこ》に編《あ》んだ形《かたち》をえがいた字《じ》。むかしは、これに字《じ》を書《か》いて書物《しょもつ》をつくったので、《本《ほん》》《書物《しょもつ》》の意味《いみ》になった。

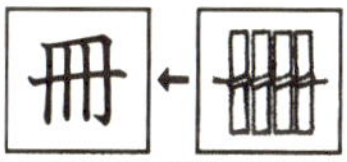

筆順・書き方

（5画）

例文・意味

❶ 例文 卒業記念《そつぎょうきねん》にみんなの思《おも》い出《で》を小冊子《しょうさっし》にまとめる。／この雑誌《ざっし》の新年号《しんねんごう》には別冊付録《べっさつふろく》がついている。／千《せん》ページを上回《うわまわ》る大冊《たいさつ》。 意味 書物《しょもつ》。本《ほん》。

❷ 例文 短冊《たんざく》に句《く》を書《か》く。 意味 書《か》きつけ。書《か》きつけのための用紙《ようし》。札《ふだ》。

❸ 例文 参考書《さんこうしょ》を五冊《ごさつ》買《か》った。 意味 書物《しょもつ》やノートなどを数《かぞ》えることば。

《別冊付録《べっさつふろく》》

熟語

❸ 冊数《さっすう》。

蚕

□ 虫／10画

音 サン

訓 かいこ

成り立ち もとの字《じ》は「蠶」。「䖵」は、むし。「朁」は、かみの毛《け》のあいだに入《はい》るかんざし。くわの葉《は》のあいだにもぐりこんで葉《は》を食《た》べる虫《むし》、つまり、《かいこ》をあらわした字《じ》。

筆順・書き方

（10画）

例文・意味

例文 この辺一帯《へんいったい》では蚕《かいこ》を飼《か》う農家《のうか》が多《おお》い。／養蚕《ようさん》（まゆをとるために、かいこを飼《か》って育《そだ》てること）がさかんな地方《ちほう》。／蚕室《さんしつ》の温度《おんど》としつ度《ど》を一定《いってい》に保《たも》つ。 意味 がの一種《いっしゅ》、かいこがの幼虫《ようちゅう》。さなぎになるときにつくるまゆから絹糸《きぬいと》をとる。かいこ。

《蚕《かいこ》》

熟語

蚕食《さんしょく》（だんだんに侵略《しんりゃく》すること）。養蚕業《ようさんぎょう》。蚕糸試験場《さんししけんじょう》。

□
至／6画

【至】

音 シ
訓 いたる

成り立ち
下《した》の横線《よこせん》「一」めがけて矢《や》がささる所《ところ》をあらわした字《じ》。めざす所《ところ》まで《とどく》こと。また、《それ以上《いじょう》ない最高《さいこう》の》という意味《いみ》にも使《つか》うようになった。

筆順・書き方

（6画）

例文・意味
❶ 例文 商店街《しょうてんがい》を通《とお》って駅《えき》に至《いた》る道《みち》。／このままでは社会的《しゃかいてき》な混乱《こんらん》が起《お》きること必至《ひっし》だ。／冬《とう》至《じ》は一年《いちねん》でいちばん昼《ひる》の短《みじか》い日《ひ》です。 意味 いきつく。達《たっ》する。いたる。また、そのところ。
❷ 例文 重要《じゅうよう》な連《れん》らくがあるので至《し》急教室《きゅうきょうしつ》に集《あつ》まってください。／至《し》極《ごく》（非常《ひじょう》に）重要《じゅうよう》な問題《もんだい》。 意味 きわめて。この上《うえ》なく。いたって。

《駅《えき》に至《いた》る道《みち》》

熟語
❶ 夏至《げし》。
❷ 至難《しなん》（非常《ひじょう》に難《むずか》しいこと）。至近距離《しきんきょり》（ある所《ところ》に非常《ひじょう》に近《ちか》い距離《きょり》）。

□
禾／7画

【私】

音 シ
訓 わたくし

成り立ち
「禾」（収《しゅう》かくした作物《さくもつ》）と「ム」（自分《じぶん》のうでにかかえこむ）を合《あ》わせた字《じ》。自分《じぶん》の分《ぶん》をかかえこむことから、《個人《こじん》のもの》《自分《じぶん》の》という意味《いみ》になった。

筆順・書き方

（7画）

例文・意味
❶ 例文 兄《あに》のかわりに私《わたくし》が行《い》く。／私立《しりつ》の高校《こうこう》に通《かよ》う。／公私《こうし》を混同《こんどう》する。／警官《けいかん》が私服《しふく》で警《けい》護《ご》につく。 意味 自分自身《じぶんじしん》。わたくし。個人《こじん》に関《かん》したこと。 対語 公《こう》。
❷ 例文 利益《りえき》を私《わたくし》する。／大臣《だいじん》が私腹《しふく》（自分《じぶん》の財産《ざいさん》や利益《りえき》）を肥《こ》やす。／私情《しじょう》をあらわにする。 意味 自分本位《じぶんほんい》である。身勝手《みがって》なこと。 対語 公《こう》。
❸ 例文 図書室《としょしつ》では、私語《しご》はつつしんでください。 意味 ないしょ。ひそか。

熟語
❶ 私案《しあん》。私営《しえい》。私学《しがく》。私見《しけん》。私財《しざい》（自分《じぶん》の財産《ざいさん》）。私事《しじ》。私心《ししん》。私設《しせつ》。私的《してき》。私鉄《してつ》。私道《しどう》。私費《しひ》。私有《しゆう》。私用《しよう》。私小説《ししょうせつ》。私利私欲《しりしよく》 ⇩（638ページ下）
❷ 私欲《しよく》（自分《じぶん》の利益《りえき》になることだけを考《かんが》える心《こころ》）。公平無私《こうへいむし》 ⇩（636ページ下）

女／9画

〔姿〕

音 シ
訓 すがた

成り立ち 「次」(人《ひと》がからだをかがめて物《もの》をそろえているようす)と「女」(おんな)を合《あ》わせた字《じ》。女《おんな》の人《ひと》が身《み》づくろいしている《すがた》をあらわした字《じ》。《物《もの》の形《かたち》、ようす》のこともいう。

筆順・書き方

(9画)

例文・意味

❶ 例文 姉《あね》は背《せ》が高《たか》くほっそりしていて姿《すがた》がいい。／雲《くも》が切《き》れて白銀《はくぎん》の衣《ころも》をまとった奥穂高《おくほたか》の連《れん》山《ざん》が姿《すがた》をあらわす。／運動会《うんどうかい》の日《ひ》は体操着《たいそうぎ》姿《すがた》で学校《がっこう》に行《い》く。／前向《まえむ》きの姿勢《しせい》で検討《けんとう》する。意味 からだつき。みなり。かっこう。すがた。

❷ 例文 百年後《ひゃくねんご》の日本《にっぽん》の姿《すがた》を想像《そうぞう》する。意味 ありさま。状態《じょうたい》。すがた。

《体操着姿《たいそうぎすがた》》

熟語

❶ 容姿《ようし》(顔《かお》つきとすがた)。後《うし》ろ姿《すがた》。晴《は》れ姿《すがた》。

❷ 姿態《したい》(ある動作《どうさ》のときのすがた)。

見／11画

〔視〕

音 シ
訓 ―

成り立ち もとの字《じ》は「視」。「示」(神《かみ》に関《かん》すること)と「見」(みる)を合《あ》わせた字《じ》。「示」は「シ」の音《おん》が「まっすぐ」という意《い》味《み》をあらわす。尊《とうと》いものを見《み》るようにまっすぐに《じっとみる》ことの意《い》味《み》。

筆順・書き方

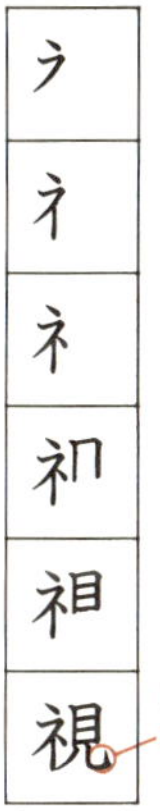

はねる

(11画)

例文・意味

❶ 例文 ふたりの視線《しせん》が合《あ》う。／視点《してん》をかえて別《べつ》の角度《かくど》から検討《けんとう》する。／大《おお》きなビルが視野《しや》をさえぎる。／現実《げんじつ》を直視《ちょくし》(ものごとをありのまま見《み》つめること)する。意味 気《き》をつけて見《み》る。よく見《み》る。

❷ 例文 相手《あいて》を敵視《てきし》する。／そんなことは重大視《じゅうだいし》するに値《あたい》しない。意味 みなす。

❸ 例文 視力《しりょく》を検査《けんさ》する。／ぼくの目《め》は近視《きんし》だけではなく乱視《らんし》もまじっています。意味 目《め》のはたらき。

熟語

❶ 視界《しかい》(目《め》で見《み》える範囲《はんい》)。視察《しさつ》。注視《ちゅうし》(注意《ちゅうい》して見《み》ること)。衆人環視《しゅうじんかんし》 ⇩(638ページ中)

❷ 軽視《けいし》。重視《じゅうし》。無視《むし》。度外視《どがいし》(考《かんが》えに入《い》れないこと)。

❸ 視覚《しかく》。遠視《えんし》。

□
言／12画

【詞】

音 シ
訓 ―

成り立ち
「言」は、ことばを、「司」は一《ひと》つ一《ひと》つの小《ちい》さい単位《たんい》をあらわす。文《ぶん》の《一《ひと》つ一《ひと》つの小《ちい》さいことば》をあらわした字《じ》。

筆順・書き方

（12画）

例文・意味
❶ 例文 記念式《きねんしき》の祝詞《しゅくし》を考《かんが》える。 意味 ことば。文《ぶん》章《しょう》。
❷ 例文 文章《ぶんしょう》を品詞《ひんし》（一《ひと》つ一《ひと》つのことばを、そのはたらきや使《つか》い方《かた》によって分《わ》けたもの）に分解《ぶんかい》する。／動詞《どうし》の活用《かつよう》の種類《しゅるい》を覚《おぼ》える。 意味 文法《ぶんぽう》で、ことばを、はたらきや性質《せいしつ》のちがいによって分類《ぶんるい》したもの。

熟語
❶ 歌詞《かし》。作詞《さくし》。
❷ 助詞《じょし》。数詞《すうし》。副詞《ふくし》。名詞《めいし》。感動詞《かんどうし》。形容詞《けいようし》。助動詞《じょどうし》。接続詞《せつぞくし》。代名詞《だいめいし》。連体詞《れんたいし》。形容動詞《けいようどうし》。

特別な読み
祝詞《のりと》。

□
言／14画

【誌】

音 シ
訓 ―

成り立ち
「言」は、ことばを、「志」は心《こころ》を一点《いってん》にとめることをあらわす。ことばを紙《かみ》や心《こころ》の中《なか》にとどめておくことから《かきとめる》《かきとめたもの》の意《い》味《み》になった。

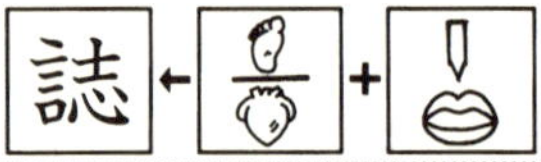

筆順・書き方

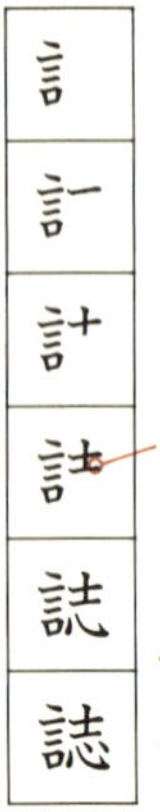

（14画）

例文・意味
❶ 例文 墓誌《ぼし》（死《し》んだ人《ひと》の経歴《けいれき》などを墓石《ぼせき》にしるした文《ぶん》章《しょう》）を読《よ》んで故人《こじん》の業績《ぎょうせき》をしのぶ。／学級日誌《がっきゅうにっし》を書《か》く。／雑誌《ざっし》に記事《きじ》がのる。／できあがった同窓会誌《どうそうかいし》を会員《かいいん》に送付《そうふ》する。 意味 書《か》きしるすこと。また、書《か》きしるしたもの。文書《ぶんしょ》。
❷ 例文 仲間《なかま》が寄《よ》り集《あつ》まって同人誌《どうじんし》を発行《はっこう》する。／週刊誌《しゅうかんし》に広告《こうこく》を出《だ》す。／読者《どくしゃ》からの投《とう》こうに誌面《しめん》をついやす。 意味 「雑誌《ざっし》」の略《りゃく》。

熟語
❷ 機関誌《きかんし》（ある団体《だんたい》が仕事《しごと》の連絡《れんらく》や宣伝《せんでん》のために発行《はっこう》する雑《ざっ》し）。月刊誌《げっかんし》。情報誌《じょうほうし》。文芸誌《ぶんげいし》。総合雑誌《そうごうざっし》。

石／14画

磁

音 ジ

訓 ―

成り立ち

糸《いと》のように細《ほそ》い草《くさ》のめがどんどん増《ふ》えることをあらわす「茲」と「石」(いし)を合《あ》わせた字《じ》。まわりに砂鉄《さてつ》を引《ひ》きよせる《じしゃく》をあらわした字《じ》。

筆順・書き方

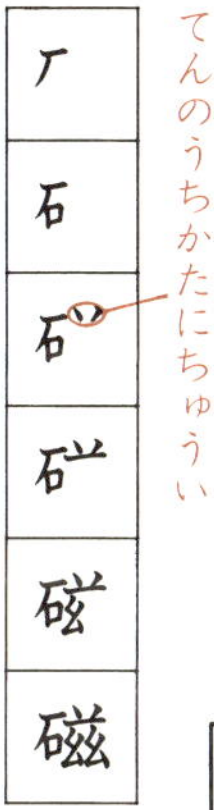

(14画)

例文・意味

❶ 例文 鉄《てつ》の板《いた》にコイルを巻《ま》いて電磁石《でんじしゃく》をつくる。／磁針《じしん》で方角《ほうがく》をはかる。 意味 鉄《てつ》・ニッケルなどを吸《す》いつける性質《せいしつ》。また、そのような性質《せいしつ》をもつ鉱物《こうぶつ》。

❷ 例文 青磁《せいじ》(表面《ひょうめん》が青色《あおいろ》の焼《や》き物《もの》)の花《か》びんに花《はな》を生《い》ける。／とう磁器《じき》の展覧会《てんらんかい》を見《み》に行《い》く。 意味 とう器《き》よりも高《たか》い温度《おんど》で焼《や》いた焼《や》き物《もの》。かたくて表面《ひょうめん》にガラスのようなつやがある。

熟語

❶ **磁界《じかい》**。**磁気《じき》**。**磁石《じしゃく》**。**磁力《じりょく》**。

❷ **磁器《じき》**。**白磁《はくじ》**(表面《ひょうめん》が白色《はくしょく》の焼《や》き物《もの》)。

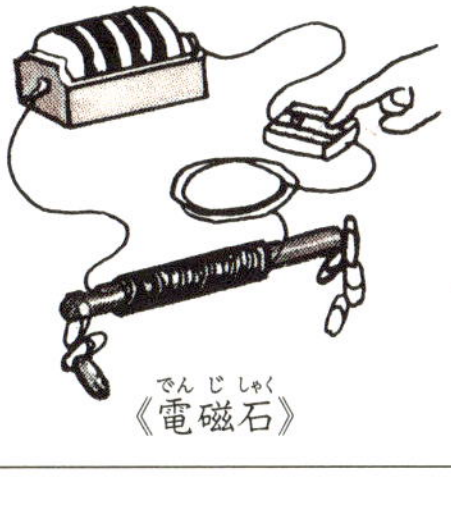
《電磁石《でんじしゃく》》

寸／10画

射

音 シャ

訓 いる

成り立ち

「身」(弓《ゆみ》に矢《や》をつがえている姿《すがた》)と「寸」(手《て》)を合《あ》わせた字《じ》。弓《ゆみ》に矢《や》をつがえて、手《て》でぐっと《いる》ときのようすをあらわした字《じ》。

筆順・書き方

(10画)

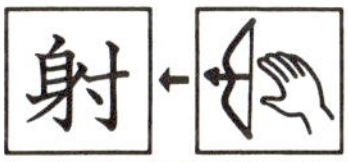

例文・意味

❶ 例文 弓《ゆみ》で矢《や》を射《い》る。／矢《や》がよろいを射通《いとお》す。／ピストルを乱射《らんしゃ》する。 意味 矢《や》を放《はな》つ。また、じゅうや大《たい》ほうでたまをうつ。いる。

❷ 例文 強《きょう》れつな光《ひかり》が目《め》を射《い》る。／ぼくは注射《ちゅうしゃ》がきらいです。 意味 光《ひかり》・液体《えきたい》・電波《でんぱ》・音《おと》などを勢《いきお》いよく出《だ》す。

❸ 例文 熱意《ねつい》が相手《あいて》の心《こころ》を射《い》る。／幸運《こううん》を射《い》る。／金的《きんてき》を射《い》ぬく。 意味 ねらって当《あ》てる。ねらって手《て》に入《い》れる。

熟語

❶ **射殺《しゃさつ》**。

❷ **発射《はっしゃ》**。**反射《はんしゃ》**。**放射《ほうしゃ》**。**日射病《にっしゃびょう》**。**乱反射《らんはんしゃ》**(物《もの》の表面《ひょうめん》がなめらかでないために、当《あ》たった光《ひかり》がいろいろな方向《ほうこう》にはね返《かえ》ること)。**直射日光《ちょくしゃにっこう》**。

捨

扌／11画

音 シャ

訓 すてる

成り立ち

もとの字《じ》は「捨」。「扌」は手《て》を、「舍」は手足《てあし》をのばしてゆるめることをあらわす。手《て》の力《ちから》をゆるめて、持《も》っているものをはなす、つまり、《すてる》ことをあらわした字《じ》。

筆順・書き方

（11画）

例文・意味

❶ 例文 紙《かみ》くずを捨《す》てる。 意味 いらないものとして、投《な》げ出《だ》す。すてる。

❷ 例文 はじめから勝負《しょうぶ》を捨《す》てて戦《たたか》う。／小数点《しょうすうてん》以下《いか》を四捨五入《ししゃごにゅう》する。 意味 あることのために見《み》はなす。すてる。

❸ 例文 寺《てら》の本堂《ほんどう》の改築《かいちく》に当《あ》たり、喜捨《きしゃ》（お金《かね》や物《もの》をすすんで寺《てら》などに寄付《きふ》すること）をお願《ねが》いすることになりました。 意味 神仏《しんぶつ》のためにお金《かね》や品《しな》物《もの》をほどこす。

熟語

❶ 捨《す》て子《ご》。捨《す》て鉢《ばち》（どうなってもかまわないというような、なげやりの気持《きも》ちになること）。取捨選択《しゅしゃせんたく》 ⇩（638ページ中）。ごみ捨《す》て場《ば》。

尺

尸／4画

音 シャク

訓 ―

成り立ち

人《ひと》が手《て》のはばで長《なが》さをはかるときの、手《て》の形《かたち》をえがいた字《じ》。むかし中国《ちゅうごく》では、手《て》の指《ゆび》をいっぱいに開《ひら》いた長《なが》さを《一《いっ》しゃく》という単位《たんい》にした。

筆順・書き方

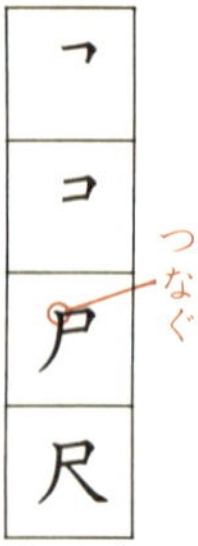

（4画）

例文・意味

❶ 例文 巻《ま》き尺《じゃく》で胸囲《きょうい》をはかる。／むかし、布地《ぬのじ》をはかるときにはおもにくじら尺《じゃく》を使《つか》った。 意味 物《もの》の長《なが》さをはかる道具《どうぐ》。ものさし。

《巻《ま》き尺《じゃく》》

❷ 例文 実物《じつぶつ》の五分《ごぶん》の一《いち》に縮尺《しゅくしゃく》して図面《ずめん》をかく。 意味 物《もの》の長《なが》さ・高《たか》さ。

❸ 意味 むかしの、長《なが》さの単位《たんい》。一尺《いっしゃく》は十寸《じっすん》で約《やく》三十《さんじっ》・三《さん》センチメートル。

熟語

❸ 尺寸《しゃくすん》。尺度《しゃくど》。尺八《しゃくはち》。

艹／8画

若

音 （ジャク）・《ニャク》

訓 わかい・《もしくは》

成り立ち

もとは、かみの毛《け》をとかしている、からだのやわらかい女《おんな》の人《ひと》をえがいた字《じ》。後《のち》、「口」（くち）がついて、しなやかで《わかい》の意味《いみ》になった。

若 ← 

筆順・書き方

艹　艹　𦬇　若　若　若

（8画）

うえのせんよりながく

例文・意味

❶ 例文 かれはわたしより三《みっ》つ若《わか》い。／老若男女《ろうにゃくなんにょ》が集《つど》う。／若者《わかもの》たちが祭《まつ》りのみこしをかついでいる。意味 年《とし》をとっていない。わかい。対語 老《ろう》。

❷ 例文 背番号《せばんごう》が若《わか》い。／数字《すうじ》の若《わか》いほうが先《さき》だ。意味 数《かず》が小《ちい》さい。順番《じゅんばん》が早《はや》い。

❸ 例文 月曜《げつよう》若《も》しくは木曜《もくよう》ならばつごうがいい。意味 二《ふた》つ以上《いじょう》のものごとの中《なか》から選《えら》ぶときのことば。または。もしくは。

熟語

❶ 若木《わかぎ》。若草《わかくさ》。若気《わかげ》（わかい人《ひと》が元気《げんき》がよすぎて、ものごとをふかく考《かんが》えないようす）。若手《わかて》。若葉《わかば》。若芽《わかめ》。若死《わかじ》に。

特別な読み

若人《わこうど》。

木／16画

樹

音 ジュ

訓 ―

成り立ち

まっすぐにたいこを立《た》てることと「寸」（手《て》）を合《あ》わせた「尌」に、「木」（き）を合《あ》わせた字《じ》。《まっすぐに立《た》っている木《き》》をあらわす。そのことから《うちたてる》という意味《いみ》もあらわす。

樹 ← 

筆順・書き方

木　木　桔　桔　桔　樹

（16画）

わすれずに

例文・意味

❶ 例文 樹《じゅ》れい千年《せんねん》以上《いじょう》といわれるいちょうの大《たい》木《ぼく》。／緑《みどり》のじゅうたんをしきつめたように広《ひろ》がる樹海《じゅかい》（広《ひろ》く木《き》がしげって、海《うみ》のように見《み》える所《ところ》）。／ぶな・ならなどの広葉樹林《こうようじゅりん》の中《なか》を山道《やまみち》がつづく。／ぶどう・なしなどの果樹園《かじゅえん》。意味 立《た》ち木《き》。

❷ 例文 新政権《しんせいけん》の樹立《じゅりつ》をはかる。意味 しっかりとたてる。うちたてる。

熟語

❶ 樹氷《じゅひょう》（冬《ふゆ》、氷点下《ひょうてんか》に冷《ひ》えた霧《きり》が、木《き》の枝《えだ》にふれて、こおりついたもの）。樹木《じゅもく》。果樹《かじゅ》。植樹《しょくじゅ》。街路樹《がいろじゅ》。常緑樹《じょうりょくじゅ》。針葉樹《しんようじゅ》。落葉樹《らくようじゅ》。

《樹氷《じゅひょう》》

又／4画

収

音　シュウ
訓　おさめる・おさまる

成り立ち
「丩」は二本《にほん》のひもを一《ひと》つによじりあわせることを、「又」は手《て》をあらわす。ばらばらのものを一《ひと》つに集《あつ》めることから、《まとめておさめる》《手《て》に入《い》れる》という意味《いみ》になった。

筆順・書き方
（４画）
つきでない

例文・意味
❶ 例文 ふん争《そう》を収《おさ》める。／会議《かいぎ》は意見《いけん》が続出《ぞくしゅつ》して収拾《しゅうしゅう》がつかなくなった。 意味 乱《みだ》れている状《じょう》態《たい》をととのえる。おさめる。また、そういう状態《じょうたい》になる。おさまる。
❷ 例文 激《はげ》しいいかりを胸《むね》に収《おさ》める。／紙《かみ》が水分《すいぶん》を吸収《きゅうしゅう》する。／し設《せつ》を拡《かく》じゅうして収容人数《しゅうようにんずう》を増《ふ》やす。 意味 集《あつ》め入《い》れる。受《う》け入《い》れる。おさめる。
❸ 例文 領収証《りょうしゅうしょう》をわたす。／収支《しゅうし》を報告《ほうこく》する。 意味 お金《かね》が入《はい》る。入金《にゅうきん》する。

熟語
❷ 収益《しゅうえき》（仕事《しごと》をして得《え》られた利《り》益《えき》）。収穫《しゅうかく》。収集《しゅうしゅう》。収縮《しゅうしゅく》。収納《しゅうのう》。収録《しゅうろく》（本《ほん》や雑誌《ざっし》などにおさめ、のせること。また、テレビやラジオなどで、録音《ろくおん》・録画《ろくが》すること）。回収《かいしゅう》。買収《ばいしゅう》。収容所《しゅうようじょ》。
❸ 収入《しゅうにゅう》。月収《げっしゅう》。減収《げんしゅう》。実収《じっしゅう》。増収《ぞうしゅう》。年収《ねんしゅう》。

宀／8画

宗

音　シュウ・（ソウ）
訓　——

成り立ち
「宀」は屋根《やね》を、「示」は神様《かみさま》にお供《そな》えをする台《だい》をあらわす。先祖《せんぞ》を祭《まつ》る祭《さい》だんのある家《いえ》のことから、《一族《いちぞく》の中心《ちゅうしん》となる家《いえ》》を意味《いみ》した字《じ》。

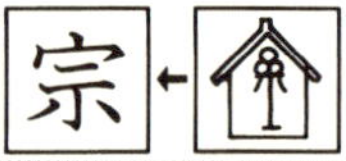

筆順・書き方
（８画）
うえのせんよりながく

例文・意味
❶ 例文 仏教《ぶっきょう》・キリスト教《きょう》・イスラム教《きょう》を世界《せかい》の三大宗教《さんだいしゅうきょう》という。／宗派間《しゅうはかん》の対立《たいりつ》が激化《げきか》する。 意味 神《かみ》や仏《ほとけ》の教《おし》え。信《しん》こう活動《かつどう》をする集《あつ》まり。
❷ 例文 茶道《さどう》の宗家《そうけ》。 意味 一族《いちぞく》の本家《ほんけ》。流派《りゅうは》の家《いえ》もと。もとじめ。

《茶道《さどう》の宗家《そうけ》》

熟語
❶ 宗徒《しゅうと》（あるしゅう派《は》の信者《しんじゃ》）。真言宗《しんごんしゅう》。天台宗《てんだいしゅう》。

就
尢／12画

音 シュウ・《ジュ》
訓 (つく)・(つける)

成り立ち
「京」は大勢《おおぜい》の人《ひと》の集《あつ》まる都《みやこ》、「尤」は手《て》を曲《ま》げて引《ひ》きよせることで、引《ひ》きよせて、一《ひと》つのまとまりにすること。また、何《なに》かを引《ひ》きよせてそのまとまりに《つける》こともあらわす。

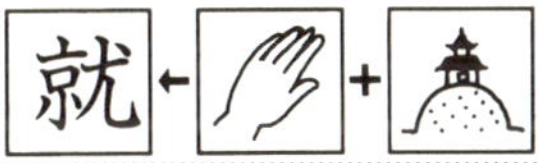

筆順・書き方
亠・古・京・京・京尤・就
(12画)
わすれずに

例文・意味
❶ 例文 社長《しゃちょう》に就任《しゅうにん》する。／とこに就《つ》くとすぐにねむった。 意味 ある状態《じょうたい》・役割《やくわり》・地位《ちい》に身《み》をおく。つく。
❷ 例文 長年《ながねん》の願《ねが》いが成就《じょうじゅ》(かなうこと)する。 意味 なる。なしとげる。
❸ 例文 手術中《しゅじゅつちゅう》に就《つ》き、入室《にゅうしつ》を禁止《きんし》する。／千円《せんえん》に就《つ》いて五十円《ごじゅうえん》割《わ》り引《び》く。 意味 それなので。そのことに関《かん》して。それについて。

《とこに就《つ》く》

熟語
❶ 就学《しゅうがく》。就業《しゅうぎょう》(業務《ぎょうむ》につくこと)。就航《しゅうこう》(飛行機《ひこうき》や船《ふね》などが、はじめてその航路《こうろ》につくこと)。就職《しゅうしょく》。

衆
血／12画

音 シュウ・《シュ》
訓 ——

成り立ち
「血」は「日」が変化《へんか》したもので太陽《たいよう》をあらわす。「乑」は三人《さんにん》の人《ひと》をえがいた形《かたち》。太陽《たいよう》の下《した》で多《おお》くの人《ひと》が働《はたら》いているようすをえがいた字《じ》。《大勢《おおぜい》の人《ひと》》という意味《いみ》をあらわした字《じ》。

筆順・書き方
丿・𠂊・血・血・衆・衆
(12画)
くとしない

例文・意味
❶ 例文 衆知《しゅうち》(多《おお》くの人《ひと》がもっている知《ち》え)を集《あつ》めて問題《もんだい》の解決《かいけつ》にとり組《く》む。／大衆《たいしゅう》をせん動《どう》する。／公衆道徳《こうしゅうどうとく》を守《まも》る。 意味 多《おお》くの人《ひと》。
❷ 例文 衆《しゅう》をたのんで四方八方《しほうはっぽう》から攻《せ》める。／仏《ほとけ》が衆生《しゅじょう》(仏教《ぶっきょう》で、すべての生《い》き物《もの》)に、じ悲をほどこす。 意味 人数《にんずう》が多《おお》いこと。多《おお》くの。
❸ 例文 若《わか》い衆《しゅう》。／商店会《しょうてんかい》のだんな衆《しゅう》。 意味 あるまとまった人々《ひとびと》に対《たい》して軽《かる》い尊敬《そんけい》の気持《きも》ちをあらわすことば。

熟語
❶ 衆議《しゅうぎ》。観衆《かんしゅう》。群衆《ぐんしゅう》。民衆《みんしゅう》。衆議院《しゅうぎいん》。衆議一決《しゅうぎいっけつ》⇩(638ページ上)
❷ 衆人環視《しゅうじんかんし》⇩(638ページ中)
❸ 役人衆《やくにんしゅう》。

〔従〕

彳／10画

音 ジュウ・《ショウ》・《ジュ》

訓 したがう・したがえる

成り立ち

もとの字《じ》は「從」。「彳」は行《い》くこと。「止」は足《あし》。「从」は前《まえ》の人《ひと》に後《うし》ろの人《ひと》が《つきしたがう》こと。《したがう》ことを意味《いみ》する。

從 ←  + 

筆順・書き方

彳 彳 彴 従 従 従 （10画）

てんのうちかたにちゅうい

例文・意味

❶ 例文 大臣《だいじん》が秘書《ひしょ》を従《したが》えて、視察《しさつ》に出《で》かける。 意味 人《ひと》について行《い》く。ついて行《い》かせる。したがう。したがえる。また、その人《ひと》。 対語 主《しゅ》。

❷ 例文 校則《こうそく》に従《したが》う。／従順《じゅうじゅん》な人《ひと》がら。 意味 言《い》われたとおりにする。したがう。

❸ 例文 各自《かくじ》が行務《こうむ》に従《したが》う。／労働《ろうどう》に従事《じゅうじ》する。 意味 たずさわる。仕事《しごと》につく。

❹ 例文 従来《じゅうらい》(これまで)どおりの方式《ほうしき》でおこないます。 意味 「…から」「…より」の意味《いみ》をあらわすことば。

熟語

❶ 従者《じゅうしゃ》。主従《しゅじゅう》。追従《ついじゅう》(人《ひと》の言《い》うことや、することに、そのましたがうこと)。追従《ついしょう》(人《ひと》の機嫌《きげん》をとって、おべっかを使《つか》うこと)。

❷ 従属《じゅうぞく》。服従《ふくじゅう》。

❸ 従業員《じゅうぎょういん》。

❹ 従前《じゅうぜん》(これまで)。

〔縦〕

糸／16画

音 ジュウ

訓 たて

成り立ち

もとの字《じ》は「縱」。「糸」(いと)と「従」(したがう)を合《あ》わせた字《じ》。糸《いと》はひとつづきに連《つら》なることから、《たて》の方向《ほうこう》をあらわすようになった字《じ》。

縦 ←  + 

筆順・書き方

糸 糹 紒 紒 縦 縦 （16画）

わすれずに

例文・意味

❶ 例文 縦《たて》けいの入《はい》ったノートを使《つか》う。／兄《あに》は夏《なつ》休《やす》みに北《きた》アルプスを縦走《じゅうそう》するそうです。／四《よ》列縦隊《れつじゅうたい》を組《く》んで行進《こうしん》する。 意味 上下《じょうげ》の方向《ほうこう》や長《なが》さ。たて。 対語 横《よこ》。

《四列縦隊《よれつじゅうたい》》

❷ 例文 大《おお》きくなったら飛《ひ》行機《こうき》の操縦士《そうじゅうし》になりたいと思《おも》う。／この資料《しりょう》は、関係者《かんけいしゃ》以外《いがい》の縦覧《じゅうらん》(自由《じゆう》に見《み》ること)を禁止《きんし》する。 意味 勝手《かって》にふるまう。思《おも》いどおりにする。

熟語

❶ 縦横《じゅうおう》。縦断《じゅうだん》(たてや南北《なんぼく》に通《とお》りぬけること)。縦糸《たていと》。縦横無尽《じゅうおうむじん》⇩(638ページ上)

□
糸／17画

縮

音 シュク

訓 ちぢむ・ちぢまる・ちぢめる・ちぢれる・ちぢらす

成り立ち　せまいへやに人《ひと》がからだをちぢめてねることをあらわす「宿」と「糸」（いと）を合《あ》わせた字《じ》。ぬれた糸《いと》がかわくとちぢまるように、《ちぢむ》ことをあらわした字《じ》。

筆順・書き方

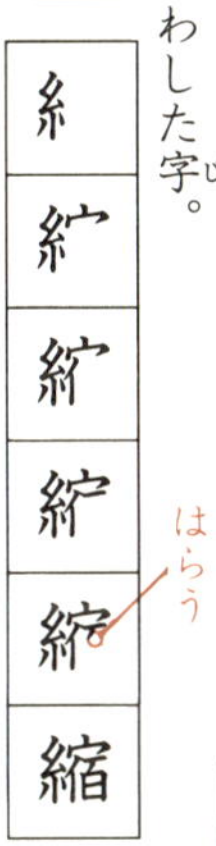

（17画）

例文・意味

❶ 例文 洗《せん》たくしたら布地《ぬのじ》が縮《ちぢ》まった。／長《なが》さを実物《じつぶつ》の十分《じゅうぶん》の一《いち》に縮《ちぢ》めて図面《ずめん》をかく。／糸《いと》が燃《も》えて縮《ちぢ》れた。／かみの毛《け》を縮《ちぢ》らす。／しん縮《しゅく》する布《ぬの》でシャツをつくる。／電車《でんしゃ》のスピードアップで通勤《つうきん》時間《じかん》が短縮《たんしゅく》された。 意味 長《なが》さ・形《かたち》・規模《きぼ》などが小《ちい》さくなる。小《ちい》さくする。ちぢむ。ちぢまる。ちぢれる。

❷ 例文 身《み》が縮《ちぢ》む思《おも》いがする。／精神《せいしん》が、い縮《しゅく》（元《げん》気《き》がなくなって気持《きも》ちがすくむこと）する。 意味 おそろしさ・寒《さむ》さなどで、からだや心《こころ》がすくむ。

熟語

❶ 縮写《しゅくしゃ》。縮尺《しゅくしゃく》。縮小《しゅくしょう》。縮図《しゅくず》。圧縮《あっしゅく》。軍縮《ぐんしゅく》（国《くに》の戦争《せんそう》のための備《そな》えを少《すく》なくすること）。収縮《しゅうしゅく》。縮刷版《しゅくさつばん》。

□
灬／15画

熟

音 ジュク

訓 （うれる）

成り立ち　「孰」は肉《にく》にしん棒《ぼう》を通《とお》しているのをえがいた字《じ》。「灬」は火《ひ》。火《ひ》で食物《しょくもつ》をよくにて、しんが通《とお》るほどやわらかくすること。物《もの》が《にえる》《実《み》がうれる》の意味《いみ》をあらわした字《じ》。

筆順・書き方

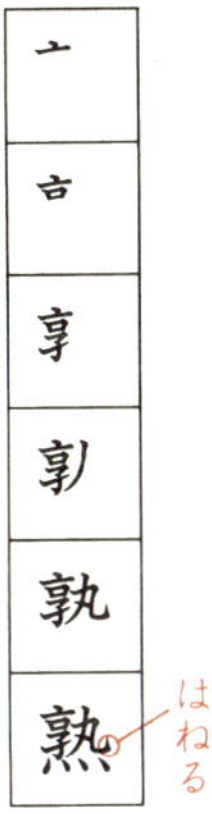

（15画）

例文・意味

❶ 例文 卵《たまご》は半熟《はんじゅく》のほうが好《す》きだ。 意味 十分《じゅうぶん》に熱《ねっ》を加《くわ》えてにる。

❷ 例文 木《き》の実《み》が熟《う》れる。／果実《かじつ》が熟《じゅく》する。 意味 植物《しょくぶつ》の実《み》が十分《じゅうぶん》に生育《せいいく》する。うれる。

❸ 例文 円熟《えんじゅく》した文章《ぶんしょう》を書《か》く。／英語《えいご》に熟達《じゅくたつ》する。 意味 よくなれて、たくみになる。

❹ 例文 説明文《せつめいぶん》を熟読《じゅくどく》する。／朝《あさ》まで熟《じゅく》すいする。 意味 ものごとが十分《じゅうぶん》な状態《じょうたい》になる。また、十《じゅう》分《ぶん》になったようす。

熟語

❷ 熟語《じゅくご》。完熟《かんじゅく》。成熟《せいじゅく》。早熟《そうじゅく》（果物《くだもの》などがはやく生育《せいいく》すること）。未熟《みじゅく》。熟字訓《じゅくじくん》。

❸ 熟年《じゅくねん》。熟練《じゅくれん》。習熟《しゅうじゅく》（ものごとになれてじょうずになること）。

❹ 熟知《じゅくち》。熟考《じゅっこう》（十分《じゅうぶん》に考《かんが》えること）。

□ 糸／10画

純

音 ジュン

訓 ―

成り立ち

「屯」(地上《ちじょう》に出《で》たばかりの草《くさ》の芽《め》)と「糸」(いと)を合《あ》わせた字《じ》。布《ぬの》からはみ出《で》たふさは、糸《いと》が一本一本《いっぽんいっぽん》まざりあわないことから、《まじりけがない》ことをあらわした字《じ》。

筆順・書き方

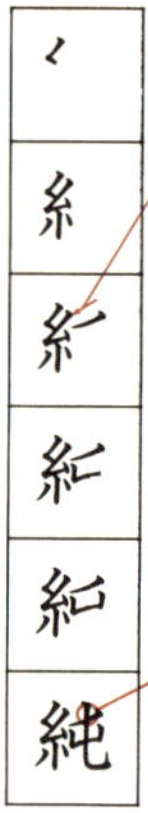

(10画)

純 ← 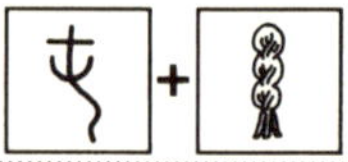

例文・意味

例文 神《かみ》を信《しん》じて疑《うたが》わない純《じゅん》な心《こころ》の持《も》ち主《ぬし》。／純《じゅん》ぼくな(すなおで、かざりけのないようす)人《ひと》がらが多《おお》くの人《ひと》から愛《あい》される。／花《はな》よめさんが純白《じゅんぱく》のドレスを着《き》る。／純《じゅん》すいなはちみつをつくる。／新製品《しんせいひん》が飛《と》ぶように売《う》れ、会社《かいしゃ》の純益《じゅんえき》が倍増《ばいぞう》した。意味 まじりけがない。けがれがない。いつわりや、かざりけがない。

熟語

純金《じゅんきん》。純潔《じゅんけつ》。純情《じゅんじょう》。純真《じゅんしん》(人《ひと》をだましたり、疑《うたが》ったりする気持《きも》ちがなく、すなおなようす)。純毛《じゅんもう》。清純《せいじゅん》(清《きよ》らかでけがれがないようす)。単純《たんじゅん》。不純《ふじゅん》(けがれていて、清《きよ》らかでないようす)。

□ 夂／5画

処

音 ショ

訓 ―

成り立ち

「夂」は足《あし》の形《かたち》。「几」は台《だい》。もとは、足《あし》をとめて台《だい》の上《うえ》にこしかけることをあらわした。後《のち》、《ある場所《ばしょ》に落《お》ち着《つ》く》ことを意味《いみ》するようになった。

筆順・書き方

(5画)

処 ← 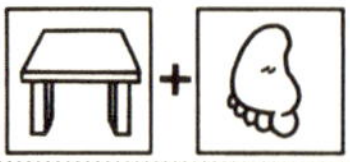

例文・意味

❶ 例文 町《まち》のずい処《しょ》にポスターがはられている。意味 所《ところ》。場所《ばしょ》。

❷ 例文 誠実《せいじつ》に生《い》きることを処世《しょせい》(世《よ》の中《なか》で生《い》きていくこと)の信条《しんじょう》とする。意味 ある場所《ばしょ》にとどまる。すんでいる。

❸ 例文 とりつくろってその場《ば》をうまく処《しょ》する。／犯人《はんにん》を極《きょっ》けいに処《しょ》する。／てきぱきと事務《じむ》処理《しょり》に当《あ》たる。／難問《なんもん》に対処《たいしょ》(ものごとのなりゆきに応《おう》じてとりはからうこと)する。意味 始末《しまつ》をつける。とりはからう。

熟語

❶ 処処《しょしょ》。

❸ 処置《しょち》。処分《しょぶん》。処方《しょほう》(医者《いしゃ》が病人《びょうにん》の病状《びょうじょう》に応《おう》じて、薬《くすり》の使《つか》い方《かた》を指示《しじ》すること)。善処《ぜんしょ》(問題《もんだい》をできるだけよい方法《ほうほう》で始末《しまつ》すること)。

罒／13画

署

音 ショ

訓 ―

成り立ち

「罒」は、あみ。「者」は多《おお》くのものを、一《ひと》つに集《あつ》めること。人《ひと》が集《あつ》まってあみの目《め》のように区分《くわ》けされたところで仕《し》事《ごと》をする《役所《やくしょ》》をあらわした。

筆順・書き方

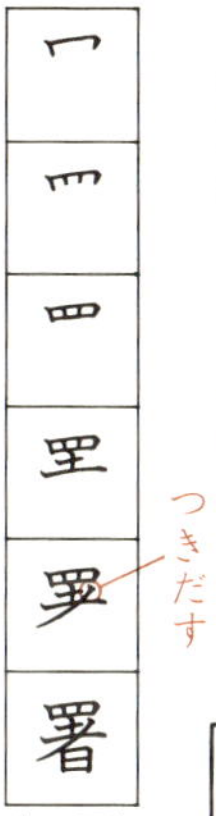

（13画）

例文・意味

❶ 例文 各人《かくじん》それぞれの部署《ぶしょ》（割《わ》り当《あ》てられた役目《やくめ》や持《も》ち場《ば》）でおのれの能力《のうりょく》を最大限《さいだいげん》に発揮《はっき》しようと努力《どりょく》する。 意味 役目《やくめ》の割《わ》り当《あ》て。わりふり。

❷ 例文 税務署《ぜいむしょ》に納税《のうぜい》の相談《そうだん》に行《い》く。／火事《かじ》を消《しょう》防署《ぼうしょ》へ急報《きゅうほう》する。 意味 役割《やくわり》を割《わ》りふられた役所《やくしょ》。

❸ 例文 市長《しちょう》リコールのための署名《しょめい》を集《あつ》める。 意味 書《か》きしるす。

《署名《しょめい》を集《あつ》める》

熟語

❷ 署長《しょちょう》。警察署《けいさつしょ》。

言／15画

諸

音 ショ

訓 ―

成り立ち

「言」は、ことば。「者」は多《おお》くのものを一《ひと》つに集《あつ》めること。たくさんのものが、ひとところに集《あつ》まることから、《もろもろの》《さまざまな》という意味《いみ》になった。

筆順・書き方

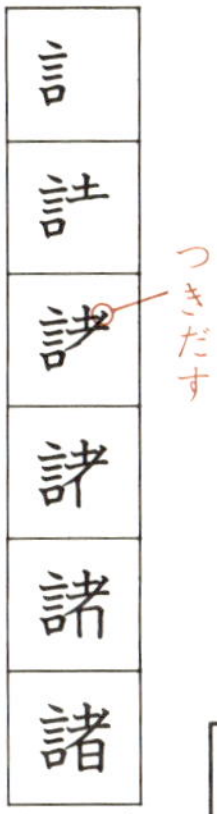

（15画）

例文・意味

例文 語源《ごげん》については諸説《しょせつ》あってはっきりしない。／ヨーロッパ諸国《しょこく》を観《かん》光《こう》して回《まわ》る。／諸《しょ》君《くん》、きょうからはいよいよ三学期《さんがっき》だ。 意味 数多《かずおお》くの。いろいろの。もろもろ。

《諸君《しょくん》》

熟語

諸島《しょとう》。

阝／10画

除

音 ジョ・（ジ）

訓 のぞく

成り立ち 「阝」は、もりあげた土《つち》。「余」は、スコップで土《つち》をおしのけること。じゃまになる土《つち》をおしのけるように《とりのぞく》ことを意味《いみ》した字《じ》。

筆順・書き方

（10画）

例文・意味

❶ 例文 名《めい》ぼから退会者《たいかいしゃ》の氏名《しめい》を除《のぞ》く。／線路《せんろ》の除雪作業《じょせつさぎょう》をする。／へやをそう除《じ》する。／十《じゅう》年以上《ねんいじょう》の会員《かいいん》は、会費《かいひ》をめん除《じょ》（ふつうはしなくてはならない義務《ぎむ》や役目《やくめ》を、特別《とくべつ》にしなくてよいと許《ゆる》すこと）されます。 意味 とりさる。とりはらう。おしのける。

❷ 例文 十《じゅう》を五《ご》で除《じょ》する。／除法《じょほう》とは割《わ》り算《ざん》のことです。 意味 わり算《ざん》をする。 対語 乗《じょう》。

熟語

❶ 除外《じょがい》。除去《じょきょ》。除雪《じょせつ》。除草《じょそう》。除名《じょめい》（名簿《めいぼ》から名前《なまえ》を消《け》し、仲間《なかま》からはずすこと）。除夜《じょや》。解除《かいじょ》。除雪車《じょせつしゃ》。除幕式《じょまくしき》。

❷ 除数《じょすう》。加減乗除《かげんじょうじょ》。

寸／10画

将

音 ショウ

訓 ―

成り立ち もとの字《じ》は「將」で、「爿」（ベッド）と「夕」（肉《にく》）と「寸」（手《て》）。台《だい》の上《うえ》に肉《にく》をのせて神様《かみさま》に供《そな》えた者《もの》が一族《いちぞく》の長《ちょう》だったことから、人々《ひとびと》を《ひきいる人《ひと》》を意味《いみ》した字《じ》。

筆順・書き方

はらうほうこうにちゅうい

わすれずに

（10画）

例文・意味

❶ 例文 一軍《いちぐん》の将《しょう》として指揮《しき》をとる。／大将《たいしょう》が先《せん》頭《とう》にたって敵《てき》のじんにせめこむ。／戦国《せんごく》の武《ぶ》将《しょう》（大勢《おおぜい》のさむらいを率《ひき》いるさむらいのかしら）。／兄《あに》は、新《あたら》しいサッカーチームの主将《しゅしょう》になりました。 意味 軍隊《ぐんたい》や団体《だんたい》を率《ひき》いて指揮《しき》する人《ひと》。

❷ 意味 旧日本軍《きゅうにっぽんぐん》、または自衛隊《じえいたい》の階級《かいきゅう》の一《ひと》つ。

❸ 例文 ぼくは将来《しょうらい》パイロットになりたい。 意味 今《いま》にも、また、これからそうしようとする。まさに。

熟語

❶ 将軍《しょうぐん》。名将《めいしょう》（すぐれて名高《なだか》いさむらい）。

❷ 大将《たいしょう》。中将《ちゅうじょう》。

□

イ／13画

【傷】

音 ショウ

訓 きず・（いたむ）・（いためる）

成り立ち 「イ」は人《ひと》。「昜」は、物《もの》に強《つよ》くあたること。人《ひと》が物《もの》に強《つよ》くあたって、《きずつく》ことを意味《いみ》した字《じ》。

筆順・書き方

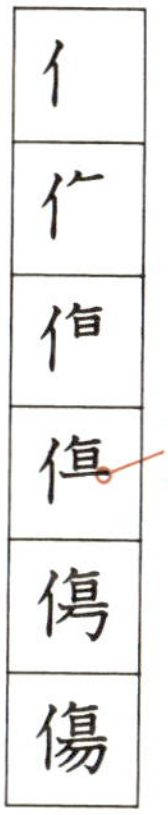

（13画）

例文・意味

❶ 例文 暴《あば》れんぼうの弟《おとうと》は傷《きず》が絶《た》えない。／ラグビーの試合《しあい》で負傷《ふしょう》した。／自動車事故《じどうしゃじこ》で重傷《じゅうしょう》者《しゃ》が出《で》た。 意味 切《き》ったり、ぶつけたりしたあと。けが。きず。

❷ 例文 傷《いた》んだりんご。／愛用《あいよう》のカメラを傷《きず》つける。／相手《あいて》を中傷《ちゅうしょう》(根《こん》きょのないことや悪口《わるくち》を言《い》いふらして他人《たにん》をきずつけること)する。 意味 きずつく。きずつける。そこなう。

❸ 例文 友人《ゆうじん》の死《し》に胸《むね》を傷《いた》める。／感傷《かんしょう》にひたる。 意味 つらい思《おも》いをする。心《こころ》をいためる。

熟語

❶ 外傷《がいしょう》。軽傷《けいしょう》。傷口《きずぐち》。切《き》り傷《きず》。

❷ 傷害《しょうがい》(人《ひと》をけがさせること)。死傷《ししょう》。損傷《そんしょう》(こわれたり、きずついたりすること)。

□

阝／14画

【障】

音 ショウ

訓 《さわる》

成り立ち 「阝」は土《つち》をもりあげてつくったかべ。「章」は「ショウ」という音《おん》をあらわす。土《つち》で高《たか》くかべをつくり敵《てき》を防《ふせ》ぐことから、《さえぎる》《じゃまをする》の意味《いみ》になった。

筆順・書き方

（14画）

例文・意味

❶ 例文 脳出血《のうしゅっけつ》で言語障害《げんごしょうがい》におちいる。／車《くるま》が故《こ》障《しょう》する。／日常生活《にちじょうせいかつ》に支障《ししょう》(あることをするうえでぐあいの悪《わる》いこと)をきたす。／万障《ばんしょう》(さまざまなさしさわり)くりあわせて出席《しゅっせき》します。／もし気《き》に障《さわ》ったら許《ゆる》してくれたまえ。 意味 さまたげる。じゃまになる。じゃまをする。さわる。

❷ 例文 へやの障子《しょうじ》をあける。／国境線《こっきょうせん》に障《しょう》へき(仕《し》切《き》り)が設《もう》けてある。 意味 あいだをさえぎるもの。へだて。仕《し》切《き》り。

熟語

❶ 保障《ほしょう》。身障者《しんしょうしゃ》。緑内障《りょくないしょう》。

土／９画

城

音 ジョウ
訓 しろ

成り立ち
「戊」は工事《こうじ》のための道具《どうぐ》。「丁」は、トントンたたくこと。それに「土」(つち)を合《あ》わせた字《じ》。道具《どうぐ》で土《つち》をトントンたたいて、もり固《かた》めた《しろ》のこと。

筆順・書き方

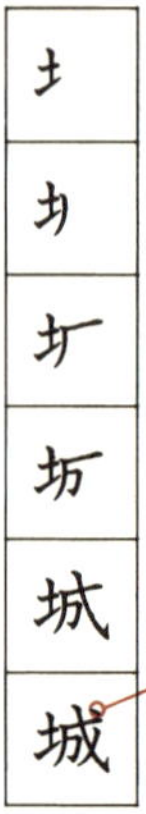

（９画）

例文・意味
❶ 例文 ここは、むかしの城《しろ》あとです。／金沢市《かなざわし》は加賀百万石《かがひゃくまんごく》の城下町《じょうかまち》として開《ひら》けた。／安土《あづち》城《じょう》の城主《じょうしゅ》は織田信長《おだのぶなが》だった。 意味 敵《てき》を防《ふせ》ぐために築《きず》いた建造物《けんぞうぶつ》。王《おう》や領主《りょうしゅ》などの住居《じゅうきょ》。しろ。

《城《しろ》》

❷ 意味 土《ど》るいをめぐらした町《まち》。都《みやこ》。
❸ 意味 他《た》からおかされない自分《じぶん》だけの領域《りょういき》。

熟語
❶ 城外《じょうがい》。城内《じょうない》。入城《にゅうじょう》。江戸城《えどじょう》。

艹／13画

蒸

音 ジョウ
訓 (むす)・(むれる)・(むらす)

成り立ち
「艹」は草《くさ》。「烝」は熱気《ねっき》が立《た》ちのぼること。もとは、草《くさ》が上《うえ》へ上《うえ》へとさかんにのびる意味《いみ》。草《くさ》がいっぱいしげると、熱気《ねっき》がむんむんするので、《むす》意味《いみ》になった。

筆順・書き方

（13画）

例文・意味
❶ 例文 蒸気機関車《じょうききかんしゃ》の写真《しゃしん》をとる。 意味 水《みず》が気体《きたい》になって立《た》ちのぼる。
❷ 例文 タオルを蒸《む》して消毒《しょうどく》する。／ごはんが蒸《む》れる。／赤飯《せきはん》を蒸《む》らす。 意味 湯気《ゆげ》を当《あ》てて熱《ねっ》する。ふかす。むす。むれる。むらす。
❸ 例文 じとじとして、きょうは朝《あさ》から蒸《む》す日《ひ》だ。／蒸《む》し暑《あつ》くて息苦《いきぐる》しい。／足《あし》が蒸《む》れる。 意味 しつ度《ど》が高《たか》くて暑《あつ》く、不快《ふかい》を感《かん》じる。むす。むれる。

熟語
❶ 蒸発《じょうはつ》。蒸留《じょうりゅう》(液体《えきたい》を熱《ねっ》して気《き》体《たい》にし、それを冷《ひ》やして、まじりけのない液体《えきたい》をつくること)。水蒸気《すいじょうき》。
❷ 蒸《む》し焼《や》き。

針

金／10画

音 シン
訓 はり

成り立ち

「金」は、きん属《ぞく》、「十」は、まとめることで、布《ぬの》をぬってまとめる、先《さき》のとがった金属《きんぞく》の《はり》のこと。

筆順・書き方

𠆢 亼 仐 金 金 針 針（10画）

はねない

例文・意味

❶ 例文 ミシンの針《はり》が折《お》れる。／魚《さかな》の口《くち》からつり針《ばり》をはずす。／家庭科《かていか》で運針《うんしん》（布《ぬの》をぬうときの、はりの使《つか》い方《かた》）の方法《ほうほう》を習《なら》う。 意味 布《ぬの》をぬったり、物《もの》をひっかけたりする先《さき》のとがった細長《ほそなが》い物《もの》。はり。

❷ 例文 時計《とけい》の針《はり》。／松《まつ》もすぎも針葉樹《しんようじゅ》です。／ひらい針《しん》をとりつける。 意味 針《はり》❶の形《かたち》をした、先《さき》がとがっていて細長《ほそなが》い物《もの》。はり。

❸ 例文 会社《かいしゃ》の新《あたら》しい経営方針《けいえいほうしん》を決定《けってい》する。 意味 さししめす、進《すす》むべき方向《ほうこう》。

熟語

❶ 針金《はりがね》。針箱《はりばこ》。針仕事《はりしごと》。注射針《ちゅうしゃばり》。留《と》め針《ばり》。待《ま》ち針《ばり》。針小棒大《しんしょうぼうだい》⇩（639ページ上）

❷ 検針《けんしん》。短針《たんしん》。長針《ちょうしん》。秒針《びょうしん》。

❸ 針路《しんろ》（これから進《すす》んでいく道《みち》）。指針《ししん》（ものごとをおこなうときの、めざす方向《ほうこう》や、やり方《かた》）。

仁

亻／4画

音 ジン・（ニ）
訓 —

成り立ち

「亻」は人《ひと》を、「二」はふたつをあらわす。ふたりが仲間《なかま》として仲《なか》よくすることをあらわし、自分《じぶん》の仲間《なかま》として、接《せっ》する心《こころ》、つまり《おもいやり》《なさけぶかい》の意味《いみ》をあらわした字《じ》。

筆順・書き方

ノ 亻 亻 仁（4画）

うえのせんよりながく

例文・意味

❶ 例文 じゅ教《きょう》では仁《じん》（人《ひと》を愛《あい》し、思《おも》いやる気持《きも》ち）は人《ひと》のもつべき最高《さいこう》の徳《とく》とされている。／仁義《じんぎ》（人《ひと》としておこなうべき道徳《どうとく》）を重《おも》んじる。／寺《てら》の門《もん》の両《りょう》わきに仁王像《におうぞう》が立《た》っている。 意味 人《ひと》に対《たい》する思《おも》いやり。人《ひと》として、もつべきいつくしみ。

《仁王像《におうぞう》》

❷ 例文 まったくものわかりのいいご仁《じん》だ。 意味 人物《じんぶつ》。ひと。

熟語

❶ 仁術《じんじゅつ》（思《おも》いやりのあるやり方《かた》）。

□ 土／8画

垂

音 スイ
訓 たれる・たらす

成り立ち
いねのほのたれた形《かたち》と「土」（つち）を合《あ》わせた字《じ》。実《みの》ったいねのほが、その重《おも》みでたれ下《さ》がるように、上《うえ》から下《した》へ《たれる》ことを意味《いみ》する。

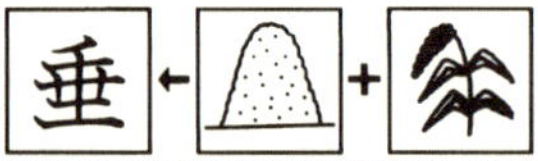

筆順・書き方

（8画）

例文・意味

❶ 例文 つり糸《いと》を垂《た》れる。／墓前《ぼぜん》にふかぶかと頭《あたま》を垂《た》れる。／鼻水《はなみず》を垂《た》らす。／長《なが》いかみの毛《け》をかたまで垂《た》らした少女《しょうじょ》。／幕《まく》を垂《た》らす。／雨雲《あまぐも》が低《ひく》く垂《た》れこめる。／雨垂《あまだ》れの音《おと》が聞《き》こえる。／鉄棒《てつぼう》でけん垂《すい》をする。 意味 だらりと下《さ》がる。ぶら下《さ》がる。ぶら下《さ》げる。たれる。たらす。

❷ 例文 神《かみ》がめぐみを垂《た》れたもう。／部下《ぶか》を集《あつ》めて訓示《くんじ》を垂《た》れる。 意味 目上《めうえ》の者《もの》が目下《めした》の者《もの》にあたえる。たれる。

熟語

❶ **垂線**《すいせん》（一《ひと》つの直線《ちょくせん》、または平面《へいめん》に直角《ちょっかく》にまじわる直線《ちょくせん》）。**垂直**《すいちょく》。

□ 扌／11画

推

音 スイ
訓 （おす）

成り立ち
「隹」（鳥《とり》の中《なか》でもどう体《たい》のずんぐり太《ふと》った鳥《とり》）と「扌」（手《て》）を合《あ》わせた字《じ》。手《て》で重《おも》みをかけ、力《ちから》を入《い》れておすことから、《おしすすめる》の意味《いみ》になった。

筆順・書き方

（11画）

例文・意味

❶ 例文 時代《じだい》の**推移**《すいい》（時間《じかん》が過《す》ぎるにつれて、ものごとのようすが移《うつ》りかわること）を見守《みまも》る。／古《ふる》い建物《たてもの》の保存運動《ほぞんうんどう》を**推**《お》し進《すす》める。 意味 ものごとをおしすすめる。おす。

❷ 例文 会長《かいちょう》に**推**《お》す。／優良図書《ゆうりょうとしょ》として**推**《すい》せんされる。 意味 ある地位《ちい》につかせようとする。人《ひと》をあげ用《もち》いる。よいものとしてすすめる。

❸ 例文 ぼくの経験《けいけん》から**推**《お》してそれは不可能《ふかのう》だと思《おも》う。／十年後《じゅうねんご》の世界人口《せかいじんこう》を**推定**《すいてい》する。 意味 ある事実《じじつ》をもとにして、考《かんが》えめぐらす。

熟語

❶ **推進**《すいしん》。**推**《すい》**こう**（詩《し》や文章《ぶんしょう》の、文字《もじ》の使《つか》い方《かた》や、ことばづかいをなおして、よくすること）。

❷ **推挙**《すいきょ》（ある人《ひと》をその地位《ちい》・職務《しょくむ》にふさわしい人《ひと》であるとして、おしすすめること）。**推賞**《すいしょう》。

❸ **推計**《すいけい》。**推察**《すいさつ》。**推測**《すいそく》。**推理**《すいり》。**推量**《すいりょう》。**類推**《るいすい》（似《に》ていることをもとにして、ほかのものごとをおしはかること）。

寸／3画

寸

音 スン

訓 ―

成り立ち 手首《てくび》のところに「一」印《じるし》をつけた手《て》をあらわした字《じ》。その手首《てくび》のはばを「一寸《いっすん》」という長《なが》さの単位《たんい》として使《つか》った。その長《なが》さが短《みじか》かったので、わずかの意味《いみ》になった。

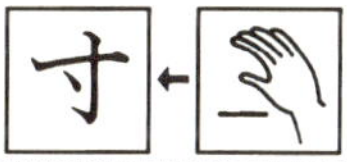

筆順・書き方 一 寸 寸（はねる）（3画）

例文・意味

❶ 例文 一寸《いっすん》は一《いっ》センチより長《なが》い。 意味 むかしの、長《なが》さの単位《たんい》。一尺《いっしゃく》の十分《じゅうぶん》の一《いち》で、約三《やくさん》・〇三《れいさん》センチメートル。

❷ 例文 左右《さゆう》の寸法《すんぽう》をはかる。 意味 ものの長《なが》さ。

❸ 例文 寸時《すんじ》もじっとしていない。／ほんの寸志《すんし》でございますが…。／寸分《すんぶん》のくるいもない。 意味 ほんのわずか。

《寸法《すんぽう》をはかる》

熟語

❶ 方寸《ほうすん》（一《いっ》すん四方《しほう》）。

❷ 原寸《げんすん》（実物《じつぶつ》と同《おな》じ大《おお》きさ）。

❸ 寸前《すんぜん》（少《すこ》し前《まえ》）。

皿／11画

盛

音 （セイ）・《ジョウ》

訓 もる・（さかる）・（さかん）

成り立ち 「成」は、まとめあげること、「皿」は、おさら。入《い》れ物《もの》に山《やま》もりに《もる》こと、また、勢《いきお》いが《さかんになる》ことを意味《いみ》した字《じ》。

筆順・書き方 厂 万 成 成 成 盛（ながく）（11画）

例文・意味

❶ 例文 ごはんを茶《ちゃ》わんに盛《も》る。／土《つち》を盛《も》ってつつみを築《きず》く。 意味 入《い》れ物《もの》にいっぱいにする。また、高《たか》く積《つ》みあげる。もる。

❷ 例文 火《ひ》が燃《も》え盛《さか》る。／公園《こうえん》の桜《さくら》は今《いま》が花盛《はなざか》りだ。／口角《こうかく》あわを飛《と》ばして盛《さか》んにまくし立《た》てる。／人々《ひとびと》が盛《さか》り場《ば》にくりだす。／ぎ式《しき》を盛《せい》大《だい》におこなう。／商売《しょうばい》がはん盛《じょう》する。 意味 ものごとの勢《いきお》いが活発《かっぱつ》だ。にぎやかだ。さかん。

熟語

❶ 山盛《やまも》り。盛《も》り込《こ》む。盛《も》りそば。

❷ 盛夏《せいか》。盛会《せいかい》（多《おお》くの人々《ひとびと》でにぎわう、活気《かっき》のある会合《かいごう》や集会《しゅうかい》）。盛装《せいそう》（美《うつく》しく、はなやかに着《き》かざること。また、その服装《ふくそう》）。全盛《ぜんせい》（勢《いきお》いがもっともさかんで、はやること）。働《はたら》き盛《ざか》り。真《ま》っ盛《さか》り。

□ 耳／13画

聖

音 セイ
訓 ―

成り立ち

まっすぐなようすをあらわす「呈」と、「耳」(みみ)を合《あ》わせた字《じ》。ものごとを、まっすぐに正《ただ》しく聞《き》きとることのできる《すぐれた人《ひと》》を意味《いみ》した字《じ》。

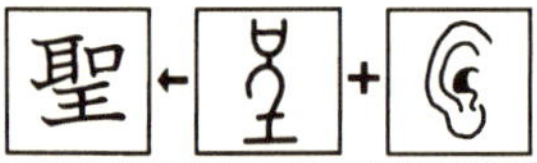

筆順・書き方

(13画)

例文・意味

❶ 例文 しゃか・キリスト・孔子《こうし》を三聖《さんせい》という。／聖人君子《せいじんくんし》。 意味 知《ち》えや徳《とく》のすぐれた人《ひと》。
❷ 例文 楽聖《がくせい》ベートーベン。 意味 その分野《ぶんや》でもっともすぐれた人《ひと》。
❸ 例文 聖《せい》なる川《かわ》。／神聖《しんせい》な場所《ばしょ》。／野鳥《やちょう》の聖域《せいいき》。 意味 けがれのない。おかしてはならない。
❹ 例文 聖母《せいぼ》マリア。／聖地《せいち》エルサレム。 意味 天《てん》子《し》やキリスト教《きょう》に関《かん》することにつけることば。

熟語

❶ 聖者《せいじゃ》(すぐれた知識《ちしき》があり、おこないや人《ひと》がらがりっぱで、ふかく尊敬《そんけい》されている人《ひと》)。
❷ 俳聖《はいせい》(俳句《はいく》の名人《めいじん》。とくに、松《まつ》尾芭蕉《おばしょう》のこと)。
❸ 聖火《せいか》。
❹ 聖者《せいじゃ》。聖書《せいしょ》。聖夜《せいや》。

□ 言／13画

誠

音 セイ
訓 (まこと)

成り立ち

「言」は、ことばを、「成」は、かけたところのない形《かたち》にまとめあげることをあらわす。《うそのないことば》《まごころ》を意味《いみ》した字《じ》。

筆順・書き方

(13画)

例文・意味

❶ 例文 誠心誠意《せいしんせいい》(真心《まごころ》をこめて、けん命《めい》にすること)努《ど》力《りょく》する。／かれのやる仕事《しごと》には、誠意《せいい》がうかがえない。／誠《まこと》をささげて神《かみ》にいのる。 意味 まごころ。いつわりのない心《こころ》。
❷ 例文 うそか誠《まこと》か、定《さだ》かではない。／誠《まこと》のことは存《ぞん》じません。 意味 うそいつわりがないこと。まこと。
❸ 例文 それが事実《じじつ》なら、誠《まこと》に困《こま》った問題《もんだい》だ。／誠《まこと》に申《もう》し訳《わけ》ありません。 意味 実《じつ》に。ほんとうに。

熟語

❶ 誠実《せいじつ》。忠誠《ちゅうせい》(国《くに》や主人《しゅじん》に真心《まごころ》をもって仕《つか》えること)。

□ 宀／9画

【宣】

音 セン

訓 ―

成り立ち

「宀」は家《いえ》、「亘」は、まるくとりまくかきね。もとは、まわりをかきねでとりまいた宮《きゅう》でんのこと。後《のち》、全体《ぜんたい》にゆきわたらせるという意味《いみ》に使《つか》われ、たいせつなことを《のべる》ことの意味《いみ》。

筆順・書き方

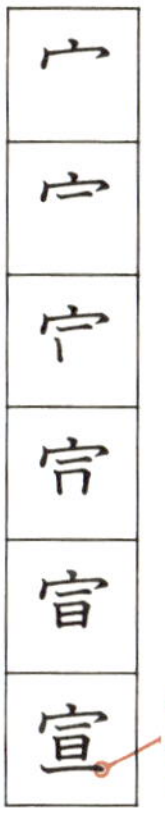

（9画）

例文・意味

❶ 例文 宣戦布告《せんせんふこく》（戦争《せんそう》を始《はじ》めることを知《し》らせること）する。／選手宣《せんしゅせん》せいをおこなう。 意味 はっきりと告《つ》げる。

❷ 例文 新薬《しんやく》を大々的《だいだいてき》に宣《せん》伝《でん》する。／ザビエルはキリスト教《きょう》の宣教師《せんきょうし》として日本《にっぽん》へやってきた。 意味 すみずみにまで知《し》らせ、ゆきわたらせる。

❸ 意味 天子《てんし》・天皇《てんのう》が告《つ》げる。みことのり。

《選手宣《せんしゅせん》せい》

熟語

❶ 宣言《せんげん》（考《かんが》えや態度《たいど》を多《おお》くの人《ひと》に向《む》かってはっきりと言《い》って告《つ》げ知《し》らせること）。宣告《せんこく》（相手《あいて》にはっきりと言《い》いわたすこと）。

□ 寸／9画

【専】

音 セン

訓 （もっぱら）

成り立ち

手《て》で糸《いと》をよっているところをあらわした字《じ》。何本《なんぼん》もの細《ほそ》い糸《いと》をよりあわせ、一《ひと》つにまとめることをあらわした。ほかのことに気《き》をとられないで《ひとすじに》の意味《いみ》をあらわす。

筆順・書き方

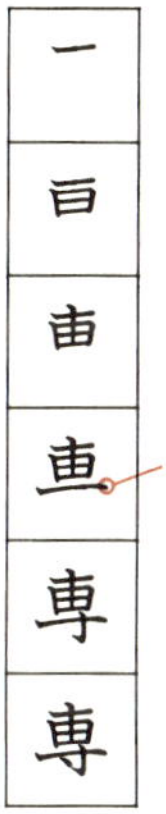

（9画）

例文・意味

❶ 例文 姉《あね》は大学《だいがく》で英文学《えいぶんがく》を専門《せんもん》に研究《けんきゅう》しています。／母親《ははおや》が子育《こそだ》てに専念《せんねん》（ある一《ひと》つのことだけを熱心《ねっしん》にすること）する。／通学《つうがく》には専《もっぱ》らバスを利用《りよう》する。 意味 そのことだけをおこなう。そのことだけにする。

❷ 例文 専横《せんおう》（他《た》の人《ひと》を無視《むし》して、わがままにふるまうこと）をきわめる独裁者《どくさいしゃ》。／広大《こうだい》な土地《とち》を専有《せんゆう》する。／社長専用《しゃちょうせんよう》の車《くるま》。 意味 ひとりだけで勝手《かって》にする。ひとりじめにする。

❸ 意味 「専門学校《せんもんがっこう》」の略《りゃく》。

熟語

❶ 専業《せんぎょう》（一《ひと》つだけの職業《しょくぎょう》をおこなうこと）。専心《せんしん》（一《ひと》つのことに心《こころ》を集中《しゅうちゅう》すること）。専属《せんぞく》。専任《せんにん》。専務《せんむ》。専門家《せんもんか》。専門用語《せんもんようご》。

❷ 専売《せんばい》。

❸ 高専《こうせん》（「高等専門学校《こうとうせんもんがっこう》」の略《りゃく》）。

□ 水／9画

泉

音 セン
訓 いずみ

成り立ち

岩《いわ》の穴《あな》から水《みず》がわき出《で》るところをえがいた字《じ》。岩《いわ》のあいだや地中《ちちゅう》から出《で》る水《みず》、つまり《いずみ》を意味《いみ》した字《じ》。

筆順・書き方

（9画）

例文・意味

❶ 例文 きれいな泉《いずみ》の水《みず》。／日本《にっぽん》は世界一《せかいいち》の温泉《おんせん》国《こく》である。意味 地中《ちちゅう》から自然《しぜん》にわき出《だ》してくる水《みず》。わき水《みず》。いずみ。

❷ 例文 アルカリ泉《せん》は、やけどの治《ち》りょうによい。意味「温泉《おんせん》」または「鉱泉《こうせん》」のこと。

❸ 例文 豊富《ほうふ》な知識《ちしき》の泉《いずみ》。／愛《あい》の泉《いずみ》。／話《はなし》の泉《いずみ》。意味 ものごとが次々《つぎつぎ》に出《で》てくる源《みなもと》。

❹ 例文 泉下《せんか》（人《ひと》が死後《しご》に行《い》くとされる世界《せかい》）にねむる祖先《そせん》の人々《ひとびと》。意味 人《ひと》が死後《しご》に行《い》くとされる世《せ》界《かい》。めいど。

熟語

❶ 源泉《げんせん》（水《みず》や流水《りゅうすい》などの源《みなもと》）。鉱泉《こうせん》（カルシウムや塩類《えんるい》などの鉱《こう》物《ぶつ》を、ある決《き》まった量以上《りょういじょう》ふくんだわき水《みず》）。

❷ 泉質《せんしつ》。

□ 氵／9画

洗

音 セン
訓 あらう

成り立ち

「氵」は水《みず》を、「先」は人《ひと》の足《あし》の指先《ゆびさき》をあらわす。足《あし》の指《ゆび》のあいだに水《みず》を流《なが》して、よごれをすすぐように、細《こま》かいところまで水《みず》を通《とお》して《あらう》こと。

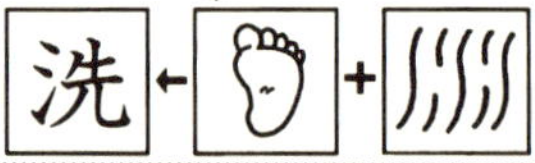

筆順・書き方

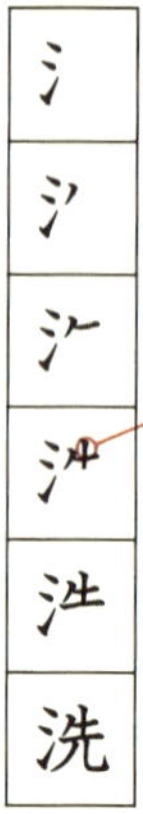

（9画）

例文・意味

❶ 例文 野菜《やさい》を洗《あら》う。／入浴《にゅうよく》してからだのよごれを洗《あら》い落《お》とす。／キリスト教《きょう》の入信者《にゅうしんしゃ》が洗礼《せんれい》を受《う》ける。／新《あたら》しいタイプの洗《せん》ざいが出回《でまわ》る。意味 水《みず》などでよごれをとりのぞく。あらう。

❷ 例文 容疑者《ようぎしゃ》の前歴《ぜんれき》を洗《あら》う。／犯罪《はんざい》の手口《てぐち》を洗《あら》う。／身《み》もとを洗《あら》う。意味 調《しら》べあげてあからさまにする。あらう。

熟語

❶ 洗顔《せんがん》。洗濯《せんたく》。洗面《せんめん》。洗練《せんれん》（すっきりとして、りっぱなこと）。洗濯機《せんたくき》。洗濯物《せんたくもの》。洗面器《せんめんき》。洗面所《せんめんじょ》。手洗《てあら》い。

木／9画

染

音 （セン）

訓 そめる・そまる・《しみる》・《しみ》

成り立ち

「氵」は水《みず》を、「杂」は液体《えきたい》を入《い》れる器《うつわ》をあらわす。布《ぬの》や糸《いと》を色《いろ》のついた水《みず》にひたして、色《いろ》をしみこませて、《そめる》ことを意味《いみ》した。

筆順・書き方

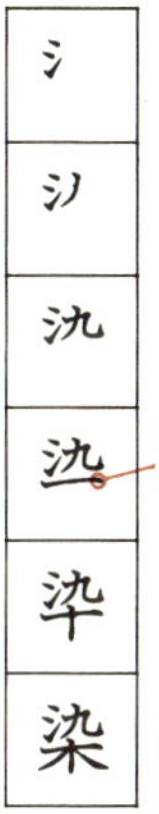

（9画）

例文・意味

❶ 例文 かみを染《そ》める。／はずかしさで顔《かお》が赤《あか》く染《そ》まった。／赤《あか》く染色《せんしょく》する。 意味 色《いろ》をつける。色《いろ》がつく。そめる。そまる。

❷ 例文 悪《あく》に染《そ》まる。／寒気《かんき》が身《み》に染《し》みる。／愛《あい》のたっとさが心《こころ》に染《し》みる。 意味 強《つよ》いえいきょうを受《う》ける。そまる。

❸ 例文 雨水《あまみず》が土《つち》に染《し》みこむ。／ズボンに染《し》みができる。／お染《せん》が広《ひろ》まる。 意味 液体《えきたい》などが物《もの》の中《なか》ににじむようにして入《はい》る。しみる。また、そうしてできたよごれ。しみ。

熟語

❶ 染料《せんりょう》。染《そ》め物《もの》。

❷ 感染《かんせん》（他《た》のものの影響《えいきょう》を受《う》けて、それにそまること）。伝染《でんせん》。伝染病《でんせんびょう》。

口／12画

善

音 ゼン

訓 よい

成り立ち

「羊」（りっぱでみごとなひつじの頭《あたま》）と「言」（はきはきしたことば）を合《あ》わせた字《じ》。どちらもみごとなものとしてほめられたので、《よい》という意味《いみ》の字《じ》になった。

筆順・書き方

（12画）

例文・意味

❶ 例文 善《よ》い悪《わる》いの区別《くべつ》をはっきりさせる。／一《いち》日一善《にちいちぜん》をモットーにする。／善《ぜん》は急《いそ》げ。 意味 道理《どうり》にかなっていて、正《ただ》しいこと。よい。 対語 悪《あく》。

❷ 例文 善戦《ぜんせん》したがおしくも負《ま》けた。／事態収拾《じたいしゅうしゅう》の善後策《ぜんごさく》（じょうずに後始末《あとしまつ》をするための方法《ほうほう》）を練《ね》る。 意味 結果《けっか》がうまくいくようにする。よくする。

❸ 例文 来日《らいにち》した外国《がいこく》チームとの親善試合《しんぜんじあい》。 意味 仲《なか》よくする。親《した》しくする。

熟語

❶ 善悪《ぜんあく》。善意《ぜんい》（人《ひと》のことを思《おも》いやる気持《きも》ち）。善行《ぜんこう》。善政《ぜんせい》（国《こく》民《みん》の生活《せいかつ》を守《まも》り、社会《しゃかい》をよくする政治《せいじ》）。善人《ぜんにん》。善良《ぜんりょう》。改善《かいぜん》。最善《さいぜん》。

❷ 善処《ぜんしょ》（問題《もんだい》をできるだけよい方法《ほうほう》で処理《しょり》すること）。

❸ 親善《しんぜん》。

【奏】

大／9画

音 ソウ

訓 《かなでる》

成り立ち

葉《は》のついた木《き》の枝《えだ》のささげ物《もの》をきれいにそろえて両手《りょうて》でさし出《だ》すところをあらわした字《じ》。えらい人《ひと》に《もうしあげる》こと、また楽器《がっき》をささげるようにして《かなでる》の意味《いみ》になった。

筆順・書き方

（9画）

例文・意味

❶ 例文 総理大臣《そうりだいじん》が閣議《かくぎ》の決定《けってい》を天皇陛下《てんのうへいか》に奏上《そうじょう》する。 意味 天子《てんし》や天皇《てんのう》に申《もう》しあげる。

❷ 例文 マンドリンを奏《かな》でる。／バイオリンを独奏《どくそう》する。／オーケストラの演奏《えんそう》をきく。 意味 楽器《がっき》を鳴《な》らす。また、音楽《おんがく》をかなでる。

❸ 例文 実験《じっけん》が功《こう》を奏《そう》する。 意味 よい結果《けっか》をあげる。成果《せいか》をもたらす。

《独奏《どくそう》する》

熟語

❷ 合奏《がっそう》。序奏《じょそう》（中心《ちゅうしん》になる曲《きょく》の導入《どうにゅう》の部分《ぶぶん》として演《えん》そうされる音楽《おんがく》）。前奏《ぜんそう》。演奏会《えんそうかい》。協奏曲《きょうそうきょく》。

【窓】

穴／11画

音 ソウ

訓 まど

成り立ち

もとの字《じ》は「窻」。空気《くうき》ぬきのまど「囱」と「穴」（あな）と「心」（こころ）を合《あ》わせた字《じ》。あければ心《こころ》もすうっとするように、空気《くうき》がぬけ通《とお》る《まど》のこと。

筆順・書き方

（11画）

例文・意味

❶ 例文 窓《まど》から朝日《あさひ》がさしこむ。／出窓《でまど》にはち植《う》えの花《はな》を置《お》く。／車窓《しゃそう》から遠《とお》くの山並《やまな》みをながめる。 意味 採光《さいこう》や風《かぜ》通《とお》しのためにかべ・屋根《やね》などに穴《あな》をあけ、ガラスなどをはめて、開閉《かいへい》できるようにしてある部分《ぶぶん》。まど。

《出窓《でまど》に花《はな》を置《お》く》

❷ 例文 学窓《がくそう》を巣立《すだ》って実社会《じっしゃかい》へ出《で》る。／父《ちち》の同窓生《どうそうせい》。 意味 へや。また、勉強《べんきょう》する建物《たてもの》。

熟語

❶ 窓口《まどぐち》。窓《まど》ガラス。

□ 刂／12画

【創】

音 ソウ
訓 ―

成り立ち

「倉」(「ソウ」という音《おん》。切《き》れめを入《い》れる)と「刂」(刀《かたな》)を合《あ》わせた字《じ》。工《こう》作《さく》をするとき、は・も・の・で切《き》れめを入《い》れることから、《はじめる》の意《い》味《み》。また、切《き》れめの《きず》もあらわす。

筆順・書き方

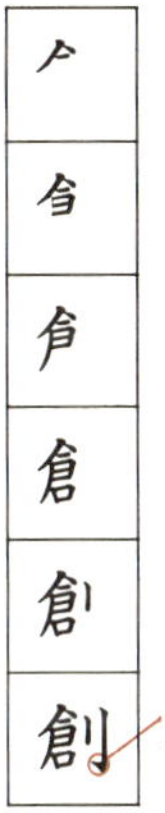

（12画）

例文・意味

❶ 例文 指《ゆび》先《さき》の傷《きず》にばん創《そう》こうを巻《ま》きつける。 意味 は・も・の・で傷《きず》をつける。また、切《き》り傷《きず》。

《ばん創《そう》こうを巻《ま》く》

❷ 例文 『旧約聖書《きゅうやくせいしょ》』は「創生記《そうせいき》」の記《き》述《じゅつ》から始《はじ》まっている。／わたしたちの学校《がっこう》はことしで創立百年《そうりつひゃくねん》をむかえる。／独創性《どくそうせい》あふれるアイディア。／法隆寺《ほうりゅうじ》は聖《しょう》徳太子《とくたいし》の創建《そうけん》によると伝《つた》えられている。 意味 ものごとを始《はじ》める。はじめてつくる。

熟語

❷ 創案《そうあん》(はじめて考《かんが》え出《だ》すこと。また、その考《かんが》え)。創刊《そうかん》。創業《そうぎょう》。創作《そうさく》。創設《そうせつ》。創造《そうぞう》。創始者《そうししゃ》。創立者《そうりつしゃ》。創意工夫《そういくふう》 ⇩(639ページ下)

□ 衣／12画

【装】

音 ソウ・(ショウ)
訓 《よそおう》

成り立ち

背《せ》の高《たか》い男《おとこ》をあらわす「壮」と、着《き》物《もの》をあらわす「衣」とを合《あ》わせた字《じ》。形《かたち》よく身《み》じたくして《よそおう》ことや、《よそおい》を意《い》味《み》する。

筆順・書き方

（12画）

例文・意味

❶ 例文 盛装《せいそう》してコンサートへ出《で》かけた。／真紅《しんく》のスーツで身《み》を装《よそお》う。 意味 衣《い》服《ふく》を着《き》て身《み》ごしらえする。よそおう。また、よそおい。

❷ 例文 店《みせ》の装《よそお》いを一新《いっしん》する。／装備《そうび》の万全《ばんぜん》をはかる。／道《どう》路《ろ》をほ装《そう》する。 意味 かざる。備《そな》えつける。また、備《そな》えつけたかざり。よそおう。よそおい。

❸ 例文 この本《ほん》の装丁《そうてい》(書物全体《しょもつぜんたい》のつくりや、表紙《ひょうし》などのデザイン)は美《うつく》しい。 意味 書物《しょもつ》のていさい。

熟語

❶ 軽装《けいそう》。武装《ぶそう》。服装《ふくそう》。変装《へんそう》。洋装《ようそう》。礼装《れいそう》(儀《ぎ》式《しき》のときなどに着《き》る、正式《せいしき》な服《ふく》そう)。和装《わそう》。装束《しょうぞく》。衣装《いしょう》。装身具《そうしんぐ》。ふん装《そう》。仮装行列《かそうぎょうれつ》。仮装大会《かそうたいかい》。

❷ 装置《そうち》。改装《かいそう》。包装《ほうそう》。舞台装置《ぶたいそうち》。

層

尸／14画

音 ソウ
訓 ―

成り立ち
「曽」は何段《なんだん》にも重《かさ》なった、米《こめ》をむすせいろ。上《うえ》に重《かさ》なる意味《いみ》をあらわす。「尸」は屋根《やね》。屋根《やね》がいくえにもなっている《高《たか》い建物《たてもの》》のこと。また、その階数《かいすう》を数《かぞ》えるときも使《つか》われる。

筆順・書き方

（14画）

例文・意味

❶ 例文 雲《くも》がいくえにも層《そう》を成《な》している。／松本《まつもと》城《じょう》は五層《ごそう》の天守《てんしゅ》をもっている。／その地層《ちそう》が形成《けいせい》された年代《ねんだい》を調《しら》べる。
意味 積《つ》み重《かさ》なる。また、積《つ》み重《かさ》なった物《もの》。

❷ 例文 全人口《ぜんじんこう》に対《たい》する高年《こうねん》れい層《そう》の比率《ひりつ》が増大《ぞうだい》する。／低所得階層《ていしょとくかいそう》の税負担《ぜいふたん》が大《おお》きすぎる。
意味 年《ねん》れいや地位《ちい》などによる区分《くぶん》。

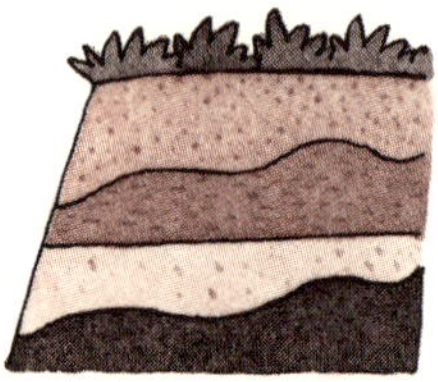
《地層《ちそう》》

熟語

❶ 下層《かそう》。高層《こうそう》。上層《じょうそう》。断層《だんそう》（大地《だいち》のでき方《かた》のくいちがい）。上層部《じょうそうぶ》。

操

扌／16画

音 ソウ
訓 《みさお》・（あやつる）

成り立ち
「喿」（小鳥《ことり》が木《き》の上《うえ》に集《あつ》まってせわしなくさえずっているようす）と「扌」（手《て》）を合《あ》わせた字《じ》。せかせかと休《やす》みなく手《て》を動《うご》かし、《あつかう》《あやつる》ことをあらわす。

筆順・書き方

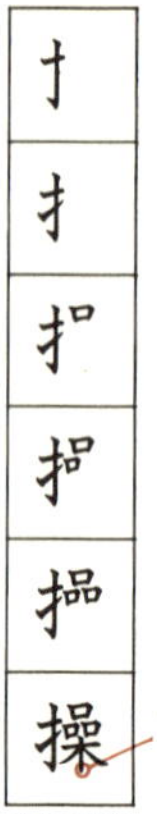

（16画）

例文・意味

❶ 例文 節操《せっそう》なく主義主張《しゅぎしゅちょう》をかえる。／志操《しそう》（かたく守《まも》りつづける志《こころざし》）けん固《ご》な人《ひと》。／かたく操《みさお》を守《まも》る。
意味 かたく守《まも》ってかえない心《こころ》。みさお。

❷ 例文 指先《ゆびさき》を動《うご》かして人形《にんぎょう》を操《あやつ》る。／外国語《がいこくご》をたくみに操《あやつ》る。／操業時間《そうぎょうじかん》の短縮《たんしゅく》をはかる。／操縦士《そうじゅうし》として旅客機《りょかっき》に乗《の》りこむ。
意味 手《て》でうまく動《うご》かす。自由《じゆう》に使《つか》いこなす。あやつる。

熟語

❶ 情操《じょうそう》（正《ただ》しいこと、美《うつく》しいこと、りっぱなことなどをすなおに感《かん》じ、受《う》け入《い》れることのできる心《こころ》）。

❷ 操作《そうさ》（機械《きかい》などを動《うご》かすこと）。体操《たいそう》。操《あやつ》り人形《にんぎょう》。

蔵

艹／15画

音 ゾウ

訓 （くら）

成り立ち

もとの字《じ》は「藏」。「艹」は作物《さくもつ》、「臧」は「ゾウ」という音《おん》が、しまいこむ意味《いみ》をあらわし、たいせつな作物《さくもつ》をきちんとしまっておく建物《たてもの》、つまり《くら》を意味《いみ》した字《じ》。

筆順・書き方

艹　芦　芦　芦　蔵　蔵（15画）

わすれずに

例文・意味

❶ 例文 火事《かじ》で土蔵《どぞう》だけが焼《や》け残《のこ》った。／荷物《にもつ》を蔵《くら》に運《はこ》び入《い》れる。 意味 物《もの》をしまっておく建物《たてもの》。くら。

❷ 例文 飲用水《いんようすい》を貯蔵《ちょぞう》する。／記《き》おく装置《そうち》を内蔵《ないぞう》する。／愛蔵用《あいぞうよう》のごうか本《ぼん》。／蔵書《ぞうしょ》（本《ほん》を自分《じぶん》のものとして、もっていること）のリストをつくる。 意味 物《もの》を中《なか》に入《い》れておく。しまいこむ。かくす。

❸ 例文 国立美術館蔵《こくりつびじゅつかんぞう》の国宝《こくほう》。 意味「所蔵《しょぞう》」の略《りゃく》。自分《じぶん》のものとしてもっていること。

熟語

❶ 米蔵《こめぐら》。

❷ 秘蔵《ひぞう》（たいせつにしまっておくこと）。冷蔵庫《れいぞうこ》。

臓

月／19画

音 ゾウ

訓 ―

成り立ち

もとの字《じ》は「臟」。「月」（肉《にく》。からだ）と、「藏」（作物《さくもつ》をしまうくら）を合《あ》わせた字《じ》。からだの中《なか》にしまいこまれた、いろいろな《器官《きかん》》を意味《いみ》した字《じ》。

筆順・書き方

月　脇　脇　脇　臓　臓（19画）

脇としない

例文・意味

例文 漢方《かんぽう》では肺臓《はいぞう》・心臓《しんぞう》・かん臓《ぞう》・ひ臓《ぞう》・じん臓《ぞう》の五《いつ》つを五臓《ごぞう》という。／現代医学《げんだいいがく》の発達《はったつ》は多《おお》くの臓器《ぞうき》の移植《いしょく》を可能《かのう》にした。 意味 動物《どうぶつ》のからだの中《なか》の、いろいろなはたらきをする器官《きかん》。はらわた。

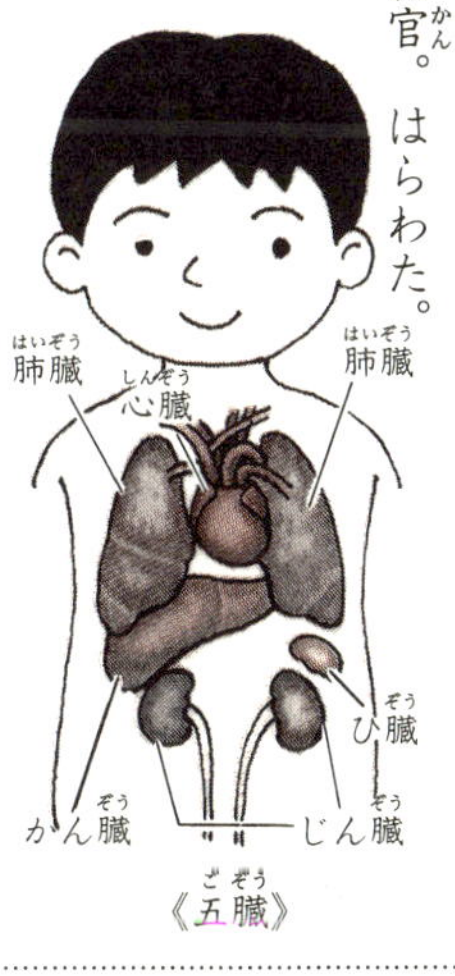

《五臓《ごぞう》》

熟語

臓物《ぞうもつ》。内臓《ないぞう》。すい臓《ぞう》。

6年

〔ゾウ〕 蔵・臓

□ 子／6画

【存】

音 ソン・ゾン

訓 ―

成り立ち 「𠂇」（才《さい》からかわった形《かたち》。川《かわ》の水《みず》をじっととどめること）と「子」（こども）を合《あ》わせた字《じ》。子《こ》どもを守《まも》ることから、《とどめおく》の意味《いみ》に、またそのまま、《ある》の意味《いみ》になった。

筆順・書き方

（6画）

例文・意味

❶ 例文 宇宙《うちゅう》からみれば地球《ちきゅう》はごく小《ちい》さな存在《そんざい》にすぎない。／激《はげ》しい生存競争《せいぞんきょうそう》。／東西《とうざい》の文明《ぶんめい》が共存《きょうぞん》する。意味 実際《じっさい》にある。また、生《い》きている。対語 亡《ぼう》。

❷ 例文 古《ふる》いしきたりが存続《そんぞく》する。／文化遺産《ぶんかいさん》を保存《ほぞん》する。／兵力《へいりょく》を温存《おんぞん》する。意味 とっておく。保《たも》つ。

❸ 例文 私《わたくし》は存《ぞん》じません。／ぼくの一存《いちぞん》ではどうにもならない。／とくに異存《いぞん》はない。意味 知《し》る。考《かんが》える。また、考《かんが》え。

熟語

❶ 存立《そんりつ》（ほろびないで、成《な》り立《た》っていくこと）。共存《きょうぞん》。存命《ぞんめい》（生《い》きていること）。生存《せいぞん》。

❸ 存外《ぞんがい》（思《おも》いのほか）。存分《ぞんぶん》（思《おも》いどおり）。

□ 寸／12画

【尊】

音 ソン

訓 たっとい・とうとい・たっとぶ・とうとぶ

成り立ち 「酋」は上等《じょうとう》のお酒《さけ》の入《はい》ったたつぼ、「寸」は手《て》をあらわす。人々《ひとびと》がたいせつにあつかう、よいお酒《さけ》の入《はい》ったたつぼの意味《いみ》から《大事《だいじ》にする》《たっとぶ》の意味《いみ》になった。

筆順・書き方

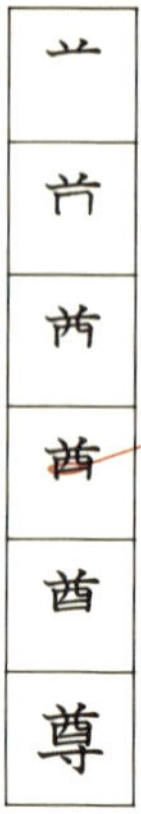

（12画）

例文・意味

❶ 例文 平和《へいわ》の尊《とうと》さを知《し》る。／人《ひと》の命《いのち》を尊《とうと》ぶ。／父《ちち》を尊敬《そんけい》する。／自尊心《じそんしん》（自分《じぶん》をすぐれていると思《おも》う気持《きも》ち）を傷《きず》つけられる。意味 ねうちや地位《ちい》が高《たか》い。とうとい。たっとい。また、あがめ敬《うやま》う。とうとぶ。たっとぶ。

❷ 例文 本尊《ほんぞん》を拝《おが》む。意味 たっとぶべきすぐれた人《ひと》。

❸ 例文 ご尊家《そんけ》のご多幸《たこう》をおいのり申《もう》します。意味 相手《あいて》の人《ひと》に関係《かんけい》することばの前《まえ》につけて、相手《あいて》の人《ひと》を敬《うやま》う意味《いみ》をあらわすことば。

熟語

❶ 尊重《そんちょう》。尊敬語《そんけいご》。

宀／6画

宅

音 タク

訓 ―

成り立ち

「宀」は屋根《やね》、「乇」は草《くさ》が地中《ちちゅう》に根《ね》をおろしたようす。屋根《やね》の下《した》に落《お》ち着《つ》くところ、つまり、《人《ひと》のすむ家《いえ》》を意味《いみ》した字《じ》。

筆順・書き方

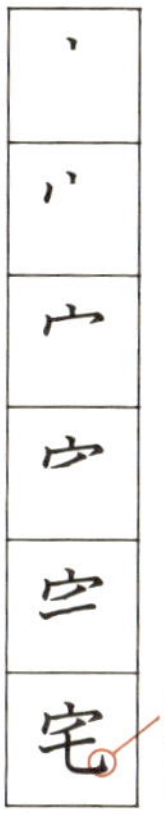

（6画）

例文・意味

❶ 例文 宅地《たくち》を造成《ぞうせい》する。／大《だい》てい宅《たく》にすむ。／宅配便《たくはいびん》で荷物《にもつ》を送《おく》る。 意味 人《ひと》がすむ家《いえ》。すまい。

❷ 例文 宅《たく》では朝食《ちょうしょく》はパンに決《き》めています。／宅《たく》は今出張《いましゅっちょう》で海外《かいがい》に行《い》っております。 意味 自分《じぶん》の家《いえ》。うち。また、妻《つま》が、自分《じぶん》の夫《おっと》をさして言《い》うことば。

❸ 例文 ここがお宅《たく》ですか。／次《つぎ》はお宅《たく》の番《ばん》です。 意味 (「お宅《たく》」の形《かたち》で)相手《あいて》の家《いえ》、または相手《あいて》をさして言《い》うことば。

熟語

❶ 社宅《しゃたく》。住宅《じゅうたく》。

❷ 帰宅《きたく》。自宅《じたく》。

扌／8画

担

音 タン

訓 《かつぐ》・《になう》

成り立ち

もとの字《じ》は「擔」。「扌」は手《て》を、「詹」は、ずしりとかたに重《おも》みをかけることをあらわす。ずしりと重《おも》い物《もの》を《かつぐ》こと、また、《仕事《しごと》を引《ひ》き受《う》ける》ことを意味《いみ》した字《じ》。

筆順・書き方

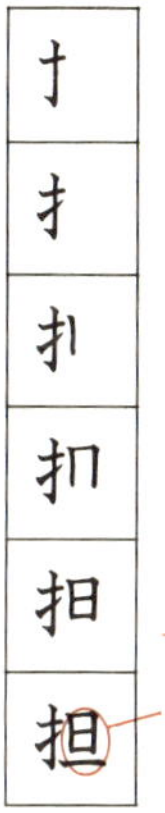

（8画）

例文・意味

❶ 例文 負傷者《ふしょうしゃ》を担《たん》かで運《はこ》ぶ。／材木《ざいもく》を担《かつ》ぐ。／背《せ》に担《にな》った荷物《にもつ》がずっしりと重《おも》い。 意味 荷物《にもつ》をかたや背《せ》にのせる。かつぐ。になう。

❷ 例文 友《とも》だちをまんまと担《かつ》ぐ。 意味 だます。うそを言《い》ってその気《き》にさせる。

❸ 例文 えん起《ぎ》を担《かつ》ぐ。 意味 迷信《めいしん》やえん起《ぎ》などを気《き》にする。

❹ 例文 国《くに》の政治《せいじ》を担《にな》う。／一家《いっか》の生活《せいかつ》を担《にな》う。／責任《せきにん》を分担《ぶんたん》する。／クラスの担任《たんにん》の先生《せんせい》。 意味 役目《やくめ》として引《ひ》き受《う》ける。になう。

熟語

❹ 担架《たんか》。担当《たんとう》。負担《ふたん》(引《ひ》き受《う》けること)。

《担架《たんか》で運《はこ》ぶ》

探

扌／11画

音 タン

訓 （さぐる）・さがす

成り立ち

「扌」は手《て》を、「罙」は穴《あな》に手《て》をふかく入《い》れてさぐることをあらわす。手《て》でさぐり出《だ》すことから、《さがす》《たずねる》の意《い》味《み》になった。

筆順・書き方

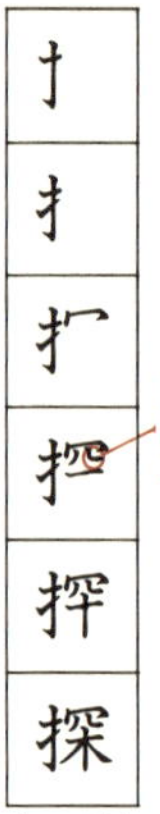

（11画）

例文・意味

例文 落《お》とし物《もの》を探《さが》す。／アマゾン川《がわ》のおく地《ち》を探検《たんけん》する。／犯人《はんにん》からの電話《でんわ》を逆探知《ぎゃくたんち》する。／真理《しんり》を探究《たんきゅう》（ものごとのほんとうの意《い》味《み》や、あり方《かた》などをさぐり、明《あき》らかにすること）する。／ポケットを探《さぐ》ってさいふをとり出《だ》す。／どうくつの中《なか》を手探《てさぐ》りで進《すす》む。

意味 わからないものや、ようすなどを調《しら》べ求《もと》める。さがす。たずね求《もと》める。また、ふかく調《しら》べる。さぐる。

熟語

探求《たんきゅう》（まだわからないことをさがし求《もと》めること）。探偵《たんてい》（あることの事情《じじょう》や人《ひと》の秘密《ひみつ》などをこっそりさぐること。また、それを仕事《しごと》にしている人《ひと》）。探訪《たんぼう》（その場所《ばしょ》に出《で》かけて行《い》って実際《じっさい》のようすを調《しら》べること）。

誕

言／15画

音 タン

訓 ―

成り立ち

新《あたら》しくあらわれることを「タン」という。赤《あか》ちゃんが生《う》まれるのは、新《あたら》しくあらわれることなので、「タン」の音《おん》を利用《りよう》して、《子《こ》どもが生《う》まれる》の意《い》味《み》になった。

筆順・書き方

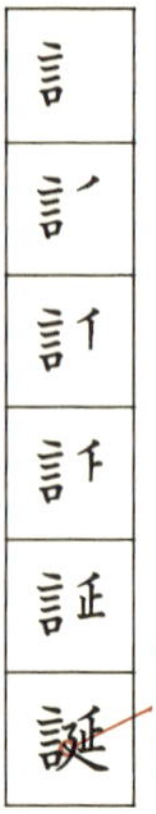

（15画）

例文・意味

例文 きょうはぼくの誕生日《たんじょうび》なので、母《はは》がうでによりをかけてごちそうをつくってくれた。／四月八日《しがつようか》の花祭《はなまつ》りには村《むら》の人《ひと》たちがお寺《てら》に集《あつ》まって、おしゃか様《さま》の生誕《せいたん》を祝《いわ》います。

意味 生《う》まれる。

《ぼくの誕生日《たんじょうび》》

熟語

聖誕祭《せいたんさい》（クリスマス）。

殳／9画

段

音 ダン

訓 ―

成り立ち 「𠂤」は上《うえ》から下《した》へだんだんに垂《た》らすことをあらわす。「殳」は仕事《しごと》をする記号《きごう》。上《うえ》から下《した》へトントンとおりる《階《かい》だん》をあらわした字《じ》。

筆順・書き方

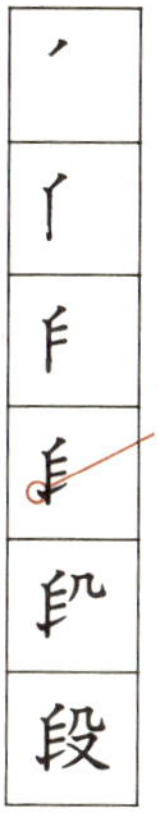

（9画）

例文・意味

❶ 例文 この文章《ぶんしょう》は三《みっ》つの段落《だんらく》からなっている。 意味 文章《ぶんしょう》の区切《くぎ》り。ものごとの区切《くぎ》り。

❷ 例文 石段《いしだん》をのぼる。／山腹《さんぷく》の段段畑《だんだんばたけ》。 意味 階《かい》だんの形《かたち》。また、その数《かず》を数《かぞ》えることば。

❸ 例文 いろいろと段《だん》どりする。／手段《しゅだん》をつくす。 意味 てだて。やり方《かた》。

❹ 意味 じゅう道《どう》・けん道《どう》・将《しょう》ぎなどの、うで前《まえ》の等級《とうきゅう》。

❺ 意味 むかしの、土地《とち》の広《ひろ》さをあらわす単位《たんい》。一段《いったん》は約十《やくじゅう》アール。

熟語

❶ 段階《だんかい》。値段《ねだん》。

❷ 階段《かいだん》。はしご段《だん》。

❸ 算段《さんだん》（いろいろとくふうして、よい方法《ほうほう》を考《かんが》えること）。

❹ 初段《しょだん》。有段者《ゆうだんしゃ》。

日／13画

暖

音 ダン

訓 あたたか・あたたかい・あたたまる・あたためる

成り立ち 「日」は太陽《たいよう》。「爰」は二《ふた》つの手《て》のあいだに物《もの》があって、ゆとりがあるようす。日光《にっこう》がゆきわたって《あたたかい》こと。

筆順・書き方

（13画）

例文・意味

❶ 例文 日《ひ》だまりの水《みず》は、手《て》を入《い》れると暖《あたた》かい。／いろりで暖《だん》をとる。／まぐろの群《む》れが暖流《だんりゅう》にのって北上《ほくじょう》する。／暖冬異変《だんとういへん》がつづく。 意味 寒《さむ》くも暑《あつ》くもない、冷《つめ》たくも熱《あつ》くもない、ちょうどよい温度《おんど》である。あたたかい。

❷ 例文 たき火《び》をして暖《あたた》まる。／ストーブで室内《しつない》を暖《あたた》める。／暖《だん》ぼう装置《そうち》をとりつける。 意味 ちょうどよい温度《おんど》にまで高《たか》まる。あたたまる。また、あたためる。 対語 冷《れい》。

熟語

❶ 暖色《だんしょく》（赤色《あかいろ》や、だいだい色《いろ》など、見《み》る人《ひと》にあたたかい感《かん》じをあたえる色《いろ》）。温暖《おんだん》。寒暖《かんだん》。温暖化《おんだんか》。寒暖計《かんだんけい》。

❷ 冷暖房《れいだんぼう》。

イ／10画

【値】

音 チ
訓 ね・（あたい）

成り立ち

「イ」は人《ひと》。「直」は、まっすぐに見《み》ること。人《ひと》や物《もの》にぴったりとつりあう《ねだん》をつけること。また、その物《もの》のねうちにぴったりあった《あたい》を意味《いみ》した字《じ》。

筆順・書き方

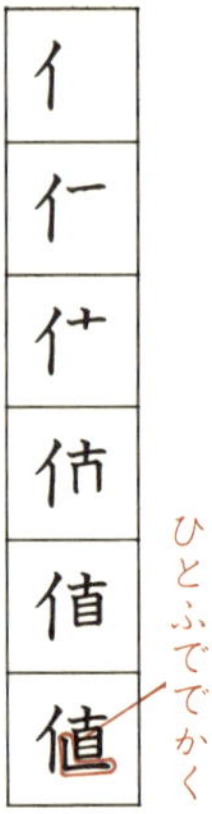

（10画）

例文・意味

❶ 例文 言《い》い値《ね》で買《か》う。／運賃《うんちん》を値上《ねあ》げする。／この本《ほん》は読《よ》むに値《あたい》しない。／値段《ねだん》が高《たか》すぎる。／この店《みせ》は何《なん》でも市価《しか》の半値《はんね》で売《う》っている。／理論的《りろんてき》にはまったく価値《かち》がない。 意味 商品《しょうひん》のねだん。もののねうち。ね。あたい。

❷ 例文 次《つぎ》の式《しき》の値《あたい》を求《もと》めなさい。／統計表《とうけいひょう》の数《すう》値《ち》をもとにしてグラフをつくる。／クラス全《ぜん》員《いん》の身長《しんちょう》をはかって平均値《へいきんち》を求《もと》める。／一日《いちにち》の気温《きおん》を最大値《さいだいち》で示《しめ》す。 意味 数《すう》・量《りょう》の大《おお》きさ。あたい。

熟語

❶ 高値《たかね》。元値《もとね》。安値《やすね》。値打《ねう》ち。値下《ねさ》げ。売《う》り値《ね》。買《か》い値《ね》。捨《す》て値《ね》（損《そん》をするのをかまわずに売《う》るときにつける安《やす》いねだん）。値上《ねあ》がり。値下《ねさ》がり。

❷ 近似値《きんじち》（ある数《かず》に近《ちか》い数《かず》）。平均値《へいきんち》。

宀／8画

【宙】

音 チュウ
訓 ―

成り立ち

「宀」は屋根《やね》。「由」は、たくさんのものがわき出《で》てくるつぼ。かぎりなく広《ひろ》がる大空《おおぞら》は、万物《ばんぶつ》のわき出《で》てくる大《おお》きなつぼのようなものなので、《大《おお》空《ぞら》や空中《くうちゅう》》の意味《いみ》になった。

筆順・書き方

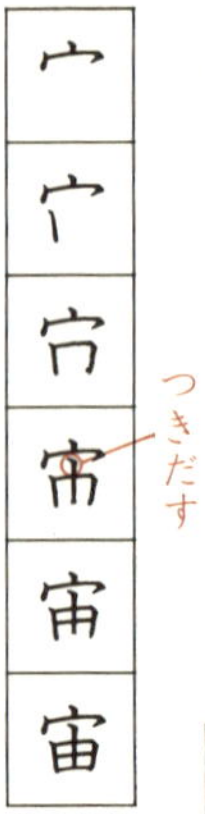

（８画）

例文・意味

❶ 例文 資金《しきん》が集《あつ》まらなくて計画《けいかく》が宙《ちゅう》にうく。／ぼう然《ぜん》と宙《ちゅう》を見《み》つめる。／木《き》の枝《えだ》から宙《ちゅう》づりになる。／宇宙《うちゅう》のかなたから地球《ちきゅう》をながめる。 意味 空中《くうちゅう》。また、果《は》てしなく広《ひろ》がっている、天地《てんち》のあいだの広《ひろ》がり。

《宇宙《うちゅう》》

❷ 例文 宙《ちゅう》で答《こた》える。 意味 文字《もじ》などを見《み》ないこと。

熟語

❶ 宙返《ちゅうがえ》り。宇宙人《うちゅうじん》。宇宙船《うちゅうせん》。

忠

心／8画

音　チュウ
訓　―

成り立ち　「中」(真《ま》ん中《なか》)と「心」(こころ)とを合《あ》わせた字《じ》。たいせつなことがいっぱいつまっている心《こころ》の中《なか》をあらわした字《じ》。《まごころ》や、《まごころをつくす》ことを意《い》味《み》した字《じ》。

筆順・書き方

(8画)

例文・意味

❶ 例文 友人《ゆうじん》の忠告《ちゅうこく》にすなおに耳《みみ》をかたむける。／飼《か》い主《ぬし》に忠実《ちゅうじつ》な(心《こころ》をこめてつとめるようす)犬《いぬ》。 意味 いつわりがなくつくすこと。まごころ。

《飼《か》い主《ぬし》に忠実《ちゅうじつ》な犬《いぬ》》

❷ 例文 主君《しゅくん》に生《しょう》がいかわることのない忠誠《ちゅうせい》をちかう。 意味 君主《くんしゅ》・主人《しゅじん》などに心《こころ》からつくすこと。また、つくす心《こころ》。

熟語

❶ 忠言《ちゅうげん》(その人《ひと》のためを思《おも》って、真《ま》心《ごころ》をこめて注意《ちゅうい》することば)。
❷ 忠義《ちゅうぎ》(国家《こっか》や主君《しゅくん》に真心《まごころ》をつくして仕《つか》えること)。忠孝《ちゅうこう》。

著

艹／11画

音　チョ
訓　(あらわす)・(いちじるしい)

成り立ち　「艹」は植物《しょくぶつ》。むかし、紙《かみ》のかわりに字《じ》を書《か》いた、竹《たけ》や木《き》の札《ふだ》のこと。「者」は、まきをひと所《ところ》に集《あつ》めて燃《も》やすこと。いろいろなことを一《ひと》つにまとめて《文章《ぶんしょう》を書《か》く》こと。

筆順・書き方

(11画)

例文・意味

❶ 例文 著作《ちょさく》に専念《せんねん》する。／『源氏物語《げんじものがたり》』は、日《に》本古典文学《ほんこてんぶんがく》の名著《めいちょ》です。／この本《ほん》は三人《さんにん》の先《せん》生《せい》による共著《きょうちょ》です。／研究《けんきゅう》の結果《けっか》をまとめて本《ほん》を著《あらわ》す。 意味 本《ほん》を書《か》く。あらわす。また、書《か》かれた本《ほん》。

❷ 例文 二十世紀《にじっせいき》になって近代科学《きんだいかがく》は著《いちじる》しい進歩《しんぽ》をとげた。／暑《あつ》さ寒《さむ》さの変化《へんか》が著《いちじる》しい。／あの人《ひと》は著名《ちょめい》な(世間《せけん》に名前《なまえ》がよく知《し》られているさま)政治家《せいじか》です。 意味 はっきりしている。目立《めだ》つ。いちじるしい。

熟語

❶ 著者《ちょしゃ》。著述《ちょじゅつ》。著書《ちょしょ》。著作者《ちょさくしゃ》。著作物《ちょさくぶつ》。

庁

广／5画

音 チョウ

訓 ―

成り立ち

もとの字《じ》は「廳」。「广」は家《いえ》を、「聽」は耳《みみ》をかたむけてよくきくことをあらわす。人々《ひとびと》のうったえをきくところ、つまり、《役所《やくしょ》》を意味《いみ》した字《じ》。

筆順・書き方

丶 亠 广 广 庁（はねる）

（5画）

例文・意味

❶ 例文 県庁《けんちょう》の新《あたら》しい庁舎《ちょうしゃ》が完成《かんせい》した。／国家公務員《こっかこうむいん》として官庁《かんちょう》に勤《つと》める。 意味 役所《やくしょ》。

❷ 例文 気象庁《きしょうちょう》から向《む》こう三《さん》か月間《げっかん》の長期予報《ちょうきよほう》が発表《はっぴょう》された。／特許庁《とっきょちょう》に実用新案登録《じつようしんあんとうろく》の出願《しゅつがん》をする。／消防庁《しょうぼうちょう》の長官《ちょうかん》。 意味 府《ふ》や省《しょう》の外局《がいきょく》の一《ひと》つとして設《もう》けられている行政機関《ぎょうせいきかん》。

熟語

❶ 都庁《とちょう》。

❷ 金融庁《きんゆうちょう》。宮内庁《くないちょう》。警察庁《けいさつちょう》。国税庁《こくぜいちょう》。水産庁《すいさんちょう》。文化庁《ぶんかちょう》。防衛庁《ぼうえいちょう》。林野庁《りんやちょう》。

頂

頁／11画

音 チョウ

訓 いただく・いただき

成り立ち

「丁」（くぎが直角《ちょっかく》につきあたること。またそのつきあたり）と「頁」（頭《あたま》）を合《あ》わせた字《じ》で、頭《あたま》の《てっぺん》のこと。また、《いちばん高《たか》い所《ところ》》のこと。

筆順・書き方

一 丁（はねる） 丆 丆 頂 頂

（11画）

例文・意味

❶ 例文 山《やま》の頂《いただき》に、展望台《てんぼうだい》が建《た》っている。／三角形《さんかくけい》の頂点《ちょうてん》。 意味 物《もの》のいちばん高《たか》い所《ところ》。てっぺん。いただき。

❷ 例文 雪《ゆき》を頂《いただ》いた山々《やまやま》が連《つら》なる。 意味 頭《あたま》の上《うえ》や高《たか》い所《ところ》に物《もの》をのせる。

❸ 例文 ごちそうを頂《いただ》く。／お年玉《としだま》を頂《ちょう》だいする。／わたしの願《ねが》いをかなえて頂《いただ》けませんか。／問題《もんだい》の解《と》き方《かた》を教《おし》えて頂《ちょう》だい。 意味 物《もの》をもらう。いただく。また、何《なに》かをしてもらう。

熟語

❶ 頂上《ちょうじょう》。山頂《さんちょう》。絶頂《ぜっちょう》（山《やま》のいただき。また、ものごとがもっとも高《たか》い状態《じょうたい》にあること）。登頂《とうちょう》。

《山頂《さんちょう》》

氵／15画

潮

音 チョウ
訓 しお

成り立ち
水《みず》をあらわす「氵」と「朝」(太陽《たいよう》がのぼるあさ)を合《あ》わせた字《じ》。朝日《あさひ》がのぼるにつれて、満《み》ちてくる《しお》を意味《いみ》している。

筆順・書き方

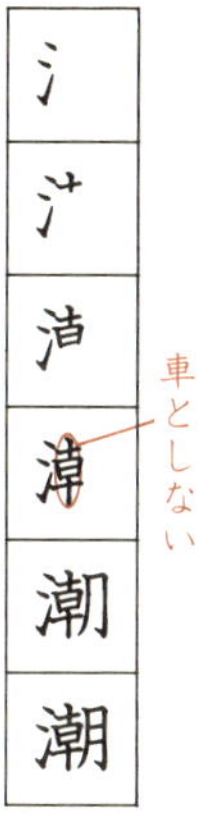

(15画)

例文・意味

❶ 例文 満潮《まんちょう》と干潮《かんちょう》は、月《つき》の引力《いんりょく》によって起《お》こる。 意味 一定《いってい》の時間《じかん》ごとに満《み》ち引《ひ》きする海水《かいすい》の動《うご》き。しお。

❷ 例文 潮《しお》のかおりがする。／潮風《しおかぜ》がふく。／船《ふね》が潮流《ちょうりゅう》に逆《さか》らって進《すす》む。 意味 海水《かいすい》。

❸ 例文 なげかわしい現代《げんだい》の風潮《ふうちょう》(世《よ》の中《なか》の流《なが》れのけい向《こう》)。 意味 時代《じだい》の移《うつ》りかわり。世《よ》の中《なか》の動《うご》きのけい向《こう》。

❹ 例文 潮時《しおどき》を見《み》て話《はなし》をうち切《き》った。 意味 ちょうどよいころあい。

熟語

❶ 赤潮《あかしお》。大潮《おおしお》。小潮《こしお》。高潮《たかしお》。引《ひ》き潮《しお》。満《み》ち潮《しお》。潮干狩《しおひが》り。

❷ 親潮《おやしお》(千島列島《ちしまれっとう》に沿《そ》って、本州《ほんしゅう》の東海岸《ひがしかいがん》を流《なが》れる寒流《かんりゅう》)。黒潮《くろしお》(日本列島《にほんれっとう》に沿《そ》って、南《みなみ》から北《きた》へ太平洋側《たいへいようがわ》を流《なが》れる暖流《だんりゅう》)。

❸ 高潮《たかしお》。潮流《ちょうりゅう》。

❹ 最高潮《さいこうちょう》。

貝／13画

賃

音 チン
訓 ―

成り立ち
「任」は人《ひと》が物《もの》をかかえこむこと、「貝」はお金《かね》や品物《しなもの》。お金《かね》をはらって人《ひと》をやとうこと。また、やとうかわりに《はらうお金《かね》》を意味《いみ》した字《じ》。

筆順・書き方

(13画)

例文・意味

例文 駅前《えきまえ》のレコード店《てん》ではレコードやビデオの賃貸《ちんたい》もしている。／地下鉄《ちかてつ》の運賃《うんちん》が値《ね》あげになる。／賃金《ちんぎん》のベースアップを要求《ようきゅう》する。／この製品《せいひん》は加工賃《かこうちん》がとても高《たか》くかかる。 意味 物《もの》を買《か》ったり、借《か》りて使《つか》ったりしたことに対《たい》してはらうお金《かね》。また、人《ひと》のはたらきに対《たい》してはらうお金《かね》。

《賃金《ちんぎん》のベースアップ》

熟語

工賃《こうちん》(物《もの》をつくる労力《ろうりょく》に対《たい》して、しはらうお金《かね》)。家賃《やちん》。賃上《ちんあ》げ。手間賃《てまちん》。電車賃《でんしゃちん》。賃貸住宅《ちんたいじゅうたく》。

【痛】

疒／12画

音 ツウ

訓 いたい・いたむ・いためる

成り立ち

「疒」は病気《びょうき》。「甬」は足《あし》で地面《じめん》をつくこと。つきとおるような《いたみ》や、たえられない《つらさ》を意味《いみ》した字《じ》。

筆順・書き方

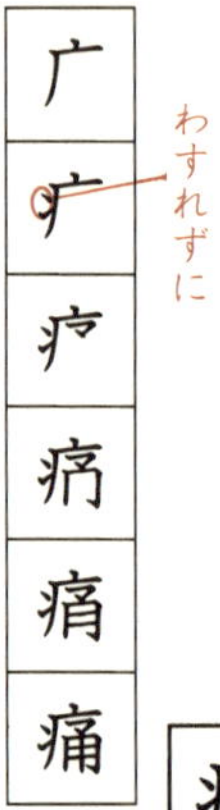

（12画）

例文・意味

❶ 例文 腹《はら》が痛《いた》い。／胃《い》が痛《いた》む。／ドアに指先《ゆびさき》をはさんで痛《いた》める。／背筋《せすじ》に痛《いた》みが走《はし》る。／頭《ず》痛《つう》がするので早《はや》くねる。 意味 傷《きず》や病気《びょうき》などでからだに苦《くる》しく感《かん》じる。いたむ。いたい。いためる。

❷ 例文 あれやこれやと胸《むね》を痛《いた》める。／友《とも》の死《し》を知《し》らされて悲痛《ひつう》な気持《きも》ちになった。 意味 心《こころ》に苦《くる》しく感《かん》じる。いたむ。いためる。

❸ 例文 痛《いた》く感《かん》じ入《い》る。／それは痛快《つうかい》な話《はなし》だ。 意味 はなはだしく。ひどく。

熟語

❶ 苦痛《くつう》。激痛《げきつう》。腹痛《ふくつう》。痛手《いたで》（ふかい傷《きず》）。神経痛《しんけいつう》。

❸ 痛感《つうかん》（心《こころ》に強《つよ》く感《かん》じること）。痛切《つうせつ》（強《つよ》く、身《み》にしみて感《かん》じるようす）。

【展】

尸／10画

音 テン

訓 ―

成り立ち

「尸」は重《おも》いおしり。「㐮」は衣《ころも》を略《りゃく》した字《じ》。「㞢」は、おもしをかけること。着《き》物《もの》におもしをかけて、きちんと《のばしひろげる》ことをあらわした字《じ》。

筆順・書き方

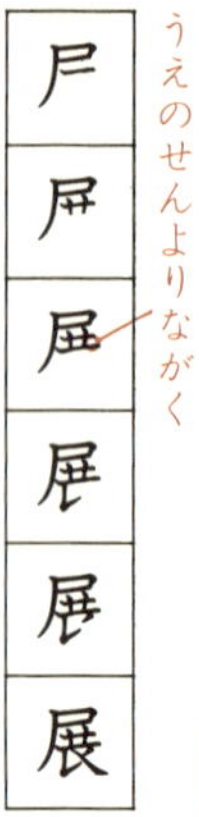

（10画）

例文・意味

❶ 例文 立体《りったい》を平面図形《へいめんずけい》に展開《てんかい》する。／手芸《しゅげい》作品《さくひん》を展示《てんじ》する。／書道《しょどう》の展覧会《てんらんかい》を開《ひら》く。 意味 平《たい》らに広《ひろ》げる。また、広《ひろ》げ並《なら》べる。

《展望台《てんぼうだい》》

❷ 例文 産業《さんぎょう》が発展《はってん》する。／山頂《さんちょう》の展望台《てんぼうだい》に立《た》つ。／仕事《しごと》の進展《しんてん》をはかる。 意味 ひらける。広《ひろ》がって、さかんになる。

❸ 例文 フランス美術展《びじゅつてん》を見《み》る。／個展《こてん》を開《ひら》く。 意味 「展覧会《てんらんかい》」「展示会《てんじかい》」の略《りゃく》。

熟語

❷ 展望《てんぼう》。

❸ 絵画展《かいがてん》。作品展《さくひんてん》。

討

言／10画

音 トウ

訓 （うつ）

成り立ち

「言」はことば。「寸」はすみまでさぐることをあらわす。《すみまで調《しら》べる》こと、また、《すみずみまでせめたてる》《うつ》ことをあらわした字《じ》。

筆順・書き方

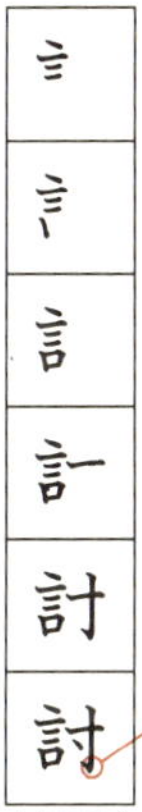

はねる

（10画）

例文・意味

❶ 例文 官軍《かんぐん》が討幕《とうばく》(幕府《ばくふ》をうつこと)のため江戸《えど》へせめ入《い》る。／敵《てき》の大軍《たいぐん》をむかえ討《う》つ。 意味 武力《ぶりょく》を使《つか》ってせめる。せめほろぼす。うつ。

❷ 例文 この問題《もんだい》はおおいに検討《けんとう》の余地《よち》がある。／てっ底的《ていてき》に討議《とうぎ》(あることがらについて、たがいに意見《いけん》を言《い》い合《あ》うこと)を重《かさ》ねたが、ついに結論《けつろん》には達《たっ》しなかった。／討論会《とうろんかい》を開《ひら》く。 意味 問《と》いただして、くわしく調《しら》べる。

熟語

❶ 討《う》ち入《い》り。追《お》い討《う》ち。焼《や》き討《う》ち。

❷ 討論《とうろん》。

《討論会《とうろんかい》》

党

小／10画

音 トウ

訓 ―

成り立ち

もとの字《じ》は「黨」。「黑」は黒《くろ》で、外《そと》からはよくわからないこと。「尚」は「トウ」という音《おん》をあらわし、いろいろな人《ひと》が集《あつ》まって《なかま》をつくること。また、その《なかま》の意味《いみ》。

筆順・書き方

てんのうちかたにちゅうい

ハとしない

（10画）

例文・意味

❶ 例文 徒党《ととう》を組《く》んでぬすみをはたらく。／ぼくはどちらかといえばあま党《とう》だ。／平家《へいけ》の残党《ざんとう》が山《やま》おくに身《み》をひそめる。 意味 仲間《なかま》。ともがら。

❷ 例文 党《とう》の規則《きそく》に反《はん》する。／挙党《きょとう》(とう員《いん》全員《ぜんいん》が団結《だんけつ》してものごとをすること)態勢《たいせい》で選挙《せんきょ》にのぞむ。／よ党《とう》と野党《やとう》が対立《たいりつ》する。 意味 同《おな》じ主義《しゅぎ》・主張《しゅちょう》をもつ政治家《せいじか》の集《あつ》まり。

熟語

❶ 悪党《あくとう》。一族郎党《いちぞくろうとう》⇩(634ページ中)

❷ 党首《とうしゅ》。党派《とうは》。政党《せいとう》。与党《よとう》。

6年

〔トウ・とどける〕

糖・届

米／16画

糖

音 トウ

訓 ―

成り立ち

「米」は、こめ。「唐」は、しんのあるかたいこく物《もつ》をかみくだいたり、とかしたりすること。さとうきびなどをとかし、それをかわかしてつくった《さとう》のこと。

筆順・書き方

（16画）

例文・意味

❶ 例文 父《ちち》は製糖工場《せいとうこうじょう》に勤《つと》めています。／コーヒーに角砂《かくざ》糖《とう》を二《ふた》つ入《い》れる。

意味 さとうきびなどからつくるあま味《み》の強《つよ》い食品《しょくひん》。

❷ 例文 にょうから糖《とう》が検出《けんしゅつ》される。／血糖値《けっとうち》（血《けつ》液中《えきちゅう》にふくまれているぶどうとうの数《かず》）をはかる。／あめのあま味《み》の主成分《しゅせいぶん》は麦芽糖《ばくがとう》です。

意味 炭水《たんすい》化物《かぶつ》のうち水《みず》にとけてあま味《み》があるもの。

《角砂糖《かくざとう》》

熟語

❶ 黒糖《こくとう》。砂糖《さとう》。

❷ 糖分《とうぶん》。ぶどう糖《とう》。

尸／8画

届

音 ―

訓 とどける・とどく

成り立ち

もとの字《じ》は「屆」。「尸」は、からだ。「凷」は土《つち》の中《なか》の穴《あな》。ほった穴《あな》の中《なか》に、からだが下《お》りていって《とどいて止《と》まる》こと。またその場所《ばしょ》に物《もの》が《とどく》ことを意味《いみ》した字《じ》。

筆順・書き方

（8画）

例文・意味

❶ 例文 電波《でんぱ》が地球《ちきゅう》の反対側《はんたいがわ》にまで届《とど》く。／はしごが短《みじか》くて屋根《やね》まで届《とど》かない。／注意《ちゅうい》がすみずみにまで行《い》き届《とど》く。／願《ねが》いが聞《き》き届《とど》けられる。

意味 目的《もくてき》のところに達《たっ》する。とどく。また、達《たっ》せられる。とどける。

❷ 例文 小包《こづつみ》を届《とど》ける。／拾得物《しゅうとくぶつ》を交番《こうばん》に届《とど》ける。／外国《がいこく》から便《たよ》りが届《とど》く。／届《とど》け先《さき》が不明《ふめい》だ。

意味 相手《あいて》に手《て》わたす。とどける。とどく。

❸ 例文 死亡届《しぼうとどけ》を出《だ》す。／欠席届《けっせきとどけ》を提出《ていしゅつ》する。

意味 役所《やくしょ》や学校《がっこう》などに、申《もう》し出《で》る書類《しょるい》。とどけ。

熟語

❷ 届《とど》け物《もの》。

❸ 届《とど》け出《で》。

難

隹／18画

音 ナン

訓 《かたい》・むずかしい

成り立ち

もとの字《じ》は「難」。「𦰩」は動物《どうぶつ》を火《ひ》であぶることを、「隹」は鳥《とり》をあらわす。鳥《とり》を火《ひ》であぶることから、火《ひ》であぶられるような《わざわい》、また、《むずかしい》の意味《いみ》をあらわす。

筆順・書き方

（18画）

例文・意味

❶ 例文 難《むずか》しい立場《たちば》に立《た》たされる。／その仕事《しごと》を一日《いちにち》で終《お》えるのは困難《こんなん》だ。／難解《なんかい》な問題《もんだい》に頭《あたま》をなやます。 意味 簡単《かんたん》にはいかない。むずかしい。かたい。 対語 易《い》。

❷ 例文 一台後《いちだいあと》の電車《でんしゃ》に乗《の》ったのであやうく事故《じこ》の難《なん》をまぬがれた。／災難《さいなん》に巻《ま》きこまれる。 意味 苦《くる》しみ。わざわい。

❸ 例文 非難《ひなん》の声《こえ》を浴《あ》びせる。 意味 欠点《けってん》をせめる。なじる。

熟語

❶ 難易《なんい》。難関《なんかん》（切《き》りぬけるのがむずかしいことがらや、所《ところ》）。難局《なんきょく》。難所《なんしょ》。難色《なんしょく》（受《う》け入《い》れられないという顔《かお》つきや、ようす）。難問《なんもん》。至難《しなん》（たいへんむずかしいこと）。多難《たなん》。得難《えがた》い。有《あ》り難《がた》い。気難《きむずか》しい。

❷ 難破《なんぱ》。難民《なんみん》。海難《かいなん》。苦難《くなん》。

❸ 難点《なんてん》（よくないところ）。

乳

乙／8画

音 ニュウ

訓 ちち・（ち）

成り立ち

「孚」は子《こ》を手《て》でかばい育《そだ》てるようす。「乚」は、中国《ちゅうごく》で子《こ》をさずけるといわれているつばめが飛《と》んでいるようす。子《こ》を産《う》んで育《そだ》てるのに必要《ひつよう》な《ちち》を意味《いみ》した字《じ》。

筆順・書き方

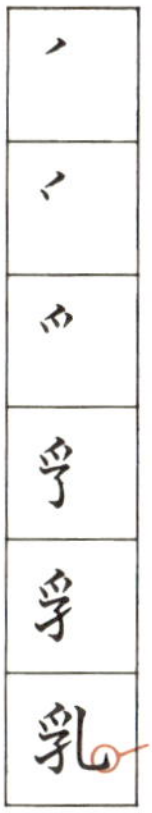

（8画）

例文・意味

❶ 例文 赤子《あかご》に乳《ちち》を飲《の》ませる。／末《すえ》の子《こ》がやっと乳《ち》ばなれしました。／紅茶《こうちゃ》に牛乳《ぎゅうにゅう》をまぜる。 意味 母親《ははおや》のちぶさから出《で》る白《しろ》い液《えき》。ちち。

❷ 例文 小《ちい》さいときぼくは乳母《うば》に育《そだ》てられました。／乳児《にゅうじ》をおもちゃであやす。 意味 ちちを飲《の》ませる。養《やしな》う。

❸ 例文 赤子《あかご》が母親《ははおや》の乳首《ちくび》を口《くち》にふくむ。 意味 ちぶさ。また、ちぶさのような形《かたち》のもの。

❹ 例文 豆乳《とうにゅう》を飲《の》む。／乳白色《にゅうはくしょく》の絵《え》の具《ぐ》。 意味 ちちのように白《しろ》くにごった液《えき》。

熟語

❶ 乳牛《にゅうぎゅう》。授乳《じゅにゅう》。母乳《ぼにゅう》。乳製品《にゅうせいひん》。乳離《ちちばな》れ。

❷ 乳歯《にゅうし》。

特別な読み

乳母《うば》。

言／14画

【認】

音 （ニン）
訓 みとめる

成り立ち 「言」は、ことば、「忍」は、つらいことをたえしのぶこと。人《ひと》の言《い》う難《むずか》しいことを、じっとねばり強《づよ》く聞《き》きわけて心《こころ》にとどめて、《みとめる》ことをあらわした字《じ》。

筆順・書き方

（14画）

例文・意味

❶ 例文 放射能《ほうしゃのう》によるお染《せん》のおそろしさをだれもが認《みと》める。／ゴッホの作品《さくひん》には日本《にっぽん》のうき世《よ》絵《え》のえいきょうが認《みと》められる。／教育《きょういく》についての認識《にんしき》を新《あら》たにする。／これまでの供述《きょうじゅつ》を否《ひ》認《にん》する。 意味 はっきり知《し》る。みとめる。

❷ 例文 父《ちち》が兄《あに》の海外留学《かいがいりゅうがく》を認《みと》めた。／研究《けんきゅう》の成《せい》果《か》が世《よ》に認《みと》められる。／議《ぎ》会《かい》の承認《しょうにん》を得《え》る。 意味 申《もう》し入《い》れなどを、よいとして受《う》け入《い》れる。みとめる。

熟語

❶ 認定《にんてい》（条件《じょうけん》に合《あ》うものとしてみとめること）。 確認《かくにん》。

❷ 認可《にんか》（願《ねが》い出《で》たことを役所《やくしょ》などがよいとみとめて許可《きょか》すること）。 公認《こうにん》。 自認《じにん》（自分《じぶん》で、そのとおりだとみとめること）。

糸／10画

【納】

音 ノウ・（ナッ）・《ナ》・《ナン》・（トウ）
訓 おさめる・おさまる

成り立ち 「糸」は織物《おりもの》を、「内」は小屋《こや》の中《なか》に入《い》れることをあらわす。織物《おりもの》をくらの中《なか》に《しまいこむ》ことをあらわしたことから、《おさめる》意味《いみ》になった。

筆順・書き方

（10画）

例文・意味

❶ 例文 税金《ぜいきん》を納《おさ》める。／かぐらをほう納《のう》する。 意味 役所《やくしょ》などにさし出《だ》す。おさめる。

❷ 例文 食器《しょっき》を食器《しょっき》だなに納《おさ》める。／がらくたを納戸《なんど》にしまう。 意味 中《なか》にしまいこむ。おさめる。

❸ 例文 納《のう》りょう（夏《なつ》、暑《あつ》さをさけて、すずしさを味《あじ》わうこと）大会《たいかい》で花火《はなび》があがる。／そんなことでは納得《なっとく》がいかない。 意味 受《う》け入《い》れる。とりこむ。

❹ 例文 官庁《かんちょう》のご用納《ようおさ》め。 意味 終《お》わりにする。

熟語

❶ 納税《のうぜい》。 納入《のうにゅう》。 納品《のうひん》。 完納《かんのう》。 未納《みのう》（おさめていないこと）。

❷ 納屋《なや》。 収納《しゅうのう》。 出納《すいとう》（お金《かね》や品《しな》物《もの》の出《だ》し入《い》れをすること）。

❹ 見納《みおさ》め。

脳

月／11画

音 ノウ

訓 ―

成り立ち

もとの字は「腦」。「月」は肉《にく》。「𡿺」は頭《あたま》の毛《け》の生《は》えたようす。「ノウ」の音《おん》が「やわらかく曲《ま》がる」意味《いみ》をもっているので、頭《ず》がい骨《こつ》の中《なか》にあるやわらかい、《のう》をあらわした字《じ》。

筆順・書き方

（11画）

例文・意味

❶ 例文 人間《にんげん》は非常《ひじょう》に発達《はったつ》した大脳《だいのう》をもっている。

意味 頭《あたま》の骨《ほね》に囲《かこ》まれた灰色《はいいろ》のやわらかい物質《ぶっしつ》。意識《いしき》・神経活動《しんけいかつどう》のおおもとをつかさどる。

❷ 例文 すばらしい頭脳《ずのう》の持《も》ち主《ぬし》。

意味 頭《あたま》のはたらき。考《かんが》える力《ちから》。

❸ 例文 各国《かっこく》の首脳《しゅのう》（政府《せいふ》や団体《だんたい》などで中心《ちゅうしん》になる人《ひと》）が一堂《いちどう》に会《かい》する。

意味 ものごとの中心《ちゅうしん》となる重要《じゅうよう》な人物《じんぶつ》。

熟語

❶ 脳天《のうてん》（頭《あたま》のてっぺん）。小脳《しょうのう》。脳出血《のうしゅっけつ》。脳貧血《のうひんけつ》。脳性《のうせい》まひ。

派

氵／9画

音 ハ

訓 ―

成り立ち

「氵」は水《みず》を、「𠂢」は川《かわ》から支流《しりゅう》が分《わ》かれたようすをあらわす。もとになるものから《わかれたもの》、また《なかま》の意味《いみ》にもなった。

筆順・書き方

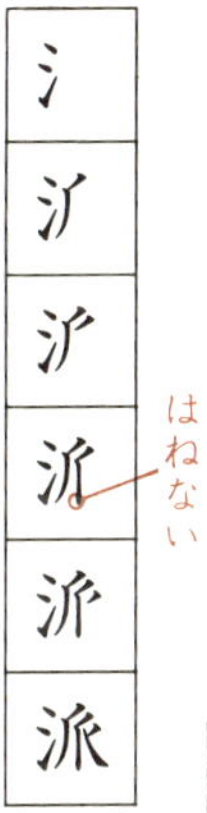

（9画）

例文・意味

❶ 例文 俳句《はいく》は短歌《たんか》から派生《はせい》した。／花道《かどう》にはいろいろな流派《りゅうは》がある。／この寺《てら》は臨済宗《りんざいしゅう》の一派《いっぱ》に属《ぞく》する。／セザンヌは後期印象派《こうきいんしょうは》の代表的《だいひょうてき》な画家《がか》である。

意味 もとから分《わ》かれる。また、分《わ》かれ出《で》たもの。とくに、学問《がくもん》・芸術《げいじゅつ》・宗教《しゅうきょう》などで、もとから分《わ》かれた仲間《なかま》。

❷ 例文 外国《がいこく》に特派員《とくはいん》（その土地《とち》の事情《じじょう》を伝《つた》えるために、とくにさしむけられる新聞社《しんぶんしゃ》や放送局《ほうそうきょく》の記者《きしゃ》）を送《おく》る。

意味 命令《めいれい》してさしむける。行《い》かせる。

熟語

❶ 右派《うは》。左派《さは》。宗派《しゅうは》。党派《とうは》。

❷ 派出《はしゅつ》。

扌／8画

拝

音 ハイ

訓 おがむ

成り立ち

もとの字《じ》は「拜」。「手」は手《て》を、「丰」は神様《かみさま》への供《そな》え物《もの》をあらわす。神《かみ》に供《そな》え物《もの》をささげることをあらわし、《おがむ》ことを意味《いみ》する。

筆順・書き方

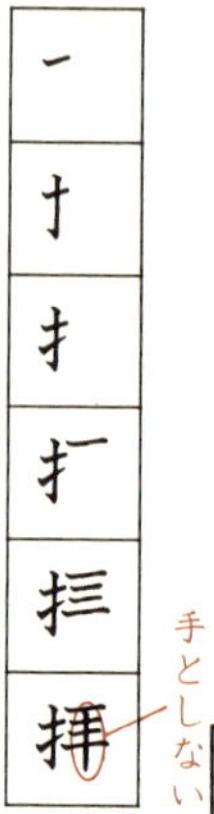

(8画)

例文・意味

❶ 例文 初日《はつひ》の出《で》を拝《おが》む。／キリストの像《ぞう》に向《む》かって拝礼《はいれい》する。／先生《せんせい》をしたい、すう拝《はい》(尊《とうと》い人《ひと》や、ものであると思《おも》って、敬《うやま》うこと)する。 意味 手《て》を合《あ》わせて、神《かみ》や仏《ほとけ》や、尊《とうと》いものなどを敬《うやま》っておじぎをする。おがむ。

❷ 例文 お手紙《てがみ》を拝見《はいけん》しました。／ご高説《こうせつ》を拝《はい》ちょう(相手《あいて》を尊敬《そんけい》する気持《きも》ちをもって、聞《き》くこと)いたしました。／ご本《ほん》を拝読《はいどく》しました。／お手《て》を拝借《はいしゃく》。 意味 相手《あいて》を敬《うやま》う気持《きも》ちをあらわすことば。

熟語

❶ 参拝《さんぱい》。崇拝《すうはい》。礼拝《れいはい》。拝観料《はいかんりょう》。

❷ 拝啓《はいけい》。拝復《はいふく》。

月／9画

背

音 ハイ

訓 せ・せい・(そむく)・(そむける)

成り立ち

「北」(ふたりの人《ひと》がせなかを向《む》けあっているようす)と、「月」(肉《にく》。からだ)を合《あ》わせた字《じ》。人《ひと》の《せなか》のこと。また、せなかを向《む》けることから、《そむく》ことも意味《いみ》する。

筆順・書き方

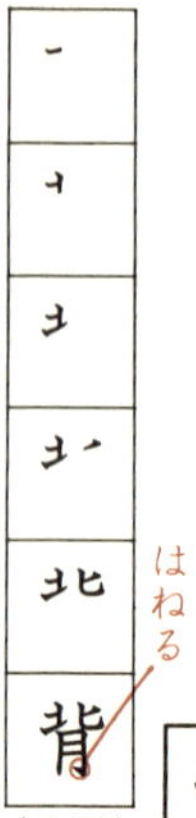

(9画)

例文・意味

❶ 例文 背《せ》の高《たか》さをはかる。／兄《あに》と背比《せいくら》べをする。 意味 身長《しんちょう》。せ。せい。

❷ 例文 荷《に》を背《せ》に負《お》う。／背筋《はいきん》をのばす。 意味 胸《むね》と腹《はら》の反対側《はんたいがわ》の部分《ぶぶん》。せなか。

❸ 例文 柱《はしら》を背《せ》にして身構《みがま》える。／背後《はいご》からしのび寄《よ》る。／山《やま》を背景《はいけい》に写真《しゃしん》をとる。 意味 裏側《うらがわ》。後《うし》ろ。

❹ 例文 顔《かお》を背《そむ》ける。／師《し》の教《おし》えに背《そむ》く。／背任《はいにん》罪《ざい》(任務《にんむ》にそむいた罪《つみ》)に問《と》われる。 意味 反対《はんたい》のほうに向《む》く。そむく。そむける。

熟語

❶ 上背《うわぜい》。

❷ 背泳《はいえい》。背筋《せすじ》。背中《せなか》。背骨《せぼね》。背負《せお》う。

❸ 背面《はいめん》。

肺

月／9画

音 ハイ

訓 ―

成り立ち

「月」(肉《にく》。からだ)と、「市」(ぱっと開《ひら》くこと)を合《あ》わせた字《じ》。胸《むね》を開《ひら》いたりちぢめたりして、からだの中《なか》で空《くう》気《き》を吸《す》ったり、はいたりする《はい》を意《い》味《み》した字《じ》。

筆順・書き方

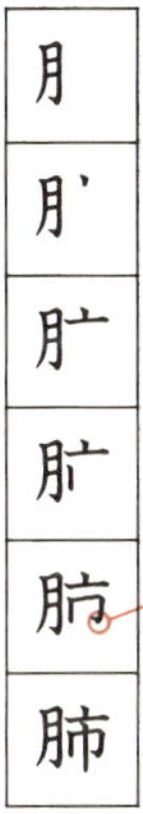

(9画)

例文・意味

例文 かつて肺結《はいけっ》かくは遺伝《いでん》によって起《お》こる不《ふ》治《じ》の病《やまい》と考《かんが》えられていた。／体格検査《たいかくけんさ》で肺活《はいかつ》量《りょう》をはかる。意味 せきつい動物《どうぶつ》の呼吸器官《こきゅうきかん》。はい。

《肺活量《はいかつりょう》をはかる》

熟語

肺臓《はいぞう》。肺病《はいびょう》。急性肺炎《きゅうせいはいえん》。

俳

亻／10画

音 ハイ

訓 ―

成り立ち

「亻」(人《ひと》)と、「非」(羽《はね》が左右《さゆう》に分《わ》かれること)を合《あ》わせた字《じ》で、左右《さゆう》に分《わ》かれて《おもしろいかけあいの芸《げい》をする人《ひと》》のこと。後《のち》に、《役者《やくしゃ》》の意《い》味《み》になった。

筆順・書き方

(10画)

例文・意味

❶ 例文 人気《にんき》俳優《はいゆう》の登場《とうじょう》で客席《きゃくせき》がわく。意味 おもしろい芸《げい》をする人《ひと》。役者《やくしゃ》。

❷ 例文 俳論《はいろん》をたたかわせる。／江戸《えど》時代《じだい》の俳人《はいじん》松尾《まつお》芭蕉《ばしょう》は、俳聖《はいせい》と呼《よ》ばれる。意味 「俳句《はいく》」の略《りゃく》。

《俳句《はいく》をつくる》

熟語

❷ 俳句《はいく》(五《ご》・七《しち》・五《ご》の十七音《じゅうななおん》からなる、日本独特《にっぽんどくとく》の詩《し》。「五月雨《さみだれ》をあつめて早《はや》し最上川《もがみがわ》」「菜《な》の花《はな》や月《つき》は東《ひがし》に日《ひ》は西《にし》に」など)。

6年 〔ハイ〕 肺・俳

王／10画

班

音 ハン
訓 —

成り立ち
「王」(「玉」を略《りゃく》した「王」)二《ふた》つと、「刂」(刀《かたな》)を合《あ》わせた字《じ》。二《ふた》つに切《き》り分《わ》けることから、全体《ぜんたい》を分割《ぶんかつ》したときの《一《ひと》つ一《ひと》つのグループ》をあらわす。

筆順・書き方

(10画)

班 ← 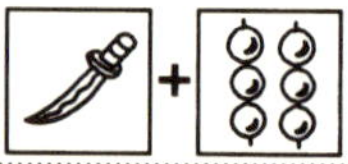

例文・意味
❶ 例文 五人《ごにん》ずつの班《はん》を組《く》み、行動《こうどう》する。／班別《はんべつ》の研究結果《けんきゅうけっか》を各班長《かくはんちょう》がまとめて発表《はっぴょう》する。／記録班《きろくはん》が選手《せんしゅ》たちの記録《きろく》を整理《せいり》する。 意味 いくつかに分《わ》けた一《ひと》つ一《ひと》つの組《くみ》。グループ。
❷ 例文 むかし、決《き》まった広《ひろ》さの田《た》を人々《ひとびと》に分《わ》けあたえた班田《はんでん》という制度《せいど》があった。／国会《こっかい》で新内閣《しんないかく》の首班《しゅはん》(総理大臣《そうりだいじん》のこと)指名《しめい》がおこなわれた。 意味 分《わ》ける。分《わ》けあたえる。また、分《わ》けて決《き》めた地位《ちい》・順序《じゅんじょ》。

熟語
❶ 救護班《きゅうごはん》。

日／12画

晩

音 バン
訓 —

成り立ち
「免」(苦《くる》しいことからやっとまぬがれること)と「日」(太陽《たいよう》)を合《あ》わせた字《じ》。一日《いちにち》の労働《ろうどう》からやっとまぬがれる《夕暮《ゆうぐ》れのとき》をあらわした字《じ》。

筆順・書き方

(12画)

晩 ← 

例文・意味
❶ 例文 朝《あさ》から晩《ばん》まで雨《あめ》が降《ふ》りつづく。／明晩《みょうばん》までには仕事《しごと》を仕《し》あげる予定《よてい》です。／晩方《ばんがた》になって急《きゅう》に気温《きおん》が下《さ》がった。／『晩鐘《ばんしょう》』はミレーの代表作《だいひょうさく》の一《ひと》つです。 意味 夕方《ゆうがた》。また、日《ひ》が暮《く》れてから後《あと》の夜《よる》。
❷ 例文 いなかに引《ひ》きこもって晩年《ばんねん》を送《おく》った作家《さっか》。／どんなにかくしても真実《しんじつ》は早晩《そうばん》(おそかれはやかれ)明《あき》らかになるでしょう。／晩春《ばんしゅん》の京都《きょうと》を旅行《りょこう》する。 意味 時期《じき》がおそい。ものごとの終《お》わりのほう。 対語 早《そう》。

熟語
❶ 朝晩《あさばん》。今晩《こんばん》。昨晩《さくばん》。毎晩《まいばん》。
❷ 晩夏《ばんか》。晩秋《ばんしゅう》。晩冬《ばんとう》。
大器晩成《たいきばんせい》 ⇩(639ページ下)

口／7画

否

音 ヒ
訓 《いな》

成り立ち
「不」(つぼみ)と「口」(くち)を合《あ》わせた字《じ》。口《くち》を、ふくらんだつぼみのようにして、プッと、ふき消《け》すときのようすをあらわした字《じ》。《ちがう》と、はっきり《ひ定《てい》する》こと。

筆順・書き方
一 ア 不 不 否 否
(7画)

例文・意味

❶ 例文 世間《せけん》のうわさを否定《ひてい》する。／賛成《さんせい》か否《いな》かの決《けっ》をとる。／不注意《ふちゅうい》が事故《じこ》の原因《げんいん》となったのは否《いな》めない事実《じじつ》です。 意味 そうではない。打《う》ち消《け》す。…ではない。

❷ 例文 友人《ゆうじん》の安否《あんぴ》(ある人《ひと》が無事《ぶじ》であるかどうかということ)を気《き》づかう。／賛否両論《さんぴりょうろん》が続出《ぞくしゅつ》する。／計画《けいかく》の進行《しんこう》の可否《かひ》を再検討《さいけんとう》する。 意味 他《た》のことばについて、反対《はんたい》の意味《いみ》をあらわすことば。

熟語

❶ **否決**《ひけつ》(出《だ》された案《あん》を、認《みと》めないと決《き》めること)。**否認**《ひにん》。**拒否**《きょひ》(相《あい》手《て》の願《ねが》いや申《もう》し出《で》を受《う》けつけないこと)。

❷ **許否**《きょひ》(許《ゆる》すことと、許《ゆる》さないこと)。**成否**《せいひ》(成功《せいこう》するかしないかということ)。**適否**《てきひ》。

扌／7画

批

音 ヒ
訓 ―

成り立ち
「扌」は手《て》、「比」は人《ひと》がふたり並《なら》んでいること。もののよしあしは並《なら》べてみるとよくわかる。よいか悪《わる》いかを、《くらべて決《き》める》ことを意味《いみ》した字《じ》。

筆順・書き方
扌 扌 扌 扌(止としない) 批 批
(7画)

例文・意味

❶ 例文 先生《せんせい》が弟子《でし》の作品《さくひん》を厳《きび》しく**批**評《ひひょう》する。／国民《こくみん》の政治《せいじ》に対《たい》する不信感《ふしんかん》が高《たか》まり、厳《きび》しい**批**判《ひはん》の声《こえ》があがる。 意味 よい悪《わる》いを明《あき》らかにする。よい悪《わる》いの判断《はんだん》を示《しめ》す。

❷ 例文 条約《じょうやく》を**批**《ひ》じゅんする。 意味 最高《さいこう》の権限《けんげん》をもつ者《もの》が認《みと》める。

熟語

❶ **批難**《ひなん》(人《ひと》のあやまちや欠点《けってん》をとりあげて、とがめること)。**批評家**《ひひょうか》。

禾／10画

【秘】

音 ヒ
訓 (ひめる)

成り立ち

もとの字は「祕」。「示」は神《かみ》に関係《かんけい》しているというしるし。「必」は棒《ぼう》をひもでしめつけること。神《しん》でんのとびらを閉《し》めて、中《なか》がわからないように《見《み》えなくする》ことを意味《いみ》する。

筆順・書き方

(10画)

例文・意味

❶ 例文 秘密《ひみつ》を守《まも》る。／地球上《ちきゅうじょう》には秘境《ひきょう》と呼《よ》ばれる人《じん》せき未《み》とうの地《ち》がまだ各所《かくしょ》にある。／さびしさを胸《むね》に秘《ひ》める。 意味 人《ひと》に知《し》られないようにする。かくす。また、人《ひと》に知《し》らせないことがら。

❷ 例文 宇宙《うちゅう》は無限《むげん》に広《ひろ》がる神秘《しんぴ》の世界《せかい》だ。 意味 人《ひと》の力《ちから》・知《ち》えでは、はかり知《し》れない。

❸ 例文 便秘《べんぴ》がつづいてなやむ。 意味 通《つう》じが悪《わる》い。

熟語

❶ **秘書《ひしょ》**。**秘蔵《ひぞう》**(たいせつにしまっておくこと)。**秘伝《ひでん》**(人《ひと》に知《し》られないようにして、特別《とくべつ》の人《ひと》にしか伝《つた》えない教《おし》えや技《わざ》)。**秘法《ひほう》**。**極秘《ごくひ》**(絶対《ぜったい》に人《ひと》に知《し》らせてはいけないこと)。

月／13画

【腹】

音 フク
訓 はら

成り立ち

「月」(肉《にく》。からだ)と「复」(重《かさ》なってふくれること)を合《あ》わせた字《じ》。腸《ちょう》がいくえにも重《かさ》なってふくれた《おなか》のことをあらわした字《じ》。

筆順・書き方

(13画)

例文・意味

❶ 例文 腹《はら》がへる。／腹痛《ふくつう》をうったえる。 意味 胃《い》や腸《ちょう》などがおさまっている部分《ぶぶん》。おなか。また、胃《い》や腸《ちょう》のこと。はら。

❷ 例文 船《ふね》が腹《はら》を上《うえ》にしてひっくり返《かえ》る。／山腹《さんぷく》にぶなの原生林《げんせいりん》が広《ひろ》がる。 意味 物《もの》の中《なか》ほどの、ふくらんでいるところ。また、物《もの》の中《なか》ほど。

❸ 例文 腹《はら》が立《た》つ。／相手《あいて》の腹《はら》を読《よ》む。／腹蔵《ふくぞう》なく(心《こころ》に思《おも》っていることをかくさないで)語《かた》り合《あ》う。 意味 心《こころ》の中《なか》。

熟語

❶ **腹部《ふくぶ》**。**空腹《くうふく》**。**切腹《せっぷく》**。**満腹《まんぷく》**。**腹掛《はらが》け**。**腹巻《はらま》き**。**太《ふと》っ腹《ぱら》**。**腹《はら》ごなし**。

❷ **船腹《せんぷく》**。**中腹《ちゅうふく》**。

❸ **腹案《ふくあん》**(心《こころ》の中《なか》にもっていて、まだ発表《はっぴょう》していない考《かんが》え)。**腹心《ふくしん》**(心《こころ》から信頼《しんらい》すること。また、その人《ひと》)。**腹《はら》いせ**(見当《けんとう》はずれなやり方《かた》で、怒《いか》りや、うらみを晴《は》らすこと)。**腹黒《はらぐろ》い**。

大／16画

奮

音 フン
訓 ふるう

成り立ち 「大」は手《て》を広《ひろ》げて立《た》っている人《ひと》で、大《おお》きいこと。「隹」は鳥《とり》。「田」は田《た》んぼ・地面《じめん》。鳥《とり》が地面《じめん》から力《ちから》をこめて飛《と》び立《た》つ姿《すがた》をあらわし、気持《き》ちを《ふるいたたせる》ことを意味《いみ》する。

筆順・書き方

（16画）

例文・意味

例文 ただいま体力《たいりょく》テストをおこなっておりますので奮《ふる》ってご参加《さんか》ください。／あすの遠足《えんそく》のことを思《おも》うと、興奮《こうふん》してねむれない。／この前《まえ》の日曜日《にちようび》には、父《ちち》が奮発《ふんぱつ》（思《おも》い切《き》ってたくさんのお金《かね》や、物《もの》を出《だ》すこと）してステーキを食《た》べに連《つ》れて行《い》ってくれた。 意味 気力《きりょく》をさかんにさせる。元気《げんき》いっぱいにふるまう。ふるう。

《興奮《こうふん》してねむれない》

熟語

奮起《ふんき》。奮戦《ふんせん》（力《ちから》いっぱいに戦《たたか》うこと）。発奮《はっぷん》（気持《きも》ちをふるい立《た》たせて、やる気《き》を起《お》こすこと）。孤軍奮闘《こぐんふんとう》⇩（637ページ上）

一／8画

並

音 （ヘイ）
訓 なみ・**なら**べる・**なら**ぶ・**なら**びに

成り立ち もとの字《じ》は「竝」。「立」は人《ひと》が両足《りょうあし》でしっかり立《た》つこと。ふたりの人《ひと》がならんで立《た》っているようすをえがいた字《じ》。《ならぶ》ことをあらわす。

筆順・書き方

（８画）

例文・意味

❶例文 父《ちち》とかたを並《なら》べて歩《ある》く。／番号順《ばんごうじゅん》に並《なら》ぶ。 意味 となりあうような位置《いち》になる。列《れつ》をつくる。ならぶ。ならべる。

❷例文 算数《さんすう》の実力《じつりょく》では、かれに並《なら》ぶ者《もの》はない。 意味 かなう。ならぶ。

❸例文 せい名並《めいなら》びに生年月日《せいねんがっぴ》を記入《きにゅう》する。 意味 二《ふた》つのことがらがそうであることをあらわすことば。および。ならびに。

❹意味 ふ通《つう》。同《おな》じ程度《ていど》。なみ。

❺意味 ならんでそろっているようす。

熟語

❶並行《へいこう》。並立《へいりつ》。並列《へいれつ》。並木《なみき》。並木道《なみきみち》。

❹月並《つきな》み（決《き》まりきっていて、新《あたら》しさがなく平凡《へいぼん》なようす）。人並《ひとな》み。十人並《じゅうにんな》み。

❺足並《あしな》み。家並《いえな》み。町並《まちな》み。家並《やな》み。山並《やまな》み。

阝／10画

陛

音 ヘイ

訓 ―

成り立ち

「阝」は、もりあげた土《つち》。「坒」は「比」（人《ひと》がふたり並《なら》ぶ）と「土」（つち）で、土《つち》の段《だん》が並《なら》ぶこと。王座《おうざ》の前《まえ》にある《階段《かいだん》》の意味《いみ》から、身分《みぶん》の高《たか》い人《ひと》を敬《うやま》う意味《いみ》になった。

筆順・書き方

（10画）

例文・意味

例文 天皇陛下《てんのうへいか》と皇后陛下《こうごうへいか》がおそろいで皇居《こうきょ》からおでましになる。

意味 天皇《てんのう》・皇后《こうごう》・皇太后《こうたいごう》・太皇太后《たいこうたいごう》を敬《うやま》って言《い》うことば。

熟語

天皇皇后両陛下《てんのうこうごうりょうへいか》。

門／11画

閉

音 ヘイ

訓 とじる・（とざす）・しめる・しまる

成り立ち

流《なが》れをせき止《と》めることを意味《いみ》する「オ」と「門」（もん）を合《あ》わせた字《じ》。門《もん》のとびらを《とじ》て、人《ひと》の出入《でい》りを止《と》めることをあらわす。

筆順・書き方

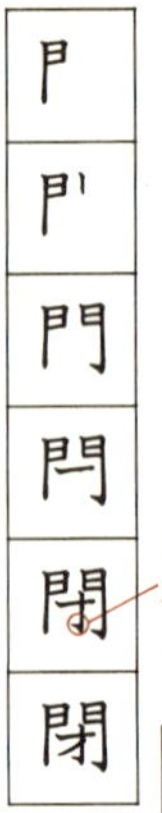

（11画）

例文・意味

❶ 例文 門《もん》を閉《と》じる。／窓《まど》を閉《し》める。／ドアが閉《し》まる。／港《みなと》を閉《へい》さ（出入《でい》り口《ぐち》をとじること）する。／口《くち》を閉《と》ざす。 意味 外部《がいぶ》と内部《ないぶ》をしきる。とじる。とざす。しめる。 対語 開《かい》。

❷ 例文 家《いえ》の中《なか》に閉《と》じこめる。／びんを密閉《みっぺい》（入《い》れ物《もの》などを、すき間《ま》なくぴったりとざすこと）する。 意味 内部《ないぶ》におさえこむ。とざす。とじこめる。

❸ 例文 会議《かいぎ》を閉《と》じる。／本日《ほんじつ》はこれにて閉店《へいてん》します。 意味 やめる。終《お》える。とじる。 対語 開《かい》。

熟語

❶ 閉口《へいこう》（困《こま》ること）。閉門《へいもん》。開閉《かいへい》。

❸ 閉会《へいかい》。閉館《へいかん》。閉幕《へいまく》。閉会式《へいかいしき》。

□ 片／4画

【片】

音 （ヘン）

訓 かた

成り立ち 木《き》を半分《はんぶん》に切《き》った、そのかた方《ほう》の形《かたち》をえがいた字《じ》。《かた方《ほう》》という意味《いみ》から、《小《ちい》さな切《き》れはし》のこともあらわす。

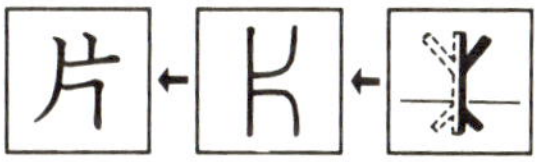

筆順・書き方

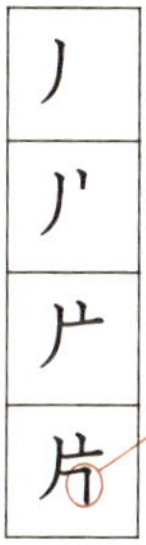

（4画）

例文・意味

❶ 例文 片手《かたて》で荷物《にもつ》を持《も》ちあげる。／小《ちい》さいときに片親《かたおや》を失《うしな》う。／片道《かたみち》の切《きっ》ぷを買《か》う。 意味 二《ふた》つそろっているものの一方《いっぽう》。

❷ 例文 片雲《へんうん》ただよう秋空《あきぞら》。／一片《いっぺん》の花《はな》びら。 意味 ひとかけら。切《き》れはし。

❸ 例文 片時《かたとき》たりとも目《め》をそらさない。／幼《おさな》いころから天才《てんさい》の片《へん》りん(全体《ぜんたい》の中《なか》のごくわずかな部分《ぶぶん》)を示《しめ》す。 意味 わずかである。

《一片《いっぺん》の花《はな》びら》

熟語

❶ 片側《かたがわ》。片隅《かたすみ》。片方《かたほう》。片一方《かたいっぽう》。

❷ 残片《ざんぺん》(残《のこ》りのかけら)。断片《だんぺん》(切《き》りはなされた一《ひと》つ一《ひと》つ)。破片《はへん》。

❸ 片言《かたこと》。

□ ネ／12画

【補】

音 ホ

訓 おぎなう

成り立ち 「ネ」は着物《きもの》。「甫」は、なえが植《う》えられている田《た》。平《たい》らに広《ひろ》がることをあらわす。着物《きもの》の破《やぶ》れたところに布《ぬの》を広《ひろ》げてつくろうことから、《おぎなう》の意味《いみ》になった。

筆順・書き方

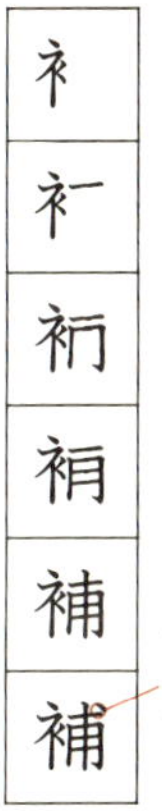

（12画）

例文・意味

❶ 例文 学費《がくひ》の不足分《ふそくぶん》はアルバイトをして補《おぎな》う。／点《てん》てきで栄養《えいよう》を補《おぎな》う。／車《くるま》にガソリンを補《ほ》給《きゅう》する。／道路《どうろ》の補修工事《ほしゅうこうじ》が始《はじ》まる。／柱《はしら》の土台《どだい》を補強《ほきょう》する。 意味 たりないところをうめあわせる。おぎなう。

❷ 例文 資金《しきん》を増額《ぞうがく》して研究《けんきゅう》を補助《ほじょ》する。／大臣《だいじん》を補《ほ》さ(その人《ひと》の仕事《しごと》を助《たす》けること)する。 意味 助《たす》ける。

❸ 例文 クラス委員《いいん》の有力《ゆうりょく》な候補者《こうほしゃ》。 意味 まだ正式《せいしき》にその地位《ちい》の資格《しかく》をもたない人《ひと》。

熟語

❶ 補遺《ほい》(もれ落《お》ちたことがらをおぎなうこと)。補欠《ほけつ》。補習《ほしゅう》。補正《ほせい》。補足《ほそく》。

❷ 補導《ほどう》(青少年《せいしょうねん》が悪《わる》いおこないをしないように指導《しどう》すること)。

❸ 立候補《りっこうほ》。

□ 日／14画

暮

音 (ボ)
訓 くれる・くらす

成り立ち

草原《そうげん》に太陽《たいよう》がしずむようすをえがいた「莫」と「日」(ひ)を合《あ》わせた字《じ》で、太陽《たいよう》がしずんで見《み》えなくなること、つまり、《くれる》ことを意味《いみ》している。

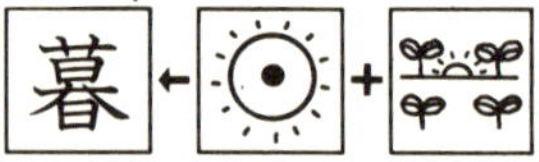

筆順・書き方

艹／芇／苩／莒／莫／暮 (14画)

大としない

例文・意味

❶ 例文 日《ひ》が暮《く》れる。／あわただしい夕暮《ゆうぐ》れ時《どき》の商店街《しょうてんがい》。意味 日《ひ》がしずんで暗《くら》くなること。また、そのころ。

❷ 例文 おだやかな年《とし》の暮《く》れ。／おせい暮《ぼ》をおくる。意味 季節《きせつ》・年《とし》が終《お》わりになるころ。くれ。

《日《ひ》が暮《く》れる》

❸ 例文 川《かわ》で泳《およ》いだり、野山《のやま》をかけ回《まわ》ったりして、一日中遊《いちにちじゅうあそ》び暮《く》らす。／暮《く》らしが貧《まず》しい。意味 毎日《まいにち》を過《す》ごす。くらす。

熟語

❶ 暮《く》れ方《がた》。日暮《ひぐ》れ。夕暮《ゆうぐ》れ。朝令暮改《ちょうれいぼかい》⇩(640ページ中)
❷ 暮春《ぼしゅん》(春《はる》の終《お》わりごろ)。
❸ 暮《く》らし向《む》き。一人暮《ひとりぐ》らし。独《ひと》り暮《ぐ》らし。その日暮《ひぐ》らし。

□ 宀／8画

宝

音 ホウ
訓 たから

成り立ち

もとの字《じ》は「寶」。「王」は玉《たま》、「缶」は器《うつわ》、「貝」はお金《かね》や品物《しなもの》、「宀」は屋根《やね》。家《いえ》の中《なか》にたいせつにしまっておく《たから物《もの》》をあらわした字《じ》。

筆順・書き方

宀／宀／宁／宇／宝／宝 (8画)

わすれずに

例文・意味

例文 姉《あね》は海辺《うみべ》で拾《ひろ》った美《うつく》しい貝《かい》がらを、わたしの宝《たから》だと言《い》ってたいせつにしている。／東大寺《とうだいじ》の正倉院《しょうそういん》にはたくさんの宝物《ほうもつ》がおさめられている。／宝石《ほうせき》を散《ち》りばめたような星空《ほしぞら》。／ばく大《だい》な財宝《ざいほう》を手《て》にする。意味 金《きん》・銀《ぎん》・しゅ玉《ぎょく》など、めずらしくて、価値《かち》のあるもの。また、特別《とくべつ》にたいせつなものとしてたっとぶもの。たから。

熟語

宝庫《ほうこ》。家宝《かほう》。国宝《こくほう》。重宝《ちょうほう》(便利《べんり》で役《やく》にたつようす)。秘宝《ひほう》(大事《だいじ》にしまっておくたから物《もの》)。宝島《たからじま》。宝箱《たからばこ》。宝物《たからもの》。宝石箱《ほうせきばこ》。宝《たから》くじ。

《宝石箱《ほうせきばこ》》

言／11画

訪

音 **ホウ**

訓 **（おとずれる）・たずねる**

成り立ち 「言」は、ことば。「方」は、えが左右《さゆう》に張《は》り出《で》たすき。右《みぎ》に左《ひだり》にと歩《ある》いて、ことばでたずね回《まわ》ることから、《たずねる》《おとずれる》の意味《いみ》になった。

筆順・書き方

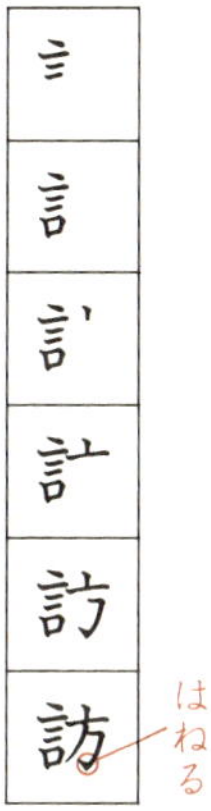

（11画）

例文・意味

❶ 例文 けがで入院《にゅういん》している友人《ゆうじん》を**訪**《たず》ねる。／チャイムが客《きゃく》の来**訪**《らいほう》を告《つ》げる。／首相《しゅしょう》がずい員《いん》をともなってヨーロッパ各国《かっこく》を歴**訪**《れきほう》（方々《ほうぼう》の土地《とち》や人《ひと》を次々《つぎつぎ》におとずれること）する。／上京《じょうきょう》した折《おり》におばの家《いえ》を**訪**《おとず》れた。意味 よその土《と》地《ち》や人《ひと》の家《いえ》などに出《で》かけて行《い》く。たずねる。おとずれる。

❷ 例文 ふきすさぶ木《こ》がらしに冬《ふゆ》の**訪**《おとず》れが近《ちか》いのを知《し》る。／受験《じゅけん》シーズンが**訪**《おとず》れる。意味 季節《きせつ》や時期《じき》などが、やってくる。おとずれる。

熟語

❶ **訪米**《ほうべい》。**訪問**《ほうもん》。**探訪**《たんぼう》。**訪問者**《ほうもんしゃ》。**家庭訪問**《かていほうもん》

亠／3画

亡

音 **ボウ・（モウ）**

訓 **（ない）**

成り立ち 人《ひと》がL型《がた》の囲《かこ》いのかげに見《み》えなくなるようすをえがいた字《じ》。ものが《なくなる》こと、人《ひと》が《しぬ》こと、《ほろびる》こと、《にげて姿《すがた》をかくす》ことなどを意味《いみ》する。

筆順・書き方

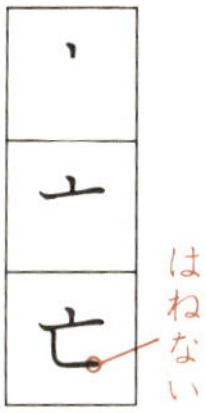

（3画）

例文・意味

❶ 例文 国家《こっか》の存**亡**《そんぼう》（ほろびるか残《のこ》るかということ）をかけて戦《たたか》う。／さまよい歩《ある》く**亡**国《ぼうこく》の民《たみ》。意味 ほろびる。なくなる。対語 存《そん》。

❷ 例文 **亡**《な》き母《はは》をしのぶ。／死**亡**届《しぼうとどけ》を出《だ》す。／**亡**《ぼう》れい（死《し》んだ人《ひと》のたましい）にとりつかれる。／**亡**《ぼう》父《ふ》の思《おも》い出《で》。意味 死《し》ぬ。また、死んだことをあらわすことば。

❸ 例文 犯人《はんにん》がとう**亡**《ぼう》する。／国外《こくがい》に**亡**命《ぼうめい》（政治上《せいじじょう》の理由《りゆう》で、自分《じぶん》の国《くに》からにげること）する。意味 にげかくれる。

熟語

❶ **滅亡**《めつぼう》（ほろびてなくなること）。

❷ **亡**《な》**きがら**（死《し》んだ人《ひと》のからだ）。

【忘】

心／7画

音 （ボウ）

訓 わすれる

成り立ち ものがなくなる、姿《すがた》をかくすことをあらわす「亡」と「心」（こころ）を合《あ》わせた字《じ》。心《こころ》の中《なか》にあったものが見《み》えなくなることから、《わすれる》ことを意味《いみ》する。

筆順・書き方

（7画）

例文・意味

例文 幼《おさな》いときにみたおそろしい夢《ゆめ》をいまだに忘《わす》れることができない。／教室《きょうしつ》に忘《わす》れ物《もの》をする。／かさを電《でん》車《しゃ》の中《なか》に置《お》き忘《わす》れる。／毎年《まいとし》、十二月《じゅうにがつ》になると、忘年会《ぼうねんかい》が開《ひら》かれる。意味 覚《おぼ》えていたことが心《こころ》から消《き》える。わすれる。

《置《お》き忘《わす》れる》

熟語 度忘《どわす》れ（知《し》っているはずのことをふっとわすれること）。忘《わす》れ形見《がたみ》（その人《ひと》をわすれないために残《のこ》す記念《きねん》の品《しな》）。言《い》い忘《わす》れる。

【棒】

木／12画

音 ボウ

訓 ―

成り立ち 「奉」は両手《りょうて》でぼうを持《も》っているようすをあらわす。それに「木」を合《あ》わせて、《木《き》のぼう》のこと。

筆順・書き方

（12画）

例文・意味

❶ 例文 棒《ぼう》で、へびを追《お》いはらう。／編《あ》み棒《ぼう》でセーターを編《あ》む。／鉄棒《てつぼう》にぶらさがる。／コンダクターが指揮棒《しきぼう》をふる。意味 木・竹《たけ》・金属《きんぞく》などの細長《ほそなが》くてまっすぐなもの。ぼう。

❷ 例文 棒《ぼう》グラフを書《か》く。意味 まっすぐの線《せん》。

❸ 例文 本《ほん》を棒読《ぼうよ》み（ことばの区切《くぎ》りや声《こえ》の高《たか》さなどに変《へん》化《か》がなく、同《おな》じ調子《ちょうし》で文章《ぶんしょう》を読《よ》むこと）する。意味 まっすぐで、変化《へんか》がないようす。

熟語

❶ 心棒《しんぼう》。棒立《ぼうだ》ち。こん棒《ぼう》（手《て》に持《も》ってあつかうのに手《て》ごろな太《ふと》さと長《なが》さのぼう）。平行棒《へいこうぼう》。

❸ 棒《ぼう》に振《ふ》る（努力《どりょく》や苦心《くしん》をむだにすることのたとえ）。

木／8画

枚

音 マイ

訓 ―

成り立ち 「攵」(手《て》に持《も》つ)と「木」(き)を合《あ》わせた字《じ》。もとは、つえやむちのこと。後《のち》、つえで一《ひと》つずつさしながら数《かぞ》えるようすから、《一《ひと》つ一《ひと》つ》の意味《いみ》に。また《数《かぞ》える単位《たんい》》の意味《いみ》にも使《つか》う。

筆順・書き方

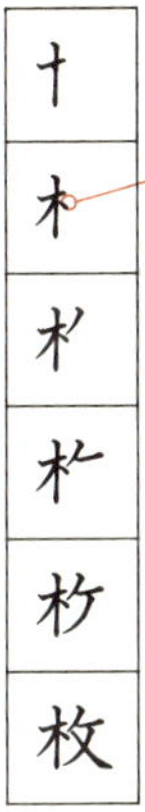

(8画)

例文・意味

❶ 例文 百円《ひゃくえん》こう貨《か》を二十《にじゅう》枚《まい》ずつ一包《ひとつつ》みにする。／かべ紙《がみ》を八枚《はちまい》買《か》う。／三十枚《さんじゅうまい》つづりのノート。／盛《も》りそばを三枚《さんまい》注文《ちゅうもん》する。意味 布《ぬの》・紙《かみ》・板《いた》など、平《たい》らでうすいものを数《かぞ》えることば。

❷ 例文 一年間《いちねんかん》の交通事故《こうつうじこ》は枚挙《まいきょ》にいとまがない(非常《ひじょう》に多《おお》くて数《かぞ》えきれない)ほどです。意味 一《ひと》つ一《ひと》つ数《かぞ》える。

《盛《も》りそば三枚《さんまい》》

熟語

❶ 二枚貝《にまいがい》。二枚舌《にまいじた》。千枚通《せんまいどお》し(重《かさ》ねた紙《かみ》にさし通《とお》して穴《あな》をあけるきり)。

《千枚通《せんまいどお》し》

巾／13画

幕

音 マク・バク

訓 ―

成り立ち 「莫」は日《ひ》が草原《そうげん》にしずんで、かくれて見《み》えなくなること、「巾」は布《ぬの》をあらわす。物《もの》をかくして、見《み》えなくするための布《ぬの》、つまり、《まく》を意味《いみ》している。

筆順・書き方

(13画)

例文・意味

❶ 例文 天幕《てんまく》を張《は》る。／記念像《きねんぞう》の除幕式《じょまくしき》。意味 物《もの》をおおう布《ぬの》。また、仕切《しき》りや、かざりなどに使《つか》う、はばが広《ひろ》い布《ぬの》。まく。

❷ 例文 幕《まく》があがる。意味 しばいや劇《げき》などの一区《ひとく》切《ぎ》り。

❸ 例文 晴《は》れて入幕《にゅうまく》する。／幕下《まくした》の力士《りきし》。意味 すもうの十両《じゅうりょう》以上《いじょう》の位《くらい》。

❹ 意味 将軍《しょうぐん》が政治《せいじ》をとるところ。

❺ 例文 幕末《ばくまつ》の政治体制《せいじたいせい》。／討幕運動《とうばくうんどう》が起《お》こる。意味 「幕府《ばくふ》」、とくに「江戸幕府《えどばくふ》」の略《りゃく》。

熟語

❶ 暗幕《あんまく》(映画《えいが》やスライドなどをうつすとき、部屋《へや》を暗《くら》くするために張《は》るまく)。垂《た》れ幕《まく》。

❷ 開幕《かいまく》。閉幕《へいまく》。幕開《まくあ》け。幕切《まくぎ》れ。

❸ 幕内《まくうち》。

❹ 幕府《ばくふ》。

□ 宀／11画

【密】

音 ミツ

訓 ―

成り立ち

「宓」(「宀」(家《いえ》)と「必」(木《き》をしめつける)で、ぴたりとすき間《ま》なく閉《し》めること)と「山」(やま)を合《あ》わせた字《じ》。もとは、ふかい山《やま》のこと。後《のち》、《すき間《ま》なくくっつく》ことの意《い》味《み》になった。

筆順・書き方

(11画)

例文・意味

❶ 例文 こけが密生《みっせい》している。／密林《みつりん》の中《なか》に迷《まよ》いこむ。／密閉《みっぺい》されたへや。／人口《じんこう》が過密《かみつ》になる。意味 すき間《ま》がなく、ぎっしりつまっている。また、ぴったりとくっついている。

❷ 例文 密入国者《みつにゅうこくしゃ》をとらえる。／内密《ないみつ》に相談《そうだん》する。意味 人《ひと》に知《し》られない。ひそか。

❸ 例文 計画《けいかく》を密《みつ》に練《ね》りあげる。／精密《せいみつ》な図面《ずめん》をえがく。／ち密《みつ》な(細《こま》かくて正確《せいかく》なようす)計算《けいさん》をする。意味 細《こま》かく行《い》き届《とど》いている。

熟語

❶ 密集《みっしゅう》。密接《みっせつ》(すき間《ま》がないほど、くっついていること)。密着《みっちゃく》。密度《みつど》。親密《しんみつ》(非常《ひじょう》に仲《なか》のよいようす)。

❷ 密航《みっこう》。密談《みつだん》。密輸《みつゆ》。機密《きみつ》(国《くに》や会社《かいしゃ》などの外《そと》にもれてはならないひそかなこと)。秘密《ひみつ》。

❸ 厳密《げんみつ》。綿密《めんみつ》(細《こま》かい点《てん》まで行《い》き届《とど》いているようす)。

□ 皿／13画

【盟】

音 メイ

訓 ―

成り立ち

「明」は、はっきりと明《あき》らかなようす。「皿」は、さら。むかし、動物《どうぶつ》の血《ち》を皿《さら》に入《い》れて、たがいにすすりあって約束《やくそく》したことから、《はっきりとかたい約束《やくそく》をする》の意《い》味《み》になった。

筆順・書き方

(13画)

例文・意味

例文 友《とも》だちと盟約《めいやく》(かたくちかって、約束《やくそく》すること)を結《むす》ぶ。／世界《せかい》の国々《くにぐに》のほとんどは国連《こくれん》に加《か》盟《めい》している。意味 仲間《なかま》としてかたく約束《やくそく》する。また、その約束《やくそく》。

熟語

盟主《めいしゅ》(仲間《なかま》や同《おな》じ目的《もくてき》のための団体《だんたい》などで中心《ちゅうしん》になる者《もの》)。同盟《どうめい》(二《ふた》つ以上《いじょう》の国《くに》や団体《だんたい》が、同《おな》じ目的《もくてき》のために同《おな》じ行動《こうどう》をとると約束《やくそく》すること)。連盟《れんめい》。同盟国《どうめいこく》。

木／14画

模

音 モ・ボ

訓 ―

成り立ち

「莫」(日《ひ》が草原《そうげん》にしずんで見《み》えなくなる。上《うえ》からかぶせること)と「木」(き)を合《あ》わせた字《じ》。木《き》の型《かた》にねん土《ど》をかぶせてつくるいがたのことから《かた》や《てほん》の意味《いみ》をあらわす。

筆順・書き方

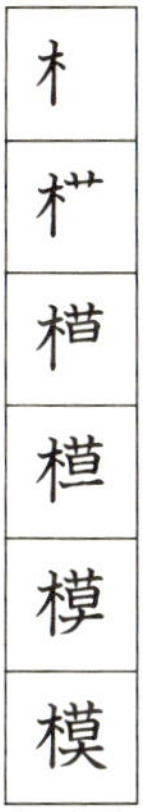

(14画)

例文・意味

❶例文 けん道《どう》の模《も》はん試合《じあい》を見《み》に行《い》く。意味 ひな型《がた》。手本《てほん》。

❷例文 実際《じっさい》のできごとを模《も》したドラマ。／新幹《しんかん》線《せん》の模型《もけい》。／ブランド商品《しょうひん》の模造品《もぞうひん》。意味 手《て》本《ほん》をまねる。かたどる。かたどったもの。

❸例文 どうやら雨《あめ》はやむ模様《もよう》だ。／平和《へいわ》を求《もと》める声《こえ》が国際的《こくさいてき》な規模《きぼ》で高《たか》まりつつある。意味 ようす。ありさま。

❹例文 可能性《かのうせい》を模《も》さく(手《て》さぐりでさがすこと)する。意味 さがし求《もと》める。

熟語

❷模写《もしゃ》。水玉模様《みずたまもよう》。

❸小規模《しょうきぼ》。大規模《だいきぼ》。

《水玉模様《みずたまもよう》》

言／11画

訳

音 ヤク

訓 わけ

成り立ち

もとの字《じ》は「譯」。「言」は、ことば。「睪」は一《ひと》つ一《ひと》つ順序《じゅんじょ》づけて連《つら》ねることをあらわす。ことばを一《ひと》つずつ、《ほかのことばに言《い》いかえる》こと。

筆順・書き方

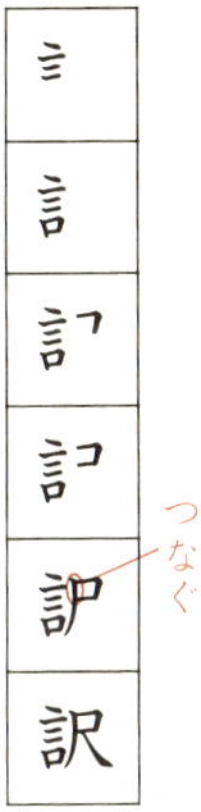

(11画)

例文・意味

❶例文 日本語《にほんご》を英語《えいご》に訳《やく》す。／ドイツ語《ご》を日本《にほん》語《ご》にほん訳《やく》する。／古文《こぶん》の現代語訳《げんだいごやく》。意味 外《がい》国語《こくご》や古《ふる》いことばを、その国《くに》のことばや、現《げん》代語《だいご》に直《なお》す。また、直《なお》した物《もの》。

❷例文 何《なに》を言《い》っているのか訳《わけ》がわからない。／どんな訳《わけ》があろうと困《こま》る。／そんなことができる訳《わけ》がない。／申《もう》し訳《わけ》がない。意味 ことばの意味《いみ》。また、理由《りゆう》。わけ。

熟語

❶訳語《やくご》。訳者《やくしゃ》。訳文《やくぶん》。英訳《えいやく》。通訳《つうやく》。

❷内訳《うちわけ》(お金《かね》や品物《しなもの》の全部《ぜんぶ》の内容《ないよう》を細《こま》かく分《わ》けたもの)。言《い》い訳《わけ》。

□ 阝／11画

郵

音 ユウ
訓 ―

成り立ち 「垂」はいねのほのように土地《とち》がたれ下《さ》がった国《くに》のはて。「阝」は村《むら》。手紙《てがみ》を持《も》って、国々《くにぐに》を行《い》き来《き》する人《ひと》のための中《ちゅう》けい所《じょ》を意味《いみ》した。今《いま》では、その仕事《しごと》をする《ゆう便《びん》》のこと。

筆順・書き方

(11画)

例文・意味
❶ 例文 日本《にっぽん》で郵便制度《ゆうびんせいど》が制定《せいてい》されたのは一八七一年《ねん》(明治四年《めいじよねん》)です。／友《とも》だちにクリスマスカードを郵《ゆう》送《そう》する。 意味 手紙《てがみ》や小包《こづつみ》などをあて先《さき》の人《ひと》に、とりついで送《おく》りとどける制度《せいど》。
❷ 意味 「郵便《ゆうびん》」のこと。

《郵送《ゆうそう》する》

熟語
❶ 郵便局《ゆうびんきょく》。郵便物《ゆうびんぶつ》。
❷ 郵券《ゆうけん》(ゆう便切手《びんきって》のこと)。

□ 亻／17画

優

音 ユウ
訓 (**やさ**しい)・(**すぐ**れる)

成り立ち 「亻」は人《ひと》、「憂」は心《こころ》がしずんで、やさしくしなやかになるようすをあらわす。《やさしい》《すぐれる》という意味《いみ》になった。また、しなやかに演《えん》じる《俳《はい》ゆう》のこと。

筆順・書き方

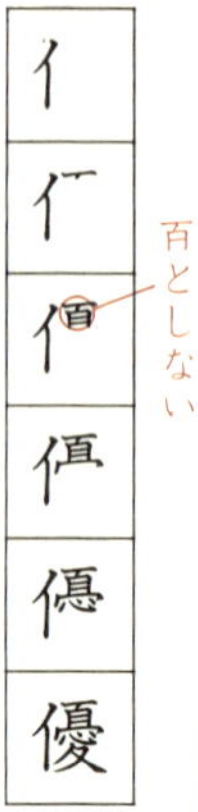

(17画)

例文・意味
❶ 例文 優美《ゆうび》な姿《すがた》。／心《こころ》づかいの優《やさ》しい人《ひと》。 意味 しとやかである。上品《じょうひん》で美《うつく》しい。やさしい。
❷ 例文 気分《きぶん》が優《すぐ》れない。／優《すぐ》れた才覚《さいかく》。 意味 まさっている。りっぱである。すぐれている。
❸ 例文 歩行者優先《ほこうしゃゆうせん》。 意味 特別《とくべつ》にたいせつにする。
❹ 例文 弟《おとうと》は優《ゆう》じゅう不断《ふだん》で何《なに》をやっても中《ちゅう》と半《はん》ぱだ。 意味 動作《どうさ》や考《かんが》えがのろい。ゆるやかである。
❺ 意味 役者《やくしゃ》。

熟語
❶ 優位《ゆうい》(地位《ちい》や立場《たちば》がほかよりもまさっていること)。優秀《ゆうしゅう》。
❷ 優勝《ゆうしょう》。優勢《ゆうせい》。優等《ゆうとう》。優良《ゆうりょう》。
❸ 優待《ゆうたい》(ほかより、とくによりよくもてなすこと)。
❹ 優柔不断《ゆうじゅうふだん》⇩(642ページ上)
❺ 女優《じょゆう》。声優《せいゆう》。男優《だんゆう》。俳優《はいゆう》。名優《めいゆう》。

幺／5画

幼

音 ヨウ

訓 おさない

成り立ち

「幺」(細《ほそ》い小《ちい》さい糸《いと》)と「力」(ちから)を合《あ》わせた字《じ》。力《ちから》の弱《よわ》い、小《ちい》さな子《こ》どもを意味《いみ》する。そこから、《おさない》という意味《いみ》になった。

筆順・書き方

ㄑ ㄠ 幺 幻 幼（つきだす）

(5画)

例文・意味

例文 ぼくは幼《おさな》いころ両親《りょうしん》に死《し》に別《わか》れてからおばの家《いえ》で育《そだ》てられた。／母《はは》からみればわたしのものの考《かんが》え方《かた》はまだまだ幼《おさな》くてたよりないらしい。／幼時《ようじ》から厳《きび》しくしつけられる。／とんぼの幼虫《ようちゅう》を観《かん》察《さつ》する。／徳川家康《とくがわいえやす》は幼名《ようめい》を竹千代《たけちよ》といった。 意味 年《ねん》れいが少《すく》ない。子《こ》どもっぽい。おさない。

《とんぼの幼虫《ようちゅう》》

熟語

幼魚《ようぎょ》。幼児《ようじ》。幼女《ようじょ》。幼少《ようしょう》。幼年《ようねん》。幼子《おさなご》。幼心《おさなごころ》。幼稚園《ようちえん》。乳幼児《にゅうようじ》。幼友達《おさなともだち》。幼《おさな》なじみ。

欠／11画

欲

音 ヨク

訓 《ほっする》・(ほしい)

成り立ち

「谷」は、くぼんだ穴《あな》。「欠」は、おなかがすいてからだをかがめるようすをえがいた字《じ》。おなかがからっぽになって何《なに》かが《ほしい》と思《おも》う気持《きも》ちをあらわす。

筆順・書き方

ハ 仌 谷 谷 谷 欲（入としない）

(11画)

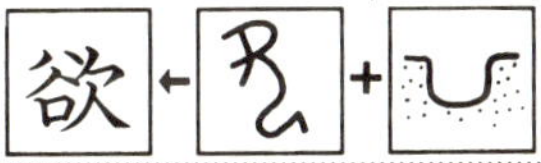

例文・意味

❶ 例文 欲望《よくぼう》が次《つぎ》から次《つぎ》へとわき起《お》こる。／欲求《よっきゅう》不満《ふまん》におちいる。／自由《じゆう》を欲《ほっ》する。／もっと時間《じかん》が欲《ほ》しい。 意味 自分《じぶん》のものにしたい。また、そうしたいと思《おも》う。ほっする。

❷ 例文 欲《よく》に目《め》がくらむ。／食欲《しょくよく》がおうせいだ。／私利《しり》私欲《しよく》(自分《じぶん》だけの利益《りえき》や、よく望《ぼう》)に走《はし》る。 意味 自分《じぶん》のものにしたいと思《おも》う心《こころ》。よく。

熟語

❶ 欲気《よくけ》。

❷ 意欲《いよく》。無欲《むよく》。欲張《よくば》り。

□ 羽／11画

【翌】

音 ヨク

訓 ―

成り立ち

「羽」(二枚《にまい》のつばさ)と、「立」(たつ)を合《あ》わせた字《じ》。片方《かたほう》のつばさでは飛《と》び立《た》てないことから、《もう一《ひと》つ別《べつ》の》、という意味《いみ》をあらわし、そこから《次《つぎ》の日《ひ》》の意味《いみ》になった。

翌 ←  + 

筆順・書き方

ながく

(11画)

例文・意味

例文 **翌**二十二日早朝《よくにじゅうににちそうちょう》に出発《しゅっぱつ》する。／兄《あに》は大学《だいがく》の入学試験《にゅうがくしけん》を**翌**年《よくねん》にひかえ、毎晩《まいばん》おそくまで勉強《べんきょう》している。／展覧会《てんらんかい》の開《かい》さいは会場《かいじょう》のつごうで**翌**月《よくげつ》に延期《えんき》された。

意味 年《とし》・月《つき》・日《ひ》などが次《つぎ》の。

《翌日《よくじつ》》

熟語

翌朝《よくあさ》。**翌日《よくじつ》**。**翌週《よくしゅう》**。**翌朝《よくちょう》**。**翌年《よくとし》**。**翌翌日《よくよくじつ》**。

□ 乙／7画

【乱】

音 ラン

訓 みだれる・みだす

成り立ち

もとの字《じ》は「亂」。「𤔔」は糸《いと》を上《うえ》と下《した》から手《て》で引《ひ》っぱるようす。「乚」はもつれた糸《いと》。《もつれる》《みだれる》の意味《いみ》をあらわすようになった。

乱 ← 乚 + 

筆順・書き方

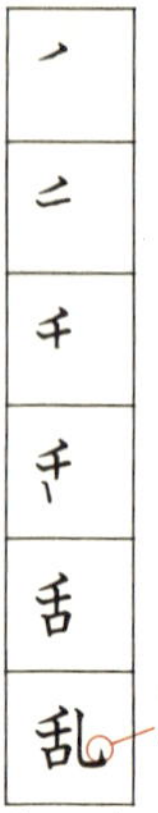

はねる

(7画)

例文・意味

❶ 例文 電車《でんしゃ》のダイヤが**乱**《みだ》れる。／世《よ》の中《なか》が**乱**《みだ》れる。／平和《へいわ》を**乱**《みだ》す。／弟《おとうと》は**乱**暴《らんぼう》で困《こま》る。／意識《いしき》が混**乱**《こんらん》する。 意味 ととのっていたことがまとまりがなくなる。みだれる。みだす。

❷ 例文 争**乱**《そうらん》が起《お》こる。／幕末《ばくまつ》の動**乱**期《どうらんき》(暴動《ぼうどう》などで、世《よ》の中《なか》がみだれるとき)。 意味 もめごと。いくさ。戦争《せんそう》。

❸ 例文 ピストルを**乱**射《らんしゃ》する。／その悪品《あくひん》を**乱**造《らんぞう》する。／小党派《しょうとうは》が**乱**立《らんりつ》する。 意味 むやみに。やたらに。

熟語

❶ **乱雑《らんざつ》**。**乱心《らんしん》**(気《き》がくるうこと)。**乱戦《らんせん》**。**乱入《らんにゅう》**。**乱筆《らんぴつ》**。**乱丁本《らんちょうぼん》**(ページの順序《じゅんじょ》がみだれている本《ほん》)。**一心不乱《いっしんふらん》** ⇩(635ページ中)

❷ **戦乱《せんらん》**。**内乱《ないらん》**(武力《ぶりょく》で政治《せいじ》の権力《けんりょく》をうばおうとする、国内《こくない》の争《あらそ》い)。**反乱《はんらん》**。

❸ **乱打《らんだ》**。**乱読《らんどく》**。**乱発《らんぱつ》**(むやみに放《はな》つこと)。**乱用《らんよう》**。

卩／7画

卵

音 （ラン）
訓 たまご

成り立ち

まるくて、いくつも連《つら》なって産《う》みつけられる、魚《さかな》や虫《むし》の《たまご》をえがいた字《じ》。

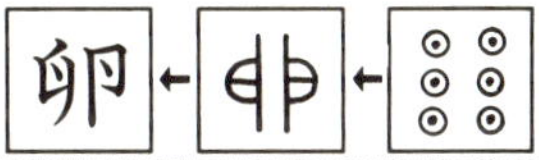

筆順・書き方

（7画）

例文・意味

❶ 例文 かえるの卵《たまご》はやわらかいゼリー状《じょう》のものでおおわれている。／卵《たまご》を半熟《はんじゅく》にして食《た》べる。／だちょうの卵《たまご》はラグビーボールの半分《はんぶん》ぐらいもある。／さけは海《うみ》で育《そだ》ち、川《かわ》で産卵《さんらん》する。
意味 鳥《とり》・魚《さかな》・虫《むし》などが産《う》むもの。たまご。

❷ 例文 医者《いしゃ》の卵《たまご》。／学者《がくしゃ》の卵《たまご》。
意味 まだ一人前《いちにんまえ》と認《みと》められていない人《ひと》。また、発達《はったつ》しきっていないもの。

熟語

❶ 卵黄《らんおう》（黄身《きみ》）。卵生《らんせい》（魚《さかな》・鳥《とり》・虫《むし》などのように、たまごの形《かたち》で母《ぼ》体《たい》から生《う》まれること）。卵白《らんぱく》（白《しろ》身《み》）。卵焼《たまごや》き。ゆで卵《たまご》。

見／17画

覧

音 ラン
訓 ―

成り立ち

「𦣞」は、器《うつわ》の中《なか》の水《みず》にうつった顔《かお》を上《うえ》から見《み》ることをあらわす。「見」はみること。上《うえ》から下《した》を見《み》おろして、《全体《ぜんたい》をよく見《み》わたす》ことを意味《いみ》した字《じ》。

筆順・書き方

（17画）

例文・意味

❶ 例文 本《ほん》をえつ覧室《らんしつ》で読《よ》む。／遊覧《ゆうらん》バスに乗《の》って東京《とうきょう》の名所《めいしょ》を見物《けんぶつ》して回《まわ》る。／遊園地《ゆうえんち》の観《かん》覧車《らんしゃ》。／産業博覧会《さんぎょうはくらんかい》を見《み》に行《い》く。／町会《ちょうかい》の回《かい》覧板《らんばん》で道路《どうろ》工事《こうじ》の予定《よてい》を知《し》る。
意味 よく見《み》る。

《観覧車《かんらんしゃ》》

❷ 例文 『世界《せかい》の国一覧表《くにいちらんひょう》』で世界各国《せかいかっこく》の国旗《こっき》を調《しら》べる。
意味 見《み》やすいようにまとめたもの。

熟語

❶ 展覧会《てんらんかい》。遊覧船《ゆうらんせん》。
❷ 要覧《ようらん》（要点《ようてん》をまとめて、見《み》やすくした印刷物《いんさつぶつ》）。

□ 衣／13画

【裏】

音 (リ)

訓 うら

成り立ち

「衣」の「亠」と「𧘇」とのあいだに、「里」(縦横《たてよこ》の筋《すじ》)を入《い》れた字《じ》。筋《すじ》のある布《ぬの》を着物《きもの》の「うらじ」に使《つか》ったことから、《うら》の意味《いみ》になった。

筆順・書き方

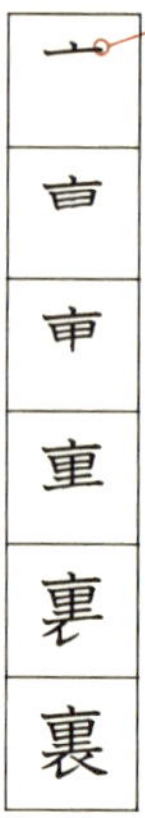

(13画)

例文・意味

❶ 例文 布地《ぬのじ》の裏《うら》を返《かえ》す。／月《つき》の裏側《うらがわ》は見《み》えない。／家《いえ》の裏口《うらぐち》に回《まわ》る。／敵《てき》の裏《うら》をかく。／大会《たいかい》の裏方《うらかた》を務《つと》める。 意味 物《もの》の後《うし》ろのほう。反対《はんたい》側《がわ》。うら。 対語 表《おもて》。

❷ 例文 脳裏《のうり》(頭《あたま》の中《なか》)に思《おも》い出《で》を刻《きざ》む。 意味 物《もの》の内《うち》側《がわ》。

❸ 例文 ロケットの打《う》ちあげは成功《せいこう》裏《り》に終《お》わった。／会議《かいぎ》は秘密《ひみつ》裏《り》(秘密《ひみつ》のうち)に進《すす》められた。 意味 その状態《じょうたい》であることをあらわすことば。…のうちに。

熟語

❶ 表裏《ひょうり》。裏表《うらおもて》。裏声《うらごえ》。裏作《うらさく》。裏腹《うらはら》(ほんとうの気持《きも》ちと反対《はんたい》であるようす)。裏町《うらまち》。裏道《うらみち》。裏門《うらもん》。裏山《うらやま》。裏打《うらう》ち。裏付《うらづ》け。屋根裏《やねうら》。

□ 彳／9画

【律】

音 リツ・《リチ》

訓 ―

成り立ち

「彳」は道《みち》を進《すす》むこと。また、おこない。「聿」は筆《ふで》を持《も》つようす。人間《にんげん》のおこないの《きまり》を、筆《ふで》で書《か》くことを意味《いみ》する。

筆順・書き方

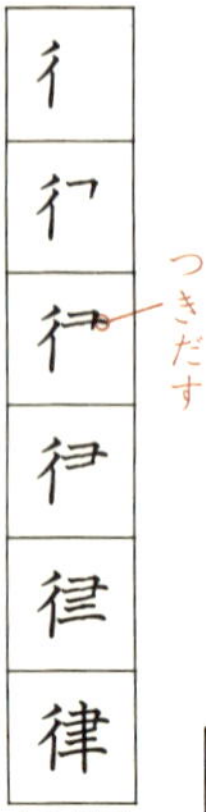

(9画)

例文・意味

❶ 例文 おのれの尺度《しゃくど》で他人《たにん》を律《りっ》するな。／律義《りちぎ》な(まじめで、義理《ぎり》がたいようす)人《ひと》。／内臓《ないぞう》は自律《じりつ》神経《しんけい》の支配《しはい》を受《う》けている。 意味 規則《きそく》や基準《きじゅん》に従《したが》う。のっとる。

❷ 例文 法律《ほうりつ》を守《まも》る。／日本《にっぽん》の律令《りつりょう》(奈良《なら》・平安《へいあん》時代《じだい》につくられた国《くに》の基本《きほん》となるきまり)政治《せいじ》は大化《たいか》の改新《かいしん》の完成《かんせい》によって確立《かくりつ》したと考《かんが》えられる。 意味 おきて。きまり

❸ 例文 美《うつく》しいせん律《りつ》の音楽《おんがく》。 意味 音楽《おんがく》の調子《ちょうし》。リズム。

熟語

❶ 一律《いちりつ》(やり方《かた》が、どれも同《おな》じであるようす)。律動感《りつどうかん》(ある決《き》まった規則《きそく》でくり返《かえ》される運動《うんどう》の感《かん》じ)。

❷ 規律《きりつ》。

❸ 調律《ちょうりつ》(楽器《がっき》の音《おと》を基準《きじゅん》に合《あ》わせること)。

臣／18画

臨

音 リン
訓 (のぞむ)

成り立ち
「臣」は下《した》を見《み》ている目《め》。「𠂉」は人《ひと》を、「品」はいろいろなものをあらわす。人《ひと》が高《たか》い所《ところ》から下《した》のほうにある物《もの》を《見《み》おろす》《のぞむ》ことをあらわす。

筆順・書き方

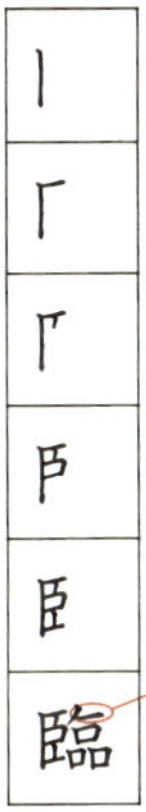

(18画)

例文・意味
❶ 例文 臨《りん》しょう実験《じっけん》をくり返《かえ》す。／湖《みずうみ》に臨《のぞ》むかん静《せい》な保養地《ほようち》。 意味 その場所《ばしょ》にある。また、その場《ば》に居合《いあ》わせる。のぞむ。
❷ 例文 国王《こくおう》の座《ざ》に君臨《くんりん》(非常《ひじょう》に強《つよ》い力《ちから》をもっていること)する。 意味 高《たか》い所《ところ》から見《み》おろす。また、見《み》分《ぶん》の高《たか》い人《ひと》が出向《でむ》く。のぞむ。
❸ 例文 経文《きょうもん》を臨書《りんしょ》(手本《てほん》を見《み》ながら書道《しょどう》を習《なら》うこと)する。 意味 手近《てぢか》において手本《てほん》とする。

熟語
❶ 臨海《りんかい》。臨時《りんじ》。臨終《りんじゅう》(死《し》ぬまぎわ)。臨席《りんせき》。
臨機応変《りんきおうへん》 ⇩(642ページ下)

月／10画

朗

音 ロウ
訓 (ほがらか)

成り立ち
清《きよ》らかなことをあらわす「良」と「月」(つき)を合《あ》わせた字《じ》。月《つき》が清《きよ》くすんでいることから、《晴《は》れ晴《ば》れとして明《あか》るい》ことをあらわした字《じ》。

筆順・書き方

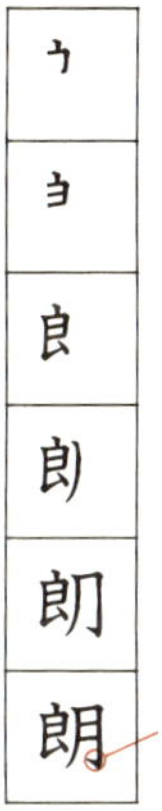

(10画)

例文・意味
❶ 例文 天気晴朗《てんきせいろう》で波《なみ》はおだやかだ。／清潔《せいけつ》で明朗《めいろう》な政治《せいじ》。／成功《せいこう》を告《つ》げる朗報《ろうほう》がまいこむ。／気持《きも》ちが朗《ほが》らかで明《あか》るい人《ひと》。 意味 空《そら》が晴《は》れわたっているようす。晴《は》れ晴《ば》れとして、明《あか》るいようす。ほがらか。
❷ 例文 教科書《きょうかしょ》を朗読《ろうどく》する。／月《つき》に一度《いちど》詩《し》ぎんの朗《ろう》えい(詩《し》や短歌《たんか》などを、節《ふし》をつけて声高《こえたか》くうたうこと)会《かい》が開《ひら》かれる。 意味 声《こえ》が高《たか》くひびき、明《あか》るくすんでいるようす。

熟語
❶ 晴朗《せいろう》(よく晴《は》れて、気持《きも》ちがよいようす)。

《朗読《ろうどく》する》

言／15画

論

音 ロン

訓 ―

成り立ち 「言」は、ことば。「侖」は文字《もじ》を書《か》いた竹《たけ》の札《ふだ》を編《あ》んできちんとまとめること。ことばをきちんと並《なら》べ《すじ道《みち》を立《た》てて話《はな》す》こと。また、《すじ道《みち》のとおったことば》を意味《いみ》する。

筆順・書き方

（15画）

例文・意味

❶ 例文 芸術《げいじゅつ》について論《ろん》じる。／友人《ゆうじん》と論争《ろんそう》する。／明快《めいかい》な論説《ろんせつ》。 意味 すじ道《みち》を立《た》てて考《かんが》えを述《の》べる。

❷ 例文 世論《せろん》（世《よ》の中《なか》の多《おお》くの人《ひと》の意見《いけん》）が高《たか》まる。／持論《じろん》（その人《ひと》がいつも主張《しゅちょう》している意見《いけん》）を展開《てんかい》する。／異論《いろん》を唱《とな》える。／結論《けつろん》を導《みちび》き出《だ》す。 意味 ものごとについての考《かんが》え。意見《いけん》。

❸ 例文 ささいなことから口論《こうろん》（言《い》い争《あらそ》い）になった。 意味 言《い》い争《あらそ》う。また、言《い》い争《あらそ》い。

熟語

❶ 論外《ろんがい》（話《はな》し合《あ》う必要《ひつよう》もないこと）。論議《ろんぎ》。論客《ろんきゃく》（じょうずに、意見《いけん》や考《かんが》えを述《の》べる人《ひと》）。論評《ろんぴょう》。論文《ろんぶん》。論理《ろんり》。議論《ぎろん》。討論《とうろん》。反論《はんろん》。論《ろん》より証拠《しょうこ》。

❷ 言論《げんろん》。序論《じょろん》。正論《せいろん》。総論《そうろん》。評論《ひょうろん》。本論《ほんろん》。世論《よろん》。討論会《とうろんかい》。

絵《え》からできた漢字《かんじ》⑾

（上《うえ》から順番《じゅんばん》に変化《へんか》して、現在《げんざい》の漢字《かんじ》の字体《じたい》となりました。）

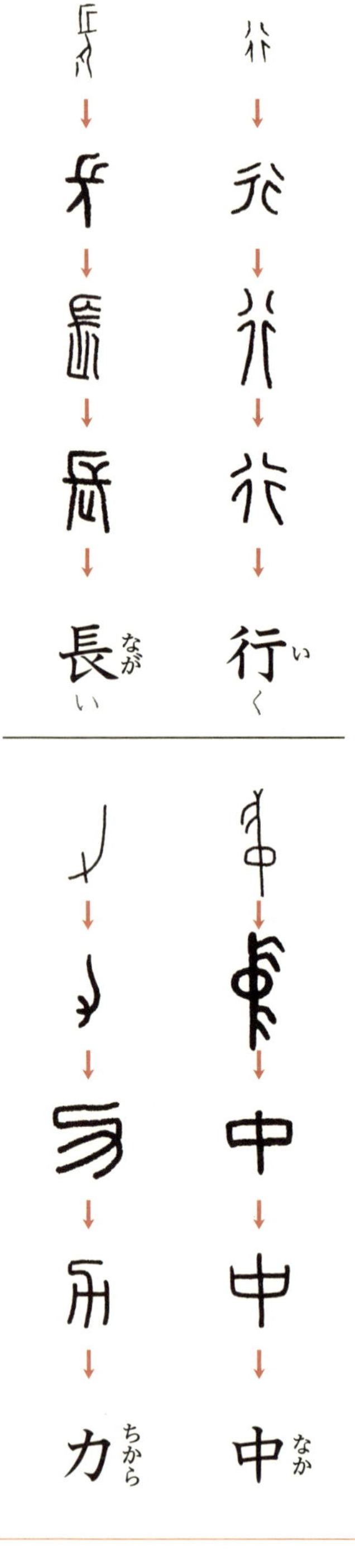

付《ふ》録《ろく》

常《じょう》用《よう》漢《かん》字《じ》音《おん》訓《くん》表《ひょう》

（教育漢字《きょういくかんじ》をのぞく）

常《じょう》用《よう》漢《かん》字《じ》音《おん》訓《くん》表《ひょう》の使《つか》い方《かた》

●教育漢字《きょういくかんじ》一〇〇六字《じ》をのぞく常用漢字《じょうようかんじ》を五十音順《ごじゅうおんじゅん》にならべています。

●カタカナは音読《おんよ》み、ひらがなは訓読《くんよ》みをしめしています。

●訓読《くんよ》みの中《なか》の細字《ほそじ》は送《おく》りがなをしめしています。

あ

亜　ア

哀　アイ　あわれ　あわれむ

握　アク　にぎる

扱　あつかう

い

依　イ　エ

威　イ

為　イ

尉　イ

偉　イ　えらい

違　イ　ちがう　ちがえる

維　イ

陰　イン　かげ　かげる

隠　イン　かくす　かくれる

韻　イン

え

詠　エイ　よむ

影　エイ　かげ

鋭　エイ　するどい

疫　エキ　ヤク

悦　エツ

越　エツ　こす　こえる

謁　エツ

閲　エツ

炎　エン　ほのお

＊常用漢字《じょうようかんじ》…ふだんの生活《せいかつ》の中《なか》で、わかりやすい文章《ぶんしょう》を書《か》くためのめやすとして、一九八一年《ねん》（昭和五十六年《しょうわごじゅうろくねん》）に政府《せいふ》が決《き》めた、一九四五字《じ》（教育漢字《きょういくかんじ》をふくむ）の漢字《かんじ》。

あ

亜 ア
哀 アイ あわれ あわれむ
握 アク にぎる
扱 あつかう

い

依 イ エ
威 イ
為 イ
尉 イ
偉 イ えらい
違 イ ちがう ちがえる
維 イ
慰 イ なぐさめる なぐさむ
緯 イ
壱 イチ
逸 イツ
芋 いも
姻 イン
陰 イン かげ かげる
隠 イン かくす かくれる
韻 イン

え

詠 エイ よむ
影 エイ かげ
鋭 エイ するどい
疫 エキ ヤク
悦 エツ
越 エツ こす こえる
謁 エツ
閲 エツ
炎 エン ほのお
宴 エン
援 エン
煙 エン けむる けむり けむい
猿 エン さる
鉛 エン なまり
縁 エン ふち

お

汚 オ けがす けがれる けがらわしい よごす よごれる きたない
凹 オウ
押 オウ おす おさえる
欧 オウ
殴 オウ なぐる
翁 オウ
奥 オウ おく
憶 オク
虞 おそれ
乙 オツ
卸 おろす おろし
穏 オン おだやか

か

佳 カ
架 カ かける かかる
華 カ ケ はな
菓 カ
渦 カ うず
嫁 カ よめ とつぐ
暇 カ ひま
禍 カ
靴 カ くつ
寡 カ
箇 カ
稼 カ かせぐ
蚊 か
雅 ガ
餓 ガ
介 カイ
戒 カイ いましめる
怪 カイ あやしい あやしむ
拐 カイ
悔 カイ くいる くやむ くやしい
皆 カイ みな
塊 カイ かたまり
壊 カイ こわす こわれる
懐 カイ ふところ なつかしい なつかしむ なつく なつける
劾 ガイ
涯 ガイ
慨 ガイ
該 ガイ
概 ガイ
垣 かき
核 カク
殻 カク から
郭 カク
較 カク
隔 カク へだてる へだたる
獲 カク える
嚇 カク
穫 カク
岳 ガク たけ
掛 かける かかる かかり
潟 かた
括 カツ
喝 カツ
渇 カツ かわく
滑 カツ すべる なめらか
褐 カツ
轄 カツ
且 かつ
刈 かる
甘 カン あまい あまえる あまやかす
汗 カン あせ
缶 カン
肝 カン きも
冠 カン かんむり
陥 カン おちいる おとしいれる
乾 カン かわく かわかす
勘 カン
患 カン わずらう
貫 カン つらぬく
喚 カン
堪 カン たえる
換 カン かえる かわる
敢 カン
棺 カン
款 カン
閑 カン
勧 カン すすめる
寛 カン
歓 カン
監 カン
緩 カン ゆるい ゆるやか ゆるむ ゆるめる
憾 カン
還 カン
環 カン
艦 カン
鑑 カン
含 ガン ふくむ ふくめる
頑 ガン

き

企 キ くわだてる
岐 キ
忌 キ いむ いまわしい
奇 キ
祈 キ いのる
軌 キ
既 キ すでに
飢 キ うえる
鬼 キ おに
幾 キ いく
棋 キ
棄 キ
輝 キ かがやく
騎 キ
宜 ギ
偽 ギ いつわる にせ
欺 ギ あざむく
儀 ギ
戯 ギ たわむれる

擬　ギ
儀　ギ
菊　キク
吉　キチ　キツ
喫　キツ
詰　キツ　つめる　つまる　つむ
却　キャク
脚　キャク　キャ　あし
虐　ギャク　しいたげる
及　キュウ　およぶ　および　およぼす
丘　キュウ　おか
朽　キュウ　くちる
糾　キュウ
窮　キュウ　きわめる　きわまる
巨　キョ
拒　キョ　こばむ
拠　キョ　コ
虚　キョ　コ

距　キョ
御　ギョ　ゴ　おん
凶　キョウ
叫　キョウ　さけぶ
狂　キョウ　くるう　くるおしい
享　キョウ
況　キョウ
峡　キョウ
挟　キョウ　はさむ　はさまる
狭　キョウ　せまい　せばめる　せばまる
恐　キョウ　おそれる　おそろしい
恭　キョウ　うやうやしい
脅　キョウ　おびやかす　おどす　おどかす
矯　キョウ　ためる
響　キョウ　ひびく
驚　キョウ　おどろく　おどろかす

仰　ギョウ　コウ　あおぐ　おおせ
暁　ギョウ　あかつき
凝　ギョウ　こる　こらす
斤　キン
菌　キン
琴　キン　こと
緊　キン
謹　キン　つつしむ
襟　キン　えり
吟　ギン

く

駆　ク　かける　かる
愚　グ　おろか
偶　グウ
遇　グウ
隅　グウ　すみ
屈　クツ
掘　クツ　ほる
繰　くる

勲　クン
薫　クン　かおる

け

刑　ケイ
茎　ケイ　くき
契　ケイ　ちぎる
恵　ケイ　エ　めぐむ
啓　ケイ
掲　ケイ　かかげる
渓　ケイ
蛍　ケイ　ほたる
傾　ケイ　かたむく　かたむける
携　ケイ　たずさえる　たずさわる
継　ケイ　つぐ
慶　ケイ
憩　ケイ　いこい　いこう
鶏　ケイ　にわとり
迎　ゲイ　むかえる
鯨　ゲイ　くじら

撃　ゲキ　うつ
傑　ケツ
肩　ケン　かた
倹　ケン
兼　ケン　かねる
剣　ケン　つるぎ
軒　ケン　のき
圏　ケン
堅　ケン　かたい
嫌　ケン　ゲン　きらう　いや
献　ケン　コン
遣　ケン　つかう　つかわす
賢　ケン　かしこい
謙　ケン
繭　ケン　まゆ
顕　ケン
懸　ケン　ケ　かける　かかる
幻　ゲン　まぼろし
玄　ゲン

弦　ゲン　つる

こ

孤　コ
弧　コ
枯　コ　かれる　からす
雇　コ　やとう
誇　コ　ほこる
鼓　コ　つづみ
顧　コ　かえりみる
互　ゴ　たがい
呉　ゴ
娯　ゴ
悟　ゴ　さとる
碁　ゴ
孔　コウ
巧　コウ　たくみ
甲　コウ　カン
江　コウ　え
坑　コウ
抗　コウ

攻　コウ　せめる
更　コウ　さら　ふける　ふかす
拘　コウ
肯　コウ
侯　コウ
恒　コウ
洪　コウ
荒　コウ　あらい　あれる　あらす
郊　コウ
香　コウ　キョウ　か　かおり　かおる
貢　コウ　ク　みつぐ
控　コウ　ひかえる
慌　コウ　あわてる　あわただしい
硬　コウ　かたい
絞　コウ　しぼる　しめる　しまる
項　コウ

溝　コウ　みぞ
綱　コウ　つな
酵　コウ
稿　コウ
衡　コウ
購　コウ
拷　ゴウ
剛　ゴウ
豪　ゴウ
克　コク
酷　コク
獄　ゴク
込　こむ　こめる
昆　コン
恨　コン　うらむ　うらめしい
婚　コン
紺　コン
魂　コン　たましい
墾　コン
懇　コン　ねんごろ

さ

漢字	音訓
佐	サ
唆	サ、そそのかす
詐	サ
鎖	サ、くさり
砕	サイ、くだく、くだける
宰	サイ
栽	サイ
彩	サイ、いろどる
斎	サイ
債	サイ
催	サイ、もよおす
歳	サイ、セイ
載	サイ、のせる、のる
剤	ザイ
崎	さき
削	サク、けずる
索	サク
酢	サク、す
搾	サク、しぼる
錯	サク
咲	さく
撮	サツ、とる
擦	サツ、する、すれる
桟	サン
惨	サン、ザン、みじめ
傘	サン、かさ
暫	ザン

し

漢字	音訓
旨	シ、むね
伺	シ、うかがう
刺	シ、さす、ささる
祉	シ
肢	シ
施	シ、セ、ほどこす
脂	シ、あぶら
紫	シ、むらさき
嗣	シ
雌	シ、め、めす
賜	シ、たまわる
諮	シ、はかる
侍	ジ、さむらい
滋	ジ
慈	ジ、いつくしむ
璽	ジ
軸	ジク
疾	シツ
執	シツ、シュウ、とる
湿	シツ、しめる、しめす
漆	シツ、うるし
芝	しば
赦	シャ
斜	シャ、ななめ
煮	シャ、にる、にえる、にやす
遮	シャ、さえぎる
邪	ジャ
蛇	ジャ、ダ、へび
勺	シャク
酌	シャク、くむ
釈	シャク
爵	シャク
寂	ジャク、セキ、さび、さびしい、さびれる
朱	シュ
狩	シュ、かる、かり
殊	シュ、こと
珠	シュ
趣	シュ、おもむき
寿	ジュ、ことぶき
需	ジュ
儒	ジュ
囚	シュウ
舟	シュウ、ふね、ふな
秀	シュウ、ひいでる
臭	シュウ、くさい
愁	シュウ、うれえる、うれい
酬	シュウ
醜	シュウ、みにくい
襲	シュウ、おそう
汁	ジュウ、しる
充	ジュウ、あてる
柔	ジュウ、ニュウ、やわらか、やわらかい
渋	ジュウ、しぶ、しぶい、しぶる
銃	ジュウ
獣	ジュウ、けもの
叔	シュク
淑	シュク
粛	シュク
塾	ジュク
俊	シュン
瞬	シュン、またたく
旬	ジュン
巡	ジュン、めぐる
盾	ジュン、たて
准	ジュン
殉	ジュン
循	ジュン
潤	ジュン、うるおう、うるおす、うるむ
遵	ジュン
庶	ショ
緒	ショ、チョ、お
如	ジョ、ニョ
叙	ジョ
徐	ジョ
升	ショウ、ます
召	ショウ、めす
匠	ショウ
床	ショウ、とこ、ゆか
抄	ショウ
肖	ショウ
尚	ショウ
昇	ショウ、のぼる
沼	ショウ、ぬま
宵	ショウ、よい
症	ショウ
祥	ショウ
称	ショウ
渉	ショウ
紹	ショウ
訟	ショウ
掌	ショウ
晶	ショウ
焦	ショウ、こげる、こがす、こがれる、あせる
硝	ショウ
粧	ショウ
詔	ショウ、みことのり
奨	ショウ
詳	ショウ、くわしい
彰	ショウ
衝	ショウ
償	ショウ、つぐなう
礁	ショウ
鐘	ショウ、かね
丈	ジョウ、たけ
冗	ジョウ
浄	ジョウ
剰	ジョウ
畳	ジョウ、たたむ、たたみ
縄	ジョウ、なわ
壌	ジョウ
嬢	ジョウ
錠	ジョウ
譲	ジョウ、ゆずる
醸	ジョウ、かもす
殖	ショク、ふえる、ふやす
飾	ショク、かざる
触	ショク、ふれる、さわる
嘱	ショク
辱	ジョク、はずかしめる
伸	シン、のびる、のばす
辛	シン、からい
侵	シン、おかす
津	シン、つ

漢字	音訓
唇	シン くちびる
娠	シン
振	シン ふる ふるう
浸	シン ひたす ひたる
紳	シン
診	シン みる
寝	シン ねる ねかす
慎	シン つつしむ
審	シン
震	シン ふるう ふるえる
薪	シン たきぎ
刃	ジン は
尽	ジン つくす つきる つかす
迅	ジン
甚	ジン はなはだ はなはだしい
陣	ジン
尋	ジン たずねる
す	
吹	スイ ふく
炊	スイ たく
帥	スイ
粋	スイ
衰	スイ おとろえる
酔	スイ よう
遂	スイ とげる
睡	スイ
穂	スイ ほ
錘	スイ つむ
随	ズイ
髄	ズイ
枢	スウ
崇	スウ
据	すえる すわる
杉	すぎ
せ	
畝	せ うね
瀬	せ
是	ゼ
井	セイ ショウ い
姓	セイ ショウ
征	セイ
斉	セイ
牲	セイ
逝	セイ ゆく
婿	セイ むこ
誓	セイ ちかう
請	セイ シン こう うける
斥	セキ
析	セキ
隻	セキ
惜	セキ おしい おしむ
跡	セキ あと
籍	セキ
拙	セツ
窃	セツ
摂	セツ
仙	セン
占	セン しめる うらなう
扇	セン おうぎ
栓	セン
旋	セン
践	セン
銑	セン
潜	セン ひそむ もぐる
遷	セン
薦	セン すすめる
繊	セン
鮮	セン あざやか
禅	ゼン
漸	ゼン
繕	ゼン つくろう
そ	
阻	ソ はばむ
租	ソ
措	ソ
粗	ソ あらい
疎	ソ うとい うとむ
訴	ソ うったえる
塑	ソ
礎	ソ いしずえ
双	ソウ ふた
壮	ソウ
荘	ソウ
捜	ソウ さがす
挿	ソウ さす
桑	ソウ くわ
掃	ソウ はく
曹	ソウ
喪	ソウ も
葬	ソウ ほうむる
僧	ソウ
遭	ソウ あう
槽	ソウ
燥	ソウ
霜	ソウ しも
騒	ソウ さわぐ
藻	ソウ も
憎	ゾウ にくむ にくい にくらしい にくしみ
贈	ゾウ ソウ おくる
即	ソク
促	ソク うながす
俗	ゾク
賊	ゾク
た	
妥	ダ
堕	ダ
惰	ダ
駄	ダ
耐	タイ たえる
怠	タイ おこたる なまける
胎	タイ
泰	タイ
袋	タイ ふくろ
逮	タイ
替	タイ かえる かわる
滞	タイ とどこおる
滝	たき
択	タク
沢	タク さわ
卓	タク
拓	タク
託	タク
濯	タク
諾	ダク
濁	ダク にごる にごす
但	ただし
脱	ダツ ぬぐ ぬげる
奪	ダツ うばう
棚	たな
丹	タン
胆	タン
淡	タン あわい
嘆	タン なげく なげかわしい
端	タン はし はた
鍛	タン きたえる
弾	ダン ひく はずむ たま
壇	ダン タン
ち	
恥	チ はじる はじ はじらう はずかしい
致	チ いたす
遅	チ おくれる おくらす おそい
痴	チ
稚	チ
畜	チク
逐	チク
蓄	チク たくわえる
秩	チツ
窒	チツ
嫡	チャク
沖	チュウ おき

抽　チュウ
衷　チュウ
鋳　チュウ　いる
駐　チュウ
弔　チョウ　とむらう
挑　チョウ　いどむ
彫　チョウ　ほる
眺　チョウ　ながめる
釣　チョウ　つる
脹　チョウ
超　チョウ　こえる　こす
跳　チョウ　はねる　とぶ
徴　チョウ
澄　チョウ　すむ　すます
聴　チョウ　きく
懲　チョウ　こりる　こらす　こらしめる
勅　チョク
沈　チン　しずむ　しずめる

珍　チン　めずらしい
朕　チン
陳　チン
鎮　チン　しずめる　しずまる

つ

墜　ツイ
塚　つか
漬　つける　つかる
坪　つぼ

て

呈　テイ
廷　テイ
抵　テイ
邸　テイ
亭　テイ
貞　テイ
帝　テイ
訂　テイ
逓　テイ
偵　テイ

堤　テイ　つつみ
艇　テイ
締　テイ　しまる　しめる
泥　デイ　どろ
摘　テキ　つむ
滴　テキ　しずく　したたる
迭　テツ
哲　テツ
徹　テツ
撤　テツ
添　テン　そえる　そう
殿　デン　テン　との　どの

と

斗　ト
吐　ト　はく
途　ト
渡　ト　わたる　わたす
塗　ト　ぬる

奴　ド
怒　ド　いかる　おこる
到　トウ
逃　トウ　にげる　にがす　のがす　のがれる
倒　トウ　たおれる　たおす
凍　トウ　こおる　こごえる
唐　トウ　から
桃　トウ　もも
透　トウ　すく　すかす　すける
悼　トウ　いたむ
盗　トウ　ぬすむ
陶　トウ
塔　トウ
搭　トウ
棟　トウ　むね　むな
痘　トウ
筒　トウ　つつ

稲　トウ　いね　いな
踏　トウ　ふむ　ふまえる
謄　トウ
闘　トウ　たたかう
騰　トウ
洞　ドウ　ほら
胴　ドウ
峠　とうげ
匿　トク
督　トク
篤　トク
凸　トツ
突　トツ　つく
屯　トン
豚　トン　ぶた
鈍　ドン　にぶい　にぶる
曇　ドン　くもる

な

軟　ナン　やわらか　やわらかい

に

尼　ニ　あま
弐　ニ
尿　ニョウ
妊　ニン
忍　ニン　しのぶ　しのばせる

ね

寧　ネイ
粘　ネン　ねばる

の

悩　ノウ　なやむ　なやます
濃　ノウ　こい

は

把　ハ
覇　ハ
婆　バ
杯　ハイ　さかずき
排　ハイ
廃　ハイ　すたれる　すたる

輩　ハイ
培　バイ　つちかう
陪　バイ
媒　バイ
賠　バイ
伯　ハク
拍　ハク　ヒョウ
泊　ハク　とまる　とめる
迫　ハク　せまる
舶　ハク
薄　ハク　うすい　うすめる　うすまる　うすらぐ　うすれる
漠　バク
縛　バク　しばる
爆　バク
肌　はだ
鉢　ハチ　ハツ
髪　ハツ　かみ
伐　バツ

抜　バツ　ぬく　ぬける　ぬかす　ぬかる
罰　バツ　バチ
閥　バツ
帆　ハン　ほ
伴　ハン　バン　ともなう
畔　ハン
般　ハン
販　ハン
搬　ハン
煩　ハン　ボン　わずらう　わずらわす
頒　ハン
範　ハン
繁　ハン
藩　ハン
蛮　バン
盤　バン

ひ

妃　ヒ

彼 ヒ かれ かの
披 ヒ
卑 ヒ いやしい いやしむ いやしめる
疲 ヒ つかれる つからす
被 ヒ こうむる
扉 ヒ とびら
碑 ヒ
罷 ヒ
避 ヒ さける
尾 ビ お
微 ビ
匹 ヒツ ひき
泌 ヒツ ヒ
姫 ひめ
漂 ヒョウ ただよう
苗 ビョウ なえ なわ
描 ビョウ えがく
猫 ビョウ ねこ
浜 ヒン はま

賓 ヒン
頻 ヒン
敏 ビン
瓶 ビン

ふ

扶 フ
怖 フ こわい
附 フ
赴 フ おもむく
浮 フ うく うかれる うかぶ うかべる
符 フ
普 フ
腐 フ くさる くされる くさらす
敷 フ しく
膚 フ
賦 フ
譜 フ
侮 ブ あなどる

舞 ブ まう まい
封 フウ ホウ
伏 フク ふせる ふす
幅 フク はば
覆 フク おおう くつがえす くつがえる
払 フツ はらう
沸 フツ わく わかす
紛 フン まぎれる まぎらす まぎらわす まぎらわしい
雰 フン
噴 フン ふく
墳 フン
憤 フン いきどおる

へ

丙 ヘイ
併 ヘイ あわせる
柄 ヘイ がら え
塀 ヘイ

幣 ヘイ
弊 ヘイ
壁 ヘキ かべ
癖 ヘキ くせ
偏 ヘン かたよる
遍 ヘン

ほ

捕 ホ とらえる とらわれる とる つかまえる つかまる
浦 ホ うら
舗 ホ
募 ボ つのる
慕 ボ したう
簿 ボ
芳 ホウ かんばしい
邦 ホウ
奉 ホウ ブ たてまつる
抱 ホウ だく いだく かかえる
泡 ホウ あわ

胞 ホウ
俸 ホウ
倣 ホウ ならう
峰 ホウ みね
砲 ホウ
崩 ホウ くずれる くずす
飽 ホウ あきる あかす
褒 ホウ ほめる
縫 ホウ ぬう
乏 ボウ とぼしい
忙 ボウ いそがしい
坊 ボウ ボッ
妨 ボウ さまたげる
房 ボウ ふさ
肪 ボウ
某 ボウ
冒 ボウ おかす
剖 ボウ
紡 ボウ つむぐ
傍 ボウ かたわら

帽 ボウ
膨 ボウ ふくらむ ふくれる
謀 ボウ ム はかる
朴 ボク
僕 ボク
墨 ボク すみ
撲 ボク
没 ボツ
堀 ほり
奔 ホン
翻 ホン ひるがえる ひるがえす
凡 ボン ハン
盆 ボン

ま

麻 マ あさ
摩 マ
磨 マ みがく
魔 マ
埋 マイ うめる うまる うもれる

膜 マク
又 また
抹 マツ
慢 マン
漫 マン

み

魅 ミ
岬 みさき
妙 ミョウ
眠 ミン ねむる ねむい

む

矛 ム ほこ
霧 ム きり
娘 むすめ

め

銘 メイ
滅 メツ ほろびる ほろぼす
免 メン まぬかれる

も

茂 モ しげる

妄 モウ ボウ
盲 モウ
耗 モウ コウ
猛 モウ
網 モウ あみ
黙 モク だまる
紋 モン
匁 もんめ

や

厄 ヤク
躍 ヤク おどる

ゆ

愉 ユ
諭 ユ さとす
癒 ユ
唯 ユイ イ
幽 ユウ
悠 ユウ
猶 ユウ
裕 ユウ

雄　ユウ　お　おす
誘　ユウ　さそう
憂　ユウ　うれえる　うれい　うい
融　ユウ

よ

与　ヨ　あたえる
誉　ヨ　ほまれ
庸　ヨウ
揚　ヨウ　あげる　あがる
揺　ヨウ　ゆれる　ゆる　ゆらぐ　ゆるぐ　ゆする　ゆさぶる　ゆすぶる
溶　ヨウ　とける　とかす　とく
腰　ヨウ　こし
踊　ヨウ　おどる　おどり
窯　ヨウ　かま
擁　ヨウ
謡　ヨウ　うたい　うたう
抑　ヨク　おさえる
翼　ヨク　つばさ

ら

裸　ラ　はだか
羅　ラ
雷　ライ　かみなり
頼　ライ　たのむ　たのもしい　たよる
絡　ラク　からむ　からまる
酪　ラク
濫　ラン
欄　ラン

り

吏　リ
痢　リ
履　リ　はく
離　リ　はなれる　はなす
柳　リュウ　やなぎ
竜　リュウ　たつ
粒　リュウ　つぶ
隆　リュウ
硫　リュウ
虜　リョ
慮　リョ
了　リョウ
涼　リョウ　すずしい　すずむ
猟　リョウ
陵　リョウ　みささぎ
僚　リョウ
寮　リョウ
療　リョウ
糧　リョウ　ロウ　かて
厘　リン
倫　リン
隣　リン　となる　となり

る

涙　ルイ　なみだ
累　ルイ
塁　ルイ

れ

励　レイ　はげむ　はげます
戻　レイ　もどす　もどる
鈴　レイ　リン　すず
零　レイ
霊　レイ　リョウ　たま
隷　レイ
齢　レイ
麗　レイ　うるわしい
暦　レキ　こよみ
劣　レツ　おとる
烈　レツ
裂　レツ　さく　さける
恋　レン　こう　こい　こいしい
廉　レン
錬　レン

ろ

炉　ロ
露　ロ　ロウ　つゆ
郎　ロウ
浪　ロウ
廊　ロウ
楼　ロウ
漏　ロウ　もる　もれる　もらす

わ

賄　ワイ　まかなう
惑　ワク　まどう
枠　わく
湾　ワン
腕　ワン　うで

「常用漢字表《じょうようかんじひょう》」付表《ふひょう》のことば

（一字《いちじ》一字《いちじ》には、その読《よ》みはありませんが、熟語《じゅくご》になったときに、特別《とくべつ》の読《よ》み方《かた》をします。これらは「熟字訓《じゅくじくん》」といわれます。▲印《じるし》のついたことばは、小学校《しょうがっこう》で学習《がくしゅう》することばです。）

- □ 明日 ▲ あす
- □ 小豆 あずき
- □ 海女 あま
- □ 硫黄 いおう
- □ 意気地 いくじ
- □ 一言居士 いちげんこじ
- □ 田舎 いなか
- □ 息吹 いぶき
- □ 海原 うなばら
- □ 乳母 うば
- □ 浮気 うわき
- □ 浮つく うわつく
- □ 笑顔 えがお
- □ お母さん ▲ おかあさん
- □ 叔父・伯父 おじ
- □ お父さん ▲ おとうさん
- □ 大人 ▲ おとな
- □ 乙女 おとめ
- □ 叔母・伯母 おば
- □ お巡りさん おまわりさん
- □ お神酒 おみき
- □ 母屋・母家 おもや
- □ 神楽 かぐら
- □ 河岸 かし
- □ 風邪 かぜ
- □ 仮名 かな
- □ 蚊帳 かや
- □ 為替 かわせ
- □ 河原・川原 ▲ かわら
- □ 昨日 ▲ きのう
- □ 今日 ▲ きょう
- □ 果物 ▲ くだもの
- □ 玄人 くろうと
- □ 今朝 ▲ けさ
- □ 景色 ▲ けしき
- □ 心地 ここち
- □ 今年 ▲ ことし
- □ 早乙女 さおとめ
- □ 雑魚 ざこ
- □ 桟敷 さじき
- □ 差し支える さしつかえる
- □ 五月晴れ さつきばれ
- □ 早苗 さなえ
- □ 五月雨 さみだれ
- □ 時雨 しぐれ
- □ 竹刀 しない
- □ 芝生 しばふ
- □ 清水 ▲ しみず
- □ 三味線 しゃみせん
- □ 砂利 じゃり
- □ 数珠 じゅず
- □ 上手 ▲ じょうず
- □ 白髪 しらが
- □ 素人 しろうと

□ 師走 しわす（「しはす」とも言《い》う）
□ 数寄屋・数奇屋 すきや
□ 相撲 すもう
□ 草履 ぞうり
□ 山車 だし
□ 太刀 たち
□ 立ち退く たちのく
□ 七夕 ▲ たなばた
□ 足袋 たび
□ 稚児 ちご
□ 一日 ▲ ついたち
□ 築山 つきやま
□ 梅雨 つゆ
□ 凸凹 でこぼこ
□ 手伝う ▲ てつだう
□ 伝馬船 てんません
□ 投網 とあみ
□ 十重二十重 とえはたえ
□ 読経 どきょう
□ 時計 ▲ とけい
□ 友達 ▲ ともだち

□ 仲人 なこうど
□ 名残 なごり
□ 雪崩 なだれ
□ 兄さん ▲ にいさん
□ 姉さん ▲ ねえさん
□ 野良 のら
□ 祝詞 のりと
□ 博士 ▲ はかせ
□ 二十・二十歳 はたち
□ 二十日 ▲ はつか
□ 波止場 はとば
□ 一人 ▲ ひとり
□ 日和 ひより
□ 二人 ▲ ふたり
□ 二日 ▲ ふつか
□ 吹雪 ふぶき
□ 下手 ▲ へた
□ 部屋 ▲ へや
□ 迷子 ▲ まいご
□ 真っ赤 ▲ まっか
□ 真っ青 ▲ まっさお

□ 土産 みやげ
□ 息子 むすこ
□ 眼鏡 ▲ めがね
□ 猛者 もさ
□ 紅葉 もみじ
□ 木綿 もめん
□ 最寄り もより
□ 八百長 やおちょう
□ 八百屋 ▲ やおや
□ 大和＝（大和絵《やまとえ》 大和魂《やまとだましい》など） やまと
□ 浴衣 ゆかた
□ 行方 ゆくえ
□ 寄席 よせ
□ 若人 わこうど

《七夕《たなばた》》

おもな四字《よじ》熟語《じゅくご》

ここでは、小学生《しょうがくせい》に役立《やくだ》つと思《おも》われるおもな四字熟語《よじじゅくご》の意味《み》を、例文《れいぶん》とともにけいさいしました。●印《じるし》の漢字《かんじ》は教育《きょういく》漢字《かんじ》以外《いがい》の常用漢字《じょうようかんじ》。▼は、注意《ちゅうい》すべきことや参考《さんこう》です。

（あ行《ぎょう》）

□**青息《あおいき》・吐息《といき》** 〔例文〕父《ちち》は工場《こうじょう》の資金《しきん》ぐりがうまくいかないので、青息吐息《あおいきといき》だとこぼしています。〔意味〕困《こま》ったときに出《で》る、苦《くる》しそうなため息《いき》。また、苦《くる》しみ困《こま》っているようす。▼「青息《あおいき》」は、心配《しんぱい》で青《あお》い顔《かお》をして出《だ》すため息《いき》。「吐息《といき》」は、大《おお》きなため息《いき》のこと。

□**悪戦苦《あくせんく》・闘《とう》** 〔例文〕ぼくたちのサッカーチームは悪戦苦闘《あくせんくとう》の末《すえ》に優勝《ゆうしょう》できた。〔意味〕強《つよ》い相手《あいて》と苦《くる》しい戦《たたか》いをすること。また、困難《こんなん》に向《む》かって苦《くる》しい努力《どりょく》をすること。

□**暗中模《あんちゅうも》・索《さく》** 〔例文〕解決《かいけつ》の方法《ほうほう》を暗中模索《あんちゅうもさく》する。〔意味〕確《たし》かな方法《ほうほう》がわからないまま、あれこれと試《こころ》みにやってみること。▼「暗中《あんちゅう》」は、暗《くら》やみの中《なか》のこと。「模索《もさく》」は、手《て》さぐりでさがすこと。

□**意気消《いきしょう》・沈《ちん》** 〔例文〕予想《よそう》を裏切《うらぎ》る敗戦《はいせん》に選手《せんしゅ》は意気消沈《いきしょうちん》した。〔意味〕元気《げんき》がなくなること。▼「消沈《しょうちん》」は、気持《きも》ちがおとろえしずむこと。

□**意気投合《いきとうごう》** 〔例文〕大川君《おおかわくん》と意気投合《いきとうごう》して、自由《じゆう》研究《けんきゅう》をした。〔意味〕たがいの気持《きも》ちがぴったり合《あ》うこと。▼「投合《とうごう》」は、投《な》げあてること。

□**異口同音《いくどうおん》** 〔例文〕そこにいた人《ひと》は、異口同音《いくどうおん》にその行動《こうどう》をほめたたえた。〔意味〕多《おお》くの人《ひと》がそろって同《おな》じことを言《い》うこと。▼「口《く》」は、「こう」と読《よ》まないように注意《ちゅうい》する。

□**以心伝心《いしんでんしん》** 〔例文〕わたしと妹《いもうと》とは以心伝心《いしんでんしん》で、思《おも》っていることもすぐわかる。〔意味〕ことばに出《だ》さなくても、たがいの気持《きも》ちが通《つう》じ合《あ》うこと。▼もともとは、仏教《ぶっきょう》の禅宗《ぜんしゅう》で、文《も》字《じ》や、ことばによらないで、心《こころ》から心《こころ》へ仏《ほとけ》の教《おし》えを伝《つた》えること。

□**一言半句《いちごんはんく》** 〔例文〕校長先生《こうちょうせんせい》のお話《はなし》を一言半句《いちごんはんく》も聞《き》きもらさないようにしました。〔意味〕ほんのわずかなことば。▼「一言《いちごん》」は、「いちげん」とも読《よ》む。

□**一日千秋《いちじつせんしゅう》** 〔例文〕姉《あね》の外国留学《がいこくりゅうがく》からの帰《かえ》りを母《はは》は一日千秋《いちじつせんしゅう》の思《おも》いで待《ま》っています。〔意味〕とても待《ま》ちどおしいこと。▼「千秋《せんしゅう》」は、千年《せんねん》のことで、一日《いちにち》が千年《せんねん》にも感《かん》じられるほど長《なが》く思《おも》われること。

□**一族《いちぞく》・郎党《ろうとう》** 〔例文〕源氏《げんじ》は、一族郎党集《いちぞくろうとうあつ》まって、平家《へいけ》と戦《たたか》った。〔意味〕同《おな》じ血《ち》すじの人《ひと》たちや、その関係者《かんけいしゃ》。▼「郎党《ろうとう》」は、「郎等《ろうとう》」とも書《か》き、その武士《ぶし》と血《ち》すじがつながっていない家臣《かしん》。

□**一部始終《いちぶしじゅう》** 〔例文〕夏休《なつやす》みのことを一部始終《いちぶしじゅう》友《とも》だちと話《はな》し合《あ》った。〔意味〕あることの始《はじ》めから終《お》わりまで。

□**一望千里《いちぼうせんり》** 〔例文〕一望千里《いちぼうせんり》、砂浜《すなはま》の海岸《かいがん》です。〔意味〕見《み》わたすかぎり広《ひろ》いようす。▼ひと目《め》で千里《せんり》(約四千《やくよんせん》キロメートル)の遠《とお》くまで見《み》わたせるということから。

□**一《いち》・網打《もうだ》・尽《じん》** 〔例文〕暴力《ぼうりょく》団《だん》が警察《けいさつ》によって一《いち》網打尽《もうだじん》にされた。〔意味〕悪者《わるもの》などを全部《ぜんぶ》とらえること。▼一《いち》度《ど》投《な》げた網《あみ》で、魚《さかな》を全部《ぜんぶ》とらえるということから。

□**一利一害《いちりいちがい》** 〔例文〕山《やま》に自《じ》動車道路《どうしゃどうろ》ができるのも、便利《べんり》になるけれど、自然破壊《しぜんはかい》が進《すす》み一利一害《いちりいちがい》だ。〔意味〕よい面《めん》がある一方《いっぽう》で、悪《わる》い面《めん》もあること。

□**一喜一《いっきいち》・憂《ゆう》** 〔例文〕ワールドカップの試合《しあい》に、一喜一憂《いっきいちゆう》した。〔意味〕ものごとのなりゆきに、

喜《よろこ》んだり心配《しんぱい》したりすること。▼「憂《ゆう》」は、心配《しんぱい》すること。

□ **一挙一動**《いっきょいちどう》 例文 選手《せんしゅ》たちの**一挙一動**《いっきょいちどう》をコーチは見《み》つめていた。 意味 からだの動《うご》きの一《ひと》つ一《ひと》つ。すべての動作《どうさ》のこと。▼「挙《きょ》」は、手《て》を挙《あ》げる動作《どうさ》のこと。

□ **一挙両得**《いっきょりょうとく》 例文 姉《あね》は、ジョギングは体重《たいじゅう》も減《へ》るし、健康《けんこう》にもなれるので**一挙両得**《いっきょりょうとく》だと言《い》っています。 意味 一《ひと》つのことをして、いっぺんに二《ふた》つのよい結果《けっか》が得《え》られること。▼「一挙《いっきょ》」は、いっぺんにということ。

□ **一刻千金**《いっこくせんきん》 例文 むかしの人《ひと》は、春《はる》の夕方《ゆうがた》は**一刻千金**《いっこくせんきん》だと言《い》って、時間《じかん》の過《す》ぎ去《さ》るのをおしみました。 意味 楽《たの》しいときなどには、過《す》ぎ去《さ》っていくわずかな時間《じかん》が、非常《ひじょう》にたいせつに思《おも》えること。▼「一刻《いっこく》」は、わずかな時間《じかん》のこと。

□ **一切合財**《いっさいがっさい》 例文 大地震《おおじしん》で財産《ざいさん》の**一切合財**《いっさいがっさい》を失《うしな》った。 意味 すべて残《のこ》らず。▼「合財《がっさい》」は、「合切《がっさい》」とも書《か》く。

□ **一生**《いっしょう》・**懸命**《けんめい》 例文 **一生懸命**《いっしょうけんめい》やったおかげで、自《じ》由研究《ゆうけんきゅう》の工作《こうさく》ができあがった。 意味 ありったけの力《ちから》を出《だ》して、ものごとをすること。▼もとは、「一所懸命《いっしょけんめい》」と書《か》き、一《いっ》か所《しょ》の領地《りょうち》を命《いのち》をかけて守《まも》るという意味《いみ》だったのが、かわったもの。

□ **一進一退**《いっしんいったい》 例文 今日《きょう》のサッカーの試合《しあい》は、両《りょう》チーム**一進一退**《いっしんいったい》でおもしろかった。 意味 進《すす》んだり、後《あと》もどりしたりすること。また、状態《じょうたい》がよくなったり、悪《わる》くなったりすること。▼「退《たい》」は、しりぞくこと。

□ **一心同体**《いっしんどうたい》 例文 夫婦《ふうふ》は**一心同体**《いっしんどうたい》だ。 意味 ふたり以上《いじょう》の人《ひと》が、心《こころ》も、からだも一《ひと》つのように力《ちから》を合《あ》わせること。

□ **一心不乱**《いっしんふらん》 例文 姉《あね》は今《いま》、**一心不乱**《いっしんふらん》に英語《えいご》の勉強《べんきょう》をしています。 意味 あることに夢中《むちゅう》になるようす。▼「不乱《ふらん》」は、ほかのことに心《こころ》がみだされないこと。

□ **一世一代**《いっせいちだい》 例文 **一世一代**《いっせいちだい》の舞台《ぶたい》。 意味 一生《いっしょう》に一度《いちど》しかできないようなこと。

□ **一石二鳥**《いっせきにちょう》 例文 書道《しょどう》を習《なら》うと、字《じ》もじょうずになるし、筆順《ひつじゅん》も覚《おぼ》えられるし、**一石二鳥**《いっせきにちょう》だ。 意味 一《ひと》つのことをして、いっぺんに二《ふた》つのよい結果《けっか》が得《え》られること。▼一《ひと》つの石《いし》を投《な》げて、同時《どうじ》に二羽《にわ》の鳥《とり》を落《お》とすという意味《いみ》からできたことば。「一挙両得《いっきょりょうとく》」と同《おな》じ意味《いみ》。

□ **一朝一夕**《いっちょういっせき》 例文 **一朝一夕**《いっちょういっせき》では、英語《えいご》が話《はな》せるようにはならないと、父《ちち》に言《い》われた。 意味 わずかな時間《じかん》。▼ひと朝《あさ》や、ひと晩《ばん》というくらいの短《みじか》い時間《じかん》のこと。

□ **一長一短**《いっちょういったん》 例文 色《いろ》と形《かたち》に**一長一短**《いっちょういったん》があって、どちらのポロシャツにしようかと迷《まよ》ってしまう。 意味 よいところと悪《わる》いところが両方《りょうほう》あること。▼「長《ちょう》」は、長所《ちょうしょ》、「短《たん》」は、短所《たんしょ》のこと。

□ **一刀両断**《いっとうりょうだん》 例文 町内《ちょうない》の旅行計画《りょこうけいかく》は、最終的《さいしゅうてき》に会長《かいちょう》の**一刀両断**《いっとうりょうだん》で決《き》まった。 意味 思《おも》いきった判断《はんだん》で、ものごとを処理《しょり》すること。▼刀《かたな》の一《ひと》ふりで、物《もの》を真二《まふた》つに切《き》り落《お》とすことから。

□ **意味深長**《いみしんちょう》 例文 田中君《たなかくん》は、**意味深長**《いみしんちょう》の笑《わら》いをうかべた。 意味 ことばや態度《たいど》の表面《ひょうめん》にあらわれたものとは別《べつ》に、深《ふか》い意味《いみ》が奥《おく》にあるようす。

□ **右往左往**《うおうさおう》 例文 駅前《えきまえ》の商店街《しょうてんがい》が火事《かじ》になったので、たくさんの人《ひと》が右往左往《うおうさおう》した。 意味 ある一《いっ》か所《しょ》で、大勢《おおぜい》の人《ひと》があっちに行《い》ったり、こっちに来《き》たりすること。▼「往《おう》」は、歩《ある》いて行《い》くこと。

□ **栄**《えい》・**枯**《こ》・**盛**《せい》・**衰**《すい》 例文 中国《ちゅうごく》の王朝《おうちょう》は栄枯盛衰《えいこせいすい》のくり返《かえ》しをつづけた。 意味 勢力《せいりょく》が盛《さか》んになったり、おとろえたりすること。▼「枯《こ》」は、植物《しょくぶつ》がかれることから、ものごとがおとろえること。

□ **億万長者**《おくまんちょうじゃ》 例文 **億万長者**《おくまんちょうじゃ》の住宅《じゅうたく》のようすが週刊誌《しゅうかんし》にのっていた。 意味 非常《ひじょう》な金持《かねも》ち。▼「長者《ちょうじゃ》」は、大金持《おおがねも》ちのこと。

□ **音信不通**《おんしんふつう》 例文 北海道《ほっかいどう》の友《とも》だちからは、三年《さんねん》間音信不通《かんおんしんふつう》です。［意味］たよりや連絡《れんらく》などがないこと。▼「音信《おんしん》」は、「いんしん」とも読《よ》む。

（か行《ぎょう》）

□**各人各様**《かくじんかくよう》 ［例文］食《た》べ物《もの》には、各人各様《かくじんかくよう》の好《この》みがある。［意味］ひとりひとりが、それぞれにちがうこと。

□**我田引水**《がでんいんすい》 ［例文］兄《あに》の自慢話《じまんばなし》は、我田引水《がでんいんすい》のところがある。［意味］自分《じぶん》につごうのよいように、話《はなし》をしたり、行動《こうどう》したりすること。▼自分《じぶん》の田《た》にだけ水《みず》を引《ひ》くということから。

□**完全無欠**《かんぜんむけつ》 ［例文］大災害《だいさいがい》に対《たい》して、完全無欠《かんぜんむけつ》の防備《ぼうび》をする。［意味］必要《ひつよう》な条件《じょうけん》が十分《じゅうぶん》にそろって、欠《か》けたところがないようす。

□**危機一髪**《ききいっぱつ》 ［例文］危機一髪《ききいっぱつ》のところで、自動車《じどうしゃ》事故《じこ》をまぬかれた。［意味］もう少《すこ》しのところで重大《じゅうだい》な危険《きけん》になるという状態《じょうたい》。▼「一髪《いっぱつ》」は、髪《かみ》の毛《け》一本《いっぽん》ほどのわずかなこと。

□**起死回生**《きしかいせい》 ［例文］起死回生《きしかいせい》のホームランを打《う》って、連敗《れんぱい》をまぬかれた。［意味］まったく望《のぞ》みがなくなった状態《じょうたい》から、よい状態《じょうたい》にすること。▼死《し》にかかっている人《ひと》を生《い》き返《かえ》らせるという意味《いみ》から。

□**疑心暗鬼**《ぎしんあんき》 ［例文］妹《いもうと》は、こわい夢《ゆめ》をみてから疑心暗鬼《ぎしんあんき》になっている。［意味］何《なん》でもないことまで疑《うたが》いぶかくなり、よけいな心配《しんぱい》をすること。▼疑《うたが》いだすと、いない鬼《おに》まで見《み》えるようになるということから。

□**奇想天外**《きそうてんがい》 ［例文］この小説《しょうせつ》は、奇想天外《きそうてんがい》な話《はなし》で終《お》わっている。［意味］ふつうでは思《おも》いつかないような、人《ひと》をあっと言《い》わせる思《おも》いつきであるようす。▼「天外《てんがい》」は、天《てん》の外《そと》の意味《いみ》。

□**喜怒哀楽**《きどあいらく》 ［例文］兄《あに》は喜怒哀楽《きどあいらく》が激《はげ》しいので父《ちち》から注意《ちゅうい》された。［意味］喜《よろこ》び、怒《いか》り、悲《かな》しみ、楽《たの》しみ。人間《にんげん》のいろいろな感情《かんじょう》のこと。

□**牛飲馬食**《ぎゅういんばしょく》 ［例文］いくら若《わか》いからといって、牛飲馬食《ぎゅういんばしょく》はつつしまないとからだをこわす。［意味］一度《いちど》にたくさん飲《の》み食《く》いをすること。▼牛《うし》のように飲《の》み、馬《うま》のように食《た》べることから。

□**急転直下**《きゅうてんちょっか》 ［例文］犯人《はんにん》がつかまって、急転直下《きゅうてんちょっか》事件《じけん》は解決《かいけつ》した。［意味］行《い》きづまっていたもののごとの状態《じょうたい》が急《きゅう》にかわって、解決《かいけつ》へと進《すす》むこと。

□**器用貧乏**《きようびんぼう》 ［例文］祖父《そふ》は器用貧乏《きようびんぼう》なので、平凡《へいぼん》な人生《じんせい》をおくったといわれました。［意味］器用《きよう》なために、一《ひと》つのことをどこまでもつらぬき通《とお》す根気《こんき》がなかったり、他人《たにん》に利用《りよう》されたりして、りっぱにならないこと。

□**玉石混交**《ぎょくせきこんこう》 ［例文］今年《ことし》の応募作品《おうぼさくひん》は玉石混交《ぎょくせきこんこう》の内容《ないよう》だった。［意味］すぐれたものと、おとっているものが入《い》りまじっていること。▼宝石《ほうせき》と石《いし》ころがいっしょになってまじっているという意味《いみ》から。

□**挙国一致**《きょこくいっち》 ［例文］挙国一致《きょこくいっち》で核兵器《かくへいき》の使用禁止《しようきんし》を呼《よ》びかける。［意味］国民全体《こくみんぜんたい》が気持《きも》ちを一《ひと》つに合《あ》わせること。▼「挙国《きょこく》」は、国《くに》を挙《あ》げてという意味《いみ》。

□**空前絶後**《くうぜんぜつご》 ［例文］今回《こんかい》の航空機事故《こうくうきじこ》は、空前絶後《くうぜんぜつご》のことだ。［意味］今《いま》までに例《れい》がなく、これからも例《れい》がないだろうと思《おも》われること。

□**群雄割拠**《ぐんゆうかっきょ》 ［例文］日本《にっぽん》の戦国時代《せんごくじだい》は、群雄割拠《ぐんゆうかっきょ》の時代《じだい》だった。［意味］たくさんの英雄《えいゆう》や、実力者《じつりょくしゃ》が各地《かくち》に勢力《せいりょく》をもって、たがいに争《あらそ》うこと。▼「群雄《ぐんゆう》」は、たくさんの英雄《えいゆう》のこと。「割拠《かっきょ》」は、土地《とち》を分割《ぶんかつ》してそれぞれの土地《とち》で勢力《せいりょく》をもってたてこもること。

□**言行一致**《げんこういっち》 ［例文］父《ちち》から、言行一致《げんこういっち》でなければならないと注意《ちゅうい》された。［意味］言《い》うことと、それに応《おう》じたおこないが合《あ》っていること。

□**厚顔無恥**《こうがんむち》 ［例文］外国旅行中《がいこくりょこうちゅう》の日本人《にっぽんじん》の厚顔無恥《こうがんむち》の行動《こうどう》が新聞《しんぶん》でとりあげられていた。［意味］ずうずうしくて、恥《はじ》をしらないこと。

□**公平無私**《こうへいむし》 ［例文］公平無私《こうへいむし》の立場《たちば》で審査《しんさ》をする。［意味］考《かんが》えや、おこないが一方《いっぽう》にかたよらず、自分《じぶん》の利益《りえき》を考《かんが》えないこと。▼「無私《むし》」は、自分《じぶん》の利益《りえき》を考《かんが》える心《こころ》をもたないこと。

□**公明正大**《こうめいせいだい》 ［例文］議長《ぎちょう》は公明正大《こうめいせいだい》でなければならない。［意味］態度《たいど》や行動《こうどう》が一方《いっぽう》にかたよらないで、正《ただ》しく堂々《どうどう》としているようす。

□**孤軍奮闘**《こぐんふんとう》 ［例文］ピッチャーが孤軍奮闘《こぐんふんとう》した

が、点《てん》がとれなくて、引《ひ》き分《わ》けてしまった。【意味】だれの助《たす》けも借《か》りないで、ひとりで戦《たたか》ったり、努力《どりょく》したりすること。

□ **古今東西《ここんとうざい》** 【例文】古今東西《ここんとうざい》の名画《めいが》を集《あつ》めた展覧《てんらん》会《かい》。【意味】むかしと今《いま》と、東洋《とうよう》も西洋《せいよう》もすべて。

□ **五里《ごり》・霧中《むちゅう》** 【例文】解決《かいけつ》の糸口《いとぐち》がつかめなくて、今《いま》やまったく五里霧中《ごりむちゅう》の状態《じょうたい》だ。【意味】ものごとをどう判断《はんだん》してよいか、解決《かいけつ》の方針《ほうしん》や見通《みとお》しがまったくたたないこと。▼五里《ごり》(約二十《やくにじっ》キロメートル)もつづく霧《きり》の中《なか》で、方角《ほうがく》がわからないということから。

□ **言語道断《ごんごどうだん》** 【例文】からだの弱《よわ》い人《ひと》をいじめるなんて言語道断《ごんごどうだん》なおこないだ。【意味】あまりにひどくて、ことばで言《い》えないほどであること。▼「道断《どうだん》」は、ことばの道《みち》が断絶《だんぜつ》するほどであるという意味《いみ》。

(さ行《ぎょう》)

□ **再三再四《さいさんさいし》** 【例文】再三再四《さいさんさいし》注意《ちゅうい》しても、弟《おとうと》の夜《よ》ふかしのくせはなおらない。【意味】何度《なんど》も何度も。▼「再三《さいさん》」は、二度《にど》も三度《さんど》も。「再四《さいし》」は、それを強《つよ》めたことば。

□ **三三五五《さんさんごご》** 【例文】野外《やがい》コンサートが終《お》わると、人々《ひとびと》は三三五五《さんさんごご》、会場《かいじょう》から帰《かえ》って行《い》った。【意味】あちらに三人《さんにん》、こちらに五人《ごにん》というように、人々《ひとびと》が少《すこ》しずつ歩《ある》いていくようす。

□ **残念至極《ざんねんしごく》** 【例文】一点差《いってんさ》で負《ま》けるとは残念至極《ざんねんしごく》だ。【意味】まったく残念《ざんねん》であること。▼「至《し》極《ごく》」は、「この上《うえ》もなく……であること」の意味《いみ》をあらわすことば。

□ **三拝九拝《さんぱいきゅうはい》** 【例文】三拝九拝《さんぱいきゅうはい》して兄《にい》さんに、自由《じゆう》研究《けんきゅう》を手伝《てつだ》ってもらった。【意味】何度《なんど》も頭《あたま》を下《さ》げてものをたのむこと。

□ **自画自賛《じがじさん》** 【例文】姉《あね》は、自分《じぶん》のピアノ演奏《えんそう》を自《じ》画自賛《がじさん》している。【意味】自分《じぶん》で自分《じぶん》のことをほめること。▼「自賛《じさん》」は、自分《じぶん》のかいた絵《え》に、自分《じぶん》で解説《かいせつ》を書《か》くこと。

□ **自給自足《じきゅうじそく》** 【例文】田舎《いなか》の祖父《そふ》の家《いえ》では、肉《にく》や魚《さかな》以外《いがい》ほとんど自給自足《じきゅうじそく》しています。【意味】生《せい》活《かつ》に必要《ひつよう》なものは、すべて自分《じぶん》でつくってまかなうこと。

□ **四苦八苦《しくはっく》** 【例文】夏休《なつやす》みの作文《さくぶん》の宿題《しゅくだい》を四苦八《しくはっ》苦《く》してやっと終《お》わらせた。【意味】思《おも》うようにいかなくて、非常《ひじょう》に苦《くる》しむこと。▼仏教《ぶっきょう》で、人間《にんげん》が受《う》ける二種《にしゅ》の四《よっ》つの苦《くる》しみ。合《ごう》計八《けいはっ》つの苦《くる》しみのこと。

□ **試行《しこう》・錯誤《さくご》** 【例文】父《ちち》の工場《こうじょう》では、試行錯誤《しこうさくご》をくり返《かえ》してやっと、新製品《しんせいひん》を完成《かんせい》させた。【意味】いろいろと試《ため》して失敗《しっぱい》をくり返《かえ》しながら、目的《もくてき》に進《すす》んでいくこと。▼「錯誤《さくご》」は、まちがい。

□ **自業自得《じごうじとく》** 【例文】あんなに注意《ちゅうい》したのに、それを守《まも》らなかったのだから、自業自得《じごうじとく》だ。【意味】自分《じぶん》のした悪《わる》いおこないの報《むく》いが、自《じ》分自身《ぶんじしん》に返《かえ》ってくること。

□ **時時刻刻《じじこっこく》** 【例文】ワールドカップの日本《にっぽん》チームの試合開始《しあいかいし》が時時刻刻《じじこっこく》せまる。【意味】しだいに時《とき》がたっていくようす。

□ **事実無根《じじつむこん》** 【例文】そのうわさは、まったく事実《じじつ》無根《むこん》だ。【意味】事実《じじつ》ではないこと。▼「無根《むこん》」は、根拠《こんきょ》がないこと。

□ **四捨五入《ししゃごにゅう》** 【例文】小数点以下《しょうすうてんいか》を四捨五入《ししゃごにゅう》する。【意味】計算《けいさん》し、およその数《かず》を求《もと》めるとき、求《もと》めたい位《くらい》の下《した》のけたの数《かず》を、五以上《ごいじょう》なら切《き》りあげ、四以下《よんいか》なら切《き》りすてるやり方《かた》。

□ **質実《しつじつ》・剛健《ごうけん》** 【例文】兄《あに》の高校《こうこう》は質実剛健《しつじつごうけん》の校風《こうふう》で有名《ゆうめい》です。【意味】かざりけがなく、まじめでたくましいようす。

□ **十中八九《じっちゅうはっく》** 【例文】そのうわさは、十中八九《じっちゅうはっく》まちがいないと思《おも》う。【意味】十《じゅう》のうち八《はち》か九《きゅう》ぐらい確《たし》かなこと。

□ **士農工商《しのうこうしょう》** 【例文】江戸《えど》時代《じだい》は士農工商《しのうこうしょう》の身分制《みぶんせい》度《ど》が幕府《ばくふ》によってしかれていた。【意味】士《し》(武士《ぶし》)・農《のう》(農民《のうみん》)・工《こう》(職人《しょくにん》)・商《しょう》(商人《しょうにん》)の四《よ》つの階級《かいきゅう》。

□ **自暴自《じぼうじ》・棄《き》** 【例文】入学試験《にゅうがくしけん》に失敗《しっぱい》したぐらいで自暴自棄《じぼうじき》になってはいけないと、兄《あに》は父《ちち》に説教《せっきょう》された。【意味】ものごとが自分《じぶん》の思《おも》うようにいかず、どうにでもなれという気持《きも》ちになって、むちゃなことをすること。▼「棄《き》」は、なげやりになること。

□**四方八方**《しほうはっぽう》 例文 飼《か》っていたねこがいなくなったので、近所《きんじょ》を**四方八方**《しほうはっぽう》さがした。意味 あらゆる方向《ほうこう》。

□**自問自答**《じもんじとう》 例文 友《とも》だちとのけんかの原因《げんいん》を**自問自答**《じもんじとう》して反省《はんせい》してみた。意味 自分《じぶん》で自分《じぶん》に問《と》いかけ、それに自分《じぶん》で答《こた》えてみること。

□**弱肉強食**《じゃくにくきょうしょく》 例文 アフリカ大陸《たいりく》を取材《しゅざい》したテレビで、**弱肉強食**《じゃくにくきょうしょく》の動物《どうぶつ》の生態《せいたい》を見《み》た。意味 弱《よわ》いものが強《つよ》いものにほろぼされること。また、強《つよ》いものが弱《よわ》いものをおさえつけて栄《さか》えること。

□**縦横無《じゅうおうむ》・尽《じん》** 例文 キャプテンの**縦横無尽**《じゅうおうむじん》の活躍《かつやく》で試合《しあい》に勝《か》った。意味 思《おも》うぞんぶん、自由《じゆう》におこなうこと。▼「無尽《むじん》」は、果《は》てしないこと。

□**衆議一決**《しゅうぎいっけつ》 例文 町内《ちょうない》のごみ置場《おきば》の問題《もんだい》は、衆《しゅう》議一決《ぎいっけつ》、解決《かいけつ》した。意味 みんなが出《だ》し合《あ》った意見《いけん》が一致《いっち》して、決定《けってい》すること。

□**終始一《しゅうしいっ》・貫《かん》** 例文 中山君《なかやまくん》は**終始一貫**《しゅうしいっかん》、その考《かんが》えには反対《はんたい》した。意味 考《かんが》えや態度《たいど》が、始《はじ》めから終《お》わりまでかわらないこと。また、そのようなようす。▼「一貫《いっかん》」は、ある一《ひと》つの考《かんが》え方《かた》などをつらぬきとおすこと。

□**自由自在**《じゆうじざい》 例文 **自由自在**《じゆうじざい》にサッカーボールをあやつれるようになりたい。意味 自分《じぶん》の思《おも》いどおりにできるようす。▼「自在《じざい》」は、思《おも》いのままで、とらわれないようす。

□**衆人《しゅうじん》・環視《かんし》** 例文 **衆人環視**《しゅうじんかんし》の中《なか》で、大恥《おおはじ》をかいてしまった。意味 多《おお》くの人《ひと》がまわりをとりかこんで見《み》ていること。▼「環《かん》視《し》」は、まわりをとりかこんで見《み》ること。

□**十人十色**《じゅうにんといろ》 例文 人間《にんげん》の考《かんが》え方《かた》は**十人十色**《じゅうにんといろ》だ。意味 人《ひと》の性格《せいかく》・考《かんが》え方《かた》・好《この》みなどは、それぞれちがっていること。▼「色《いろ》」は、種類《しゅるい》のこと。

□**十年一日**《じゅうねんいちじつ》 例文 祖父《そふ》の田舎《いなか》は、**十年一日**《じゅうねんいちじつ》のごとく、少《すこ》しもかわらない。意味 長《なが》いあいだ、同《おな》じ状態《じょうたい》で少《すこ》しもかわらないようす。

□**主客転《しゅかくてん》・倒《とう》** 例文 そんな大事《だいじ》なことを後回《あとまわ》しにするなんて、**主客転倒**《しゅかくてんとう》のやり方《かた》だ。意味 重《じゅう》要《よう》なことと、そうでないことの順序《じゅんじょ》などをさかさまにすること。▼「主客《しゅかく》」は、「しゅきゃく」とも読《よ》む。

□**取捨選《しゅしゃせん》・択《たく》** 例文 たくさんの意見《いけん》の中《なか》から、取《しゅ》捨選択《しゃせんたく》して最優秀《さいゆうしゅう》のものを決定《けってい》する。意味 悪《わる》いものや必要《ひつよう》なものを選《えら》びとり、よいものや、いらないものを捨《す》てること。

□**種種雑多**《しゅじゅざった》 例文 **種種雑多**《しゅじゅざった》な情報《じょうほう》が飛《と》びかっている。意味 いろいろなものがまじっているようす。

□**首《しゅ》・尾一《びいっ》・貫《かん》** 例文 山田《やまだ》さんの主張《しゅちょう》は**首尾一貫**《しゅびいっかん》している。意味 始《はじ》めから終《お》わりまで、考《かんが》え方《かた》や、おこないなどがかわらないで、通《とお》っていること。▼「首尾《しゅび》」は、首《くび》と、尾《お》の意味《いみ》から、ものごとの始《はじ》めと終《お》わりのこと。

□**正真正《しょうしんしょう》・銘《めい》** 例文 これは**正真正銘**《しょうしんしょうめい》武田信玄《たけだしんげん》の手《て》紙《がみ》です。意味 まちがいなく本物《ほんもの》であること。▼「正真《しょうしん》」は、まちがいないこと。「正《しょう》銘《めい》」は、まさにその名前《なまえ》で呼《よ》ばれるものであること。

□**枝葉末節**《しようまっせつ》 例文 **枝葉末節**《しようまっせつ》にこだわっていては問題《もんだい》は解決《かいけつ》しない。意味 ものごとの主要《しゅよう》でない部分《ぶぶん》。▼木《き》の幹《みき》ではなく、枝《えだ》と葉《は》の末《すえ》の意味《いみ》から。

□**私利私欲**《しりしよく》 例文 **私利私欲**《しりしよく》にはしった代議士《だいぎし》がつかまった。意味 自分《じぶん》だけのための利益《りえき》や欲望《よくぼう》。

□**支《し》・離《り》・滅《めつ》・裂《れつ》** 例文 弟《おとうと》の言《い》っていることは、まったく**支離滅裂**《しりめつれつ》で、わけがわからない。意味 まとまりがなく、すじ道《みち》が通《とお》らないようす。▼「支離《しり》」の「支《し》」は、「枝《し》」と同《おな》じで、枝分《えだわ》かれしていること。「滅裂《めつれつ》」は、破《やぶ》れさけてなくなること。

□**心機一転**《しんきいってん》 例文 二学期《にがっき》から**心機一転**《しんきいってん》、予習《よしゅう》をしっかりやることにした。意味 あることをきっかけとして、気持《きも》ちがすっかりかわること。▼「心機《しんき》」は、心《こころ》の働《はたら》きのこと。

□ **針小棒大《しんしょうぼうだい》** 例文 大川君《おおかわくん》は針小棒大《しんしょうぼうだい》に言《い》いふらす悪《わる》いくせがある。 意味 ちょっとしたことを大《おお》げさに言《い》うこと。▼針《はり》のように小《ちい》さいことを棒《ぼう》のように大《おお》きく言《い》う意味《いみ》から。

□ **新進気《しんしんき》•鋭《えい》** 例文 となりのおじさんは、新進気《しんしんき》鋭《えい》の評論家《ひょうろんか》として、今人気者《いまにんきもの》だ。 意味 ある方面《ほうめん》で新《あたら》しく出《で》てきて、勢《いきお》いがさかんなこと。また、その人《ひと》。

□ **晴耕雨読《せいこううどく》** 例文 田舎《いなか》の祖父《そふ》は仕事《しごと》をやめてから、晴耕雨読《せいこううどく》の生活《せいかつ》をしています。 意味 のんびりと、気《き》ままな生活《せいかつ》をおくること。▼晴《は》れた日《ひ》には田畑《たはた》を耕《たがや》し、雨《あめ》の日《ひ》には家《いえ》の中《なか》で読書《どくしょ》をするということから。

□ **誠心誠意《せいしんせいい》** 例文 当選《とうせん》したならば、誠心誠意《せいしんせいい》、市民《しみん》のためにつくしますと候補者《こうほしゃ》が演説《えんぜつ》している。 意味 真心《まごころ》をこめてすること。▼「誠心《せいしん》」も「誠意《せいい》」も同《おな》じ意味《いみ》で、真心《まごころ》のこと。

□ **正正堂堂《せいせいどうどう》** 例文 相手《あいて》がだれだろうと、正正堂《せいせいどう》堂《どう》とたたかおう。 意味 態度《たいど》や、おこないが正《ただ》しく、りっぱなようす。

□ **生存競争《せいぞんきょうそう》** 例文 野生《やせい》の動物《どうぶつ》たちは、激《はげ》しい生《せい》存競争《ぞんきょうそう》をくり返《かえ》している。 意味 生物《せいぶつ》が生《い》き残《のこ》るために、ほかの生物《せいぶつ》とたたかうこと。また、社会《しゃかい》の中《なか》で、人《ひと》が生《い》きていくための激《はげ》しい競争《きょうそう》のたとえ。

□ **正当防衛《せいとうぼうえい》** 例文 裁判《さいばん》で正当防衛《せいとうぼうえい》が認《みと》められて、無罪《むざい》となった。 意味 人《ひと》から暴力《ぼうりょく》をふるわれたとき、自分《じぶん》や他人《たにん》の命《いのち》や権利《けんり》を守《まも》るためにやむを得《え》ず相手《あいて》に害《がい》を加《くわ》えるおこない。▼法律上《ほうりつじょう》、責任《せきにん》は問《と》われない。

□ **絶体絶命《ぜったいぜつめい》** 例文 九回裏無死満塁《きゅうかいうらむしまんるい》の絶体絶命《ぜったいぜつめい》のピンチを、リリーフした外国人《がいこくじん》ピッチャーがしのいだ。 意味 のがれる方法《ほうほう》がないほど困難《こんなん》な状態《じょうたい》。また、追《お》いつめられてどうすることもできない立場《たちば》。▼「絶対《ぜったい》」と書《か》かないように注意《ちゅうい》する。

□ **千客万来《せんきゃくばんらい》** 例文 その店《みせ》は、開店《かいてん》とともに、千《せん》客万来《きゃくばんらい》の人々《ひとびと》で、にぎわった。 意味 たくさんの客《きゃく》が来《く》ること。

□ **前後不覚《ぜんごふかく》** 例文 徹夜《てつや》の仕事《しごと》でつかれていた父《ちち》は、会社《かいしゃ》から帰《かえ》ると、前後不覚《ぜんごふかく》で眠《ねむ》ってしまった。 意味 あることが起《お》こる前《まえ》と後《あと》のことなどをまったく覚《おぼ》えていないこと。

□ **千《せん》•載一《ざいいち》•遇《ぐう》** 例文 千載一遇《せんざいいちぐう》のチャンスなので、兄《あに》はカナダに留学《りゅうがく》することにしました。 意味 千年《せんねん》に一回《いっかい》しかめぐり合《あ》えないほどまれなこと。▼「載《さい》」は、年《とし》のこと。「遇《ぐう》」は、出合《であ》うこと。

□ **千差万別《せんさばんべつ》** 例文 人《ひと》の性格《せいかく》はそれこそ千差万別《せんさばんべつ》です。 意味 多《おお》くのものには、それぞれちがいがあること。▼「万別《ばんべつ》」を「まんべつ」と読《よ》まないように注意《ちゅうい》する。

□ **前人未《ぜんじんみ》•到《とう》** 例文 前人未到《ぜんじんみとう》の記録《きろく》をつくる。 意味 今《いま》までに、だれもなしとげていないこと。

□ **前代未聞《ぜんだいみもん》** 例文 前代未聞《ぜんだいみもん》の殺人事件《さつじんじけん》に、人々《ひとびと》はおそれおののいた。 意味 今《いま》までに一度《いちど》も聞《き》いたことのないようなめずらしいこと。▼「未聞《みもん》」は、今《いま》までに聞《き》いたことがないこと。「みぶん」と読《よ》まないように注意《ちゅうい》する。

□ **前《ぜん》•途多難《とたなん》** 例文 父《ちち》の会社《かいしゃ》は、社長《しゃちょう》さんが急《きゅう》になくなったので、前途多難《ぜんとたなん》だそうです。 意味 ある人《ひと》や、ものごとのこれから先《さき》に、困難《こんなん》が多《おお》いようす。

□ **千変万化《せんぺんげんか》** 例文 千変万化《せんぺんばんか》する雲《くも》の形《かたち》。 意味 さまざまに変化《へんか》すること。▼「万化《ばんか》」を、「まんか」と読《よ》まないように注意《ちゅうい》する。

□ **創意工夫《そういくふう》** 例文 最優秀賞作品《さいゆうしゅうしょうさくひん》は、創意工夫《そういくふう》にみちたものだ。 意味 新《あたら》しい思《おも》いつきと、よい方法《ほうほう》。

（た行《ぎょう》）

□ **大器晩成《たいきばんせい》** 例文 大器晩成《たいきばんせい》の画家《がか》。 意味 大人物《だいじんぶつ》は、初《はじ》めは目立《めだ》たないが、しだいに実力《じつりょく》を出《だ》して大成功《だいせいこう》するということ。▼「大器《たいき》」は、すぐれた才能《さいのう》をもっている大人物《だいじんぶつ》。

「晩成《ばんせい》」は、ふつうよりおくれてできあがること。

□ **大言《たいげん》・壮語《そうご》**
例文 大言壮語《たいげんそうご》をすることで有名《ゆうめい》なおじさん。意味 大《おお》げさに、えらそうなことを言《い》うこと。また、そのことば。▼「壮語《そうご》」は、えらそうなことば。

□ **大《だい》・胆不敵《たんふてき》**
例文 三人《さんにん》の悪者《わるもの》を相手《あいて》にするなんて、大胆不敵《だいたんふてき》なことだ。意味 勇気《ゆうき》があって、相手《あいて》をおそれないこと。▼「不敵《ふてき》」は、敵《てき》を敵《てき》とも思《おも》わないで、おそれないこと。

□ **多種多様《たしゅたよう》**
例文 芸術祭《げいじゅつさい》には、多種多様《たしゅたよう》の作品《さくひん》が出品《しゅっぴん》された。意味 大《おお》きさ・形《かたち》・内容《ないよう》などのちがうものが多《おお》いこと。

□ **単純明快《たんじゅんめいかい》**
例文 校長先生《こうちょうせんせい》のお話《はなし》は、単純明快《たんじゅんめいかい》でよくわかりました。意味 ものごとの仕組《しく》みなどが、こみいっていなくて、はっきりしているようす。

□ **単刀直入《たんとうちょくにゅう》**
例文 単刀直入《たんとうちょくにゅう》に質問《しつもん》をする。意味 前置《まえお》きなしに、いきなり話《はなし》の中心《ちゅうしん》に入《はい》ること。▼ひとりで刀《かたな》をもって、敵地《てきち》に切《き》りこむということから。「短刀《たんとう》」と書《か》かないように注意《ちゅうい》する。

□ **治外法権《ちがいほうけん》**
意味 外国《がいこく》の領土《りょうど》の中《なか》にあっても、その国《くに》の法律《ほうりつ》ではとりしまることができないという特別《とくべつ》の権利《けんり》。大使《たいし》や公使《こうし》などの外交官《がいこうかん》にあたえられている。

□ **中《ちゅう》・途半《とはん》・端《ぱ》**
例文 何《なに》をするのにも中途半端《ちゅうとはんぱ》はいけない。意味 ものごとがやりかけで完成《かんせい》していないようす。また、ものごとが完全《かんぜん》でないようす。

□ **昼夜《ちゅうや》・兼行《けんこう》**
例文 昼夜兼行《ちゅうやけんこう》で道路工事《どうろこうじ》が進《すす》められる。意味 昼《ひる》も夜《よる》もつづけておこなわれること。

□ **朝令暮改《ちょうれいぼかい》**
例文 コーチの朝令暮改《ちょうれいぼかい》の命令《めいれい》に選手《せんしゅ》がとまどっている。意味 法令《ほうれい》や命令《めいれい》がひんぱんにかわって定《さだ》まらないこと。▼朝《あさ》に出《だ》した命令《めいれい》を、その日《ひ》の夕方《ゆうがた》に改《あらた》めるということから。

□ **適材適所《てきざいてきしょ》**
例文 父《ちち》の会社《かいしゃ》では、社員《しゃいん》の適材適所《てきざいてきしょ》を心《こころ》がけているそうです。意味 その人《ひと》の能力《のうりょく》や才能《さいのう》に合《あ》った地位《ちい》や仕事《しごと》につけること。

□ **電光石火《でんこうせっか》**
例文 電光石火《でんこうせっか》のマジックに、観客《かんきゃく》は息《いき》をのんでみつめた。意味 動作《どうさ》がきわめてすばやいことのたとえ。また、非常《ひじょう》に短《みじか》い時間《じかん》のこと。▼「石火《せっか》」は、火打《ひう》ち石《いし》をたたき合《あ》わせたときに出《で》る火花《ひばな》のこと。

□ **天変地異《てんぺんちい》**
例文 江戸時代《えどじだい》には天変地異《てんぺんちい》がつづいて、大《おお》きな被害《ひがい》があったと書《か》かれています。意味 地震《じしん》・洪水《こうずい》・火山《かざん》の噴火《ふんか》などの変《か》わったできごと。▼「地異《ちい》」は、地上《ちじょう》におこる変《か》わったできごと。

□ **東《とう》・奔西走《ほんせいそう》**
例文 新《あたら》しい店《みせ》を出《だ》す準備《じゅんび》のために父《ちち》はこのところ東奔西走《とうほんせいそう》しています。意味 ある目的《もくてき》のために、あちらこちらと、いそがしく行動《こうどう》すること。▼「奔《ほん》」は、ものごとが思《おも》うようにいくように勢《いきお》いよくかけ回《まわ》ること。

□ **独断専行《どくだんせんこう》**
例文 独断専行《どくだんせんこう》でものごとが決《き》められたので、不満《ふまん》が続出《ぞくしゅつ》した。意味 自分《じぶん》ひとりの考《かんが》えで、思《おも》うとおりにものごとを進《すす》めること。▼「専行《せんこう》」は、かってにものごとをおこなうこと。

（な行《ぎょう》）

□ **二《に》者《しゃ》・択一《たくいつ》**
例文 夏休《なつやす》みの計画《けいかく》で、山登《やまのぼ》りにするか、海水浴《かいすいよく》にするか二者択一《にしゃたくいつ》をせまられた。意味 二《ふた》つのうち、そのどちらか一方《いっぽう》を選《えら》ぶこと。▼「択《たく》」は、選《えら》びとること。

□ **二《に》束三文《そくさんもん》**
例文 古本《ふるほん》をまとめて売《う》ったけれど、二束三文《にそくさんもん》にしかならなかったと、父《ちち》はこぼしていました。意味 非常《ひじょう》に安《やす》い値段《ねだん》にしかならないこと。▼「二束《にそく》」は、二《ふた》たば。「三文《さんもん》」は、わずかなお金《かね》のこと。

□ **日進月歩《にっしんげっぽ》**
例文 情報技術《じょうほうぎじゅつ》の進歩《しんぽ》は、まさに日進月歩《にっしんげっぽ》だ。意味 ものごとがどんどん進歩《しんぽ》すること。▼「月日《つきひ》」とともに進歩《しんぽ》するということから。

□ **二人三《ににんさん》・脚《きゃく》**
例文 運動会《うんどうかい》で二人三脚《ににんさんきゃく》に出場《しゅつじょう》した。／伯父《おじ》と父《ちち》は、二人三脚《ににんさんきゃく》で今《いま》の会社《かいしゃ》をつくりあげたそうです。意味 ふたり一組《ひとくみ》で肩《かた》を組《く》み、たがいの内側《うちがわ》の足《あし》をしばって走《はし》る競技《きょうぎ》。また、ふたりで一《ひと》つのものごとをいっしょに協力《きょうりょく》しておこなうことのたとえ。

（は行《ぎょう》）

□博聞強記《はくぶんきょうき》 例文 となりのおじさんは、博聞強記《はくぶんきょうき》で知《し》られている。 意味 広《ひろ》くものごとを聞《き》き知《し》っていて、それをよく覚《おぼ》えていること。▼「強記《きょうき》」は、記憶力《きおくりょく》がすぐれていること。

□・薄利多売《はくりたばい》 例文 あのスーパーは、薄利多売《はくりたばい》をねらって、毎週《まいしゅう》一回大売《いっかいおおう》り出《だ》しをする。 意味 値《ね》段《だん》を下《さ》げることによって、多《おお》くの品物《しなもの》を売《う》り、全体《ぜんたい》で利益《りえき》を得《え》ること。

□馬耳東風《ばじとうふう》 例文 ゲームに夢中《むちゅう》の弟《おとうと》は、今何《いまなに》を言《い》っても馬耳東風《ばじとうふう》だ。 意味 人《ひと》の意見《いけん》や批評《ひひょう》などを、聞《き》き流《なが》して気《き》にとめないこと。▼「東風《とうふう》」は、春風《はるかぜ》。春風《はるかぜ》がふき出《だ》せば、人《ひと》は長《なが》い冬《ふゆ》が終《お》わったことを喜《よろこ》ぶが、春風《はるかぜ》が馬《うま》の耳《みみ》をなでても馬《うま》は何《なに》も感《かん》じないということから。

□八方美人《はっぽうびじん》 例文 となりのおじさんは、だれにでもお世辞《せじ》を言《い》うので、八方美人《はっぽうびじん》だといわれています。 意味 だれからもよく思《おも》われようとすること。また、そのような人《ひと》。▼「八方《はっぽう》」は、東西南北《とうざいなんぼく》と、北東《ほくとう》・南東《なんとう》・北西《ほくせい》・南西《なんせい》の八《やっ》つの方位《ほうい》のことで、まわり全部《ぜんぶ》という意味《いみ》。

□半信半疑《はんしんはんぎ》 例文 外国旅行中《がいこくりょこうちゅう》の友《とも》だちが、自動《じどう》車事故《しゃじこ》で大《おお》けがをしたというニュースを半《はん》信半疑《しんはんぎ》で聞《き》いた。 意味 半分《はんぶん》は信《しん》じ、半分《はんぶん》は疑《うたが》うこと。ほんとうかうそか、迷《まよ》うようす。

□百発百中《ひゃっぱつひゃくちゅう》 例文 大田君《おおたくん》のお父《とう》さんの射撃《しゃげき》の腕《うで》前《まえ》は、百発百中《ひゃっぱつひゃくちゅう》だそうです。 意味 数多《かずおお》くのうったたまが、全部《ぜんぶ》ねらいどおりに当《あ》たること。また、予想《よそう》などが、全部《ぜんぶ》当《あ》たること。

□表裏一体《ひょうりいったい》 例文 睡眠《すいみん》と運動《うんどう》は、健康《けんこう》にとって表裏一体《ひょうりいったい》の関係《かんけい》といえる。 意味 二《ふた》つのものの関係《かんけい》が、切《き》りはなせないほど深《ふか》いこと。

□品行方正《ひんこうほうせい》 例文 品行方正《ひんこうほうせい》で有名《ゆうめい》な人《ひと》。 意味 ふだんのおこないが正《ただ》しいこと。

□不可思議《ふかしぎ》 例文 この世《よ》の中《なか》には、科学《かがく》では解《かい》明《めい》できないような不可思議《ふかしぎ》なことがある。 意味 どう考《かんが》えても、わけがわからないようす。▼「不思議《ふしぎ》」の意味《いみ》を強《つよ》めていったことば。

□不言実行《ふげんじっこう》 例文 父《ちち》のモットーは不言実行《ふげんじっこう》です。 意味 文句《もんく》や理屈《りくつ》を言《い》わないで、自分《じぶん》の信《しん》ずることや、やるべきことをだまって実《じっ》行《こう》すること。

□付和・雷同《ふわらいどう》 例文 だれにでも付和雷同《ふわらいどう》するのはよくない。 意味 自分《じぶん》にしっかりした考《かんが》えがなく、他人《たにん》の意見《いけん》に簡単《かんたん》に従《したが》うこと。▼「付和《ふわ》」は、他人《たにん》に従《したが》って賛成《さんせい》すること。「雷同《らいどう》」は、雷《かみなり》の鳴《な》る音《おと》に共鳴《きょうめい》すること。

□平・穏無事《へいおんぶじ》 例文 わたしの祖父《そふ》と祖母《そぼ》は、沖縄《おきなわ》で平穏無事《へいおんぶじ》に暮《く》らしています。 意味 何《なに》ごともなく、おだやかなようす。

□平平・凡・凡《へいへいぼんぼん》 例文 平平凡凡《へいへいぼんぼん》に暮《く》らすのが、いちばんだと両親《りょうしん》は言《い》っています。 意味 ごくふつうで、かわったところがないようす。▼「平凡《へいぼん》」を強《つよ》めたことば。

□暴飲暴食《ぼういんぼうしょく》 例文 正月《しょうがつ》の暴飲暴食《ぼういんぼうしょく》がたたって、兄《あに》は一週間《いっしゅうかん》も寝《ね》こんでしまった。 意味 ふつうの程度《ていど》をこえて、むやみに酒《さけ》や飲《の》み物《もの》を飲《の》んだり、食《た》べ物《もの》を食《た》べたりすること。

□・傍若無人《ぼうじゃくぶじん》 例文 傍若無人《ぼうじゃくぶじん》のふるまいは、許《ゆる》すことはできない。 意味 他人《たにん》にかまわずに自《じ》分勝手《ぶんかって》にふるまうこと。▼もともとの意味《いみ》は、「傍《かたわら》に人《ひと》が無《な》い若《ごと》し」ということ。

□本末転・倒《ほんまつてんとう》 例文 金《かね》もうけのために政治家《せいじか》になるなんて、本末転倒《ほんまつてんとう》もはなはだしいと、父《ちち》はおこっている。 意味 たいせつなこととたいせつでないことのあつかいが反対《はんたい》であること。▼「本末《ほんまつ》」は、根本《こんぽん》と末端《まったん》のこと。

（ま行《ぎょう》）

□満場一・致《まんじょういっち》 例文 満場一致《まんじょういっち》で、石川《いしかわ》さんが生徒《せいと》会長《かいちょう》に選《えら》ばれた。 意味 その場《ば》にいる人《ひと》みんなの意見《いけん》が一《ひと》つにまとまること。

□ **三日《みっか》・坊主《ぼうず》** 例文 弟《おとうと》は**三日坊主《みっかぼうず》**だから、何《なに》をしてもだめだ。 意味 あきっぽくて、することが長《なが》つづきしないこと。また、そのような人《ひと》。▼「坊主《ぼうず》」は、人をあざけって言《い》うことば。

□ **無我夢中《むがむちゅう》** 例文 お使《つか》いの帰《かえ》りが、おそくなって暗《くら》くなったので、**無我夢中《むがむちゅう》**で走《はし》って帰《かえ》った。 意味 そのことだけに心《こころ》をうばわれて、ほかのことをまったく考《かんが》えないこと。

□ **無《む》味《み》・乾《かん》・燥《そう》** 例文 **無味乾燥《むみかんそう》**の文章《ぶんしょう》ではだめだと兄《あに》から注意《ちゅうい》された。 意味 おもしろみや、味《あじ》わいがないこと。▼「乾燥《かんそう》」は、かわいていること。

□ **名所旧《めいしょきゅう》・跡《せき》** 例文 修学旅行《しゅうがくりょこう》では、京都《きょうと》の**名所旧跡《めいしょきゅうせき》**を訪《おとず》れた。 意味 景色《けしき》がよい所《ところ》や歴史上有《れきしじょうゆう》名《めい》なできごとや建物《たてもの》などがあった土地《とち》。

(や行《ぎょう》)

□ **優《ゆう》・柔不断《じゅうふだん》** 例文 妹《いもうと》は**優柔不断《ゆうじゅうふだん》**なので、よく母《はは》からしかられる。 意味 ぐずぐずしていて、ものごとをはっきり決《き》められないようす。▼「優柔《ゆうじゅう》」は、ゆったりとしていること。「不断《ふだん》」は、きっぱりと決《き》めないこと。

□ **有名無実《ゆうめいむじつ》** 例文 **有名無実《ゆうめいむじつ》**の規則《きそく》だから、あまりききめがないといわれている。 意味 名前《なまえ》だけで、実際《じっさい》がともなわないこと。また、評判《ひょうばん》と実際《じっさい》がちがっていること。▼「無実《むじつ》」は、実際《じっさい》の内容《ないよう》がないこと。

□ **油断大敵《ゆだんたいてき》** 例文 あしたの試合《しあい》の相手《あいて》はたいしたことはないと思《おも》ってはいけない。**油断大敵《ゆだんたいてき》**だ。 意味 気《き》を許《ゆる》して注意《ちゅうい》しないと、思《おも》わぬ失敗《しっぱい》をすることがある。油断《ゆだん》は、おそろしい敵《てき》であるということ。

□ **用意《ようい》周《しゅう》・到《とう》** 例文 姉《あね》は、何《なに》ごとにも**用意周到《よういしゅうとう》**なので、失敗《しっぱい》が少《すく》ない。 意味 先《さき》のことを考《かんが》えてする用心《ようじん》がすみずみまで行《い》きとどいていること。▼「周到《しゅうとう》」は、すみずみまで行《い》きとどいていること。

(ら行《ぎょう》・わ行《ぎょう》)

□ **立身出世《りっしんしゅっせ》** 例文 祖父《そふ》は九州《きゅうしゅう》の田舎《いなか》から大阪《おおさか》に出《で》てきて、努力《どりょく》をつづけ**立身出世《りっしんしゅっせ》**しました。 意味 成功《せいこう》して、社会的《しゃかいてき》に高《たか》い地位《ちい》につくこと。▼「立身《りっしん》」は、社会的《しゃかいてき》にりっぱな身分《みぶん》になること。

□ **竜頭《りゅうとう》・蛇《だ》・尾《び》** 例文 正月《しょうがつ》の計画《けいかく》も、けっきょく**竜頭蛇尾《りゅうとうだび》**になってしまった。 意味 初《はじ》めはいきおいがよかったのが、終《お》わりはいきおいがなくなること。▼頭《あたま》は、りっぱな竜《りゅう》であるが、尾《お》は、ちっぽけな蛇《へび》であるということから。

□ **理《り》路《ろ》整然《せいぜん》** 例文 会長《かいちょう》の**理《り》路《ろ》整然《せいぜん》**とした説明《せつめい》に全員《ぜんいん》が賛成《さんせい》した。 意味 話《はなし》のすじ道《みち》や、ものごとの道理《どうり》がきちんと、ととのっているようす。▼「理路《りろ》」は、話《はなし》のすじ道《みち》。

□ **臨機応変《りんきおうへん》** 例文 運動会《うんどうかい》の途中《とちゅう》に、大雨《おおあめ》が降《ふ》ってきたので、**臨機応変《りんきおうへん》**の処置《しょち》をとった。 意味 そのとき、その場《ば》に適《てき》したやり方《かた》をすること。▼「臨機《りんき》」は、その機会《きかい》にのぞむこと。「応変《おうへん》」は、変化《へんか》に応《おう》ずること。

□ **老若男女《ろうにゃくなんにょ》** 例文 その神社《じんじゃ》は、正月《しょうがつ》の三《さん》が日《にち》、**老《ろう》若男女《にゃくなんにょ》**でにぎわう。 意味 老人《ろうじん》も若《わか》い人《ひと》も、男《おとこ》の人《ひと》も女《おんな》の人《ひと》も。すべての人々《ひとびと》。▼「にゃくなんにょ」の読《よ》み方《かた》に注意《ちゅうい》する。

□ **和洋折《わようせっ》・衷《ちゅう》** 例文 その建物《たてもの》は、**和洋折衷《わようせっちゅう》**です。 意味 和風《わふう》と西洋風《せいようふう》の両方《りょうほう》を、じょうずにとり入《い》れていること。▼「折衷《せっちゅう》」は、二《ふた》つ以上《いじょう》の意見《いけん》や、ものごとの、それぞれのよいところをとり入《い》れること。

読《よ》み書《か》きをまちがえやすい漢字《かんじ》

（カタカナは、音読《おんよ》み。ひらがなは、訓読《くんよ》み。細字《ほそじ》は、送《おく》りがな。）

- 委 イ ／ 季 キ
- 域 イキ ／ 城 ジョウ・しろ
- 因 イン・よる ／ 困 コン・こまる
- 飲 イン・のむ ／ 飯 ハン・めし
- 央 オウ ／ 史 シ
- 可 カ ／ 司 シ
- 科 カ ／ 料 リョウ
- 階 カイ ／ 陛 ヘイ
- 貝 かい ／ 具 グ
- 巻 カン・まく・まき ／ 券 ケン
- 顔 ガン・かお ／ 願 ガン・ねがう

- 記 キ・しるす ／ 紀 キ
- 球 キュウ・たま ／ 救 キュウ・すくう
- 宮 キュウ・グウ・ク・みや ／ 官 カン
- 鏡 キョウ・かがみ ／ 境 キョウ・ケイ・さかい
- 曲 キョク・まがる・まげる ／ 由 ユ・ユウ・ユイ・よし
- 郡 グン ／ 群 グン・むれる・むれ・むら
- 径 ケイ ／ 経 ケイ・キョウ・へる
- 血 ケツ・ち ／ 皿 さら
- 険 ケン・けわしい ／ 検 ケン
- 午 ゴ ／ 牛 ギュウ・うし
- 孝 コウ ／ 考 コウ・かんがえる

- 今 コン・キン・いま ／ 令 レイ
- 昨 サク ／ 作 サク・サ・つくる
- 残 ザン・のこる・のこす ／ 浅 セン・あさい
- 仕 シ・ジ・つかえる ／ 任 ニン・まかせる・まかす
- 字 ジ・あざ ／ 宇 ウ
- 持 ジ・もつ ／ 特 トク
- 識 シキ ／ 織 ショク・シキ・おる
- 失 シツ・うしなう ／ 矢 シ・や
- 拾 シュウ・ジュウ・ひろう ／ 捨 シャ・すてる
- 暑 ショ・あつい ／ 署 ショ
- 人 ジン・ニン・ひと ／ 入 ニュウ・いる・いれる・はいる

- 積 セキ・つむ・つもる ／ 績 セキ
- 設 セツ・もうける ／ 説 セツ・ゼイ・とく
- 千 セン・ち ／ 干 カン・ほす・ひる
- 線 セン ／ 綿 メン・わた
- 草 ソウ・くさ ／ 単 タン
- 側 ソク・かわ ／ 測 ソク・はかる
- 族 ゾク ／ 旅 リョ・たび
- 続 ゾク・つづく・つづける ／ 読 ドク・トク・トウ・よむ
- 卒 ソツ ／ 率 ソツ・リツ・ひきいる
- 第 ダイ ／ 弟 テイ・ダイ・デ・おとうと
- 炭 タン・すみ ／ 灰 カイ・はい

- 池 チ・いけ ／ 地 チ・ジ
- 帳 チョウ ／ 張 チョウ・はる
- 頂 チョウ・いただく・いただき ／ 預 ヨ・あずける・あずかる
- 的 テキ・まと ／ 均 キン
- 天 テン・あめ・あま ／ 夫 フ・フウ・おっと
- 田 デン・た ／ 由 ユ・ユウ・ユイ・よし
- 土 ド・ト・つち ／ 士 シ
- 投 トウ・なげる ／ 役 ヤク・エキ
- 湯 トウ・ゆ ／ 陽 ヨウ
- 島 トウ・しま ／ 鳥 チョウ・とり
- 東 トウ・ひがし ／ 果 カ・はたす・はてる・はて

- 毒 ドク ／ 妻 サイ・つま
- 氷 ヒョウ・こおり・ひ ／ 永 エイ・ながい
- 別 ベツ・わかれる ／ 列 レツ
- 便 ベン・ビン・たより ／ 使 シ・つかう
- 墓 ボ・はか ／ 幕 マク・バク
- 坂 ハン・さか ／ 板 ハン・バン・いた
- 枚 マイ ／ 牧 ボク・まき
- 末 マツ・バツ・すえ ／ 未 ミ
- 万 マン・バン ／ 方 ホウ・かた
- 毛 モウ・け ／ 手 シュ・て・た
- 輸 ユ ／ 輪 リン・わ

同《どう》音《おん》異《い》義《ぎ》語《ご》

（同《おな》じ音読《おんよ》みのことばでも、意味《いみ》のちがうことば。
印《じるし》の漢字《かんじ》は、教育漢字《きょういくかんじ》以外《いがい》の常用漢字《じょうようかんじ》。）

いがい
以外《いがい》…人間以外《にんげんいがい》の生《い》き物《もの》。
意外《いがい》…意外《いがい》な話《はなし》。

いし
意志《いし》…父《ちち》は意志《いし》が強《つよ》い。
意思《いし》…反対《はんたい》の意思《いし》を話《はな》す。
遺志《いし》…先生《せんせい》の遺志《いし》をつぐ。

いじょう
異状《いじょう》…機械《きかい》に異状《いじょう》はない。
異常《いじょう》…異常《いじょう》な暑《あつ》さ。

いどう
移動《いどう》…車《くるま》で移動《いどう》する。
異動《いどう》…職場《しょくば》の人事異動《じんじいどう》。
異同《いどう》…池《いけ》とぬまの異同《いどう》。

かいとう
回答《かいとう》…電話《でんわ》で回答《かいとう》する。
解答《かいとう》…計算問題《けいさんもんだい》の解答《かいとう》。

かいほう
開放《かいほう》…体育館《たいいくかん》を開放《かいほう》する。
解放《かいほう》…人質《ひとじち》が解放《かいほう》された。

かんしょう
観賞《かんしょう》…桜《さくら》の花《はな》を観賞《かんしょう》する。
鑑賞《かんしょう》…名曲《めいきょく》の鑑賞《かんしょう》。

きかい
器械《きかい》…器械体操《きかいたいそう》をする。
機械《きかい》…工場《こうじょう》の電気機械《でんききかい》。

きょうそう
競走《きょうそう》…百《ひゃく》メートル競走《きょうそう》。
競争《きょうそう》…商店《しょうてん》の激《はげ》しい競争《きょうそう》。

きょうどう
共同《きょうどう》…共同《きょうどう》で畑《はたけ》を借《か》りる。
協同《きょうどう》…日米協同《にちべいきょうどう》の事業《じぎょう》。

こうい
好意《こうい》…他人《たにん》に好意《こうい》を寄《よ》せる。
厚意《こうい》…ご厚意《こうい》に感謝《かんしゃ》する。

こうてい
工程《こうてい》…製造工程《せいぞうこうてい》を見《み》る。
行程《こうてい》…一日十《いちにちじっ》キロの行程《こうてい》。

こうや
広野《こうや》…果《は》てしない広野《こうや》。
荒野《こうや》…荒野《こうや》を切《き》り開《ひら》く。

さいけつ
採決《さいけつ》…一票差《いっぴょうさ》の採決《さいけつ》。
裁決《さいけつ》…会長《かいちょう》の裁決《さいけつ》。

さいご
最期《さいご》…祖父《そふ》の最期《さいご》。
最後《さいご》…一列《いちれつ》の最後《さいご》。

さくせい
作成《さくせい》…予定表《よていひょう》を作成《さくせい》する。
作製《さくせい》…標本《ひょうほん》を作製《さくせい》する。

じき
時期《じき》…海水浴《かいすいよく》の時期《じき》。
時機《じき》…時機《じき》をのがした。

じったい
実体《じったい》…あの男《おとこ》の実体《じったい》。
実態《じったい》…マスコミ界《かい》の実態《じったい》。

しゅうしゅう
収拾《しゅうしゅう》…場内《じょうない》の混乱《こんらん》の収拾《しゅうしゅう》。
収集《しゅうしゅう》…切手《きって》の収集《しゅうしゅう》。

しゅうりょう
修了《しゅうりょう》…高等学校《こうとうがっこう》を修了《しゅうりょう》。
終了《しゅうりょう》…本日《ほんじつ》の営業《えいぎょう》は終了《しゅうりょう》。

しゅんき
春季《しゅんき》…春季運動会《しゅんきうんどうかい》。
春期《しゅんき》…春期《しゅんき》の防災演習《ぼうさいえんしゅう》。

しょうすう
小数《しょうすう》…小数点《しょうすうてん》。
少数《しょうすう》…少数《しょうすう》の意見《いけん》。

しょうひん
商品《しょうひん》…不良商品《ふりょうしょうひん》。
賞品《しょうひん》…クイズの賞品《しょうひん》。

しょくりょう
食料《しょくりょう》…食料品《しょくりょうひん》をそろえる。
食糧《しょくりょう》…食糧《しょくりょう》の輸入《ゆにゅう》。

しょよう
所用《しょよう》…所用《しょよう》で出《で》かける。
所要《しょよう》…所要時間《しょようじかん》は三十分《さんじっぷん》。

しんろ
進路《しんろ》…将来《しょうらい》の進路《しんろ》を決《き》める。
針路《しんろ》…船《ふね》の針路《しんろ》は北北西《ほくほくせい》。

せいさく
制作《せいさく》…油絵《あぶらえ》の制作《せいさく》をする。
製作《せいさく》…巣箱《すばこ》を製作《せいさく》する。

せいさん
清算《せいさん》…借金《しゃっきん》を清算《せいさん》する。
精算《せいさん》…乗《の》りこし運賃《うんちん》の精算《せいさん》。

せいそう
正装《せいそう》…結《けっ》こん式《しき》の正装《せいそう》。
盛装《せいそう》…盛装《せいそう》した若《わか》い女性《じょせい》。

せいちょう
生長《せいちょう》…麦《むぎ》の生長《せいちょう》が早《はや》い。
成長《せいちょう》…子馬《こうま》が成長《せいちょう》する。

ぜったい
絶体《ぜったい》…絶体絶命《ぜったいぜつめい》のピンチ。
絶対《ぜったい》…絶対《ぜったい》に負《ま》けない。

たいしょう
対称《たいしょう》…対称《たいしょう》の形《かたち》。
対象《たいしょう》…幼児《ようじ》対象《たいしょう》の絵本《えほん》。
対照《たいしょう》…赤《あか》と黒《くろ》の対照《たいしょう》。

たいせい
体制《たいせい》…政治《せいじ》体制《たいせい》の欠点《けってん》。
体勢《たいせい》…相手《あいて》の体勢《たいせい》をくずす。
態勢《たいせい》…着陸《ちゃくりく》態勢《たいせい》に入《はい》る。

たんきゅう
探求《たんきゅう》…史《し》せきの探求《たんきゅう》。
探究《たんきゅう》…真理《しんり》を探究《たんきゅう》する。

ついきゅう
追及《ついきゅう》…責任《せきにん》を追及《ついきゅう》する。
追求《ついきゅう》…利益《りえき》を追求《ついきゅう》する。
追究《ついきゅう》…真理《しんり》の追究《ついきゅう》。

ていけい
定形《ていけい》…定形《ていけい》の郵便物《ゆうびんぶつ》。
定型《ていけい》…定型《ていけい》の俳句《はいく》。

てきせい
適正《てきせい》…適正《てきせい》な価格《かかく》。
適性《てきせい》…仕事《しごと》の適性《てきせい》。

てっこう
鉄鉱《てっこう》…鉄《てつ》の原料《げんりょう》の鉄鉱石《てっこうせき》。
鉄鋼《てっこう》…はがねの鉄鋼《てっこう》。

でんどう
伝道《でんどう》…キリスト教《きょう》の伝道《でんどう》。
伝導《でんどう》…熱《ねつ》の伝導《でんどう》。

どうし
同士《どうし》…子《こ》ども同士《どうし》の遊《あそ》び。
同志《どうし》…愛犬家《あいけんか》同志《どうし》の会《かい》。

どくそう
独走《どくそう》…独走《どくそう》するランナー。
独奏《どくそう》…バイオリンの独奏《どくそう》。
独創《どくそう》…独創的《どくそうてき》なアイディア。

とくちょう
特長《とくちょう》…この品物《しなもの》の特長《とくちょう》。
特徴《とくちょう》…屋根《やね》に特徴《とくちょう》のある家《いえ》。

ねんとう
年頭《ねんとう》…年頭《ねんとう》のあいさつ。
念頭《ねんとう》…注意《ちゅうい》を念頭《ねんとう》におく。

はいすい
配水《はいすい》…配水管《はいすいかん》工事《こうじ》。
排水《はいすい》…洗《せん》たくの水《みず》の排水《はいすい》。
廃水《はいすい》…工場《こうじょう》の廃水《はいすい》。

はいふ
配布《はいふ》…ちらしを配布《はいふ》する。
配付《はいふ》…証明書《しょうめいしょ》の配付《はいふ》。

はんめん
反面《はんめん》…やさしさの反面《はんめん》。
半面《はんめん》…右半面《みぎはんめん》を赤《あか》くぬる。

ひっし
必死《ひっし》…必死《ひっし》の救助活動《きゅうじょかつどう》。
必至《ひっし》…スト成功《せいこう》は必至《ひっし》だ。

ふこう
不幸《ふこう》…不幸《ふこう》な人生《じんせい》。
不孝《ふこう》…親不孝《おやふこう》な人《ひと》。

ふじゅん
不純《ふじゅん》…動機《どうき》が不純《ふじゅん》だ。
不順《ふじゅん》…不順《ふじゅん》な天候《てんこう》。

ふじん
夫人《ふじん》…会長《かいちょう》夫人《ふじん》。
婦人《ふじん》…婦人警察官《ふじんけいさつかん》。

ふつう
不通《ふつう》…バスが不通《ふつう》になる。
普通《ふつう》…普通《ふつう》の人《ひと》。

へいこう
平行《へいこう》…平行《へいこう》な線《せん》を引《ひ》く。
並行《へいこう》…線路《せんろ》に並行《へいこう》する道《みち》。

ほしょう
保証《ほしょう》…身元《みもと》を保証《ほしょう》する。
保障《ほしょう》…安全《あんぜん》の保障《ほしょう》。
補償《ほしょう》…損害《そんがい》を補償《ほしょう》する。

めいげつ
名月《めいげつ》…中秋《ちゅうしゅう》の名月《めいげつ》。
明月《めいげつ》…明月《めいげつ》の夜《よる》。

同訓異字語《どうくんいじご》

●同《おな》じ訓読《くんよ》みのことばでも、意味《いみ》のちがうことば。
●印《じるし》の漢字《かんじ》は、教育漢字《きょういくかんじ》以外《いがい》の常用漢字《じょうようかんじ》。

あう
- 合《あ》う…目《め》が合《あ》う。
- 会《あ》う…人《ひと》に会《あ》う。
- 遭《あ》う…事故《じこ》に遭《あ》う。

あく
- 明《あ》く…目《め》が明《あ》く。
- 空《あ》く…席《せき》が空《あ》く。
- 開《あ》く…店《みせ》が開《あ》く。

あたたかい
- 暖《あたた》かい…暖《あたた》かい毛布《もうふ》。
- 温《あたた》かい…温《あたた》かい家庭《かてい》。

あつい
- 暑《あつ》い…暑《あつ》い真夏《まなつ》。
- 熱《あつ》い…熱《あつ》い湯《ゆ》。
- 厚《あつ》い…厚《あつ》い辞典《じてん》。

あやまる
- 誤《あやま》る…判断《はんだん》を誤《あやま》る。
- 謝《あやま》る…頭《あたま》を下《さ》げて謝《あやま》る。

あらわす
- 表《あらわ》す…ことばで表《あらわ》す。
- 現《あらわ》す…姿《すがた》を現《あらわ》す。
- 著《あらわ》す…本《ほん》を著《あらわ》す。

あわせる
- 合《あ》わせる…手《て》を合《あ》わせる。
- 併《あわ》せる…銀行《ぎんこう》を併《あわ》せる。

いためる
- 痛《いた》める…こしを痛《いた》める。
- 傷《いた》める…家具《かぐ》を傷《いた》める。

うつ
- 打《う》つ…ボールを打《う》つ。
- 討《う》つ…敵《てき》を討《う》つ。
- 撃《う》つ…鉄《てっ》ぽうを撃《う》つ。

うつす
- 写《うつ》す…写真《しゃしん》を写《うつ》す。
- 映《うつ》す…鏡《かがみ》に顔《かお》を映《うつ》す。

うむ
- 生《う》む…記録《きろく》を生《う》む。
- 産《う》む…卵《たまご》を産《う》む。

おかす
- 犯《おか》す…過《あやま》ちを犯《おか》す。
- 侵《おか》す…国境《こっきょう》を侵《おか》す。
- 冒《おか》す…危険《きけん》を冒《おか》す。

おくる
- 送《おく》る…荷物《にもつ》を送《おく》る。
- 贈《おく》る…記念品《きねんひん》を贈《おく》る。

おさめる
- 収《おさ》める…箱《はこ》の中《なか》に収《おさ》める。
- 納《おさ》める…税金《ぜいきん》を納《おさ》める。
- 治《おさ》める…国《くに》を治《おさ》める。
- 修《おさ》める…学問《がくもん》を修《おさ》める。

かえる
- 返《かえ》る…お金《かね》が返《かえ》る。
- 帰《かえ》る…故郷《こきょう》へ帰《かえ》る。

かたい
- 固《かた》い…団結《だんけつ》が固《かた》い。
- 堅《かた》い…堅《かた》い材木《ざいもく》。
- 硬《かた》い…硬《かた》い表現《ひょうげん》。

かわ
- 皮《かわ》…りんごの皮《かわ》。
- 革《かわ》…革《かわ》のくつ。

かわる
- 変《か》わる…色《いろ》が変《か》わる。
- 代《か》わる…弟《おとうと》に代《か》わって行《い》く。
- 替《か》わる…委員長《いいんちょう》が替《か》わる。

きく
- 聞《き》く…話《はなし》を聞《き》く。
- 聴《き》く…名曲《めいきょく》を聴《き》く。

きく
- 利《き》く…左手《ひだりて》が利《き》く。
- 効《き》く…よく効《き》く薬《くすり》。

こえる
- 越《こ》える…山《やま》を越《こ》える。
- 超《こ》える…四十度《よんじゅうど》を超《こ》える熱《ねつ》。

さがす
- 探《さが》す…勤《つと》め口《ぐち》を探《さが》す。
- 捜《さが》す…落《お》とし物《もの》を捜《さが》す。

さく
割《さ》く…時間《じかん》を割《さ》く。
裂《さ》く…布《ぬの》を引《ひ》き裂《さ》く。

さげる
下《さ》げる…頭《あたま》を下《さ》げる。
提《さ》げる…バッグを提《さ》げる。

さす
差《さ》す…かさを差《さ》す。
指《さ》す…前方《ぜんぽう》を指《さ》す。
刺《さ》す…はちが刺《さ》す。

さめる
覚《さ》める…目《め》が覚《さ》める。
冷《さ》める…料理《りょうり》が冷《さ》める。

すすめる
進《すす》める…車《くるま》を前《まえ》に進《すす》める。
勧《すす》める…入会《にゅうかい》を勧《すす》める。

そう
沿《そ》う…川《かわ》に沿《そ》って歩《ある》く。
添《そ》う…付《つ》き添《そ》ってやる。

そなえる
供《そな》える…仏前《ぶつぜん》に花《はな》を供《そな》える。
備《そな》える…コピー機《き》を備《そな》える。

たずねる
訪《たず》ねる…友人《ゆうじん》の家《いえ》を訪《たず》ねる。
尋《たず》ねる…道《みち》を尋《たず》ねる。

たたかう
戦《たたか》う…敵《てき》と戦《たたか》う。
闘《たたか》う…病気《びょうき》と闘《たたか》う。

たつ
立《た》つ…席《せき》を立《た》つ。
建《た》つ…家《いえ》が建《た》つ。

たつ
断《た》つ…電線《でんせん》を断《た》つ。
絶《た》つ…連絡《れんらく》を絶《た》つ。
裁《た》つ…布《ぬの》を裁《た》つ。

たま
玉《たま》…目《め》の玉《たま》。
球《たま》…電気《でんき》の球《たま》。
弾《たま》…ピストルの弾《たま》。

つく
付《つ》く…どろが付《つ》く。
着《つ》く…駅《えき》に着《つ》く。
就《つ》く…役《やく》に就《つ》く。

つぐ
次《つ》ぐ…会長《かいちょう》に次《つ》ぐ人《ひと》。
接《つ》ぐ…骨《ほね》を接《つ》ぐ。
継《つ》ぐ…商売《しょうばい》を継《つ》ぐ。

つくる
作《つく》る…米《こめ》を作《つく》る。
造《つく》る…船《ふね》を造《つく》る。

つとめる
努《つと》める…完成《かんせい》に努《つと》める。
務《つと》める…議長《ぎちょう》を務《つと》める。
勤《つと》める…会社《かいしゃ》に勤《つと》める。

とける
解《と》ける…問題《もんだい》が解《と》ける。
溶《と》ける…バターが溶《と》ける。

ととのえる
調《ととの》える…準備《じゅんび》を調《ととの》える。
整《ととの》える…列《れつ》を整《ととの》える。

とる
取《と》る…手《て》に取《と》る。
採《と》る…新人《しんじん》を採《と》る。
捕《と》る…虫《むし》を捕《と》る。
執《と》る…事務《じむ》を執《と》る。
撮《と》る…写真《しゃしん》を撮《と》る。

なおる
治《なお》る…けがが治《なお》る。
直《なお》る…故障《こしょう》が直《なお》る。

のる
乗《の》る…自転車《じてんしゃ》に乗《の》る。
載《の》る…雑誌《ざっし》に写真《しゃしん》が載《の》る。

はかる
図《はか》る…解決《かいけつ》を図《はか》る。
計《はか》る…時間《じかん》を計《はか》る。
測《はか》る…きょりを測《はか》る。
量《はか》る…目方《めかた》を量《はか》る。

はやい
早《はや》い…時期《じき》が早《はや》い。
速《はや》い…新幹線《しんかんせん》は速《はや》い。

まわり
回《まわ》り…身《み》の回《まわ》り。
周《まわ》り…池《いけ》の周《まわ》り。

やぶれる
破《やぶ》れる…服《ふく》が破《やぶ》れる。
敗《やぶ》れる…試合《しあい》に敗《やぶ》れる。

わかれる
分《わ》かれる…道《みち》が分《わ》かれる。
別《わか》れる…友《とも》だちと別《わか》れる。

反《はん》対《たい》・対《つい》の漢《かん》字《じ》と熟《じゅく》語《ご》

（●印《じるし》の漢《かん》字《じ》は、教育漢字《きょういくかんじ》以《い》外《がい》の常用漢字《じょうようかんじ》。）

（あ行《ぎょう》）
兄《あに》↕弟《おとうと》
異《い》↕同《どう》
有《う》↕無《む》
遠《えん》↕近《きん》
親《おや》↕子《こ》

（か行《ぎょう》）
加《か》↕減《げん》
開《かい》↕閉《へい》
寒《かん》↕暑《しょ》
去《きょ》↕来《らい》
強《きょう》↕弱《じゃく》
苦《く》↕楽《らく》
軽《けい》↕重《ちょう》
公《こう》↕私《し》
攻●《こう》↕守《しゅ》
攻●《こう》↕防《ぼう》
高《こう》↕低《てい》
今《こん》↕昔《じゃく》

（さ行《ぎょう》）
左《さ》↕右《ゆう》
細《さい》↕大《だい》
始《し》↕終《じゅう》
姉《し》↕妹《まい》
自《じ》↕他《た》
主《しゅ》↕客《きゃく》
主《しゅ》↕従《じゅう》
縦《じゅう》↕横《おう》
出《しゅつ》↕入《にゅう》
勝《しょう》↕敗《はい》
勝《しょう》↕負《ふ》
上《じょう》↕下《げ》
乗《じょう》↕除《じょ》
白《しろ》↕黒《くろ》
新《しん》↕旧《きゅう》
新《しん》↕古《こ》
深《しん》↕浅《せん》
進《しん》↕退《たい》
正《せい》↕誤《ご》
正《せい》↕負《ふ》
正《せい》↕副《ふく》
生《せい》↕死《し》
先《せん》↕後《ご》
前《ぜん》↕後《ご》
善《ぜん》↕悪《あく》
早《そう》↕晩《ばん》
増《ぞう》↕減《げん》
損《そん》↕得《とく》

（た行《ぎょう》）
多《た》↕少《しょう》
貸《たい》↕借《しゃく》
大《だい》↕小《しょう》
単《たん》↕複《ふく》
男《だん》↕女《じょ》
暖《だん》↕冷《れい》
昼《ちゅう》↕夜《や》
長《ちょう》↕短《たん》
直《ちょく》↕曲《きょく》
天《てん》↕地《ち》
登《とう》↕降《こう》
得《とく》↕失《しつ》

（な行《ぎょう》）
内《ない》↕外《がい》

（は行《ぎょう》）
売《ばい》↕買《ばい》
発《はっ》↕着《ちゃく》
悲《ひ》↕喜《き》
表《ひょう》↕裏《り》
貧《ひん》↕富《ふ》
夫《ふ》↕妻《さい》
父《ふ》↕母《ぼ》
本《ほん》↕末《まつ》

（ま行《ぎょう》）
明《めい》↕暗《あん》
問《もん》↕答《とう》

（ら行《ぎょう》）
老《ろう》↕若《にゃく》

（わ行《ぎょう》）
和《わ》↕洋《よう》

（あ行《ぎょう》）
赤《あか》字《じ》↕黒《くろ》字《じ》
悪《あく》意《い》↕善《ぜん》意《い》
悪《あく》質《しつ》↕良《りょう》質《しつ》
悪《あく》人《にん》↕善《ぜん》人《にん》
悪《あく》評《ひょう》↕好《こう》評《ひょう》
厚《あつ》着《ぎ》↕薄●《うす》着《ぎ》
厚《あつ》手《で》↕薄●《うす》手《で》
安《あん》価《か》↕高《こう》価《か》
安《あん》心《しん》↕心《しん》配《ぱい》
安《あん》全《ぜん》↕危《き》険《けん》
以《い》外《がい》↕以《い》内《ない》
以《い》上《じょう》↕以《い》下《か》
異《い》性《せい》↕同《どう》性《せい》
一《いち》部《ぶ》↕全《ぜん》部《ぶ》
一《いっ》定《てい》↕不《ふ》定《てい》
雨《う》天《てん》↕晴《せい》天《てん》
右《う》翼●《よく》↕左《さ》翼●《よく》
内《うち》海《うみ》↕外《そと》海《うみ》
売《うり》値《ね》↕買《かい》値《ね》
液《えき》化《か》↕気《き》化《か》
益《えき》鳥《ちょう》↕害《がい》鳥《ちょう》
遠《えん》海《かい》↕近《きん》海《かい》
遠《えん》景《けい》↕近《きん》景《けい》
横《おう》断《だん》↕縦《じゅう》断《だん》
大《おお》声《ごえ》↕小《こ》声《ごえ》
屋《おく》内《ない》↕屋《おく》外《がい》
表《おもて》門《もん》↕裏《うら》門《もん》

（か行《ぎょう》）
可《か》決《けつ》↕否《ひ》決《けつ》
過《か》去《こ》↕未《み》来《らい》
過《か》大《だい》↕過《か》小《しょう》
開《かい》園《えん》↕閉《へい》園《えん》
開《かい》会《かい》↕閉《へい》会《かい》
外《がい》角《かく》↕内《ない》角《かく》
開《かい》館《かん》↕閉《へい》館《かん》
海《かい》上《じょう》↕陸《りく》上《じょう》
階《かい》上《じょう》↕階《かい》下《か》
開《かい》場《じょう》↕閉《へい》場《じょう》
改《かい》善《ぜん》↕改《かい》悪《あく》
快《かい》調《ちょう》↕不《ふ》調《ちょう》
外《がい》部《ぶ》↕内《ない》部《ぶ》
開《かい》幕《まく》↕閉《へい》幕《まく》
拡《かく》大《だい》↕縮《しゅく》小《しょう》
合《がっ》唱《しょう》↕独《どく》唱《しょう》
合《がっ》奏《そう》↕独《どく》奏《そう》
川《かわ》上《かみ》↕川《かわ》下《しも》
寒《かん》色《しょく》↕暖《だん》色《しょく》
間《かん》接《せつ》↕直《ちょく》接《せつ》
幹《かん》線《せん》↕支《し》線《せん》
簡《かん》単《たん》↕複《ふく》雑《ざつ》
干《かん》潮《ちょう》↕満《まん》潮《ちょう》
起《き》点《てん》↕終《しゅう》点《てん》
起《き》立《りつ》↕着《ちゃく》席《せき》
原《げん》因《いん》↕結《けっ》果《か》
現《げん》実《じつ》↕理《り》想《そう》
高《こう》温《おん》↕低《てい》音《おん》
高《こう》額《がく》↕低《てい》額《がく》
好《こう》調《ちょう》↕不《ふ》調《ちょう》
公《こう》的《てき》↕私《し》的《てき》

好《こう》天《てん》 ↔ 悪《あく》天《てん》
校《こう》内《ない》 ↔ 校《こう》外《がい》
高《こう》木《ぼく》 ↔ 低《てい》木《ぼく》
公《こう》用《よう》 ↔ 私《し》用《よう》
国《こく》営《えい》 ↔ 民《みん》営《えい》
国《こく》内《ない》 ↔ 国《こく》外《がい》
午《ご》前《ぜん》 ↔ 午《ご》後《ご》

（さ行《ぎょう》）

左《さ》折《せつ》 ↔ 右《う》折《せつ》
最《さい》高《こう》 ↔ 最《さい》低《てい》
最《さい》初《しょ》 ↔ 最《さい》後《ご》
最《さい》少《しょう》 ↔ 最《さい》多《た》
最《さい》新《しん》 ↔ 最《さい》古《こ》
最《さい》善《ぜん》 ↔ 最《さい》悪《あく》
最《さい》大《だい》 ↔ 最《さい》小《しょう》
歳《さい》入《にゅう》 ↔ 歳《さい》出《しゅつ》
始《し》業《ぎょう》 ↔ 終《しゅう》業《ぎょう》
自《じ》国《こく》 ↔ 他《た》国《こく》
自《し》然《ぜん》 ↔ 人《じん》工《こう》
事《じ》前《ぜん》 ↔ 事《じ》後《ご》
室《しつ》内《ない》 ↔ 室《しつ》外《がい》
自《じ》転《てん》 ↔ 公《こう》転《てん》
市《し》内《ない》 ↔ 市《し》外《がい》

社《しゃ》内《ない》 ↔ 社《しゃ》外《がい》
重《じゅう》視《し》 ↔ 軽《けい》視《し》
集《しゅう》中《ちゅう》 ↔ 分《ぶん》散《さん》
収《しゅう》入《にゅう》 ↔ 支《し》出《しゅつ》
主《しゅ》観《かん》 ↔ 客《きゃっ》観《かん》
主《しゅ》食《しょく》 ↔ 副《ふく》食《しょく》
出《しゅっ》荷《か》 ↔ 入《にゅう》荷《か》
出《しゅっ》金《きん》 ↔ 入《にゅう》金《きん》
出《しゅっ》航《こう》 ↔ 欠《けっ》航《こう》
出《しゅっ》社《しゃ》 ↔ 退《たい》社《しゃ》
出《しゅつ》場《じょう》 ↔ 退《たい》場《じょう》
出《しゅっ》席《せき》 ↔ 欠《けっ》席《せき》
順《じゅん》風《ぷう》 ↔ 逆《ぎゃく》風《ふう》
上《じょう》位《い》 ↔ 下《か》位《い》
上《じょう》級《きゅう》 ↔ 下《か》級《きゅう》
消《しょう》極《きょく》 ↔ 積《せっ》極《きょく》
乗《じょう》車《しゃ》 ↔ 下《げ》車《しゃ》
場《じょう》内《ない》 ↔ 場《じょう》外《がい》
上《じょう》品《ひん》 ↔ 下《げ》品《ひん》
静《じょう》脈《みゃく》 ↔ 動《どう》脈《みゃく》
上《じょう》流《りゅう》 ↔ 下《か》流《りゅう》
自《じ》力《りき》 ↔ 他《た》力《りき》
新《しん》式《しき》 ↔ 旧《きゅう》式《しき》

新《しん》年《ねん》 ↔ 旧《きゅう》年《ねん》
水《すい》平《へい》 ↔ 垂《すい》直《ちょく》
成《せい》功《こう》 ↔ 失《しっ》敗《ぱい》
正《せい》常《じょう》 ↔ 異《い》常《じょう》
精《せい》神《しん》 ↔ 肉《にく》体《たい》
絶《ぜっ》対《たい》 ↔ 相《そう》対《たい》
前《ぜん》期《き》 ↔ 後《こう》期《き》
先《せん》日《じつ》 ↔ 後《ご》日《じつ》
前《ぜん》者《しゃ》 ↔ 後《こう》者《しゃ》
先《せん》進《しん》 ↔ 後《こう》進《しん》
前《ぜん》進《しん》 ↔ 後《こう》進《しん》
戦《せん》争《そう》 ↔ 平《へい》和《わ》
全《ぜん》体《たい》 ↔ 部《ぶ》分《ぶん》
先《せん》発《ぱつ》 ↔ 後《こう》発《はつ》
前《ぜん》半《はん》 ↔ 後《こう》半《はん》
前《ぜん》方《ぽう》 ↔ 後《こう》方《ほう》
前《ぜん》列《れつ》 ↔ 後《こう》列《れつ》
増《ぞう》加《か》 ↔ 減《げん》少《しょう》
送《そう》信《しん》 ↔ 受《じゅ》信《しん》

（た行《ぎょう》）

多《た》数《すう》 ↔ 少《しょう》数《すう》
多《た》量《りょう》 ↔ 少《しょう》量《りょう》
長《ちょう》期《き》 ↔ 短《たん》期《き》

直《ちょく》接《せつ》 ↔ 間《かん》接《せつ》
直《ちょく》線《せん》 ↔ 曲《きょく》線《せん》
登《と》山《ざん》 ↔ 下《げ》山《ざん》
登《とう》校《こう》 ↔ 下《げ》校《こう》
同《どう》質《しつ》 ↔ 異《い》質《しつ》
当《とう》選《せん》 ↔ 落《らく》選《せん》
東《とう》洋《よう》 ↔ 西《せい》洋《よう》
得《とく》点《てん》 ↔ 失《しっ》点《てん》

（な行《ぎょう》）

内《ない》科《か》 ↔ 外《げ》科《か》
内《ない》容《よう》 ↔ 形《けい》式《しき》
入《にゅう》学《がく》 ↔ 卒《そつ》業《ぎょう》
入《にゅう》港《こう》 ↔ 出《しゅっ》港《こう》
入《にゅう》力《りょく》 ↔ 出《しゅつ》力《りょく》
年《ねん》末《まつ》 ↔ 年《ねん》始《し》

（は行《ぎょう》）

倍《ばい》数《すう》 ↔ 約《やく》数《すう》
白《はく》昼《ちゅう》 ↔ 深《しん》夜《や》
発《はっ》信《しん》 ↔ 受《じゅ》信《しん》
発《はっ》注《ちゅう》 ↔ 受《じゅ》注《ちゅう》
悲《ひ》劇《げき》 ↔ 喜《き》劇《げき》
被《ひ》告《こく》 ↔ 原《げん》告《こく》
必《ひつ》要《よう》 ↔ 不《ふ》要《よう》

平《へい》凡《ぼん》 ↔ 非《ひ》凡《ぼん》
便《べん》利《り》 ↔ 不《ふ》便《べん》
本《ほん》店《てん》 ↔ 支《し》店《てん》
本《ほん》部《ぶ》 ↔ 支《し》部《ぶ》

（ま行《ぎょう》）

前《まえ》足《あし》 ↔ 後《あと》足《あし》

（や行《ぎょう》）

有《ゆう》限《げん》 ↔ 無《む》限《げん》
有《ゆう》罪《ざい》 ↔ 無《む》罪《ざい》
有《ゆう》能《のう》 ↔ 無《む》能《のう》
有《ゆう》名《めい》 ↔ 無《む》名《めい》
有《ゆう》料《りょう》 ↔ 無《む》料《りょう》
輸《ゆ》入《にゅう》 ↔ 輸《ゆ》出《しゅつ》

（ら行《ぎょう》）

落《らく》第《だい》 ↔ 合《ごう》格《かく》
楽《らっ》観《かん》 ↔ 悲《ひ》観《かん》

（わ行《ぎょう》）

和《わ》室《しつ》 ↔ 洋《よう》室《しつ》
和《わ》食《しょく》 ↔ 洋《よう》食《しょく》
和《わ》装《そう》 ↔ 洋《よう》装《そう》
和《わ》風《ふう》 ↔ 洋《よう》風《ふう》
和《わ》服《ふく》 ↔ 洋《よう》服《ふく》
割《わり》高《だか》 ↔ 割《わり》安《やす》

熟語《じゅくご》の形《かたち》

（●熟語《じゅくご》が成《な》り立《た》っている形《かたち》をしめしました。●印《じるし》の漢字《かんじ》は、教育漢字《きょういくかんじ》以外《いがい》の常用漢字《じょうようかんじ》。）

(1)上下《じょうげ》に、意味《いみ》の似《に》ている漢字《かんじ》が並《なら》んでいる形《かたち》。

温暖《おんだん》……あたたかい。
学習《がくしゅう》……まなびならう。
河川《かせん》……かわ。
完全《かんぜん》……欠《か》けたところがない。
言語《げんご》……ことば。
建造《けんぞう》……家《いえ》や船《ふね》などをつくる。
身体《しんたい》……からだ。
単独《たんどく》……ひとり。ひとつ。
道路《どうろ》……みち。
滅亡《めつぼう》……ほろびてなくなる。
優秀《ゆうしゅう》……すぐれている。

(2)上《うえ》の漢字《かんじ》と下《した》の漢字《かんじ》が対《つい》の関係《かんけい》になっている形《かたち》。

有無《うむ》……有《あ》る、無《な》い。
往復《おうふく》……いくことと、もどること。
強弱《きょうじゃく》……強《つよ》いと、弱《よわ》い。
攻守《こうしゅ》……攻《せ》めると、守《まも》る。
上下《じょうげ》……上《うえ》と、下《した》。
善悪《ぜんあく》……善《よ》いと、悪《わる》い。
大小《だいしょう》……大《おお》きいと、小《ちい》さい。
多少《たしょう》……多《おお》い、少《すく》ない。
天地《てんち》……天《てん》と、地面《じめん》。
東西《とうざい》……東《ひがし》と、西《にし》。
明暗《めいあん》……明《あか》るいと、暗《くら》い。

(3)上《うえ》の漢字《かんじ》が、下《した》の漢字《かんじ》の意味《いみ》を補《おぎな》ってくわしく説明《せつめい》する形《かたち》。

永住《えいじゅう》……永《なが》く住《す》む。
円周《えんしゅう》……円《えん》の周《まわ》り。
急用《きゅうよう》……急《いそ》ぎの用事《ようじ》。
激論《げきろん》……激《はげ》しい議論《ぎろん》。
試食《ししょく》……試《ため》しに食《た》べる。
私用《しよう》……私《わたくし》の用事《ようじ》。
新人《しんじん》……新《あたら》しい人《ひと》。
親友《しんゆう》……親《した》しい友《とも》。
等分《とうぶん》……等《ひと》しく分《わ》ける。

(4)下《した》の漢字《かんじ》の意味《いみ》を、上《うえ》の漢字《かんじ》が説《せつ》明《めい》する形《かたち》。

開校《かいこう》……学校《がっこう》を開《ひら》く。
求人《きゅうじん》……人《ひと》を求《もと》める。
敬老《けいろう》……老人《ろうじん》を敬《うやま》う。
借金《しゃっきん》……お金《かね》を借《か》りる。
習字《しゅうじ》……字《じ》を習《なら》う。
消毒《しょうどく》……毒《どく》を消《け》す。
植樹《しょくじゅ》……樹木《じゅもく》を植《う》える。
待機《たいき》……機会《きかい》を待《ま》つ。
築城《ちくじょう》……城《しろ》を築《きず》く。
投球《とうきゅう》……球《たま》を投《な》げる。
読書《どくしょ》……書物《しょもつ》を読《よ》む。

(5)下《した》の漢字《かんじ》の意味《いみ》を、上《うえ》の漢字《かんじ》が補《おぎな》う形《かたち》。

寄港《きこう》……港《みなと》に寄《よ》る。
帰国《きこく》……国《くに》に帰《かえ》る。

集会《しゅうかい》……会《かい》に集《あつ》まる。
出社《しゅっしゃ》……会社《かいしゃ》に出《で》る。
上京《じょうきょう》……東京《とうきょう》に上《のぼ》る。
乗車《じょうしゃ》……車《くるま》に乗《の》る。
着席《ちゃくせき》……席《せき》に着《つ》く。
登山《とざん》……山《やま》に登《のぼ》る。
入学《にゅうがく》……学校《がっこう》に入《はい》る。

(6)上《うえ》の漢字《かんじ》が主語《しゅご》、下《した》の漢字《かんじ》が述語《じゅつご》の形《かたち》。

国立《こくりつ》……国《くに》が立《た》てる。
骨折《こっせつ》……骨《ほね》が折《お》れる。
私営《しえい》……私《わたくし》が営《いとな》む。
地震《じしん》……土《と》地《ち》が震《ふる》える。
人造《じんぞう》……人《ひと》が造《つく》る。
日没《にちぼつ》……日《ひ》が没《ぼっ》する。
腹痛《ふくつう》……腹《はら》が痛《いた》む。
雷鳴《らいめい》……雷《かみなり》が鳴《な》る。

(7)上《うえ》の漢字《かんじ》が下《した》の漢字《かんじ》の意味《いみ》を打《う》ち消《け》す形《かたち》。

否決《ひけつ》……だめだと決《き》める。
非情《ひじょう》……情《なさけ》がない。

否認《ひにん》……認《みと》めない。
非凡《ひぼん》……平凡《へいぼん》ではない。
不幸《ふこう》……幸福《こうふく》でない。
不正《ふせい》……正《ただ》しくない。
無事《ぶじ》……事故《じこ》などがない。
未婚《みこん》……結婚《けっこん》していない。
未定《みてい》……定《さだ》まっていない。
無害《むがい》……害《がい》がない。

(8)一部分《いちぶぶん》が省略《しょうりゃく》された形《かたち》。

急行《きゅうこう》……「急行列《きゅうこうれっ》(電《でん》)車《しゃ》」の略《りゃく》。
京浜《けいひん》……「東京《とうきょう》と横浜《よこはま》」の略《りゃく》。
原爆《げんばく》……「原子爆弾《げんしばくだん》」の略《りゃく》。
高卒《こうそつ》……「高等学校卒業《こうとうがっこうそつぎょう》」の略《りゃく》。
国連《こくれん》……「国際連合《こくさいれんごう》」の略《りゃく》。
私鉄《してつ》……「私営鉄道《しえいてつどう》」の略《りゃく》。
短大《たんだい》……「短期大学《たんきだいがく》」の略《りゃく》。

(9)同《おな》じ漢字《かんじ》をくり返《かえ》す形《かたち》。

代代《だいだい》……何代《なんだい》もつづいて。
堂堂《どうどう》……いかめしくて、りっぱ。
所所《ところどころ》……あちらこちら。
日日《ひび》……その日《ひ》その日《ひ》。

洋洋《ようよう》…水《みず》や希望《きぼう》があふれている。

(10)「子《こ》」「的《てき》」「然《ぜん》」「如《じょ》」などの漢《かん》字《じ》がついた形《かたち》。

菓子《かし》……あめ・せんべいなど。
調子《ちょうし》……ぐあい。程度《ていど》。
様子《ようす》……ありさま。
私的《してき》…その人《ひと》だけに関係《かんけい》のあること。
美的《びてき》…美《うつく》しいことに関係《かんけい》のあること。
病的《びょうてき》……病気《びょうき》なようであること。
偶然《ぐうぜん》……思《おも》いがけないこと。
突然《とつぜん》……急《きゅう》におこること。
欠如《けつじょ》……なくてたりないこと。

(11)日本《にっぽん》で作《つく》ったり、外来語《がいらいご》に当《あ》てたりした形《かたち》。

英国《えいこく》……イギリスのこと。
五輪《ごりん》……オリンピックのこと。
野原《のはら》……広々《ひろびろ》とした原《はら》っぱ。
広場《ひろば》……広《ひろ》い場所《ばしょ》。
米国《べいこく》……アメリカ合衆国《がっしゅうこく》のこと。

ものを数《かぞ》える漢字《かんじ》

（ふつう使《つか》われる数《かぞ》え方《かた》の漢字《かんじ》だけをしめしました。●印《じるし》の漢字《かんじ》は、教育漢字《きょういくかんじ》以外《いがい》の常用漢字《じょうようかんじ》、＊印《じるし》の漢字《かんじ》は、常用漢字《じょうようかんじ》以外《いがい》の漢字《かんじ》。）

（あ行《ぎょう》）

アイスクリーム……個《こ》
赤《あか》とんぼ……匹《ひき》●
足《あし》……本《ほん》
油《あぶら》あげ……丁《ちょう》・枚《まい》
あり……匹《ひき》●
家《いえ》……戸《こ》・軒《けん》●
いか……杯《はい》●・匹《ひき》●
いす……脚《きゃく》●
犬《いぬ》……匹《ひき》●・頭《とう》
植木《うえき》ばち……鉢《はち》●
うさぎ……羽《わ》・匹《ひき》●
牛《うし》……頭《とう》
腕《うで》●……本《ほん》
うどん……玉《たま》
馬《うま》……頭《とう》
えび……匹《ひき》●
えびフライ……本《ほん》
えん筆《ぴつ》……本《ほん》
オートバイ……台《だい》
おたまじゃくし……匹《ひき》●
お茶《ちゃ》……杯《はい》●・服《ふく》
おにぎり……個《こ》

（か行《ぎょう》）

かえる……匹《ひき》●
鏡《かがみ》……面《めん》
かけじく……軸《じく》●・幅《ふく》●
傘《かさ》●……本《ほん》
カセットテープ……巻《かん》
かたつむり……匹《ひき》●
かなづち……丁《ちょう》
かに……匹《ひき》●・杯《はい》●
かばん……個《こ》
かぶと虫《むし》……匹《ひき》●
かまぼこ……本《ほん》
かめ……匹《ひき》●
カメラ……台《だい》
からす……羽《わ》
カレーライス……皿《さら》
かんづめ……缶《かん》●・個《こ》
乾電池《かんでんち》●……個《こ》
きつね……匹《ひき》●
着物《きもの》……枚《まい》・着《ちゃく》
キャベツ……玉《たま》
きゅうり……本《ほん》
恐竜《きょうりゅう》●●……頭《とう》
きりん……頭《とう》
金魚《きんぎょ》……尾《び》●・匹《ひき》●
くじら……頭《とう》
薬《くすり》（粉《こな》）……服《ふく》
（つぶ）……錠《じょう》●
靴《くつ》●……足《そく》
クッキー……枚《まい》
靴下《くつした》●……足《そく》
クレヨン……本《ほん》
ケーキ……切《き》れ・個《こ》
下駄《げた》●……足《そく》
こい……匹《ひき》●
コップ……個《こ》
ご飯《はん》……杯《はい》●・膳《ぜん》＊
碁《ご》●盤《ばん》●……面《めん》
コロッケ……個《こ》
こんにゃく……枚《まい》・丁《ちょう》

（さ行《ぎょう》）

魚《さかな》のひらき……枚《まい》
雑誌《ざっし》……冊《さつ》・部《ぶ》
皿《さら》……枚《まい》
さる……頭《とう》・匹《ひき》●
ざるそば……枚《まい》・丁《ちょう》
サンダル……足《そく》
自転車《じてんしゃ》……台《だい》
写真《しゃしん》……枚《まい》・葉《よう》

シャツ……枚《まい》
しょうじ……張《はり》
食《しょく》パン……斤《きん》
新聞《しんぶん》……部《ぶ》
すいか……玉《たま》・個《こ》
スカート……着《ちゃく》・枚《まい》
すし……個《こ》・貫《かん》
スプーン……本《ほん》
ズボン……着《ちゃく》・本《ほん》
相撲《すもう》……番《ばん》
スリッパ……足《そく》
せみ……匹《ひき》
せんべい……枚《まい》
象《ぞう》……頭《とう》
草履《ぞうり》……足《そく》

（た行《ぎょう》）

タオル……枚《まい》・本《ほん》
たたみ……畳《じょう》・枚《まい》
たぬき……匹《ひき》
たまねぎ……玉《たま》
茶《ちゃ》わん……客《きゃく》
ちょう……匹《ひき》
机《つくえ》……台《だい》・脚《きゃく》
手袋《てぶくろ》……足《そく》・組《くみ》
テレビ……台《だい》
電車《でんしゃ》……両《りょう》
豆腐《とうふ》……丁《ちょう》
トマト……個《こ》
トラック……台《だい》
とんかつ……枚《まい》

（な行《ぎょう》）

長靴《ながぐつ》……足《そく》
肉《にく》……枚《まい》
人形《にんぎょう》……体《たい》
ねぎ……本《ほん》
ネクタイ……本《ほん》
ねこ……匹《ひき》
ノート……冊《さつ》
のこぎり……丁《ちょう》

（は行《ぎょう》）

歯《は》……本《ほん》
バイオリン……丁《ちょう》
俳句《はいく》……句《く》
葉書《はがき》……枚《まい》・葉《よう》
はさみ……丁《ちょう》
バナナ……本《ほん》
パンダ……頭《とう》
パンツ……枚《まい》・着《ちゃく》
ピアノ……台《だい》
飛行機《ひこうき》……機《き》
ビスケット……枚《まい》
ビル……棟《とう》
ふうとう……枚《まい》
フォーク……本《ほん》
ふすま……枚《まい》
ぶた……頭《とう》・匹《ひき》
ぶどう……房《ふさ》
ふとん……枚《まい》
ブラシ……本《ほん》
ベッド……台《だい》
へび……匹《ひき》
ヘリコプター……機《き》
ベルト……本《ほん》
ほうき……本《ほん》
ほうちょう……丁《ちょう》・本《ほん》
ホットケーキ……枚《まい》
本《ほん》……冊《さつ》・部《ぶ》

（ま行《ぎょう》）

まな板《いた》……丁《ちょう》
マフラー……枚《まい》
豆《まめ》……粒《つぶ》
みかん……個《こ》
ミシン……台《だい》
毛布《もうふ》……枚《まい》
もち……個《こ》
ものさし……本《ほん》

（や行《ぎょう》）

湯《ゆ》のみ……個《こ》
指《ゆび》……本《ほん》
洋服《ようふく》……着《ちゃく》

（ら行《ぎょう》・わ行《ぎょう》）

冷蔵庫《れいぞうこ》……台《だい》
ワイシャツ……着《ちゃく》・枚《まい》
和歌《わか》……首《しゅ》

グループの漢字《かんじ》

●印《じるし》の漢字《かんじ》は、教育漢字《きょういくかんじ》以外《いがい》の常用漢字《じょうようかんじ》。
*印《じるし》の漢字《かんじ》は、常用漢字《じょうようかんじ》以外《いがい》の漢字《かんじ》。

数字《すうじ》の漢字《かんじ》

一《いち》・二《に》・三《さん》・四《し》・五《ご》・六《ろく》・七《しち》・八《はち》・九《く》・十《じゅう》・百《ひゃく》・千《せん》・万《まん》・億《おく》・兆《ちょう》

等級《とうきゅう》の漢字《かんじ》

上《じょう》・中《ちゅう》・下《げ》・初《しょ》・中《ちゅう》・高《こう》・低《てい》

方位《ほうい》・方角《ほうがく》の漢字《かんじ》

東《ひがし》・西《にし》・南《みなみ》・北《きた》・右《みぎ》・左《ひだり》・上《うえ》・下《した》

季節《きせつ》の漢字《かんじ》

春《はる》・夏《なつ》・秋《あき》・冬《ふゆ》

曜日《ようび》の漢字《かんじ》

日曜日《にちようび》・月曜日《げつようび》・火曜日《かようび》・水曜日《すいようび》・木曜日《もくようび》・金曜日《きんようび》・土曜日《どようび》

十二支《じゅうにし》の漢字《かんじ》

子《ね》（ねずみ）・*丑《うし》（うし）・*寅《とら》（とら）・*卯《う》（うさぎ）・*辰《たつ》（りゅう）・*巳《み》（へび）・午《うま》（うま）・未《ひつじ》（ひつじ）・申《さる》（さる）・*酉《とり》（にわとり）・*戌《いぬ》（いぬ）・*亥《い》（いのしし）

色《いろ》の漢字《かんじ》

赤《あか》・白《しろ》・黒《くろ》・青《あお》・黄《き》・緑《みどり》・紅《くれない》・灰《はい》

人間《にんげん》の漢字《かんじ》

人《ひと》・男《おとこ》・女《おんな》・兄《あに》・姉《あね》・弟《おとうと》・妹《いもうと》・祖父《そふ》・祖母《そぼ》・孫《まご》・夫《おっと》・妻《つま》・王《おう》・者《もの》・●叔父《おじ》・●伯父《おじ》・●叔母《おば》・●伯母《おば》

体《からだ》の漢字《かんじ》

目《め》・鼻《はな》・口《くち》・耳《みみ》・舌《した》・顔《かお》・首《くび》・頭《あたま》・手《て》・足《あし》・指《ゆび》・眼《まなこ》・額《ひたい》・●腰《こし》・●肩《かた》・●腕《うで》・毛《け》・背《せ》・胸《むね》・歯《は》・胃《い》・腸《ちょう》・肺《はい》・臓《ぞう》・脳《のう》・血《ち》・骨《ほね》・筋《すじ》・体《からだ》・身《み》・●髪《かみ》

動物《どうぶつ》の漢字《かんじ》

犬《いぬ》・馬《うま》・牛《うし》・羊《ひつじ》・象《ぞう》・鳥《とり》・魚《さかな》・貝《かい》・虫《むし》・蚕《かいこ》・羽《はね》・卵《たまご》・乳《ちち》・角《つの》・*亀《かめ》・*鶴《つる》

植物《しょくぶつ》の漢字《かんじ》

花《はな》・草《くさ》・木《き》・竹《たけ》・樹《じゅ》・葉《は》・芽《め》・根《ね》・枝《えだ》・実《み》・●茎《くき》・幹《みき》・株《かぶ》・穀《こく》・種《たね》・米《こめ》・麦《むぎ》・菜《な》・綿《わた》・豆《まめ》・梅《うめ》・桜《さくら》・松《まつ》

自然《しぜん》・天体《てんたい》の漢字《かんじ》

山《やま》・川《かわ》・河《かわ》・海《うみ》・湖《みずうみ》・谷《たに》・泉《いずみ》・池《いけ》・岸《きし》・陸《りく》・島《しま》・野《の》・林《はやし》・森《もり》・岩《いわ》・地《ち》・土《つち》・潮《しお》・坂《さか》・道《みち》・路《ろ》・雨《あめ》・雲《くも》・雪《ゆき》・日《ひ》・月《つき》・星《ほし》・風《かぜ》・田《た》・畑《はたけ》・空《そら》・天《てん》

建物《たてもの》の漢字《かんじ》

家《いえ》・倉《くら》・蔵《くら》・門《もん》・宮《みや》・社《やしろ》・寺《てら》・駅《えき》・堂《どう》・館《かん》・戸《と》・窓《まど》・柱《はしら》・●壁《かべ》

部首《ぶしゅ》さくいん

部首《ぶしゅ》さくいんの使《つか》い方《かた》

●教育漢字《きょういくかんじ》一〇〇六字《じ》を部首順《ぶしゅじゅん》にならべています。

●同《おな》じ部首《ぶしゅ》の漢字《かんじ》は学習《がくしゅう》する学年順《がくねんじゅん》にしめしています。

●⇩はその漢字《かんじ》のでているページを、↓は他《た》の部首《ぶしゅ》に入《はい》る漢字《かんじ》をしめしています。

一 いち

一⇩36　下⇩41　三⇩54
七⇩60　上⇩67　万⇩207
世⇩274　丁⇩287　両⇩323
不⇩411　並⇩607　十↓十
干↓干　才↓扌　五↓二
天↓大　平↓十　正↓止
至↓至

丨 ぼう

中⇩83　旧↓日

丶 てん

丸⇩117　主⇩259　永↓水

部首《ぶしゅ》さくいん

禾

禾のぎへん
禾のぎへん

穴

穴あな
穴あなかんむり

立

たつ

罒

あみがしら
よこめ

竹

竹たけ
⺮たけかんむり

米

米こめ
米こめへん

糸

いと
いとへん

羊

ひつじ

羽

はね

耒

すきへん

耳

耳みみ
耳みみへん

肉

にく

月

にくづき
（つきは660ページ）

自

みずから

至

いたる

臼

うす

舌

した

舟

舟ふね
舟ふね

艮

ねづくり

色

いろ

臨（臨）621
（穫）カク
（騎）キ
（襟）キン えり
（繭）ケン まゆ
（顕）ケン
（鎖）サ くさり
（瞬）シュン またたく
（繕）ゼン つくろう
（礎）ソ いしずえ
（騒）ソウ さわぐ
（贈）ゾウ ソウ おくる
（懲）チョウ こりる こらす こらしめる
（鎮）チン しずめる しずまる
（闘）トウ たたかう
（藩）ハン
（覆）フク おおう くつがえす くつがえる
（癖）ヘキ くせ
（翻）ホン ひるがえる ひるがえす
（癒）ユ
（濫）ラン
（糧）リョウ ロウ かて

19画

4 願（願）344
鏡（鏡）353
5 識（識）478
6 警（警）547
臓（臓）587
（韻）イン
（繰）くる
（鶏）ケイ にわとり
（鯨）ゲイ くじら
（璽）ジ
（髄）ズイ
（瀬）せ
（藻）ソウ も
（覇）ハ
（爆）バク
（譜）フ
（簿）ボ
（霧）ム きり
（羅）ラ
（離）リ はなれる はなす
（麗）レイ うるわしい

20画

4 議（議）348
競（競）354
5 護（護）463
（響）キョウ ひびく
（懸）ケン ケ かける かかる
（鐘）ショウ かね
（譲）ジョウ ゆずる
（醸）ジョウ かもす
（籍）セキ
（騰）トウ
（欄）ラン

21画

（艦）カン
（顧）コ かえりみる
（魔）マ
（躍）ヤク おどる
（露）ロ ロウ つゆ

22画

（驚）キョウ おどろく おどろかす
（襲）シュウ おそう

23画

（鑑）カン

画数《かくすう》 さくいん

（墜） ツイ
（締） テイ しまる しめる
（徹） テツ
（撤） テツ
（踏） トウ ふむ ふまえる
（輩） ハイ
（賠） バイ
（範） ハン
（盤） バン
（罷） ヒ
（賓） ヒン
（敷） フ しく
（膚） フ
（賦） フ
（舞） ブ まう まい
（噴） フン ふく
（墳） フン
（憤） フン いきどおる
（幣） ヘイ
（弊） ヘイ
（舗） ホ
（褒） ホウ ほめる
（撲） ボク
（摩） マ
（魅） ミ
（黙） モク だまる
（憂） ユウ うれえる うれい うい
（窯） ヨウ かま
（履） リ はく
（慮） リョ
（寮） リョウ
（霊） レイ リョウ たま

16画

2 親 （親） 162
頭 （頭） 190
3 館 （館） 234
橋 （橋） 240
整 （整） 275
薬 （薬） 316
4 機 （機） 348
積 （積） 385
録 （録） 431
5 衛 （衛） 438
興 （興） 466
築 （築） 502
燃 （燃） 508
輸 （輸） 525
6 激 （激） 548
憲 （憲） 550
鋼 （鋼） 556
樹 （樹） 567
縦 （縦） 570
操 （操） 586
糖 （糖） 598
奮 （奮） 607
（緯） イ
（憶） オク
（穏） オン おだやか
（壊） カイ こわす こわれる
（懐） カイ ふところ なつかしい なつかしむ なつく なつける
（獲） カク える
（憾） カン
（還） カン
（凝） ギョウ こる こらす
（薫） クン かおる
（憩） ケイ いこい いこう
（賢） ケン かしこい
（衡） コウ
（墾） コン
（錯） サク
（諮） シ はかる
（儒） ジュ
（獣） ジュウ けもの
（壌） ジョウ
（嬢） ジョウ
（錠） ジョウ
（薪） シン たきぎ
（錘） スイ つむ
（薦） セン すすめる
（濁） ダク にごる にごす
（壇） ダン タン
（篤） トク
（曇） ドン くもる
（濃） ノウ こい
（薄） ハク うすい うすめる うすまる うすらぐ うすれる
（縛） バク しばる
（繁） ハン
（避） ヒ さける
（壁） ヘキ かべ
（縫） ホウ ぬう
（膨） ボウ ふくらむ ふくれる
（謀） ボウ ム はかる
（磨） マ みがく
（諭） ユ さとす
（融） ユウ
（擁） ヨウ
（謡） ヨウ うたい うたう
（頼） ライ たのむ たのもしい たよる
（隣） リン となる となり
（隷） レイ
（錬） レン

17画

5 講 （講） 467
謝 （謝） 479
績 （績） 491
6 厳 （厳） 551
縮 （縮） 571
優 （優） 616
覧 （覧） 619
（嚇） カク
（轄） カツ
（環） カン
（擬） ギ
（犠） ギ
（矯） キョウ ためる
（謹） キン つつしむ
（謙） ケン
（購） コウ
（懇） コン ねんごろ
（擦） サツ する すれる
（爵） シャク
（醜） シュウ みにくい
（償） ショウ つぐなう
（礁） ショウ
（繊） セン
（鮮） セン あざやか
（燥） ソウ
（霜） ソウ しも
（濯） タク
（鍛） タン きたえる
（聴） チョウ きく
（謄） トウ
（頻） ヒン
（翼） ヨク つばさ
（療） リョウ
（齢） レイ

18画

2 顔 （顔） 118
曜 （曜） 214
3 題 （題） 282
4 観 （観） 344
験 （験） 360
類 （類） 427
5 額 （額） 448
織 （織） 486
職 （職） 487
6 簡 （簡） 540
難 （難） 599

製(製) 490
銭(銭) 494
総(総) 495
像(像) 496
増(増) 497
態(態) 501
適(適) 504
銅(銅) 506
徳(徳) 507
複(複) 517
綿(綿) 525
領(領) 528
6 閣(閣) 537
疑(疑) 543
誤(誤) 553
穀(穀) 557
誌(誌) 564
磁(磁) 565
障(障) 575
層(層) 586
認(認) 600
暮(暮) 610
模(模) 615
(維) イ
(隠) イン かくす かくれる
(寡) カ
(箇) カ
(概) ガイ
(駆) ク かける かる
(綱) コウ つな
(酵) コウ
(豪) ゴウ
(酷) コク
(獄) ゴク
(魂) コン たましい
(雌) シ め めす
(漆) シツ うるし
(遮) シャ さえぎる
(需) ジュ
(銃) ジュウ
(塾) ジュク
(緒) ショ チョ お
(彰) ショウ
(誓) セイ ちかう
(銑) セン
(漸) ゼン
(遭) ソウ あう
(憎) ゾウ にくむ にくい にくらしい にくしみ
(駄) ダ
(奪) ダツ うばう
(端) タン はし は はた
(嫡) チャク
(徴) チョウ
(漬) つける つかる
(摘) テキ つむ
(滴) テキ しずく したたる
(稲) トウ いね いな
(寧) ネイ
(髪) ハツ かみ
(罰) バツ バチ
(閥) バツ
(碑) ヒ
(漂) ヒョウ ただよう
(腐) フ くさる くされる くさらす
(慕) ボ したう
(僕) ボク
(墨) ボク すみ
(膜) マク
(慢) マン
(漫) マン
(銘) メイ
(網) モウ あみ
(誘) ユウ さそう
(踊) ヨウ おどる おどり
(僚) リョウ
(暦) レキ こよみ
(漏) ロウ もる もれる もらす

15画

2 線(線) 169
3 横(横) 229
談(談) 284
調(調) 288
箱(箱) 299
4 億(億) 335
課(課) 337
器(器) 347
賞(賞) 381
選(選) 389
熱(熱) 406
標(標) 411
養(養) 423
輪(輪) 427
5 確(確) 447
潔(潔) 458
賛(賛) 473
質(質) 478
敵(敵) 505
導(導) 506
編(編) 518
暴(暴) 523
6 遺(遺) 532
劇(劇) 548
権(権) 550
熟(熟) 571
諸(諸) 573
蔵(蔵) 587
誕(誕) 590
潮(潮) 595
論(論) 622
(慰) イ なぐさめる なぐさむ
(影) エイ かげ
(鋭) エイ するどい
(謁) エツ
(閲) エツ
(縁) エン ふち
(稼) カ かせぐ
(餓) ガ
(潟) かた
(歓) カン
(監) カン
(緩) カン ゆるい ゆるやか ゆるむ ゆるめる
(輝) キ かがやく
(儀) ギ
(戯) ギ たわむれる
(窮) キュウ きわめる きわまる
(緊) キン
(勲) クン
(慶) ケイ
(撃) ゲキ うつ
(稿) コウ
(撮) サツ とる
(暫) ザン
(賜) シ たまわる
(趣) シュ おもむき
(潤) ジュン うるおう うるおす うるむ
(遵) ジュン
(衝) ショウ
(縄) ジョウ なわ
(嘱) ショク
(審) シン
(震) シン ふるう ふるえる
(穂) スイ ほ
(請) セイ シン こう うける
(潜) セン ひそむ もぐる
(遷) セン
(槽) ソウ
(諾) ダク
(鋳) チュウ いる
(駐) チュウ
(澄) チョウ すむ すます

解（解）446
幹（幹）449
義（義）452
禁（禁）456
群（群）457
鉱（鉱）465
罪（罪）472
資（資）476
飼（飼）476
準（準）482
勢（勢）489
損（損）499
墓（墓）520
豊（豊）521
夢（夢）524
預（預）526
6 絹（絹）549
源（源）551
署（署）573
傷（傷）575
蒸（蒸）576
聖（聖）580
誠（誠）580
暖（暖）591
賃（賃）595
腹（腹）606
幕（幕）613
盟（盟）614
裏（裏）620
（違）イ ちがう ちがえる
（煙）エン けむる けむり けむい
（猿）エン さる
（鉛）エン なまり
（虞）おそれ
（嫁）カ よめ とつぐ
（暇）カ ひま
（禍）カ
（靴）カ くつ
（雅）ガ
（塊）カイ かたまり
（慨）ガイ
（該）ガイ
（較）カク
（隔）カク へだてる へだたる
（滑）カツ すべる なめらか
（褐）カツ
（勧）カン すすめる
（寛）カン
（頑）ガン
（棄）キ
（詰）キツ つめる つまる つむ
（愚）グ おろか
（傾）ケイ かたむく かたむける
（携）ケイ たずさえる たずさわる
（継）ケイ つぐ
（傑）ケツ
（嫌）ケン ゲン きらう いや
（献）ケン コン
（遣）ケン つかう つかわす
（誇）コ ほこる
（鼓）コ つづみ
（碁）ゴ
（溝）コウ みぞ
（債）サイ
（催）サイ もよおす
（歳）サイ セイ
（載）サイ のせる のる
（搾）サク しぼる
（嗣）シ
（慈）ジ いつくしむ
（愁）シュウ うれえる うれい
（酬）シュウ
（奨）ショウ
（詳）ショウ くわしい
（飾）ショク かざる
（触）ショク ふれる さわる
（寝）シン ねる ねかす
（慎）シン つつしむ
（睡）スイ
（跡）セキ あと
（摂）セツ
（践）セン
（禅）ゼン
（塑）ソ
（僧）ソウ
（賊）ゾク
（滞）タイ とどこおる
（滝）たき
（嘆）タン なげく なげかわしい
（痴）チ
（稚）チ
（蓄）チク たくわえる
（跳）チョウ はねる とぶ
（艇）テイ
（殿）デン テン との どの
（塗）ト ぬる
（督）トク
（漠）バク
（鉢）ハチ ハツ
（搬）ハン
（煩）ハン ボン わずらう わずらわす
（頒）ハン
（微）ビ
（飽）ホウ あきる あかす
（滅）メツ ほろびる ほろぼす
（誉）ヨ ほまれ
（溶）ヨウ とける とかす とく
（腰）ヨウ こし
（裸）ラ はだか
（雷）ライ かみなり
（酪）ラク
（虜）リョ
（鈴）レイ リン すず
（零）レイ
（廉）レン
（楼）ロウ
（賄）ワイ まかなう

14画

2 歌（歌）110
語（語）132
算（算）146
読（読）192
聞（聞）201
鳴（鳴）209
3 駅（駅）228
銀（銀）242
鼻（鼻）304
様（様）321
緑（緑）324
練（練）325
4 管（管）343
関（関）343
旗（旗）347
漁（漁）352
察（察）368
種（種）376
静（静）384
説（説）388
歴（歴）429
5 演（演）440
慣（慣）449
境（境）455
構（構）466
際（際）470
雑（雑）472
酸（酸）473
精（精）489

裁（裁）560
策（策）560
詞（詞）564
就（就）569
衆（衆）569
善（善）583
創（創）585
装（装）585
尊（尊）588
痛（痛）596
晩（晩）604
補（補）609
棒（棒）612
（握）アク にぎる
（偉）イ えらい
（詠）エイ よむ
（越）エツ こす こえる
（援）エン
（奥）オウ おく
（渦）カ うず
（喚）カン
（堪）カン たえる
（換）カン かえる かわる
（敢）カン
（棺）カン
（款）カン
（閑）カン
（幾）キ いく
（棋）キ
（欺）ギ あざむく
（喫）キツ
（距）キョ
（御）ギョ ゴ おん
（暁）ギョウ あかつき
（琴）キン こと
（遇）グウ
（隅）グウ すみ
（圏）ケン
（堅）ケン かたい
（雇）コ やとう
（慌）コウ あわてる あわただしい
（硬）コウ かたい
（絞）コウ しぼる しめる しまる
（項）コウ
（詐）サ
（酢）サク す
（傘）サン かさ
（滋）ジ
（軸）ジク
（湿）シツ しめる しめす
（煮）シャ にる にえる にやす
（循）ジュン
（掌）ショウ
（晶）ショウ
（焦）ショウ こげる こがす こがれる あせる
（硝）ショウ
（粧）ショウ
（詔）ショウ みことのり
（畳）ジョウ たたむ たたみ
（殖）ショク ふえる ふやす
（診）シン みる
（尋）ジン たずねる
（遂）スイ とげる
（随）ズイ
（婿）セイ むこ
（疎）ソ うとい うとむ
（訴）ソ うったえる
（喪）ソウ も
（葬）ソウ ほうむる
（堕）ダ
（惰）ダ
（替）タイ かえる かわる
（棚）たな
（弾）ダン ひく はずむ たま
（遅）チ おくれる おくらす おそい
（脹）チョウ
（超）チョウ こえる こす
（塚）つか
（堤）テイ つつみ
（渡）ト わたる わたす
（塔）トウ
（搭）トウ
（棟）トウ むね むな
（痘）トウ
（筒）トウ つつ
（鈍）ドン にぶい にぶる
（廃）ハイ すたれる すたる
（媒）バイ
（蛮）バン
（扉）ヒ とびら
（普）フ
（幅）フク はば
（雰）フン
（塀）ヘイ
（遍）ヘン
（募）ボ つのる
（傍）ボウ かたわら
（帽）ボウ
（愉）ユ
（猶）ユウ
（裕）ユウ
（雄）ユウ お おす
（揚）ヨウ あげる あがる
（揺）ヨウ ゆれる ゆる ゆらぐ ゆるぐ ゆする ゆさぶる ゆすぶる
（絡）ラク からむ からまる
（痢）リ
（硫）リュウ
（塁）ルイ
（裂）レツ さく さける
（廊）ロウ
（惑）ワク まどう
（湾）ワン
（腕）ワン うで

13画

2 園（園）106
遠（遠）106
楽（楽）115
新（新）161
数（数）163
電（電）186
話（話）216
3 暗（暗）223
意（意）224
感（感）233
漢（漢）234
業（業）240
詩（詩）255
想（想）277
鉄（鉄）291
農（農）297
福（福）309
路（路）326
4 愛（愛）330
塩（塩）335
試（試）373
辞（辞）374
照（照）381
節（節）387
戦（戦）389
続（続）393
置（置）396
腸（腸）398
働（働）404

画数《かくすう》さくいん

（掲） ケイ かかげる
（渓） ケイ
（蛍） ケイ ほたる
（控） コウ ひかえる
（婚） コン
（紺） コン
（彩） サイ いろどる
（斎） サイ
（崎） さき
（惨） サン ザン みじめ
（紫） シ むらさき
（執） シツ シュウ とる
（赦） シャ
（斜） シャ ななめ
（蛇） ジャ ダ へび
（釈） シャク
（寂） ジャク セキ さび さびしい さびれる
（渋） ジュウ しぶ しぶい しぶる
（淑） シュク
（粛） シュク
（庶） ショ
（渉） ショウ
（紹） ショウ
（訟） ショウ
（剰） ジョウ
（紳） シン
（酔） スイ よう
（崇） スウ
（据） すえる すわる
（惜） セキ おしい おしむ
（旋） セン
（措） ソ
（粗） ソ あらい
（掃） ソウ はく
（曹） ソウ
（袋） タイ ふくろ
（逮） タイ
（脱） ダツ ぬぐ ぬげる
（淡） タン あわい
（窒） チツ
（彫） チョウ ほる
（眺） チョウ ながめる
（釣） チョウ つる
（陳） チン
（偵） テイ
（添） テン そえる そう
（悼） トウ いたむ
（盗） トウ ぬすむ
（陶） トウ
（豚） トン ぶた
（軟） ナン やわらか やわらかい
（粘） ネン ねばる
（婆） バ
（排） ハイ
（培） バイ つちかう
（陪） バイ
（舶） ハク
（販） ハン
（描） ビョウ えがく
（猫） ビョウ ねこ
（瓶） ビン
（符） フ
（偏） ヘン かたよる
（崩） ホウ くずれる くずす
（堀） ほり
（麻） マ あさ
（猛） モウ
（唯） ユイ イ
（悠） ユウ
（庸） ヨウ
（粒） リュウ つぶ
（隆） リュウ
（涼） リョウ すずしい すずむ
（猟） リョウ
（陵） リョウ みささぎ
（累） ルイ

12画

1 森（森） 68
2 雲（雲） 105
絵（絵） 113
間（間） 116
場（場） 158
晴（晴） 166
朝（朝） 180
答（答） 189
道（道） 191
買（買） 196
番（番） 198
3 飲（飲） 226
運（運） 227
温（温） 230
開（開） 232
階（階） 232
寒（寒） 233
期（期） 236
軽（軽） 245
湖（湖） 248
港（港） 249
歯（歯） 254
集（集） 264
暑（暑） 267
勝（勝） 270
植（植） 271
短（短） 284
着（着） 285
湯（湯） 294
登（登） 295
等（等） 295
童（童） 296
悲（悲） 303
筆（筆） 305
遊（遊） 318
葉（葉） 320
陽（陽） 320
落（落） 321
4 街（街） 340
覚（覚） 341
喜（喜） 346
給（給） 350
極（極） 354
景（景） 357
結（結） 359
最（最） 365
散（散） 370
順（順） 377
焼（焼） 380
象（象） 380
然（然） 390
隊（隊） 395
達（達） 395
貯（貯） 397
博（博） 408
飯（飯） 408
費（費） 409
満（満） 419
無（無） 421
量（量） 426
5 営（営） 438
過（過） 445
賀（賀） 445
検（検） 460
減（減） 462
証（証） 484
税（税） 490
絶（絶） 493
測（測） 498
属（属） 498
貸（貸） 500
提（提） 503
程（程） 504
統（統） 505
備（備） 513
評（評） 514
富（富） 516
復（復） 517
報（報） 521
貿（貿） 522
6 割（割） 538
揮（揮） 542
貴（貴） 542
勤（勤） 545
筋（筋） 546
敬（敬） 547

10画

9画

8画

6画

7画

1画

2画

3画

4画

5画

画《かく》数《すう》さくいん

画《かく》数《すう》さくいんの使《つか》い方《かた》

●教育漢字《きょういくかんじ》をふくむ常用漢字《じょうようかんじ》1945字《じ》を画数順《かくすうじゅん》にならべています。

●同《おな》じ画数《かくすう》の字《じ》は学習《がくしゅう》する学年順《がくねんじゅん》にしめしています。
●左上《ひだりうえ》の小《ちい》さい数字《すうじ》は、学習《がくしゅう》する学年《がくねん》をしめしています。

●(　)の中《なか》の字《じ》は、新聞《しんぶん》や雑誌《ざっし》などで使《つか》われている明朝体《みんちょうたい》という字体《じたい》の漢字《かんじ》です。

●小学校《しょうがっこう》では学習《がくしゅう》しない常用漢字《じょうようかんじ》は、画数《かくすう》の最後《さいご》にまとめてしめし、カタカナで音《おん》を、ひらがなで訓《くん》をのせています。訓《くん》の中《なか》の細字《ほそじ》は送《おく》りがなです。

1画

1 一（一）36
（乙）オツ

2画

1 九（九）46
七（七）60
十（十）63
人（人）68
二（二）87
入（入）88
八（八）91
力（力）98
2 刀（刀）186
3 丁（丁）287
（又）また
（了）リョウ

まちがえやすい画数《かくすう》の漢字《かんじ》

三《さん》画《かく》▶子・女・己
四《よん》画《かく》▶止・氏・収・比・片・水
五《ご》画《かく》▶北・母・号・以・包・幼
六《ろっ》画《かく》▶考・衣・糸
七《なな》画《かく》▶系・序・良・弟
八《はち》画《かく》▶門・芽・承・版
九《きゅう》画《かく》▶係・飛・逆・派・紅
十《じっ》画《かく》▶馬・旅・脈・留・素・弱
十一《じゅういち》画《かく》▶強・鳥・第・率
十二《じゅうに》画《かく》▶属・貿
十三《じゅうさん》画《かく》▶路・遠・置
十四《じゅうよん》画《かく》▶鳴・態・誤・駅
十五《じゅうご》画《かく》▶選・潔・蔵・誕
十六《じゅうろっ》画《かく》▶館・衛・興
十七《じゅうなな》画《かく》▶厳・優・覧
十八《じゅうはち》画《かく》▶曜・験・臨
十九《じゅうきゅう》画《かく》▶臓
二十《にじっ》画《かく》▶競

まちがえやすい画数《かくすう》の形《かたち》

★一画《いっかく》で書《か》く形《かたち》

「㇕」…当・雪・片・五・円
「㇖」…欠・皮・波
「㇆」…力・刀・句・方
「㇈」…九・机・気・役・飛
「㇇」…友・冬・久・今
「㇇」…角・色・魚・通
「㇉」…弓・与・写・極
「㇄」…山・画・区・医・直・断
「㇜」…仏・公・台・広
「㇛」…女・好・母
「㇋」…吸・級

★二画《にかく》で書《か》く形《かたち》

「冖」…写・軍・売
「㇙」…政・武・御

★三画《さんかく》で書《か》く形《かたち》

「辶」…丶→㇋→辶
【例】返・送・逃・道・近
「廴」…㇇→㇋→廴
【例】延・建・健・庭
「阝」…㇇→㇌→阝
【例】都・郡・郷・部・限・院
「子」…㇇→了→子
【例】学・孫・孝
「弓」…㇕→㇕→弓
【例】強・弱・張
「幺」…㇜→㇜→幺
【例】系・素

改訂第三版

●監修
図書館情報大学名誉教授
聖徳大学教授　和泉　新

●編集委員
元東京都小学校国語研究会会長
元千代田区立番町小学校校長　河西　泰道

●指導
葛飾区立金町小学校教諭　小川　洋子

●校閲
漢字文化研究所顧問　川口　久彦

●編集協力　財津　有子
中川　裕子
㈱リブロ

●装丁　藤原　勝

●表紙イラスト　鴨沢　祐仁

●本文イラスト　横井　明子
市原　淳

この字典をつくるにあたり、前記のほか多数の先生方のご協力をいただきましたが、紙面の都合上お名前は略させていただきます。

〈初版〉

監修
青山学院大学教授　本堂　寛

編集委員
大東文化大学教授　黒須　重彦
筑波大学専任講師　藤堂　良明

執筆
河西　泰道
宗近　弘武
柳　みさほ
岡崎　妙子
岡根　千恵子
石川　英雄
酒井　均
松野　和宏
有馬　武裕
伊藤　至
黒羽　千秋
森田　妙子
渡辺　ちか子

本文デザイン
遠山　八郎
清水　統夫

イラスト・作字
つくだよしこ
須田　博行
高木　千尋
高広　正志
水野　鮎子
佐古　百美子
金子　仁美

くもんの学習　漢字字典
一九八九年一二月四日初版発行
一九九三年一〇月一三日改訂新版発行
二〇〇三年二月五日改訂第三版第一刷発行
二〇〇五年一月二七日改訂第三版第三刷発行
監修　和泉　新
発行人　土居　正二
発行所　株式会社　くもん出版
東京都千代田区五番町三－一　五番町グランドビル
郵便番号　一〇二－八一八〇
電話　編集部直通　〇三(三二三四)四〇六四
営業部直通　〇三(三二三四)四〇〇四
代表　〇三(三二三四)四〇〇一
印刷所　共同印刷株式会社
製本所　大口製本印刷株式会社

Printed in Japan ISBN4-7743-0651-7

部《ぶ》首《しゅ》一《いち》覧《らん》

数字《すうじ》は部首《ぶしゅ》さくいんのページです。

＊部首《ぶしゅ》の読《よ》み方《かた》は、一般的《いっぱんてき》に使《つか》われているものをしめしています。
＊「阝」には、右側《みぎがわ》につく「阝(おおざと)」と、左側《ひだりがわ》につく「阝(こざとへん)」があります。
＊「月」には「月(つき・つきへん)」と「月(にくづき)」があります。

一画《かく》

部首	読み	ページ
一	いち	656
丨	ぼう	656
丶	てん	656
ノ	の	656
乙	おつ	656
亅	はねぼう	656

二画《かく》

部首	読み	ページ
二	に	656
亠	なべぶた	656
人	ひと	656
亻	にんべん	656
𠆢	ひとやね	656
儿	ひとあし	656
入	いる	656
八	はち	656
冂	どうがまえ	656
冖	わかんむり	656
冫	にすい	656
凵	うけばこ	656
刀	かたな	656
刂	りっとう	657
力	ちから	657
勹	つつみがまえ	657
匕	ひ	657
匚	かくしがまえ(匸) はこがまえ	657
十	じゅう	657
卩	ふしづくり	657
厂	がんだれ	657
厶	む	657
又	また	657

三画《かく》

部首	読み	ページ
口	くち・くちへん	657
囗	くにがまえ	657
土	つち・つちへん	657
士	さむらい	657
夂	すいにょう	657
夕	た	657
大	だい	657
女	おんな・おんなへん	658
子	こ・こへん	658
宀	うかんむり	658
寸	すん	658
小	しょう	658
⺌	つかんむり	658
尢	だいのまげあし	658
尸	しかばね	658
山	やま	658
川	かわ	658
工	え	658
己	おのれ	658
巾	はば	658
干	いちじゅう	658
幺	いとがしら	658
广	まだれ	658
廴	えんにょう	658
廾	にじゅうあし	658
弋	しきがまえ	658
弓	ゆみ・ゆみへん	658
彡	さんづくり	659
彳	ぎょうにんべん	659
艹	くさかんむり	659
辶	しんにゅう・しんにょう	659
阝*	おおざと	659
阝*	こざとへん	659
忄	りっしんべん	659
扌	てへん	659
氵	さんずい	660
犭	けものへん	661

四画《かく》

部首	読み	ページ
心	こころ	659
戈	ほこがまえ・ほこづくり	659
戸	と・とへん	659
手	て	659
支	し	659
攵	ぼくづくり・ぼくにょう(のぶん)	659
文	ぶん	659
斗	とます	659
斤	おのづくり	659
方	ほう・ほうへん	660
日	ひ・ひへん	660
曰	ひらび	660
月*	つき・つきへん	660
木	き・きへん	660
欠	あくび・けつ	660
止	とまる	660
歹	かばねへん	660
殳	るまた・ほこづくり	660
毋	なかれ	660
比	ならびひ	660